LINUX 大 全

Special Edition

Using LINUX Third Edition

〔美〕Jack Tackett Jr. 和 David Gunter 著

万　华　李建森　何江华　等译

童寿彬　审校

電子工業出版社

Publishing House of Electronics Industry

北京·BEIJING

内 容 简 介

本书介绍的 Linux 是一个主要用于 IBM PC 及其兼容机平台上的多用户、多任务操作系统。Linux 是 UNIX 操作系统的兼容产品,具有 UNIX 的所有特性。本书共由七大部分和五个附录组成,对 Linux 做了深刻和全面介绍,主要内容有:Linux 的安装、配置、使用和管理;在 Linux 上安装和配置流行的 X 窗口服务器 XFree86;用 Linux 建立和配置 TCP/IP 网络及进行安全可靠的网络管理;Internet 的基本原理及新闻组和电子邮件等各种 Internet 服务,以及用 Linux 来获得各种 Internet 服务;用 HTML 制作 WWW 页面;建立和运行世界上最流行的 Web 服务器软件 Apache。

本书适合科技人员、大专院校教师、学生及广大计算机开发和应用人员以及关心并致力于开发我国具有自主版权的操作系统的人士阅读与参考。

书　　名:Linux 大全
著　　者:〔美〕Jack Tackett Jr. 和 David Gunter
译　　者:万华　李建森　何江华　等
审 校 者:童寿彬
责任编辑:黄志瑜
特约编辑:李洁生　陈熺
排版制作:电子工业出版社计算机排版室
印 刷 者:北京兴华印刷厂
出版发行:电子工业出版社　　　　URL:http://www.phei.com.cn
　　　　　北京市海淀区万寿路 173 信箱　邮编 100036　发行部电话 68214070
经　　销:各地新华书店
开　　本:787×1092 1/16　印张:38.75　字数:1001.6 千字
版　　次:1998 年 11 月第 1 版　1998 年 11 月第 1 次印刷
书　　号:ISBN 7-5053-4814-0
　　　　　TP·2338
定　　价:65.00 元
著作权合同登记号　图字:01-97-1873
凡购买电子工业出版社的图书,如有缺页、倒页、脱页者,本社发行部负责调换
版权所有·翻印必究

译 者 序

Linux 是一个主要用于 IBM PC 及其兼容机平台上的多用户、多任务的操作系统。Linux 是 UNIX 操作系统的兼容产品,它具有 UNIX 的所有特性。除了技术特性外,Linux 还有一个吸引人的特性,即它是一个自由软件。它是由世界各地许多计算机爱好者们开发的,人们可以自由地得到 Linux 的可执行程序及源代码。这对于想在 PC 机上学习和使用 UNIX 的人们来说无疑是一个难得的机会。

Linux 具有很强的实用性。现在,国外很多公司已把 Linux 用作他们内联网的廉价的 Web 服务器。Linux 还被用于各种网络应用,如 DNS、路由和防火墙。另外,许多 Internet 服务提供商(ISP)还把 Linux 用作他们的主要操作系统。

由于可以得到 Linux 的源代码,用户可以按照自己的意愿对其进行改造,以满足应用方面的特殊需要。使用 Linux 是安全可靠的,因为用户可以由自己用源代码来生成可执行程序,不必担心软件中的陷井。这对在安全性方面有较高要求的特殊用户来说尤为重要。使用 Linux 的另一个好处是不受商品化软件的制约,不会跟着软件公司产品的不断升级而造成投资的不断增加。

本书介绍了三个主要的 Linux 发行版本:Red Hat、Slackware 和 Open Linux Lite;介绍了 Linux 的安装、配置、使用和管理;介绍了如何在 Linux 上安装和配置流行的 X 窗口系统 XFree86。在网络方面,介绍了如何用 Linux 来建立和配置 TCP/IP 网络及进行安全可靠的网络管理;介绍了 Internet 上的新闻组和电子邮件等各种服务及如何用 Linux 来获得这些服务;介绍了如何用 HTML 制作 WWW 网页;还介绍了如何建立和运行世界上最流行的 Web 服务器软件 Apache。总之,本书对那些过去未接触过 Linux 和 UNIX 系统,又想更多地了解它们的人们来说是一本内容详细、通俗易懂的好书;对那些正在使用 Linux 进行开发研究的人们来说,也是一本不可多得的参考书。

参加本书翻译工作的人员有:万华、李建森、何江华、于柏林、何粼、夏宏、刘钰畴、吴修慧、温泉、曹华兵、罗晃、王平、胡国平、罗韧鸿、曲京、张玲玲、范庆英、左颖君、曾琪。全书由万华统稿,由童寿彬审校。

作 者 简 介

Jack Tackett Jr. 是 Research Triangle Park, N.C. 的一位自由职业作家和计算机顾问。他擅长于 C/C++ 和在高科技公司中使用的各种客户机/服务器应用。闲暇时, Jack 喜欢旅游、写作和阅读, 还喜欢与他的朋友们、他的家庭和他家中的两条狗, 以及在 Cary, N.C. 的新家中的两只猫一起欢度时光。他欢迎在 tachett@netwharf.com 上看到读者的批评。

David Gunter 是 Cary, N.C. 的一位信息技术顾问和作家。除软件开发外, 在过去十多年内他还参与了各种系统和网络的支持和管理工作。David 在田纳西州立大学获得计算机科学硕士学位。他是十本计算机著作的主要作者和贡献作者, 其中包括最畅销的 Que 出版的《Linux 大全》系列。他出版的作品还包括《使用 Linux》的第一、二和三版、《使用 Internet》第三版、《Netscape 初学者丛书》、《使用 Netscape 3》、《使用 Netscape 2》、《用 RPC 和 DCE 进行客户机/服务器编程》、《使用 UNIX》第二版和《使用 Turbo C++4.5》。当停止写作、咨询、研究和在互联网上浏览时, David 尽可能与他的美丽的妻子 Lola, 以及他们的狗和两只猫在一起度过时光。

有贡献的作者简介

Lola Gunter 是 Cary, N.C. 的一位技术顾问, 也是在 Web 和多媒体软件开发领域中的一位计算机顾问和技术文档的主管。她在北卡罗莱纳州 Asheville 大学获得学士学位。除了 Web 和 Internet 外, 她的兴趣还包括制作彩色玻璃、逗引她的德国牧羊犬以及旅游。

Peggy Tackett 是 Duke 大学的软件支持专家。作为 Duke 大学的老化和人类发展中心 (http://www.geri.duke.edu) 的 Web 管理员, 她教授使用 Web 的课程。在闲暇时, 她喜欢园艺和参加狗的救助组工作并经常在她能使她的丈夫离开计算机时一起去旅行。

谨以本书献给我的妻子 Peggy: 我爱慕你。

——Jack Tackett Jr.

谨以本书献给我的母亲。

——David Gunter

致 谢

Jack Tackett 致谢如下：

首先，我要感谢前两个版本的读者们，感谢他们的阅读和他们的有帮助的和真知灼见的批评。你们的批评是重要的和有意义的；正是因为你们的批评才有了这一更好的版本！

我要感谢世界各地的 Linux 开发者们作出的巨大努力。我还要对由 Linus Torvalds 开创的并由世界各地的许多其他人继续下来的卓越贡献表示敬意。感谢他们创造了 Linux 并为这一不朽的事业注入了新的生机。同样，还要感谢 Matt Welsh 等对 Linux 文档项目作出的贡献。还要为 Slackware 发行版本感谢 Patrick Volkerding。非常感谢 InfoMagic 的好人们，是他们为我们的读者制作了这样一套出色的 CD 组合。最后，我还要感谢 Red Hat 的全体人员，他们对准备本书提供了帮助。

其次，我要向 Que 联合体的工作人员表示敬意，我从未在出版业中见到如此坚强的敬业精神。他们的所有努力都是围绕这样一个目标：通过他们的集体努力生产合格的产品。我尤其要感谢 Fred Slone 和 Tracy Dunkelberger，在这个计划的启动和完成过程中我们始终得到他们的帮助。我还要感谢 Susan Dunn、Steve Burnett、Brandon Penticuff 和 Becky J. Campbell 所给予的帮助。

感谢 David Gunter，我的合作伙伴。还要感谢 Lance Brown、Lola Gunter 和 Margaret Tachett 在准备本书的过程中所给予的所有帮助。最后，感谢 Paul Barrett 在最初的研究工作中所给予的帮助，它最终导致了本书的出版。

感谢我的朋友们：Paul Barrett、Kaith E. Bugg、Gregg 和 Beckie Field、Dave 和 Lola Gunter、Kell 和 Joy Wilson 以及 Joe Williams。感谢我的家庭成员——Tackett 和 Martin——对我的努力的所有支持。另外，十分感谢我世界上最好的表兄弟——Bill 和 Hope Jackett Jr.。

我要感谢我最好的导师北卡罗莱纳州 Asheville 大学的 Joe Daugherty 博士。还要感谢 Blue Ridge 技术社区学院的 Myrtice Trent。感谢你们给予的帮助和鼓励。

最后，感谢我的妻子 Peggy，她再次容忍我在计算机上花费无数小时来写作一本计算机书籍。

谢谢，亲爱的，我爱你们！

David Gunter 致谢如下：

首先，我要感谢前两个版本的读者们。你们的批评和建议对我们继续在本版中改进本书起到了很大的作用。

我要感谢 Que 对本书做了工作的人们。特别感谢我们的组稿编辑 Tracy Dunkelberger，在与我合作时她总是那样专注！还要感谢 Susan Dunn 和 Steve Burnett 的出色的编辑工作。

最后，我要感谢我的妻子 Lola 在修订本书的最后三个月的工作中的耐心配合。

我们想听到你的意见！

作为我们尽可能制作最高质量的书籍的不断努力的一部分，Que 想听到你的意见。为更具有竞争力,我们很想知道你最喜欢或最不喜欢本书或 Que 的其他书籍的哪些部分。

请把你的批评、想法和改进建议发到如下地址:

The Expert User Team
E-mail:euteam@que.mcp.com
CompuServe:72410,2077
Fax:(317)581－4663

我们的邮政地址是:

Expert User Team
Que Corporation
201 West 103rd Street
Indianapolis, IN 46290－1097

你还可以访问我们用户组在 WWW 上的主页:
http://www.mcp.com/que/developer_expert
你的意见将帮助我们继续出版当今市场上最好的书籍。
谢谢。

专家用户组

目　录

引　言

《Linux 大全》的第三版本中有什么新内容呢？有很多！首先，我们对本书作了修订，重点介绍了 Red Hat。Red Hat 是目前最流行且最易于安装的 Linux 发行版本。你还会发现另一张 CD-ROM 盘，其中包含了 Caldera 的 Open Linux Base 产品的简化版本。但我们没有忘掉 Paul Volkerding 的流行已久的 Slackware 发行版本，因此我们还提供了 Slackware 96 的安装和使用材料。因此，只花一本书的钱，你得到的不是一个、两个，而是三个完整的 Linux 的发行版本。

其次，我们整整增加了数章内容来讨论如何取得、安装与设置 Apache（Apache 是世界上最流行的 Web 服务器软件）及在 Linux 系统中如何运行它。事实上，在随带的 CD-ROM 盘（见注释）中，你能找到 Que 的《用 Apache 运行出色的 Web 网点》的完整内容。在本书的其余章节中，你会找到最新的材料，因此，我们努力为你提供了世界上对 Linux 的最好的介绍。

但是，如果你初次接触 Linux，你或许想了解一下 Linux 到底是什么？

1991 年，当时 23 岁的大学生 Linus Torvalds 开始了把 Minix 操作系统扩展为 UNIX 操作系统的独立的兼容产品的个人计划。当时 UNIX 操作系统在大学校园里非常流行。这个计划还在进行——世界各地有很多人正在不断地改进和扩充 Linux。

Linux 是计算机发展中的一个独特产物。它不是一个由某家巨型公司支持的商品，而是一个产生于挫折，由世界各地的计算机爱好者组成的"杂牌军"建立的操作系统。这支队伍利用 Internet 资源相互交流，建立了称作 Linux 的操作系统。

不要把 Linux 仅仅看作是世界各地的黑客们（hackers）的业余爱好——完全不是！实际上，人们正在为 Linux 编写大量的商品化软件。一些公司把他们的基于 UNIX 的应用软件移植到了 Linux 中，例如，Corel 的 WordPerfect。你还会发现"世界 500 强"中的很多公司把 Linux 用于它们的内部项目和重要的应用中。有不被任何组织控制的产品理应是一件好事。

本书中你还将发现大量免费的可在 Linux 系统中使用的应用软件和实用程序。自从 Linux 出现以来，几乎整个 GNU 实用程序库都被移植到 Linux 上了，并且在 UNIX 类型的工作站上非常流行的 X Windows GUI 系统也被移植了。GNU（GNU's Not UNIX 的一个递归缩写词）是一项由个人发起的，使每个想得到软件的人都能得到软件的工程。附录 D 中的"GUN 通用公共许可证"描述了 Linux 和其他优秀的软件包的发行原则。本书随带的 CD-ROM 中包含了许多这样的软件包。

本书为读者提供了使用和赏识 Linux 的足够资料。本书随带的 CD-ROM 包含 Red Hat4.0 发行版本和 Slackware 96 发行版本，它们使用的都是 Linux 2.0.18 的内核（kernel）。

或许，第一件事情就是应该帮助读者了解 Linux 这个单词的读法。对大多数美国人来说，这个词读作 LEN - nucks，按音标[i]发音。正式读法是 LIEnucks，按音标[i:]发音。

注释：本书的原版书随书附光盘三张，考虑到我国读者情况，此套光盘（除 Caldera 版本外）将单独出版发行。需要光盘者，请与我社邮购部或电子出版部联系。联系电话：66708599 或 68159302-534

在 WEB 上：

你可以在 URL http://www.cse.psu.edu/~drost/linus.html 上看到和听到 Linus 先生读 Linux 的发音。

注释：

如果你不知道统一资源定位符(URL)是什么或如何使用它,不要灰心!本书将帮助你学会使用 Linux 漫游 Internet 的方法。

参见 28.1.2"了解 URL"。

谁应当使用本书

任何对 Linux 现象感兴趣的人都可将本书作为安装、配置和使用 Linux 的指南。Linux 通常被称作 UNIX 的兼容产品,但它实际上是一个用在 Intel 386 及其以后的处理器上的、符合 POSIX 标准的多用户、多任务操作系统。POSIX 是有关操作系统和软件的国际标准,它具体规定了软件的可互操作性标准。Linux 不需要 MS-DOS 或 Windows 进行操作,事实上,Linux 可以代替计算机里的 MS-DOS 或 Windows。

由于 Linux 仍然处在发展过程中,有必要知道可能会造成你的系统中的已有数据的丢失。不要在没有做系统备份之前安装 Linux。虽然可以在 MS-DOS 上安装 Linux 或在不丢失数据的情况下重新对硬盘分区,但为这个新的操作系统留出空间,对硬盘重新分区是必要的。本书及安装 Linux 的工作不适合于初学者。但是,只要加以小心,任何人都能安装 Linux,并喜欢上它。

注释：

Linux 的最新版本总是可以通过 Internet 从附录 A"信息源"中所列出的信息源中获得。本书随带的 CD-ROM 中包含的 Linux 可能是最新版本的,但是由于这个流行的操作系统的迅速发展及其发展的无序性,在一张 CD-ROM 中提供其最新、最好的版本是不可能的。事实上,尽管我们作出了很大努力使本书与 CD-ROM 一致,这也几乎是不可能的。商品化的软件不经常变化,且其变化发生在一定的控制条件下。与商品化软件不同,Linux 及其相关软件永远是动态的。

由于 Linux 非常接近 UNIX,使用 Linux 所需要的许多操作和过程也适用于许多 UNIX 系统。通过学习使用 Linux,也能学会如何使用大多数 UNIX 系统。

UNIX 系统发展了许多年,成为世界各地成千上万人使用的最主要的操作系统之一,这不是偶然的。早期的 UNIX 版本比其他操作系统更难操作,但是尽管如此,UNIX 还是在学术界拥有大量的追随者。这些专业人员不仅认识到 UNIX 是功能强大、灵活和易管理的操作系统,而且也认识到它有潜力成为最好的操作系统。正是他们的努力,使今天的 UNIX 达到了高峰。它具有出色的实用程序、最新的通信能力和图形用户界面。

今天的 UNIX 有望再次使个人计算机工业产生变革并可能改变其发展方向。UNIX 从一个小型机操作系统发展成了跨所有硬件平台的操作系统。没有任何理由认为这种变革会停滞。UNIX 可能最终将成为众多用户梦想的标准——所有的计算机系统的标准,不管它们的规模和功能如何,都能完全标准化和相互兼容。

来自不同销售商的 UNIX(包括用于 Intel PC 平台的版本)具有不同的风格,但大多数版本需要花费大价钱。但 Linux 为学习 UNIX 类型的过程和命令、X Windows 图形用户界面,以及通过 Linux 访问 Internet 提供了相当便宜(若能访问 Internet 则免费提供)的解决方案。

谁不应当使用本书

如果你是一位 Linux 内核黑客或一位 UNIX 高手,本书可能就不适合你的口味。本书对那些过去未接触过 Linux 和 UNIX 系统,又想更多地了解它们的人来说是详尽的信息来源。然而,即便你知道如何安装 Linux 和操作 UNIX,你仍可能发现本书有用处,特别是,如果你仅仅是一位 UNIX 用户,且从未有过执行系统管理任务的机会的话。本书用了几节篇幅来介绍系统管理的要点和如何维护一个 Linux/UNIX 系统。通常,一位普通 UNIX 用户不允许执行这些系统管理任务,但对 Linux 来说,你成了山中大王和系统的主宰,可以为所欲为!

如果你现在还不知道 MS-DOS 是什么,或是对计算机完全陌生的新手,你应在学习 Linux 之前补充一些计算机的基础知识。Linux 不适合于陌生的新手——你必须对计算机如何进行工作有一定了解。如果你对重新分区或重新格式化硬盘等概念还感到陌生,你应该先熟悉计算机系统,推迟学习 Linux。

使用本书需要的硬件

由于 Linux 不是商品化软件产品,它不象大多数商品化软件产品那样经过了严格的质量保证测试。而且 Linux 的大部分是计算机黑客们通过 Internet 网络编写的(这些黑客不是破坏者,而是那些确实喜欢编写实现某些目标的软件的人),因此,Linux 支持的硬件是不同的计算机黑客们自己拥有的硬件。表 1 是 Linux 支持的硬件的简明清单。如果你没有合适的硬件,你可能无法引导 Linux 和有效地使用这个系统。附录 C"Linux 硬件兼容性 HOWTO"提供了一个更完整的 Linux 支持的硬件清单。

表 1　Linux 支持的硬件简表

项　目	描　述
CPU	Intel 386 及后续的 CPU(包括各种兼容的 CPU)、DEC Alpha、Sun Sparcs 和 PowerMacs
总线	ISA、EISA、VESA 局部总线和 PCI;还未完全支持微通道总线
RAM	最小 2MB;建议使用 4MB
硬盘驱动器	AT 标准硬盘控制器;Linux 支持 MFM、RLL、ESDI 和 IDE 控制器,Linux 还支持几种流行的 SCSI 驱动器和 CD-ROM 驱动器
磁盘空间	最小 20MB;建议使用 80MB
显示器	Linux 支持 Hercules、CGA、EGA、VGA 和 SVGA 显示卡和显示系统;X Windows 另有要求,详见第六章"安装 X Windows 系统"
鼠标	任何标准的串行鼠标(例如,Logitech、Microsoft 或 Mouse Systems)或 Logitech、Microsoft 或 ATIXL 等公司的总线鼠标
CD-ROM	任何真正使用 SCSI 接口的 CD-ROM 驱动器;也支持一些专用的 CD-ROM 驱动器,如声霸(Sound Blaster)系列。在 Linux 上运行的已知的 CD-ROM 驱动器包括 NEC CDR-74、Sony CDU-45、Sony CDU-31a、Mitsumi CD-ROM 和 Texel DM-3042

项 目	描 述
磁带机	任何 SCSI 磁带机;也支持由软盘控制器控制的其他驱动器;目前支持使用 QIC 80 格式的 Colorado Jumbo 120 和 250 磁带机
打印机	能够在 MS-DOS 中访问的并行打印机都能够在 Linux 中访问;有一些特殊性能尚不支持
以太网卡	Linux 支持数种用于访问以太网的标准以太网卡。支持的网卡包括 3Com 公司的 3C503、3C509 和 3C503/16;Novell 公司的 NE1000 和 NE2000;以及 Western Digital 公司的 WD8003 和 WD8013

在 WEB 上:

Web 网点 http://glycerine.itsmm.uni.edu/mca/提供了有关支持微通道的更多情况。

如何使用本书

读者可以从头到尾地阅读本书。书中的内容是从简单到复杂按部分和章节组织安排的。由于本书分成七个部分和四个附录,每一部分都有其各自的重点,因此你可以有选择地阅读其中的某些部分以满足急需。但是,不要让急需妨碍你最终对每一章的关注。不论何时去阅读它们,你都能从中获得大量信息。

第一部分:安装 Linux

第一部分"安装 Linux"详细介绍了 Linux 系统并提供了安装和运行 Linux 的指导。它由七章组成:

第一章"了解 Linux"介绍 Linux 操作系统。

第二章"特性综述"全面概述了组成 Linux 系统的各个组成部分和各种 Linux 发行版本。该章还介绍了一些可用于 Linux 的新的商品化软件。

第三章"安装 Red Hat"为安装本书随带的 CD-ROM 中提供的 Red Hat 版本给出了详细的指导。

第四章"安装 Slackware 96"为安装本书随带的 CD-ROM 中提供的 Slackware 96 版本给出了详细的指导。

第五章"运行 Linux 应用程序"对设置 Linux 系统的过程作了基本介绍。

第六章"安装 X Windows 系统"为在 Linux 下设置和运行 X Windows 系统提供了必要的信息。在 Linux 下,X Windows 系统称为 XFree86,类似于其他 GUI 环境,如 Microsoft Windows 和 OS/2 Workplace Shell。

第七章"使用 X Windows"为在 Linux 下使用 X Windows 系统提供了必要的信息。

第二部分:系统管理

第二部分"系统管理"提供有关配置和管理的典型的 Linux 系统的基本信息。

第八章"了解系统管理"简要介绍了配置和维护 Linux 系统所需要的操作过程的背景知

识。

第九章"引导与关闭"详细介绍了引导和关闭 Linux 系统时所发生的各种事件。解释了为什么不能直接关闭电源。

第十章"管理用户帐号"介绍在你的机器上添加、删除和管理用户帐号的方法。

第十一章"备份数据"说明备份数据的必要性以及备份 Linux 系统所需要的操作过程。

第十二章"提高系统安全性"简要介绍 Linux 系统的系统安全性,并说明维护系统安全所需的过程。

第十三章"升级和安装软件"提供安装从 Internet 网得到的新软件所必需的信息,还介绍了如何修补已有软件。

第三部分:管理文件系统

第三部分"管理文件系统"详细介绍了如何更有效地使用 Linux 的各种特性。这三章中的所有内容都能很容易地用到其他的 UNIX 类型的系统中:

第十四章"管理文件系统"对在 Linux 下建立、安装和使用文件系统进行了概述。

第十五章"了解文件和目录系统"详细讨论了 Linux 命令的语法、在命令提示符下执行命令、语法分析、命令解释和命令反馈。

第十六章"管理文件和目录"详述了 Linux 文件系统的结构和组织、文件命名约定以及目录层次结构。该章还介绍了成功地驾驭 Linux 文件系统的方法。

第四部分:使用 Linux

第四部分"使用 Linux"增加读者使用 Linux 命令行工具和实用程序的技巧。

第十七章"了解 Linux 的各种 Shell"向读者介绍了 Linux shell 的神奇世界、使用 shell 脚本获得的强大功能和在不同版本的 Linux 中可能遇到的不同 shell。

第十八章"多进程管理"深入探讨同时运行一个以上的进程时 Linux 的功能。本章中读者将学习如何创建和管理多个进程,以及如何控制和停止它们。

第十九章"使用 vi 编辑程序"指导读者如何使用 UNIX 的直观的编辑程序。尽管 vi 不是世界上生产效率最高的编辑程序,但每个 Linux/UNIX 系统都带有 vi 兼容的编辑程序,并且它有时是唯一可用的编辑程序。

第二十章"使用 emacs 编辑程序"指导读者如何使用由 GNU 的创始人 Richard Stallman 编写的 emacs 这个普遍使用的 UNIX 编辑程序。

第二十一章"打印"涵盖了从发出打印命令和检查打印机状态到取消打印作业和处理常见的打印问题等有关打印的所有基本内容。

第五部分:网络管理

第五部分"网络管理"帮助读者进一步理解管理一个健全的 Linux 系统所必需的操作过程和操作步骤。

第二十二章"了解 TCP/IP 协议集"综述了这个当前在 Internet 网上最常用的网络传输协议集。

第二十三章"配置 TCP/IP 网络"说明如何在 Linux 上建立和配置 TCP/IP。

第二十四章"配置域名服务"提供了配置系统并运行域名服务(DNS)所必需的信息。

第二十五章"使用 SLIP 和 PPP"说明如何配置和使用串行线路 Internet 协议(SLIP)和连接 Interent 线路的点对点协议(PPP)。

第六部分：使用 Internet

第六部分"使用 Internet"的五章中对 Internet 网的基本内容作了综述。

第二十六章"了解 Internet"解释这个已成为信息高速公路的网络中的网络。

第二十七章"用 Telnet、ftp 和 r-命令访问网络"为读者介绍了使用 Telnet 和 ftp 等各种程序访问世界各地的信息的方法。

第二十八章"用 WWW 漫游 Internet"对使用各种 Linux 实用程序从 Internet 上查找和获取信息作了综述，重点介绍了 Web。

第二十九章"使用电子邮件"对电子邮件和在 Linux 中使用电子邮件的方法作了综述。

第三十章"使用 Usenet 新闻"对 Usenet 新闻组进行了介绍，然后为读者访问这个全球性的新闻组社区提供了指导。

第七部分：建立 Web 网点

第七部分"建立 Web 网点"详细介绍了在 Linux 上建立和运行一个 Web 网点的有关信息。本部分由四章组成。

第三十一章"用 HTML 建立 Web 文档"介绍如何使用 HTML 为 Linux 系统制作 WWW 主页。

第三十二章"开始使用 Apache"介绍了开始使用 Apache 的基础知识。内容包括编译和安装 Apache，以及基本的配置选项。

第三十三章"配置 Apache"讨论 Apache 中的主要配置选项，包括 MIME 类型、索引、服务器端的包含文件、图像映射和虚拟主机。

第三十四章"管理 Internet Web 服务器"讨论与管理一个 Web 服务器有关的各种管理概念，包括控制服务程序的子进程、提高服务器效率、管理注册文件和处理安全问题。

附录

附录 A"信息来源"为读者提供了与 Linux 有关的书籍、杂志、Usenet 新闻组和 FTP 网点的一个详细清单。还为读者简要介绍了 Linux 用户可以得到的种种资源。

附录 B"Linux HOWTO 索引"提供了一个包括所有可得到的主要的和小型 HOWTO 文档的清单。这些 HOWTO 文档提供有关如何用 Linux 完成一个特定任务的信息。这个索引恰恰来源于 Internet。

附录 C"Linux 硬件兼容性 HOWTO"提供了与目前的 Linux 发行版本所支持的硬件有关的重要细节。它也来源于 Internet。

附录 D"GNU 通用公用许可证(General Public License)"是使用 GNU 应用程序的书面许可证。它描述了使用 GNU 程序时应负有的责任。

附录 E"Caldera Open Lite CD-ROM"对基于 Linux 的最流行的商品化产品之一 Caldera Open Linux Base 作了简要介绍。

本书中使用的约定

本书使用了几个特殊的约定,读者必须熟悉它们。下面列出了这些约定,以供参考:Linux 是大小写敏感的操作系统;这意味着当按本书指导在命令或 shell 提示符下键入字符时,必须准确键入书中出现内容,大小写必须与书中完全一样。本书使用了一种特殊的字形来书写 Linux 命令,以便把它们与标准文本区别开。如果读者被指示键入某些内容,那么读者要键入的内容是以粗体出现的。例如,如果本书指示读者:

键入 cat

则读者必须按字母键 < c > , < a > 和 < t > ,然后按 < Return > 键。

有时要使用组合键,遇这种情况,这些键将表示成如下形式: < Ctrl-h > 。这个例子表示读者必须按住 < Ctrl > 键,再按 < h > 键,然后一起松开这两个键。

注释:

本书使用的键名的约定可能不同于读者习惯的用法,为了避免与大小写敏感的 UNIX 环境相混淆,本书对那些通常用大写字母代表的键用小写字母来表示。例如,本书用 < Ctrl-c > 形式代替 < Ctrl-C > 形式(后一种形式可能会使读者疑惑是否应该按 < Ctrl > 和 < Shift > 以及 < c >)。

本书的一些例子清单中给出了键入一个特定命令后在屏幕上的部分输出。这些清单中显示了命令提示符或 shell 提示符——通常是一个美元符($)——和其后的以粗体印刷的读者应键入的内容。在你自己的系统上做这些例子时,不要键入美元符。试看下例:

$ lp report.txt &

3146

$

你应该只键入第一行中以黑体形式印刷的内容(即,键入 lp report.txt &,然后按 < Return > 键)。这个清单后面的显示行的是 UNIX 对这个命令的响应。

讨论 Linux 命令的句法时,本书用一些特殊的格式区分命令要求的部分和变量部分。试看下面的例子:

lp *filename*

在这个语法表示式中,命令的文件名部分 filename 是一个变量,也就是说,它的具体值取决于要执行 lp 命令的实际文件名。lp 是必需的部分,因为它是实际的命令名。变量信息用斜体表示,用非斜体表示的信息要按照原样准确地键入。

在有些情况下,命令中可能包含了可选项,即它对执行命令不是必需的。命令句法表示式中的可选的部分用方括号([ ])括起来。试看下面的例子:

lp *filename* [*device1*] [abc]

这里,lp 是命令的名称,它既不是可选的,也不是变量。device1 参数既是变量又是可选的(它以斜体印刷并用方括号括起),这意味着你可以在 device1 的位置上键入任何设备名(不带方括号),或根本就不为这个参数键入任何值。abc 参数是可选的(如果不想用它就不必用它),但它不是一个变量,如果使用它,就必须像书中完全一样地键入它,同样不带方括号。

本书中的提示、注释和警示都以特定的格式出现,以便易于找到它们所包含的信息。与书中内容前后不关联的较长的论述以附注形式出现,并带有它们自己的标题。

　　本书中还含有许多对相应主题的交叉参考。典型的交叉参考以如下形式出现:

　　参见"使用 X Windows"。

第一部分　安装 Linux

第一章　了解 Linux

本章内容
- □ Linux 是什么?

  Linux 是一种可以免费获得的操作系统。
- □ 为什么使用 Linux?

  本章简要介绍 Linux 的许多用途。
- □ UNIX 有哪些不同的版本?

  有多种风格的 UNIX,每种 UNIX 都有一个共同的基础和(有时是)一个祖先。本章详细讨论这种有趣的操作系统的历史。
- □ Linux/UNIX 有哪些特点?

  本章简要概述了用户能够使用的许多特点。
- □ Linux 归谁所有?

  本章讨论常常令人困惑的 Linux 的归属问题。

要了解 Linux,必须首先了解"UNIX 是什么"。这是因为一开始 Linux 是在基于 Intel 的计算机上建立 UNIX 的工作版本的一项工程。基于 Intel 的计算机更多地被称作 IBM PC 及其兼容机,这是大多数人都熟悉的。

UNIX 无可争辩地是目前在科学领域和在高端工作站上用得最多和最流行的操作系统。本章说明为什么要选择类似 UNIX 的 Linux 来取代其他用于 Intel 平台上的操作系统,如 MS-DOS、Windows 95、Windows NT 或 OS/2 等。

1.1　Linux 是什么

Linux 是用于多种计算机平台的操作系统,但主要用于基于 Intel 的个人计算机上。这个系统是由全世界各地的数以百计的程序员设计和实现的。其目的是建立不受任何商品化软件的版权制约的、全世界都能自由使用的 UNIX 兼容产品。

实际上,Linux 开始于 Linus Torvalds 的业余爱好,当时他是芬兰赫尔辛基大学的学生。那时他想建立一个代替 Minix 操作系统的、可用于基于 Intel 的个人计算机上的 UNIX 类操作系统。

注释:

如果读者对本章中的有些术语还不熟悉的话,不要着急,我们将在本章中解释其中的许多术语。

1.2　为什么使用 Linux

如果你有一台计算机,你就必须有一个操作系统。一个操作系统是一个复杂的计算机程序集,它提供操作过程的协议或行为准则。没有操作系统,你的计算机就毫无用处,不能解释和执行你输入的命令或运行简单的程序。大多数操作系统都是由一些主要的软件公司支持的商品化程序。如果你购买一个操作系统,你就必须满足于供应商所提供的一切。因为操作系统是专有程序,你不能修改或试验操作系统的内核。

应用程序是你购买的、用于从事某些活动(如字处理)的软件包。每个软件包都为特定的操作系统和机器编写。同样,你也无权修改商品化的应用程序。

Linux 是目前唯一可免费获得的、为 IBM PC 及其兼容机硬件平台上的多个用户提供多任务、多进程功能的操作系统,这是人们要使用它的原因。没有其他操作系统能够提供 Linux 所提供的强大功能。Linux 还使你不受各种商品化软件提供者的促销花招的影响。你不用再苦于每过几年就升级一次,并花费可观的资金去升级所有的应用程序。与 Linux 源代码本身可以从 Internet 网上获得一样,Linux 的许多应用程序也可以免费从 Internet 上获得。这样,你就可以根据需要获得源代码,以便修改和扩充操作系统。这对 Windows NT、Windows 95、MS-DOS 或 OS/2 等商品化操作系统来说是无法做到的。

摆脱商品化软件供应商的束缚也是使用 Linux 的一个潜在缺点。由于没有一个商品化软件供应商支持 Linux,要获得帮助就不仅仅是打一个电话的事。Linux 有时是很挑剔的,可能在很多硬件中不能正常运行。还存在破坏和删除你的系统中的已有数据文件的可能,因为 Linux 经常变化,并且在发行前没有经过严格的测试。

Linux 不是一个玩具;Linux 在很多系统上是相当稳定的,从而为你学习和使用目前世界上最流行的 UNIX 操作系统提供了廉价的机会。现在有许多 CD-ROM 供应商和软件公司(如 Red Hat 和 Caldera)支持 Linux 操作系统。Linux 成为其他 UNIX 系统的一个代用品,并能用于替代那些较为昂贵的系统。因此,如果你白天在 UNIX 系统上编程,或者如果在工作中你是一位 UNIX的系统管理员,就能在家拥有一个 UNIX 类的系统。你能够在家中使用 Linux 完成你的一些工作任务。如果你对 UNIX 没有一点了解,那么,Linux 就为你对世界上流行的 UINX 操作系统提供了廉价的介绍。

此外,Linux 还为你提供了便于访问 Internet 的手段。

1.3　UNIX 的版本

UNIX 这个名称包含很多内容。它是现今计算机产业中使用的与上下文关系最密切的术语之一。为了更好地理解某人使用 UNIX 这个字的含意,你必须知道指的是这个操作系统的哪个版本。

目前 UNIX 是 X/Open 的一个商标,其销售必须经过特许。虽然有多个不同的供应商提供 UNIX 的多个版本,但这些版本可分成两个主要类型:系统 V 或 Berkeley 软件发行版本(BSD)。UNIX 系统 V 是由 UNIX 的创始者 AT&T 的贝尔实验室开发的。BSD UNIX 指由加利福尼亚大学 Berkeley 分校开发并推广的 UNIX 版本。最流行的 BSD UNIX 版本是由 Sun Microsystem 为其功能强大的工作站而推出的。

注释:
　　随着 UNIX 系统 V 推出版本 4,AT&T 和 Sun Microsystem 将他们的两个 UNIX 版本合并到 UNIX 系统 V 中了。由于这次合并及围绕 UNIX 系统 V 标准的这次工业联盟,UNIX SystemV 现在被认为是标准的 UNIX 系统。

对 UNIX 操作系统来说最好的事件无疑是系统 V 版本 4.2(SVR4.2)的开发。由 UNIX 系统实验室(USL,现在归 Nippon Santa Cruz 公司所有,后者是 Santa Cruz Operation 公司的一个全资子公司)建立和推广的 SVR4.2 把 UNIX 的强大功能与"用户友好的"图形用户界面(GUI)结合起来了。其结果是形成了一个容易被计算机初学者掌握或容易被系统管理员与其他专家彻底定制的操作系统。

在 SVR 4.2 版本之前,UNIX 用户在登录到系统上后,只能看到一个命令行提示符(单个美元符)。由于没有明显的屏上指导,没有经验的用户常被吓得放弃 UNIX 而选用其他较容易使用的操作系统。无疑这个(常常)使人害怕的美元符使 UNIX 早期得到了不友好的操作系统的名声。尽管经验和口碑消除了一些用户的顾虑,但这是一个缓慢消失的过程——直到现在仍然如此。

1.4　UNIX/Linux 特性综述

使用 UNIX 操作系统(以及 Linux 操作系统)带来的种种好处源于其强大的功能和灵活性。这些好处是 UNIX 中内置的许多特性所带来的,你一打开系统就可使用这些特性。下面几节将更仔细地对这些特性进行考察。

1.4.1　多任务

多任务这个词描述的是同时执行多个程序,并且不妨碍每个程序的运行。大多数 UNIX 的变体使用一种称作抢占调度(preemptive)的多任务。这个名称基于这样一个事实:每个程序都保证有机会运行,每个程序都一直执行到操作系统抢占 CPU 让其他程序运行为止。这正是 Linux 使用的多任务类型。

MS-DOS 和 Windows 3.1 不支持抢占调度多任务;但它们支持协作(cooperative)多任务。在协作多任务中,程序一直运行到它们主动让其他程序运行,或运行到它们已没有任何事情可做为止。

为更好地理解 Linux 的多任务性能,我们从另一角度来作一番考察。计算机中的微处理器在某一时刻只能做一件事,但它能在非常短的时间段中完成那些独立的任务,这些时间段短得难以察觉。处理一条指令的速度就更快了。例如,现在典型的微处理器以 75MH 到 300MH(兆赫兹)或更快的速度运行。这意味着它们能每秒传输 75 百万位~300 百万位,通常只需 6 个毫微秒(十亿分之一秒)完成一条指令的操作。人的思维不能发现这么短的时间间隔与同时发生之间的区别。简言之,这些任务似乎是同时执行的。

使用一个实际的例子或许能进一步说明多任务。假设,你正在使用电子表格应用程序,发现本月的信息还没有从数据库合并到这个电子表格中。通常,这需要数分钟来完成。于是,你在启动了这个数据合并进程后,切换到另一个 Linux 终端窗口,对正在准备的报告进行操作。在结束这个报告的准备工作前,你切换到最初那个 Linux 虚拟终端来检查电子表格合并进程的进展情况。看到它还没有结束,你再切换到准备报告的终端窗口,发现某些要用的信息放在以前写的一封信中。因此你再打开另一个窗口,找出包含这封信的文件,使用复制实用程序取出所要的信息,并返回准备报告的终端窗口,在那里你把复制的信息粘贴到相应的位置——这些都使用同一个字处理程序。Linux 通知你合并进程现在已完成,于是你关掉字处理窗口,并返回到最初的电子表格窗口,在此完成你的工作。

你肯定已经看到了使用抢占多任务功能的好处。除了减少"等待时间"（由于一个进程还未结束，使得你不能在一项应用上继续工作）之外，在打开和使用其他窗口前不必关闭应用程序窗口的灵活性更是大大方便了用户。

Linux 和其他抢占多任务操作系统通过监视等待运行及正在运行的进程来完成抢占调度。系统调度每一个进程平等地访问微处理器。结果，打开的应用程序看起来像在并行运行；事实上，从处理器执行一个应用程序中的一组指令到 Linux 调度微处理器再次运行这个程序之间只有很短的时间延迟。

这是一个具有为运行多个应用程序分配处理器时间的能力的、可以免费获得的操作系统。正是这一点使 Linux 有别于目前可以使用的其他操作系统和环境，如 Windows 3.1 和 Windows 95、MS-DOS 以及 UNIX 的商品化版本。Linux 的另一个重要特点是用户可以获得操作系统的源代码。这样，如果用户希望修改操作系统的工作方式，并且具有实现这种修改所需的能力的话，用户就可以按自己的意愿去修改 Linux 操作系统。商品化软件的供应商决不会允许用户得到他们的源代码从而去修改他们的软件。

1.4.2 多用户

在短短的几年前，在一台个人计算机上实现由多个用户同时访问应用程序或处理功能的概念仅仅是一个梦想。UNIX 和 Windows NT 促使这个梦想变成现实。Linux 把微处理器的时间分配给许多应用程序的能力自然适合于同时支持多个运行一个或多个应用程序的用户。Linux 的多用户及多任务的真正显著的特性在于：多个用户能够同时从相同或不同的终端上用同一个应用程序的副本进行工作。不要把这一特性与多个用户同时修改同一文件相混淆，后者是有害的和绝对不希望的特性。

同样，一个实际例子有助于读者进一步理解多用户特性。假设一个公司的员工都与一个 Linux 系统联网。当一位雇员在润色将要发出的信函时，另一位正在造公司的花名册。还有一位在使用同一个字处理软件包，从图形包中引入图片来准备一个带图形的演示；而与此同时，公司老板为准备他的报告正从数据库中提取信息，使用的（你猜对了）也是同一个字处理应用程序。

在结算大厅中，三位数据录入员正在修改同一个结算数据库中的文件；在邮递室中的超级用户（supervisor）在修改将要发送的文件，同时也在修改那个结算数据库。与此同时，系统管理员在为一位新雇员建立帐号并冻结一位因长期缺席而离开公司的雇员的帐号。

虽然可能很难想象这种情景，但在世界各地使用 UNIX 操作系统的办公室中，上述情景每天都数千次地在重复。Linux 是可以免费获得的 UNIX 的兼容产品，许多 Linux 系统被配置成供很多用户使用；另一些系统只为少量用户建立帐号。

1.4.3 可编程 Shell

可编程 shell 是 UNIX 的，从而也是 Linux 的另一个重要特性，这使它成为可获得的最灵活的操作系统。那些有足够胆量去掌握 Linux 命令语法的细节的人们可以在 shell 的领域内发现一个全新的天地。

虽然在向 Bourne、C 或 bash Shell 发起猛烈的进攻时不应当气馁，但也应当认识到，在没有合适的指导和准备的情况下，shell 程序设计将是充满挫折的艰难历程。你应该在手头有一本可靠的参考手册(就像你正在阅读的这一本),并且一旦陷入困境,有一位好的系统管理员或其他 Linux 专家的电话号码。

参见第十七章"了解 Linux 的各种 Shell"。

对那些期望得到管理像 Linux 这样功能强大的操作系统的有益经验的人们来说,强调 Linux 的命令语法的重要性不会过份,语法仅仅是命令行的序列和形式。Linux 的 shell 扫描每个命令行以判断格式和拼写是否与其协议一致。

shell 的扫描过程称做语法分析——命令被分解成许多易于处理的组成部分。每个组成部分(包括那些把附加含义传递给 shell 的特殊字符)都被解释和执行。这些特殊字符被进一步扩展成相应的命令进程并被执行。

虽然许多 UNIX 和 Linux 版本中包括多种 shell,但它们工作方式都基本相同。shell 在用户与内核(Linux 操作系统的心脏或大脑)之间起翻译作用。可得到的三种 shell 之间的主要区别在于命令行语法。虽然没有严格的界限,但是若将 C Shell 的命令或语法用于 Bourne 或 bash shell 会遇到麻烦。

或许有助于你进一步理解 UNIX 和 Linux shell 程序设计的最简单情况是后台处理。例如,你应当不时地备份你的全部或部分系统软件,以防意外删除或硬件故障。如果那些文件和与它们有关的目录容量很大,备份过程会花费相当长的时间。

以一个简单的、由一到两行命令组成的 shell 程序,一个备份进程就能与你要做的其他操作并发运行。在编制这个 shell 及启动这个备份进程后,你就可以打开另一个窗口以访问要用的应用程序并开始你在其中的工作。当那个后台处理进程结束时,UNIX 就发出那个作业已结束的通知。

Linux 的 shell 程序设计所能完成的不同功能与许多人希望要它完成的一样多。许多人使用这种编程特性使他们的系统个性化,使它们对用户更友好些。还有一些人发现这种特性用于优化他们运行的许多应用程序很有帮助,这种特性允许他们在后台执行多个进程,这样他们就有空来做其他工作。

一些用户甚至走得更远,他们将多个进程或应用程序连接在一起,这样他们就能减少他们的工作量(或许只是一次数据录入工作),使系统同时更新多个软件包。使用 Linux shell 编程能做什么只受用户的想象力的限制。

1.4.4 UNIX 下的设备独立性

初看起来,你的计算机系统的外设是否能独立操作似乎不太重要。但当你从 UNIX 的多用户环境来看待这些外设时,设备独立性对工作量很大的工作站来说就很重要了。要理解设备独立性的重要性,必须首先了解其他系统是如何看待与之相连的外围设备的,以及 UNIX 是如何看待它们的。

计算机系统一般都能支持如打印机、终端、磁盘驱动器和调制解调器等外围设备。技术的迅速发展还加入了大量的、我们未列出的其他设备。当操作系统不能访问某种外设,从而使得用户不能利用它时就会遇到种种困难。这可能是由系统结构不兼容、操作系统寻址局限性等等原因造成的。

UNIX 通过把每一个外围设备看作一个独立文件来回避增加新设备的问题。当需要增加新设备时,系统管理员就在内核中增加必要的连接。这种连接(也称作设备驱动程序)保证每次调用设备提供服务时,内核以相同的方式来处理它们。

当新的及更好的外设被开发并交付给用户时,UNIX 操作允许在这些设备连接到内核后,就能不受限制地立即访问它们。设备独立性的关键在于内核的适应能力。其他操作系统只允许一定数量或一定种类的设备。UNIX 能够容纳任意种类及任意数量的设备,因为每一个设备都是通过其与内核的专用连接独立进行访问。

1.4.5 Linux 下的设备独立性

Linux 与 UNIX 一样享有设备独立性带来的许多好处。可惜的是,Linux 的最好的特征之一——不受制于商业实体——也是它最大的不利方面。Linux 是近几年中由世界各地的程序员开发的。这些程序员没有用到为 IBM PC 及其兼容机制造的所有设备。事实上,Linux 不能在那些支持微通道总线的 IBM PC 上运行。如附录 D"Linux 硬件兼容性 HOWTO"中说明的那样,Linux 确实支持很多 PC 硬件。

然而,由于 Linux 是 UNIX 的一个兼容产品,它也具有高度适应能力的内核;随着更多的程序员加入 Linux 工程,更多硬件设备会加到各种 Linux 内核和发行版本中。最后,由于你具有内核源代码,你或者你雇佣的人能够修改内核以适应新增加的设备。

1.4.6 通信和联网

UNIX 在通信和联网的实用程序方面优于其他操作系统是显而易见的,Linux 也不例外。其他操作系统不包含如此紧密地和内核结合在一起的连接网络的能力,也没有内置这些联网特性的灵活性。不论你通过电子邮件实用程序与另一位用户交谈,还是要从国外系统下载大型文件,Linux 都为此提供了实现手段。

访问 Internet 是目前的一个热门话题,人们正在软件上花费大量的金钱,以便他们的 PC 计算机能够搭上这个信息高速公路的快车。你可以用 Linux 免费获得所有这些软件! Internet 是在 UNIX 领域中建立并繁荣起来的,在那里使用 Linux 是相当方便的。你马上能用 Linux 与世界上的其他人通信。

其次,你还能通过一些 Linux 命令(包括 cu 和 uucp,也包括 write,call,mail 和 mailx)完成内部信息或文件的传输。同一系统中用户交换信息是由终端到终端的通信、电子邮件和一个工作日程表/信息管理程序的自动日历来完成的,了解这点有助于对这些命令的功能的理解。

Linux 的通信扩展存在于 cu 和 uucp 命令(用于外部通信)中。Linux 不仅允许进行文件和程序的传输,它还为系统管理员和技术人员提供了访问其他系统的窗口。通过这种远程访问的功能,一位技术人员能够有效地为多个系统服务,即使那些系统是在相距很远的地方。

UNIX 中的联网能力不用多加说明。这个操作系统从一开始就被设计成支持多任务和多个远程用户。UNIX 的这些特性使它在科学界和教学界具有主导地位,同样由于这些特性使它很自然地成为专业市场上所选择的操作系统。作为商品化 UNIX 系统的一个独特的替代品,Linux 所走的道路与此相同。

1.4.7 开放系统的可移植性

在对标准化的永无止境的追求中,许多组织一直对操作系统的发展方向感兴趣。UNIX 的标准化的动力源于目前存在的 UNIX 的多种变体。下面一节中我们将介绍这些变体是如何发展的。

人们一直在努力组合、整理及吸纳所有的 UNIX 版本使之成为这个操作系统的单一的、包罗万象的版本。最初,这种努力得到了谨慎的支持,并且还为达成融合不同的版本的条件作出了一些努力。与许多其他努力一样,这种努力也宣告失败了,因为开发商们不愿意牺牲他们在他们的特殊版本中的任何投资(遗憾的是,许多开发商仍然保持这种态度)。

对 UNIX 变体的继续存在不必引起恐慌。尽管它们是不同的变体,但所有的变体仍然天生就强于目前可得到的所有其他操作系统,因为每一种变体都包含了前面几页中描述的那些特性。

可移植性指的是将操作系统从一个平台转移到另一个平台使它仍然能按其自身的方式运行的能力。UNIX 的确是一种可移植的操作系统。最初,UNIX 只能在特定的平台(DEC PDP-7 小型机)上运行。现在,许多 UNIX 变体能够在从膝上计算机到大型机的任何环境中和任何平台上运行。

可移植性为运行 UNIX 的不同计算机平台与其他任何机器进行准确而有效的通信提供了手段,不需要另外增加特殊的和昂贵的通信接口。现有的其他操作系统都达不到这个要求。

1.5 Linux 的简短历史

Linux 的历史是与 UNIX 的历史和(在较小的程度上)与一个称作 Minix 的程序的历史联系在一起。Minix 是由一位著名的、受人尊敬的计算机科学家 Andrew Tannebaum 编写的一个操作系统示教程序。这个操作系统曾经在一些 PC 平台(包括基于 MS-DOS 的 PC 机)上流行起来。我们稍后更详细地介绍 Minix。首先简要介绍 UNIX 的历史。

虽然 AT&T 发明了 UNIX 操作系统,但是其他许多公司和个人在这些年一直在试图改进其基本设计思想。下面几节将讨论目前使用的一些主要的 UNIX 变体。

1.5.1 AT&T

Ken Thompson(AT&T 的贝尔实验室的一位计算机程序员)和 Ken 领导下的小组开发了一个灵活的、完全适合程序员们的各种要求的操作系统。Ken 那时一直使用 MULTICS 操作系统。据说,他是在与他的开发小组中的其他人开玩笑时把这个新产品命名为 UNIX 的。他是在讽刺 MULTICS 多用户操作系统:UNIX 来源于 uni(意指一个或单一)后面跟以同音的字母 X。也许这个传说的更大的讽刺意义在于这么一个事实:MULTICS 作为一个可行的多用户操作系统现在几乎已被人们遗忘了,而 UNIX 却已成了多用户、多任务操作系统的事实上的工业标准。

1.5.2 BSD

加利福尼亚大学 Berkeley 分校的 Berkeley 软件销售部(BSD)于 1978 年发表了它的第一个 UNIX 版本,这个版本是基于 AT&T 的版本 7 的。正如工业界尽人所知的那样,BSD UNIX 增加了由 Berkeley 学术界发展的、意在增加 UNIX 的更友好的用户界面。BSD UNIX 的"改进"使 U-NIX 既吸引高级程序员(他们喜欢它在适应他们不断变化的需求方面的灵活性),又吸引普通用户进行尝试。尽管它与 AT&T 的原版 UNIX 不是百分之百地兼容,但 BSD 确实达到了它的目的。增加的特性促使普通用户使用 UNIX。

BSD 已经成了学术界的 UNIX 标准。以后,BSD 的创始人为 Intel 平台发表了一个版本,这个版本(足以)称作 BSD。此版本在 Internet 网上和通过 CD-ROM 供应商也有少量发行。这个版本的作者们几年前还在计算机杂志《Dr.Dobb's Journal》上发表了数篇文章,详细介绍 BSD386 或 FreeBSD 的设计和实现。目前,FreeBSD 的商品化版本 BSDI 是一个与 Linux 相似的另一个流行的操作系统。

1.5.3 USL

UNIX 系统实验室(USL)曾是 AT&T 的一个控股子公司,它从 80 年代初期开始开发 UNIX 操作系统。在 1993 年被 Novell 购买之前,USL 为业界的所有 UNIX 系统 V 的衍生产品生产源代码。但那时 USL 自己却不销售简化的产品。

USL 最后的 UNIX 发行版本是 UNIX 系统 V 版本 4.2(SVR4.2)。SVR4.2 标志着 USL 首次进入炙手可热的 UNIX 市场。在一次与 Novell 的联合投资中(Novell 临时组建了一个名为 Univel 的公司),USL 生产了 SVR4.2 的一个简化版本,叫做 UnixWare。Novell 收购 USL 后,Novell 把 USL 的重点从过去的源代码生产者改变为 UnixWare 的生产者。现在 Novell 把它的 UNIX 版本卖给了 Santa Cruz Operation(SCO)公司。

1.5.4 XENIX、SunOS 和 AIX

在 70 年代后期和 80 年代初期,在 PC 机革命的高峰时期,Microsoft 开发了它的 UNIX 版本:XENIX。PC 机上的处理功能开始与当时的小型机的处理能力相抗衡。随着 Intel 80386 微处理的出现,人们不久就发现,专门为 PC 机开发的 XENIX 不再是必需的了。Microsoft 和 AT&T 把 XENIX 和 UNIX 合并成为一个称作系统 V/386 版本 3.2 的操作系统,该系统能够在任何实际使用的普通硬件配置上运行。XENIX 至今仍可从 Santa Cruz Operation(SCO)公司买到。Santa Cruz 是 Microsoft 的合作开发者,它努力在 PC 机市场上推广 XENIX,这使得 UNIX 的这个版本成了商业上最成功的版本之一。

Sun Microsystems 公司通过推广 SunOS 和有关的工作站,对 UNIX 的市场化作出了很大的贡献。Sun 在 UNIX 方面的工作产生了一个基于 BSD 的版本。有趣的是,AT&T 的 SVR4 也与 BSD 兼容——毫无疑问,它是 AT&T 与 Sun Microsystems 在 UNIX 系统 V 版本 4.0 的协作中的一个分支。

IBM 在 UNIX 领域中的投资产生了一个称作 AIX(高级的、交互的和可运行的)的产品。尽管 AIX 不象其他 UNIX 版本那么出名,但是 AIX 的性能很好,在操作系统市场中占据一席之地是毫无问题的。有这么一种老观念认为任何 UNIX 版本都是不友好的、难对付的操作系统,或许正是这种观念使 AIX 没有能够获得较好的市场认可。

1.5.5 Linux

Linux 是一位名叫 Linus Torvalds 的计算机系学生的设想。Linux 是在 1991 作为 Linus 的一种业余爱好而诞生的。当时 Linus 只有 23 岁,他希望为 Minix 的用户建立一个更强大的版本。Minix(开发得早一些)是计算机学教授 Andrew Tannebaum 开发的一个程序。

Minix 系统是为演示操作系统中的一些计算机科学概念而编写的。Torvalds 把这些概念集成到模仿 UNIX 的单机系统中。这个程序在世界各地的计算机学科的学生们中广为流传,不久就产生了众多的追随者,包括它自己的 Usenet 新闻组。Linus Torvalds 开始为他的志同道合的 Minix 用户们提供更好的、能在广为流行的 IBM PC 平台上运行的操作系统。由于 80386 保护模式接口具有任务切换特性,因此他以当时刚生产的 386 型计算机为目标。

下面是一些 Linus 在发布 Linux 程序时的公告。

注释:

这些公告摘自 Matt Welsh 编著的《Linux 安装与入门指南》(版权所有 1992-94,Matt Welsh,205 Gray Street NE,Wilson,NC 27893,mdw@sunsite.unc.edu)。我们是在遵守 Matt 版权的第三节的前提下采用这些公告的。

可以从"Linux Documentation Project"的各种档案网点获得完整的《Linux 安装与入门指南》。你能在 sunsite.unc.edu 的 /pub/Linux/docs/LDP/install-guide 目录中找到这本书。关于如何获取档案和下载文件,请参考第二十八章"用 WWW 漫游 Internet 网"。

"在那以后是一帆风顺的:仍然是繁琐的编程工作,但我有了一些设备,调试工作容易些了。在这个阶段我开始使用 C 语言编程,C 语言明显加快了开发速度。也就在此时我开始认真考虑这样一个大胆的设想:做一个比 Minix 更好的 Minix。我希望有一天能在 Linux 下重新编译 gcc..."

"基本建成花了两个月,但其后只花了稍长一点的时间,我就有了一个磁盘驱动程序(虽然严格说是有毛病的,但它在我的机器上能工作了)和一个小型文件系统。当我完成 0.01 版时(大约在 1991 年 8 月下旬),情况大概是这样的:它不够好,没有软驱,而且干不了太多事情。我想大概没有人编译过那个版本。但从那以后,我就被它吸引住了,并且不想在能够完全抛弃 Minix 之前停止下来。"

在稍后的一份公告(于 1991 年 10 月 5 日在 comp.os.minix 中发布)中,Linus 向世界公布了 Linux 的第一个正式版本——Linux 版本 0.02。

"当人们还在编写自己的设备驱动程序时,你是否期待着 Minix 1.1 的美好时光?你是否因没有一个有趣的项目而只是沉湎于钻研一个可以为你自己的需要而修改的操作系统中?你是否正在为 Minix 遇到挫折而感到沮丧?所有的夜猫子们都不再有可干的好项目了吗?那么这个公告可能就正好是发给你的。"

"正如我一个月前提到的,我正在编写一个在 AT-386 计算机上使用的、与 Minix 相似的自由版本。最后终于达到了可用阶段(虽然可能未达到你的要求),为了进一步推广,我愿意把源代码奉献给大家。这仅仅是版本 0.02,但我已经在它上面成功地运行了 bash、gcc、gnu-make、gnu-sed 和 compress 等等。"

1.6 谁拥有 Linux

IBM 拥有 OS/2 的所有权,Microsoft 拥有 MS-DOS 和 MS Windows 的所有权,但谁拥有 Linux 的所有权呢?首先,Linux 不是公共领域中的软件;Linux 各组成部分的版权由多人拥有。Linus Torvalds 拥有 Linux 的基本内核的版权。Red Hat 公司拥有 Red Hat 发行版的版权。Paul Volkerding 拥有 Slackware 96 发行版的版权。Linux 的许多实用程序受 GNU 通用公用许可证(GPL)

的保护。事实上,Linus 和大多数对 Linux 作出了贡献的人们把他们的工作成果置于 GNU GPL 的保护之下。读者能在本书随带的每张 CD-ROM 上的根目录中的名为 copying 的文件中找到这份许可证。

这份许可证有时称作 GNU Copyleft(对"copyright"一词的戏称)。这份证书适用于大多数由 GNU(这个字本身是对"GNU's NOT UNIX"的戏称)项目和 Free Software Foundation(自由软件基金会)生产的软件。这个许可证允许程序员创建为每个人使用的软件。GNU 的基本前提是:软件应当可供每个人使用,并且,如果某人想按他或她自己的需要修改软件的话,这也应当是允许的。唯一的告诫是:修改后的代码不能被限制——其他人必须有权得到新代码。

GNU Copyleft 或 GPL 允许程序的制作人保留他们的合法版权,但允许其他人获得、修改和销售新产生的程序。但是,如果销售新程序的话,该程序的原作者不能限制软件购买人对这个新程序的修改权力。如果你原封不动地或以一种修改的形式销售这个程序的话,你必须提供源代码。这正是 Linux 带有完整的源代码的原因。

1.7　从这里开始

Linux 是一个具有生命力的可供选择的桌面计算机的 UNIX。源代码及应用程序可以自由获得,这个特点使 Linux 相对其他基于 PC 平台的操作系统而言成了一种明智的选择。要获得更多的信息,请仔细阅读下述各章:

□ 第三章"安装 Red Hat",提供在你的计算机上安装 Red Hat 发行版的有关信息。

□ 第四章"安装 Slackware 96",提供在你的计算机上安装 Paul Volkerding 的 Linux 发行版 Slackware 96 的有关信息。

□ 第五章"运行 Linux 应用程序",说明如何使用本书随带的 CD-ROM 上的部分应用程序。

第二章 特性综述

本章内容

□ **基本特性**

Linux 提供了人们希望从一个桌面计算机操作系统得到的、特色丰富的一组服务,包括多任务和完全的网络访问。

□ **Linux 的各种发行版本**

Linux 通常指的是这个操作系统的基本内核或核心。不同的组织和不同的人添加了其他一些内容,如 GNU 应用程序、GNU 工具和 Linux 文档工程(Linux Documentation Project)。这些内容的集合被称作一个 Linux 发行版本(distribution)。

□ **使用 Linux 的优点**

使用 Linux 的许多优点包括它的低成本、它的丰富的实用程序和 GNU 应用程序,以及它的出色的联网工具。

□ **使用 Linux 的缺点**

主要缺点是不能使用那些为 DOS、Windows 或 Mac 购买的应用程序。其他缺点包括缺乏常规技术支持和缺乏对许多硬件外设的支持。

□ **Linux 的商业用途**

许多处于开始阶段的 Internet 服务提供商(ISP)把 Linux 用作他们的主操作系统。另一些公司使用 Linux 来装备内联网(Intranet)的 Web 服务器。

Linux 为你提供了探索一个新领域——UNIX 领域的机会。与其他操作系统比较,Linux 的性能更卓越,它是一个具有多用户、多任务和现成网络功能等特性的操作系统。从世界各地可以得到数以千计的 Linux 应用程序。最后,Linux 为你提供了用于学习从 UNIX 到软件开发等多种主题的廉价学习工具。

2.1 基本特性

Linux 是 UNIX 的兼容产品,通过 Linux 你能得到 UNIX 的许多优点。Linux 的多任务是彻底的抢占调度多任务,即你能够同时运行多个程序,且其中每个程序似乎都是在连续运行。其他系统,例如 Microsoft Windows 3.1,也允许你运行多个程序,但是每当从一个程序切换到另一个程序时,第一个程序通常将停止运行。Microsoft 的 Windows 95 和 Windows NT 更像 Linux,因为它们允许抢占调度多任务。Linux 允许你启动文件传输、打印文档、拷贝软盘、使用 CD-ROM 及玩游戏——所有这些都在同时进行。

Linux 是一个真正的多用户系统——可以同时有多个用户登录并使用这个系统。尽管多用户特性在家庭中不是很有用,但它使一个公司或大学中的多个用户同时访问同一资源,而不必使用多台昂贵的机器。即使在家中,可以在所谓的"虚拟终端"上登录到独立的帐号上的技术也是非常有用的。通过使用 Linux 和数个调制解调器,你还能够在家中提供你自己的个人联机服务。

参见 5.2"管理用户"。

    Linux 是免费的——或几乎是如此。事实上,以本书的成本,读者已经在随带的 CD-ROM 上获得了 Linux 的三个功能齐全的发行版本。在这些 CD-ROM 上提供了安装 Linux 及运行 Linux 所需的所有内容,包括数百个应用程序。

    Linux 提供了空前未有的学习机会。你拥有了完整的、可用的操作系统,还包括源代码。用这些源代码你可以运用和学习它的工作原理。这在典型的 UNIX 环境中是做不到的。对商品化的操作系统来说,这肯定做不到。因为没有销售商愿意提供源代码。

    最后,Linux 使你有机会重新体验——或第一次体验——早期 PC 机革命时期的混乱。在 70 年代中期,计算机是政府部门、大型商业企业和大学这样一些大机构的天下。普通人还接触不到这些稀罕的机器。但是,随着微处理器和第一台个人计算机的出现,情况转变了。最初,PC 机是计算机黑客们(富有献身精神的计算机爱好者们)的天下,他们修改(hack)早期的系统,因为那些系统生产效率很低。但是,在这些黑客们试用这些系统并成为企业家后,PC 机的功能得到了提高,PC 机就成为普通的事物了。

    今天的系统软件(即操作系统)的情况也是如此。Linux 打破了压抑创造性的大组织控制的体制,并提高了市场份额。尽管 Linux 仍然是计算机黑客们的天下,随着这些 Linux 黑客们成为将 Linux 带给大众的企业家后,情况将会发生变化。

2.2 Linux 的发行版本

    Linux 由许多不同的组织在发行,每一种 Linux 都带其独特的程序集,虽然每种 Linux 都提供组成 Linux 版本的一组核心文件。每一个版本使用形式为 A.BB.CC 的一列数字来标识。其中,A 为 0 或 1 或 2 等,BB 和 CC 是 0 到 99 之间的一个数。较大的数一般表示较新的版本。本书随带的 CD-ROM 上的 Linux 用的是 2.0.18 版的内核。这一发行版本还包含带独特硬件的驱动程序的试验性内核。读者能在 Slackware CD-ROM 上的/kernel 目录中找到 Slackware 96 发行版本中使用的不同内核。在 Red Hat 下,内核是 Red Hat Package Management 系统(RPMs)的一部分,并作为该系统的一部分进行安装。

    幸运的是,决定使用哪个发行版本是相当容易的,因为本书的三张 CD-ROM 中包含了完整的 Red Hat 和 Caldera 的发行版本(这两个公司的 Internet 版本,而不是作为商品销售的版本)及 Slackware 96 发行版本。在网上还有其他的发行版本:

    ☐ MCC Interim Linux

    ☐ TAMU Linux

    ☐ LST

    ☐ SLS

    ☐ Debian Linux

    ☐ Yggdrasil 即插即用 Linux CD-ROM 和 Linux 宝典

    ☐ Trans-Ameritech Linux plus BSD CD-ROM

    ☐ Linux Auarterly CD-ROM

□ Caldera(这个生产商使用 Red Hat 的发行版本)

□ Red Hat(Red Hat 的商品化版本包含一个称作 Metro X 的商品化 X 服务程序)

Distribution HOWTO 文档提供了各种 Linux 发行版本的详尽清单。读者将在本章后面学习如何访问每种 Linux 版本随带的各种 HOWTO 文档。

2.3 使用 Linux 的优点

使用 Linux 有许多优点。现在它可以用在许多系统中。Linux 是用途广泛的、最流行的免费系统。对 IBM PC 讲,Linux 提供了完整的带内置多用户和多任务功能的系统,这些功能充分利用了 386 及更高档计算机的处理能力。

Linux 带有 TCP/IP 联网协议的完整实现。用 Linux,你能够与 Internet 和它所包含的非常丰富的信息资源连接。Linux 还为在赛百空间(Cyberspace)接收和发送信息提供了完整的电子邮件系统。

Linux 还有一个完整的图形用户界面(GUI)XFree86,这是基于流行的 X Windows 系统的界面。XFree86 是 X Windows 系统的一个完整实现,可随 Linux 一起自由发行。XFree86 提供在其他商品化 GUI 平台(如 Windows 和 OS/2)上使用的通用 GUI 的基本组成部分。

如今,所有这些对 Linux 都是可获得的,基本上是免费获得的。你必须付出的只是从 Internet 或从不同的销售商那里用邮件订单获得这个程序的费用。当然,因为你购买了本书,你就已经拥有本书随带的 CD-ROM 中所包含的完整的 Linux 系统。

2.3.1 应用程序

使用操作系统,虽然有时能从中取乐,但不是大多数人使用计算机的目的。多数人需要用计算机进行生产工作。Linux 现在确实有了数以千计的、可供使用的应用软件,包括电子表、数据库、字处理程序、不同的计算机语言以及使你上网的远程通信软件包。Linux 带有大量的基于文本和基于图形的游戏。当你需要从每日的辛勤劳动中解脱一下,Linux 可以让你放松几分钟(或几小时)。

2.3.2 对计算机专业人员的好处

如果你是一位计算机专业人员,Linux 为程序开发提供了丰富的工具。Linux 带有许多流行的计算机高级程序设计语言(如 C,C++ 和 Smalltalk)的编译程序。如果你不喜欢这些语言,Linux 为你提供了 Flex 与 Bixon 这样一些工具来建立你自己的计算机语言。本书随带的 CD-ROM 带有这些工具;它们的商品化产品每个都价值数百美元。如果你想学习上述某一种语言,但又不想为相应的编译程序花费几百美元,你可使用 Linux 及其开发工具。

Linux 还允许你与贵公司的办公系统通信。如果你是一位 UNIX 系统管理员,Linux 可以帮助你在家里履行你的职责。虽然从家中工作还处于其初期阶段,也许有一天你能用 Linux 在家中进行工作,而只是为亲自参加会议才偶尔去办公室。

"开放系统"和"互操作能力"是业界的两个流行词汇,这两个词汇都是指多个不同系统能相互进行通信。大多数开放系统的规范要求符合 POSIX(可移植操作系统接口)标准,现在 U-NIX 和 Linux 符合这些标准。事实上,Linux 是为源代码可移植而设计的,因此如果你有在 U-

NIX 版本上运行的程序,你就应当能够相当快地把这个程序移植到一个运行 Linux 的系统中。

许多公司一直坚持这样的开放系统,这样它们就不会受销售商的制约。记得"不要把所有的鸡蛋放在一个篮子里"这句谚语吗?现在许多公司开始怀疑由单一公司控制的系统,因为那些被控制的系统能够决定软件的工作方式和软件支持的硬件系统。若那家公司选择了不利于贵公司的发展方向,那就太糟了。不论你是否喜欢,都得附和那家公司的决定。但是,如果使用 UNIX/Linux 和开放系统,你的命运就由你自己掌握了。尤其是当你拥有自己的操作系统的源代码时,若这个操作系统没有你所需的特性,可以找到许多能按需要修改系统的顾问对它进行修改。

2.3.3　教育

Linux 为学生们提供了用于做作业的编辑程序,还提供了用于审查这些作业的拼写检查程序。使用 Linux,学生们可以在他们学校的计算机网络上登录。当然,通过访问 Internet 网,学生们还拥有现成的、进入那个无限的信息领域的接口。学生们还能访问数以千计的各个学科中能回答学生们的问题的专家。即便计算机科学不是你的专业,Linux 对你也很有用。

之所以能付出少量的代价就能从 Linux 获得如此多的优点,是由于建设和在继续建设 Linux 的团体的精神和哲学。Linux 是贯穿在其自身生命历程中的一次伟大的实验。确实,世界各地的数以百计的计算机黑客们对它的发展作出了贡献。Linus Torvalds 本人首先开发了 Linux 的雏形,而后按 GNU Copyleft 原则向世界发布了他的脑力劳动的产物。

参见附录 D1:GND 通用公共许可证。

2.3.4　黑客

Linux 基本上是由黑客们和为黑客们建立的一个系统。"黑客"(hacker,不轨用机者)在当今社会的通常定义中是含有贬义的,但计算机黑客们并不因他们的字面定义就是罪犯。这个定义与现实生活中人们处理事物的方式有关,当涉及计算机时就不是这样了。黑客们在修改(hacking)一个系统时有某种程度的承诺感和强烈的刺激感。"修改"的主要含义是了解所有有关一个系统的知识,渐渐沉湎于该系统达到狂热的程度,并且当该系统损坏时能够修复它。

黑客们主要想知道他们认为有趣的系统是如何工作的。他们对赚钱或寻求报复不感兴趣,虽然确实有某些黑客越过了这条界线而成为黑客社会中称作破坏者(crackers)的人。计算机黑客们非常恼怒公共媒体把他们与文化破坏者(vandals)和罪犯相提并论,公共媒体现在把这些人称作黑客(而不是把他们称作破坏者)。我们希望,Linux 能给你一种作为一名黑客的感觉,并希望你不要成为破坏者。

Linux 适合那些好奇心很强并想多学一些 UNIX 的人。这是一个具备完整的 UNIX 功能的版本,可以自由地、不受限制地访问它——这是在现实世界中少有的事。大多数 UNIX 用户在 UNIX 机器上被分配帐号,只被授予有限的权利和特权。有一些 UNIX/Linux 命令是普通用户不能使用或实验的。这不利于学习 UNIX 的所有知识。但是,使用 Linux,你在这个领域就是完全自由的,只要愿意就能做任何想做的事。当然,大的权力也带来了大的责任;你必须学习如何管理一个真正的 UNIX 系统,其中自有乐趣。

2.4 使用 Linux 的缺点

或许使用 Linux 的最大缺点是没有一个实体对它的发展负责。如果出了差错或用户有了问题,不能免费打电话给技术支持部门以寻求帮助。但是,目前的商品化系统的技术支持电话提供真正的支持吗? 假使你打通了技术支持电话,有多少次是让其他地方的人员来回答你的问题的呢? 有多少次要你为得到帮助在联机服务上提出问题呢? 好了,尽管对 Linux 来说没有技术支持电话,但在联机社区中确实有数以千计的用户帮助解答你的问题。

2.4.1 缺乏技术支持

没有技术支持来源对 Linux 来说会是一个问题,对此毫无疑问。对 Linux 的应用程序情况也是如此;尽管有一些用于 Linux 的商品化应用程序,但大多数是由小团体开发,然后向社会公布的。但有许多开发人员可帮助解决问题。

注释:

许多商业公司现正在建立它们销售的 Linux 应用程序。对使用它们的应用程序的用户,这些公司通常与它们的产品一起提供 Linux 发行版本的免费拷贝,从而对这一 Linux 版本提供技术支持。

2.4.2 硬件问题

另一个缺点是 Linux 很难安装及运行在所有硬件平台上。与商品化软件开发公司(它们能够有组织地花费数月的时间,针对各种条件和硬件去创建和测试一个程序)不同,Linux 的开发人员分散在世界各地。没有正式的质量保证程序。开发人员想发表他们的程序,就发表它们。另外,Linux 支持的硬件取决于每个开发者编写代码时所使用的硬件。因此,Linux 不支持现在可用于 PC 机的所有硬件。

注意:

如果你的系统没有 Linux 支持的硬件,你将在安装和运行 Linux 时遇到问题。第三章"安装 Red Hat",第四章"安装 Slackware 96"和附录 D"Linux 硬件兼容性 HOWTO"详细介绍了使用 Linux 所需的硬件。

如果你有 Linux 支持的硬件,很可能在安装和运行 Linux 就不会遇到问题。如果你没有必需的硬件……那么,Linux 的开发者希望你来解决这个问题——毕竟,这是一个黑客的系统。

2.4.3 不能使用目前的应用软件

另一个缺点是你的在 DOS 和 OS/2 这样一些操作系统上使用的应用软件很可能不能在 Linux 上使用。幸好,这些其他的操作系统能与 Linux 共存;因此,虽然你不能同时使用两个操作系统,但可以退出 Linux,并引导另一个你在其中使用应用程序的操作系统。

运行 DOS 和 Windows 程序的 Linux 仿真程序的研制工作正在进行之中,在 Linux 上运行 Macintosh 程序的仿真程序的计划也是如此。虽然 DOS 仿真程序的计划比 Windows 仿真或 Mac 仿真计划进展得快得多,但都还处于早期阶段,离黄金阶段还相去甚远。但在不久的将来,Linux 将能够运行 Mac、DOS 和 Windows 应用程序。

另外，Caldera 公司已经把 Sun 公司的 WABI（Windows 应用程序二进制接口）产品移植到 Linux 上。WABI 允许 Windows3.1 的应用程序在 Linux 的 X 上运行。与大多数 Linux 应用程序不同，Caldera 公司把这个产品与几个其他的 Linux 应用程序一起销售。但是，Caldera 为运行该公司销售的应用程序免费提供 Linux 的 Red Hat 发行版本。Caldera 还正在做把一个名为"DR DOS"的 DOS 版本移植到 Linux。

要安装 Linux，你必须对你的硬盘重新进行分区。重新分区意味着删除硬盘中的部分内容，因而删掉该硬盘上的程序和数据。目前，还没有不重新分区安装 Linux 的安全方法。如果你计划安装 Linux，你应当备份你的硬盘（两个或三个备份是最安全的）。另外，你可能没有足够的硬盘空间在同一个盘上既安装 Linux 又保留其他软件，这种情况下，你必须决定去掉什么，保留什么。不管怎样，你都必须备份你的系统、重新对硬盘分区、恢复你的旧软件、然后安装 Linux。这个过程会是耗时的和易出错的。

注释：

有两种重新对你的硬盘进行分区的方法可供选择。你可以使 Linux 和 DOS 共享空间，或可以使用在不删除文件的情况下对你的硬盘进行重新分区的程序。这两种方法都管用，但你仍然要面对在安装系统时可能丢失数据的可能。另外，通过重新分区，你将得到性能的提高及更好地控制 Linux 使用的磁盘空间容量。

运行 Linux 所需的磁盘空间容量取决于你计划安装的应用程序。在你想安装 Linux 的磁盘上至少应当有 120Mb 的剩余磁盘空间，另加保留其他操作系统的程序和数据所用的空间。如果你有 200Mb 剩余空间，你就有了足够的空间用于安装完整的 Linux。

2.4.4 缺乏经验

最后，除非你已经是一位 UNIX 专家，你必须学习如何管理 Linux 系统。与 DOS、Windows 和 OS/2 不同，Linux 和 UNIX 需要管理。管理者（通常被称作系统管理员）负责维护系统并履行这样一些职责：添加和删除用户帐号、定期备份系统、安装新软件、配置系统、处理出错（即使在 UNIX 商品化版本上，在每天的使用中出错现象也时有发生）。由于 UNIX 不能在 100% 的时间内完美无缺地运行，系统管理员就必须维护这个系统。这为你学习如何成为 UNIX 系统的系统管理员提供了一个良好的机会。

参见 8.3"了解集中式处理系统"。

2.4.5 如何克服缺点

首先，你可能会认为使用 Linux 就是把你单独丢在世界上，要靠你自己去求生存。从某种程度讲确实如此，因为 Linux 是以黑客的系统问世的，并且黑客们喜欢自己修补系统和解决系统中的问题。但现在，随着 Linux 数量的增加，可以获得各种来源的帮助。

大多数 Linux 发行版本都带有数千页的文档。你能在本书随带的 Slackware 96 CD-ROM 上的/DOCS 目录中和 Red Hat CD-ROM 的/DOC 目录中找到这些信息。Linux 有专门的杂志，以及大量的联机信息来源和乐于帮助你解决问题的联机用户。如果你是一个商业实体，需要一位专业承包商的话，可以找到太多了。在你安装 Linux 后，你还会找到大量的联机帮助，它们对几乎所有的 Linux 命令和可使用的程序提供帮助信息。查阅附录 A"信息来源"，就会发现你自已并不孤独。

2.4.6 正在消失的缺点

尽管前面几个小节中讨论的缺点仍然存在,但随着建设 Linux 和提出新的解决方案的新公司的产生,其中的许多缺点正在慢慢地消失。Red Hat 和 Caldera 就是这样两个公司。我们之所以将 Red Hat 作为本书的主要发行版本,是由于其使用和安装的简单性。Caldera 也为它的主要 Linux 应用程序使用 Red Hat 发行版本。Red Hat 和 Caldera 都为它们的产品和它们的 Linux 版本提供联机、传真和基于电子邮件的技术支持。

2.5 Linux 的商业方面

Linux 不再是一个"玩具"操作系统。许多公司把 Linux 用作他们内联网的廉价的 Web 服务器。Linux 还被用于各种网络应用,如 DNS、路由和防火墙。另外,许多 Internet 服务提供商(ISP)把 Linux 作为他们的主要操作系统。许多商品化程序也可用于 Linux,这些程序你可以在"商业 HOWTO"文档中查到。

2.5.1 Red Hat 公司的商品化程序

Red Hat 公司发行了 Linux 的当前最流行的发行版本,这家公司还生产了一些商品化程序。Red Hat 公司还创建了名为 RPM 的 Linux 软件包管理程序。这是按 GPL 条款为供其他发行版本使用而发行的。与它的 Linux 和 RPM 的 GPL 版本一起,Red Hat 公司还提供名为 Applixware 的应用框架,它包含字处理程序、电子表格程序、图形演示程序、邮件工具和各种开发工具。Red Hat 公司还提供 Motif 的一个商品化版本,用于在 Linux 下开发和运行 X。

2.5.2 Caldera 公司的商品化程序

Caldera 公司最初提供基于 Red Hat 和 Novell(许多 Caldera 公司的主管过去曾在那里工作过)的技术的用于联网的发行版本。他们的第二代产品,Caldera Open Linux Base,是一个便宜的、基于 Linux 2.0 内核和 Caldera 公司的 Open Linux 发行版本的、与 UNIX 类似的操作系统。它包含管理系统和网络资源(包括交互访问 Internet 的客户和服务程序以及所有主要的联网系统)的图形用户界面。其菜单驱动的安装程序以多种语言提供。Caldera Open Linux Base 是专用的网关,包含所有 Internet 客户、服务程序、路由协议和路由服务。Caldera Open Linux Base 还包含 MetroLink 公司的商品化 X 服务程序和 Netscape Navigator 的 Linux 版本。

2.6 从这里开始

本章对 Linux 系统和可获得的应用软件进行了综述。详细内容请仔细阅读下述各章:
□ 第五章"运行 Linux 应用程序"提供了使用不同 Linux 应用程序和实用程序的信息。介绍如何熟悉和掌握 UNIX 和 Linux。
□ 第七章"使用 X Windows 系统"提供使用 X Windows 的信息。

第三章　安装 Red Hat

本章内容：

☐ 安装 Linux 所需的硬件

Linux 不支持所有的硬件配置。你应核对一下，确保拥有必需的硬件。

☐ 如何为安装 Linux 准备你的系统

安装 Linux 需要做一些准备工作，如格式化硬盘驱动器等。为得到 Linux 的最佳性能，你还必须对你的硬盘空间布局进行规划。

☐ 如何对硬盘进行分区，为 Linux 腾出空间

为了有效地运行，尤其当需要交换空间时，Linux 需要多个分区。你还必须决定是否有其他操作系统与 Linux 共存，并为安装它们作准备。

☐ 如何安装 Red Hat Linux

为安装 Linux 准备好你的系统后，你必须制作你的安装盘，选取你的安装介质（本书随带的 Red Hat CD-ROM），并开始安装。

☐ 如果出错了怎么办

由于 Linux 没有正规的技术支持，如果安装时出错了你必须知道该怎么办。

本章提供安装 Linux 的 Red Hat 发行版本所需的信息。记住，由于 Linux 不是商品化产品，安装时可能会遇到一些问题。尽管本书指出了安装方法，但你仍有必要使用 Red Hat CD-ROM 上提供的资源，如各种 HOWTO 文档。但 Red Hat 是最易于安装的发行版本之一，因此请振作精神！虽然有许多安装 Linux 的先进方法，但本章主要讨论从 CD-ROM 安装 Linux。

注释：

本书假定读者具有 DOS 及格式化硬盘、分区表和扇区容量等方面的知识。如果这些术语听起来像外语一样，就请参考 Que 出版公司的《即学即用 MS-DOS 6.2》，或在遇到这方面的问题时请一位对计算机在行的人帮助你。

提示：

你将对你的系统作大的改动，因此要小心。在手边准备好纸和笔，以备出问题时将它们记录下来；另外，在安装过程中还必须摘录一些数字。

3.1　了解 Linux 的硬件要求

为了能够成功地安装 Linux，你需要使用 Linux 支持的硬件。为你的 Linux 系统选择合适的硬件取决于需要支持的用户数和要运行的应用程序的类型等因素。所有这些因素转化成对工作内存、硬盘存储空间和终端类型等方面的需求。

在 WEB 上：

要获得有关 Red Hat 4.1 支持和不支持的硬件的信息，可访问 Red Hat 的 Web 网点：http://www.redhat.com/support/docs/rhl-intel/rh40-hardware-intel.html。

当今大多数 Linux 系统是由 PC 机组成的。这些 Linux 系统常常用于单用户，虽然它们也可能连接成较大的 Linux 或 UNIX 系统。

警示：

Linux 是不断发展的系统，支持的硬件随时在发生变化。本书随带的 CD-ROM 上的 Red Hat 发行版本是相对稳定的，但可能在本书印刷和随带的 CD-ROM 制作时，又提供了新的硬件支持。虽然许多硬件有兼容的产品，但不是所有的硬件都能与 Linux 一起使用。如果你拥有本章中讨论的硬件，那么 Linux 安装、引导和正常运行的可能性就很大。如果你没有书中列出的硬件，那么 Linux 就可能会也可能不会正常运行，不利于你建立和运行 Linux 系统。

如果你使用的是单用户配置的 Linux 版本（最可能的配置），你就是系统管理员。充分了解系统，以使它在最佳的状态下运行，这就是你要履行的系统管理员的职责。这些管理工作包括在硬盘上保持足够的空间、定期进行备份、确保所有连接到系统上的设备都有合适的驱动程序以及安装和配置软件等等。

选择你所需的硬件在很大程度上取决于无数为 Linux 系统编程的人们使用的硬件。商品化软件开发者担负得起在许多不同的硬件配置上测试他们的系统，与这些商品化软件的开发者不同，Linux 的开发者通常只接触他们自己的计算机。幸运的是，由于有如此之多 Linux 的开发者，PC 机领域中所能见到的大多数标准硬件都被 Linux 支持了。

3.1.1 系统 CPU

基本的系统需要一台装有 Intel 80386 或其后任一类型的 CPU（如 80386SX、80486DX/2 和 Intel 的各种奔腾处理器）的 IBM PC 兼容机。其他 CPU 兼容产品［如 Cyrix 和 Advanced Micro Device(AMD)制造的芯片］也与 Linux 兼容。

80386 和 80486SX 处理器没有内置的算术协处理器，但 Linux 不需要浮点算术协处理器。Linux 可以用软件仿真协处理器，但执行速度明显下降。为得到快速的系统，你应当拥有一台带内置算术协处理器的 CPU，如 80486DX 或奔腾 CPU。

3.1.2 系统总线

用于与外部设备进行通信的总线类型也很重要。Linux 只能在 ISA 和 EISA 总线上工作。不支持在 IBM PS/2 上使用的微通道结构(MCA)总线，虽然移植工作正在进行之中。一些较新的系统为磁盘访问和视频显示等操作使用了一种较快的总线，称作局部总线。Linux 确实支持 VESA 局部总线，但可能不支持非 VESA 局部总线结构。Linux 还支持在许多高端奔腾系统上使用的 PCI(外设组件互连)总线。

3.1.3 需要的内存

运行 Linux 所需的内存非常小，尤其当与 OS/2 和 Windows NT 这样一些功能相当的操作系统比较而言更是如此。Linux 最少需要 2MB 的内存,虽然我们极力推荐使用 4MB。如果内存小于 4MB,就需要使用交换文件。首要的基本规则是:你的系统包含的内存越多,你的系统运行起来就越快。

对 Linux 使用的内存的另一种考虑因素是 X Windows 的兼容产品 XFree86 的使用。XFree86 是 X Windows 的一个版本,它是自由传播的,因此包含在 Linux 中。

参见 6.2"安装 XFree86 系统"。

为有效使用 XFree86,你的 Linux 系统至少需要 16MB 的虚拟内存。虚拟内存是由实际内存与硬盘上的交换空间组成的。同样,系统中包含的实际内存越多,系统就越快,尤其当使用 XFree86 时,情况更是如此。

3.1.4 磁盘驱动器和需要的空间

虽然可以从一台只有软盘驱动器的系统运行 Linux,但我们不提倡从你的系统的软驱上运行 Linux。

注释:

你可以从一个软驱上引导 Linux。引导一个系统指的是启动一个计算机系统并把操作系统装入内存并开始运行它的过程。这个术语源于短语"bootstraping(引导)"。对家用的系统,你需要一台 5 1/4 英寸的或者 3 1/2 英寸的软驱。即便你从 CD-ROM 安装和运行 Linux,你也需要一个软驱。

为得到较好的系统性能,你要把 Linux 安装在硬盘驱动器上。你必须有一个标准的 IBM AT 硬驱控制器。因为最先进的非 SCSI 控制器是 AT 兼容的,所以这不成问题。Linux 支持所有的 MFM 和 IDE 控制器,以及大多数 RLL 和 ESDI 控制器。Linux 可能支持也可能不支持在旧的 8 位 IDE 控制器上运行较新的高容量驱动器。

Linux 支持很多 SCSI 硬驱控制器。如果你的控制器是真正的 SCSI 控制器(即,不是专用的 SCSI 控制器),则 Linux 能够使用你的控制器。Linux 现在支持 Adaptec、Future Domain,Seagate、UltraStor 和 Western Digital 公司制造的 SCSI 控制器,以及 ProAudio Spectrum 16 位卡上的 SCSI 适配器。下面是 Linux 支持的卡的类型:

Adaptec 152x/1542/1740/274x/284x/294x	Always IN2000
Buslogic	Pro Audio Spetrum 16
EATA-DMA(DPT、NEC、AT&T)	Qlogic
Seagate ST-02	Tra ntor T128/T128F/T228
Future Domain TMC-8xx,16xx	UltraStor
Generic NCR5380	7000FASST
NCR 53c7,8xx	

参见附录 C9"控制器(IO)"。

如果你有一个合适的驱动器控制器,就必须考虑磁盘空间的要求。Linux 支持多个硬盘驱动器并能跨驱动器安装。与其他操作系统不同，Linux 不必装在同一个硬盘驱动器上，它可以安装在不同驱动器上。

磁盘空间

对磁盘空间讲，认识到这一点是重要的，Linux 不能与其他操作系统（如 MS-DOS 和 OS/2）一起驻留在同一分区中。分区是在驱动器初始化过程中和在格式化之前指定的磁盘驱动器的区域。通常使用 fdisk 程序对磁盘驱动器进行分区。一些商品化产品允许你重新分区一个驱动器，Linux 提供了 FIPS 实用程序来重新分区硬盘。为了有效地使用 Linux，你必须对硬盘重新分区，并为 Linux 系统文件和你的数据文件分配足够的空间。

警示：

如果你要把 Linux 安装在一个新硬盘上，你必须重新分区和重新格式化硬盘。这将破坏所有存储在该硬盘上的信息。因此，在安装 Linux 之前备份你的文件（备份两次）是必要的。如果空间允许，你可以将一个硬盘分成多个分区，并将备份的文件拷回到其中的一个分区中。

所需磁盘空间的容量取决于你要安装的软件和你估计那个软件将产生的数据量。Linux 所需磁盘空间比 UNIX 系统的大多数版本所需的空间少。你能够在 20M 的空间内运行一个功能完整的、不支持 X Windows 的 Linux 系统。要完全安装这个发行版本中的全部内容，建议使用 150M 到 200M 磁盘空间。

交换空间

最后，正如前面在"需要的内存"一节中提到的，如果你的内存有限，你就需要交换空间。Microsoft Windows 系统创建一个交换文件，这个文件与其他文件一样驻留在硬盘上，但 Linux 允许把交换文件放在独立的交换分区上。大多数 Linux 安装使用分区而不是文件。因为你能够在同一个实际硬盘上设置多个分区，所以你能够把交换分区与 Linux 一起放在同一个驱动器上，但是，为得到更好的性能，你应当把交换分区放在一个独立的驱动器上。

Linux 允许建立多达 8 个不超过 16M 的交换分区。一个首要原则是，把交换文件的大小设置成你的系统上实际内存容量的两倍。即，如果你有 8M 的实际内存，你的交换分区的容量应该设置成 16M。

3.1.5 监视器要求

对基于文本的终端，Linux 支持所有标准的 Hercules、CGA、EGA、VGA 和 SuperVGA 视频卡和监视器。为得到 Linux 中的彩色目录列表，你需要一台彩色监视器。因此对于基于文本的操作，任何视频卡/控制器组合都应该可行。

但当你运行与 Linux 一起发行的 X Windows 系统时会有问题。为了使用 XFree86，你需要使用了表 3.1 中所列的芯片组的视频适配器。芯片组是一组集成电路，或计算机芯片，用于从计算机获取信息并将这些数据转换成一种在视频监视器上可显示的形式。为找出用于你的视频适配器的芯片组，核对你的视频卡所带的文档，以便确定使用 XFree86 是否会有问题。

表 3.1　Linux 支持的视频芯片组

制造商	芯片组
Tseng	ET3000，ET40000AX，ET4000／W32
Western Digital	WD90C00，WD90C10，WD90C11，WD90C24，WD90C30，WD90C31
Trident	TVGA8800CS，TVGA8900B，TVGA8900C，TVGA8900CL，TVGA9000，TVGA9000i，TVGA9100B，TVGA9200CX，TVGA9320，TVGA9400，TVGA9420
ATI	28800-4，28800-5，28800-a
NCR	77C22，77C22E，77C22E +
Cirrus Logic	CLGD5420，CLGD5422，CLGD5424，CLGD5426，CLGD5428，CLGD6205，CLGD6215，CLGD6225，CLGD6235
OAK	OTI067，OTI077
S3	86C911，86C924，86C801，86C805，86C805i，86C928
Compaq	AVGA
Western Digital／Paradise	PVGA1

注释：
　　现在与 Linux 一起发行的 XFree86 的发行注释中应当包含一个更新的、支持的和不支持的芯片组的清单。

　　XFree86 开发者遇到的一些问题是由于适配器生产厂商没有提供对这些卡进行编程所必需的信息而引起的。没有这些信息，开发者不能在这些适配器上支持 X Windows。另外，一些厂商提供这些信息，但其他人要使用这些信息需要付专利费或需要非公开的协议。这些限制使得在 XFree86 这样的免费发行的系统上支持这些适配器是不可能的。

注释：
　　Diamond 公司的视频卡过去一直未被支持，原因就在于该公司对提供专用信息有这样一些限制条件。Diamond 公司现在已开始与 XFree 开发小组合作，在 Linux 和 XFree86 下支持该公司的视频系统。

参见附录 C6"视频卡"。

3.1.6　CD-ROM

　　为安装本书所带的 CD-ROM 上包含的 Linux 系统，你必须有一个 Linux 支持的 CD-ROM 驱动器。由于大多数 CD-ROM 使用 SCSI 接口控制器，在前面的"磁盘驱动器和空间要求"一节中列出的任何 SCSI 控制器也应当能与该控制器相连的 CD-ROM 一起工作。Linux 现在还支持许多在市场上可买到的、新的 EIDE 和 ATAPI CD-ROM。

　　多媒体软件包中包含的许多 CD-ROM 是否被 Linux 支持取决于控制器是真正的 SCSI 适配器还是专用适配器。大多数专用适配器都不能与 Linux 一起使用。但是，Linux 特别支持 Creative Labs 公司的 SoundBlaster 系列的 CD-ROM，并为他们的 CD-ROM 提供特定的安装配置。其他已知的 Linux 支持的 CD-ROM 有：

NECCDR-74	Okano
Sony CDU-541	带接口卡的 Wearnes CD
Sony CDU-3la 或 33a	SoundBlaster、Panasonic Kotobuki、Matsushita、TEAC-55a、或 Lasermate
lextor CM-3024	大多数 IDE/ATAPI CD-ROM
Aztech	Mistsumi CD-ROM
Orchid	

3.1.7 网络访问

你能用数种不同方法把 Linux 系统与世界相连接,两种最流行的(并被支持的)方法是通过网络控制卡和调制解调器。网络控制卡包括令牌环网、FDDI、TAXI 和以太网卡。大多数通用的商业网络使用以太网控制卡。

通过以太网访问网络

以太网(Xerox 发明的一种协议)在联网领域广为流行。尽管你不可能在家中把 Linux 连接到以太网上,但许多商业和教育机构都是通过以太网相联的。表 3.2 列出了 Linux 支持的一些以太网适配器。

表 3.2 Linux 支持的以太网卡

制造商	接口卡
3Com	3c503,3c503/16,3c509
Novell	NE1000,NE2000
Western Digital	WD8003,WD8013
Hewlett-Packard	HP27245,HP27247,HP27250

通过调制解调器访问网络　　在家中,与外界的连接更多的是通过调制解调器和 SLIP 或 PPP 这样的通讯协议实现的。Linux 几乎支持市场上所有种类的调制解调器,不管是内置的还是外置的。如果你能够从 MS-DOS 访问调制解调器,用 Linux 访问它就没有任何问题。

参见 25.1"了解使用 SLIP 和 PPP 的要求"。

3.1.8 其他硬件

下面列出了 Linux 支持的其他硬件,如鼠标、磁带驱动器和打印机。虽然这些硬件能使 Linux 更容易使用和功能更强大,但这些硬件不是必需的。

鼠标　　使用基于文本的 Linux 不需要鼠标。但是,与许多 UNIX 版本不同,Linux 允许你使用鼠标从屏幕的任何区域剪下文本粘贴到命令行上。如果你打算使用 X Windows 的兼容产品 XFree86,你就必须使用一个鼠标。

Linux 支持大多数串行鼠标,包括如下鼠标:

☐ Logitech

☐ MM 系列

☐ Mouseman

☐ Microsoft

☐ Mouse Systems

Linux 还支持 Microsoft、Logitech、ATIXL 和 PS/2 的总线鼠标。事实上,Linux 支持任何仿真上述鼠标的定位设备,如跟踪球和触摸屏。

磁带驱动器 磁带驱动器为备份你的计算机系统提供了很大的存储空间。如表 3.3 所示,Linux 支持几种基于 SCSI 的磁带系统。Linux 还支持流行的、连在一个系统的软盘控制器上的 Colorado memory System 磁带驱动器(120 和 250 版本)。连在打印口上的驱动器现在还未支持。大多数支持 QIC-02 的驱动器也能与 Linux 一起工作。

表 3.3　Linux 支持的备份磁带驱动器

制造商	机型
Exabyte	所有的 SCSI 机型
Sanko	CP150SE
Tandberg	3600
Wangtek	5525ES,5150ES,5099EN

参见附录 C13"Linux 支持的磁带驱动器"。

打印机 Linux 支持所有并行打印机。把 Linux 设置成支持串行打印机是非常麻烦和易出错的。基本的 Linux 安装程序还没有提供或支持串行打印机。如果你有一台串行打印机,那么你在 Linux 下使用它可能会出问题。如果你有一台并行打印机,你遇到的最大问题最可能是如下阶梯效果:

这是第一行。

　　　　　　这是第二行。

　　　　　　　　这是第三行。

UNIX 和 Linux 处理回车符和换行符的方式产生了这种阶梯效果。在大多数 UNIX 系统中,使打印纸下走一行(换行)并把打印头放在这行的行首(回车)的命令是用一个控制符表示的。但是,在 MS-DOS 和 Windows 等系统中,每个命令用不同的控制符表示。当你在一台为 MS-DOS 系统配置的打印机上打印一个 UNIX 文件时,就会看到阶梯效果,因为这个文件只包含换行控制符而不包含回车控制符。

参见 21.2"了解配置打印机之所需"。

3.2　开始安装过程

为开始 Linux 的安装过程,你需要一张或两张(取决于你采用的安装方法)3 1/2 英寸 1.44M已格式化的软盘。这些磁盘将用于制作一个安装 Linux 的引导盘。

接下来,你应当保证你有足够的硬盘空间来安装 Linux。如果 CD-ROM 上的所有内容都要安装的话,需要 300M 的磁盘空间。但你也可以使用比这少的空间,尤其当你不安装 X Windows 系统时。为确定空间容量,你应当决定你要为用户帐号使用多少空间(即,你要为你的用户提供的空间)。在单用户系统上,30M 就足够了。

接下来,决定你的机器需要多少交换空间。如果你的机器有 8M 或更少的 RAM,你需要 24M 的交换空间。如果你有 16M 或更多的 RAM,你的交换空间应当是你的内存容量的两倍。

最后,应该为你的根(root)目录准备大约 30M 的空间。这是主目录,Linux 下的所有其他目录都可以从这个目录进行访问。

参见 15.2"查看 Linux 的标准目录"。

另外,最小安装应当能装在 20M 的空间中,而一个带有大量用户空间的完全安装应当能装在 500M 的驱动器上。

注释:
你还能够从 CD-ROM 运行 Linux 的部分文件系统,而不用安装整个 Linux。你可以在安装过程中选择这样做。

如果你决定安装和配置 X 系统(极力推荐这样),你还应该记下你的视频卡使用的芯片组类型。如果你有一个串行鼠标和调制解调器,记下它们使用的串行端口号。你需要在后面的安装过程中使用这些信息。

3.3 了解各种安装方法

我们,本书的作者,设想了从本书随带的 CD-ROM 安装 Red Hat 的大部分过程。但是,你可以使用下述四种方法之一来安装 Red Hat:通过 CD-ROM、NFS、FTP 或一个硬盘上安装。

为从 CD-ROM 直接安装,你需要访问 DOS。从 DOS 提示符,执行如下命令:

[*cdrom-drive*]:\dosutils\autoboot

这里[cdrom-drive]是你的系统的 CD-ROM 驱动器字母。

警示:
这种方法将删掉你的硬盘上的信息。备份任何你担心丢失的文件。

如果你有另一个可用的分区,你能够安装 Linux 使它与你的系统共存,而不删掉已有信息。为此,你需要 CD-ROM、一个空分区和一个引导盘。你将在本章稍后学习如何制作引导盘,以及如何重新对你的硬盘进行分区。

NFS(网络文件系统)提供了在网络上安装 Red Hat 的方法。首先,你必须在一台支持用 RockRidge 扩展的 ISO-9660 文件系统的机器上装上 CD-ROM 驱动器,然后通过 NFS 输出这个文件系统。你必须知道到这个被输出的文件系统的路径名和 IP 地址,或者,如果配置了 DNS 的话,则要知道该系统的名称。

FTP(文件传输协议)是一种在 Internet 上传输文件的方法。(第二十七章"用 telnet、ftp 和 r-命令访问网络"更具体地解释了 FTP。)为通过 FTP 安装需要在本章稍后描述的一个引导盘和补充盘。

从硬盘安装 Red Hat 需要与用于 FTP 安装相同的引导盘和补充盘。首先,创建一个名为 RedHat 的目录。然后从 CD-ROM 把相应的目录,以及其中的所有子目录复制到这个 RedHat 目录中。为此,你可以使用下述 DOS 命令:

cd　\ RedHat

xcopy /s e:\ RedHat

上述 cd 命令假定你已经在将要安装 Red Hat 的硬盘驱动器上;上述 xcopy 命令假定你的 CD-ROM 驱动器是驱动器 E。

不论你使用何种方法,你都至少需要启动盘来进行安装。但首先你应该收集一些信息。

3.3.1 搜集所需信息

在开始安装之前,你需要如下有关你的系统的信息:

□ 系统使用的视频卡、芯片组和监视器的类型

□ 你的鼠标使用的串行端口

□ 你的调制解调器使用的串行端口

□ 如果你的计算机与一个网络相连的话,有关网络信息(其 IP 地址、网关和域名等)

□ 你的系统中硬盘和 CD-ROM 的类型,以及它们的控制器的类型

□ 你打算为你的系统所起的名字

如果你与 Internet 相连,你可以从你的网络管理员或从你的 Internet 服务提供商那里获得其中的大部分信息。

如果你打算在同一台计算机上使用其他的操作系统(如 Windows 95、Windows NT 或 OS/2),则你必须为这些操作系统创建必要的分区。通常,你需要使用相应的操作系统的分区软件,因为 Linux 不能处理其他的分区类型。

在 WEB 上:

V Communications 公司的名为 System Commander 的产品使你安装和在 32 个不同的操作系统间切换。你可以在 http://www.v-com.com/. 上找到有关该产品的更多信息。

其次,你应当查对 Red Hat 发行版本的最新变化情况。原因有很多,但两个主要原因是,其一,Linux 是不断变化的;其二,本章是在 CD-ROM 刻录前一个月编写的。在此期间,可能发布了新资料和程序错误更正。你可以与 InfoMagic 公司联系,它是随带的 CD-ROM 的制造商,以获取更多的信息。

在 WEB 上:

你还可以在 http://www.redhat.com/errata 上查对更新了的资料。

如果你不直接从 CD-ROM 上安装,你就必须重新分区你的当前硬盘,为 Linux 腾出空间。这可能会产生问题,因为重新分区一个硬盘将破坏受影响的分区上的所有文件。在为 Linux

腾出空间后,你需要引导 Linux 系统,并创建它的新分区和文件系统。通常,Linux 系统需要一个存储文件的主分区和一个交换分区,尤其是如果你的机器只有 8M 或更少内存的话。

注释:

从根本上说文件系统是硬盘的一个部分,经过特殊格式化,用来存放某些类型的文件。UNIX 和 Linux 用文件系统来表示整个目录树。这与 MS-DOS 相反,MS-DOS 把目录树中的子目录放在同一个逻辑驱动器中。UNIX 系统之所以使用这种目录树格式,是因为把子目录放在不同的驱动器中要更安全一些。

参见 14.1"了解文件系统"。

在创建文件系统后,你就可以安装 Linux 操作系统、它的支持文件和与该系统一起发行的各种应用软件包。为安装 Linux,你必须首先引导这个操作系统的一个简化(stripped down)版本。你可以通过制作一个引导盘和一组包含这个简化操作系统的补充磁盘来做到这一点。

3.3.2 制作引导盘和补充盘

你需要用 rawrite 程序来制作引导盘和补充磁盘。你能够在本书随带的 CD-ROM 上的/dosutils 子目录中找到这个程序。为了完成这一步骤,你需要两张格式化的软盘:一张贴上"boot"标签,一张贴上"supp"标签。把引导盘放入 A 驱动器,并输入如下命令:

E:\dosutils > rawrite
Enter disk image source file name: e:\images\boot.img
Enter target diskette drive: A:
Please insert a formatted diskette into drive A: and press - ENTER -

如果你要中断这个过程,只要按 < Ctrl-c > 去停止它。如果 rawrite 失败了,试用一张新的已格式化的软盘。如果问题仍然存在,你应该检查硬件方面可能存在的问题。制作了引导盘后,你还需要制作补充盘。这只要在上述命令序列中用 supp 映像文件名(supp. img)作为源文件名即可。

3.4 对硬盘进行分区

在你备份了你的系统并制作了必需的引导盘和补充盘后,你必须为 Linux 准备你的系统的硬盘。

警示:

这个过程是最危险的,因为这个过程会丢失所有数据。如果你还没有备份你的系统,现在就做。尽管你可以用一个名为 FIPS 的实验性程序和 Partition Magic 这样的商品化程序来做无损失的重新分区操作,但我们建议做全备份,以防出现问题。

3.4.1 了解分区

在 PC 机早期,硬盘很少,而且彼此相去甚远。大多数计算机用软盘存放操作系统、程序及其数据。随着 IBM PC XT 的诞生,IBM 引入了一个 10M 的硬盘。如 DOS 这样的早期操作系统只能访问硬盘上的有限空间。而硬盘生产者不断扩大其硬盘空间,其扩充速度比操作系统提高访问增加的空间的能力的速度快。操作系统通过让用户把硬盘划分成分区解决了这一问题。这些区域可以保存程序文件,其他操作系统或数据。

典型的 MS-DOS 系统有一个分区,称为 C 驱动器。如果你把这个驱动器划分成多个分区,这些分区通常以字母顺序称作 D、E 驱动器等等。MS-DOS 还允许安装多个硬盘,这样在这个链中,下一个硬盘可能就称作 F。

UNIX 和 Linux 不用驱动器字母表示分区;而是用目录名表示分区。另外,如前面指出的那样,Linux 用户可以把不同的目录放到不同的分区甚至不同的驱动器上。你还可以把不同的操作系统放到不同的分区中。

分区是在硬盘的引导记录中的分区表中指定的。这个表被各种操作系统用于决定引导哪个操作系统和在硬盘的什么地方能实际找到它们的文件。引导记录用于引导或启动机器的操作系统。Linux 的引导程序 LILO(LILO 表示 LInux LOader)和其他引导管理程序使用硬盘的这个部分(通常在硬盘的前几个扇区)来控制启动哪个操作系统。

分区表保存与硬盘上各个分区的位置和大小等有关的信息。有三种类型的分区:主分区,扩展分区和逻辑分区。DOS 和一些别的操作系统必须从主分区进行引导。硬盘只能包含 4 个主分区;扩展分区本身并直接不包含数据,但它允许用户在其中定义其他的逻辑分区。这样,为了回避 4 个主分区的限制,你可以定义一个扩展分区,然后在这个扩展分区中定义其他的逻辑分区。

有些操作系统,如 MS-DOS 和版本 2.0 以前的 OS/2 要求被安装在一个主分区中,但他们可以访问扩展分区中的逻辑驱动器。如果你要把一个 DOS 系统和一个 Linux 系统驻留在同一个驱动器上,记住这点是非常重要。DOS 必须放在一个主分区中。

3.4.2 使用 *FDISK*

分区是由通常称作 FDISK 的程序创建、删除和管理的。每一种操作系统都有其自己的 FDISK 版本,因此确保使用了正确的 FDISK。如果你现在正在使用 DOS 或打算使用 DOS,你必须首先使用 DOS 的 FDISK 对 DOS 驱动器重新进行分区。稍后使用 Linux 的 fdisk 创建 Linux。如果你正在使用 OS/2,你还需要使用 OS/2 的 FDISK 来准备 OS/2 分区。

分区要求　首先,你应该计划你需要哪些分区。DOS 需要一个主分区;Linux 和 OS/2 可以驻留在其他分区中。如果你将使用 OS/2 引导管理程序(它也能很好地与 Linux 一起使用),你必须为使用它做准备。你还必须注意如果你要缩减当前的 DOS 分区为 Linux 腾出空间,不是所有的文件都能恢复到这个新的、较小的 DOS 分区中。

注释:
你能够从 Linux 访问 DOS 分区,即在 Linux 下移动、保存和编辑 DOS 文件。但你不能在 Linux 下执行 DOS 程序。

有两个 Linux 的实验性程序允许你在 Linux 下仿真 DOS 和在 DOS 下安装 Linux。这两个系统都仍处在实验阶段,因此,更适合 Linux 黑客使用。另外还有一种方法:使用 UMSDOS,但它与 Red Hat 不兼容,因此你根本不能使用这种方法。你能够在 Linux 领域中找到大量与这些话题有关的信息。

参见 5.8"在 Linux 下运行 DOS 程序"。

其次,你应该记下你需要的分区的编号和为每一个分区提供的磁盘空间容量。

DOS 要求　如果你要引导 DOS,你必须把它放在一个主分区中。DOS 的一个可引导版本不需要太多的磁盘空间——只要能存放下 COMMAND.COM、CONFIG.SYS 等系统文件和启动系统所必需的驱动程序文件就行了。比如:我在我的第一个驱动器上为引导 DOS 提供了一个 5M 的 DOS 分区。

当 DOS 被装载并运行时,你可以访问系统上的其他扩展和逻辑硬盘。遗憾的是,尽管 Linux 能够访问 DOS 分区中的 DOS 文件,但 DOS 不能访问 Linux 分区中的 Linux 文件。

OS/2 要求　2.0 版本及其后版本的 OS/2 不需要主分区。OS/2 系统能够从一个扩展分区安装和引导。因此,你能够在一个主分区安装 DOS 并为 OS/2 和 Linux 创建一个扩展分区。OS/2 所需空间与其版本和特性有关;你应当就空间要求参考你的 OS/2 文档。如果你打算使用 OS/2 引导管理程序,你还应该从可用空间中减去 1M。

Linux 要求　正如前面说明的那样,Linux 在文件系统中存储文件,并且这些文件系统能够驻留在不同的分区中,这些做法主要是一种安全措施。Linux 要求为每个文件系统使用一个分区。交换分区是另一个要考虑的因素。与大多数使用磁盘空间作为内存扩充(称作虚拟内存配置)的操作系统一样,Linux 需要一个交换文件或交换分区以便用磁盘空间模仿实际内存。Linux 通常使用一个交换分区。

交换分区的大小取决于你的系统所包含的实际内存的数量。一个首要原则是使你的交换分区大小是你的内存容量的两倍。因此,如果你的系统中有 8M 的 RAM,你就应该创建 16M 的交换区;如果你有 4M 或更少的 RAM,你必须激活一个交换分区。

Linux 交换分区只能达到 128M 大小,因此如果你需要更多空间,你就得创建多个交换分区。因此,如果你有一个 Linux 系统,它需要两个用于 Linux 的分区(一个用于系统文件,一个用于用户文件),另加一个交换区,你就需要定义两个 Linux 分区和一个 32M 的交换分区。

3.4.3　重新对 DOS 驱动器进行分区

本节假设你需要重新分区一个 DOS 驱动器。首先,在 DOS 提示符下键入 fdisk 执行 FDISK。出现了 FDISK Options(FDISK 选项)屏幕(参见图 3.1。)

图 3.1　从这个 FD-ISK 选项屏中,你可以看到当前分区、创建新分区和删除旧分区等选项

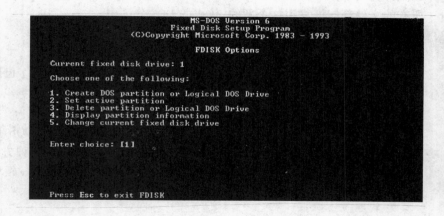

根据你使用的 MS-DOS 的版本,图 3.1 中显示的屏幕显示看起来可能会有所不同。选取菜单选项 4,Display Partition Information(显示分区信息)。出现了显示分区信息屏(参见图 3.2)。记下该屏中的信息。如果你决定中止 Linux 安装过程并使你的系统回复到安装前的情况,你就需要其中的当前分区表信息。

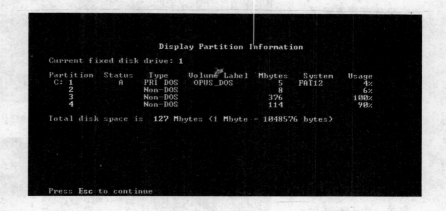

图 3.2　你能够通过 MSDOS 6.x 中的显示分区信息屏查看当前分区信息

重新对硬盘进行分区的一种替代方法

你可以不必重新分区你的硬盘,尽管人们认为重新分区对引入 Linux 是最好的。你可以使用 FIPS 无损地重新分区你的硬盘。

FIPS 代表"First non-destructive Interactive Partition Splitting(第一个无损交互式分区划分)",是 Amo Schaefer 开发的一个程序,是 Linux 工程的一项成果。FIPS 用于在 DOS 分区中挪动,为 Linux 分区腾出空间。

你可以在本书随带的 Red Hat CD-ROM 上的/utils/fips 目录中的 fips.doc 文档内找到使用 FIPS 的完整指导。只有当在你的硬盘上留有安装 Linux 的足够空间时,这个程序才有所帮助;否则你必须删掉不再需要的文件或使用前面叙述过的过程来重新分区你的硬盘。

在 Slackware Linux 下(其安装过程将在第四章讨论),你能够用 UMSDOS 把 Linux 安装在 DOS 分区中。UMSDOS 是一个允许 Linux 存在于 DOS 分区上的一个工程。UMSDOS 让你在已有 DOS 目录下创建 Linux 根文件系统。遗憾的是,你不能在 Red Hat 下使用 UMSDOS。

删除分区　遗憾的是,FDISK 不允许你简单地改变分区的大小;你必须先删除分区,然后再按所需大小把该分区添加回去。从 FDISK 选项屏选择菜单选项 3,Delete Partition or Logical DOS DRIVE(删除分区或 DOS 逻辑驱动器),该选项删除所需分区。出现了 Delete DOS Partition or Logical DOS DRIVE(删除 DOS 分区和 DOS 逻辑驱动器)显示屏幕(参见图 3.3)。

选取你将删除的分区的类型(比如 DOS 主分区)的相应菜单选项,例如:选项 1,Delete Primary DOS Partition(删除 DOS 主分区),允许你删除 DOS 主分区。

选择选项 1 将显示 Delete Primary DOS Partition(删除 DOS 主分区)屏(参见图 3.4)。该屏询问这个分区的卷标号,以及你是否确实要删除这个分区的确认。因为这个分区上的所有信息都将被破坏,FDISK 想完全证实你要删掉这个 DOS 主分区。

增加分区　在你删除了所有所需分区后,你必须通过选取 FDISK 选项屏上的 Create a DOS Partition(创建一个 DOS 分区)菜单项为你的 DOS 系统增加相应的分区。图 3.5 示出了 Create a DOS Partition or Logical DOS Drive(创建一个 DOS 分区或 DOS 逻辑驱动器)显示屏幕。

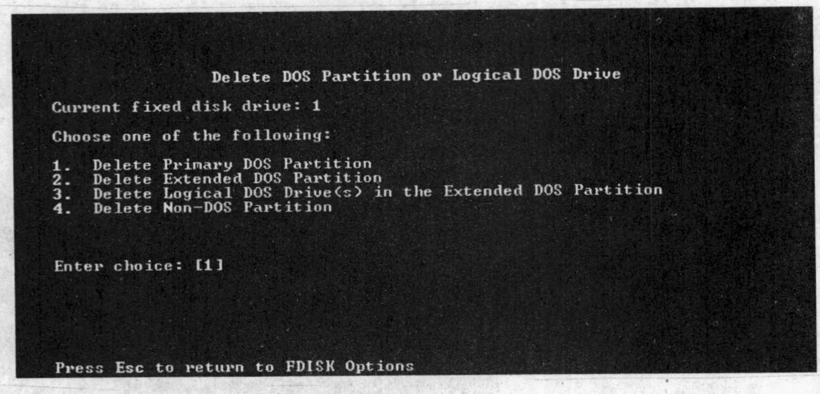

图 3.3 使用"删除
DOS 分区屏"删除指
定的分区或逻辑驱
动器

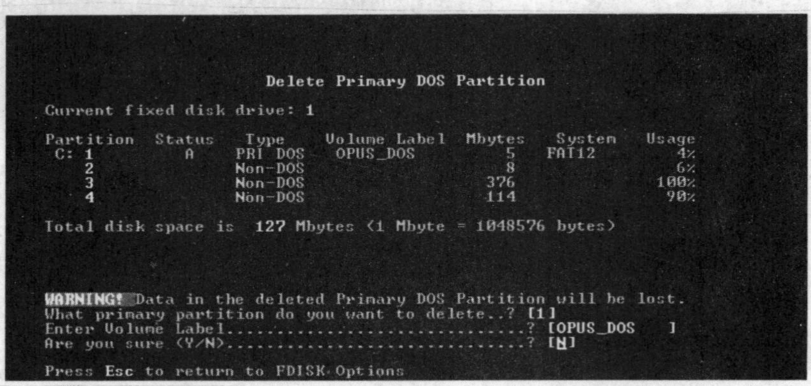

```
                Delete DOS Partition or Logical DOS Drive
Current fixed disk drive: 1

Choose one of the following:

1.  Delete Primary DOS Partition
2.  Delete Extended DOS Partition
3.  Delete Logical DOS Drive(s) in the Extended DOS Partition
4.  Delete Non-DOS Partition


Enter choice: [1]




Press Esc to return to FDISK Options
```

图 3.4 当你试图
删掉一个 DOS 主分
区时,MS-DOS 对你
提出警告

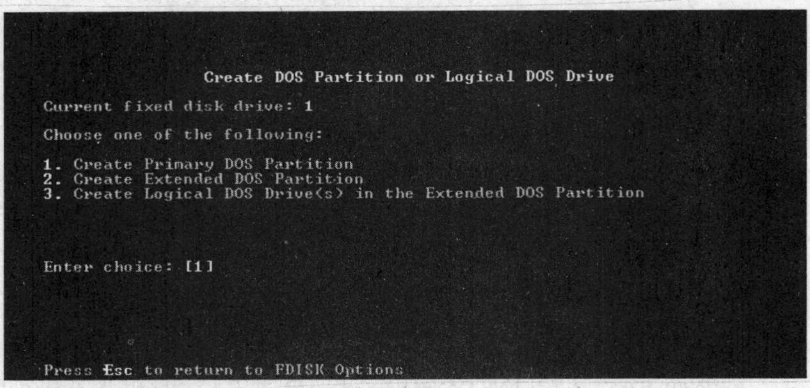

```
                   Delete Primary DOS Partition
Current fixed disk drive: 1

Partition  Status   Type      Volume Label   Mbytes    System   Usage
C: 1          A     PRI DOS    OPUS_DOS            5    FAT12       4%
   2                Non-DOS                         8                6%
   3                Non-DOS                       376              100%
   4                Non-DOS                       114               90%

Total disk space is  127 Mbytes (1 Mbyte = 1048576 bytes)



WARNING! Data in the deleted Primary DOS Partition will be lost.
What primary partition do you want to delete..? [1]
Enter Volume Label...............................? [OPUS_DOS   ]
Are you sure (Y/N)...............................? [N]
Press Esc to return to FDISK Options
```

图 3.5 大多数操
作系统的正确引导
需要一个活动的主
分区

```
                Create DOS Partition or Logical DOS Drive
Current fixed disk drive: 1

Choose one of the following:

1.  Create Primary DOS Partition
2.  Create Extended DOS Partition
3.  Create Logical DOS Drive(s) in the Extended DOS Partition


Enter choice: [1]




Press Esc to return to FDISK Options
```

注释:

你不能用 DOS 的 FDISK 程序增加 Linux 或 OS/2 分区。为 Linux 对硬盘进行分区稍后将在"使用 Linux 的 fdisk 命令"一节中讨论。

FDISK 的默认值是为这个分区提供所有的可用空间并使这个分区成为活动分区,如图 3.6 所示。

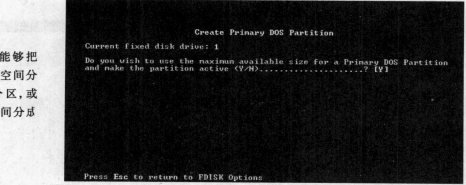

图 3.6　你能够把所有的磁盘空间分配给一个分区,或者把可用空间分成数个分区

"活动的(active)"指示这个分区是可引导的。为了引导 DOS,你必须把这个主分区指定为活动的。对第一个选项选择 N(不),以便你能指定 DOS 分区的确切磁盘空间容量。在对图3.6中的问题回答"N"后,将显示 Specify Disk Space for the Partition(为这个分区指定磁盘空间)屏幕。以兆字节数或者以可用空间的比例数为你的 DOS 分区指定所需空间容量,并按<Return>键。

接下来,你必须把这个分区设置为活动的。从 FDISK 选项屏中选择菜单选项 2,Set Active Partition(设置活动分区),并按照这个设置活动分区菜单屏幕上的指示去做。

格式化分区　在你对硬盘重新分区后,你需要为 DOS 准备这个新分区,并把相应的文件恢复到这个 DOS 分区中。用你以前制作的引导盘重新引导你的计算机。然后,用下述 DOS 命令格式化这个驱动器并传输 DOS 的系统文件。

format c :/s

这个分区格式化后,你就可以把备份的文件恢复到这个新驱动器中。记住,如果你缩小了这个分区,那么不是所有的文件都能放到这个新驱动器上。可能有必要把那些未放到新盘中去的文件放到其他的 DOS 驱动器或分区上。

3.5　安装 Linux 系统

为开始 Linux 的安装过程,把你制作的引导盘插入你的软盘驱动器并复位你的计算机。系统显示如下提示,然后开始对系统进行初始化:

LILO:boot:

Loading Linux....

注意观察显示的信息,以防 Linux 不能识别你的硬件。如果遇到 Linux 不能识别硬件的情况,你可能必须在 Linux 启动时为它提供一些额外参数。记录这些参数,在相应的提示下输入它们,并按<Return>键。此后你应当看到一个显示屏,询问你是否有一台彩色监视器(参见图 3.7)。

用<Tab>键选取你的选择,然后按<Return>键,此时显示 Welcome(欢迎)屏(参见图 3.8)。

按<Return>键继续。下一屏询问你是否需要为你的系统得到 PCMCIA 支持(参见图 3.9)。用<Tab>键选取相应的回答,然后按<Return>键。

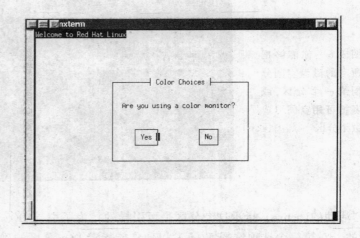

图 3.7 Red Hat 的
安装程序能够利用
彩色监视器的彩色

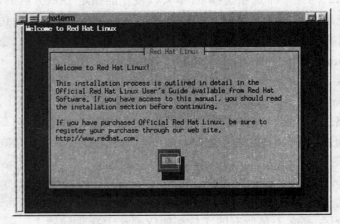

图 3.8 Red Hat
Linux 的欢迎屏

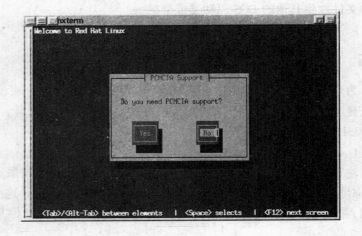

图 3.9 Red Hat
Linux 为 PCMCIA 卡
提供可选支持

注释:

    在这些对话框中移动是容易的,这个安装程序在大多数屏幕的底部提供了一些提示信息。为从一个元素移到另一个元素(域),按 < Tab > 键或 < Alt-Tab > 键。如果你需要从一个列表框中选取一项或选取一个复选框,使用空格键。要选择一个按钮(通常是 OK 或 Cancel),只需按 < Return > 键。

下一个对话框(参见图 3.10)让你选取前面在"了解各种安装方法"一节中描述的安装方法。选取你的安装方法并按 < Return > 键。安装程序请你把 Red Hat CD-ROM 插入 CD-ROM 驱动器。插入后只需按 < Return > 键继续下面的操作。

图 3.10 Red Hat
Linux 允许你用多种
方法(包括 NFS 和
ftp)方法安装它

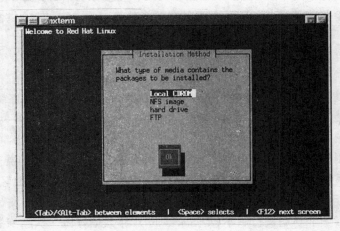

注释：

本章的余下部分假定你正在从本地的 CD-ROM 驱动器进行安装。如果你选取了另一种安装方法,参见相应的帮助主题或 Red Hat 的网点:http://www.redhat.com。

接下来,安装程序将询问你的 CD-ROM 驱动器类型(参见图 3.11)。你可以选取:

IDE(ATAPI)

SCSI

其他 CD-ROM

图 3.11 Red Hat
Linux 的安装程序需
要知道你的系统中
使用的 CD-ROM
类型

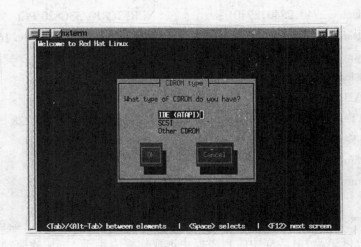

其中"其他 CD-ROM"类别中包含 Creative Labs(SoundBlaster)公司售出的那些驱动器和其他多媒体中的 CD-ROM,以及下述 CD-ROM 驱动器:

Aztech CD   Sanyo

Goldstar R420   Sony CDU-31A

Misumi	Sony CDU-5xx
Optics Storage 8000	SoundBlaster/Panasonic
Philips CM206/CM260	

根据你的选取,安装程序可能会询问一些参数,如 IRQ 或 DMA 地址等。或者,安装程序可能通过检测你的硬件,自动地确定这些参数值。最好是在提供参数前首先让安装程序自动检测。

注释:

在安装程序检测系统硬件的任何时候,系统都可能停止反应。如果系统停止了反应,你必须重新引导并重做安装过程。在试图重新安装之前,一定要收集 IRQ 和 DMA 地址这样一些所需信息。

检测你的 CD-ROM 类型后,系统开始从这个 CD-ROM 驱动器安装。首先,它询问你要安装一个新系统还是要升级一个已有 Red Hat 系统。Red Hat 4.0 能轻易地从版本 2.0、2.1 或 3.0.3 升级,但没有哪个 Linux 发行版本能轻易地从另一个不同的发行版本升级。因此,如果你的机器上有一个早期发行版本(如 Slackware),那么最好做一次新安装,把你的早期系统删掉——当然,是在备份了重要的数据文件后。

接下来,安装程序显示 SCSI Configuration(SCSI 配置)对话框,在这个对话框中你可以告诉安装程序在你的系统中是否有 SCSI 适配器。选择相应按钮继续往下进行。

如果你有一个 SCSI 适配器,安装程序显示装载模块对话框,你能够从下述 SCSI 驱动器进行选取:

Adaptec 152x	Iomega PPA3(串行端口 Zip)
Adaptec 1542	NCR5380
Adaptec 1740	NCR53c406a
Adaptec 2740,2840,2940	NCR53C810/53C820 PCI
AdvanSys Adapters	Pro Audio Spetrum/Studio 16
Always IN200	Qlogic FAS
Buslogic Adapters	Qlogic ISP
DTC3180/3280	Seagate ST01/02
EATA DMA Adapters	Trantor T128/T128F/T228
EATA PIO Adapters	UltraStor 14F/34F
Future Domain TMC-885,TMC-950	UltraStor 14F/24F/34F
Future Domain TMC-16x0	Western Digital wd7000

接下来,你必须对你的硬盘进行分区——或至少选取你已经创建了的分区。从 Partition Disks(分区磁盘)对话框中的列表框中选取你要专用于 Linux 的驱动器,然后按 < Return > 键或选择 Edit 按钮。这使你转到 fdisk 程序对你选取的驱动器进行分区。

3.5.1 使用 Linux 的 *fdisk* 程序

在 fdisk 提示符下,键入 m 得到一个命令清单。表 3.4 列出了可使用的命令。

表 3.4 Linux 的 fdisk 命令

命令	描述
a	切换可引导标志
c	切换 DOS 兼容性标志
d	删除分区
l	列出已知的分区类型
m	显示命令清单
n	增加分区
p	显示分区表
q	不保存修改退出
t	改变分区的系统 ID
u	改变显示/条目单位
v	校验分区表
w	把分区表写入磁盘并退出
x	提供只供专业人员使用的额外功能

为开始分区操作,选取 p 命令(按 < p > < Return > 键)显示当前分区表,它将反映你前面用 DOS 的 FDISK 程序所分区的硬盘的分区信息。清单 3.1 示出了一个可能的由 p 命令产生的清单。

清单 3.1　当前分区表的例子

Disk /dev/hda: 15 heads, 17 sectors, l024 Cylinders

Units = cylinders of 255 * 512 bytes

Device	Boot	Begin	Start	End	Blocks	Id	System
/dev/hda1	*	1	1	41	5219	1	DOS 12-bit
FAT							
/dev/hda2		1024	l024	4048	384667 +	51	Novell?

Partition 2 has different physical/logical endings:

phys = (967, 14, 17)Logical = (4096, 14.17)

注释：

你的屏幕看起来可能与清单 3.1 中示出的不同,因为每个驱动器的类型值和驱动器上已定义的分区数是不同的。

清单 3.1 示出了安装程序能检测到的各种已定义的分区。从中还可得到各分区的开始和结束位置及其以块(block)为单位的大小。该清单还示出了分区的类型。表 3.5 给出了你能够用 Linux 的 fdisk 定义的所有的分区类型。主要的分区类型是 83-Linux Native(本地)和 82-Linux Swap(交换)。你可以用 l 命令得到一个与此相似的清单。

在清单 3.1 中,Linux 在屏幕底部对实际和逻辑结尾的不同进行了注释。实际和逻辑结尾存在区别是因为,在用于写这一章的系统上,一个原先包括 DOS 的 D 驱动器的分区保留未动,而 C 驱动器被重新分区成为一个较小的 C 驱动器,以便为 Linux 腾出空间。因此,在 C 驱动器和 D 驱动器之间有空间。我们正是要在这个空间中建立 Linux 所必需的分区。

表 3.5　已知的 Linux 分区类型

引用号	类型	引用号	类型
0	空	75	PC/IX
1	DOS 12 位 FAT	80	老版本 MINIX
2	XENIX 的根	81	MINIX/Linux
3	XENIX 的用户	82	Linux 交换
4	DOS 16 位 < 32M	83	Linux 本地
5	扩展	93	Amoeba
6	DOS 16 位 > = 32M	94	Amoeba BBT
7	OS/2 HPFS	a5	BSD/386
8	AIX	b7	BSDI fs
9	AIX 可引导	b8	BSDI 交换
a	OS/2 引导管理器	c7	Syrinx
40	Venix 80286	db	CP/M
51	Novell?	e1	DOS 访问
52	Microport	e3	DOS R/O
63	GNU HURD	f2	DOS 次级
64	Novell	ff	BBT

清单 3.1 中的开始、启动和结束号码非常重要,你应当记录下来。你将在后面的步骤中用它们来指定你增加的分区必需的容量。

3.5.2　添加必需的分区

因为你已经重新分区了 DOS 驱动器,所以你不必为 Linux 删除任何分区了。你只需添加分区。用 n 命令来添加分区,这个命令显示:

Command Action

e extended

p primary(1-4)

按 < p > 和 < Return > 键。fdisk 然后询问分区号;键入你选取的分区号并按 < Return > 键。如果你指定了已经在使用的分区号,fdisk 将报告这一情况,并让你在把这个分区加入分区表之前删除它。例如,输入 3,添加一个称作/dev/hda3 的第三个主分区。

接下来,fdisk 询问第一个柱面的位置。这通常是第一个可用的柱面;事实上,fdisk 为你选取显示了一个默认范围——例如:

First cylinder (42-1024):

注意,在清单 3.1 例中,第一分区在柱面 41 处结束,而下一个分区从柱面 1024 开始。因此,这里由 fdisk 提供的范围允许你在范围 42-1024 中任何位置开始下一个分区。不随便在盘上任意位置放置分区是非常好的想法,因此选取下一个可用位置,在本例中就是柱面 42。输入 42 并按 < Return > 键。

注释：

Linux 从柱面 1024 以上开始的分区引导时肯定会有问题。如果你只能在 1024 以上区域中创建 Linux 分区，你可能就不得不从软盘引导 Linux。在本章稍后你将学习如何制作引导软盘(它是与安装用的引导软盘不同的)。唯一的缺点是从软驱引导 Linux 比从硬盘引导所用时间要长。

现在，fdisk 要求你指定要为这个分区分配多大空间。你可以用柱面数或字节数(+ size)、千字节数(+ sizeK)或兆字节数(+ sizeM)来表示分区的容量。因为你应当已经知道你需要用于交换文件的大小，所以先定义这个分区，然后把其余的磁盘空间留给 Linux 的程序分区。例如，如果你的机器有 8M RAM，你必须用下面的回答来指定一个 16M 的分区：

Last cylinder or + sizeM or + sizeK(42 – 1023): **+ 16M**

然后，你应该用 p 命令来查看一下刚定义好的新分区表。在这个例子中，新分区表看起来如下所示：

Disk /dev/hda: 15 heads, 17 sectors, l024 Cylinders

Units = cylinders of 255 * 512 bytes

Device	Boot	Begin	Start	End	Blocks	Id	System
/dev/hda1	*	1	1	41	5219	1	12-bit FAT
/dev/hda2		1024	l024	4040	384667 +	51	Novell?

Partition 2 has different physical/logical endings：

phys = (967, 14, 17) Logical = (4039, 14.17)

| /dev/hda3 | | 42 | 42 | 170 | 16447 + | 83 | Linux native |

fdisk 默认地把这个新分区设置成 Linux Native 类型。为把这个分区改变为交换分区，你需要使用 t 命令。键入 t，然后输入你要改变的分区号；在本例中，输入 3。fdisk 然后要求你根据表 3.5 输入所需分区类型的十六进制值(如果你手边没有该表，你可以键入 l 得到这个代码清单)。因为你想要一个交换分区，所以在提示符下输入 82。

你会看到，fdisk 报告了这个新分区的类型，但你还可用 p 命令再次核实分区 3 现在是 Linux 交换分区。

现在你能够添加你的 Linux 分区了。本例只添加了一个分区，但如果你因各种原因想要多个分区，你也能够在这时候实现。要添加一个分区，按 < n >；为另一个主分区，指定 p；然后为这个分区指定区号(4)。为了避免驱动器上不同分区之间出现碎片，最后这个分区应从紧接上一个分区的结束处(即柱面 171 处)开始。因为你想把这些剩余的空间都用于 Linux 系统，所以你能够为最后这个分区指定最后的柱面号，而不是确切的字节数。因此，输入 **1023**，如下所示：

Command (m for help)：n

Command action

e   extended

p   primary partition(1-4)

p

Partition number (1-4)：4

First cylinder （171-1024）:171

Last cylinder or ＋ size or ＋ sizeM or ＋ sizeK(171-l023):1023

现在用 p 命令验证新分区。如果你需要修改,现在就做。

当你满意你的分区布局时,你可以使用 w 命令把分区表信息写入硬盘。除非你用了 w 命令,任何更改都不是永久的;因此,如果你觉得你错误地做了修改,就可以用 q 命令在不变动分区表的情况下退出。如果你使用 w 命令,Linux 将会告诉你分区表已经发生了变动,然后调整磁盘与新分区表相匹配。如果你的 Linux 系统这时停止反应,用安装引导盘和根盘重新引导,直到你回到 # 提示符状态。

警示:

不要用 Linux 的 fdisk 程序创建或修改其他操作系统的分区。这会使硬盘处于对两个操作系统都无用的状态。

3.5.3 创建交换分区

Linux 的一些发行版本在安装期间提供交换文件的自动创建和激活,因此你不必对建立交换文件担心。但是,如果你正在使用一个不同的发行版本,你可能需要在继续安装之前创建和激活交换文件。

注释:

如果你在后续的安装过程中遇到"out of memory(内存用尽)"类型的出错,你应当增加你的交换文件的大小。如果你已经有了一个最大的 16M 分区,你必须按照下述指导创建和激活另一个交换分区。记住,这个 Red Hat 安装程序只创建一个分区。

为创建交换空间,使用 mkswap 命令,并告诉它使用哪个分区及有多大空间用于虚存。例如,为在你前面定义的/dev/hda3 分区上创建一个交换空间,在 # 提示符下输入如下命令:

    # mkswap -c /dev/hda3 16447

16447 代表 16M 并能在 fdisk 的 p 命令的输出屏中的块(Blocks)列中找到。可选的-c 标志告诉 mkswap 检查这个分区中的坏扇区。

接下来,你必须用 swapon 命令激活这个交换系统:

    # swapon /dev/hda3

另外,如果你正在使用本书随带的 Red Hat CD-ROM 盘,只要你是为一个交换分区创建这个分区的,你就不用对激活这个交换分区担心。在安装过程中,安装程序检测到这个交换分区并为安装过程自动启动这个分区。

在各个硬驱上创建了你的分区并返回到分区磁盘(Partitioning Disks)对话框后,选择 Done (完成)按钮继续。

接下来,系统要求你选取活动的交换空间,它应该是你在前一节中创建的并标记为 Linux Swap(82)类型的。选取这个分区并选择 OK 按钮。安装程序然后初始化这个交换空间。

创建交换空间后,安装程序显示选取根分区(Select Root Partition)对话框。根分区是 Linux 的主文件系统,所有的引导文件都放在这里。从列表框中为你的根分区选取这个设备(硬驱)并按＜Return＞键。现在你能够从分区磁盘对话框装上其他分区了(如果有的话)。你还能够从这里装上任意 DOS 或 OS/2 文件系统,使得能从 Linux 访问它们。从列表框中选取编辑这个分区并按 < Return > 键。从编辑安装点(Edit Mount Point)对话框,你可以指定一个你想把这个分区安装到其上的安装点——即一个目录。

参见 14.2"安装和卸下文件系统"。

3.5.4 安装软件组件

祝贺你! 你的系统现在已经为 Linux 准备好了,但你只完成了一半。现在你必须选取安装各种软件组件,并配置它们。

安装程序显示要安装的组件(Components to Install)对话框,这个对话框允许你选取各种软件包。表 3.6 描述了每一个软件包。

表 3.6　安装的组件

组件名	描述
C Development(C 开发)	提供 GNU 的 gcc 编译器和工具
Development Libraries(开发库)	提供各种开发工具(如 gcc 和 g^{++})所需的各种库
C++ Development(C++ 开发)	安装 GNU 的 C++ 编译器 gcc
Print Server(打印服务器)	允许把你的 Linux 系统当作你的网络中的打印服务器
News Server(新闻服务器)	允许把你的系统当作新闻服务器,从而为你的用户提供新闻
NFS Server(NFS 服务器)	允许把你的系统输出和连接到你的网络上的其他文件系统中
Networked Workstation(网络工作站)	提供联网应用软件
Anonymous FTP/Gopher Server(匿名 FTP/ Gopher 服务器)	让你把你的系统建成其他系统可以通过匿名 FTP 访问它
Web Server(Web 服务器)	包括现在使用最多的 Web 服务器 Apache
Network Management Workstation(网络管理工作站)	提供用于网络查错和网络监控的公用程序和工具
Dialup Workstation(拨号工作站)	允许你通过拨号线路(即一个调制解调器)访问 Internet
Game Machine(游戏机)	提供很多文本和图形游戏,包括 DOOM
Multimedia Machine(多媒体机)	允许你在你的计算机上播放 CD 并做其他多媒体操作
X Windows System(X Windows 系统)	提供用于所有 UNIX 工作站,因此也可用于 Linux 工作站的 GUI;X 是一个与 Windows 95 和 OS/2 相似的 GUI
X Development(X 开发)	提供开发 X 应用程序所需的工具、库和杂项(如字体)
X Multimedia Support(X 多媒体支持)	为 X 提供多媒体支持
TeX Document Formatting(TeX 文档编排)	提供用于为文档添加编排代码的一系列程序
Emacs	安装 Linux 的通用编辑程序(你可以用 emacs 做任何事情,emacs 专家如是说)

组件名	描述
Emacs with X Windows	提供功能强大的基于 X Windows 的 emacs 编辑器
DOS/Windows Connectivity（DOS/Windows 连通性）	允许你访问 DOS 文件、运行 DOS 程序及（在有限的成功率下）运行一些 Windows 程序
Extra Document（附加文档）	与其他帮助信息一起提供 Linux 的文档（包括重要的 HOWTO）
Everything（所有内容）	安装 CD-ROM 盘上的所有内容；不计用于数据文件的空间，大约需要 350M 的可用空间

注释：

你可以在这个对话框中选取相应的复选框从而选取不同的软件包，或者通过选取其中的 Everything 选项来安装所有的软件包。为选取安装一个软件包，只有移到想要的组件处并按空格键。选取了你的所有组件后，用 < Tab > 键切换到 OK 按钮上并按 < Return > 键。

安装后的下一个对话框通知你，你能够通过查看文件/tmp/install.log 文件看到已安装的文件。按 < Return > 键继续安装过程。

现在艰苦的部分来临了——等待。传输和解压缩多达 350M 的程序是肯定要花一段时间的。Setup 程序首先在你指定的分区上安装文件系统，然后开始安装软件。在系统安装各种你在安装状态（Install Status）对话框中选取的文件的过程中，系统向你报告它的安装进度。安装时间是不同的，这取决于你在安装什么及你的机器处理这些信息的速度有多快。休息一下，要一份比萨饼！

3.6 配置系统

安装软件后，安装程序开始配置你的系统。它首先通过显示配置鼠标（Configure Mouse）对话框配置你的鼠标。只要从列表框中选取与你的鼠标最相符合的鼠标类型。记住，许多鼠标必要时应能够仿真 Microsoft 串行鼠标。"仿真三个按钮（Emulate 3 Buttons）"复选框之所以存在，是因为许多 PC 鼠标只有两个按钮，而 X Windows 常常使用三个按钮来操作程序并在程序中进行选取操作。通过选取这个复选框，系统将使同时单击两个鼠标按钮与按下一个带三个按钮的鼠标中进行选取的中间按钮的效果相同。作出你的选择并按 OK 按钮。

接下来，你必须指定你的鼠标所连接的串行端口。从列表框作出选择后，用 < Tab > 键切换到 OK 按钮上，并按 < Return > 键。安装程序然后要求你选取你的系统中的视频卡的类型。

警示：

尽量选取正确的视频卡，因为所有操作都是软件方面的，你的视频卡和监视器是安装程序能够轻易破坏的唯一子系统。如果你作出了错误的选择，你可能会烧坏你的监视器！虽然这种可能性不大，但这种可能仍然存在。因此明智地作出选择吧，年轻的 Linux 新手们！

系统现在试图安装适合你的硬件的 XFree86 服务程序。

参见 6.2"安装 XFree86 系统"。

接下来,你必须选取你的监视器。同样,尽可能具体。选取你的监视器后,系统询问你的视频卡所带的视频内存量。作出相应选择并选 OK 继续。

记得那些对烧坏你的监视器的警告吗？那么,现在你确实有了一个体会它的机会,因此,要小心。下一屏要求你选取你的视频卡上的时钟芯片。这些芯片用于驱动从你的卡到你的监视器的视频信号。如果它们不同步,这些信号会(你猜对了)烧坏你的监视器(实际爆炸的情况很少,大部分只是发出嘶嘶声和冒烟)。请千万小心！如果你不能肯定你的卡使用的是何种时钟芯片,选取默认选项"无时钟芯片设置(No Clockchip Setting)"并选 OK。

选取你的时钟芯片(或默认)后,系统会自动检测并试图配置 X。自动检测可能会使你的系统停止反应,但只要没有严重错误(如,你为你的系统选取了极不合理的时钟速度),你只需重新引导继续安装。你确实有跳过自动检测并继续安装的选项。

注释:

　　我已经安装了 Red Hat 许多次,都让这个安装程序正确地配置了我的 X 系统。你或许比我的运气更好,因此如果你的安装失败了,不要着急。我总能用第六章"安装 X Windows 系统"中描述的 Xconfig 程序配置 X。尽管讨论重点是在 Slackware 下安装,但安装 XFree86 在大多数 Linux 发行版本(包括 Red Hat)下是一样的。

参见 6.3"配置 XFree86"。

　　如果自动检测成功了,系统将显示一个用于选取系统要使用的分辨率的信息屏。你可以选取多个,只要你的视频卡和你的监视器能够支持这些分辨率。最后,系统告诉你如何启动和停止你的 X Windows 系统。

3.7　配置网络

　　配置 X Windows 后,安装程序接下来配置你的网络。如果你的机器是与 Internet 相连的或将与 Internet 相连,并且前面安装了联网组件,选 Yes 继续。

　　首先,系统用装载模块(Load Module)对话框询问使用哪个以太网驱动程序。为你的以太网卡选取相应的启动程序并按 OK。

　　同样,安装程序可能试图自动检测你的硬件,以便为网卡确定某些值。这个检测过程会使系统停止反应,迫使你重新引导。如果发生这种情况,在这里停顿一下。首先确信你选取了正确的驱动程序,然后检查是否需要把一些特殊的参数(如,IRQ 和 DMA 地址)传递给网卡。你可以通过指定参数(Specify Parameter)选项而不用自动检测选项做到这一点。

注释:

　　以太网目前是用于 Linux 的最流行的网络接口。其他技术,如令牌环网、ISDN 和 ATM 等也有一些支持,但它们在 Linux 下还未处于黄金时期。许多还仅处于 alpha 或 beta 阶段,并依赖于特定厂商的硬件。

　　如果系统能够检测到你的网卡,它将引导你设置你的 TCP/IP 网络。

3.7.1 配置 TCP/IP 网络

安装程序使用配置 TCP/IP(Configure TCP/IP)对话框来搜集你的系统的 TCP/IP 信息。你的网络管理员或 Internet 服务提供商能够提供如下信息：你的机器的 IP 号、网络掩码、网络地址和广播地址。

接下来，系统必须配置你的网络。它从配置 TCP/IP 对话框搜集信息。你必须指定你的网络的域名和你的系统的主机名。域名通常是 Internet 地址的最后两个部分。例如，如果 Internet 地址是 www.netwharf.com，则 netwharf.com 是域名，www 是主机名。

接下来，你的网络管理员必须向你提供有关你的系统的默认网关和主要名字服务器的值。你的网络还可能有一个次要名字服务器，因此在相应的位置上输入其值。

注释：

为你的主机命名时要小心，因为这个名字将出现在你的默认提示行上、邮件信息中和日志报告中。你确实想让你的老板从 uradork.netsharf.com 收到邮件吗？

3.7.2 设置时间

接下来，你必须指定你的系统的记时方式和它所处的时区。这是用配置时区(Configure Timezones)对话框来完成的。选择你想使用本地时间还是使用 GMT 时间，然后从列表框中选取你的时区。作出你的选取后，选择 OK。

3.7.3 选取键盘设置

配置你的系统记录时间的方式后，安装程序询问你正在使用的键盘的类型。使用配置键盘(Configure Keyboard)对话框来选取你要使用哪个国家代码并选择 OK。

3.7.4 选取超级用户 root 的口令

现在你必须选取你的 root 的口令。这是进入你的系统的关键，因此要加些小心。一个 Linux/UNIX 系统上的超级用户或 root 能够做很多事情，也能给系统带来严重破坏。挑选一个可靠的口令，把它交给他人时要谨慎。根口令(Root Password)对话框让你输入口令两次以证实你已输入的口令。尽管在用户忘了他们的口令时你能修复它，但你如果忘了 root 的口令，可能不得不重新安装系统。不过，从软盘引导并编辑口令文件有可能恢复系统。

参见 12.2"口令安全性"。

3.7.5 安装 LILO

LILO 代表 LInux LOader(Linux 装载程序)。LILO 是一个在系统启动时运行的程序，它允许你选择用哪个操作系统来引导计算机。你可以用 LILO 引导几个不同的操作系统，如 Linux 和 MS-DOS。按 < Tab > 键得到一个 LILO 能够引导的操作系统清单。

对 LILO，你还可以指定默认引导的操作系统和 LILO 引导该操作系统前的默认时间限制。

例如,如果你的计算机上有 MS-DOS 和 Linux,可以配置 LILO 引导二者中任何一个。你还可以告诉 Linux,如果 30 秒后没有人介入,就引导 MS-DOS。但是,在到 30 秒之前,用户可以指定引导其他操作系统,而不是引导默认操作系统。你可以按 < Ctrl >、< Alt > 或 < Shift > 键停止计时过程。

在配置 LILO 时指定所有这些信息。你可以以后直接编辑/etc 目录下的 lilo.conf 文件。如果你不想自动引导 Linux,你可以按 Skip 按钮继续。否则,选取硬驱安装 LILO,并按 < Return > 键来编辑这一项。

祝贺你! 装载 LILO 之后,你的系统就建立起来了,并将(我们希望)无故障地运行。

3.8 建立新内核

有时问题只有一个解决途径——一个新内核。内核是 Linux 的核心操作系统。虽然不是因为缺乏信心,但从网上下载一个新内核并建立这个内核有时是必要的。如果你有一些编程经验并熟悉 C 程序设计语言的话,你应当能够建立和安装一个新内核。如果不是这样的话,你可以跳过本节。

你可能由于下述原因必须安装一个新内核:

□ 获得了运行新硬件的内核修订版。

□ 你想从内核中删掉你不使用的特性,因此降低你的系统对内存的要求。

首先确定你正在运行的内核版本。你可以用下述命令找出内核版本:

uname -a

系统对这个命令的回答指出现在正在运行的内核版本和它的建立时间。

版本号的格式是:

MajorVersionNumber. MinorVersionNumber. PatchLevel(主版本号. 次版本号.修订级别)

由 Linus Torvalds 正式发行新内核,尽管任何人都能修改 Linux(根据 GPL)。作为正式发行人,Linus 为 Linux 开发和用户社区提供了一个通用基准,人们可以在此基础上工作和交流。

注释:

在实际建立和配置新内核前,一定要阅读这个内核的 HOWTO 文档,以便了解其最新信息。

为建立一个新内核,你需要有/usr/src/Linux 目录中的源代码文件。你还必须装载 C 编译程序包,它是磁盘组 d。如果你没有在安装过程中安装这个软件包,现在用 RPM 来安装它。

首先,你必须得到这个新内核的源代码或内核修订版。新的源代码通常可在 Internet 上找到,可在 sunsite.unc.edu 上查找最新和最好的内核(如果你正在修改你的内核,当然就不需要这个步骤了)。源代码文件通常在一个 tar(归档)文件中,需要从归档文件中提取。

提示:

用下述命令备份当前内核是一个好主意:

cd /usr/src

cp Linux linux.sav

这些命令把整个 Linux 源代码目录复制到另一个称作 linux.sav 的目录中。

接下来,你应当使用 patch 命令来应用修订文件。在准备好源代码文件后,你就可以配置和建立你的新内核了。从/usr/src 目录输入如下命令开始:

    # make config

make 命令向你询问有关你要安装或配置的驱动程序的各种问题。对每个问题都按 < Return > 键接受默认值;否则,你必须提供回答。表 3.7 列出了其中的一些问题。你可能必须回答其他一些与你正在安装的内核的版本或与你已经应用了的修订有关的问题。

表 3.7　一些配置选项

配置选项	描述
Kernel Math Emulation	询问内核是否要仿真数学协处理器
Normal Harddisk Support	使所有标准硬盘驱动器的驱动程序有效
XT Harddisk Support	仅当你的机器使用了一个 XT 类型的控制器,而不是使用了一个 AT 类型的控制器时才使用
Networking Support	如果你回答 yes,使内核中的联网支持有效
SCSI Support	使对 SCSI 的支持有效
CD-ROM Drivers	询问与 CD-ROM 有关的,尤其是与那些不在标准 SCSI 支持软件包中支持的 CD-ROM 有关的一系列问题
Filesystem	询问与内核应当支持的文件系统有关的一系列问题。如果你的内核不支持 ISO9660 文件系统,你就不能使用 CD-ROM
Parallel Printer Support	使并行打印机支持有效
Mouse Support	使内核中的总线鼠标支持有效
Sound Card Support	询问与声卡的硬件和软件有关的一系列问题

在你回答了上述各种问题来配置你的新内核后,你必须编译它。下述命令将建立这个新内核:

    make dep

    make clean

    meke

这个建立过程可能要花 15 分钟到数小时。因此休息一下,再要一份比萨饼!

这个编译过程完成后,你能够如本章前面讨论过的那样制作一个新的引导盘。你能够把这个内核复制到一个新软盘中,或使用 LILO 来引导这个新内核。

3.9　在 DEC Alpha 上安装 Red Hat

与其他发行版本不同,Red Hat 还为 DEC Alpha 提供支持。这个发行版本未包含在本书随带的 Red Hat CD-ROM 中,但它可以从 Red Hat 公司获得。有关获取这个发行版本的更多信息,参见 Red Hat 公司的 Web 网点:http://www.redhat.com/products/rhl-alpha.html。在你获取了正确的发行版本后,你可以用下述指导在一台 Alpha 机上安装 Red Hat Linux。

注释：

Red Hat 公司还为 Sun 的 Sun Sparc 处理器系列提供了一个发行版本。更多的信息参见 Red Hat 的 Web 网点。

在一台 Alpha 机上安装 Red Hat Linux 之前，你应该阅读本章第一部分中的安装指导，因为许多步骤是相同的。你还需要使用一台能够读和写 MS-DOS 磁盘的计算机，因为你必须制作一个安装软盘。

3.9.1 使用支持的 Alpha 硬件

Red Hat 支持各种由 Digital Equipment Corporation(DEC)公司和其他制造商提供的 Alpha 硬件。Red Hat 支持的硬件如下：

- ☐ AlphaPC64(Cabriolet, Aspen Telluride)
- ☐ AxpPCI133(Noname)
- ☐ EB64 + (Aspen Alpine)
- ☐ EB66(NekoTek Mach 1)
- ☐ EB66 +
- ☐ Jensen(DEC PC 150, 2000 model 300, Cullean)
- ☐ Universal Desktop Box(UDB, aka Multia)
- ☐ AlphaStation 200, 250, 255, 400(Avanti 计算机)
- ☐ EB164(Aspen Avalanche, Timerline, Summit)
- ☐ Kinetic 的 Platform 2000 计算机
- ☐ PC164(Durango)
- ☐ Alcor AlphaStations 500, 600(Maverick, Brett)
- ☐ Alpha-XL
- ☐ Alpha-XLT(XL 300, XL 366)
- ☐ Mikasa AlphaServer 1000——不支持 1000A

所有这些系统都带有 Red Hat Linux 支持的 SCSI。视频系统也应该被支持了，虽然对 Jensen 系统的 S3 支持未默认地包含在内。为在一个 Jensen 系统上运行 X，你需要从 ftp://ftp.azstarnet.com/pub/linux/axp/jensen 下载 X 服务器软件。最后，用于这些系统的所有以太网解决方案都被支持了，并且用于这些计算机的内核还支持令牌环网适配器。

3.9.2 制作引导盘(boot)和根盘(root)

你必须为在 Alpha 机上安装 Linux 制作一个引导软盘和根软盘。引导盘包含让你引导这个系统的程序映像文件。根软盘提供了该系统在安装期间使用的 Linux 内核的映像。与在 Intel 机器上相同，你可用 rawrite 程序来创建这些磁盘映像。

引导磁盘映像依赖所使用的 Alpha 的类型。这些映像放在/images 目录中，其中还有一个 README 文件，该文件提供了与表 3.8 中描述的每一个映像有关的更多信息。

表 3.8　可为 DEC Alphas 获得的引导映像

映像	描述
cab.img	AlphaPC64, Cabriolet
noname.img	AxpPCI33, Noname, Universal Desktop Box(Multias)
eb64p.img	EB64 + , Aspen Rimerlines
eb66.img	EB66
eb66p.img	EB66 +
jensen.img	Jensens
avanti.img	AlphaStation 200,250 和 400
xl.img	Alpha XL
xlt.img	Alpha XLT
eb164.img	基于 EB164 的机器
p2000.img	Platform 2000
alcor.img	基于 Alcor 的机器
mikasa.img	基于 Mikasa 的机器

要为一台 Universal Desktop Box 制作一个引导映像,使用如下命令:

　　E：\ dosutils \ rawrite -f　　E：\ images \ nomane.img -d a: -n

这里 E:代表你的 CD-ROM 驱动器盘符。制作引导盘后,你必须制作根磁盘,它包含 Linux 内核的虚拟磁盘映像。用下述命令制作根磁盘:

　　E：\ dosutils \ rawrite -f　　E：\ images \ ramdisk.img -d a: -n

3.9.3　安装 Red Hat 发行版本

准备好你的引导盘后,你就能够安装 Linux 了。安装过程非常像前面在"安装 Linux 系统"一节中介绍的安装过程。整个安装过程是在安装程序引导下进行的,让你从可能的选择列表中作选取。

要开始这个安装过程,把你的引导盘放入软盘驱动器并重新启动你的机器。在提示符下,输入如下命令:

　　boot fdo:vmlinux.gz root = /dev/fd0 load_ramdisk = 1

你可能会看到一些 SCSI 信息在屏幕上闪动。不要为这些信息操心,除非你看到了一条"scsi0:1"这样的信息,该信息说明你遇到一个 SCSI 终止问题,需要在继续安装之前解决。如果一切顺利,你应当看到信息 VFS:Insert Root floppy to be loaded into ramdisk。插入你制作的根盘,并按 < Return > 键继续。

3.10　回到开始

你完成了系统的建立和配置后,Setup 程序就把你带回到主菜单。从这里,你可以选择 EXIT 选项退出 Setup。如果想改变一些选项,你可以在这里做。但是,第十三章"升级和安装软件"提供了初次安装后升级和安装软件的有关信息。选择 EXIT 退出 Setup 程序。

选 EXIT 使你退回到用 # 号表示的系统提示符。现在你在 Linux 中了,并可以下达简单的命令,如用 ls 列出文件的目录列表。但此时,你应该重新引导系统,以便所有建立和配置操作能够发挥作用。

重新引导 Linux 比重新引导 DOS 复杂。你不能关掉电源再把系统打开。如果你在 Linux 中这样做,你就会损坏文件结构和文件系统。Linux 试图在启动时修复自己。在运行 Linux 时,不要关掉电源。要退出 Linux,使用如下命令:

shutdown [-r] *time*

可选的-r 标志指示:系统应该在关闭后重新引导;time 指示系统应该关闭的时间;你可以用 now 代替 time,指示立即关闭。Linux 还认识 DOS 使用的热启动键 < Ctrl-Alt-Delete > 重新启动计算机。Linux 把 DOS 的热启动键解释成如下命令:

shutdown -r now

确信你从软盘驱动器中取出了所有软盘并重新引导你的新 Linux 机器。

3.11 发现并处理问题

重新引导你的机器后,应该出现 LILO 提示符。如果你在硬盘驱动器上留下了旧操作系统,确信你能够引导它。如果那个操作系统是 DOS,按 < Shift > 键,然后键入在你安装 LILO 时用来标识 DOS 分区的短单字。如果你输入了一个无效的单字,按 < Tab > 键得到有效的操作系统类型的一个清单。如果你在此时遇到问题,把 DOS 引导盘放入引导驱动器重新引导。

你应该能从你的引导盘启动。如果你的系统已经启动了并运行在 DOS 下,试试你在安装过程中制作的 Linux 引导盘——不是你为最初安装整个系统制作的那些盘。如果该盘不能运行,你可能不得不重新安装 Linux。要最先检查的潜在问题是内核和硬件。在重新开始前,证实你有合适的硬件。如果你在安装过程中作了记录,检查相对于你的硬件安装了哪个内核。如果你有一个 SCSI CD-ROM,你是否安装了 idekern,而不是 scsikern? 确信你拥有的是 Linux 支持的硬件。

3.12 从这里开始

在你的系统启动和运行后,你就可以阅读以下各章,以进一步了解 Linux:

□ 第五章"运行 Linux 应用软件"使你能够使用你刚安装的各种程序。

□ 第七章 如果你安装了 X 系统的话,"使用 X Windows 系统"是很有趣的。

□ 第十三章"升级和安装软件"对如何重新安装在最初设置 Linux 系统时你可能遗漏了的软件包提供了指导。

□ 第二十六章"了解 Internet 网"简要介绍了访问 Internet 网的基础知识。

第四章　安装 Slackware 96

本章内容：

☐ 如何为安装 Linux 准备你的系统

　安装 Linux 需要一些准备工作,如格式化硬盘驱动器等。为得到 Linux 的最佳性能,你还必须对你的硬盘空间布局进行规划。

☐ 如何对硬盘进行分区,为 Linux 腾出空间

　为有效运行,尤其当需要交换空间时,Linux 需要数个分区。你还必须决定是否有其他操作系统要与 Linux 共存及为安装它们作准备。

☐ 如何安装 Slackware 发行版本

　为安装 Linux 准备好你的系统后,你必须制作你的安装盘,选取你的安装介质(本书随带的 Slackware CD-ROM),并开始安装。

☐ 如果出错了怎么办

　由于 Slackware(与 Red Hat 和 Caldera 不同)没有正规的技术支持,如果安装时出错了你必须知道该怎么办。记住,未被支持的硬件是安装失败的最主要原因。

　　本章提供安装 Linux 的 Slackware 发行版本所需的信息。记住,由于 Linux 不是一个商品化产品,安装时可能会遇到一些问题。尽管本书指出了安装方法,但你仍有必要使用本书随带的 CD-ROM 提供的资源。首先,你必须确定你是否拥有合适的硬件。在确定拥有必需的硬件后,你必须为安装 Linux 作准备。按本章给出的步骤可以保证顺利安装。

　　本书假定读者具有 DOS 及格式化硬盘、分区表和扇区容量等方面的知识。如果这些术语听起来像外语一样,就请参考 Que 出版公司的《即学即用 MS-DOS 6.2》,或在遇到这方面的问题时,请一位对计算机在行的人帮助你。

警示：

　　你将对你的系统作大改动,因此要小心。

4.1　安装 Linux 需要什么

　　首先,你需要 Slackware 96 的发行版本,本书随带的 CD-ROM 中提供了这样一个版本。为开始安装过程,你需要两张已格式化的高密度软盘——3 1/2 英寸的软盘或 5 1/4 英寸的软盘。

　　还需要确定你打算如何引导 Linux。有两种选择：

☐ 可以从一张软盘引导 Linux,这种情况下,还需要一张格式化的软盘——总共要三张软盘。

☐ 可以使用一个叫 LILO(Linux 装载程序)的程序。LILO 允许用户指定要引导哪个操作系统。OS/2 和 Windows NT 等程序也提供类似的功能。(LILO 在本章稍后讨论。)

接下来,你应当确保有足够的磁盘空间来安装 Linux。大多数用户可以专门为 Linux 使用 200M——或更少,如果你不打算使用 TeX 和 X Windows 这样的应用程序的话。

在手边准备好纸和笔,以备出问题时记录下来;另外,在安装过程中还必须摘录一些数字。配置 XFree86(与 Linux 一起发行的 X Windows 程序)时,你应当记下你的显示卡所用的芯片种类。如果你有串行鼠标和调制解调器,记下它们各自使用的串行端口号。在以后的配置过程中需要这些信息。

4.2 准备工作

如果你的系统是个全新的系统,或者如果你的系统是一个旧系统,但对其中所存数据无所谓的话,你就可以跳过以下的大部分章节而直接阅读"制作引导盘和根盘"一节。但是,如果你的系统还在使用,只是想加入 Linux,你就必须做一些规划,因为 Linux 是另一个操作系统,不仅仅是程序的集合。

一般而言,安装 Linux(一个新的操作系统)时,你必须做下述工作:

☐ 制作 Linux 引导盘。引导盘由两张软盘组成,这是你必须制作的,因为你必须把 Linux 引导(bootstrap)到新系统上去。("bootstrap"这个词源于成语"Pull youself up by your boot-straps"。)

☐ 重新对硬盘分区,为 Linux 腾出空间。重新分区硬盘可能会产生问题,因为它破坏包含在受到影响的分区上的所有数据。

☐ 引导 Linux。为 Linux 腾出空间后,你必须引导 Linux 系统,以便使用需要用来创建 Linux 的新分区和文件系统的工具。

☐ 创建 Linux 分区。通常,Linux 需要一个存储文件的主分区和一个交换文件分区,尤其当你使用一台 8M 或更少内存的计算机时。

☐ 建立文件系统。一个文件系统基本上是硬盘的一部分,是专门格式化来保存文件的。UNIX 和 Linux 使用文件系统表示目录树的所有部分。这与 MS-DOS 相反,MS-DOS 把一个目录树中的子目录放在同一个逻辑驱动器下。UNIX 系统使用文件系统结构,因为把子目录放在不同的驱动器下比较安全。如果一个驱动器发生故障,只需替换或修复该驱动器上的信息。

☐ 安装 Linux 系统和应用软件。建立文件系统后,就可以安装 Linux 操作系统、这个操作系统的支持文件以及随该系统发行的各种应用软件包(如游戏和联网支持软件包)。

4.3 为安装 Linux 准备软盘和备份

你必须为你的 PC 机制作一个系统盘。为安装 Linux,你必须对硬盘重新分区,以便为这个新的操作系统腾出空间。可惜的是,你不能只简单地把文件复制到 MS-DOS、OS/2 或 Windows NT 文件系统上。

4.3.1 建立 MS-DOS 引导盘

在对硬盘重新分区时,应当准备遇到最坏的情况——即硬盘损坏。若硬盘发生故障,就不能启动系统。因此,你应该制作一张带必要的引导文件的引导软盘。

对于 MS-DOS,把一张软盘插入软盘驱动器,并键入 format a:/s 来制作一张 MS-DOS 引导盘。复制你当前的 CONFIG.SYS、AUTOEXEC.BAT 和用于启动你的计算机的所有驱动程序文件。另外,再把 FDISK.EXE 和 FORMAT.COM 复制到这张软盘上,因为你将重新分区你的硬盘;并需要对该硬盘重新格式化。把这张 MS-DOS 引导盘放到一个安全的地方。

注释:

如果你要备份你的系统(两份备份较好),还要加上恢复备份所必需的文件。

你可能要记录你的系统的各种 CMOS 设置。大多数 Intel 兼容计算机系统允许用户在系统启动时访问 CMOS 中的设置信息。

注释:

如果你使用的是 OS/2,你必须参考如何制作 OS/2 引导盘的有关文档。

4.3.2　备份系统

除非你使用一台新计算机或一台带未包含任何软件的新硬盘的计算机,否则就需要花费一些时间来制作备份;两份备份是最好的。如果你有一个磁带驱动器,使用磁带驱动器随带的程序备份整个系统硬盘。如果你没有磁带驱动器,可以使用 MS-DOS 的 backup/restore 程序来制作你的系统的备份。确保你有足够的软盘,并使用如下格式的命令:

backup　　from　　to

例如,若要把 C 驱动器上的所有文件备份到 A 驱动器,键入 backup c:a:,并开始更换软盘。当然,随着大的硬盘驱动器价格的下降,磁带备份设备价格也下降了,你应当考虑用磁带作备份,而不是用软盘作备份。

4.3.3　制作引导盘和根盘

制作你的 DOS 引导盘并备份你的系统后,你必须为 Linux 制作引导盘。安装 Slackware 需要两个软盘:引导盘和根盘。你可以用一组与大多数 Linux 发行版本一起提供的 MS-DOS 程序(如 gzip 和 rawrite)制作这两个软盘。

注释:

大多数 Linux CD-ROM(包括本书随带的 Slackware CD-ROM)上提供了压缩的引导映像文件。另外,根映像文件的名字与 Slackware 的过去的版本不同了,现在是压缩了的,并且必须以压缩形式存在;否则,你将使内核混乱,因为你不应当解压缩根映像文件。

gzip 是与 PKWares 的 pkzip 非常相似的 GNU 程序。gzip 允许你压缩或解压缩档案文件。由于许多 Linux 文件,特别是安装所需的那些文件,都是用 gzip 压缩的,所以你需要这个程序。

rawrite 是一个用于不管格式、直接把文件的内容写入软盘的程序。你用 gzip 解压缩引导盘映像文件后,必须用 rawrite 把这些映像文件传送到相应的软盘上。

所幸的是,可以在 Slackware CD-ROM 上找到非压缩格式的、大部分常用的引导盘和根盘映像文件。你只要用 rawrite 把这些文件传送到软盘上。

注释：

　　如果你在制作引导盘和根盘或引导 Linux 时遇到问题，请阅读 Slackware CD-ROM 上相应的引导盘目录（/bootdsk.12或/bootdsk.144）中的 readme.txt 和 which.one 文件。

　　引导盘用于启动 Linux 系统以进行安装。它包括通用设备驱动程序和这个操作系统的一个基本版本。这个引导盘根据硬件和你的系统用来引导的软盘类型（通常 MS-DOS 下的 A 驱动器）的不同而异。表4.1 给出了各种文件。（这些文件也许在本书出版前就已经有变动，具体情况参见/bootdsk.12 或/bootdsk.144 目录中的 README 文件）。如果这些文件已经是解压缩的（如果它们没有.gz 扩展名），你就不必用 gzip 来准备那些文件。

　　Slackware 96(也称作 Slackware Linux 3.1.0)使用了 Linux 2.0.0 内核系列。制作你的引导盘所需做的是：首先根据针对 IDE 驱动器的表4.1 和针对 SCSI 驱动器的表4.2 选取你的内核，然后从 DOS 提示符执行如下命令：

rawrite　　bares.i　　a:

表 4.1　IDE 引导文件

名称	描述
aztech.i	CD-ROM 驱动器：Aztech CDA268-01A、Orchid CD 3110、Okano/Wearnes CDD110、Conrad TXC、CyCDROM CR520、CR540
bare.i	无,只支持 IDE
cdu31a.i	Sony CDU31/33a CD-ROM
cdu535.i	Sony CDU531/535 CD-ROM
cm206.i	带 cm260 适配卡的 Philips/LMS cm206 CD-ROM
goldstar.i	Goldstar R420 CD-ROM(有时在 Reveal 多媒体工具包中销售)
mcd.i	支持 NON-IDE Mitsumi CD-ROM
mcdx.i	支持改进的 NON-IDE Mitsumi CD-ROM
net.i	支持以太网
optics.i	Optics Storage 8000 AT CD-ROM("DOLPHIN"驱动器)
sanyo.i	支持 Sanyo CDR-H94A CD-ROM
sbpcd.i	支持 Matsushita、Kotobuki、Panasonic、CreativeLabs（SoundBlaster）、Longshine 和 Teac non-IDE CD-ROM
xt.i	支持 MEM 硬盘驱动器

表 4.2　SCSI 引导文件

名称	描述
7000fast.s	支持 Western Digital 7000FASST SCSI
advansys.s	支持 AdvanSys SCSI
aha152x.s	支持 Adaptec 152x SCSI
aha1542.s	支持 Adaptec 1542 SCSI
aha1740.s	支持 Adaptec 1740 SCSI

名称	描述
aha2x4x.s	Adaptec AIC7xxx SCSI 支持下列卡：AHA-274x, AHA-2842, AHA-2940, AHA-2940W, AHA-2940U, AHA-2940UW, AHA-2944D, AHA-2944WD, AHA-3940, AHA-3940W, AHA-3985, AHA-3985W
am53c974.s	支持 AMD AM53/79C974 SCSI
aztech.s	对所有被 Linux 支持的 SCSI 控制器以及对如下 CD-ROM 的支持：Aztech CDA286-01A, Orchid CD-3110, Okano/Wearnes CDD110, Conrad TXC, CyCDROM CR520, CR540
buslogic.s	支持 Buslogic MultiMaster SCSI
cdu31a.s	支持所有被 Linux 支持的 SCSI 控制器以及 Sony CDU31/33a
cdu535.s	支持所有被 Linux 支持的 SCSI 控制器以及 Sony CDU531/535
cm206.s	支持所有被 Linux 支持的 SCSI 控制器以及带 cm260 适配卡的菲利普/LMS cm206 CD-ROM
dtc3280.s	支持 DTC(数据技术公司)3180/3280 SCSI
eata_dma.s	支持 DPT EATA-DMA SCSI(包括如下卡：PM2011, PM2021, PM2041, PM3021, PM2012B, PM2022, PM2122, PM2322, PM2042, PM3122, PM3222, PM3332, PM2024, PM2124, PM2044, PM2144, PM3224, PM3334)
eata_isa.s	支持 DPT EATA-ISA SCSI(包括如下卡：PM2011B/9X, PM2021A/9X, PM2012A, PM2012B, PM202A/9X, PM2122A/9X, PM2322A/9X)
eata_pio.s	支持 DPT EATA-PIO SCSI(PM2001 和 PM2012A)
fdomain.s	支持 Future Domain TMC-16x0 SCSI
goldstar.s	支持所有被 Linux 支持的 SCSI 控制器以及 Goldstar R420 CD-ROM(有时在一个 Reveal 多媒体工具包中销售)
in2000.s	支持 IN2000 SCSI
iomega.s	支持 IOMEGA PPA3 并行口 SCSI;还支持并行口 ZIP
mcd.s	支持所有被 Linux 支持的 SCSI 控制器以及标准非 IDE Mitsumi CD-ROM
mcdx.s	支持所有被 Linux 支持的 SCSI 控制器以及增强型非 IDE Mitsumi CD-ROM
n53c406a.s	支持 NCR 53c406a SCSI
n_5380.s	支持 NCR 5380 和 53c400 SCSI
N_53c7xx.s	支持 NCR 53c7xx 和 53c8xx SCSI(大多数 NCR PCI SCSI 控制器使用这个驱动程序)
optics.s	支持所有被 Linux 支持的 SCSI 控制器以及 Optics Storage 8000 AT CD-ROM("DOLPHIN")
pas16.s	支持 Pro Audio Spectrum/Studio 16 SCSI
qlog_fas.s	支持 ISA/VLB/PCMCIA Qlogic FastSCSI!(也支持基于 Qlogic FASXXX 芯片的 Control Concepts SCSI 卡)

名称	描述
qlog_ isp.s	支持所有的 Qlogic PCI SCSI 控制器，PCI-basic 除外，它由 AMDSCSI 驱动程序支持
sanyo.s	支持所有被 Linux 支持的 SCSI 控制器以及 Sony CDR-H94A CD-ROM
sbpcd.s	支持所有被 Linux 支持的SCSI 控制器以及 Matsushita、Kotobuti、Panasonic、CreativeLabs(SoundBlaster)、Longshine 和 Teac 非 IDE CD-ROM
scsi.s	一个通用的 SCSI 引导盘，支持工作于 Linux 下的大多数 SCSI 控制器
scsinet.s	所有被 Linux 支持的 SCSI 控制器以及以太网
seagate.s	支持 Seagate ST01/02、Future Domain TMC 885/950 SCSI
trantor.s	支持 Trantor T128/T128F/T228 SCSI
ultrastr.s	支持 UltraStor 14F、24F 和 34F SCSI
ustor14f.s	支持 UltraStor 14F 和 34F SCSI

这些引导文件根据你的引导软盘的容量分成两类。幸亏，你可以在 Slackware CD-ROM 上获得未压缩的文件。如果你的软盘驱动器是 1.2M(高密度)的 5 1/4 英寸的驱动器，在 /bootsks12目录中查找；如果你有一个 1.44M(高密度)的 3 1/2 英寸的高密度驱动器，在 /bootsksl44目录中查找。如果你使用另一个发行版本，你就必须把压缩的文件拷贝到硬盘的某个目录下，并用 gzip 程序对它们解压缩。表 4.3 说明了使用 gzip 程序的命令，这个程序使用如下语法格式：

gzip [-acdfhlLnNtvV19] [-S suffix] [file...]

表 4.3　用于 gzip 命令的标志

标志	标志名	描述
-a	ascii	ASCII 文本；使用本地约定转换行尾符
-c	stdout	写到标准输出上，保持原文件不变
-d	decompress	解压缩
-f	force	强制覆盖输出文件并压缩连接
-h	help	给出帮助清单
-l	list	列出压缩的文件内容
-L	license	显示软件许可证
-n	no-name	不保存或恢复原名称和时间印记
-N	Name	保存或恢复原名称和时间印记
-q	quiet	抑制所有警告信息
-S *suffix*	suffix .suf	在压缩文件上使用.suf后缀
-t	test	检测压缩文件的完整性
-v	verbose	改变到原封模式

标志	标志名	描述
-V	version	显示版本号
-1	fast	快速压缩
-9	best	更好地压缩——即,文件更小
file		指定要压缩或要解压缩的文件;如果未指定,使用标准输出

要为安装 Sound Blaster 建立映像文件,用下述命令解压缩 sbpcd.gz 文件:

gzip -d sbpcd.gz

该命令的结果是一个不带 .gz 扩展名的名为 sbpcd 的文件。如前所述,在随带的 CD-ROM 的相应引导目录中已经包含了非压缩文件。

制作根盘

Linux 的"根盘"包含实际的安装软件。你用一张引导盘把安装软件装载到系统中,并开始安装过程。根据你是否把 Linux 安装到它自己的分区中,你可能要使用 color 或者 UMSDOS 磁盘映像文件来安装 Linux。你需要为你的系统使用表 4.4 中所列的一个文件。

表 4.4　Slackware 96 根映像文件

文件	描述
color.gz	用此盘把 Linux 安装到它自己的分区中
umsdos.gz	用于把 Linux 安装到已有的 MS-DOS 分区中(例如,安装到 C：\ Linux 目录中)的磁盘
text.gz	把 Linux 安装到它自己的分区中的基于文本的磁盘。该盘的文本界面可能比 color 盘使用起来要难一点,但输出更好的诊断信息,可用 < Shift-Page Up > 回滚屏幕信息
pcmcia.gz	用于通过 PCMCIA 以太网安装 Linux 的基于文本的根盘
rescue.gz	带有编辑程序(vi)、LILO、e2fsck 和其他可用于修复错误配置的 Linux 系统的实用程序。如果你由于某种原因不能进入系统,你可用这个盘来装配你的 Linux 分区并修复错误

用 rawrite 制作磁盘

解压缩内核映像文件后,你可以把这个文件传送到软盘上。为此,你需要 rawrite 程序。你能在随带的 Slackware CD-ROM 上的 /install 目录中找到这个程序。

为做这个步骤,你需要两张已格式化的软盘。你必须确保你把当前的映像文件写到软盘上。因此,你必须把为 1.44M 磁盘制作的映像写到 1.44M 的软盘上。如果你把 1.2M 的目录中的映像写到 1.44M 的盘上,就不能安装 Linux。

给一张磁盘贴上引导盘标签并把它放入盘驱动器。下述序列假定使用一个 1.44M 的 3 1/2英寸软盘驱动器、sbpcd.i(引导)和 color144(根)安装磁盘:

E：\ Linux > RAWRITE sbpcd.i

Number of sectors per track for this disk is 18

Writing image to clrive A：, Press ^C to abort.

Track：01 Head：1 Sector：l0

在 rawrite 往盘中写入原始映像时,它显示进度情况,并在程序结束时显示 done。若要中断这个过程,只要按下 < Ctrl-c > 键。如果在操作过程中发生了错误,该程序显示表 4.5 中给出的某个出错信息。

表 4.5　可能的 rawrite 出错代码

出错信息	描述
Operation Successful(操作成功)	不是一个出错信息;你希望看到这条信息
Bad command(命令错)	你的硬件 I/O 系统不认识 rawrite 发出的命令。试用另一个发行版本中的不同的 rawrite 程序
Address mark not found(地址标记未找到)	试用另一个磁盘
Attempt to write on thewrite-protected disk (试图写到写保护磁盘上)	取消该盘上的写保护
Sector not found(扇区未找到)	可能是一个坏磁盘;试用另一张磁盘
Reset failed(hard disk)(硬盘复位失败)	可能是硬件问题;继续操作前检查硬件
Disk changed sincelast operation(上一次操作后,磁盘改变了)	在整个操作完成前不要从驱动器中把磁盘取出
Drive parameter activity failed(驱动器参数失败)	可能是硬件问题
DMA overrun(DMA 超限)	数据在从内存向磁盘的传输过程中丢失,再试一次这个操作,这可能是硬件问题或内存不足问题
Attempt to DMA across 64K boundary (试图跨 64K 边界进行 DMA 操作)	DMA 芯片试图在 64K 范围之外进行写操作,可能是硬件问题或内存不足
Bad sector detected (发现坏扇区)	磁盘坏;用一个新盘试试
Bad track detected(发现坏磁道)	磁盘坏;用一个新盘试试
Unsupported track(不支持的磁道)	可能磁盘坏;用一个新盘试试
Bad CRC/ECC on disk read (读磁盘时出现 CRC/ECC 错)	磁盘坏;用一个新盘试试
CRC/ECC corrected data error（CRC/ECC 校正数据错）	可能是坏盘或坏硬件
Controller has failed(控制器失败)	主要是硬件问题
Seek operation failed(搜索操作失败)	可能是坏盘或硬件问题
Attachment failed to respond(联系响应失败)	检查驱动器门;确信它关上了
Drive not ready(hard disk only)(驱动器未准备好)	可能是主要硬件问题

出错信息	描述
Undefined error occurred（hard disk only）（发生了未定义的错误）（只对硬盘）	可能是硬件问题
Write fault occurred（发生写错误）	可能是坏磁盘或硬件问题
Status error（状态错）	未定义的错误——可能是硬件错或磁盘错
Sense operation failed（检测操作失败）	可能是坏磁盘或硬件问题

如果 rawrite 运行失败，换一张格式化的新盘试试。如果还是出现同样的问题，应检查可能的硬件问题。写完引导盘后，还要把根盘写到另一张盘上，只要用根映像文件名作为源文件名就可以：

E：\ Linux > RAWRITE color.gz

Number of sectors per track for this disk is 18

Writing image to drive A：，Press ^C to abort．

Track：01 Head：1 Sector：18

4.4　对硬盘进行分区

在你备份了你的系统并制作了必需的磁盘后，你必须为 Linux 准备系统的硬盘。

警示：

这个过程是最危险的，因为这个过程会丢失所有数据。如果你还没有备份你的系统，现在就做。尽管你可以用一个名为 FIPS 的实验性程序和 Partition Magic 这样的商品化程序来做无毁的重新分区操作，但我们建议作全备份，以防出现问题。

4.4.1　了解分区

在 PC 机早期，硬盘很少。大多数计算机用软盘存放操作系统、程序及其数据。随着 IBM PC XT 的诞生，IBM 引入了一个 10M 的硬盘。DOS 等早期操作系统只能访问硬盘上的有限空间，而硬盘生产者不断扩充其硬盘空间，其扩充速度比操作系统访问所增加空间的能力的速度要快。因此操作系统通过让用户把硬盘划分成分区来解决这一问题。这些区域可以保存程序文件、其他操作系统或数据。

典型的 MS-DOS 系统有一个分区，称为 C 驱动器。如果你把这个驱动器划分成多个分区，这些分区通常以字母顺序称作 D、E 驱动器等等。MS-DOS 还允许安装多个硬盘，这样在这个链中，下一个硬盘可能就称作 F 驱动器。

UNIX 和 Linux 不用驱动器字母表示分区；而是用目录名表示分区。另外，如前面指出的那样，Linux 用户可以把不同的目录放到不同的分区中甚至放到不同的驱动器下。你还可以把不同的操作系统放到不同的分区中。

分区是在硬盘的引导记录的分区表中指定的。这个表被各种操作系统用于决定引导哪个操作系统和在硬盘的什么位置能实际找到它们的文件。引导记录用于引导或启动机器的操作系统。Linux 的引导程序 LILO(LILO 表示 LInux LOader)和其他引导管理程序使用硬盘的引导记录(通常在硬盘的前几个扇区)来控制启动哪个操作系统。

分区表保存与硬盘上各个分区的位置和容量有关的信息。有三种类型的分区:主分区,扩展分区和逻辑分区。DOS 和一些别的操作系统必须从主扇区引导。硬盘只能包含 4 个主分区;扩展分区本身并不直接包含数据,但它允许用户在驱动器上定义其他的逻辑分区。这样,为了回避 4 个主分区的限制,你可以定义一个扩展分区,然后在这个扩展分区中定义其他的逻辑分区。有些操作系统,如 MS-DOS 和版本 2.O 以前的 OS/2 要求被安装在一个主分区中,但他们可以访问扩展分区中的逻辑驱动器。如果你要把 DOS 系统和 Linux 系统驻留在同一个驱动器上,记住这点是非常重要。DOS 必须放在一个主分区中。

4.4.2 使用 FDISK

分区是由通常称作 FDISK 的程序创建、删除和管理的。每一种操作系统都有其自己的 FDISK 版本,因此确保使用了正确的 FDISK。如果你现在正在使用 DOS 或打算使用 DOS,你必须首先使用 DOS 的 FDISK 对 DOS 驱动器重新分区。稍后使用 Linux 的 fdisk 创建 Linux 分区。如果你正在使用 OS/2,你还需要使用 FDISK 的 OS/2 版本来准备 OS/2 分区。

警示:

不要使用 Linux 的 fdisk 程序为其他操作系统创建和修改分区。这可能会使这个硬盘对两个操作系统来说都处于无用状态。

分区要求

首先,你应该计划需要哪些分区。DOS 需要一个主分区;Linux 和 OS/2 可以驻留在其他分区中。如果你将使用 OS/2 引导管理程序(它也能很好地与 Linux 一起使用),你必须为使用它做准备。你还必须注意,如果你要缩减当前的 DOS 分区为 Linux 腾出空间,不是所有的文件都能恢复到这个新的、较小的 DOS 分区中。

你能够从 Linux 访问 DOS 分区,即在 Linux 下移动、保存和编辑 DOS 文件。但你不能在 Linux 下执行 DOS 程序。

注释:

有两个 Linux 的实验性程序允许你在 Linux 下仿真 DOS 和在 DOS 下安装 Linux。这两个系统都仍处在实现阶段,因此,更适合 Linux 黑客。你还能够在 Linux 领域中找到大量与这些话题有关的信息。

参见 5.8"在 Linux 下运行 DOS 程序"。

其次,你应该记下你需要的分区的编号和为每一个分区提供多少磁盘空间。

DOS 要求

如果你要引导 DOS,你必须把它放在一个主分区中。DOS 的可引导版本不需要太多的磁盘空间——只要能存放下 COMMAND.COM、CONFIG.SYS 等系统文件和启动系统所必需的驱动程序文件就行了。比如：我在我的第一个驱动器上为引导 DOS 提供了一个 5M 的 DOS 分区。一旦 DOS 被装载并运行后，你就可以访问这个系统上的其他扩展和逻辑硬盘。

遗憾的是，尽管 Linux 能够访问 DOS 分区中的 DOS 文件，但 DOS 不能访问 Linux 分区中的 Linux 文件。

OS/2 要求

2.O 版本及其后版本的 OS/2 不需要主分区。OS/2 系统能够从扩展分区安装和引导。因此，你能够在一个主分区安装 DOS，并为 OS/2 和 Linux 创建一个扩展分区。

OS/2 所需空间与其版本和特性有关；你应当就空间要求参考你的 OS/2 文档。如果你打算使用 OS/2 引导管理程序，你还应该从可应用空间中减去 lM。

Linux 要求

正如前面说明的那样，Linux 在文件系统中存储文件，并且这些文件系统能够驻留在不同的分区中，这些做法主要是一种安全措施。Linux 要求为每个文件系统使用一个分区。交换分区是另一个要考虑的因素。与大多数使用磁盘空间作为内存扩充（称作虚拟内存配置）的操作系统一样，Linux 需要一个交换文件或交换分区以便用磁盘空间模仿实际内存。Linux 通常使用一个交换分区。

交换分区的容量取决于你的系统所包含的实际 RAM 的数量。一个首要原则是使你的交换分区容量是你的 RAM 容量的两倍。因此，如果你的系统中有 8M 的 RAM，你就应该创建 16M 的交换区；如果你有 4M 或更少的 RAM，你就必须激活一个交换分区。

Linux 交换分区的容量只能达到 128M，因此如果你需要更多空间，你就得创建多个交换分区。因此，如果你有一个带 16M 内存的 Linux 系统，并且想为 Linux 的系统文件使用一个分区和为用户文件使用一个分区，那么你应创建三个分区：一个用于系统文件，一个用于用户文件和一个 32M 的交换分区。

4.4.3 重新对驱动器进行分区

本节假设你需要对 DOS 驱动器重新分区。首先，在 DOS 提示符下键入 **fdisk** 执行 FDISK。出现了 FDISK Options(FDISK 选项)屏幕(参见图 4.1。)

图 4.1 从 FDISK 的选项屏中，你可以看到当前分区、创建新分区和删除旧分区等选项

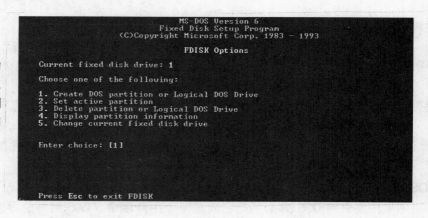

根据你使用的 MS-DOS 的版本,图 4.1 中示出的屏幕显示看起来可能会有所不同。选取菜单选项 4,Display Partition Information(显示分区信息)。出现了显示分区信息屏(参见图 4.2)。

图 4.2　通过 MS-DOS 6.x 中的显示分区信息屏查看当前分区信息

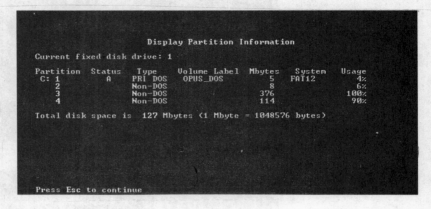

记下该屏中的信息。如果你决定取消 Linux 安装过程并使你的系统恢复到安装前的情况,你就需要其中的当前分区表信息。

重新分区硬盘的一种替代方法

你可以不必重新分区你的硬盘,尽管人们认为重新分区对引入 Linux 是最好的。你可以使用 FIPS 无损地重新分区你的硬盘,或用 UMSDOS 把 Linux 安装在与 DOS 所处相同的分区中。

FIPS 代表"*First non-destructive Interactive Partition Splitting*(第一个无损交互式分区划分)",是 Amo Schaefer 开发的一个程序,是 Linux 工程的一项成果。FIPS 用于在 DOS 分区中挪动,为 Linux 分区腾出空间。你可以在本书随带的 Slackware CD-ROM 上的/utils/fips 目录中的 fips.doc 文档内找到使用 FIPS 的完整指导。只有当在你的硬盘上留有安装 Linux 的足够空间时,这个程序才有所帮助;否则你必须删掉不再需要的文件或使用前面叙述过的过程来重新分区你的硬盘。

UMSDOS 是一个允许 Linux 存在于 DOS 分区上的一个工程。UMSDOS 让你在一个已有 DOS 目录下创建 Linux 根文件系统。稍后你将在"使用 UMSDOS,而不是格式化你的硬盘"一节中学习与使用 UMSDOS 有关的更多知识。

删除分区

遗憾的是,FDISK 不允许你简单地改变一个分区的容量;你必须先删除一个分区,然后再按所需容量把该分区添加回去。从 FDISK 选项屏选择菜单选项 3,Delete Partition or Logical DOS DRIVE(删除分区或 DOS 逻辑驱动器),该选项删除所需分区。出现了 Delete DOS Partition or Logical DOS DRIVE(删除 DOS 分区和 DOS 逻辑驱动器)显示屏幕(参见图 4.3)。

按删除的分区的类型(比如 DOS 主分区)选取相应的菜单选项。例如:如果你选择选项 1(删除 DOS 主分区),你将看到 Delete Primary DOS Partition(删除 DOS 主分区)屏(参见图 4.4)。

该屏询问这个分区的卷标号,及是否确实要删除这个分区的确认。因为这个分区上的所有信息都将被破坏,FDISK 想证实你确实要删掉这个 DOS 主分区。

增加分区

在你删除了所有所需分区后,你必须通过选取 FDISK 选项屏上的 Create a DOS Partition(创建 DOS 分区)菜单项为你的 DOS 系统增加相应的分区。图 4.5 示出了 Create a DOS Partition or Logi-

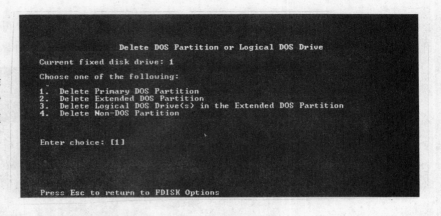

图 4.3 使用"删除 DOS 分区"屏删除指定分区或逻辑驱动器

图 4.4 当你试图删掉 DOS 主分区时，MS-DOS 对你提出警告

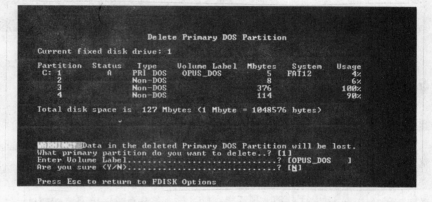

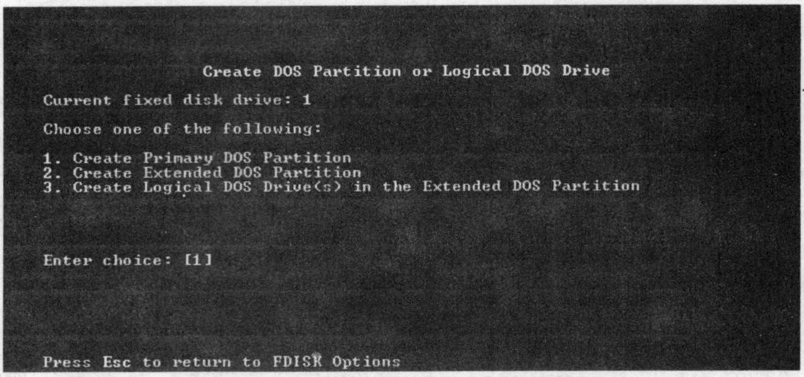

图 4.5 大多数操作系统的正确引导需要一个活动的主分区

cal DOS Drive(创建 DOS 分区或 DOS 逻辑驱动器)显示屏幕。

FDISK 的默认值是为这个分区提供所有的可用空间并使这个分区成为活动分区，如图 4.6 所示。"活动的(active)"指示这个分区是可引导的。为了引导 DOS，你必须把这个主分区指定为活动的。对第一个选项选择 N(不)，以便你能够指定提供给 DOS 分区的确切磁盘空间量。

在对图 4.6 中的问题回答"N"后，显示 Specify Disk Space for the Partition(为这个分区指定磁盘空间)屏幕。以兆字节数或者以可用空间的比例数为你的 DOS 分区指定所需空间容量并按 < Return > 键。

接下来，你必须把这个分区设置为活动的。从 FDISK 选项屏中选择菜单选项 2, Set Active Partition(设置活动分区)，并按照设置活动分区菜单屏幕上的指示去做。

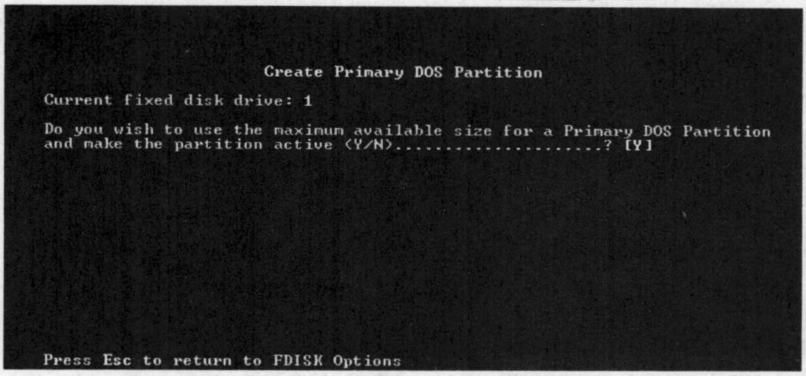

图 4.6 能够把所有的磁盘空间分配给一个分区,或者把可用空间分成数个分区

格式化分区

在你对硬盘重新分区后,你需要为 DOS 准备这个新分区,并把相应的文件恢复到这个 DOS 分区中。用你以前制作的引导盘重新引导你的计算机。然后,用下述 DOS 命令格式化这个驱动器并传输 DOS 的系统文件。

format c :/s

这个分区格式化后,你就可以把备份的文件恢复到这个新驱动器中。记住,如果你缩小了这个分区,那么不是所有的文件都能放到这个新驱动器上。可能有必要把那些未放到新盘中去的文件放到其他的 DOS 驱动器或分区上。

4.4.4 使用 UMSDOS,而不用格式化硬盘

UMSDOS 是 Slackware Linux 能够使用的、完全具有 UNIX 特点的文件系统。它驻留在同一个 MS-DOS 分区中,因此你不必重新分区你的硬盘。UMSDOS 代表 UNIX in MS-DOS。UMSDOS 运行在 MS-DOS 文件系统的限制下,但仍提供长文件名以及为 UNIX 领域所熟知的其他特性。但是,你不能同时使用硬盘上的 MS-DOS 区域和 UMSDOS 文件。当然,通过使用不同的 Linux 实用程序和利用这个先进的文件系统,Linux 能够访问你的 MS-DOS 区域。在 MS-DOS 下,你将能够看到 Linux 文件,但有些可能没有什么意义,因为 MS-DOS 只能够认识 12 个字符的文件名(八个字符—圆点—三个字符格式),并且不能像 Linux 那样处理一个文件名中的多个点。

警示:

当你使用 MS-DOS 时,你会看到一个名为--linux-.---的文件。不要删掉这个文件!这个文件保存 Linux 用来处理长文件名和符号连接这样一些问题的信息。从 MS-DOS 删除这个文件将严重损坏你的 Linux 文件系统!

Windows 95 也允许长文件名,但目前,Windows 95 和 UMSDOS 一起工作时还有一些问题。如果你试图在 Windows 95 下安装 UMSDOS,小心——你可能会使整个系统瘫痪。

要安装 UMSDOS 系统,首先制作一个包含 UMSDOS 内核的 Linux 根磁盘。这是 unsdos.gz 文件,它可用于 1.44 或 1.2M 软盘。按照在前面"制作根磁盘"一节中详细介绍的步骤去做。接下来,在已有的、要在其上安装 UMSDOS 文件系统的 MS-DOS 分区上指定这个 MS-DOS 分区

表或一个空目录。

参见 14.1"了解文件系统"。
参见 15.1.1"文件类型"。

4.5 为 Linux 准备硬盘

对硬盘重新分区、制作了 Linux 引导盘和根盘以后,或准备好一个 UMSDOS 文件系统后,你需要安装 Linux 了。首先,你必须从你已制作好的磁盘上引导 Linux。然后你需要用 fdisk 的 Linux 版本生成必要的 Linux 分区。为安装 Linux 准备好硬盘后,你就能运行 Setup 程序安装 Linux,并按你自己的要求配置 Linux。

4.5.1 引导 Linux

要使用你自己制作的引导盘和根盘,只要把引导盘放入驱动器并重新启动你的系统。出现了下面的屏幕显示:

Welcome to the Slackware 96 Linux (v.4.1.0)Bootkernel disk!

If you have any extra parameters to pass to the kernel, enter them
at the prompt below. For instance, you might need something like
this to detect the hard drives on PS/1 and ValuePoint models from IBM:

ramdisk hd = cyl, hds, hcls, secs
  (Where "cyl", "hds", "secs" are the number of
  cylinders, sectors, and heads on the drive.)

Also, in a pinch, you can boot your system with a command like:
mount root = /dev/hda1

On machines with low memory, you can use mount root = /dev/fd1 or
mount root = /dev/fd0 to install without a ramdisk. See LOWMEM.TXT for Details

If you would rather load the root/install disk from your second
floppy drive:
drive2

DON'T SWITCH ANY DISKS YET! This prompt is just for entering
extra parameters. If you don't need to enter any parameters,
hit ENTER to continue.

boot:

如果你有任何参数要在引导前传送给内核,就在提示符 boot:下键入它们。(这些参数的有关信息,在/doc/HOWTO 目录中参考 BootPrompt HOWTO)。如果没有参数,按 < Return > 键继续安装 Linux。

Linux 然后把自己装载到有关虚拟磁盘中,并在运行前解压缩。引导过程中,Linux 在屏幕上显示信息使你知道正在发生什么,包括它能检测和使用何种硬件。然后,该系统检查可用的内存量,可用的软驱和可用的网络协议。接下来,Linux 检查浮点处理器,如果有,它检查这两个处理器是怎样通讯的。然后,Linux 显示标识,以及 Linux 内核建立的日期和时间。

Linux 还对可用分区做分区检查。最后,由于 Linux 是引导盘引导的,它会显示如下信息:

VFS:Insert root floppy disk to be loaded into ramdisk and press Enter.

用根磁盘替换引导盘并按 < Return > 键。

系统启动过程中显示 RAM 磁盘中的资料信息。这些信息指出它安装了多少字节的信息,它正在使用哪个地址。完成时,系统显示如下信息:

Welcome to the Slackware '96 Linux installation disk!,(v.3.1.0)

IMPORTANT! READ THE INFORMATION BELOW CAREFULLY. # # # # #
—You will need one or more partitions of type"Linux Native"prepared.
It is also recommended that you create a swap partition(type
"Linux Swap") prior to installation. Most users can use the Linux
"fdisk" utility to create and tag the types of all these partitions.
OS/2 Boot Manager users, however, should create their Linux partitions
with OS/2 "fdisk", add the bootable (root) partition to the Boot Manager
menu, and then use the Linux "fdisk" to tag the partitions as type
"Linux native".
 – If you have 4 Megabytes or less of RAM, you MUST activate a swap
partitian before running setup. After making the partition with fdisk,
use:mkswap /dev/ < partition > < number of blocks > ; swapon /dev/ < partition >
 – Once you have prepared the disk partitions for Linux, and activated a
swap partition if you need one "type" setup to begin the installation
process.
 – If you want the install program to use monochrome displays:type:
TERM = vt100
before you start "setup".

You may now login as "root".

Slackware login :

你现在可以登录到一个正在运行的 Linux 系统上了。与 DOS 不同,UNIX 不直接引导到系统提示符。为使用 UNIX，你必须登录，让系统知道你正在使用它。除了不能绕过这一步外，这与 Microsoft Windows for Workgroups 和 Windows NT 类似。

此时，你在你自己的 Linux 系统上还没有一个帐号。在本章稍后将介绍如何增加简单的用户帐号，但第十章"管理用户帐号"将详细说明如何管理 Linux 用户帐号。此时只有一个可用帐号———一个属于超级用户的帐号，这个帐号也称作 root。root 帐号在 Linux 系统中具有最大的特权。当以 root 登录时，你就能够做任何想做的事。因此，在为你自己加入一个帐号之前，键入 root，然后按 < Return > 键。

系统将会回答如下：

Linux 2.0.0.(Posix)

If You're upgrading an existing Slackware system, you miyht want to remove
old packages before you run 'setup' to install the new ones. If you don't
your system will still work but there might be some old files left laying
around on your drive.

Just mount your Linux partitions under /mnt and type 'pkgtool'. If you
don't know how to mount your partitions, type 'pkgtool' and it will tell
you how it's done.

To start the main installation, type 'setup'

#

这个 # 号是超级用户提示符。这与 DOS 命令提示符类似。Linux 在等待你发出命令。上述信息指出你应该键入 **setup**，但在你能够安装各种程序前，你必须建立你的分区。为此，你必须运行 Linux 的 fdisk。

4.5.2 为 Linux 对硬盘进行分区

在 # 号提示符下，键入 fdisk，启动 fdisk 程序，它将显示：

Using /dev/hda as default devic!

Command(m for help)

注意 fdisk 输出的首行信息———Using /dev/hda as default device! 记住，DOS 是用一个字母（如 C 或 D）来表示大多数分区和硬盘驱动器的。Linux 用一种完全不同的方式表示分区和硬盘。Linux 用文件名表示驱动器，如/dev/hda 或/dev/hdb。

Linux 和 DOS 通过一些称作设备驱动程序的程序与硬件通信。然而，DOS 设备驱动程序通常有一个.SYS 扩展名，并能驻留在系统上的任何地方，Linux 则把这样一些设备驱动程序存放在/dev 目录中。Linux 在安装过程中使用的驱动程序由你制作的引导盘提供。重点要记住的是：由于硬驱、软驱和 CD-ROM 驱动器都是硬件，Linux 使用/dev 目录下的设备驱动软件来访问这些驱动器。Linux 还用子目录的名称代表这些驱动器而不是用一个字母。表 4.6 给出了典型的 Linux 设备目录。

表 4.6　Linux 设备

设备	名称
软驱 A	/dev/fd0
软驱 B	/dev/fd1
第一个硬盘驱动器	/dev/hda
硬盘驱动器 A 上的第一个主分区	/dev/hda1
硬盘驱动器 A 上的第二个主分区	/dev/hda2
硬盘驱动器 A 上的第一个逻辑分区	/dev/hda4
第二个硬盘驱动器	/dev/hdb
硬盘驱动器 B 上的第一个主分区	/dev/hdb1
第一个 SCSI 硬盘驱动器	/dev/sda

　　注意,整个硬盘驱动器用"/hd 字母"表示。然后为主分区分配四个数字,其后跟着逻辑分区。因此,逻辑分区总是以 dev/hda4 开头的。SCSI 硬盘驱动器和 CD-ROM 驱动器遵循与此相同的约定,只是用 sd 替代了 hd。

4.5.3　使用 Linux 的 *fdisk* 程序

　　在 fdisk 提示符下,键入 m 得到命令清单。表 4.7 列出了可使用的命令。

表 4.7　Linux 的 fdisk 命令

命令	描述
a	切换可引导标志
c	切换 DOS 兼容性标志
d	删除分区
l	列出已知的分区类型
m	显示命令清单
n	增加分区
p	显示分区表
q	不保存修改退出
t	改变分区的系统 ID
u	改变显示/条目单位
v	校验分区表
w	把分区表写入磁盘并退出
x	提供只供专业人员使用的额外功能

　　为开始分区操作,选取 p 命令来显示当前分区表,它将反映你前面用 DOS 的 FDISK 程序所分区的硬盘的分区信息。清单 4.1 示出了 p 命令可能产生的清单。

清单 4.1　当前分区表的一个例子

Disk /dev/hda: 15 heads, 17 sectors, l024 Cylinders

Units = cylinders of 255 * 512 bytes

Device	Boot	Begin	Start	End	Blocks	Id	System
/dev/hda2	1024	1024	4040	384667 +	51		Novell?

Partition 2 has different physical/logical endings:

phys = (967, 14, 17)Logical = (4096, 14.17)

注释:

你的屏幕可能看起来与清单4.1中示出的不同,因为每个驱动器的类型值和驱动器上已定义的分区数是不同的。

清单4.1示出了安装程序能检测到的各种已定义的分区。从中还可得到各分区的开始和结束位置及其以块(block)为单位的容量。该清单还示出了分区的类型。表4.8给出了你能够用Linux的fdisk定义的所有的分区类型。主要的分区类型是83-Linux Native(本地)和82-Linux Swap(交换)。你可以用1命令得到一个与此相似的清单。

表4.8 已知的Linux分区类型

引用号	类型
0	空
1	DOS12 位 FAT
2	XENIX 的 root
3	XENIX 的用户
4	DOS 16 位 < 32M
5	扩展
6	DOS 16 位 > = 32M
7	OS/2 HPFS
8	AIX
9	AIX 可引导
a	OS/2 引导管理程序
40	Venix 80286
51	Novell?
52	Microport
63	GNU HURD
64	Novell
75	PC/IX
80	旧 MINIX
81	MINIX/Linux
82	Linux 交换
83	Linux 本地
93	Amoeba
94	Amoeba BBT

引用号	类型
a5	BSD/386
b7	BSDI fs
b8	BSDI 交换
c7	Syrinx
db	CP/M
e1	DOS 访问
e3	DOS R/O
f2	DOS 次级
ff	BBT

在清单 4.1 中，Linux 在屏幕底部对实际和逻辑结尾的不同进行了注释。实际与逻辑结尾不同是因为，在用于写这一章的系统上，一个原先包括 DOS 的 D 驱动器的分区保留未动，而 C 驱动器被重新分区成为一个较小的 C 驱动器，以便为 Linux 腾出空间。因此，在 C 驱动器和 D 驱动器之间有空间。我们正是要在这个空间中建立 Linux 所必需的分区。

清单 4.1 中的开始、启动和结束号码非常重要，你应当记录下来。你将在稍后一个步骤中用它们来指定你将增加的分区的容量。

4.5.4 添加必需的分区

因为你已经重新分区了 DOS 驱动器，所以你不必为 Linux 删除任何分区了。你只需添加分区。用 n 命令来添加一个分区，这个命令显示：

Command Action

e extended

p primary(1-4)

按 < p > 和 < Return > 键。fdisk 然后询问分区号；键入你选取的分区号并按 < Return > 键。如果你指定了一个已经在使用的分区号，fdisk 将报告这个情况，并让你在把这个分区加入分区表之前删除它。对本例，输入 3，添加一个称作/dev/hda3 的第三个主分区。

接下来，fdisk 询问第一个柱面的位置。这通常是第一个可用的柱面；事实上，fdisk 为你选取显示了默认范围——例如：

First cylinder (42-1024)：

从这个例子，你可以推断出第一分区在柱面 41 处结束，而下一个分区从柱面 1024 开始。因此，这里由 fdisk 提供的范围允许你在范围 42-1024 中任何位置开始下一个分区。不随便在盘上任意位置放置分区是非常好的想法，因此选取下一个可用位置，在本例中就是柱面 42。输入 42 并按 < Return > 键。

注释：

Linux 从柱面 1024 以上开始的分区引导时肯定会有问题。如果你只能在 1024 以上区域中创建 Linux 分区，你可能就不得不从软盘引导 Linux。在本章稍后你将学习如何制作一个引导软盘（它是与安装用的引导软盘不同的）。如果你有柱面数大于 1024 的 IDE 驱动器，请参阅 Slackware 96 CD-ROM 上的/help/big_ide 文件。

现在,fdisk 要求你指定要为这个分区分配多大空间。你可以用柱面数或字节数(+ size)、千字节数(+ sizeK)或兆字节数(+ sizeM)来表示这个容量。因为你应当已经知道你需要用于交换文件的容量,所以先定义这个分区,然后把其余的磁盘空间留给 Linux 的程序分区。

例如,如果你的机器有 8M RAM,你必须用下面的回答来指定一个 16M 的分区:

Last cylinder or + sizeM or + sizeK(42 – 1023): **+16M**

然后,你应该用 p 命令来查看一下刚定义好的新分区表。在这个例子中,新分区表看起来如下所示:

Disk /dev/hda: 15 heads, 17 sectors, l024 Cylinders
Units = cylinders of 255 * 512 bytes

Device	Boot	Begin	Start	End	Blocks	Id	System
/dev/hda1	*	1	1	41	5219 1	DOS	12-bit FAT
/dev/hda2		1024	l024	4040	384667 +	51	Novell?

Partition 2 has different physical/logical endings:
phys = (967, 14, 17)Logical = (4039, 14.17)

| /dev/hda3 | | 42 | 42 | 170 | 16447 + | 83 | Linux native |

注意,fdisk 默认地把这个新分区设置成 Linux Native 类型。为把这个分区改变为交换分区,你需要使用 t 命令。键入 t,然后输入你要改变的分区号;在本例中,输人 **3**。fdisk 然后要求你根据表 4.8 输入所需分区类型的十六进制值(如果你手边没有该表,你可以键入 l 得到这个代码清单)。因为你想要一个交换分区,所以在提示符下输入 **82**。

你会看到,fdisk 报告了这个新分区的类型,但你还可用 p 命今再次核实分区 3 现在是 Linux 的交换分区。

现在你能够添加你的 Linux 分区了。本例只添加了一个分区,但如果你因各种原因想要多个分区,你也能够在这时候实现。要添加一个分区,按 <n>,为另一个主分区指定 p,然后为这个分区指定区号(4)。为了避免驱动器上不同分区之间出现碎片,最后这个分区应从紧接上一个分区的结束处(即柱面 171 处)开始。因为你想把这些剩余的空间都用于 Linux 系统,所以你能够为最后这个分区指定最后的柱面号,而不是确切的字节数。因此,输入 **1023**,如下所示:

Command (m for help):n
Command action
e   extended
p   primary partition(1-4)
p
Partition number (1-4): **4**
First cylinder (171-1024):**171**
Last cylinder or +size or +sizeM or +sizeK(171-l023):**1023**

现在用 p 命令验证新分区。如果你需要修改,现在就做。当你满意你的分区布局时,你可以使用 w 命令把分区表信息写入硬盘。

除非你用了 w 命令,任何更改都不是永久的;因此,如果你觉得你错误地做了修改,就可以用 q 命令在不变动分区表的情况下退出。如果你使用 w 命令,Linux 将会告诉你分区表已经发生了变动,然后调整磁盘与新分区表相匹配。如果你的 Linux 系统这时停止反应,用安装引导盘和根盘重新引导,直到你回到 # 号提示符状态。

4.5.5 创建交换分区

Slackware 的一些发行版本(包括本书随带的 CD-ROM 上的这一个)在安装期间提供交换文件的自动创建和激活,因此你不必对建立交换文件担心。但是,如果你正在使用一个不同的发行版本,你可能需要在继续安装之前创建和激活交换文件。

注释:

如果你在后续的安装过程中遇到一个"out of memory(内存用尽)"类型的出错,你应当增加你的交换文件的容量。

为创建交换空间,使用 mkswap 命并告诉它使用哪个分区及有多大空间用于虚存。例如,为在你前面定义的/dev/hda3 分区上创建一个交换空间,在 # 提示符下输入如下命令:

mkswap -c /dev/hda3 16447

16447 代表 16M,并能在 fdisk 的 p 命令的输出屏中的块(Blocks)列中找到。可选的-c 标志告诉 mkswap 检查这个分区中的坏扇区。

接下来,你必须用 swapon 命令激活这个交换系统:

swapon /dev/hda3

另外,如果你正在使用本书随带的 Slackware CD-ROM 盘,只要你是为一个交换分区创建这个分区的,你就不用对激活这个交换分区担心。在安装过程中,安装程序将检测到这个交换分区并为安装过程自动启动这个分区。

4.6 安装 Linux 系统

现在系统已为 Linux 分好区了,你就能够安装第二章"特性综述"中所描述的各种软件包。安装软件包允许你指定想安装什么。它还检查所有的 DOS 分区并能使 Linux 可以看到它们,如果你想要这样的话。为开始安装,键入 setup,并按 < Retum > 键。安装过程中要仔细,因为 Slackware 的 Setup 程序不容易纠正错输的或多余的键。

如果你有一台彩色监视器,并且安装了彩色根盘,接着你将看到一个标题为 Slackware Lin-ux Setup(version FD-2.1.0)的彩色屏幕显示。这个屏幕显示提供表 4.9 中给出的菜单选择项。

表 4.9 Slackware Linux 设置程序屏幕显示

菜单项	描述
HELP	阅读 Slackware 设置程序的帮助文件
KEYMAP	如果你使用的不是美国键盘,重定义键盘布局

菜单项	描述
MAKE TAGS	专家可以定制标记文件来预选要安装的软件包
ADDSWAP	建立交换分区
TARGET	建立目标分区
SOURCE	选取源介质
DISK SETS	选取要安装的磁盘组
INSTALL	安装选定的磁盘组
CONFIGURE	重新配置 Linux 系统
EXIT	退出 Slackware Linux Setup

你能使用 < Up Arrow >（向上箭头键）和 < Down Arrow >（向下箭头键）, < + > 和 < - > 键,或与前面列出的菜单项的第一个字母对应的键在这个菜单上移动。在你选取了一个选项后,按空格键或 < Return > 键激活这个选取操作,即执行与那个菜单项相联系的任务。你的第一个选择应该是浏览这个设置程序的帮助文件(菜单选项 HELP)。浏览过这个帮助文件后,安装 Slackware 所推荐的顺序是 ADDSWAP、SOURCE、TARGET、DISK SETS、INSTALL 和 CONFIGURE。

4.6.1 设置交换分区

虽然你能够使用前面在"创建交换分区"一节中介绍的各种命令来设置你的交换分区,但让这个设置程序(Setup)为你做这个工作要容易些。你可以通过选择 ADDSWAP 菜单项设置和配置你的交换分区。这个命令显示一个标题为 SWAP SPACE DETECTED 的显示屏幕,并提供以下信息:

Slackware Setup has detected a swap partition :

Device	Boot	Begin	Start	End	Blocks	Id	System
/dev/hda3		42	42	170	16447 +	82	Linux Swap

Do you wish to install this as your swap partition?
You have two options:yes or no. Choose yes, using the arrow key, to continue
the installation process. Linux Setup gives the following warning:
IMPORTANT NOTE: If you have already made any of your swap partitions
active(using the swapon command), then you should not allow Setup to
use mkswap on your swap partitions, because it may corrupt memory pages
that are currently swapped out. Instead, you will have to make sure
that your swap partitions have been prepared(with mkswap) before they
will work. You might want to do this to any inactive swap partitions
before you reboot.

参见 14.6"使用交换文件和交换分区"。

　　选择 OK 继续。设置程序询问你是否要使用 mkswap。如果你还没准备好交换文件,选择 YES 继续。设置程序接着问你是否用 swapon 命令激活交换分区,选 Yes 继续进行安装。程序配置并激活你的交换分区后,设置程序显示将要加入/etc/fstab 文件的信息。

　　选择 OK 继续安装。接下来设置程序询问,

Now that you've set up your swap space, you may continue on

with the installation. Otherwise, you'll be returned to the

main menu. Would you like to continue the installation and

set up your TARGET drive(s)?

选 yes 设置你的硬盘上的 TARGET 分区。

4.6.2　为安装选取目标分区

　　同样,设置程序显示一屏分区信息。如果你已经使用 fdisk 创建了多个分区,每个分区都将会被显示,且设置程序要求你选择一个用于安装。因为本例只使用一个分区,所以显示内容是一个分区的信息,如下所示:

Device	Boot	Begin	Start	End	blocks	Id	System
/dev/hda4	171	171	1023	108757 +	83	Linux	native

　　接下来,设置程序请你选择一个文件系统。你有两个选择:ext2 和 xiafs。设置程序显示如下信息并请你选择。

There are two main filesystem types that are used for Linux.

These are the xiafs filesystem, and the second extended

filesystem(ext2). Ext2 seems to be the current standard.

Xiafs hasn't really been changed in quite some time. Ext2 has one

really nice feature that xiafs doesn't have: an ext2 partition is

unmounted, a clean bit is written to it. When the machine is rebooted,

checking is skipped for any partitions that have the clean bit on them.

Xiafs may be a better choice for machines with low memory: however, so

it's still supported. What filesystem do you plan to use on your root

partition(/dev/hda4), ext2fs or ziafs?

　　建议安装 ext2 文件系统。因此选 ext2 并选 OK。接下来你被询问是否格式化这个分区。

If this partition has not been farmatted, you should format it.

NOTE: This will erase all data on it. If yov are trying to upgrade

an existing Linux partition, you should use setup from your hard drive,

not from the boot/root disk. (The versions of setup supplied on the

hard drive and the boot/root disk differ.) Would you like to format
this partition?

你有三个选项:Format(格式化),提供一个不检查坏块的快速格式化;Check(检查),这个过程较慢,但检查硬盘中的坏块;和 No(不格式化),略过对这个分区的格式化。选取 Check 和 OK 选项格式化这个分区。

注释:

在硬盘驱动器上检查坏点对较新的(即,IDE)驱动器或许是不必要的,因为这些驱动器能重新对坏点进行映射。

接下来,Setup 程序询问关于索引节点的密度。索引节点将在第十五章"理解文件和目录系统"中解释。主要概念是,在 Linux 系统中每个文件有一个索引节点。如果你要有许多小文件,你就需要很多个索引节点。Setup 程序显示如下屏幕:

SELECT INODE DENSITY

Ext2fs default to one inode per 4096 bytes of drive space, If you're
going to have many small files on your drive, then you may need more
inodes (one is used for each file entry). You can change the density
to one inode per 4096 bytes, or even per 1024 bytes. Select '2048' or
'1024', or just hit enter to accept the default of 4096 bytes.
NOTE: If you are going to run from CD using a small (<60MB) partition,
use 1024 to be safe. Each link uses an inode and it's easy to run out
of space.

参见 15.1.4"目录和实际磁盘"。

选择第二项 4096(应该为 2048,译者注),并选定 OK。Setup 程序然后显示一个信息屏,指明你已经做出的格式化选择。

警示:

注意硬盘驱动器的使用灯。在这个程序显示下一个选择屏幕之前,请不要按任何键。如果在一个操作过程中你按下了任意键,下一屏出现时,这个 Slackware 安装程序将用这些键作为你的选择。因此,你可能无意之间作出了不想要的选择。

接下来,如果 Setup 检查到任何 DOS 或 OS/2 的高性能文件系统(HPFS)分区,它就会询问是否要使这些分区在 Linux 中可以看到。如果在驱动器上有这样的分区,那么回答 Yes 是个好主意,因为这样你就可以从 Linux 访问这些分区上的文件。选择(yes 或 no)继续设置过程。

如果你选了 yes,出现了 CHOOSE PARTITION(选择分区)屏幕,其中列出了你能够选择的各

个分区。在输入框中,键入你想使之能被 Linux 看到的分区的名称,并按 < Return > 。如果有
一个以上的这种分区,Setup 程序会继续请求选择,直至你输入 < q > 为止。

在你输入了名称后,Setup 就会询问在目录树中装上这个分区的位置。这意味着,这整个
分区可被当作一个子目录来访问。你必须指定这个子目录从何处开始。出现了以下屏幕
显示:

SELECT MOUNT POINT

Now this new partition must be mounted somewhere in your directory tree
Please enter the directory under which you would like to put it. For
instance, you might want to reply /dosc, /dosd, or some thing like that.
NOTE: This partition won't actually be mounted until you reboot.

Where would you like to mount /dev/hda1?

在输入框中,输入你要装上这个分区的目录。如果这是一个 DOS 分区,对驱动器 C 使用
/dosc,对驱动器 D 使用/dosd,如此等等。如果你正在装一个 OS/2 分区,可用/os2c, /os2d 等回
答。另外,确保在目录名上使用了正确的斜杠符 /(向前),而不是 DOS 的反斜杠符(\ )。

输入安装点后,Setup 程序显示一个名为 CURRENT DOS/HPFS STATUS 的信息屏使你了解
将要安装哪些分区。选择 OK,使这一屏消失后,你就回到 CHOOSE PARTITION 屏。

如果你还有其他分区要安装,你可以重复上述过程,直到所有想要的分区都装上。所有这
些都处理完后,按 < q > 进入到下一个安装阶段,选择从哪种介质安装。

4.6.3 选择从何处安装 Linux

格式化和装上了你的目录后,Setup 程序要求你用 SOURCE 选项继续安装过程。这一选项
让你挑选你将从何处安装 Slackware 发行版本。如果你将使用本书随带的 CD-ROM,这个选择
就是 CD-ROM。如果这个发行版本在软盘上,你就使用软盘驱动器安装。选择 yes 显示
SOURCE MEDIA SELECTION 屏:

SOURCE MEDIA SELECTION
Where do you plan to install Slackware Linux from?
1   Install from a hard drive partition
2   Install from floppy disks
3   Install via NFS
4   Install from a pre-mounted directory
5   Install from CD-ROM

如果你用的是 CD-ROM,选取第 5 个选项,并选 OK,就会显示从 CD-ROM 上安装的显示
屏:

INSTALL FROM CD-ROM

In order to install Slackware from a CD-ROM, it must contain the
distribution arranged beneath a source directory in the same way
as if you were to install it from a hard drive or NFS. The source
directory must contain subdirectories for each floppy disk. Your
CD-ROM should be compatible with this format if it contains a mirror
of the Slackware FTP site.

What type of CD-ROM drive do you have?

1   SCSI [/dev/scd0 or /dev/scdl]
2   Sony CDU31A [/dev/sonycd]
3   Sony 535 [/dev/cdu535]
4   Mitsumi [/dev/mcd]
5   Sound Blaste Pro (Panasonic)[dev/shpcd]

从上面给出的类型中选取你的 CD-ROM,并选 OK。

注释:
    如果你在使这个安装程序检测你的 CD-ROM 时遇到问题,你可能不得不中断这个安装过程,并制作一个
带另一个内核的新根盘。有关使用 CD-ROM 的更多信息请参见/doc/HOWTO 目录中的 CDROM-HOWTO。

    现在你需要查看一下在本章前面"重新分区驱动器"一节中你保存的源目录。Setup 程序
显示 SELECT SOURCE DIRECTORY(选取源目录)屏。

注释:
    下面的这些显示屏看起来可能与你的显示屏不同,因为 Linux 变化得非常快。为使本书与随带的 CD-
ROM 同步,我们作出了好多努力,但还是不可能完全一致。

SELECT SOURCE DIRECTORY

Now we need to know which directory on the CD contains the Slackware
sources. This location may vary depending on the cd you have.
There are default selections for the Slackware Professional CD (inclucling
an option to run mostly from the CD) InfoMagic CD, TransAmeritech CD,
and the Linux Quarterly CD-ROM. There may be other directories
containing other versions—enter a custom directory name if you like.
which option would you like?

    如果你使用的是本书随带的 CD-ROM,直接选安装的类型—slackware, slaktest 等。作出选
择并继续。下一屏让你选取要在你的系统上安装的软件包。

注释：

　　如果你输入了错误的目录或忘了目录名，Setup 就会提醒你并提示正确的目录名。如果你正在使用本书随带的 CD-ROM，在这张 CD-ROM 上，/slackware 是正确的目录。如果你正在使用另一种介质或 CD-ROM，并且忘了目录名，你需要退出 Setup，在你使用的介质上找到这个目录。你通常可以认出这个目录结构，因为其中的子目录的名称与软件包的名称类似——例如，/a、/ap 和 /oop 等。

4.6.4　选择要安装的软件包

　　在你指定安装介质和源目录后，Setup 程序显示如下 SERIES SELECTION 屏：

SERIES SELECTION

Use the spacebar to select the disk sets you wish to install.
You can use the UP/DOWN arrows to see all the possible choices.
Press the ENTER key when you are finished. If you need to install
a disk set that is not listed here, check the box for custom
additional disk sets.

CUS	Also prompt for CUSTOM disk sets
A	Base Linux system
AP	Various Applications that do not need X
D	Program development(C, C++, Lisp, Perl, etc)
E	GNU Emacs
F	FAQ lists, HOWFO documentation
K	Kernal source
N	Networking(TCP/IP, UUCP, Mail, News)
Q	Extra Linux kernels with UMSDOS/non-SGSI CD drivers
T	TeX
TCL	Tcl/Tk/Tclx, Tcl language, and Tk toolkit for X
X	XFree-86 2.1.1 X Window System
XAP	X Applications
XD	XFree-86 2.1.1 X11 Server Development System
XV	XView 4.2 release 4.(OpenLook window Manager, apps)
Y	games(that do not require X)

　　只要用箭头键沿这个清单上下移动，用空格键标记你所需要的软件包。你用空格键做一次选择时，一个 x 就会出现在选择项旁边。做完所有选择后，按 <Return> 键继续。

　　你的选择是以个人喜好和所用的硬件类型为基础的——即，如果你没有运行 XFree86 的硬件，你就应该不安装需要 X(iv、x、xap、xd 和 xv)的软件包。你必须安装 A 包，它是 Linux 系统的基础。另外，如果你对编程感兴趣，就应安装各种编程包，如 d、oop、tcl 和 xd 等。如果对编程不感兴趣,就不需要这些包。如果你要访问 Internet,你就需安装 n 包。我们极力推荐你安装包含 FAQ 清单和 HOWTO 文档的 f 包,因为这个软件包中包含了你需要的有关 Linux 的丰富信息。

　　安装你选取的每个软件包时,你都会遇到一系列与该软件包有关的显示屏幕,每个软件包都含有你必须加入的程序、极力推荐你加入的程序和你可以跳过的程序。只需按照每个屏幕上的指令去做。对本例来说,你安装如下软件包:a、ap、d、e、f、n、t、tcl、x、xap 和 y 软件包。

　　你选取了所需软件包后,选 OK 继续。出现一个简单的屏幕,它告诉你即将进入 INSTALL 部分,以及如果你还未做完选取操作的话,你将退回到主选取菜单。选 Yes 继续 Setup 过程。

4.6.5　安装所选取的软件包

　　Setup 程序接下来询问你:在 Setup 安装每个软件包时,你想要何种类型的提示。每个软件包都包含一组标记文件,其中说明了如何处理这些文件。第一次安装时,选取 SELECT PROMTING MODE(选取提示模式)屏中指示的 HELP 模块,以便帮助你决定使用哪种提示。

SELECT PROMPTING MODE

Now you must select which type of prompting you would like to use while

installing your software packages—If you're not sure which to use,

read the help file.

Which type of prompting would you like to use?

Normal　　　Use the default tagfiles

Custom　　　Use custom tagfiles in the package clirectories

Path　　　　Use tagfiles in the subdirectories of a custom path

None　　　　Use no tagfiles-install everything

HELP　　　　Read the prompt mode help file

阅读 HELP 文件后,选取 Normal 提示模式并选 OK。然后选 INSTALL。

注释:

　　这个 HELP 文件指示了一种 Prompting 模式,但是正如可从菜单选项中看到的那样,其中没有这一项。Normal 是与它最接近的项,这就是你应当使用用于安装过程的这个选项的原因。

　　此时,Setup 程序是自动导航的,它审查你先前选取的每个软件包来安装各种程序。在标记文件中以 ADD 标记的程序是自动增加的。Setup 显示一个指示它正在安装哪个软件包和有关这个软件包的简要信息的屏幕。你不能阻止 Setup 程序安装在标记文件中作了 ADD 标记的文件。

　　当 Setup 程序遇到以 OPT、REC 或 SKIP 标记的程序时,它就显示一个屏幕,告诉你将要安装什么,它是否建议你安装该程序,安装该程序要求多少空间,然后是一个选项清单。选项(可用箭头键选取)通常是 yes、no 或一个取消整个程序的选项。通常,默认选取是 yes,install package xxx,这里的 xxx 是将要安装的软件包的名称。

注释：

回答时要小心。如果你作了一个错误的选择，你就不能退回去改变那个选择。如果你偶然安装了一个你不想要的软件包，事情还不太糟；可能只是损失一些磁盘空间而得到另一个用于实验的程序。但是，如果你没有安装一个想要的包，最好的办法是记下漏掉的软件包，并在晚些时候运行 pkgtool(第十三章"升级和安装软件件"中说明)来安装这个想要的软件包。你也可以取消当前的安装过程再从头开始，但那是一个相当艰苦和耗费时间的选择。

参见 13.3.2"使用 pkgtool"。

4.7 配置系统

Setup 程序装载好了你指定的所有软件组件。现在它必须配置你的系统。Setup 程序显示：

CONFIGURE YOUR SYSTEM

Now it's time to configure your Linux system. If this is a new system,
you must configure it now or it will not boot correctly. Otherwise,
you can back out to the main menu if you're sure you want to skip this
step. If you've installed a new kernel image, it's important to
reconfigure you system so that you can install LILO(the Linux Loader)
or create a bootdisk using the new kernel. Do you want to move on
to the CONFI GURE option?

因为这是你首次安装，所以需要配置你的系统。选 yes 继续。下一屏幕问你是否制作一个引导盘。你应当制作一个引导盘，即便你使用 LILO。该屏幕显示如下内容：

MAKE BOOT DISK

It is HIGHLY recommended that you make a standard boot disk for your
Linux system at this time. Such a clisk can be very handy if LILO is
ever improperly installed. Since the boot disk will contain a kernel
that is independent of LILO and the kernel on your hard drive, you 'll
still be able to use it to boot your system no matter what you do to LILO
or your hard drive kernel. Would you like to make a standard
boot disk?

确保准备好了一张已经格式化的软盘，选 yes，并按 < Return > 键。Setup 程序显示 BOOT

DISK CREATION(制作引导盘)屏幕。只要把格式化的软盘放入驱动器,选择 yes 制作引导盘。如果你跳过了引导盘制作操作,Setup 显示如下警告信息:

SKIPPED BOOT DISK CREATION

Boot disk creation skipped. I hope you already have a boot disk.
If you don't, you have to install LILO if you haven't already, or
you'll have a hard time booting your machine. : ^)

4.7.1 配置调制解调器

下一步,Setup 询问你是否配置一个调制解调器。你应该现在做这个配置工作,即使你现在不打算使用调制解调器。如果你想配置你的调制解调器,Setup 显示如下屏幕:

MODEM CONFIGURATION

This part of the configuration process will create a link in /dev from your callout
device(cua0, cua1, cua2, cua3)to /dev/modem. You can
change this link later if you put you modem on a different port.

选 yes 继续。接下来,你必须指定你的调制解调器挂接的串行端口。你可以通过 SELECT CALLOUT DEVICE(选取拨出设备)屏幕来做这件事。cua0-3 项表示你的串行端口,cua0 表示 COM1,cua1 表示 COM2,等等。选取适当的 COM 端口和 OK。

4.7.2 配置鼠标

接下来,你通过一个类似的过程来配置你的鼠标。如果你的系统有一个鼠标,你应该现在配置它。从 MOUSE CONFIGURATION 屏幕选 yes,然后 Setup 为你提供一个包括六个选择项的屏幕。如果你有一个与 Microsoft 兼容的而没有在表 4.10 中列出的鼠标,可以选取选项 1,你的鼠标能很好工作的可能性就很大。

表 4.10 Linux 支持的鼠标类型

选项	描述
1	Microsoft 兼容的串行鼠标
2	C&T 82C710 或 PS/2 规格的鼠标(附加端口)
3	Logitech 总线鼠标
4	ATI XL 总线鼠标
5	Microsoft 总线鼠标
6	Mouse System 串行鼠标

如果你选取了需要串行端口的鼠标,Setup 就要求你指定这个端口。与调制解调器一样,Linux 用与 COM1、COM2 等等不同的名称表示串行端口。Linux 用 ttyS0 到 ttyS3 表示串行端口。

从 SELECT SERIAL PORT 屏幕选取适当的串行端口,然后选 OK 继续安装过程。

4.7.3 使用 *ftape* 配置 Linux

Setup 检测你是否装载了 ftape 软件包并询问在 Linux 引导时是否要启动这个程序。在引导时启动它没有坏处,所以如果你装载了 ftape 包,你应该让 Setup 在引导时启动这个程序。从 FTAPE CONFIGURATION 屏幕上选 yes 继续。

4.7.4 配置调制解调器的波特率

接下来,如果你安装了 gp9600 软件包,Setup 程序就会显示 SET YOUR MODEM SPEED 屏幕。只需选取适当的波特率并选 OK。如果你没看到适合自己调制解调器需要的足够高的速率,可以在以后用 setserial 程序把波特率设置成你所需要的数值。

4.8 安装 LILO

LILO 代表 LInux LOader(Linux 装载程序)。LILO 是在系统启动时运行的程序,它允许你选择用哪个操作系统来引导计算机。你可以用 LILO 引导几个不同的操作系统,如 Linux 和 MS-DOS。对 LILO,你还可以指定一个要默认引导的操作系统和 LILO 引导该操作系统前的默认时间限制。例如,如果你的计算机上有 MS-DOS 和 Linux,可以配置 LILO 引导二者中任何一个。你还可以告诉 Linux,如果 30 秒后没有人介入,就引导 MS-DOS。但是,在到 30 秒之前,用户可以指定引导其他操作系统,而不是引导默认操作系统。你可以按 < Ctrl > 、< Alt > 或 < Shift > 键停止计时过程。按 < Tab > 键得到一个 LILO 能够引导的操作系统清单。

在配置 LILO 时指定所有这些信息。虽然你能够直接编辑/etc 目录下的 lilo.conf 文件,LILO INSTALLATION 屏幕给出了编辑这个文件的一个更好的界面。

配置好你的系统后,Setup 让你安装 LILO。Setup 显示:

LILO INSTALLATION

LILO(the Linux Loader)allows you to boot Linux from your hard drive.
To install,you make a new LILO configuration file by creating a new
header and then adding at least one bootable partition to the file.
Once you've done this,you can select the install option,Alternately,
if you already have an /etc/lilo.cfg,you may reinstall using that.
If you make a mistake,you can always start over by choosing 'Begin'.
Which Option would you like?

Begin   Start LILO configuration with a new LILO header
Linux   Add a Linux partition to the LILO config file
OS/2   Add an OS/2 partition to the LILO config file
DOS   Add a DOS partition to the LILO config file

Install	Install LILO
Recycle	Reinstall LILO using the existing lilo.conf
Skip	Skip LILO installation and exit this menu
View	View your current /etc/lilo.cfg
Help	Read the Linux Loader Help file

你应该在开始前选取 Help 选项,先阅读帮助文件。读完帮助文件后,你应该从头(Begin 选项)开始。如果你不想现在安装 LILO,而想使用一张引导软盘,你可以选取 Skip 菜单选项。

警示:

如果你跳过安装 LILO,你必须有一张可引导的软盘。如果你前面跳过了制作一张引导软盘,你就应该安装 LILO,或者当返回到主菜单时,再重新进入这项配置操作,制作一个引导软盘。如果你在没有办法引导你的系统的情况下退出了 Setup,你将不得不以后用你原来制作的引导盘和根盘配置你的系统。

4.8.1 用 *append* = 参数配置内核

在执行开始前,你可以用这个选项传送 Linux 内核命令行标志来配置内核。这些额外的标志可能是某些 SCSI 硬盘驱动器和 IBM 主板所需的。LILO 允许你通过 append = 参数来指定这些命令行标志。如果你需要传送任何命令行参数,就在这个显示屏的编辑框中输入它们。如果你没有参数要传送,就按 < Return > 键继续。

4.8.2 设置目的位置

接下来,你必须选择一个放置 LILO 程序的位置。你可以把这个程序放在你的第一个硬驱的主引导记录中、放在你的根 Linux 分区的所谓超级块(superblock)中,或放在一张软盘上。如果你选择了 Floppy Disk 选项,你就必须把一张已格式化的软盘放入驱动器。你或许应当把主引导记录用于 LILO。

4.8.3 设置延迟选项

下个屏幕让你设置引导默认操作系统前 LILO 的等待时间。选取下述选项之一,然后选 OK:

选项	描述
None	根本不等待,直接进入第一个操作系统
5	5秒
30	30秒
Forever	给出一个提示符并一直等到做出了一个选择

4.8.4 选择默认操作系统并加入所有分区

当你回到主 LILO INSTALLATION 屏时,你必须选择你的默认操作系统。这是放在 lilo.conf 文件中的第一个操作系统。例如,如果你想让 Linux 成为默认操作系统,就应该选择 Linux 菜单选项;如果你想让 MS-DOS 成为默认的,就应选 DOS 菜单选项。

在你选取了默认操作系统后,安装程序就给出一个由所有可能的、你能够从中引导的分区组成的屏幕。输入分区的名称,这个名称应该与标题为 SELECT xxx PARTITION 的 Device 列中出现的一样,这里的 xxx 表示要使用的分区类型。例如,如果你选了 DOS 作为你的默认操作系统,那么这个屏幕标题为 SELECT DOS PARATITION,并显示所有可用的、可引导的 DOS 分区。输入正确的设备名称后,选 OK 继续。

接着你必须选一个短的名称,以便当某人在 LILO 提示符下按 < tab > 键时帮助标识这个操作系统。这个名称就是用户必须输入以选取从 Linux 引导的操作系统的名称。例如:DOS、Linux 和 OS/2 等。这个名称必须是一个单字。

选取你的默认操作系统后,你能够使用 DOS、Linux 和 OS/2 等菜单选项把各种操作系统加入 LILO 中。特别记住加入 Linux。在你加入了所有适当的操作系统分区后,你应该用 View 选项检查你的当前/etc/lilo.conf 文件。对本例来说,假设你指定了 DOS 为默认操作系统,并增加了一个 Linux 分区。你还指定了在引导 DOS 前有 30 秒的延迟。在这种情况下,你的 lilo.conf 文件看起来如下所示:

```
#  LILO configuration file
#  generated by 'liloconfig'
#
#  Start LILO global section
boot = /dev/hda
#  compact        #  faster, but won't work on all systems.
delay = 300
vga = normal       #  force sane state
ramdisk = 0        #  paranoia setting
#  End LILO global section
#  Linux bootable partition config begins
image = /vmlinuz
root = /dev/hda4
label = linux
#  Linux bootable partition config ends
#  DOS bootable partition config begins
other = /dev/hdal
label = dos
table = /dev/hda
#  DOS bootable partition config ends
```

加入了所有需要的分区后,选取 Install 选项配置 LILO。

4.8.5 卸下 LILO

如果你正在运行 LILO 版本 0.14 或更新版本,你能够用下述命令卸下 LILO:

```
opus：～ # lilo -u
```

如果你有一个前期版本,你必须从它的主分区中把 LILO 删掉或使它无效。你能够用 Linux 的或 MS-DOS 的 FDISK 程序使另一个分区成为活动的分区。

如果你把 LILO 放在了 MBR(主引导记录)中,你必须用另一个操作系统的 MBR 把它替换掉。对 MS-DOS 5.0 或以上版本,命令

```
c：\ > fdisk /mbr
```

恢复 MS-DOS 的 MBR。

当 LILO 从活动分区或 MBR 中删掉后,你可以随意删掉/etc/lilo 中的文件。

参见 16.5"删除文件或目录"。

配置网络

接下来,Setup 让你配置你的网络。你可能还没有所有的可用信息,但继续向前并尽量多配置一些。Setup 努力配置你的系统,但如果它不能的话(第一次很可能这样),你可以以后用 netconfig 命令配置你的网络。选 yes 启动网络配置,在 NETWORK CONFIGURATION 屏上选 OK 开始。

你需要的第一项是你的计算机的名称。这是个人使用的名字,可以随自己所需编造。在 ENTER HOSTNAME 提示符下输入你选的名字,并按 < Return > 键。

注释：

坚持用小写字母是个好办法,因为 UNIX 和 Linux 都是对大小写敏感的,且大多数命令和交互操作都是用小写字母表示的。

下一个提示询问"域名"。如果你知道这个术语并有可用的域名的话,就为系统输入域名。如果你还没有域名或不知道它是什么,也不用着急。(本书后续章节中,如第二十六章"了解 Internet 网"中解释了 Internet 域名是什么,以及怎样用域名配置你的网络。)如果你没有一个域名,暂时输入下述内容：

```
tristar.com
```

参见 26.4"Internet 命名"。

注释：

为继续安装过程,必须输入"域名"。

下一个问题与通过 loopback 使用 TCP/IP 有关。(如果你不知道这些术语的话,参阅第二十三章"配置 TCP/IP 网络",在回到这节之前了解这方面的知识。)通过对 Only use loopback 这个问题回答 yes,可以跳过几个配置层。对这个问题回答 yes,然后配置网络是个好办法。

如果选了 yes,网络配置就完成了,你可以继续余下的配置工作。

参见 23.1.1"/etc/hosts 文件"。

参见 23.2.2"配置软件回送接口"。

使用 selection 程序

如果你有一个鼠标,你就能够用 selection(选取)程序从你的终端上剪下和粘贴命令。这个屏幕会问是否要在引导时自动启动这个选取程序。如果你有一个鼠标,你应该通过对此屏回答 yes,在引导时启动 selection 程序。但是,如果你所拥有的是一个总线鼠标,在使用 selection 和 XFree86 时就可能会有问题。如果你所拥有的是一个总线鼠标,你就不应该自动启动 selection。

如果你没有选择在引导时启动 selection,你可以用如下命令在任何时间执行该程序:

selection -f &

配置 sendmail

接下来,Setup 要你为 sendmail 选取一个配置文件。第二十九章"使用电子邮件"提供了有关使用电子邮件的更多信息,作为初学者你可能想预装现成的 sendmail 配置文件。如果你知道怎样通过以太网等用 PPP 与 Internet 网相连,则你可以选择 SMTP-BIND 或 SMTP 菜单选项。如果你打算使用一个调制解调器和 UUCP,则选取 UUCP 菜单项。如果你不打算使用网络,选取 SKIP 菜单项。如果你不知道怎么做,SKIP 菜单项是个好选择,因为你可以在以后重新配置你的系统。

选取时区

接下来,Setup 要你选取一个 Linux 用来记录日期和时间的时区。浏览可用时区列表,选一个最合适的。如果你在美国,有几个选项是以 US 开头的。对澳大利亚,加拿大和那些使用格林威治时间(Greenwich Mean Time)或统一时间(Universal Time)的系统情况也是如此。选定你的时区并按 < Return > 键。

替换 etc/fstab

etc/fstab 是表示你的每个分区的文件系统表。在使用 Setup 程序过程中,如果你修改这张表(比如用 LILO),它可能要你用新表替换旧表。这个屏幕只在你(由于某种原因)停止和重新启动 Setup 程序或配置过程时出现。如果你没有改变分区表,就回答 no;否则,回答 yes。

4.9 用 *rdev* 修改内核

完成配置时,你能够重新运行 Setup 添加新项,或你能够用 pkgtool 程序查看、添加或删除软件包。

参见 13.3.2"使用 pkgtool"。

你可能必须修改某些与你的内核有密切关系的项,如使用的视频模式。一个解决方法是重新安装 Linux——正如你已看到的,这是一项艰巨的任务。或者,你能够从头开始重新编译和建立一个新内核,但这项工作不适合新手。另一个选择是修改当前内核,所幸的是,Linux 允许你用 rdev 程序来做这件工作。rdev 在/sbin 目录中,并且你应当仅在作为 root 登录时才能使用它。

为得到完整的选项清单,用 \ h 或 \ ? 参数调用 rdev。

你的内核文件(即实际的软件)在一个名为 vmlinux 的文件中。使用这个名字是有历史原因的;大多数 UNIX 系统把内核存放在一个名为 vmunix 的文件中,而 Linux 是基于 UNIX 的。注意,安装了的内核是 vmlinuz,这里 z 表示一个压缩的内核。当一个内核被建立时,生成了其解压缩版本,称作 vmlinux;但是,这个解压缩版本是不可引导的。这个文件名通常是传送给 rdev 的一个参数。你能够使用 rdev 来处理根和交换分区以及视频模式这样一些问题。

4.10   建立新内核

有时问题只有一个解决途径——一个新内核。内核是 Linux 操作系统的核心。虽然不是因为缺乏信心,但从网上下载一个新内核并建立这个内核有时是必要的。如果你有一些编程经验并熟悉 C 程序设计语言的话,你应当能够建立和安装一个新内核。如果不是这样的话,你可以跳过本节。

你可能由于下述原因必须安装一个新内核:

☐ 获得了运行新硬件的内核修订版。

☐ 你想从内核中删掉你不使用的特性,因此降低你的系统对内存的要求。

首先确定你正在运行的内核版本。你可以用下述命令找出内核版本号:

uname -a

系统对这个命令的回答指出现在正在运行的内核版本号和它的建立时间。

版本号的格式是:

MajorVersionNumber . MinorVersionNumber . PatchLevel(主版本号 . 次版本号 . 修订级别)

由 Linus Torvalds 正式发行新内核,尽管任何人都能修改 Linux(根据 GPL 条款)。作为正式发行人,Linus 为 Linux 开发和用户社区提供了通用的基准,人们可以在此基础上工作和交流。

注释:

在实际建立和配置新内核前,一定要阅读这个内核的 HOWTO 文档,以便了解其最新信息。

为建立新内核,你需要有/usr/src/Linux 目录中的源代码文件。你还必须装载 C 编译程序包,它是磁盘组 d。如果你没有在安装过程中安装这个软件包,现在用 pkgtools 来安装它。

首先,你必须得到这个新内核的源代码或修订版。新的源代码通常可在 Internet 上找到;在 sunsite.unc.edu 上查找最新和最好的内核。源代码文件通常在一个 tar(归档)文件中,需要从归档文件中提取。如果你正在修改你的内核,当然就不需要这一步骤了。

提示:

用下述目录备份你的当前内核是一个好想法:

cd /usr/src

cp Linux linux . sav

这些命令把整个 Linux 源代码目录复制到另一个称作 linux.sav 的目录中。

接下来,你应当使用 patch 命令来应用修订版文件。在准备好源代码文件后,你就可以配置和建立你的新内核了。从 /usr/src 目录输入如下命令开始:

make config

make 命令向你询问有关你要安装或配置的驱动程序的各种问题。对每个问题都按 < Return > 键接受默认值;否则,你必须提供回答。表 4.11 示出了其中的一些问题。你可能必须回答其他一些与你正在安装的内核的版本或与你已经应用了的修订版有关的问题。

表 4.11　一些配置选项

配置选项	描述
Kernel Math Emulation	询问内核是否要仿真数学协处理器
Normal Harddisk Support	使所有标准硬盘驱动器的驱动程序有效
XT Harddisk Support	仅当你的机器使用了一个 XT 类型的控制器,而不是使用了一个 AT 类型的控制器时才使用
Networking Support	如果你回答 yes,使内核中的联网支持有效
SCSI Support	使对 SCSI 的支持有效
CD-ROM Drivers	询问与 CD-ROM 有关的,尤其是与那些不在标准 SCSI 支持软件包中支持的 CD-ROM 有关的一系列问题
Filesystem	询问与内核应当支持的文件系统有关的一系列问题,如果你的内核不支持 ISO9660 文件系统,你就不能使用 CD-ROM
Parallel Printer Support	使并行打印机支持有效
Mouse Support	使内核中的总线鼠标支持有效
Sound Card Support	询问与声卡的硬件和软件有关的一系列问题

在你回答了上述各种问题来配置你的新内核后,你必须编译它。

注释:

建立过程可能要花 15 分钟到数小时。因此休息一下,要一份比萨饼!

下述命令将建立新内核:

make dep

make clean

meke

这个编译过程完成后,你能够如前面"制作引导盘和根盘"一节中讨论过的那样制作新的引导盘。你能够把这个内核复制到一个新软盘中,或使用 LILO 来引导这个新内核。

4.11　从前一个版本升级

当前的 Slackware 版本(版本 3.0)包含具有特殊格式的 Linux 文件,这种格式称作"可执行的和连接的格式（ELF）"。Slackware 的前期版本是 a.out 格式的。你不能在同一个系统上混用这些可执行程序的类型，因此如果你打算从一个前期版本升级，你必须为可靠起见从头开始重新安装。当与 A 和 N 包有关时，这点尤为重要。pkgtool 不仅能安装程序，还能卸下它们，但最安全的途径是备份你的重要的配置文件，并从头开始重新安装 Linux。

如果你将从类似的格式——即从一个基于 ELF 的发行版本升级到一个基于 ELF 的发行版本——你能够使用 pkgtool 删掉那些你想升级的软件包，然后使用这个工具安装较新的版本。

参见 13.3.2"使用 pkgtool"。

4.12　回到开始

你完成了系统的建立和配置后，Setup 程序就把你带回到主菜单。从这里，你可以选择 EXIT 选项退出 Setup。如果想改变一些选项，你可以在这里做。但是，第十三章"升级和安装软件"提供了初次安装后升级和安装软件的有关信息。选择 EXIT 退出 Setup 程序。

选 EXIT 使你退回到用 # 号表示的系统提示符。现在你在 Linux 中了，并可以下达简单的命令，如用 ls 列出目录中的文件名清单。但此时，你应该重新引导系统，以便所有建立和配置操作能够发挥作用。

重新引导 Linux 比重新引导 DOS 复杂。你不能关掉电源再把系统打开。如果你在 Linux 中这样做，你就会损坏文件结构和文件系统。Linux 试图在启动时修复自己。在运行 Linux 时，不要关掉电源。要退出 Linux，使用如下命令：

shutdown [-r] time

可选的 -r 标志指示：系统应该在关闭后重新引导；time 指示系统应该关闭的时间；你可以用 now 代替 time，指示立即关闭。Linux 还认识 DOS 使用的热启动键 < Ctrl-Alt-Delete > 重新启动计算机。Linux 把 DOS 的热启动键解释成如下命令：

shutdown -r now

参见 9.4"关闭 Linux"。

确信你从软盘驱动器中取出了所有软盘并重新引导你的新 Linux 机器。

4.13　解决问题

重新引导你的机器后，应该出现 LILO 提示符。如果你在硬盘驱动器上留下了旧操作系统，确信你能够引导它。如果那个操作系统是 DOS，按 < Shift > 键，然后键入在你安装 LILO 时用来标识 DOS 分区的短单字。如果你输入了一个无效的单词，按 < Tab > 键将得到有效的操作系统类型的一个清单。如果你在此时遇到问题，把 DOS 引导盘放入引导驱动器重新引导。

你应该能从你的引导盘启动。如果你的系统已经启动了并运行在 DOS 下时，试试你在安装过程中制作的 Linux 引导盘——不是你为最初安装整个系统制作的那些盘。如果该盘不能运行，你可能不得不重新安装 Linux。要最先检查的潜在问题是内核和硬件。在重新开始前，证实你有合适的硬件。如果你在安装过程中作了记录,检查相对于你的硬件安装了哪个内核。如果你有一个 SCSI CD-ROM,你是否安装了 idekern,而不是 scsikern? 确保你拥有的是 Linux 支持的硬件。

4.14 从这里开始

在使你的系统启动和运行后,你就可以阅读以下各章,以便进一步了解 Linux:

☐ 第五章"运行 Linux 应用软件"使你能够使用你刚安装的各种程序。

☐ 第七章"使用 X Windows 系统"是很有趣的,如果你安装了 X 系统的话。

☐ 第十三章"升级和安装软件"对如何重新安装在最初设置 Linux 系统时你可能遗漏了的软件包提供了指导。

☐ 第二十六章"了解 Internet 网"简要介绍了访问 Internet 网的基础知识。

第五章　运行 Linux 应用程序

本章内容

☐ 使用基本的文件和目录命令

与 UNIX 一样,Linux 大量使用文件,因此你必须知道如何使用文件。

☐ 添加新用户和运行程序

与 Windows NT 一样,Linux 允许多个不同的用户在同一时刻访问系统。为访问系统,必须把新用户添加到系统中。

☐ 使用调制解调器通信程序 minicom

minicoms 是在 Red Hat 和 Slackware 中使用的一个通信程序,与 DOS 程序 PROCOMM 相似。

☐ 玩 Linux 的各种游戏

Linux 为你的娱乐提供了各种文本和图形游戏。

☐ 使用能在 Linux 下运行 DOS 和 Windows 程序的仿真程序

Linux 不是存在于真空中的,并且很多开发者认识到 Linux 中没有用户们不愿舍弃的大量 DOS 和 Windows 程序。因此有一些团体在开发仿真程序,这些仿真程序使你能在 Linux 下使用 DOS 和 Windows 程序。

在安装了你的 Linux 系统后,本章就要简要介绍如何建立你的用户帐号和一些使你熟悉你的新系统的基本命令。这是你自己拥有的多任务、多用户的系统;实验是受提倡的,因此继续摆弄你的系统。在一个典型的 UNIX 系统上你可能永远不会有这种机会。

但是,仅仅摆弄操作系统是没有乐趣的;它不能帮助你做日常工作。毕竟,你不是整天都使用 DOS,而是经常使用应用程序。Linux 拥有来自世界各地的几千种应用程序。你已经从本书随带的 CD-ROM 上安装了一些 Slackware 或 Red Hat 发行版本中的应用程序。在世界各地会有更多的应用程序,因此能够轻易地得到与 PC 平台上那些价值数百美元的程序相媲美的 Linux 程序。

5.1　操作 Linux

安装 Linux 并重新引导后,你面对的是根据安装时你给系统的名称而定的一个系统提示。提示看上去类似于:

Red Hat Linux release 4.0（Colgate）

kernel 2.0.18 on an I486

web login:

但是,由于 Linux 是一个演变的系统,这个提示可能会显示不同的 Linux 版本号。

现在你必须提供一个用户名和一个口令。用户名向操作系统证明你的身份,因为 Linux 既可以在不同时间也可以同时支持许多不同用户。一个帐号还为每个用户提供一个称作起始目录(home directory)的默认目录。还要设置许多帐号把用户限定在系统上的某些目录中,及防止用户使用某些命令,主要是为保护一个用户的文件不被其他用户刺探。

5.1.1 输入命令

在 Linux 上输入命令非常相似于在 DOS 和其他面向命令行的操作系统上输入命令。与 U-NIX 一样,Linux 是大小写敏感的;如果 Linux 不认识某个命令,检查一下你是否正确地拼写了它,并在输入时正确区分了大小写。大多数命令是在你按 < Return > 键后执行的。

5.1.2 恢复命令历史

Linux 提供了 history(历史)功能以恢复以前使用过的命令。也可以跨对话过程(session)保留历史。你可以按 < UpArrow > 键恢复以前的一个命令,然后按 < Return > 键执行该命令。要获得一个以前输入的所有命令的完整清单,可使用 history 命令如下:

[tackett@web~] $ history
1   clear
2   adduser
3   history

你得到了上述历史清单,就可以用上下箭头键在命令间来回移动来重复这些命令,直到命令行上出现你需要的命令,或者你可以输入 < ! >键(惊叹号)和需要再执行的命令序号。例如:如果你要重复上述清单中的 adduser 命令,输入:

[tackett@web ~] $!2

历史清单中命令项的数目是在用户帐号的 .profile 配置文件中用户自己定义的。有关 .profile配置文件更多信息参见第十七章"了解 Linux 的各种 Shell"。

5.1.3 选取文本

如果你的系统有一个鼠标且安装了 selection 程序,你还可以用鼠标把屏幕上其他区域中的文本拷贝到命令行。要选取文本,只要在你把鼠标光标(单击鼠标左按钮它就出现了)按住鼠标左按钮拖过所需文本,然后按鼠标右键把所选文本复制到命令行上。如果你要在命令行上输入一个长的文件名,这是很有用的。

5.1.4 补全命令

当输入命令时,Linux 还提供了考虑周到的特性。你可以键入文件名的开头部分,然后按 < Tab > 键。Linux 就根据你键入的字母查找以这些字母开头的文件,并给出找到的完整的文件名。如果 Linux 找到了不只一个文件名,它就会鸣叫并把文件名补全到最后一个相同的字符。例如:如果你想把一个名为 todo_ monday 的文件拷贝到 todo_ today 中,在提示符后你键入 cp to,然后按 < Tab > 键,Linux 就鸣叫着填充命令行如下所示:

[tackett@web ~] $ cp todo_

如果你再键入一个 m 并按 < Tab > 键,Linux 就把整个文件名 todo.monday 放到命令行上。

5.2 管理用户

在许多系统中,负责维护用户帐号的人被称作系统管理员。系统管理员建立用户帐号和履行其他职责。有关系统管理各个方面的更多信息,请参见第二部分"系统管理"中的章节。在你的 Linux 系统上,你就是系统管理员,所以为你自己、为家庭和为朋友建立帐号就是你的责任。

要为你自己加入一个帐号,你必须创建一个系统管理员帐号。系统管理员有时也称作超级用户,因为他们对系统有很大的控制权。为开始你在 Linux 中的旅程,你必须首先通过根(root)帐号以超级用户的身份登录。

5.2.1 登录和退出

要作为 root 用户登录,在登录提示下键入 root。接下来,Linux 询问口令。

通过使用口令,你可以防止未授权的用户登录到任何帐号上。Linux 要证实用户名确实是合法用户。你不应该与任何人共享你自己的口令。Linux 通过不在屏幕上回显字母(也就是不显示)的方式来保护键入的口令,因此,一定要输入正确的口令。

如果你输入了无效的用户名或口令,Linux 就给出如下错误信息并重新开始这个过程:

web login:*jack*
Password:*password*
Login incorrect

web login:

由于这是你自安装以来第一次在系统上登录,root 帐号还没有口令,因此在键入 root 后,你看到了一个命令提示符。你现在可以输入 Linux 命令了。大多数命令的输入方式与在 DOS 中相同:键入命令及必要的参数并按 < Return >。

注释:

Slackware 发行版本的默认安装在每次有人登录进系统时,给出一条小信息"fortune cookie"。这条信息显示一条短小(有时是有趣的)的人生格言。你也可以在任何时候使用 fortune 命令得到一个幸运小点心,如果你安装了基于文本的游戏的话。

Red Hat 发行版本未提供这个功能。为在 Red Hat 下得到一个幸运小点心,键入/usr/games/fortune。

键入 logout 命令退出。这个命令使你返回到登录提示符下。如果这个命令不起作用,试试 exit 命令。

5.2.2 在 Slackware 下添加用户

作为 root 登录后,你应该为你自己添加一个帐号。为添加一个帐号,输入下述命令并按照提示去做:

［root@web~］# **adduser**
Adding a new user. The user name should be not exceed 8 charactars

in length, or you many run into problems later.

Enter login name for new account(^C to quit):

再看一下这个屏幕。注意你在它后面输入命令的那个命令提示。这个提示以计算机主机名开头。这个主机名是你在安装 n 软件包的磁盘组时输入的名称。下一项是字符 ~(变音符)。Linux 把这个字符当作这个帐号的起始目录(稍后介绍)。这里,它代表用户当前所处目录。如果你从/usr/bin 目录中下达 adduser 命令,则提示符为:

[root@web~] # /usr/bin #

下一个字符是英磅符。按约定,这个提示符属于任何超级用户的帐号。普通用户的帐号通常用 $(美元符)作为提示符。

另外,你可能已经注意到提示中的拼写错误和错误的语法,即 should be not 和 you many run。这些错误不影响系统的性能,但它们有助于突出这样一个事实:尽管 Linux 是一个功能齐全的卓越系统,但不是商品化的产品。

现在可以输入一个不超过 8 个字符的用户名,并按 < Return > 键。下面是一个为 Jack Tackett 建立帐号的例子:

Enter login name for new account (^C to quit) : jack

Editing information for new user [jack]

Full Name: Jack Tackett, Jr.
GID[100]: < Return >

Checking for an available UID after 500
501...
First unused uid is 502

UID[502]: < Return >

Home Directory[/home/jack]: < Return >

Shell[/bin/bash]: < Return >

Password : opus

Information for new user [jack] :
Home directory:[/home/jack] Shell:[/bin/bash]
Password:[opus] uid:[502] gid:[100]

Is this correct? [y/N]:y

Adding login [jack] and making directory [/home/ jack]

Adding the files from the /etc/skel directory:

./ . kermc – > /home/jack/ ./ .kermc

./ . less – > /home/jack/ ./ .less

./ . lessrc – > /home/jack/ ./ .lessrc

./ . term – > /home/jack/ ./ .term

./ . term /termrc – > /home/jack/ ./ .termrc

./ . emacs – > /home/jack/ ./ .emacs

[root@web~] #

在你进行这个操作的过程中,你必须为这个用户输入一个全名,这样可以进一步帮助识别这个用户的帐号。接下来,你被要求输入一个组号(ID)和用户号(ID)。此时不用为这些选项操心。Linux 用它们来确定你默认使用的目录和文件。你可以简单地在每个问题后按 < Return > 键,放心地接受这些默认值。

接下来,你被要求为这个用户输入起始目录。这个用户在第一次登录时被自动地放置到这里。这是用户的帐号区域,用于储存文件和工作存储区。Linux 根据这个用户名提供一个默认目录。如果这个默认目录是可接受的,就按 < Return > 键;否则,输入一个目录并按 < Return > 键。现在,接受 adduser 命令提供的默认值。

你现在被要求为这个用户指定一个 shell。shell 是一个命令解释程序,就像 DOS 中的 COMMAND.COM。shell 接受输入并运行指定的命令。自安装 Linux 以来,你就一直在使用一个名为 bash 的 shell。此时,简单地接受默认选项 bash。

参见 17.2"了解 Shell"。

最后一个参数是这个帐号的口令。极力推荐为每个用户提供一个口令。Linux 随后显示你输入的所有信息并询问是否正确。如果不正确,输入 n(或简单地按 < Return > 键,因为 No 是默认选择);你必须退回去改正错误。如果每一项都正确,输入 y。

Linux 然后显示它从放在 ./etc/skel 目录中的框架用户帐号拷贝到新用户的起始目录中的一系列文件。这些文件是配置文件,用于记录用户的终端和从用户帐号运行 emacs 和 less 这样一些程序的方式等参数项。用户能够在任何时候修改这些文件以改变这些程序的默认运行方式。

添加这个帐号后,你可以用两种方法之一验证其存在性;最快的方法是使用一个名为 finger 的实用程序来查看这个用户是否有帐号。这个命令的一般形式:finger name。例如:你可以通过键入下述命令来验证你刚才建立的帐号:

[root@web~] # finger jack

Login:jack   Name   Jack   Tackett, Jr.

Directory:/home/jack Shell:/bin/bash

Never logged in.

No Mail.

No Plan.

[root@web~]#

如果该用户有帐号,就显示其相应信息;否则,会显示一个信息指出这个用户没有帐号。

另一种验证帐号的方法是实际登录到这个帐号上,看 Linux 是否允许登录。为此,你可以使用下述方法之一:

☐ 你可以先退出,然后再以这个新用户的身份登录。

☐ 你可以使用 su 命令,su 代表 switch user(切换用户)。

☐ 你可以使用 login 命令。

☐ 你可以使用 Linux 提供的六个虚拟终端之一登录到一个新帐号。记住,Linux 是多用户的。

表 5.1 对这些方法作了一个总结。

表 5.1　登录到一个新建立的用户帐号

命令	描述
logout	使你退出根帐号并返回到登录提示符下。你不再访问根帐号,直到你以 root 登录
su username	使你退出帐号,不询问用于登录的用户名,然后提示你输入口令。如果你不指定 username(用户名),su 假定你正试图以根身份登录并等待你输入根口令
login username	除了默认用户名和把你放在普通登录提示符下之外,与 su 几乎相同
< Alt-Fx >	让你使用虚拟终端。你可以按 < Alt > 键和功能键 F1 至 F6 之一来访问一个虚拟终端。这把你带到另一个登录屏,你可以在那里作为一个新用户登录。使用虚拟终端的最大的优点是:你没有退出其他帐号,你仍然可以留在其他帐号中并可以使用 < Alt-Fx > 来回进行切换

注释:

　　如果你以后要从现在建立的帐号添加一个用户,你可能不能使用 adduser 命令,因为 adduser 是只能被超级用户输入的命令之一。如果你在向系统添加用户时遇到麻烦,证实一下你是否是以 root 登录的。

5.2.3　在 Red Hat 下添加用户

　　Red Hat Linux 使 adduser 的许多功能自动化了。为从命令行添加一个用户,输入如下命令:

[root@web /root] # adduser jack

这个命令是一个处于/usr/sbin 中的一个 shell 脚本(script)。你必须作为超级用户(即,root)来下达这个命令。

参见 17.7“使用 shell 脚本”。

这个脚本(实际上是一个 ASCII 文件)创建这个新用户所必需的目录和文件。唯一未做的事情是在他或她首次登录时设置用户口令。改变口令稍后在"改变口令"一节中讨论。

参见 16.6"查看文件内容"。

5.2.4 使用 Red Hat 的控制面板来管理用户

如果你在安装 Red Hat 的过程中安装了 XFree86,你就能够使用控制面板的 User/Group Manager(用户/组管理程序)的配置窗口(参见图 5.1)来添加用户、修改用户设置和删除或冻结用户。为操纵一个用户的帐号,简单地在这个对话框中选取这个用户并单击相应的按钮。

表 5.2 描述了每一个按钮的功能。

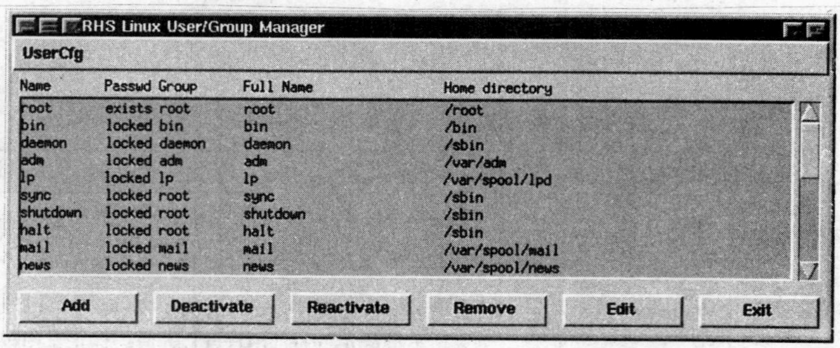

图 5.1 RHS Linux 用户/组管理程序对话框允许你看到存储在/etc/passwd中的信息及允许你操纵这些信息

```
RHS Linux User/Group Manager

UserCfg

Name        Passwd Group      Full Name       Home directory
root        exists root        root            /root
bin         locked bin         bin             /bin
daemon      locked daemon      daemon          /sbin
adm         locked adm         adm             /var/adm
lp          locked lp          lp              /var/spool/lpd
sync        locked root        sync            /sbin
shutdown    locked root        shutdown        /sbin
halt        locked root        halt            /sbin
mail        locked mail        mail            /var/spool/mail
news        locked news        news            /var/spool/news

  Add    Deactivate   Reactivate   Remove    Edit    Exit
```

表 5.2 RHS Linux 的用户/组管理程序的按钮

按钮	描述
Add	显示添加用户对话框,这个对话框让你为一个用户设置各种必需的属性,如起始目录和口令等
Deactivate	允许你冻结一个用户的帐号,这个用户将来会再次需要这个帐号。当一个用户正在度假或因违反规定正在受处罚时,你可能要冻结他的帐号。你可以选择压缩这个用户的文件以便节省你的系统上的空间,直到你此后解冻它为止
Reactivate	允许你解冻一个用户的帐号
Remove	从你的系统中删除一个用户。这个用户的各种文件和目录将被删除掉。你可能要在删除它们之前备份它们
Edit	允许你编辑用户帐号中的一些项,如口令(如果他们忘记了他们的口令)、他们的组或他们想使用的 shell
Exit	退出 RHS Linux 的用户/组管理程序

单击 Add 按钮显示图 5.2 所示的添加用户对话框。你能够在这个对话框中的各个字段中填充信息,从而建立用户帐号。表 5.3 描述了这些字段和它们的功能。

图 5.2 Red Hat 的
图形化管理工具使
添加新用户很容易

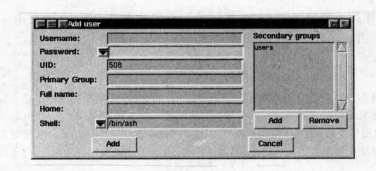

表 5.3 添加用户对话框的选项

字段	描述
Username	用户用来登录到你的系统的名字
Password	用户的口令。为给一个用户口令,你必须使用这个组合框箭头及从这个菜单中选择 Edit(编辑)。这显示了一个新的、允许你为用户输入一个新的口令的对话框。这个口令组合框还允许你选取"none"值以使这个口令字段消失或锁定这个口令
UID	一个由系统产生的字段。UID 和用户组的更多信息参见第十章"管理用户帐号"
Primary Group	这个用户属于的主用户组。用户组允许你把用户放到类似的组中,其中所有的用户都有相同的权限
Full Name	用户的全名
Home	用户的起始目录。通常,它处于/home 或/usr/home 下的一个目录中
Shell	这个用户帐号启动的默认 shell。这个组合框允许你选取 Red Hat Linux 为用户提供的任何 shell

参见 10.2"管理用户组"。

5.2.5 改变口令

将来,你可能要改变口令或给还没有口令的帐号(如当前的根帐号)添加一个口令。你应该用口令保护根帐号。

为在 Linux 或 UNIX 的任何版本下改变一个口令,你可以使用 passwd 命令,指定旧的和新的口令,然后验证新口令。如果你没有(或更糟,忘了)旧口令,你就不能用 passwd 命令来改变你的口令。使用 passwd 的典型顺序如下:

[tackett@web~] $ **passwd**

changing password for jack

Enter old password: *password*

Enter new password: *new-password*

re-type new password: *new-password*

如果你出了错，Linux 就会通知你口令没有改变。Linux 还要求一个有效口令最少使用 6 个字符，并且这个最小字符数是强制性的。

警示：
　　不要忘记自己的口令！如果你忘了一个用户口令，你必须改变帐号信息。如果你忘了根帐号口令，你就必须使用安装时制作的引导软盘引导系统来改变口令。通常，你可以在 RHS 的添加/编辑用户对话框中选取 none(无)把口令设置为空，然后让用户用 passwd 命令设置一个新口令。你还可以编辑/etc/passwd 文件，从用户的记录中删除加密了的口令。

参见 10.1.3"设置用户口令"。

5.3　使用基本命令

　　为参予到这个系统中来，你需要知道一些基本命令。下面的小节提供了一些使用 Linux 系统所需要的命令。最后，下面的这些小节中的许多命令实际上是 Linux 用来扩充它的命令集的实用程序。这些程序在/bin、/sbin 和/usr/bin 目录中。

5.3.1　用 *man* 获得命令帮助

　　为得到各种 Linux 命令的联机帮助，你可以键入 man。Linux 然后显示有关该命令的所有信息，一次一屏。如果你不能确定使用哪个命令，你可以试一下-k 参数和输入一个简单的表示有关主题的关键字。man 然后在它的帮助文件(称作 man、或手册、页)中查找包含这个关键字的主题。Linux 还为这个命令提供了一个别名，称作 apropos。
　　如果你键入命令 man ls，则 Linux 提供 ls 命令的帮助信息，包含其所有参数。命令 man -k cls 提供在帮助文件中有单字 cls 的命令的清单；命令 apropos cls 与命令 man -k cls 相同。

5.3.2　使用操作目录的命令

　　Linux 提供了很多操作目录的命令。与你使用过的其他操作系统一样，Linux 既允许你显示有关目录的信息，又允许你创建、删除和移动目录。

　　用 cd 改变当前工作目录　　Linux 与 DOS 和其他操作系统一样，把文件存储在一个称作目录的树状结构中。你能够通过从根目录(用字符/表示)到一个文件自身的路径来指定这个文件。因此用于 jack 用户的 emacs 的配置文件就可以准确地指定如下：
　　/home/iack/.emacs
　　如果你熟悉 DOS 对文件名的 8 个字符和扩展名 3 个字符的限制，你就会很惊喜地发现 Linux 对文件名没有这种限制。

参见 15.1"了解文件和目录名"。

　　Linux 还使用了起始目录的概念，起始目录是在一个帐号添加到系统上时指定的。一个用户的起始目录通常用字符～(变音符)表示。你可以用这个字符代替目录名，例如，你可以使用下述命令把一个文件从当前目录/ usr/ home/jack 拷贝到起始目录：

    cp .emacs   ~

为在 Linux 的目录结构中移动，可以使用改变目录命令 cd。如果你输入了一个不带任何参数的 cd 命令，Linux 就立即回到你的起始目录。为从一个目录移到另一个目录，与在 DOS 中一样使用 cd 命令，即：cd new-directory。Linux 也使用单个 .（圆点）代表当前目录和使用 .. 代表父目录。实际上，是 DOS 模仿 UNIX，而不是 UNIX/Linux 模仿 DOS。

注释：

使用目录分隔符时要小心。DOS 把 \（反斜线）用作它的目录分隔符，而 Linux 把这个字符用作命令续行符。在 Linux 中分隔目录名，你必须使用字符/（正斜线）。

同样，如果你在命令中指定 . 和 .. 参数时未使用空格，对此 DOS 不会在乎，但是 Linux 对此很介意。Linux 不理解 cd..，但它理解 cd ..。Linux 需用空格来分隔命令和参数。

用 ls 显示有关文件和目录的信息　　ls 代表 list，它被 Linux 用于显示目录中的文件清单。这个命令是与 DOS 的 DIR 命令对等的。（Linux 也接受 dir 命令来列出一个目录中的文件。）在 Linux 下，ls 命令以彩色显示目录中的全部主要文件。默认颜色是：蓝色表示目录，绿色表示可执行程序。你可以通过修改/etc/DIR_ COLORS 文件来改变默认颜色。

参见 16.1"列文件清单"。

ls 所带的许多参数既可指定怎样显示文件又可指定显示什么文件。最常用的参数是-la，该参数告诉 1s 以长格式显示目录中每个文件的信息。

命令 ls -la 列出当前目录下每个文件的全部信息。命令 1s .emacs 列出 .emacs 文件，而命令 1s -l .emacs 显示有关 .emacs 文件的全部信息。

用 mkdir 创建新目录　　因为 Linux 的文件系统是基于目录的，所以 Linux 提供了 mkdir 命令使用户能够创建新目录。DOS 中 mkdir 有一个 MD 别名，Linux 与 DOS 不同，它要求拼出命令 mkdir 的全名。你必须指定为每个新目录指定一个名字，如下例所示：

    mkdir backup

注释：

Linux 确实提供了通过命令 shell 为命令名取别名的方法；因此，如果你没有 DOS 的 MD 命令就不习惯，且讨厌键入 mkdir 的话，你能够把 md 用作命令 mkdir 的别名。

参见 17.6.3"别名化命令"。

用 rmdir 删除目录　　rmdir 命令删除 Linux 的目录。这个命令以要删除的目录名为参数。这个目录必须是空的，否则，Linux 不能删除它。

例如，如果/backup 目录中有两个目录，命令 rmdir /backup 就是失败的。命令 rmdir /back-up/jack/ * 删除/backup/jack 目录中的所有文件，然后 rmdir /backup/jack 删除刚刚清空的/

backup/jack 目录。

5.3.3　使用操作文件的命令

　　因为 Linux 对待目录和文件的方式类似，所以它提供了类似的文件操作命令。

　　用 cp 拷贝文件　cp 命令类似于 DOS 的 COPY 命令。你可以使用这个命令把一个或多个文件从一个目录拷贝到另一个目录。cp 命令的语法是：

　　cp from-filename to-filename

　　你必须为拷贝文件提供 from-filename（源文件名）和 to-filename（目标文件名）。如果你想保留这个文件名，就在 to-filename 参数处使用圆点(.)作为占位符。这是与 DOS 不同的，在 DOS 中，可以省略 to-filename。

　　命令 cp fredl fredl.old 把 fredl 文件拷贝成一个名为 fredl.old 的备份文件；而命令 cp ~ fredl.old /backup/jack 把 fredl.old 文件从起始目录中拷贝到/backup/jack 目录中。（字符 ~ 表示用户的起始目录。）

　　用 mv 移动文件　mv 命令与 DOS 的 MOVE 命令类似，允许你把文件从一个目录移到另一个目录中。移动一个文件与你把这个文件拷贝到一个新目录再删除旧目录下的这个文件具有相同的作用。mv 命令不拷贝文件。

　　mv 命令的语法与 cp 命令的语法相同：

　　mv　　from-filename　　to-filename

　　命令 mv fredl fredl.old 把 fredl 文件拷贝成一个名为 fredl.old 的备份文件并删除旧的 fredl 文件；而命令 mv　~fredl.old /backup/jack 把 fredl.old 文件从起始目录中移到/backup/jack 目录中。

　　用 rm 删除文件　在 Linux 下删除文件，使用 rm 命令。rm 命令很危险，因为一旦一个文件被删除，就再也不能恢复，因此，为了安全起见，应用如下格式的 rm 命令：

　　rm -i filename

　　参数-i 让这个命令询问用户他们是否真要删除这个文件。例如，命令 rm fred1 删除名为 fred1 的文件，而命令 rm -i fred1 在询问用户是否真要删除这个文件后再删除 fred1 文件。

　　用 more 显示文件内容　more 命令依次显示文本文件的一屏。你可以在不调用编辑程序、不打印文件、或不用暂停正在显示文件的终端的情况下浏览一个文件。例如，键入下述命

令来显示你的 .emacs 配置文件：

    more .emacs

注释：

　　如果你试图把一个二进制文件作为 more 的参数，你可能会得到一些令人不快的效果——如，你的终端可能被锁住。如果你的终端真的锁定了，试试按 < Ctrl-q > 或 < Ctrl-s > 键。

　　使用 more 的缺点是一旦一屏信息显示过后，就不能再退回去看该屏的信息。但在下一段中将讨论克服这个问题的命令。

　　使用 less————一个更好的 more　less 在终端上一次显示一屏信息。这个程序的名字是一个文字游戏，因为它要取代的程序是 more。与 more 一样，less 可以在屏幕上显示文本文件的内容，但又与 more 不同，less 允许在文件中前后翻页。可以用下面的命令浏览 info 目录中的自述文件。

    less   /info/readme

　　用 clear 清屏　有时，当你的屏幕写满信息时，在你坐在计算机前考虑下一个行动时，你可能想要一个空白屏幕。在 DOS 下，可以使用 cls 命令；但在 Linux 下，必须用 clear 命令。

5.4　在 Linux 下处理 DOS 文件

　　在安装 Linux 过程中，你曾有机会使你的任何 DOS 分区能被 Linux 看到。这些分区然后被放在配置过程中指定的目录中——如/dosc 目录。

参见 4.5.4"重新分区硬盘"。

　　如果你要把这些文件拷贝到软盘上，用 cp 命令可能会产生问题，因为 Linux 和 UNIX 处理文本文件的方式与 DOS 所用方式有些不同，尤其是在处理回车符和换行符时。为克服这个问题，已经开发了一系列程序，帮助在 UNIX 环境下处理 MS-DOS 文件。这些程序以 m-开头，如 mcopy 和 mdir 等命令。mcopy 命令的作用与 DOS 中的 COPY 命令完全一样，mdir 给出一个目录清单。正如你可能注意到的，他们与 DOS 中与之对等的命令相同，除了它们以字母 m-开头，因而得名"m-命令"之外。m-命令是 mtools 包的一部分，mtools 包是一个让 UNIX 可以更容易地处理 DOS 文件的公共领域程序集。

　　这些命令还使得把文件拷贝到软盘上要容易得多，因为可以使用 DOS 的标识，如 A，而并不用 Linux 的标识，如/dev/fd0。有关 m-命令的更多信息，可用下述命令获得：

    man   mtools

表 5.4 提供了各种 m-命令的简要清单。

表 5.4 m-命令

命令	描述
mattrib	显示指定文件的文件属性
mcd	改变目录到指定路径
mcopy	把指定文件复制到新路径中
mdel	删除指定文件
mdir	提供目录的清单
mformat	格式化软盘
mlabel	给 DOS 文件系统加标号
mmd	建目录
mrd	删除目录(必须为空的,与 DOS 一样)
mren	更换已存在的文件的名称
mtype	显示 DOS 文件的正文

注释:

虽然你能够在 Linux 下看到 DOS 文件,甚至对 DOS 分区中的文本文件做一些编辑工作,但你不能在 Linux 下执行 DOS 或 Windows 程序。但是,一些旨在为 Linux 提供这种仿真的计划目前正在 Internet 上进行。尽管这种仿真程序的将来前景非常好,但目前 DOS 和 Windows 仿真还未得到全面支持。本章稍后将简要介绍这方面的情况。

5.5 关闭 Linux

当你使用完 DOS 机器时,你通常可以关掉电源就走开。在 Windows 下你也可以这样做,虽然这很可能毁坏文件。在 Linux 下,简单地关掉电源却很可能毁坏你的系统,包括损坏硬件和文件系统。你必须按有序的方式关闭 Linux,否则你可能损坏这个操作系统致使它在下一次使用时不能启动。

Linux 在内存中保存了大量有关它自己的信息并在内存的称作缓冲区的区域中保存了与文件有关的信息,这些信息在写到磁盘上之前被保存在这里。这个过程有助于提高系统性能和减少对硬件的访问。一个多任务操作系统需要控制对硬件的访问,这样一个用户就不会去使用别的用户正在使用的硬件设备。如果关掉电源,这些信息就会丢失,因而破坏文件系统。

参见 9.4"关闭 Linux"。

由于 Linux 是一个多用户多任务的系统,所以在关机前,它必须确保每个用户都已停止了操作并保存了所有未结束的工作,以防数据丢失和文件毁坏。这也为在系统上登录的每个用户提供了退出系统的时间。要按有序的方式关闭 Linux,必须使用 shutdown 命令。

shutdown 命令的语法如下:

shutdown [-r] *time-to-shutdown* [*message*]

可选的 -r 标志指出 Linux 应该在关闭后立即重新引导。这对用户要退出 Limx 而进入其他操作系统非常有用。

time-to-shutdown(关闭时间)指出关闭系统的时间。这个时间根据一个 24 小时的时钟来指定,所以你可以键入如下命令让机器在晚上 11 点关闭:

shutdown 23:00

message(消息)参数是一条发给在系统上登录的每位用户的消息。这条消息显示在用户们的终端上。你可以用这条消息来告诉用户你关闭系统的原因。例如,如果你需要做每周一次的备份,你可以用如下消息确保每个用户退出系统。

[root@web /root] # shutdown -r 23:00 Shutting down at 11:00 pm for system maintenance

记住,不要简单地关掉计算机或按 reset(复位)按钮来退出 Linux。

警示:

在某些系统上,Linux 截获 < Ctrl + Alt + Del > 重启动按键组合,并执行一个有序的关闭操作,就像用户键入了 shutdown 命令一样。但是,在某些系统上,Linux 不能发现这个按键组合并立即重新启动。

如果你意外地关掉了你的系统,破坏了文件结构,你可以使用 fsck 命令试着修复文件系统。

5.6 运行 Linux 程序

一旦你熟悉了操作 Linux 和执行基本命令,你就可以试试设置该系统时安装的一些程序。这些程序包含了功能广泛的实用程序,从计算器到功能齐全的 C 和 C++ 编译程序。这些程序中有些价值数百美元;但是由于 GNU 原则,其中许多是可以轻易获得的,唯一的费用支出是从 Internet 网上获得这些程序的成本。

非常幸运,许多用于 Linux 的程序还可以从本地公告牌得到。你可以通过包含在 Linux 的 Slackware 和 Red Hat 发行版本中的远程通信程序来访问这些公告牌。此外,许多 CD-ROM 供应商还以源代码形式提供带有数百个 UNIX 程序的 CD-ROM。你可以从这种 CD-ROM 中获取这些程序,并使用与 Linux 一起发行的 gcc 和 g++ 编译程序把这些程序建立起来,使它们在你自己的 PC 机运行——即使你以前从未编译过程序。

最后,这些程序是基于文本的,其运行不需要 X Windows 系统;因此,他们可能没有耀眼的图形,但它们在大多数 Linux 版本下都能运行。

5.6.1 使用 CD 播放程序 *workbone*

workbone 是与 Slackware 发行版本一起安装的。workbone 是一个由 Tormas McWiliams 编写的基于文本的 CD 播放程序。如果你有一个能够播放音频 CD 的 CD-ROM,你应该试试这个程序。

Tormas McWiliams 为自己娱乐通过修改一个基于 X Windows 的程序编写了这个程序。因为他是为自己娱乐编写这个程序的,所以 workbone 可能不能在每个 CD-ROM 驱动器上都正常运行。

这个程序用数字小键盘来控制 CD,因此确信你已经按下了 < Num Lock > 键。表 5.5 列出了 workbone 的各种控制命令。

表 5.5 workbone 的命令

键	描述
0	退出 workbone,仍然播放音乐
DEL	显示帮助屏幕
1	后退 15 秒
2	终止 workbone 并停止音乐
3	前进 15 秒
4	进到前一个选段
5	重新开始当前选段
6	进到下一个选段
7	停止
8	暂停/恢复
9	播放

在 workbone 播放时,对时间和当前选段的显示在不断更新。如果你想在播放 CD 时继续工作,你有两种选择:

□ 你可以退出 workbone 并使音乐继续播放(键 0)。

□ 如果你想使 workbone 继续显示和继续演奏,只要通过 < Alt > 键简单切换到另一个虚拟终端并登录到另一个帐号。当你想查看一下 workbone 的显示情况时,你可以切换回相应的虚拟终端来查看 CD 的状态。

你还可以用键 0 退出 workbone,并在以后重新执行该程序来查看正在演奏哪个音轨。为得到更多的信息,键入 man workbone 命令来查看联机帮助(man page)。

5.6.2 使用电子表格计算器 *sc*

是好的计算机销售了软件,还是好的软件销售了计算机? 这是一个争论了多年的问题,其答案倾向于这么一方,他们认为合适的应用软件可以卖成千台计算机。当称作 VisiCalc 的程序进入市场时,商业中 PC 机的使用就爆炸式地增加了。为什么? 因为多年来,商业人士一直在称作底帐或数据表格的纸张上玩着一种他们业务上的"如果 – 怎样(what-if)"游戏。VisiCalc 是纸的数据表格的电子版本;它革新了商业预算和计划方法。今天,象 Microsoft Excel 和 Lotus 1-2-3 这样一些 VisiCalc 的战胜者还仍然带有始于 VisiCalc 的传统内容。在 Linux 领域中,sc 也带有相同的传统内容。

sc 是包含单元行和单元列的电子数据表格计算器。每个单元可以包含数值、标号字符串(label string)或结果为数值或标号字符串的表达式(或公式)。这些标号字符串还可以被其他单元利用来形成多个信息集合的复杂关系。

如果你曾用过其他电子表格程序,你应该很快就能使用 sc。如果你确实需要帮助,可以输入如下命令,运行示教程序来帮助你学会它:

sc /usr/lib/sc/tutorial.sc

这个教程出色地介绍了使用 sc 的方法。如果你需要一张快速参考卡,可以输入如下命令来打印一张:

scqref ┊ lpr

该命令中的竖杠被称作管道,因为你正在把一条命令(scqref)的结果通过管道输送或传递给另一条命令(lpr)。

注释:

如果你在用 Linux 打印时遇到问题,请查阅第二十一章"打印"。除了可能根本就不能打印外,你可能面临的最大问题是严重的锯齿现象。锯齿是在打印包含回车符和换行符的文本文件时,由于 UNIX/Linux 处理它们的方式与 MS-DOS 处理它们的方式不同而产生的阶梯效果。

为得到有关 sc 的联机帮助,只要键入 man sc。

5.6.3 使用计算器 *bc*

bc 是用于快捷计算的命令行计算器。bc 实际上是一种复杂的程序语言,允许你交互地计算算术表达式。

执行 bc 时,bc 显示一个简短的版权声明,然后为你留下一个命令提示符(一个空行)。然后你就可以输入简单的加和减操作。你也可以进行除和乘运算——但是,这个与 Linux 一起发行的 bc 版本会截短除和乘操作的结果。(这是在使用 GNU 软件时需要了解的风险之一。)只要你了解 bc 在除和乘操作中的可能问题,bc 用于简单的计算还是很好的。

另一个很好的特性是 bc 能够用一个简单的语句(variable-name = expression)把一个操作产生的值存到另一个操作变量中。下面的例子是计算 125 * 5 的值并把结果存入变量 var1 中。为了查看计算结果,可以键入这个变量名,bc 就在下一行打印该值,如下例所示。接下来的例子是把变量 var2 设置成 var1 的值除以 5。

```
var1 = 125 x 5
var1
625
var2 = varl/5
var2
125
```

5.6.4 使用远程通信软件包 *minicom*

我们希望,在你阅读了第五部分"网络管理"后,你能够配置好你的 Linux 系统使之在 Internet 上运行。Internet 是现在新闻中耳熟能详的全球信息高速公路。在此之前,你仍然能够与世界其他地方的人相连接,如果你有一个调制解调器和一个远程通信软件包的话。Linux 提供这种软件包(名为 minicom),因此你只需提供一个连接到你的一个串行端口的调制解调器。

与许多 Linux 软件一样,minicom 是在 Internet 上的许多人的帮助下由一个人单独编写的。minicom 的主要作者是 Miquel Van Smoorenburg。minicom 是一个非常强大的应用程序,可以与其他许多商品化应用程序相媲美。使用它,你可以连接到各种公告牌服务、维护拨号清单、并在网络连通后就能够下载和上载文件。minicom 的大多数功能的帮助信息可以在联机帮助上获得。

首先要记住的是:minicom 用键序列 < Ctrl-Shift-a > 来访问各种功能,如自动拨号和文件下载。在 minicom 中,任何时候要获得帮助,只要按 < Ctrl-a > < z >,就得到一个简要命令摘要显示屏幕。表 5.6 列出了其中的一些命令。

表 5.6　minicom 命令摘要

键	描述
D	拨号目录
S	发送文件
P	通信参数
L	用来确定是否把本次对话过程捕获到一个文件中
F	发送一个 BREAK 到另一个终端
T	在 vt100、Minix 或 ANSI 之间设置终端仿真
W	在自动换行和不换行之间进行切换
G	运行 minicom 的脚本文件
R	接受文件
A	在行尾添加换行符
H	挂断电话线
M	初始化调制解调器
K	运行 Kermit 协议
E	开或关本地回显
C	清本地屏幕
O	允许你配置 minicom
J	转移到新的命令 shell
X	退出并复位调制解调器
I	光标键模式
Z	显示帮助屏
B	向上滚动终端窗口

　　在帮助窗口中时,你能够简单地按相应字母来执行一个命令。但是,在 minicom 程序中,你必须在相应字母前使用 < Ctrl-a >。

　　minicom 有四个文件传输协议:zmodem、ymodem、xmodem 和 kermit。可能的话,你应当尽量使用 zmodem 协议,因为它有出众的错误修复能力。如果 zmodem 不能在你正在拨号连接的那个系统上使用,你应该按上面给出的顺序试试其他协议。这不是说 kermit 是一个不好的协议(它不是一个不好的协议)——它只是比其他的慢一点儿。使用 kermit 的长处是差不多所有你能登录的系统都支持 kermit。

　　另外,你应该知道,minicom 利用了一些这样的命令,这些命令使 minicom 具有由超级用户控制的能力;因此,运行 minicom 的任何人都能获得某些你可能不想让他们获得的 Linux 特性。

参见 12.4“文件安全性”。

5.7　玩游戏

　　如果你安装了 y 软件包,你就可以玩大量的游戏。大多数游戏是基于文本的,所以你不需要准备好 X Windows 系统和运行它就能享受到乐趣。要了解各种游戏,可查阅/usr/games 目录。列出这个目录中文件的清单后,你就会看到可以玩的游戏。如果你不知道某个游戏是什么或是做什么的,你可以用 man 命令试着得到帮助。当然,如果你是个爱冒险的人,你可以简单地启动一个游戏并进行探索。祝你快乐!

5.7.1 Tetris

Tetris 源于前苏联。在这个游戏中,各种形状的块从空中落下,堆积在屏幕底部。这个游戏的目标是清除这些堆积起来的块,以避免游戏空间被填满。通过在游戏区中填满一行来清除这一行。当把游戏区一侧与另一侧连起来,中间没有了空隙时,这一行就消失了,它上面的所有的块就会落下来占据空出的行。该游戏的要点是:块以各种形式落下。要填充一行,你必须在落下的块与另一块接触之前决定放置它的方向和位置。一旦一个块与另一个块接触,它就留在那个位置上了。

这个游戏已经移植到大多数平台上了,因此如果你曾在其他系统上玩过这个游戏,在 Linux 下玩 Tetris 就应该没有问题。

这个游戏的这个版本设计成只能从终端上玩,因此不要指望迷人的图形。另外,其最大的弱点是:在别的系统你可以用键盘的箭头键来决定落下的块的位置和方向,而 Tetris 的这个版本却不行。你必须用表 5.7 列出的键来决定块的位置和方向。

表 5.7　Tetris 命令键

命令	键
左移	< , >
右移	< / >
旋转	< . >
落下	空格
暂停	< q >
刷新屏幕	< Ctrl-l >

5.7.2 Dungeon

Dungeon 是一个源于古老的 Adventures 文本游戏的文本探险游戏,不过这里用地牢代替了山洞。你与这个基于文本的游戏对话,以寻求宝藏和探险;如果你玩过其他文本探险游戏,这个游戏就非常类似。如果你只玩过闪烁的图形游戏,那么坐下来,动动脑子。通过用动词和名词形式发出命令和请求来进行游戏对话。例如,在这个游戏开始它告诉你,你在一所有木制前门的白色的大房子的西侧空地上。那儿有一个小邮箱。在提示符下,你可以下达如下命令来查看箱子中到底有什么:

There is a small mailbox here.

> open box

Opening the mailbox reveals :

a leaflet.

> read leaflet

这个游戏然后简要介绍这个游戏和编写这个游戏的有才能的程序员们。传单中的最后一行信息告诉你,输入 help 或 info 命令来获得帮助。

5.7.3　Trek

Trek 是一个基于流行的电视连续剧 Star Trek 的游戏。你的目的是从与 klingon 们的流血战斗中生存下来并使你的星球防区免遭它们的蹂躏。当你输入命令 trek 开始这个游戏时,你被询问如下一系列问题来设置这个游戏:

☐ 询问想玩的游戏长度。

☐ 你可以从一个记录文件重新开始已保存的游戏。为此,可以在命令行上指定一个记录文件。这个文件名就成了这个保存的游戏名。

☐ 询问你要玩的游戏级别。

☐ 你可以输入一个口令,使得其他人不能窃得你的成绩。你需要一个口令,这样只有你才能炸掉你的飞船。

不论是在设置或运行时,你都可以键入一个问号来获得对有关问题或行动的帮助。表5.8列出了一些可能的行动。

表 5.8　Trek 的命令

命令	描述
abandon	退出 Trek
damages	列出你的飞船遭到的损害
impulse	获得冲击力
ram	冲击速度
srscan	短距离扫描
undock	离开星球基地
capture	抓 Klingon
destruct	自毁
lrscan	长距离扫描
dump	谁知道
visual	查看 Klingon 的位置
cloak	隐藏飞船
dock	进入星球基地
move	策划路线并按路线前进
rest	休息一会儿
terminate	结束
Warp	预定 warp 引擎
computer	找出一些信息
help	请求一个星球基地的帮助
phasers	爆炸 phaser
shields	防守
torpedo	爆炸地雷

游戏开始时,它告诉你在你的防区中有多少 Klingons,和有多少星球基地及它们的位置。进入星球基地可以为飞船补充给养和修补飞船。遗憾的是,游戏没有告诉你可恶的 Klingons 的战舰在哪里。千万注意能量的使用;否则,就会遇到一些意外的惊险。

虽然这个基于文本的游戏没有漂亮的图形,但你可以用 srscan 命令来进行短距离扫描,这个命令显示你的防区和所有已知物体的相应坐标。srscan 还为你提供有关你的飞船情况的信息。所有的坐标都参照一个笛卡尔矩阵,这个矩阵可以记在纸上——记在绘图纸上更好——这样你就不用记住 srscan 命令提供的情况。

5.8 在 Linux 下运行 DOS 程序

在你运行了很多不同的 Linux 应用程序后,你可能偶尔想运行一些 DOS 或 Windows 程序。尽管这还不完全是现实,但在这方面,一些使你能这么做的工作正在进展之中。采用的方法是在 Linux 下仿真各种操作系统。DOSEMU 就是这样一个程序,它允许基于 MS-DOS(和其变体,如 PC-DOS)的程序能够在 Linux 下运行。DOSEMU 代表 DOS EMUlator。

另外,一个允许用户在 Linux 下使用 Windows 的计划也在进行之中。这个计划(名为 Wine)稍后将在"在 Linux 下运行 Windows 程序"一节中讨论。

5.8.1 安装 DOSEMU

你可以在本书随带的 Slackware CD-ROM 上的/contrib/dosemu_0.000 和/contrib/dosemu_0.060 目录下找到 DOSEMU 的当前版本。这个文件档案和它的文件必须放在/usr/src 目录中,然后用下述命令解压缩和提取:

```
[root@web src] # gzip -d dosemu_5.tgz
[root@web src] # tar -xvf dosemu_5.tar
```

接下来,你必须用下述命令来建立各个文件:

```
[root@web src] # make config
[root@web src] # make depend
[root@web src] # make most
```

这些命令将把这些 DOSEMU 文件安装到/var/lib/dosemu 目录中。你必须以根(root)登录进入系统,并且要有至少 10M 虚拟内存来建立这些文件。

注释:
　　你必须已经安装了程序开发包 d。你需要这个包中的各种编译程序和工具来建立这个 DOS 仿真程序。

5.8.2 配置 DOSEMU

在建立了这个仿真程序后,你必须对它进行配置。从制作一个可引导的 DOS 磁盘开始,并把下述 DOS 文件复制到这个磁盘中:command.com、fdisk.exe 和 sys.com。

接下来,把下述 DOSEMU 文件从这个 DOS 仿真程序的子目录复制到这个软盘上:emufs.sys、ems.sys、cdrom.sys 和 exitemu.com。你可以使用前面在"在 Linux 下处理 DOS 文件"一节中提到的那些 m-命令,把这些文件从 Linux 分区中复制到这张软盘中。

提示：

如果你未能找到这些 Linux 文件，你可以使用 find 命令来找到所需的文件，例如：

find -name emufs.sys -print

如果这个文件存在的话，这条命令将显示它在你的系统上的位置。

DOSEMU 的正常运行需要一个配置文件，dosemu.conf。你必须为你的系统定制这个文件。你可以在你的系统上的例子目录中找到一个名为 config.dist 的文件。清单 5.1 显示了一个 config.dist 的内容。注释用英镑符（＃）指示，并且大多数选项的格式是 parameter value（参数值）。如果一个参数有一个以上的值，这些值就放在一个花括号中（{}）。

清单 5.1　dosemu.conf 文件的示例

```
# Linux dosemu 0.51 configuration file
# Updated to include QuickStart documentation 5/10/94 by Mark Rejhon
# James MacLean, jmaclean@fox.nstn.ns.ca, 12/31/93
# Robert Sanders, gt8134b@prism.gatech.edu, 5/16/93
#
# NOTICE：
# - Although QuickStart information is included in this file, you
      should refer to the documentation in the "doc" subdirectory of the
      DOSEMU distribution, wherever possible.
# - This configuration file is designed to be used as a base to make
      it easier for you to set up DOSEMU for your specific system.
# - Gonfiguration options between lace brackets { } can be split onto
      multiple lines.
# - Comments start with # or ; in column 1. (beginning of a line)
# - Send Email to the jmaclean address above if you find any errors.


# ******************** DEBUG ********************************************
#
# QuickStart：
#     This section is of interest mainly to programmers. This is useful if
#     you are having problems with DOSEMU and you want to enclose debug info
#     when you make bug reports to a member of the DOSEMU development team.
#     Simply set desired flags to "on" or "off", then redirect stderr of
#     DOSEMU to a file using "dos 2 > debug" to record the debug information
#     if desired. Skip this section if you're only starting to set up.
#
debug { config off    disk off     warning off    hardware off
port off       read off     general off    IPC  off
video off      write off    xms    off    ems   off
serial off     keyb off     dpmi off
printer off    mouse off
```

}
# ****************** MISCELLANEOUS ******************************
#
Want startup DOSEMU banner messages? Of course :-)
dosbanner on
#
timint is necessary for many programs to work.
timint on

********************** KEYBOARD *****************************
#
QuickStart:
With the "layout" keyword, you can specify your country's keyboard
layout. The following layouts are implemented:
finnish   us   dvorak   sf
finnish_latin1 uk   sg   sf_latin1
gr   dk   sg_latin1 es
gr_latin1   dk_latin1   fr   es_latin1
be   no   fr_latin1
The us-layout is selected by default if the "layout" keyword is omitted.
#
The keyword "keybint" allows more accurate keyboard interrupts,
It is a bit unstable, but makes keyboard work better when set to "on".
#
The keyword "rawkeyboard" allows for accurate keyboard emulation for
DOS programs, and is only activated when DOSEMU starts up at the
console. It only becomes a problem when DOSEMU prematurely exits
with a "Segmentation Fault" fatal error, because the keyboard would
have not been reset properly. In that case, you would have to reboot
your Linux system remotely, or using the RESET button. In reality,
this should never happen. But if it does, please do report to the
closemu development team, of the problem and detailed circumstances,
we're trying our best! If you don't need near complete keyboard
emulation (needed by major software package), set it to "off".
#
keyboard { layout us keybint on rawkeyboard on }
keyboard { layout gr-latin1 keybint on rawkeyboard on }
#
If DOSEMU speed is unimportant, and CPU time is very valuable to you,
you may want to set HogThreshold to a non-zero value. This means
the number of keypress requests in a row before CPU time is given
away from DOSEMU. A good value to use could be 10000.
A zero disables CPU hogging detection via keyboard requests.
#

HogThreshold 0

```
# *************************** SERIAL *********************************
#
# QuickStart:
#    You can specify up to 4 simultaneous serial ports here.
#    If more than one ports have the same IRQ, only one of those ports
#    can be used at the same time. Also, you can specify the com port,
#    base address, irq, and device path! The defaults are:
#       COM1 default is base 0x03F8, irq 4, and device /dev/cua0
#       COM2 default is base 0x02F8, irq 3, and device /dev/cual
#       COM3 default is base 0x03E8, irq 4, and device /dev/cua2
#       COM4 default is base 0x02E8, irq 3, and device /dev/cua3
#    If the "com" keyword is omitted, the next unused COM port is assigned.
#    Also, remember, these are only how you want the ports to be emulated
#    in DOSEMU. That means what is COM3 on IRQ 5 in real DOS, can become
#    COM1 on IRQ 4 in DOSEMU!
#
#    Also, as an example of defaults, these two lines are functionally equal:
#    serial { com 1 mouse }
#    serial { com 1 mouse base 0x03F8 irq 4 device /dev/cua0 }
#
#    If you want to use a serial mouse with DOSEMU, the "mouse" keyword
#    should be specified in only one of the serial lines. (For PS/2
#    mice, it is not necessary, and device path is in mouse line instead.)
#
#    Uncomment/modify any of the following if you want to support a modem
#    (or any other serial device).
# serial { com 1 device /dev/modem }
# serial { com 2 device /dev/modem }
# serial { com 3 device /dev/modem }
# serial { com 4 device /dev/modem }
# serial { com 3 base 0x83E8 irq 5 device /dev/cua2 }
#
#    If you have a non-PS/2 mouse, uncomment/modify one of the following.
# serial { mouse com 1 device /dev/mouse }
# serial { mouse com 2 device /dev/mouse }
#
#    What type is your mouse? Uncomment one of the following.
#    Use the 'internaldriver' option with ps2 and busmouse options.
# mouse { microsoft }
# mouse { logitech }
# mouse { mmseries }
# mouse { mouseman }
```

```
# mouse { hitachi }
# mouse { mousesystems }
# mouse { busmouse }
# mouse { ps2 device /dev/mouse internaldriver }
#     The following line won't run for now, but I hope it will sometime
# mouse { mousesystems device /dev/mouse internaldriver cleardtr }


# *************** NETWORKING SUPPORT *******************************
#
#     Turn the following option 'on' if you require IPX/SPX emulation.
#     Therefore, there is no need to load IPX.COM within the DOS session.
#     The following option does not emulate LSL.COM, IPXODI.COM, etc.
#     NOTE: MUST HAVE IPX PROTOCOL ENABLED IN KERNEL !!
ipxsupport off
#
#     Enable Novell 8137->raw 802.3 translation hack in new packet driver.
# pktdriver novell_hack


# *************************** VIDEO *********************************
#
# !! WARNING!! : A LOT OF THIS VIDEO CODE IS ALPHA! IF YOU ENABLE GRAPHIGS
# ON AN INCOMPATIBLE ADAPTOR, YOU COULD GET A BLANK SCREEN OR MESSY SCREEN
# EVEN AFTER EXITING DOSEMU. JUST REBOOT (BLINDLY) AND THEN MODIFY CONFIG.
#
# QuickStart:
#     Start with only text video using the following line, to get started.
#     then when DOSEMU is running, you can set up a better video configura-
#     tion.



# video { vga console }        # Use this line, if you are using VGA
# video { cga console }        # Use this line, if you are using CGA
# video { ega console }        # Use this line, if you are using EGA
# video { mda console }        # Use this line, if you are using MDA
# -
# Even more basic, like on an xterm or over serial, use one of the
# following :
#
#     For Xterm
# video { vga chunks 25 }
#     For serial at 2400 baud
# video { vga chunks 200 }
#
# QuickStart Notes for Graphics:
```

```
#      - If your VGA-Bios resides at E000-EFFF, turn off video BIOS shadow
#      for this address range and add the statement vbios_ seg 0xe000
#      to the correct vios-statement, see the example below.
#      - Set "allowvideoportaccess on" earlier in this configuration file
#      if DOSEMU won't boot properly, such as hanging with a blank screen,
#      beeping, or the video card bootup message.
#      - Video BIOS shadowing (in your CMOS setup) at C000-CFFF must be dis-
#      abled.
#
#      * > GAUTION < * : TURN OFF VIDEO BIOS SHADOWING BEFORE ENABLING GRAPHIGS!
#
#      It may be necessary to set this to "on" if DOSEMU can't boot up properly
#      on your system when it's set "off" and when graphics are enabled.
#      Note: May interfere with serial ports when using certain video boards.
allowvideoportaccess on
#
#      Any 100% compatible standard VGA card_ MAY_ work with this:
# video { vga console graphics }
#
#      If   your VGA-BIOS is at segment E000, this may work for you:
# video { vga console graphics vbios_ seg 0xe000 }
#
#      Trident SVGA with 1 megabyte on board
# video { vga console graphics chipset trident memsize 1024 }
#
#      Diamond SVGA
# video { vga console graphics chipset diamond }
#
#      ET4000 SVGA card with 1 megabyte on board:
# video { vga console graphics chipset et4000 memsize 1024 }
#
#      S3-based SVGA video card with 1 megabyte on board:
# video { vga console graphics chipset s3 memsize 1024 }

# ****************** MISCELLANEOUS *******************************
#
# QuickStart:
#      For "mathco", set this to "on" to enable the coprocessor during DOSEMU.
#      This really only has an effect on kernels prior to 1.0.3.
#      For "cpu", set this to the CPU you want recognized during DOSEMU.
#      For "bootA"/"bootC", set this to the bootup drive you want to use.
#      It is strongly recommended you start with "bootA" to get DOSEMU
#      going, and during configuration of DOSEMU to recognize hard disks.
#
```

```
mathco on        # Math coprocessor valid values: on off
cpu 80386        # CPU emulation valid values: 80286 80386 80486
bootA            # Startup drive valid values: bootA bootC


# ********************** MEMORY **********************
#
# QuickStart:
#     These are memory parameters, stated in number of kilobytes.
#     If you get lots of disk swapping while DOSEMU runs, you should
#     reduce these values. Also, DPMI is still somewhat unstable,
#     (as of early April 1994) so be careful with DPMI parameters.
#
xms 1024         # XMS size in K, or "off"
ems 1024         # EMS size in K, or "off"
dpmi off         # DPMI size in K, or "off". Be careful with DPMI!


# ********************** PORT ACCESS **********************
#
# !! WARNING!! : GIVING ACCESS TO PORTS IS BOTH A SECURITY CONGERN AND
# SOME PORTS ARE DANGEROUS TO USE. PLEASE SKIP THIS SECTION, AND
# DON'T FIDDLE WITH THIS SECTION UNLESS YOU KNOW WHAT YOU'RE DOING.
#
# ports { 0x388 0x389 }  # for SimEarth
# ports { 0x21e 0x22e 0x23e 0x24e 0x25e 0x26e 0x27e 0x28e 0x29e }  # for
# jill


# ********************** SPEAKER **********************
#
# These keywoards are allowable on the "speaker" line:
#     native Enable DOSEMU direct access to the speaker ports.
#     emulated Enable simple beeps at the terminal.
#     off    Disable speaker emulation.
#
speaker native    # or "off" or "emulated"


# ********************** HARD DISKS **********************
#
# !! WARNING!! : DAMAGE MIGHT RESULT TO YOUR HARD DISK (LINUX AND/OR DOS)
# IF YOU FIDDLE WITH THIS SECTION WITHOUT KNOWING WHAT YOU'RE DOING!
#
# QuickStart:
#     The best way to get started is to start with a boot floppy, and set
#     "bootA" above in the configuration. Keep using the boot floppy
#     while you are setting this hard disk configuration up for DOSEMU,
```

```
#    and testing by using DIR C: or something like that.
#    If you want DOSEMU to be able to access a DOS partition, the
#    safer type of access is "partition" access, because "wholedisk"
#    access gives DOSEMU write access to a whole physical disk,
#    including any vulnerable Linux partitions on that drive!
#
#    !!! IMPORTANT !!!
#    You must not have LILO installed on the partition for dosemu to boot
#    off.
#    As of 04/26/94, doublespace and stacker 3.1 will work with wholedisk
#    or partition only access. Stacker 4.0 has been reported to work with
#    wholedisk access. If you want to use disk compression using partition
#    access, you will need to use the "mkpartition" command included with
#    dosemu to create a partition table datafile for dosemu.
#
#    Please read the documentation in the "doc" subdirectory for info
#    on how to set up access to real hard disk.
#
#    "image" specifies a hard disk image file.
#    "partition" specifies partition access, with device and partition
#    number.
#    "wholedisk" specifies full access to entire hard drive.
#    "readonly" for read only access. A good idea to set up with.
#
# disk { image "/var/lib/dosemu/hdimage" }      # use diskimage file.
# disk { partition "/dev/hdal " 1 readonly }    # lst partition on lst IDE.
# disk { partition "/dev/sda2" 1 readonly }     # lst partition on 2nd SCSI.
# disk { wholedisk "/dev/hda" }                 # Entire disk drive unit


# ********************* DOSEMU BOOT ******************************
#
#    Use the following option to boot from the specified file, and then
#    once booted, have bootoff execute in autoexec.bat. Thanks Ted :-).
#    Notice it follows a typical floppy spec. To create this file use
#    dd if = /dev/fd0 of = /var/lib/dosemulbdisk bs = l6k
# bootdisk { heads 2 sectors 18 tracks 80 threeinch file /var/lib/dosemu/ # bdisk }
#
#    Specify extensions for the CONFIG and AUTOEXEC files. If the below
#    are uncommented, the extensions become CONFIG.EMU and AUTOEXEC.EMU.
#    NOTE: this feature may affect file naming even after boot time.
#    If you use MSDOS 6 + , you may want to use a CONFIG.SYS menu instead.
#
# EmuSys EMU
# EmuBat EMU
```

```
# ********************* FLOPPY DISKS ********************************
#
# QuickStart:
#     This part is fairly easy. Make sure that the first (/dev/fd0) and
#     second (/dev/fd1) floppy drives are of the correct size, "threeinch"
#     and/or "fiveinch". A floppy disk image can be used instead, however.
#
#     FOR SAFETY, UNMOUNT ALL FLOPPY DRIVES FROM YOUR FILESYSTEM BEFORE
#     STARTING UP DOSEMU! DAMAGE TO THE FLOPPY MAY RESULT OTHERWISE!
#
floppy { device /dev/fd0 threeinch }
floppy { device /dev/fd1 fiveinch }
# floppy { heads 2 sectors 18 tracks 80
# threeinch file /var/lib/dosemu/diskimage }
#
#     If floppy disk speed is very important, uncomment the following
#     line. However, this makes the floppy drive a bit unstable. This
#     is best used if the floppies are write-protected.
#
# FastFloppy on

# ********************* PRINTERS ********************************
#
# QuickStart:
#     Printer is emulated by piping printer data to a file or via a unix
#     command Such as "lpr". Don't bother fiddling with this configuration
#     until you've got DOSEMU up and running already.
#
# printer { options "%s" command "lpr" timeout 20}
# printer { options "-p %s" command "lpr" timeout 10} # pr format it
# printer { file "lpt3" }
```

　　然后,你必须使用文本编辑程序来修改这个示例配置文件使之与你的系统相一致。处理器类型和视频卡这样一些选项必须与你的系统一致。

注释:

　　你也可以从一个硬盘分区中引导 DOSEMU,而不是从一张软盘上引导。为访问一个硬盘,只需在这个 dosemu.conf 文件中配置一个驱动器/分区(drive/partition)。

5.8.3　运行 DOSEMU

　　为运行 DOSEMU,只要在 Linux 提示下键入 dos。为退出 DOSEMU,在 Linux 提示下使用 exitemu 命令。表 5.9 列出了可以传送给 DOSEMU 的命令行选项。你还可以使用? 来列出一个完整的、最新的命令行参数清单。

表 5.9 DOSEMU 的命令行参数

参数	描述
-A	从软驱 A 引导
-C	从硬盘引导
-c	虚拟终端优化视频性能
-D	设置调试选项
-e	指定 EMS 内存量
-F #	从 dosemu.conf 使用的软盘数(#)
-f	交换软驱 A 和软驱 B 的定义
-H #	从 dosemu.conf 使用的硬盘数(#)
-k	使用在 dosemu.conf 的 rawkeyboard 参数中定义的原始控制台键盘
-P	把调试信息复制到文件中
-t	发时间中断 9
-V	激活 VGA 仿真
-x	指定 XMS 内存量
-?	显示每条命令的简略帮助信息
-2	仿真 286
-3	仿真 386
-4	仿真 486

从 DOSEMU 提供的 DOS 提示符下,你可以运行大多数 DOS 程序,除了那些需要 DPMI(DOS 保护模式接口)支持的程序外。如果 DOSEMU 能够在你的路径中找到这个程序的话,只要键入程序名,DOSEMU 将装载并运行这个程序。

表 5.10 示出了一些已知的、能够在 Linux 下运行的程序,但是每天都有更多的程序被加到这个清单中(在安装 DOSEMU 的目录中查看 EMUsuccess.txt 文件,可得到一个最新的清单)。表 5.11 中列出了一些不能在 Linux 下运行的程序。

表 5.10 已知的、可与 DOSEMU 一起运行的程序

名称	功能	公布成功事例的地址
lst Wordplus	GEM 字处理程序	jan@janhh.hanse.de
4desc	4dos desc 编辑程序	piola@di.unito.it
4DOS 4.2	命令解释程序	rideau@clipper.ens.fr
4dos 5.0c	命令解释程序	JIMCPHER@VAXC.STEVENS-TECH.EDU
ack3d	3-D 引擎	martin5@trgcorp.solucorp.qc.ca
ACU-COBOL	编译程序	fjh@munta.cs.mu.OZ.AU
Alite 1.10		ph99jh42@uwrf.edu
AmTax 93 & 94	税收软件	root@bobspc.canisius.edu

名称	功能	公布成功事例的地址
ansi.sys	显示器/键盘 驱动程序（显示函数）	ag@1738cleveland.Freenet.Edu
arj v2.4la	[Un]档案文件	tanner@winternet.mpls.mn.us
As Easy As 5.0l	电子表格	ph99jh42@uwrf.edu
Autoroute Plus	路由规划程序	hswl@papa.attmail.com
Axum	Sci. graphics	miguel@pinon.ccu.uniovi.es
battle chess	国际象棋游戏	jvdbergh@wins.uia.ac.be
Binkley 2.50eebd	业余爱好者网络邮递	stub@linux.rz.tu-clausthal.de
Blake Stone_	游戏	owaddell@cs.indiana. edu
bnu 1.70	Fossil（Fido）	stub@linux.rz.tu-clausthal.de
Borland C++ 2.0	86/286 C/C++ IDE	rideau@clipper.ens.fr
Boston Business EDT+		keegstra@csdr2.fsfc.nasa.gov
Cardbox Plus	数据库	hswl@papa.attmail.com
Castle Wolfenstein	3-D 游戏	gt8l34b@prism.gatech. EDU
Checkit diagnostics		
clipper 5.1	dBASE 编译程序	jvdbergh@wins.uia.ac.be
COMPRESS	压缩的 fs	rideau@clipper.ens.fr
CCM（Crosstalk）	调制解调器程序	
cshow 8.61	图片浏览器	jvdbergh@wins.uia.ac.be
cview	图片浏览器	lotov@avarice.ugcs.caltech.edu
d86/a86		
DataPerfect2.1	数据库	fbennett@uk.ac.ulcc.clus1
Dbase 4		corey@amiganet.xnet.com
Derive 1.2	数学包	miguel@pinon.ccu.uniovi.es
Disk Freedom 4.6	磁盘工具	
diet 1.45f	文件压缩	stub@linux.rz.tuclausthal.de
dosnix 2.0	UNIX 工具	miguel@pinon.ccu.uniovi.es
Dosshell task	交换程序	jmaclean@fox.nstn.ns.ca
dtmm	分子模型	miguel@pinon.ccu.uniovi.es
Dune 2	游戏	COLIN@fsl.in.umist.ac.uk
dviscr	EMTEX dvi 预览	ub9x@rz.uni-karlsruhe.de
Easytrax	格式编辑程序	maehler@wrcdl.urz. uni-wuppertal.de
Elvis	vi 兼容	miguel@pinon.ccu.uniovi.es
Epic Pinball	游戏	krismon@quack.kfu.com
ETen 3.1	中文终端	tyuan!root@mp. cs.niu.edu
Eureka 1.0	数学包	miguel@pinon.ccu.uniovi.es

名称	功能	公布成功事例的地址
Falcon 3.0	战士模拟器	rapatel@rockypc.rutgers.edu
FastLST 1.03	第一个业余爱好者网络 Nd 编译程序	stub@linux.rz.tu-clausthal.de
FormGen II		root@bobspc.canisius.edu
freemacs 1.6d	编辑程序	ph99jh42@uwrf.edu
Frontier（Elite II）	游戏	COLIN@fs1.in.umist.ac.uk
FW3		Sebastian.Bunka@vu-wien.ac.at
MS Flight Simulator 5	游戏(运行速度慢!)	newcombe@aa.csc.peachnet.edu
Foxpro 2.0	数据库	
Framework 4		corey@amiganet.xnet.com
Freelance Graphics 2.1	图形/绘图应用程序	jwest@jwest.ecen.okstate.edu
GEM/3	图形用户界面	jan@janhh.hanse.de
GEM Draw	GEM 画图应用程序	jan@janhh.hanse.de
GEM Paint	GEM 绘画应用程序	jan@janhh.hanse.de
gmouse	鼠标驱动程序	tk@pssparc2.oc.com
God of Thunder	游戏	ensor@cs.utk.edu
Gravity	模拟包	miguel@pinon.ccu.uniovi.es
GWS for DOS	图形文件传输	bchow@bchow.slip
Gzip 1.1.2	文件压缩	miguel@pinon.ccu.uniovi.es
Harpoon	游戏	wielinga@physics.uq.oz.au
Harvard Graphics 3.0	图形/绘图包	miguel@pinon.ccu.uniovi.es
Hero's Quest I	游戏	lam836@cs.cuhk.hk
Hijaak 2.0	图形文件传输	bchow@bchow.slip
hocus pocus	最高点游戏	kooper@dutiws.TWI.TUDelft.NL
Image Alchemy Pro (-v 无效)	图形文件传输	JIMCPHER@VAXC.STEVENS-TECH.EDU
Incredible Machine	游戏(很慢)	sdh@po.cwru.edu
Key Spreadsheet Plus	电子表格(在非双面的磁盘上)	jwest@jwest.ecen.okstate.edu
Lemmings		sdh@po.cwru.edu
less 1.7.7	比 more 多	miguel@pinon.ccu.uniovi.es
LHA	文件压缩	
Lotus Manuscript	字处理程序	miguel@pinon.ccu.uniovi.es
Managing Your Money	金融	newcombe@aa.csc.peachnet.edu
Manifest	(内存调整过程中消亡)	hsw1@papa.attmail.com
Mathcad 2.01	数学包	root@bobspc.canisius.edu
MathCad 2.06	数学包	miguel@pinon.ccu.uniovi.es
mcafee 9.23 v112	病毒扫描程序	jvdbergh@wins.uia.ac.be

名称	功能	公布成功事例的地址
Microemacs	编辑程序	hjstein@MATH.HUJI.AC.IL
MicroLink Yaht 2.1		roo@bobspc.canisius.edu
Microsoft C 6.0	编译程序	ronnie@epact.se
Microsoft Assembler 5.0	汇编程序	ronnie@epact.se
Microsoft Library 2.0		root@bobspc.canisius.edu
Microsoft Make	制作	ronnie@epad.se
MicrosoftMouse Drv 8.2	鼠标驱动程序	hsw1@papa.attmail.com
MoneyCounts 7.0	财务软件包	raeburn@cygnus.com
mscmouse	鼠标驱动程序	tk@pssparc2.oc.com
nnansi.com	ANSI 驱动程序	mdrejhon@undergrad.math.uwaterloo.ca
Netzplan	GEM 项目管理程序	jan@janhh.hanse.de
NHL Hockey	游戏	krismon@quack.kuf.com
NJStar 2.1	中文字处理程序	aab2@cornell.edu
Norton Utils 4.5	磁盘工具软件	rideau@clipper.ens.fr
Norton Utils 7.0	磁盘工具软件	rideau@clipper.ens.fr
PAF	地理软件包	geek+@CMU.EDU
Paradox	数据库	hp@vmars.tuwien.ac.at
PC Paintbrush IV	绘画程序	bchow@bchow.slip
PCtools 4.20	磁盘工具软件	rideau@clipper.ens.fr
pcwdemo		vinod@cse.iitb.ernet.in
PC-Write 3.0	字处理器	
pcxlab 1.03	PCX 查看程序	miguel@pinon.ccu.uniovi.es
peachtree complete 6.0	财务软件	stjeanp@math.enmu.edu
Pinball Dreams	游戏	ronnie@lysator.liu.se
PKzip/unzip	文件压缩	
pklite 1.15	文件压缩	stub@linux.rz.tu-clausthal.de
Pong Kombat	游戏	ensor@cs.utk.edu
PrintShop	贺卡软件包	geek+@CMU.EDU
Procomm Plus 2.0	通信	newcombe@.csc.peachnet.edu
Procomm 2.4.3	通信	hsw1@papa.attmail.com
Pspice 5.0	电路仿真	root@bobspc.canisius.edu
Q&A	字处理/数据库	newcombe@aa.csc.peachnet.edu
Qbasic/edit（DOS 5.0 的）	解释程序	
Qedit	编辑程序	
QuickC	编译程序	martin@trcsun3.eas.asu.edu

名称	功能	公布成功事例的地址
Quicken 4.0 for DOS	财务软件包	juphoff@nrao.edu
Quicken 6.0 for DOS	财务软件包	
Quicken 7.0 for DOS	财务软件包	juphoff@astro.phys.vt.edu
Railroad Tycoon		juphoff@astro.phys.vt.edu
Red Baron	游戏	wielinga@physics.uq.oz.au
RM/COBOL	编译程序	fjh@munta.cs.mu.OZ.AU
Rpro 1.6		root@bobspc.canisius.edu
scanl09	防病毒程序	miguel@pinon.ccu.uniovi.es
scanl12	防病毒程序	piola@di.unito.it
Scorch	坦克游戏	geek+@CMU.EDU
Shez94	Arcer-Shell	stub@linux.rz.tu-clausthal.de
sled	编辑程序	piola@di.unito.it
Space Quest IV	游戏	lam836@cs.cuhk.hk
Spell Casting 301		mancini@phantom.com
SPSS/PC+4.0	统计包	jr@petz.han.de
Squish 1.01	业余爱好者网络扫描	stub@linux.rz.tu-clausthal.de
Stacker 3.1	压缩的 fs	mdrejhon@undergrad math.uwaterloo.ca
Stacker 4.00	压缩的 fs	JIMCPHER@VAXC. STEVENS-TECH.EDU
StatPhys	模拟包	miguel@pinon.ccu.uniovi.es
STSORBIT	轨道模拟	troch@gandalf.rutgers.edu
Stunts	游戏?	gt8134b@prism.gatech.EDU
Superstor	压缩的 fs	rideau@clipper.ens.fr
TAG 2.02	波兰文字处理程序	rzm@oso.chalmers.se
TASM 2.51	宏汇编程序	rideau@clipper.ens.fr
Telix	调制解调器程序	jou@nematic.ep.nctu.edu.tw
THelp from BC++2.O	弹出式帮助	rideau@clipper.ens.fr
TimED/beta	业余爱好者网络 MSG 编辑程序	stub@linux.rz.tu-clausthal.de
TLINK 4.0	链接程序	rideau@clipper.ens.fr
Topspeed Modula-2	编译程序	mayersn@hermes. informatik.uni-stuttgart.de
Turbo Debugger 2.51	实模式调试程序	rideau@clipper.ens.fr
Turbo Pascal 5.5	编译程序	
Turbo Pascal 6.0	编译程序	t2262dj@cd1.lrz-muenchen.de

名称	功能	公布成功事例的地址
Turbo Pascal 7.0	编译程序	mdrejhon@undergrad.math.uwaterloo.ca
Turb-opoly 1.43		root@bobspc.canisius.edu
Ultima 6	游戏	msphil@birds.wm.edu
Vpic 6.1		root@bobspc.canisius.edu
warlords II	游戏	buckel@cip.informatik.uni-wuerzburg.de
Warrior of Destiny	游戏	msphil@birds.wm.edu
WITWI Carmen Sandiego	游戏	tillemaj@cae.wisc.edu
Windows 3.0	视窗操作系统(实模式)	cjw1@ukc.ac.uk
Wolf3d	游戏	owaddell@cs.indiana.edu
WordPerfect 5.1	字处理程序	sdh@po.cwru.edu
WordPerfect 6.0	字处理程序(需要大于 1M RAM)	lujian@texmd.minmet.mcgill.ca
Xtpro 1.1	磁盘工具	root@bobspc.canisius.edu
XWing	游戏(非常慢)	ronnie@lysator.liu.se
Zarkov 2.6	国际象棋	a-acero@uchicago.edu
zoo	文件压缩	

表 5.11 已知的、不能与 DOSEMU 一起运行的程序

名称	功能	公布地址
4D-box	拳击游戏	jvdbergh@wins.uia.ac.be
Apple][emulator	仿真器	ph99jh42@uwrf.edu
Borland C++3.1IDE	编译程序	juphoff@uppieland.async.vt.edu
brief	编辑程序	bchow@bchow.slip
Chuck Yeager Aircombat	飞行仿真器	jvdbergh@wins.uia.ac.be
CIVILIZATION	游戏	miguel@pinon.ccu.uniovi.es
DesqView 2.51 (Alt 键不起作用)		hswl@papa.attmail.com
doom	游戏	rideau@clipper.ens.fr
dpms from Stacker 4.0		JIMCPHER@VAXC.STEVENS-TECH.EDU
dxmaOmod.sys	令牌环网驱动程序	adjihc4@cti.ecp.fr
dxmcOmod.sys	令牌环网驱动程序	adjihc4@cti.ecp.fr
ELDB	经济数据库	hjstein@math.huji.ac.il

名称	功能	公布地址
FIPS 0.2.2	磁盘工具程序 （硬盘映象 FAT 问题）	
Howitzer	坦克游戏	geek+@CMU.EDU
Lahey Fortran	Fortran 编译程序	hjstein@math.huji.ac.il
Maple V2	数学包	ralf@ark.btbg.sub.de
MSDOS 5/6 QBASIC/EDIT	编辑程序	bchow@bchow.slip
NORTON UTILITIES 7.0	磁盘工具	bchow@bchow.slip
Quattro Pro 4.0	电子表格	jwest@jwest.ecen.okstate.edu
Raptor	游戏	ensor@cs.utk.edu
Silent Service II	潜艇游戏	jvdbergh@wins.uia.ac.be
thunderByte scan	病毒扫描程序	jvdbergh@wins.uia.ac.be
Ventura Publisher3.0	桌面出版程序	niemann@swt.ruhr-uni-bochum.de
wildunix	通配程序	miguel@pinon.ccu.uniovi.es
Windows 3.1		juphoff@uppieland.async.vt.edu

在 DOSEMU 下运行程序有几个问题，主要是由于计算机正在仿真 DOS，而底下的机器并未实际运行 DOS。仿真使系统速度下降。速度下降会很烦人，尤其当你在其他终端中正在运行其他 Linux 程序时。视频更新也相当慢。

许多 DOS 程序大量占用 CPU 时间，因为它们认为它们是唯一正在运行的程序。这防止了其他 Linux 程序得到对 CPU 的访问权。为减少这种问题，Thomas G. MCWilliams 编写了一个名为 garrot 的程序，这个程序把 DOS 程序占用的 CPU 访问权释放给 Linux。你可以在 FTP 站点 sun.site.unc.edu 的 /pub/linux/alpha/dosemu 目录中找到 garrot。

5.9 在 Linux 下运行 Windows 程序

DOSEMU 不能运行 Microsoft Windows 程序，因此 Linux 社区着手创建一个允许 Linux 用户运行 Windows 程序的程序。这个 Windows 仿真程序称作 Wine。Wine 不是一个标准的缩写词；它代表 WINdows Emulator 或 Wine Is Not a Windows Emulator（因为 Wine 可被建成一个静态库）。这两个缩写词都出自 Windows FAQ。

如果你想实验 Wine，你应当阅读 Windows FAQ，因为 Wine 的进展不如 DOSEMU 进展得快。因此，它是实验性的和易于出错的。另外，没有支持多少 Windows 程序。事实上，为了使用 Wine，你必须把 Windows 安装在一个 Linux 能访问的分区中，因为 Wine 的运行还依赖于 Windows 的许多部分。Wine 还需要安装了 X 系统及在 X 系统能够运行的情况下才能运行。

为实验 Wine，你需要下述内容：

□ 0.99.13 或更高版本的 Linux 内核

□ Wine 的源代码,因为只能得到源代码形式的 Wine

□ 安装了 d 包,以便使用编译工具来编译源代码

□ 至少 8M RAM 和至少一个 12M 的交换分区

□ 至少 10M 的磁盘空间

□ 已安装并已配置好 X Windows

□ 一个指示设备,如鼠标

□ Microsoft Windows 安装在一个 Linux 可访问的分区上

因为 Wine 正在加紧开发中,所以几乎每个星期都有新版本公布出来。最新的源代码在 sunsite.unc.edu(和其他的主要 FTP 站点)上的/pub/Linux/ALPHA/wine/development 目录中。这个文件是用它的公布日期来命名的——例如,wine-961201.tar.tgz。

参见 27.2"使用 FTP 进行远程文件传输"。

因为 Wine 变化得如此之快及如此不稳定,所以未把它包含在本书随带的 CD-ROM 盘中。如果你想实验 Wine,尽可以下载最新的有关文件并通读其 FAQ 和 HOWTO。这些文档放在随带的 CD-ROM 上的/docs 目录中并提供了编译、安装、配置和使用 Wine 所需的信息。

安装 Wine 与安装 DOSEMU 非常相似,不同的是你可以把 tar 格式的源代码文件放在任何地方。在相应目录中使用 tar 命令来提取这个文件,例如:

[root@web wine]# gzip -d 950606.tar.gz

[root@web wine]# tar -xvf 950606.tar

建立 Wine 比建立 DOSEMU 要稍微复杂一些——事实上,它更像建立一个新内核。在建立过程中,你必须回答一些问题来进行配置。Wine 的 HOWTO 文档详细说明了整个过程。

接下来,你必须回答一些问题以使用运行时参数来配置 Wine。这些配置参数存放在一个名为/usr/local/etc/wine.conf 的文件中。虽然你可以用手工编辑这个文件,但最好是使用提供的配置程序来做这个工作。

在你配置了编译文件和运行时参数文件后,你可以使用一条 make 命令来建立 Wine。这个过程要花数分钟。为使用 Wine,调用这个仿真程序,并提供 Windows 的可执行文件的路径名——例如:

[tackett@web~]

$ wine /dosc/windows/winmine.exe

现在 Wine 支持的程序有 calc.exe、clock.exe、notepad.exe 和 winmine.exe。这个被支持的程序清单还在不断地扩充,因此为了解当前被这个 Windows 仿真器支持的程序请查看 FAQ 和 HOWTO 文档。

注释:

在 Linux 下仿真的操作系统不仅仅有 MS-DOS 和 Microsoft Windows。还有用于老的 Apple II、CPM 和较新的 Macintosh 操作系统的仿真程序。一般说来,你可以在 FTP 站点的 \ pub \ Linux \ system \ emulators 目录中找到这些仿真程序。

5.10 从这里开始

本章只是简单地介绍了 Linux 和各种可得到的应用程序的使用。更多的信息,参见以下各章:

☐ 第七章"使用 Linux 系统"介绍由 Linux 提供的图形用户界面 XFree86。

☐ 第十三章"升级和安装软件"介绍如何从 CD-ROM 或 Internet 安装新软件。

☐ 第十九章"使用 vi 编辑程序"和第二十章"使用 emacs 编辑程序"讨论 Linux 的两个最流行的文本编辑程序。

第六章 安装 X Windows 系统

本章内容

☐ X Windows 和 XFree86 是什么

似乎每个人都喜欢图形用户界面(GUI)。GUI 是 Windows、OS/2 和 Macintosh Finder 等现代操作系统的主要成分。Linux 的 GUI 是 XFree86,它是 X Windows 的 GPL 版本。

☐ 如何安装 XFree86

XFree86 不是单独一个程序,而是一系列程序,这些程序与你的硬件相互作用且它们之间也相互作用。必须正确安装 X 系统,使它与 Linux 协调一致工作。

☐ 如何配置 XFree86 系统

安装时,必须使 XFree86 适应你的特定硬件。要小心——错误配置的系统可能会损坏你的硬件。

若想在当今的桌面计算机上争得一席之地,任何操作系统都必须有易于使用的图形界面。现在最通用的系统是 Windows、Macintosh 和 OS/2。尽管这些系统非常流行,但它们没有在异种机网络上运行图形应用程序的能力。

通过 XFree86 对麻省理工学院(MIT)创建的 X Windows 的 X11 标准的实现加以具体化,从而 Linux 提供了在异种机网络上运行窗口应用程序的能力。这个系统远不只是一个运行应用程序的图形界面——它是一个非常强大的客户/服务器系统,允许在网络上运行和共享应用程序。尽管 XFree86 是为在网络环境中运行而设计的,它在单机上也可以很好地运行。运行 XFree86 或 X Windows 应用程序不一定要有网络。

为了安装、配置和使用 XFree86,你需要知道一些基本的 Linux 命令,如运行程序、在目录间移动、拷贝、浏览和删除文件等。你可能还需要用文本编辑程序来修改一些文件。如果你遇到了你不完全了解的主题,本章将首先为你提供完成这些操作所需要的命令,然后让你参考另一章,以便更详细地学习如何完成这个操作。

与 Linux 的大部分内容一样,XFree86 也有一个 HOWTO 文档。这个文档在本书随带的 Slackware CD-ROM 的/howto 目录和安装后的 Linux 目录/x11 中。这个 XFree86 的 HOWTO 文档由 Helmut Geyer 在 mdw@sunsite.unc.edu 上维护。

注释:

通常,你不用担心软件会损坏硬件。遗憾的是,直接与显示系统(显示卡或监视器)打交道的软件会造成实际损坏,特别是当你试图用一个 Linux 不支持的显示卡运行 XFree86 时更易造成损坏。因此在运行 XFree86 前必须保证你有必需的硬件。我们极力建议你阅读 XFree86 系统所带的、在 Linux 的 /usr/X386/lib/x11/etc 目录中的文档和由 Helmut Geyer 编写的、放在 /usr/doc/faq/howto/XFree86- HOWTO 目录中的 XFree86 HOWTO 文档。

6.1 了解 X Windows

X Windows 系统是一个功能强大的图形操作环境,它在网络上支持许多应用程序。X Windows 是由 MIT 开发,并能够自由发行。本章讨论的 X Windows 的版本是X11R6。但是,Linux 和 XFree86 是在发展的,在网上现在可能有了一个更新的 X 版本。

参见 27.2"使用 FTP 进行远程文件传输"。

XFree86(Linux 使用的版本)是移植到基于 Intel 的系统的 X11R6 的标准实现。

XFree86 广泛支持标准的 PC 硬件。

X Windows 系统是 MIT 的两个部门共同努力的结果。其中一个部门负责名为 Project Athena(雅典娜工程)的联网程序,另一个部门是计算机科学实验室。这两个部门都使用了大量的 UNIX 工作站,他们为 UNIX 工作站编写图形用户界面(GUI)时,很快认识到他们搞的是同一个东西。为减少两个组编写的代码,他们决定建立强大的、可扩展的窗口系统——X Windows。

1987 年,一些希望为 UNIX 工作站建立单一的窗口系统的制造商们组成了一个称为 X 联盟(X Consortium)的组织来提高和标准化 X Windows。由于这种努力,开放式计算成了现实。X 联盟由 IBM、Digital Equipment 和 MIT 等实体组成。这个大机构集团控制 X11 的新版本的制作和发行。

XFree86 是 XFree86 Project 公司的注册商标。最初把 X Windows 移植到 80386 平台的程序员们为成为 X 联盟成员决定成立这个工程公司。通过成为 X 联盟的成员,XFree86 Project 能够随时取得 X Windows 的进展情况,从而能够在 X Windows 正在实现一些新特性时把这些新特性移植到 XFree86 中,这样就不必等到正式公布后再做移植工作。1997 年 1 月,X 联盟把 X 移交给了 Open Group。

X Windows 实际上是由相互协作共同为用户提供 GUI 的一系列组成部分所组成:

□ 基础窗口系统是一个为 X Windows 系统提供服务的程序。

□ 第二个组成部分是用于网上通讯的协议——X 网络协议,

□ 在实现 X 网络协议的程序之上是称作 Xlib 的低层接口,它介于网络/基础系统与较高层的程序之间。应用程序通常使用 Xlib 函数而不是更低层的函数,

□ 将这些组成部分联系在一起的是窗口管理程序。这个窗口管理程序是 X Windows 的一个应用程序,其目的是控制如何把窗口提供给用户。

与大多数其他窗口系统不同,基础窗口系统不提供滚动条、命令按钮、或菜单之类的用户界面对象。这些用户界面对象留给了更高层次的组件和窗口管理程序。

X Windows 的应用程序不仅包括窗口管理程序,还包括游戏、图形实用程序、编程工具和许多其他小玩意。几乎为 X Windows 编写了所有你需要的应用程序,或者将这些应用程序移植到 X Windows 中了。第七章"使用 X Windows"将更具体地介绍 X Windows 的一些标准应用程序的配置和使用。

X Windows 实现了一个窗口管理程序来创建和控制组成 X Windows 系统的可视部分的界面。这不会与 OS/2 的演示管理程序(Presentation Manager)或 Microsoft Windows 的程序管理程序

(Program Manager)弄混。虽然 X Windows 的窗口管理程序确实控制窗口的表现和位置,但你看不到用于维护 Linux 系统设置的系统设置图标或控制面板。

为了更灵活,XFree86 还为想开发自己的 XFree86 应用软件的程序员提供了编程库和编程文件。程序设计或与创建 X Windows 应用程序有关的内容超出了本书的范畴,但从许多 Internet 发布网点(如 prep.ai.mit.edu)上和许多 CD-ROM 发行版本上可以获得丰富的文档以帮助你建立 XFree86 的应用程序。

6.1.1 客户机/服务器系统是什么

X Windows 是一个客户机/服务器系统,它由两个单独的软件部分控制,其中一个部分运行在客户机上,另一个部分运行在服务器上。客户机和服务器上的软件部分可以在不同的系统上,或像大多数个人计算机中那样,这两个部分都驻留在同一台机器上。

客户机/服务器是现在计算机工业界中使用的流行词汇之一。与业内的大多数基本概念一样,客户机/服务器也被炒得过了头使普通计算机用户反而搞糊涂了。从传统意义而言,一个服务器是一台通过网络向其他计算机提供磁盘空间、打印机,调制解调器等资源的计算机。客户机是这些服务器的消费者,换句话说,客户机使用服务器提供的磁盘空间、打印机或调制解调器。

在 X Windows 领域中,这种关系是与当今 PC 机领域中的情况正好相反。人们接受的或更普通的服务器概念是它能为客户机提供服务。最基本的形式是,客户机显示在服务器上运行的程序。

在 X Windows 中,服务器显示运行在客户机上的程序。初看起来,这似乎有点矛盾,但当你对 X Windows 系统更熟悉后,你就会理解其意义了。

在 X Windows 中,客户机是提供程序和运行一个应用程序所需资源的资源——这在传统意义中会被称作一个服务器。资源驻留在客户机系统(记住,客户机和服务器可以在同一台机器上)上,而应用程序在服务器系统上显示和交互作用。

X Windows 应用程序(也就是客户程序)可借助同一台计算机上或在不同的计算机上的服务器进行运行的能力被称作“网络透明性”。因此,X 应用程序不关心它是运行在一台本地计算机上还是运行在一台远程机器上。这种能力可被用于在其他服务器上运行费时的任务,使本地客户机不受妨碍地执行其他任务。

6.1.2 输出功能

基础窗口系统为 X Windows 提供了大量的位图图形操作。X Windows 及其应用程序使用这些操作以图形方式为用户提供信息。XFree86 提供重叠窗口、立即图形绘画、高分辨率的位图图形和图像,以及高质量的文本。虽然早期的 X Windows 系统主要是单色的,但现在的 X Windows 和 XFree86 广泛支持彩色系统。

X Windows 还支持 UNIX 的多进程处理能力;因此,XFree86 也支持 Linux 的多进程处理能力,在 X Windows 下显示的每个窗口都可以成为在 Linux 下运行的独立任务。

6.1.3 用户界面功能

X 联盟没有为用户界面的制定标准。现在看来这有些目光短浅,但是在当时,很少有人研究用户界面技术,所以不清楚哪个界面是最好的。事实上,即使现在片面地宣称某个界面是最好的，也会遭到很多人的反对。用户界面给人的印象完全由个人决定。

　　X 联盟想使 X Windows 成为 UNIX 工作站上的一个标准，这也是 X Windows 能在 Internet 上免费获得的一个原因。通过使 X Windows 能够免费获得，X 联盟推广了互操作能力（interoperability），这是开放系统的基石。如果当初 X 联盟指定了一个用户界面，X Windows 也许不会像现在这样流行。

6.1.4　输入功能

　　运行 X Windows 的系统通常需要某种指示设备，常常是鼠标。XFree86 需要鼠标或仿真鼠标的设备（如跟踪球）。如果你没有这样一种设备，你就不能在 Linux 上运行 XFree86。X Windows 把来自指示设备和键盘的信号转变成事件。X Windows 然后响应这些事件，执行相应的动作。

警示：

　　如果你的鼠标或其他硬件指示设备不在 Linux 支持的设备之列，使用 XFree86 和 selection 程序就会有问题。

参见 5.1.3"选取文本"。

6.2　安装 XFree86 系统

　　最好是在从本书随带的 CD-ROM 安装整个 Linux Slackware 软件包时安装 XFree86 系统。X Windows 系统包含在 x 和 xap 发行软件包中。如果你当时没有安装 X Windows 系统，可以用 Slackware 的 pkgtool 程序安装 X Windows。

参见 13.3.2"使用 pkgtool"。

注释：

　　Red Hat 发行版本也把安装 X 当作安装过程的一部分。

6.2.1　安装软件

　　在 Slackware 下，pkgtool 是安装 XFree86 最容易的方法，用 pkgtool 安装 X 系统的指导在后面的"用 Slackware 的 pkgtool 安装 X 系统"一节中。但是，当你需要人工安装这些文件的话（例如，当升级到一个新系统时），你必须知道这些文件放在 Slackware CD-ROM 盘的/ slackware/x # 目录中，即目录/ slackware/x1 到/ slackware/x6 中。

　　X 由一些大型档案文件组成。CD-ROM 上的用于 Linux 的 XFree86 的当前版本是 3.1.1。表 6.1 给出了主要的文件。你应该以超级用户（root）登录，把这些必需的文件复制到/usr/x386 中。如果这个目录不存在，用 mkdir 目录创建这个目录，方法如下：

opus #: mkdir /usr/x386

opus #: cd /usr/x386

opus #: cp -r /cdrom/slackware/x1 .

这些命令还把安装在/cdrom 目录上的 CD-ROM 上中的所有文件复制到当前目录。

表 6.1 XFree86 的主要发行文件

文件名	描述
x3270.tgz	IBM 3270 终端仿真
x_8514.tgz	IBM 8514 服务器
x_mach32.tgz	基于 Mach32 芯片的服务器
x_mach8.tgz	基于 Mach8 芯片的服务器
x_mono.tgz	单色监视器服务器
x_s3.tgz	基于 S3 芯片的服务器
x_svga.tgz	用于大多数 SVGA 卡(一种好的基本配置)的服务器
_vga16.tgz	EGA/VGA 16 色服务器
xconfig.tgz	Xconfig 配置文件的一些范例文件(Xconfig 配置文件是必须有的)
xf_bin.tgz	X(客户)所需的基本二进制文件
xf_cfg.tgz	XDM 配置和 FVWM 程序
xf_doc.tgz	XFree86 的文档
xf_kit.tgz	XFree86 的链接器工具(两张之一)
xf_kit2.tgz	链接器工具的驱动程序(两张之二)
xf_lib.tgz	动态连接库和配置文件
xf_pex.tgz	PEX 发行版本
xfileman.tgz	文件管理程序
xfm.tgz	xfm 文件管理程序
xfnt.tgz	X Windows 字体
xfnt75	X 的 75 点字体
xfract	显式小数的分数的 xfractint 程序
xgames	X 下玩的游戏
xgrabsc.tgz	Xgrabsc 和 Xgrab 程序(本书中的大多数图像是用 Xgrab 制作的)
xinclude.tgz	X Windows 编程用的程序设计头文件
xlock.tgz	xlock 屏幕口令保护程序
xman1.tgz	X 的联机帮助
xman3.tgz	更多的 X 联机帮助
xpaint.tgz	X 中用于绘图的 Xpaint 程序
xpm.tgz	Xpm 库,包括共享的和静态的两种
xspread.tgz	电子表格 Xspread 程序
xstatic.tgz	X 的静态库
xv.tgz	图像查看程序 XV
xxgdb.tgz	GNU 调试器的 X Windows 前端

为提取这些文件,使用如下命令:

```
opus： gzip -d filename .tgz
opus： tar -xvf filename .tar
```

注释：

　　除了留给印刷本书所需的时间外,随带的 CD-ROM 盘中的内容是尽可能最新的。但当你读到它时,在 Internet 上可能有了一个更新的版本,因此,查看一下这些必需的文档的网点,这样可能能避免使用过程中的一些头痛的问题。

参见 27.2"使用 FTP 进行远程文件传输"。

6.2.2　确保对 XFree86 的硬件支持

　　确保你有运行 X Windows 的合适硬件,足够的内存容量和必需的磁盘空间。

　　你需要大约 21M 空间来安装 XFree86 系统和所提供的 X Windows 应用软件。为运行 X Windows,需要至少 16M 虚拟内存。虚拟内存是你的系统上的实际 RAM 和为 Linux 指定的交换空间之和。在 Linux 下运行 XFree86 至少需要 4M 实际 RAM,因此需要 12M 的交换文件。实际 RAM 越多,XFree86 系统的性能就越好。

参见 3.5.3 和 4.5.5"创建交换分区"。

　　接下来,你需要一块包含 XFree86 支持的视频驱动程序芯片组的视频卡。根据 Matt Welsh1995 年 5 月 15 日发布的 XFree86 HOWTO 版本,表 6.2 和表 6.3 中列出了带 XFree86 支持的芯片组的视频卡。

表 6.2　XFree86 支持的非加速芯片组

制造商	芯片组
ATI	28800-4,28800-5,28800-6,28800-a
Advance Logic	AL2101
Cirrus Logic	CLGD6205,CLGD6215,CLGD6225,CLGD6235
Compaq	AVGA
Genoa	GVGA
MX	MX68000,MX680010
NCR	77C22,77C22E,77C22E +
OAK	OTI067,OTI077
Trident	TVGA8800CS,TVGA8900B,TVGA8900C,TVGA8900CL,TVGA9000,TVGA9000i,TVGA9100B,TVGA9200CX,TVGA9320,TVGA9400,TVGA9420
Tseng	ET3000,ET40000AX,ET4000/W32
Western Digital/ Paradise	PVGA1
Western Digital	WD90C00,WD90C10,WD90C11,WD90C24,WD90C30,
Video7	HT216-32

表 6.3　XFree86 支持的加速芯片组

制造商	芯片组
Cirrus	CLGD5420,GLGD5420,CLGD5422,CLGD5424,CLGD5426,CLGD5428
Western Digital	WD90C31
ATI	Mach8,Mach32
S3	86C911,86C924,86C801,86C805,86C805i,86C928

6.2.3　用 Slackware 的 *pkgtool* 安装 X 系统

为了安装 X Windows,你需要以超级用户(即 root)身份登录。然后你应当记下要安装的 X Windows 软件包的位置。这些文件放在本书随带的 Slackware CD-ROM 的/slackware 目录中。为访问随带的 CD-ROM 中的 X Windows 软件包,查看如下目录：/cdrom/slackware/x1,和/cdrom/slackware/x2 等。一定要记住这些文件的位置。

注释：

因为 Linux 把 CD-ROM 安装在一个目录下,所以这些文件是相对于那个安装点的。因此一个典型的 Linux 安装通常把 CD-ROM 放置或装在 root 下的 cdrom 目录中。

参见 14.2"安装和卸下文件系统"。

然后,在命令提示符下键入 pkgtool。这个命令激活 Slackware 包工具程序 pkgtool,它能删掉旧软件包或安装新软件包。对 X Windows 来说,这些软件包是包含在 Slackware 发行版本中的 x 和 xap 包。一个带如下选项的菜单出现了：

菜单项	描述
Current	从当前目录安装软件包
Other	从另一个目录安装软件包
Floppy	从软盘安装软件包
Remove	删除现在已安装了的包
View	查看一个包中的文件清单
Exit	退出 pkgtool

按 < Shift-o > 或使用箭头键选择 Other 菜单行并按 < Return >。pkgtool 询问源目录。输入先前记录下来的第一个 x 包的目录,通常是 x1。因此,你应当输入/cdrom/slackware/xl。

在提供了开始目录之后,pkgtool 首先查找适用于你的图形卡的 X 服务程序。你可以只安装一个服务程序,因此从一个屏幕查到另一屏,直到查到需要的 X 服务程序后再选择 yes。

参见 13.3.2"使用 pkgtool"。

记住,你必须从每个包选择安装合适的程序。尽管不是所有的包都是需要的,如果你是在安装 Linux 之后安装 XFree86,你应该浏览要安装的包的全部资料。如果有安装所有的包所需要的 21M 空间,继续下去,除了 X 服务程序之外安装每一个包;只为芯片组安装一个 X 服务程序。

如果在前面已经安装了 X Windows，你应该首先备份重要的配置文件，然后删掉已经安装了的 x 和 xap 包。

6.3 配置 XFree86

在安装 XFree86 后，你必须为你的系统配置它。XFree86 期望在下述目录中找到
XF86Config 文件：

- [ ] /etc/ XF86Config
- [ ] /usr/X11R6/lib/X11/ XF86Config. *hostname*
- [ ] /usr/X11R6/lib/X11/ XF86Config

注释：

在大多数 Linux 发行版本（包括 Red Hat、Slackware 和 Caldera）中，对 XFree86 的配置过程都是相同的。

你可以在/etc/X11/etc 中找到配置文件信息。在配置系统之前，你应当查阅
README.Config 和 README.Linux 文件。如果你拥有在前面"确保对 XFree86 的硬件支持"一
节中列出的被支持的标准设备，你就应该查看 x3 包中的示范 Xconfig 文件。这些文件存放在/
usr/X11/lib/X11/Sample-Xconfig-files 目录中。查阅一下 Xconfig.Index 文件，看看你的视频卡是
否列在其中。为此可以使用如下命令：

cd /usr/X11/lib/X11/Sample-Xconfig-files
less Xconfig.Index

警示：

绝不要在未了解参数值的用法的情况下，使用别人的 Xconfig 文件，甚至不要原封不动地使用本书中或其
他来源中的 Xconfig。例如，以未支持的频率驱动监视器可能会损坏你的设备。

如果其中列出了你的显示卡，从这个示范目录把相应的 Xconfig.number 文件复制到/usr/
x11/lib/x11 目录。可以用下面的命令做此操作（只需用从 Xconfig.Index 文件中得到的编号替
换下面给出的编号）：

cp Xconfig. *number* /usr/x11/lib/x11/Xconfig

这些示范配置文件可能可以用于标准硬件。你可以启动 X Windows（键入 **startx**）来测试配
置文件。如果 X Windows 系统启动并运行了，就祝贺你。由于某些原因配置文件不正确，Linux
会报告一个出错信息。如果仅仅是系统失去了响应，重新启动系统。在启动失败后，你必须在
返回到命令提示符下时自己创建一个配置文件。

6.3.1 运行 SuperProbe 程序

如果上述安装过程不成功，你可以运行一个程序来配置你的系统。Slackware 提供了一个
名为 xf86Config 的程序来帮助你配置你的 XFree86 系统，但这个程序要求你回答一些问题。这
些问题与你的系统的硬件有关，并且不正确的信息会使 X 破坏你的硬件。

你应该阅读放在/usr/X11R6/lib/X11/doc 目录中的一些文件：HOWTO.Config、README.Config 和 configxf.doc。你可以使用下述命令来阅读这些文件：

less *filename*

接下来，运行 SuperProbe 实用程序：

/usr/X11R6/bin/ SuperProbe

这个实用程序仔细检查你的系统，试图识别已安装的视频硬件。你应该记下它报告的信息，以便后面用于 xf86Config 程序。你还应当用你的硬件的文档核对一下 SuperProbe 产生的信息。SuperProbe 程序将产生将要放在 XF86Config 文件的各个段中的信息。

6.3.2 了解 XF86Config 文件的段

XF86Config 文件是一个普通 ASCII 文本文件，它由 XFree86 阅读，并用来配置 X 服务程序使之在你的硬件系统上正确运行。这个文件分成表 6.4 中示出的如下各段。

表 6.4 XF86Config 文件的段

段	描述
Files	列出字体和 rgb 文件的目录
ServerFlags	为 X 服务程序指定特殊标志
Keyboard	描述键盘的类型
Pointer	描述指示设备，通常是鼠标
Monitor	详细描述监视器。这个段是非常重要的，因为不正确的信息会严重损坏监视器
Device	描述视频卡
Screen	使用 Monitor 和 Device 段中的信息来描述实际屏幕区域，包括颜色数量和以象素为单位的屏幕大小等信息项

这个文件中的每一个段具有如下格式：

Section *"Name"*

data *entry values*

data *entry values*

more values as needed...

this is a comment line and is ignored by XFree86

EndSection

应该按照书中给出的例子用一个文本编辑程序（如 vi）来建一个这样的文件。创建一个文件后，运行 xf86config 程序来产生一个 XF86Config 文件，以便比较。最后，以一种特殊模式运行 X 服务程序来检测系统的设置（你可能不能由例子、产生的文件或文档来确定这些设置）。由于这是破坏你的系统的真正威胁，这些预防措施是必需的。

参见 19.2"使用 vi"。

Files 段 这个段列出安装在系统上 /usr/X11R6/lib/X11/fonts 目录中的各种字体。在这个段中每种字体有它自己的子目录,因此可以用下述命令确定装载了哪些字体:

ls /usr/X11R6/lib/X11/fonts

列出的每一个目录在 Files 段中应该都有一个对应项。

根据安装过程中你作出的选择,字体文件应该放在标准目录中,并且 Files 段看起来应与下述示范段相似:

Section"Files"
RgbPath   "/usr/X11R6/lib/X11/rgb"
fontPath   "/usr/X11R6/lib/X11/misc"
fontPath   "/usr/X11R6/lib/X11/Type1"
fontPath   "/usr/X11R6/lib/X11/speedo"
fontPath   "/usr/X11R6/lib/X11/75dpi"
fontPath   "/usr/X11R6/lib/X11/100dpi"
EndSection

ServerFlags 段 几乎不需要编辑默认的 ServerFlags 段。这个段控制 X 服务程序用来控制其操作的三个标志。这些标志如下:

标志	描述
NoTrapSignals	一个高级标志,当 X 服务程序接受一个操作系统软件信号时,这个标志使 X 服务程序"转储核心"——创建一个调试文件。
DontZap	不允许用 < Ctrl-Alt-Backspace > 键组合来终止 X 服务程序。
DontZoom	不允许在各种图形模式间切换。

下面给出了一个带有上述三个标志的示范段,每个标志前都用了注释标记(#),因此这些标志都不起作用:

Section"ServerFlags"
 # NoTrapSignals
 # DontZap
 # DontZoom
EndSection

Keyboard 段 该段允许你为键盘指定一些选项(如键盘映射)。最小的 Keyboard 段是:

Section "Keyboard"
Protocol "Standard"
AutoRepeat 500 5
ServerNumLock
EndSection

还可使用许多其他选项,如表 6.5 所示,但许多对正确使用键盘是不需要的。在 shell 提示符下键入 man XF86Config 可以看到对 XF86Config 文件的每个段使用的各种参数的全面描述。

表 6.5　Keyboard 段选项

选项	参数/描述
Protocol	Standard 或 Xqueue（Standard 是默认值）
AutoRepeat delay rate	设置以指定 rate(速率)重复键之前的 delay(延迟)
ServerNumLock	告诉 X 服务程序处理对 NumLock 键的响应。
VTSysReq	指定 X 服务程序处理虚拟终端间的切换，用 < SysRq > 键替代 < Ctrl > 键

在 Linux 下通常使用 < Alt-Fx > 方法在各种虚拟终端间切换（其中 Fx 表示功能键）。但在 X 中，你必须使用 < Ctrl-Alt-Fx > 来访问虚拟终端。当然，你可能会认为在运行一个 GUI 时没有必要使用虚拟终端。设想如果 X 对话过程被锁住了，该怎么办呢？——那么，可以使用虚拟终端来结束 X 对话过程。

参见 17.1"登录"。

Pointer 段　该段与鼠标或其他指示设备有关。XFree86 使用这个段中的信息为在 X 下使用鼠标对它进行配置。至少，你应该指定你的鼠标使用的协议和设备类型。如果你有一个串行鼠标，设备就是该鼠标使用的串行端口。下面是一个示范 Pointer 段：

Section "Pointer"
Protocol　　　"Microsoft"
Device　　　　"/dev/mouse"
EndSection

Linux 支持的各种协议有：

BusMouse　　　　　Mouse Systems
Logitech　　　　　Mouse System
MM Series　　　　Xqueue
Mouseman　　　　PS/2
Microsoft

表 6.6 给出了 Pointer 段中可以使用的一些其他的选项，但你不要把它们添加到你的 XF86Config 文件中，除非你绝对肯定它们在你的系统上产生的效果。

表 6.6　Pointer 段的选项

选项	描述
BaudRate *rate*	为一个串行鼠标指定波特率
SampleRate *rate*	为 Logitech 鼠标所需
ClearDTR 或 ClearRTS	为一些使用 MouseSystem 协议的鼠标所需
ChordMiddle	为 Logitech 鼠标所需
Emulate3Buttons	允许一个两个按钮的鼠标（如 Microsoft 鼠标）仿真一个三个按钮的鼠标。第三个按钮用同时按下两个按钮来仿真。许多 X 应用程序为合适的操作需要一个有三个按钮的鼠标

注释：

如果你有一个 Logitech 鼠标，尤其是有一个不仿真 Microsoft 鼠标的 Logitech 鼠标，你可能必须实验表 6.6 中的一些选项。

Monitor 段 该段可能是 XF86Config 文件中最重要的段——及可能是最危险的段。这个文件中的不正确的信息会导致对你的系统的灾难性的破坏，因此要小心！

SuperProbe 程序和你的设备制造商的文档对创建本段将会有很大的帮助。还可以使用/usr/X11R6/lib/X11/doc/modesDB.txt 文件和/usr/X11R6/lib/X11/doc/monitors 文件来查找有关特殊的监视器的信息。

下面是一个典型的 Monitor 段：

```
Section      "Monitor"
Identifier       "Sanyo 1450 NI"
VendorName      "Sanyo"
ModelName       "My 14 inch monitor"
Bandwidth      60
HorizSync      30 – 60
VeriRefresh      50 – 90
# Modes：    Name        dotclock    Horizontal Timing      Vertical Timing
ModeLine     "640 × 480"      25      640 672 768 800      480 490 492 525
ModeLine     "800 × 600"      36      800 840 912 1024      600 600 602 625
ModeLine     "1024 × 768i"    45      1024 1024 1224 1264  768 768 776 816
EndSection
```

你的 Monitor 段可以定义多个监视器，对每一个监视器都可提供表 6.7 中给出的信息。

表 6.7　Monitor 段的选项

选项	描述
Identifier *string*	监视器标识符
VendorName *string*	标识制造商
ModelName *string*	标识制造和型号
Bandwidth *value*	监视器的带宽
HorizSync *range*	有效的水平同步频率（单位为 kHz）。对多同步监视器这是一个范围，对固定频率的监视器，这是一组单个值
VeriRefresh *range*	指定垂直刷新频率。与 HorizSync 一样，它们可以是一个范围或一组单个值
Gamma *value*	监视器的 gamma 校准值
ModeLine *value*	为在监视器上显示的每一种分辨率指定一组值

对每一种分辨率，在 Monitor 段中都要有一个条目。这个条目的格式如下：

ModeLine "*name*" dotclock   Horizontal *Freq* Vertical *Freq*

水平和垂直频率是一组用 kHz 表示的四个值。你可以运行 xf86Config 程序(稍后在"运行 xf86Config 程序"一节中讨论)来获得或从 XFree86 软件包中的各种文档中获得大部分值。第一次实验时,最好是输入文档中的一种标准配置,然后让 X 检测你的系统以获得更合适的参数值。

Device 段　该段对 XFree86 描述系统的视频卡。标准 VGA 的 Device 段如下:

```
Section"Device"
Identifier      "SVGA"
VendorName      "Trident"
BoardName       "TVG89"
Chipset         "tvga8900c"
VideoRam        1024
Clocks          25.30 28.32 45.00 36.00 57.30 65.10 50.40 39.90
Option          . . .
EndSection
```

可能只有时钟值比较难对付。你的视频卡用这些值来产生视频信号,这些信号又反过来提供在你的监视器上显示信息所需的各种频率。如果你把这些值完全设置错了,你可能会毁了你的监视器! 以一个特殊参数(-probeonly)运行 X 能够得到这个值。参数-probeonly 让 X 在不会对系统产生实际损坏的情况下仔细检测你的系统(该参数将在本章稍后讨论)。X 然后产生一个报告,其中含有配置所需的大多数值。

你的服务程序也可能要求可选参数。Device 段中的可选参数项在你的服务程序的相应 man page 中有详细介绍。

Screen 段　你的 XF86Config 文件中可以包含许多监视器和设备条目。Screen 段组合使用这些条目,以创建你的 X 服务程序的 X 桌面。一个示范 Screen 段如下:

```
Section "Screen"
Driver          "vga2"
Device          "SVGA"
Monitor         "Sanyo 1450 NI"
Subsection      "Display"
Depth           8
Modes           "1024 × 768"    "800 × 600"    "640 × 480"
ViewPort        0    0
Virtual         1024    768
Endsubsection
EndSection
```

这个 Screen 段使用了 Device 和 Monitor 段中的标识符名。Driver 值说明你正在运行哪个 X 服务程序,它可以是下述值之一:

- [ ] Accel
- [ ] SVGA
- [ ] VGA16
- [ ] VGA2
- [ ] Mono

Screen 段中还有显示子段,这些子段描述了可用于某种分辨率的各种模式。每一个 Mode 值参照的是 Monitor 段中定义的一个 ModeLine 值。

X 从由 ViewPort 值指定的位置开始。值"0,0"告诉 X 从显示屏左上角的 0,0 位置开始。

用 Virtual 值,你可以定义一个比你的实际屏幕大的虚拟屏幕。如果你指定一个比实际屏幕大的屏幕,X 将在你把指针移到你的实际屏幕区域外面时自动按需要滚屏。

提示:

许多在 Internet 上找到的程序假定使用三个按钮的鼠标和 1152×900 大小的屏幕。这种屏幕大小是 Sun 工作站上使用的典型的屏幕大小,因此为了仿真这样一个系统,你应当在 Pointer 段中指定 Emulate3Buttons 及在 Screen 段的 Display 子段中指定 Virtual 1152 900。

6.3.3 运行 *xf86Config* 程序

运行 SuperProbe 并建立了一个基本的 XF86Config 文件后,你就可以运行 xf86Config 程序为你的系统产生一个配置文件。首先,确保你不在/usr/X11R6/lib/X11 目录中,因为这个目录是 X 首先查找 XF86Config 文件的地方,且你不想把你刚创建的文件覆盖掉。用如下命令来运行 xf86Config 程序:

/usr/X11R6/bin/xf86Config

xf86Config 程序询问与你的系统有关的一些问题,它用这些信息来填充 XF86Config 文件的各段。这个程序做完后,必须对它进行检查,以确保其中的值与你自己在建立这个文件时所收集的值类似。唯一需要帮助得到的项是用于监视器的那些时钟值,可以让 X 自己来得到这些值。

6.3.4 以-*probeonly* 模式运行 X

以一种特殊模式运行时,X 将产生有关你的整个系统的信息文件。可以用这个文件中的信息来完成 XF86Config 文件。为以这种特殊的只检测模式运行 X,可以简单地键入如下命令:

x -probeonly > /tmp/x.value 2 > &1

这个命令把 X 的输出重定向到文件/tmp/x.value 中。这是一个可用任何 ASCII 编辑程序(如 vi)编辑的文件。可以从这个文件中把时钟信息剪切下来粘贴到 XF86Config 文件中,从而完成 X 的配置文件。

参见 19.2.12"拷贝、剪切和粘贴"。

现在把你创建好的这一文件复制到 XFree86 要查找的目录之一中。很可能你可以用下述命令复制这个文件：

cp　　XF86Config　　/usr/X11R6/lib/X11/

现在你可以用 startx 命令启动你的 X 服务程序了。

6.4　使用 X Windows 的资源文件

为运行和使用 X，至少需要有一个名为 .xinitrcm 的启动文件，该文件提供 X 运行时使用的默认设置。为覆盖这些默认设置，可以使用一个名为 .Xresource 的个人文件，这个文件放在你的起始目录中。Linux 在 /etc/X11/xinit/xinitrc 目录中提供了一个默认的 .xinitrc 文件，也可能在 /usr/lib/X11/xinit/xinitrc 目录中找到这个文件。参见 startx 和 xrdb 的联机帮助，了解有关这些文件的更多信息。

6.5　从这里开始

在本章中，我们学习了 X Windows XR11R6 标准的 XFree86 实现。了解了客户和服务器应用程序的区别，以及它们是怎样不同于其他基于 PC 机的客户机/服务器应用程序的。下述各章提供了更多的信息：

- □ 第三章"安装 Red Hat"介绍了如何安装 Linux 的 Red Hat 发行版本，该版本在安装过程中把 X Windows 作为它的一部分安装。
- □ 第四章"安装 Slackware 96"介绍了如何安装 Linux 的 Slackware 96 发行版本。必须在安装 X Windows 之前进行这个安装过程。没有一个基础系统，XFree86 是毫无用处的。
- □ 第十三章"升级和安装软件"介绍了如何使用 pkgtool 程序把新软件系统安装到你的系统上。如果你在安装基础 Linux 系统时没有安装 X，那么就可用这个程序来安装 X。
- □ 第十九章"使用 vi 编辑程序"介绍了如何使用 vi 编辑程序。你需要编辑 X 配置文件 XF86Config，以便为在特定的硬件上运行 X 提供正确的信息。
- □ 第二十章"使用 emacs 编辑程序"介绍了如何使用 emacs 编辑程序。

第七章　使用 X Windows

本章内容

☐ **如何使用 X**

如果你熟悉其他的 GUI，如 Microsoft Windows 或 Macintosh Finder，在学习使用 X 的过程中就不会有多大困难。你遇到的主要的差别与 X 的各种窗口管理程序有关。

☐ **如何使用虚拟终端**

Linux 不仅提供了 X Windows GUI，还提供了多个虚拟终端。你可以同时使用这些终端。但在这些终端间切换需要一些练习。

☐ **不同的窗口管理程序**

X Windows 的外观和对它的感觉主要产生于窗口管理程序。各种 Linux 的发行版本提供了数个窗口管理程序。因此，在实验的基础上找到一个你最喜欢的窗口管理程序。

☐ **可用于 Red Hat 和 Slackware 的 X 应用程序**

没有应用程序的 GUI 有什么用？不管你安装的是 Linux 的哪个发行版本，它们都提供了许多与 X 有关的应用程序。你还可以在 X 下玩大量的游戏，如 Id Software 的流行的 DOOM。

如果你熟悉其他的 GUI，如 Microsoft Windows 或 Macintosh Finder，你就会发现 X Windows 与它们没有太多差别。X Windows 为用户提供多个窗口，每个窗口都显示一个 X Windows 应用程序（称作一个客户程序）的输出。客户程序可在用户的 PC 机上运行（使用 Linux 时这种可能性更大），或在网络上的另一个工作站上运行。

X Windows 中的操作方式很大程度上取决于窗口管理程序。大多数窗口用屏幕上的称作光标的指针来指示你所处的位置。光标可以有多种形状，这取决于你正在做什么及正在运行哪个窗口管理程序。

7.1　X Windows 中的操作

与大多数 GUI 一样，X Windows 允许从键盘和从指示设备（通常是鼠标）输入。一般来说，要使一个窗口接受输入，它必须是活动窗口。活动窗口通常具有与不活动的窗口不同的外观（如突出的边框）。

使一个窗口变为活动取决于窗口管理程序。一些窗口管理程序在光标移入一个窗口时就使这个窗口成为活动的；另一些则需要在窗口内单击鼠标，就像在 Microsoft Windows 中那样。

7.1.1　使用菜单

现在 PC 机上的许多 GUI 提供下拉式菜单和弹出式菜单。同样，菜单以及菜单选择的类型也是依赖于窗口管理程序的。大多数 X Windows 窗口管理程序没有一个横跨监视器顶部的主菜单；反之，它们使用浮动菜单。通常可以在桌面的空白处单击，从而调出浮动菜单。按住鼠标按钮并将光标拖过各种菜单选项,当你发现了需要的菜单选项时,只要放开鼠标按钮。这很像在 Macintosh 上操作菜单的方式,与在 Microsoft Windows 操作菜单的方式不同。

7.1.2 在 X Windows 中使用虚拟终端

你的 X 服务程序运行在 Linux 分配的一个虚拟终端上。这个终端被分配为第七个虚拟终端,你可以从字符终端上按 < Ctrl-Alt-F7 > 键进入这个终端。你可以从 X Windows 终端用 < Ctrl-Alt-Fx > 键组合进入其他终端,这里 x 代表想要访问的虚拟终端号。虽然访问其他虚拟终端是很方便的,但 X Windows 还允许你启动称作 xterm session 的字符终端仿真程序。

注释:

X 服务程序正在运行时,你必须使用 < Ctrl-Alt-Fx > 键组合从 X 服务程序进入一个虚拟终端。你仍然可以使用 < Alt-Fx > 键组合在虚拟终端间切换。

7.2 使用 Linux 的窗口管理程序

如本章前面所述,X Windows 没有指定窗口管理程序。由用户来决定 X Windows 的外观和感受。按照这种精神,Linux 为 X Windows 不仅仅提供一个窗口管理程序,虽然 Red Hat 和 Slackware 的默认安装过程把 fvwm 窗口管理程序安装为默认窗口管理程序。表 7.1 列出了 Linux 提供的各种窗口管理程序。

表 7.1 可用于 Linux 的窗口管理程序

名称	描述
twm	Tom 的窗口管理程序
fvwm	用于 X11 的虚拟窗口管理程序
mwm	Motif 窗口管理程序
olwm	Openlook 的基于 Sun 的 Open Lock 的窗口管理程序
olvwm	Openlook 的虚拟窗口管理程序

7.2.1 *twm*

用于 X Windows 系统的 twm 窗口管理程序提供标题条、有特定形状的窗口、多种图标管理方式、用户自定义宏函数、点击输入和指针驱动的键盘焦点、以及用户自定义键和鼠标按钮的绑定(结合)。这个程序通常由用户的会话管理程序或启动脚本启动。当在没有会话管理程序的情况下从 xdm 或 init 使用时,twm 常作为最后一个客户在前台执行。当以这种方式运行时,退出 twm 会导致会话过程的终止(也就是退出)。

应用窗口周围有一个"框架",这个框架的顶部有一个标题条,周围有特殊的环绕应用程序窗口的边框。标题条中含有这个窗口的名称和一个矩形框(该矩形框在这个窗口接收键盘输入时发亮)。在标题条的左边和右边还有称作"标题按钮"的功能框。在一个标题按钮上单击 Button1(通常是鼠标最左边的按钮,除非用 xmodmap 改变了它)调用与这个标题按钮相联系的功能。在默认界面中,单击左边的、像一个圆点的标题按钮把窗口图标化(窗口最小化成一个图标)。相反,单击图标管理程序中的相应图标或项使窗口非图标化或最大化。

可用如下方法来改变窗口的大小:单击右边的标题按钮(看起来像一组嵌套的正方形),在要移动的边上拖动光标,当窗口的轮廓达到所需大小时松开鼠标按钮。类似地,可用如下方法来移动窗口:单击标题条,把窗口的轮廓拖到一个新的位置上,当窗口的轮廓到达所需位置时松开鼠标按钮。只单击标题条可以提升窗口而不移动它。

创建新窗口时,twm 使用用户要求的大小和位置信息。否则,显示默认大小的窗口轮廓、窗口的标题条和把窗口分成一个 3×3 网格的线框(这组线框随光标移动)。每个鼠标按钮执行不同的操作:

- □ 单击 Button1 把窗口放在当前位置并使它具有默认大小。
- □ 单击 Button2(通常是鼠标的中间按钮)并拖动轮廓使窗口处于当前位置,但允许各边按前面描述的方式改变大小。
- □ 单击 Button3(通常是鼠标的右按钮)使窗口处于当前位置但使窗口变长直到触及屏幕底部。

7.2.2　*fvwm*

用于 X11 的窗口管理程序 fvwm 是 twm 的派生产品,是为减小内存消耗而重新设计的。它提供三维窗口结构,并提供一个简单的虚拟桌面。内存消耗估计是 twm 的内存消耗的 1/2 到 1/3,这主要是由于重新设计了 twm 的低效的存储鼠标绑定的方法(把命令与鼠标按钮联系起来)。另外,还去掉了 twm 的许多可设置的选项。

XFree86 提供了一个虚拟屏幕,当与 fvwm 的虚拟窗口管理程序一起使用时,它的操作可能会造成混乱。对 XFree86 来说,出现在虚拟屏幕上的窗口实际存入显存,所以虚拟屏幕的大小受可用显存的限制。

对 fvwm 来说,不出现在屏幕上的窗口实际不存入显存。虚拟桌面的大小限制为 32000×32000 象素点。虚拟桌面在每个方向上比可视屏幕超出五倍是不切实际的。

注释:
　　内存的使用量是虚拟桌面上存在的窗口的数量的一个函数。与桌面的大小没有关系。

在熟悉 fvwm 的过程中,建议把 XFree86 的虚拟屏幕的设置成与实际屏幕大小相同,从而使 XFree86 的虚拟屏幕不起作用。当对 fvwm 熟悉后,你可以使 XFree86 虚拟屏幕重新起作用。

fvwm 为使用虚拟桌面的用户提供多个虚拟桌面。屏幕是比屏幕大的桌面(或与屏幕大小相同的桌面)上的一个视区。可以访问多个不同的桌面。基本概念是每个项目使用一个桌面;或者当查看应用程序各不相同时,每个应用程序都使用一个桌面。由于每个桌面可以比实际屏幕大,所以比屏幕大的窗口或大量相关窗口可以很容易查看到。

每个虚拟桌面的大小必须在启动时指定;默认值是实际屏幕大小的三倍。所有的虚拟桌面必须一样大。不同的桌面的总数不必指定,但限制于总共大约 40 亿个。当前桌面上的所有窗口都能显示在页面管理程序、小型图标或当前的桌面中。不在当前桌面上的窗口可以与它们的几何值(geometries)一起在一个窗口列表中列出,这个列表可以作为弹出式菜单访问。(术语 geometries 为一个 X 窗口管理程序中的窗口指定坐标和所需的象素点数。)

粘性窗口(sticky windows)是这样一些窗口,它们"粘在屏幕的玻璃上",从而一直处在虚拟桌面上面。它们总是停留在屏幕上。粘性窗口用于钟表和 xhiffs 等应用是很方便的,因此只要运行这样一个实用程序,它就总是伴随着你。

注释:

当你的邮件到达时,xhiffs 将向你报告。

窗口的几何值是相对于当前视区的——即 xterm-geometry + 0 + 0 总是出现在屏幕的可视部分的左上角。允许指定将窗口正好放在在屏幕外的虚拟桌面的几何值。例如,如果可视屏幕是 1000 × 1000 象素点,桌面大小是 3 × 3,及当前视区在桌面的左上角位置上。执行 xterm-geometry + 1000 + 1000 把窗口正好放在屏幕的右下角以外。看到这个窗口的方法是:移动鼠标到屏幕的右下角并等到它把这个窗口滚入视区。你可以把一个窗口只映射到一个活动桌面上,而不把它映射到一个不活动的桌面上。

一个指定为 xterm-geometry-5-5 的几何值一般把窗口的右下角放在距屏幕的可视部分的右下角 5 个象素点的位置上。不是所有的应用程序都支持带负偏移值的窗口几何值。

7.2.3 *olwm*

olwm 是 X Windows 系统的一个窗口管理程序,它实现 Openlook 图形用户界面一部分。它是 Sun 的 Open Windows 产品的标准窗口管理程序,但是它可以很好地在任何 X11 系统上工作,包括 XFree86。运行 olwm 唯一的要求是服务器有可用的 OPEN LOOK 符号和光标字体。如果你安装了用于 X Windows 的所有字体,就满足了这个条件。

7.3 在 Red Hat 中使用 X 应用程序

Red Hat 为创建非常适合于 X 的发行版本不遗余力。事实上,Red Hat 的商品化版本中包含了准予单用户使用的称作 Metro-X 的商品化 X 服务程序的拷贝。当在 Red Hat 中用如下命令启动 X 时:

startx &

出现了一个与 Microsoft Windows 95 环境非常相似的屏幕(参见图 7.1)。

其中的开始(Start)按钮包含了有用的 Linux 程序、系统命令和过程的菜单项。与大多数 X 安装一样,也可以在桌面上单击鼠标的左键和/或右键来访问这些命令。图 7.2 示出了 Start 菜单项,而表 7.2 描述了其中的每一个菜单项。

表 7.2　Start 菜单项

菜单项	描述
New Shell	为用户提供新命令 shell 窗口——即一个 xterm 窗口
Applications	提供对各种应用程序的访问,如 pine(电子邮件)、xpaint(图形)和 irc(闲谈)
Utilities	提供实用程序,如计算器、日历、彩色 xterm 和对联机帮助的访问
Multimedia	提供音频 CD 播放器和音频混合器
Games	提供 Tetris 这样的拱廊游戏和 DOOM 这样的图形探险游戏
Host	提供对你的网络上的或 Internet 上的其他主机的访问

菜单项	描述
System Utilities	为用于以根(root)身份访问系统的和用于窗口管理的实用程序提供访问
Windows Operations	提供在桌面上关闭、结束和移动窗口菜单项
Preferences	允许你按自己的意愿定制你的 X 桌面
Screensaver	提供对用于屏幕保护程序的图象的选择。屏幕保护程序在一定时间内无活动后被激活
Lock Screen	对锁定屏幕时使用的屏幕样式提供选择
About Fvwm	显示含有与 fvwm 窗口管理程序有关的信息的对话框
Help Fvwm	显示提供 fvwm 帮助功能的 HTML 浏览器
Exit Fvwm	允许你退出 X,并返回到启动 X 的终端或重新启动 X

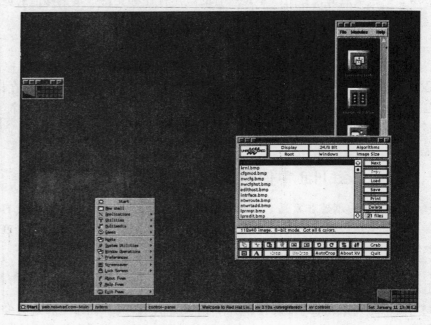

图 7.1　Red Hat 中的 X 与 Microsoft 的流行用户图形界面 Windows 95 有着惊人的相似

7.3.1　*nxterm*

选取 New Shell 菜单项开始 *xterm* 的对话过程,在 Red Hat 中,这称作一个 *nxterm* 对话过程。*xterm* 是通用的 X Windows 应用程序,它仿真一个通用的视频终端,如 DEC vt100。当你启动一个 *xterm* 对话过程时,你能够运行任何命令行程序或执行任何 Linux 命令,就像在 Linux 提供的任何虚拟终端上一样。

7.3.2　*xv*

xv 是一个 Red Hat 提供的屏幕捕获程序。与大多数 Linux 应用程序不同,这个程序是一个共享软件(shareware)。图 7.4 示出了 *xv* 程序的主对话框。

· 154 ·

图 7.2 Red Hat Lin-
ux 通过 Start 菜单为
许多服务提供了一
种简单的访问途径

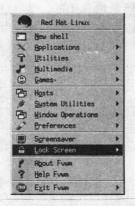

图 7.3 在 X 下启动
新命令行 shell 是容
易做到的

图 7.4 xv 提供了
在 X 下使用的、完
整的屏幕捕获和图
形文件格式转换
程序

注释：
    共享软件是这样一些程序，它们可以免费下载，但如果你在一段时间后觉得它们有用，你会被要求给程序
的创作者付费。共享件程序的价格通常相当便宜。

这个主对话框右边的按钮是最有用的。表 7.3 描述了它们的功能。这个窗口中的主文件列表给出了这个程序现在可以得到的每一个图形文件的文件名。

表 7.3　xv 的命令按钮

按钮	描述
Next	选取文件列表框中的下一个文件
Prev	选取文件列表框中的前一个文件
Load	把磁盘中的一个文件装入 xv
Save	把当前捕获的图像保存到一个磁盘文件中。可以选择如下保存格式:GIF、JPEG、TIFF、PostScript、PBM(raw)、PBM(ASCII)、X11 位图、XPM、BMP、Sun 光栅文件、IRIS RGB、Targa(24 位)、Fits 和 PM
Print	显示当前选取的图像文件
Delete	删除当前选取的图像文件

这个对话框右下角的 Grab 按钮允许你捕获桌面的任何区域。单击这个按钮产生了 xv 捕获对话框(参见图 7.5)。

图 7.5　可以在 xv 中使用多种方法来捕获屏幕的任何区域

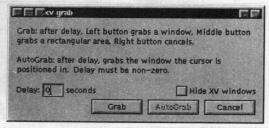

使用鼠标选取要捕获的屏上对象。为捕获一个窗口,可以单击 Grab 按钮,然后在要捕获的窗口中单击鼠标左按钮。你还可以设置一个延迟值,单击 Grab 按钮,然后把鼠标光标放到在这个窗口中。使用这两种方法,xv 都能捕获图像,并在 xv 自己的一个窗口中显示它。

7.4　在 Slackware 96 中使用 X Windows 应用程序

在 Internet 上有大量的 X Windows 应用程序。下面的几节简要介绍几个 X 应用程序,它们由 Slackware 发行版本提供或者在 Slackware CD-ROM 的 \ contrib 目录下提供。其中一些也包含在 Red Hat 发行版本中或可从你喜欢的 GNU Web 站点下载获得。

7.4.1　*xterm*

Slackware 的 xterm 是一个与 Red Hat 的 New Shell 命令(nxterm)相同的程序。xterm 是通用的X Windows应用程序,它仿真一个通用的视频终端,如 DEV vt100。当你启动一个 xterm 对话过程时,你能够运行任何命令行程序或执行任何 Linux 命令,就像在 Linux 提供的任何虚拟终端上一样。图 7.6 图示了一个 xterm 会话。

xterm 程序是 X Windows 系统的终端仿真程序。它为不能直接使用窗口系统的程序提供了与 DEC vt102 和 Tektronix 4014 兼容的终端。如果底层操作系统支持终端改变大小的功能,则一旦窗口改变了大小,xterm 就使用这些功能通知在该窗口中运行的程序。

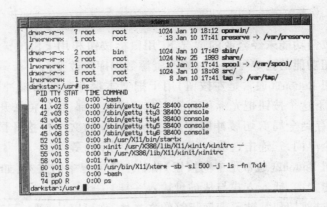

图 7.6 xterm 提供了访问命令行 shell 的方便途径

vt102 和 Tektronix 4014 终端有它们自己的窗口,因此你可以同时在一个窗口中编辑文本而在另一个窗口中看图形。为了保持正确的纵横比(以象素为单位的屏幕高度除以以象素为单位的屏幕宽度),Tektronix 图形必须限制在具有 Tektronix 4014 纵横比的、能够放到这个窗口中的最大的框中。这个框放在窗口的左上区域中。

虽然可以同时显示文本和图形窗口,但包含文本光标的窗口对接收键盘输入和终端输出来说被认为是"活动的"窗口。活动的窗口的选择可以通过换码序列(escape sequence)、vt102 窗口中的 vt 选项菜单和 4014 窗口中的 Tek 选项菜单来实现。

仿真   与 xterm 一起使用的 $ TERMCAP 项包括 xterm、vt102、vt100 和 ANSI。 $ TERMCAP 环境变量指定你的系统仿真的终端类型。xterm 自动在 termcap 数据库文件中以此顺序查找这些项,然后设置 TERM 和 $ TERMCAP 环境变量。

注释:

有关 termcap 项和所支持的换码序列的更多信息,参见 termcap 的联机帮助。

许多特殊的 xterm 特性可能在程序控制下通过一组与标准 vt102 换码序列不同的换码序列来修改。

Tektronix 4014 仿真也相当好。它支持四种不同大小的字体和五种不同的行类型。Tektronix 文本和图形命令被 xterm 内部记录并可以通过发送 Tektronix COPY 换码序列写到一个文件中。

xterm 的其他特性   xterm 在鼠标指针进入窗口时自动选用文本光标,并在鼠标指针离开窗口时取消这种选取。若窗口是焦点(focus)窗口,无论鼠标指针在哪里都选用文本光标。

在 vt102 模式中,有激活和关闭一个替换屏幕缓冲区的换码序列,这个缓冲区与窗口的显示区域的大小相同。在激活时,保存当前屏幕并代之以替换屏幕。保存从窗口顶部滚出的行,禁止它们显示直到正常屏幕恢复。xterm 的 termcap 项允许可视编辑程序 vi 切换到替换屏幕进行编辑,并在退出时恢复屏幕。

在 vt102 或 Tektronix 模式中,有改变窗口名的换码序列。

xterm 中鼠标的使用   创建 vt102 窗口时,xterm 允许你选取文本并在相同或不同的窗口中复制它。

在鼠标按钮功能未经修改的情况下,用鼠标按钮和用 < Shift > 键来进行选取操作。键盘键和鼠标按钮功能的指定可以通过修改资源数据库来改变。

鼠标按钮 Button1(通常是左按钮)用于把文本保存到剪切缓冲区中。把光标移到文本的开始,然后按下这个按钮把光标移到的文本区域的尾部,最后再松开此按钮。选定的文本被突出显示,并保存到全局剪切缓冲区中。这个被选取的文本在松开鼠标按钮时成为主选内容。双击选取整个单词,三连击选取行,四连击返回到字符等等。

鼠标按钮 Button2(通常是中间按钮)粘贴主选内容中的文本(如果有的话)。否则,插入剪切缓冲区中的文本,插入方式与从键盘输入一样。

例如,通过剪切和粘贴不带换行符的文本块,你可以从不同窗口中的多处取得文本来形成 shell 的命令,或者取得一个程序的输出并把它插入到你爱用的编辑程序中。由于剪切缓冲区由不同的应用程序全局共享,所以你应该把它看作一个你知道其内容的文件。终端仿真程序和其他文本程序将把剪切缓冲区看作一个文本文件——即,用换行符分隔的文本。

在显示 xterm 的窗口中的滚动区显示这个窗口中的文本的位置和数量,这个数是与实际保存的文本量有关的。随着更多的文本被保存(直到系统确定的最大量),高亮显示的区域的大小就逐渐减少。

鼠标指针在滚动区内时,单击 Button1 把下一行移动到显示窗口的顶部。单击 Button2 把显示移动到被保存的文本中的一个位置,该位置对应于滚动条中鼠标指针的位置。单击 Button3 把显示窗口顶部的行移到鼠标指针所在的位置。

与 vt102 窗口不同,Tektronix 窗口不允许复制文本。但是,它允许 Tehtronix GIN 模式,在这种模式中光标由一个箭头变成一个十字形状。按任意键发送那个键和当前十字光标的坐标。单击 Button1、Button2 或 Button3 分别返回字母 l、m 或 r。当按下一个按钮的同时按下了 < Shift > 键,就发送相应的大写字母。为了区别一个鼠标按钮与一个键,设置这个字符的高位。

7.4.2 *xcalc*

图 7.7 示出的 xcalc 是一个仿真 TI-30 或 HP-10C 计算器的科学计算器桌面工具。可以用 Button1 或在某些情况下用键盘来进行操作。

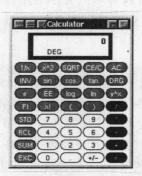

图 7.7 X 提供了各种计算器,包括 TI (图中所示)和 HP 的仿真计算器

许多通用的计算器操作都有键盘加速键。要退出,用鼠标的 Button3 单击 TI 计算器的 AC 键或单击 HP 计算器的 OFF 键。在 TI 模式中,数字键;+ / – 键;和 + 、– 、* √ 及 = 键的功能与通常使用的功能相同。

注释:

运算符遵守标准的优先法则。因此,输入 $3+4*5=$ 的结果是 23 而不是 35。可用圆括号来改变运算符的优先级。例如,输入 $(1+2+3)*(4+5+6)=$ 的结果是 $90(6*15)$。

计算器中显示的全部数字都能被选取,用于把计算的结果送到文本中。表 7.4 列出了 TI 仿真程序的各种功能。

表 7.4　TI 仿真程序

键/函数	描述
1/x	求显示区中的数的分数
x²2	求显示区中的数的平方
SQR	求显示区中的数的平方根
CE/C	单击一次,清显示区中的数但不清计算器的状态
INV	反运算函数。参见各功能键,以了解它们的反函数的具体情况
sin	计算显示区中的数的正弦函数,表示单位由当前的 DRG 模式(参见 DRG)确定。如果该函数被反运算,它计算反正弦函数
cos	计算显示区中的数的余弦函数。如果该函数被反运算,它计算反余弦函数
tan	计算正切函数。如果该函数被反运算,它计算反正切函数
DRG	改变显示在计算器的显示区的底部的 DRG 模式,有 DEG、RAD 或 GRAD 三种模式。当处于 DEG 模式时,显示的数假定是以度表示的;处于 RAD 模式时,数是以弧度表示的;处于 GRAD 模式时,数是以梯度表示的。当反运算时,DRG 键具有把度转换成弧度和梯度及梯度转换成弧度和度的特性。例如,将计算器设置成 DEG 模式,并输入 45 INV DRG。xcalc 显示 .785398,这是 45 度的弧度值
e	常数 e,其值为 2.7182818
EE	用于输入指数。例如,为求 $-2.3E-4$,输入 2.3 $+/-$ EE 4 $+/-$
log	计算显示区中的数的对数(为 10 为底)。带反函数运算时,它使 10 自乘,自乘次数由显示区中的数指定。例如,输入 3 INV log 结果为 1000
ln	计算显示区中的数的对数(为 e 为底)。带反函数运算时,它使 e 自乘,自乘次数由显示区中的数指定。例如,输入 e ln 结果为 1
yˆx	幂运算。左边的数自乘,自乘次数由右边的数指定。例如,输入 2 yˆx 3 = 结果为 8,即 2ˆ3
PI	常数 PI,其值为 3.1415927
x!	计算显示区中的数的阶乘。显示区的数必须是 $0-500$ 范围内的一个整数;但是,根据你所用的数学库,可能很快就溢出了
(	左括符
)	右括符
/	除法
*	乘法

键/函数	描述
−	减法
+	加法
=	进行运算
STO	把显示区中的数复制到存储器中
RCL	把存储器中的数复制到显示区中
SUM	把显示区中的数加到存储器中的数中
EXC	交换显示区中的数和存储器中的数
+ / −	负;改变符号
.	小数点

在 RPN 或 HP 中,模式、数字键、CHS(变符号)键,和 + 、− 、* 、√ 及 ENTER(回车)键的功能与通常使用的功能相同。其余许多键与在 TI 模式中相同。表 7.5 详细列出了不同的键。

表 7.5　HP 仿真计算器

键/功能	描述
<	一个退格键,可以在输入数字时出了错误时使用;该键擦除显示区中的数。反功能使用退格键时,则清空 x 寄存器
ON	清空显示区、清状态和清空内存。用 Button3 单击它关掉计算器,退出 xcalc
INV	反转功能键的意义。这是 HP 计算器上的键 f,但 xcalc 不在一个键上显示多个图形符号。详见各功能键
10^x	使 10.0 自乘,自乘次数用堆栈顶中的数指定。反转使用时,它计算显示区中的数的对数(底为 10)
e^x	使 e 自乘,自乘次数用堆栈顶中的数指定。反转使用时,它计算显示区中的数的对数(底为 e)
STO	堆栈顶中的数复制到一个存储器单元中。有十个存储器单元。想使用的存储器单元用跟在本键后的一个数字键指定
RCL	把指定存储器单元中的数压入堆栈
SUM	把堆栈顶中的数加到指定的存储器单元中的数中
x:y	交换两个堆栈单元(x 和 y 寄存器)中的数
Rv	向下滚动堆栈。反转使用时,向上滚动堆栈
(空白键)	这些键是用于 HP-10C 上的编程函数的。它们的功能还未在 xcalc 中实现

7.4.3　*xspread*

图 7.8 中示出的程序 xspread 是在 X Windows 中运行的一个公共领域电子表格程序。它是在安装 Slackware 发行版本时安装的,你必须使用能够运行这个程序的 X Windows 终端。(xspread 的创作者正在努力使 xspread 具有这样的功能:在 xspread 找不到一个可供使用的

X Windows显示屏时,它就使用 ASCII 屏幕。)xspread 参考手册给出了该程序的完整文档。这个手册的 LaTeX 源代码拷贝在文件 xspread.tex 中。

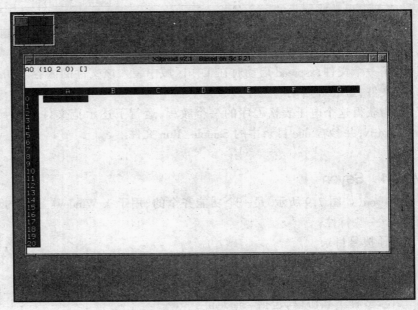

图 7.8 XFree86 下的 xspread 为 Linux 用户提供了人们熟知的电子表格功能

xspread 支持电子表格的许多标准特性,包括如下特性:

☐ 单元输入和编辑
☐ 工作表容量:702 列,不限行数
☐ 文件读和写
☐ 文件加密
☐ 绝对的和相对的单元引用
☐ 单元中的数值和标号(字符串)数据
☐ 标号的左对齐和右对齐
☐ 行和列的插入和删除
☐ 行和列的隐藏和不隐藏
☐ 范围名
☐ 手动或自动重算
☐ 数值运算符(+ 、 − 、 * 、/ 、^ 和 %)
☐ 关系运算符(< 、 < = 、 > 、 > = 、 = 和 ! =)
☐ 逻辑(或布尔)运算符(& 、| 和 ~)
☐ 函数引用
☐ 图形(XY、棒形、堆形、饼形图和线条图)
☐ 矩阵运算(转置、乘法、加法、减法和反演)
☐ 用鼠标定位光标
☐ 鼠标选取菜单项
☐ 引用称作外部函数的外部程序

这个电子表格的结构和操作与流行的电子表格如 Lotus 1-2-3 及其兼容产品类似但不完全相同。与其他电子表格一样,其工作区域按单元行和单元列组织。每个单元可以包含数、标号,或可求得数或标号的一个公式。

启动这个程序时,你可以指定一个要读的文件,也可以不指定。这个文件必须是一个已保存的工作表。如果在命令行指定了一个文件,xspread 就试图找到并读取该文件。如果成功地读取了一个文件,xspread 启动时在工作区域中装入该文件的内容。如果不成功或在命令行未指定文件,xspread 启动时工作区域为空。

为获得这个电子表格程序的一个教程,运行下述示范文件之一:demo、demo_math 或 demo_matrix,并参看 doc 目录中的 Sample_Run 文件。

7.4.4 Seyon

Seyon(如图 7.9 所示)是一个功能齐全的、用于 X Windows 系统的远程通信的软件包。它有如下一些特性:

- ☐ 拨号目录
- ☐ 终端仿真
- ☐ 脚本语言
- ☐ 多种下载协议,包括 Zmodem
- ☐ 各种翻译模式

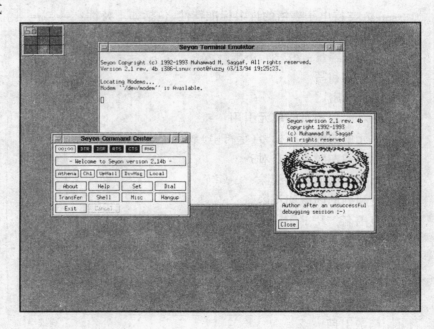

图 7.9 目前,尽管访问 Internet 是很重要的,但许多用户仍然需要通过他们的调制解调器访问公告牌

拨号目录 拨号目录支持的项的数量没有限制。这个目录是完全由鼠标驱动的,并具有如下特点:监视呼叫进度、拨号超时、自动重拨、拨打多个号码和循环重拨队列等。拨号目录中的每一项可以配置自己的波特率、位屏蔽和脚本文件。拨号目录使用一个普通的 ASCII 文本电话簿,你可以在 Seyon 中编辑它。Seyon 还支持手工拨号。

终端仿真 终端仿真支持 DEC vt102、Tektronix 4014 和 ANSI。Seyon 把终端仿真授权给 xterm,所以人们熟悉的 xterm 的所有功能如回滚缓冲区、剪切和粘贴实用程序,以及可视铃等都能够通过 Seyon 终端仿真窗口得到。

使用 xterm 也意味着 Seyon 拥有一个比任何其他 UNIX 或 DOS 远程通信程序更彻底的 vt102 仿真。你也可以与 Seyon 一起使用其他终端仿真程序来满足用户的需要;例如,彩色 xterm 能提供(在许多 BBS 系统上流行的)彩色 ANSI 仿真,并且如果存储器有些紧张的话,可以用 xvt。

脚本语言 可以用脚本语言来自动处理耗时费力的任务,如登录远程主机。Seyon 的脚本解释程序使用普通文本文件并具有与 sh 的语法类似的语法,只是添加了一些额外的内容。它支持许多人们熟悉的语句,如用于条件分支的 if...else 语句和用于循环的 goto 语句。可以把脚本赋予拨号目录中的项以便在连接成功后可以自动执行。

文件传输 Seyon 为外部文件传输协议所支持的通道(slot)的数量没有限制。协议从一个使用普通 ASCII 文本文件的鼠标驱动传输控制台激活。这个文本文件可以在 Seyon 中编辑,是用于协议配置的。只有在所选择的协议需要文件名时或在传输操作是一个上载操作时,Seyon 才提示用户输入文件名。对上载操作,Seyon 还接收通配符。可以为不同的传输通道指定多个下载目录。

Seyon 检测传输进来的 Zmodem 识别标志,自动激活用户指定的 Zmodem 协议来接收传输进来的文件。因此,Zmodem 传输是完全自动的,不需要用户干预。

翻译模式 Seyon 能够对用户的输入进行有用的翻译。例如,Seyon 可以将 < Backspace > 翻译成 < Delete >,把换行符翻译成回车符,以及进行元翻译——即,可以将 < Esc > 元键转换成 < Alt > 键。后一种模式模拟不支持 8 位纯连接的主机上的元键 < Esc >,并使这个元键可以在 emacs 这样的程序中使用。

Seyon 的其他特性 Seyon 允许你交互地设置程序参数、联机帮助、软件(XONN/XOFF)流控制和硬件(RTS/CTS)流控制;把对话捕获到文件中和在终端仿真窗口中临时运行一个本地 shell。

Seyon 被设计成既简单又可广泛配置。几乎 Seyon 的每个方面都能通过内置资源被配置成适合用户的口味。

7.4.5 *xgrab*

xgrab 是 xgrabsc 的一个交互式前端程序,xgrabsc 是 X Windows 的一个图象捕获程序。xgrab 是由 Bruce Schuchardt(bruce@slc.com)和其他许多对这个程序拥有一定版权的人们共同编写的。xgrab 允许你从一个 xserver 上捕获任意矩形图象,并把它们以多种形式写入文件或命令(如 lpr)。

对 xgrab 提供的功能选项的有关介绍请参阅 xgrabsc 的联机帮助。从其提供的各种功能目录中选取操作项后,按 OK 键使 xgrab 运行 xgrabsc,以便你从屏幕捕获一个图象。在你单击 OK 后 xgrab 的窗口就消失了,此后 xgrabsc 得到控制权直到捕获过程结束。这之后,xgrab 窗口重新出现了。

xgrab 响应标准的应用程序选项,如 − ﹍ display。参见 X Windows 的联机帮助以获得一个完整的操作选项清单。你还可以用你的 .Xdefaults 文件中的设置覆盖默认的 xgrab 设置。有关指导请参见"例子"小节。

资源 xgrab 的资源文件(XGrab.ad)包含一个对 xgrab 窗口中使用的所有窗口零件(widget)资源的完整说明。窗口零件是按钮和菜单等资源项的资源说明。全局资源(如缺省字体和颜色)放在这个文件的底部。

例子 ToCommand 命令的输出选项可以用于把 xgrabsc 的输出通过管道传送给程序。最常用的命令是用于 PostScript 输出的 lpr 和用于 X Windows Dump(转储)输出的 xwud。不能从管道接受输入的程序不应当与 ToCommand 命令一起使用。

提示:

你还可能会想到将管道输出结果用于多个命令以保存捕获到的图象和在一个预览窗口中预览,如 tee screen.dmp | xwud。

可以在 .Xdefaults 文件中设置 xgrab 的默认值。对于 xgrab 的雅典娜(Athena)工具包版本,反复按钮可通过它们的 .state 属性设置与取消,而文本域字符串可以通过它们的 * string 属性设置。对于具有菱形单选钮的 Motif 工具包版本,反复按钮可通过它们的 .set 属性设置与取消,而文本域字符串可以通过它们的 * value 属性设置。例如,为设置 PostScript 输出的默认纸张大小,可以把下述行放入 .Xdefaults(用 xrdb 把它们装载到服务器中):

XGrab * . pageWidthText * string:8.5

XGrab * . pageHeightText * string:11.0

或

XGrab * . pageWidthText * value:8.5

XGrab * . pageHeightText * value:11.0

为把默认的输出类型设置成 XWD,将下述行放入 .Xdefaults:

XGrab * . ps.state:0

XGrab * . xwd.state : 1

7.4.6 *xlock*

xlock 是由 Patrick J.Naughton(naughton@eng.sun.com)编写并向世界发布的。xlock 锁定本地 X Windows 屏幕,直到用户在键盘上输入了他们的口令。当 xlock 运行时,拒绝所有的新的服务器连接,屏幕保护程序被禁止,鼠标光标被关闭,屏幕被清成空白并且在屏幕上出现一个不断变化的图案。如果按下了一个键或一个鼠标按钮,用户则被提示输入启动 xlock 的用户口令。

如果输入了正确的口令,则屏幕解锁并恢复 X 服务器。键入口令时, < Ctrl-Shift-u > 和 < Ctrl-Shift-h > 分别起结束和删除命令的作用。要返回到锁定的屏幕,单击用变化的图案表示的小图标。

7.5 用 Linux 中的 DOOM 取乐

最好的总是留在最后。为什么要在 Linux 下运行 XFree86？因为 ID Software 公司为他们的共享软件游戏 DOOM 制作了 XFree86 版本。DOOM 是一个迷人的、仍然流行于世界各地的"把他们打飞"探险游戏。使用逼真的三维图形,你是一位太空战士,正在进入一个邪恶的、充满恐怖的、火星的一个卫星上的太空殖民地。你必须经过很多实验室和各种场景去寻找你失散的伙伴。但你找到的却都是可怕的怪物和其他已转而反对你的太空战士。

这个游戏在本书随带的 Slackware CD-ROM 上/contrib 目录中的 X Windows 版本是一个完整的共享软件版本。(Red Hat 发行版本在安装过程中自动安装这个游戏。)尽管这个版本能在386 机器上运行,但它是设计在高档 486 系统上运行的。如果你在实际 RAM 很少的 386 上运行 DOOM,要作好失望的准备;游戏会太慢以至于没有什么乐趣。在 Linux 下运行 DOOM 需要许多马力。

7.5.1 安装 DOOM

DOOM 默认时与 Red Hat 发行版本一起安装。可以从任务栏或开始(start)菜单的游戏(Games)菜单选取 xdoom 启动 DOOM。

在 Slackware 下,DOOM 存放在/// slackware/y2 目录下的一系列归档文件中。如果你在安装 Linux 的过程中选择了安装游戏软件包,则 DOOM 应当已经安装好了。如果没有安装,你可以现在使用 pkgtool 来安装它,或者你可以执行下述步骤来安装:

参见 13.3.2"使用 pkgtool"。

1. 把/// slackware/y2 目录下的归档文件拷贝到硬盘的一个区域中。
2. 把这个目录改变成你想使用的基目录。这些档案将把文件提取到/games/doom 目录中,因此你可能还要用下述命令把随带的 Slackware CD-ROM 上 doom 目录中的所有文件拷贝到/usr 目录中:
   cd /usr
   cp /cdrom/contrib/liunxdoom/ * .
3. 用下述命令解压缩该目录中的每个文件:
   gzip -d *filename*
   这里 *filename*(文件名)是这个目录中每个文件的文件名。这个命令创建两个 tar 文件。
4. 用 tar 命令反归档每个文件以创建必需的目录和文件:
   tar -xfv *archive-file*

参见 11.4.1"使用 tar"。

7.5.2 启动 DOOM

为了玩 DOOM,你必须首先启动 X Windows,因此输入 startx。X Windows 运行后,你就可以启动 xterm 对话过程或用 < Ctrl-Alt-Fx > 键序列来访问一个虚拟字符终端；然后输入 Linuxxdoom。如果这个命令不起作用，Linux 就未能找到 DOOM 程序——即，它不在你的路径中。若出现这种情况，只需将当前目录改到你安装 DOOM 的目录。然后再次输入这个 DOOM 命令。

如果你是从一个虚拟终端启动 DOOM 的，那么你需要用 < Ctrl-Alt-F7 > 返回到 X Windows 对话过程。如果你是从 xterm 对话过程启动 DOOM 的，数秒钟后你应当看到 DOOM 的介绍屏幕。

DOOM 装载时，请注意一系列信息。其中有一条信息可能指出 DOOM 和 Linux 不能启动声音系统；这时，你就不得不在无声状态下玩 DOOM。在 DOOM 的这个移植版本中，声音仍未被完全支持；说明它在 Linux 系统中仍在改进之中。要获得玩 DOOM 的指导，参见 README.Linux 文件。

7.6 从这里开始

在网上可以获得很多 Linux 程序。使用 xterms，而不是使用可从字符屏幕获得的虚拟终端，这样你还可以使用 X Windows 更容易地使 Linux 程序多任务化。你可以检查新闻组 comp.windows.x.app 和 comp.windows.x.intrinsics，以获得有关 X Windows 的各种信息。下述各章也提供了更多的信息：

☐ 第三章"安装 Red Hat"介绍了如何安装 Linux 的 Red Hat 发行版本，其中包括在 Red Hat 下安装 X。

☐ 第四章"安装 Slackware 96"介绍了如何安装 Linux 的 Slackware 96 发行版本。

☐ 第六章"安装 X Windows 系统"介绍了如何安装用于 Linux 的 X 的 XFree86 版本。必须在安装 X Windows 之前安装 Linux。

☐ 为了解如何用 Linux 访问 Internet，参阅第二十七章"用 *telnet*、*ftp* 和 *r-*命令访问 Internet"。

☐ 为了漫游 Internet，参阅第二十八章"用 WWW 漫游 Internet"。

第二部分　系 统 管 理

第八章　了解系统管理

本章内容

☐ 为什么 Linux 管理是必需的?

了解最常见的系统管理任务和建立与维护 Linux 网络所需的任务。

☐ 不同的计算机处理模型

了解集中和分布处理的概念和元素。

☐ 用户支持问题

了解如何为用户提供对你的系统的访问及如何支持用户的需求。

一个 Linux 系统应该至少专门有一个人作为系统管理员来管理系统并监视系统性能。系统管理员负责了解系统功能是否正常,知道在程序出现问题时应该向谁求助以及知道如何为当前用户和新用户提供软件和硬件工具。

一个 Linux 系统需要初始配置和以后不断地照料以保证系统对所有用户都保持高效和值得信任。系统管理员是负责处理 Linux 系统的需求的人。因此他要负责许多不同的任务。

本章讨论联网的多用户系统中系统管理员所面临的一些主要任务和问题。如果你是为学习和安装 Linux 而买本书的,你或许发现自己已经处于系统管理员的角色。本章的一些论题是为大型机构中的系统管理而安排的。但是,即使你是一位想在家里摆弄 Linux 的单用户,你也应阅读本章中讨论的这些论题以便了解与系统管理有关问题。

在许多情况下,你的 Linux 系统是与其他不使用 Linux 操作系统的计算机联网的。这些计算机可能运行其他类型的 UNIX,或可能运行的是完全不同的操作系统。由于 Linux 是具有特殊风格的 UNIX,本章的很多知识既适用于 Linux,也适用于 UNIX。在本章的某些方面,UNIX 和 Linux 是可互换使用的。

8.1　了解正确管理的重要性

各种 UNIX 系统总是有一些差异的,每一种 UNIX 在管理方面都有其特殊性。Linux 也不例外。你的管理任务各异,取决于这样一些不确定的因素:你管理的用户数、与你的计算机连接的外围设备的种类(打印机、磁带驱动器等等)、网络连接和你要求的安全等级等等。

一位系统管理员,不论是单独工作的还是与一个支持小组一起工作的,都必须为系统用户提供安全、高效和可靠的环境。管理员有权力和责任来建立和维护提供有效而可靠的服务系统。在多用户环境下,存在许多相互冲突的目标和优先考虑的问题。管理员行使提供运行良好的系统所必需的权力和责任。

管理员所担负的管理责任因系统而异。在大型系统中,系统管理任务可以分摊给几个人。相反,一些小系统甚至不用专职管理员,这种系统只指派某个用户充当系统管理员。如果你工作在一个联网的环境中,那么你的系统很可能是由一位网络管理员通过网络进行管理。

每个 Linux 系统都有一个实际能在计算机上执行任何操作的用户。这个用户称作超级用户(superuser),并且具有特殊的登录名 root。root 用户在系统上登录时的起始目录通常是/(文件系统的根目录)或指定的起始目录,如 /home/root。

系统管理员作为超级用户登录以执行一些需要特殊访问权的工作。对于正常的系统工作,系统管理员作为普通用户登录。超级用户的登录名 root 只用于有限的特殊目的。以 root 登录的用户数量应保持在最小范围内(最多是二个或三个)。当某个人作为 root 在系统登录时,这个人就是超级用户,在系统上拥有绝对的权力。超级用户可以用这个特权来改变任何文件的属性、停止系统、启动系统、备份系统数据及执行其他许多任务。

系统管理员必须知道计算机系统的许多技术方面的问题。另外,管理员还必须知道用户的要求及系统的主要目标。任何计算机系统的资源都是有限的,必须建立和执行与资源的使用有关的方针。因此,管理员要担当起技术管理和实施方针的双重角色。这个角色要求一个负责的、熟练的和有交际手腕的人来担当。

系统管理员工作的准确性质常常依赖于本地的组织。作为系统管理员,你可能会发现自己卷入了大量的活动之中,从制定方针到安装软件和搬家具。但是所有的的管理员都必须完成或管理很多任务,如下所述:

☐ 管理用户。添加用户、删除用户和修改用户的能力和权限。

☐ 配置设备。使打印机、终端、调制解调器和磁带驱动器等设备可用,并使它们可共享。

☐ 制作备份。为在系统文件丢失或毁坏的情况下能恢复它们而计划、制作和保存备份。

☐ 关闭系统。以有序的方法关闭系统,避免文件系统中的不一致性。

☐ 培训用户。为用户提供有效的培训,使他们能高效地使用系统。

☐ 维护系统的安全性。防止用户通过偶然的和故意的活动相互干扰。

☐ 记录系统变化。保存一本日志手册以记录与系统有关的所有重要事件。

☐ 为用户提供咨询。起到帮助系统中的普通用户的"本地专家"作用。

8.2　了解多用户概念

多用户系统使用了两个主要概念:多任务的和多用户服务。Linux 具有同时执行多项任务的能力,这种能力在用户看来是透明的。例如:你可以在编译一个程序的同时阅读电子邮件。

每项任务,不论是从命令行输入的一条简单命令还是一个复杂的应用程序都启动一个或多个进程。在 Linux 系统上运行的每件事情都是与一个进程相联系的;因此,由于 Linux 同时运行很多进程,所以它是一个多任务的操作系统。

你可以用多种方式与一台运行 UNIX 的计算机(称作一个服务器)相连接。你可以用一台终端或一台计算机;你可以实际离服务器很近,用一根电缆与之相连,或者你还可以在地球的另一端用高速数据线或普通电话线与之相连。不论你使用一台终端还是使用一台计算机,也不管你用什么方式与服务器相连都能决定你的计算机的资源是分布使用的还是集中使用的。

单用户计算机操作系统(如 DOS)是设计成每次由一个用户使用的。所有的操作都在一台计算机上完成,这台计算机对打印机、存储设备和处理器等资源具有唯一的访问权。

多用户系统在使用集中式的和分布式的处理模型同时可容纳多个用户:

☐ 在集中式处理环境中,许多用户(大型系统可以有上百个用户)访问一台计算机中的资源;存储器、打印机、内存和处理器都由这台计算机管理。

☐ 在分布式处理环境中,处理过程可以在用户自己的工作站上进行,主处理机用于分配应用程序和数据。打印机和存储器既可与用户的工作站相连也可以与主服务器相连。

8.3 了解集中式处理系统

随着50年代和60年代的技术进步,操作系统开始允许多个用户从各自的终端上共享资源。通过使用批处理序列,两个用户可以共享一个处理器、存储器和输出设备来执行两套指令。

随着交换电话网的诞生,计算机开始用电话资源在地理上扩展计算机资源。在这种模式中,每个处理器都使用通信处理资源与远程终端连接。这产生了计算机和终端用更好的方式进行通信的需求。其结果是用于通信任务的前端处理和集中式处理模型的发展。

在个人计算机不再昂贵、功能强大并流行起来之前,大多数 UNIX 使用的是集中式处理模型。在集中式处理模型中,主机系统处理所有任务。与主机相连的用户共享其资源。今天,这种模式用得越来越少了,尽管它还适用于其用户在地理上分散的计算机网点。

例如,某个银行有一个主处理中心,那么该银行的所有分行不管它们的地理位置怎样都可以访问这个数据中心。在每个用户的桌面上都有一个终端,包括键盘、监视器及与主机的直接连接,这样终端就能够访问集中式的资源:数据处理、打印机和存储器(参见图 8.1)。这个集中式处理模型通常由许多成份组成,如:服务器、前端处理器、终端、调制解调器和多端口适配器。

当一位用户请求数据时,这个请求由该银行的主办公室中的计算机处理。处理结果送回分行办公室的终端。所有数据都由主机处理和存储。

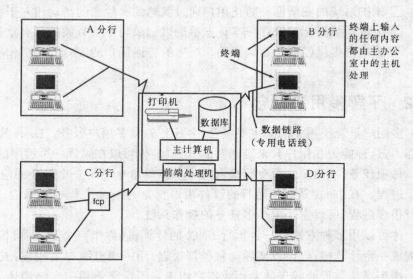
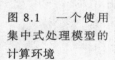

图 8.1 一个使用集中式处理模型的计算环境

8.3.1 集中式处理模型的基本组成部分

集中式处理模型的使用需要许多基本组成部分,包括:服务器、前端处理器、终端、调制解调器和多端口适配器。

服务器可以定义为任何为共享其资源(处理能力、存储器和打印机等)而建立的计算机。例如,你可以用一台 IBM PC 兼容机作为服务器,只要它有足够的硬盘空间和内存。

前端处理器连接通信通道和服务器。它处理具体的通信操作,从而使服务器可以集中处理数据。

当今使用的两种流行的终端类型是：哑终端和智能终端。传统上，UNIX 使用哑终端，哑终端只有键盘和监示器，没有别的。辨别哑终端的最重要特征是它们没有本地处理能力。这种终端上的通信端口直接或通过调制解调器与服务器相连。当你在哑终端上击键时，每个键击操作都被传送到服务器，并在那里进行处理。

智能终端可以在本地网点上完成小量处理工作。现金出纳机和售货点使用的其他设备是智能终端的例子，人们熟悉的自动提款机（ATM）也是智能终端。本地处理设备存储交易请求，并传送整个请求而不是像哑终端那样传送每一个键击操作。

要把你的终端连到电话线上，可以使用调制解调器。调制解调器把终端和计算机的数字信号翻译成电话线所要求的模拟信号。调制解调器总是成对使用的。一个调制解调器把你的终端连到电话线上，另一个把服务器连到电话线上。为进行连接，需在终端上向外拨号。当另一端的调制解调器（连接到服务器的调制解调器）回答时，你的终端就可以与服务器通信了。

要扩展用户连接的端口数量，就需要安装多端口适配器。例如，PC 机上通常只有两个串行端口：COM1 和 COM2。如果你想用一台 PC 机做为两个以上的用户的服务器，你就需要更多的端口。这个例子中，多端口适配器是由一块安装在计算机内部的卡、一个带八个或更多插座的小盒及一条连接卡与盒的电缆组成。

8.4　了解分布式处理系统

在分布式处理模型中，终端被工作站所取替，而工作站本身是一台通常运行 DOS 和 UNIX 的计算机。程序既可以放在服务器上并从服务器运行，也可以放在工作站上及在工作站上运行。类似地，文件也可以放在这两个系统中的任何一个上。如果你在你的工作站上处理一个文件，你可以把它存在服务器上，以便别人能访问它。你可以在与你的工作站相连的本地打印机上打印，也可以在与服务器相连的打印机上打印。

因为工作站已经很普通了，前一节中描述的银行或许用分布式处理系统代替了集中式系统。图 8.2 示出了这个银行使用分布式处理系统的情况。

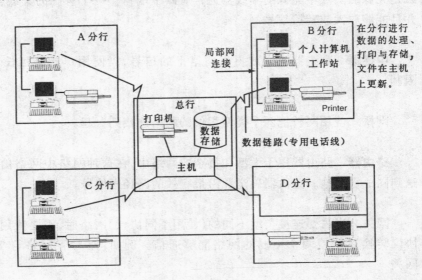

图 8.2　使用分布式处理模型的计算环境

8.4.1 分布式处理模型的基本组成部分

分布式处理模型使用文件服务器、工作站、网络接口卡、集线器、中继器、桥、路由器和网关。文件服务器的目标是把文件和程序片段分布到工作站上、在一个中心地点打印并且控制工作站间的连接中的信息流。90%以上的处理工作在工作站一级进行,把5%~10%的负荷留给服务器进行管理工作。

工作站　除了把个人计算机用作文件服务器之外,你还可以把它用作 Linux 工作站。Linux 被设计成在最小的硬件配置上运行。事实上,你可以用一台 386SX 微处理器和 4M RAM 运行 Linux!因为目前的大多数系统都比 Linux 的最小配置要求强大,所以你在运算能力方面应当不会有问题。需要的硬盘空间量取决于你想安装多少软件。如果你想完全在 CD-ROM 上运行,只需大约 5M 的硬盘空间。最小安装要占 10 到 20M 硬盘空间;完全安装需要 100M 以上的空间。

一般而言,资源应该用在工作站级,大多数处理操作在这里进行。附加资源量取决于你计划完成的任务的类型。例如,与图形工作量大的任务,如与多媒体和计算机辅助设计(CAD)相比,字处理程序占用最少的资源(硬盘、RAM 和监视器的质量)。对于与 CAD 有关的应用软件,你需要非常大的硬盘(一千兆或更多)、大量 RAM(16M、32M 或 64M)以及高分辨率的监视器和视频卡(1280×1024 或更高)。你可能甚至需要一个磁带驱动器供备份和一个用于装载大型应用程序的 CD-ROM 驱动器。

网络接口卡　网络接口卡(NIC)插在主板的一个插槽中,是计算机与网络电缆之间的实际连接。网络接口卡一般使用同轴电缆或双绞线。

集线器　集线器用作网络电缆(如 10BaseT Ethernet)的连接点,集线器可以是有源的也可以是无源的。一个无源的集线器通常有四个端口。一个有源的集线器通常至少有 8 个端口,并且能够放大或转接信号。

中继器　中继器放大或再生网络上的信号,以便用户能够延长对网络电缆的常规距离限制。

网桥　使用网桥把两个类型相似的网络连接到一起。

路由器　路由器用于大型和复杂的网络中,在这种网络中网络信号可以通过多个路径传送到同一目的地。路由器确定并沿最有效的路径送信号。

网关　当需要连接类型不同的(使用不同协议)网络时,需要使用网关。网关进行必要的协议转换以便使两个不同的网络能够通信。例如,把 SNA 网络与 TCP/IP 网络连接就需要网关。

8.4.2 拓扑结构

拓扑结构指的是网络中工作站与文件服务器的连接方式。各种拓扑结构的名称来源于连接各种终端、工作站和文件服务器的电缆所形成的图案式样。最常见的拓扑结构有星形、总线和环形。当在一个网络中使用了一个以上的拓扑结构时,这种网络称作混合网络。

星形拓扑结构　星形拓扑结构中所有的工作站都连接到一个中心文件服务器或集线器上(参见图 8.3)。在这个方案中既可使用无源集线器,也可以使用有源集线器。

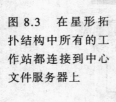

图 8.3　在星形拓扑结构中所有的工作站都连接到中心文件服务器上

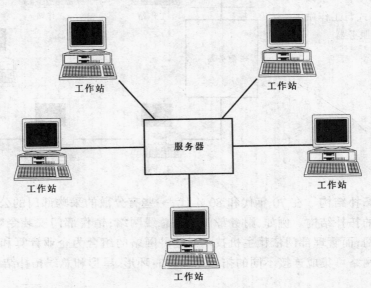

一个无源集线器只是工作站的一个简单的连接点;一个有源集线器还提供信号放大。AT&T 的 StarLan 是使用星形拓扑结构的网络的一个例子。

总线拓扑结构　在总线拓扑结构中(参见图 8.4),所有的工作站和文件服务器共享公共的路径。事实上,它们是直接连接在一起的。总线拓扑结构是以太网和令牌总线网的基础。

图 8.4　在总线拓扑结构中所有的工作站和文件服务器共享公共的路径

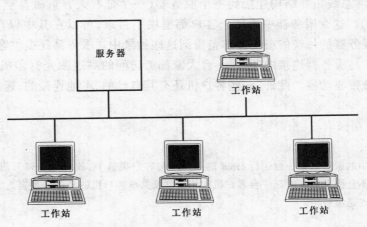

环形拓扑结构　环形拓扑结构看起来像一个没有辐条的车轮(参见图8.5)。服务器以总线形式与工作站相连,不同的是网络最后的工作站相互连接形成一个闭环。环形拓扑结构使用一个中继器,IBM把它称作多站访问单元(MAU)。IBM的令牌环网是环形拓扑结构的一个例子。

图 8.5　在环形拓扑结构中有一个以总线方式与工作站相连的服务器

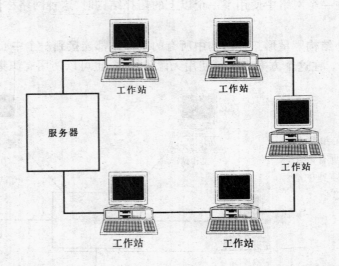

混合拓扑结构　在70年代和80年代,一些有分散的采购部门的公司在它们的网络上开发了不同的拓扑结构。例如,财务部门使用总线网络;销售部门安装令牌环网;制造部门使用总线以太网;而管理部门依赖主机技术。这种网络的组合为企业计算和混合广域网孕育了商机。这些网络可集成连接不同的拓扑结构,如:环形、星形和总线拓扑结构。

8.5　了解客户机/服务器模型

分布式处理的发展结果是客户机/服务器模型。今天,Linux可以在这种模型中用作客户机、服务器或同时用作客户机和服务器。

为理解客户机/服务器结构,我们可把它假设成这么一种情况:多个Linux工作站(客户机)以一种总线拓扑结构连接到一个服务器(一个带有大容量磁盘空间的、也运行Linux的高端PC机)。这个服务器中为每个客户都提供了目录,可以在其中保存重要的文件,这些文件还通过服务器的每晚的备份操作备份到这些目录中。服务器还提供客户机可以从中共享文件的目录。与服务器连接的还有:一台大家都能访问的高速激光打印机和一台适用于备份大型硬盘的磁带驱动器。此外,一些客户机还有其自己的、本地连接的、速度较慢、较便宜的激光打印机。

注释:

本例中的服务器是一台运行Linux的PC机(与客户机的PC机完全一样),当然这台服务器功能更强大。没有理由不让服务器有时起一台客户机的作用以及共享客户机的资源。换言之,任何Linux系统既可以是客户机也可以是服务器。

8.6 在网络化环境中进行管理工作

一个 UNIX 网络中常常包含许多计算机：大型的和小型的，通过连线直接连接在一起的，或通过公共电话线连接在一起的等等。管理这个网络通常是处在该网络中某一位置上的一个或多个人的任务。

大多数人都能够学会 Linux 和管理网络。在生产环境中，马上找到一个胜任工作的人是很不错的；但是这样的人不多，而且往往是高薪的。持之以实践和耐心，甚至那些在计算机方面基础有限的人也能学会如何管理一台协同工作的 Linux/UNIX 计算机。

8.7 明确网络管理员的作用

一旦有多台 UNIX/Linux 系统连接到一个网络上，就应该有一位专职网络管理员。需要一些专门知识来确定如何连接系统（LAN 连接还是调制解调器连接）、确定所需的安全级别和确定如何分布共享的外设（打印机和磁带备份等）。在日常工作中，管理员维护系统名称、网络地址和用户访问的清单，并且确保网络正常运行。

拥有包含数百台计算机的网络的公司有能力拥有多位在选择主题方面受过培训的管理员。例如，如果有复杂的打印需求，培训就是必需的。作为管理主题，打印机和打印，需要特定打印机及为打印机提供 Linux 接口等方面的广泛知识。

8.7.1 了解硬件和软件问题

作为系统管理员，如果要求你为你控制的计算机选择联网软件和硬件，你应该考虑一些问题。就像对待生活中的大多数事情一样，你需要在需求和经济负担能力方面作出权衡。

如果你的系统在同一个建筑物中靠得很近，局域网就是把你的计算机连成网络的一种低成本、高速传输的方法。在每个 Linux 系统中插入一块以太网卡，并使用 TCP/IP 作为联网协议软件。TCP/IP 是 Linux 发行版本的一个标准组件。

为了在较大的距离范围内进行低速传输连接，你可以使用调制解调器和使用点对点协议（PPP）或串行线 Internet 协议（SLIP）来提供异步的 TCP/IP 连接。你还可以为电子邮件、新闻和文件传输使用 UUCP 软件，虽然 UUCP 有些局限性。对于长距离高速连接，你可以使用 ISDN 或从电话公司租用专线。

不要买任何旧的联网硬件。虽然许多旧的联网硬件产品带有在 DOS 下工作所必需的驱动程序，但没有 Linux 所必需的软件。Linux 系统有许多内置的标准联网驱动程序。表 8.1 给出了 Linux 目前支持的一些以太网卡。这个表的更新情况请查看以太网的 HOWTO 文档（参见附录 A 了解有关 HOWTO 文档的情况）。

表 8.1　Linux 目前支持的一些以太网卡

制造商	网卡
3Com	3c503，3c503/16，3c509，3c579
SMC（Western Digital）	WD8003，WD8013，SMC Elite，SMC Elite Plus，SMC Elite 16 ULTRA

制造商	网卡
Novell Ethernet	NE1000, NE2000, NE1500, NE2100
D-Link	DE-600, DE-650, DE-100, DE-200-T
Hewlett-Packard	27245A, 27247B, 27252A, 27247A, J2405A
Digital	DE200, DE210, DE202, DE100, DEPCA(到 E)
Allied Telesis	AT1500, AT1700
PureData	PDUC8028, PDI8023

在一个网络环境中可以使用未与联网产品集成在一起的应用程序。例如,你可以在一个 Linux 系统上安装一个应用程序并且使许多其他计算机上的用户通过运行 UNIX 中内置的远程执行命令来使用该应用程序。或者你可以远程安装包含一个应用程序的文件系统,然后从本地系统运行它,从而共享这个应用程序。

8.7.2 完成常见的网络管理任务

网络管理是多方面的。大多数网络不仅仅是存在着,一般来说,它们还在发展之中。在理想的情况下,管理员应参与计算机和软件的购置工作,这样他们就能了解管理员应做些什么和用户将得到什么。

建立系统　首先应当安装网络软件并实现网络连接。如果你的网段使用的是以太网,做分段测试是个好主意。如果你使用的是电话线,对它们进行测试。连线和用户的终端也应该测试和准备就绪。安装应该是"即插即用"的,但从来没有这样,总会有连接问题。

购买还没有安装操作系统的计算机的优点是你可以按自己的特定需要来建立文件系统。你必须知道计算机上将用什么软件,将要使用系统的用户数量和他们的使用的频繁程度。

提示:

现在你已经为建立网络投资了时间和金钱。马上备份你已建立的配置文件。

在系统功能齐全后,就应该安装应用软件了。一台 Linux 计算机上的软件通常比一台单用户系统上的更复杂,因此要预料到安装、调试和使软件完全发挥功能将花一些时间。安装软件的工作要花两个小时到几天时间——甚至更长。

你现在可以开始向系统添加用户了,尽管你目前仍未完全到位。为几个关键用户添加登录名(ID)并设置通用的启动口令,如 temp01。这就提供了某种初级安全措施,并使得在安装系统时就能让关键人物进入系统,并使他们立即发挥作用。

软件安装后,应该把计算机连到网络上去了。确保你能从网络中的任何位置与其他任意位置进行通信。用从一台计算机向另一台计算机移动大型和小型文件的方法来检测通信情况。电子邮件应能直接从网络上的其他节点传入和传出。网络中的所有计算机都必须"知道"这台新计算机。即你必须把它添加到你的主机名数据库中,网络上其他计算机也使用这个数据库。如果你在本地使用域名服务(DNS),你必须把它加到 DNS 名称数据库中。如果你没有使用 DNS,就把它加到你的/etc/hosts 文件中。

操作外围设备　打印机大概是管理员的主要问题。监视和维护打印机是一项重要的任务,并且要占用管理员的许多时间。了解打印作业的假脱机、接口工具和设备的特殊性需要时间和耐心。

调制解调器是进行长距离网络连接的最便宜的方法。调制解调器和 PPP 或 UUCP 都是能使少量管理人员管理大量计算机的实用工具。但是,与打印机一样,调制解调器也存在一些需要时间使它们准确运行起来的问题。选择一到两个品牌并实实在在地了解它们的特性。

监视系统　安装完成以后,你可以设置 UNIX 工具来监视这个系统。管理员应该开始对系统的性能如何有所感受。

监视网络中正在运行的系统是一个连续的过程,但如果不是经常增加外围设备或软件,管理负荷不久就会稳定下来。时常会出些问题或需要有些调整工作。一位好的管理员要学会分辨问题是与硬件还是与软件有关。

应付软件升级　有些软件包不断被升级。虽然这是使用商品化 UNIX 要关心的一个问题,但也是 Linux 的一个特殊问题,因为很多软件可在 Internet 上被公众获得并不断修改。好的消息可能是程序错误已修复。坏消息可能是网络中的每个系统都必须更新。每次更新都面临着一次新的挑战。

最好的建议是不要立刻把新版本装到你的所有系统上,而是对这个升级版进行测试,或在一个不关键的系统上对它进行修补。当肯定新版本没问题后,再升级其他系统。一位好的管理员应该知道如何就地安装修补程序或新版本。这初听起来似乎是不可能的,但你以后会发现有许多 UNIX 工具是有助于修补程序和更新已安装的程序的。

8.7.3　培训管理员

在大多数组织中,人们对培训不够重视。也许某人在某个计算机主题方面有一些基础知识,但很少针对系统管理对他进行正式培训。管理需要重视下述主题,并具有这些方面的扎实知识:

☐ Linux/UNIX 设计和使用。管理员要对诸如重定向、管道和后台处理等问题具有透彻的理解。

☐ vi 编辑程序。事实上,过去 10 多年中出产的每台可靠的 UNIX(包括 Linux)计算机上都装有 vi 编辑程序。许多人批评它,还有许多人在使用中用其他编辑程序代替它。但由于它是 UNIX 编辑程序中的"公分母",所以管理员学习和熟练使用 vi 是明智的。

☐ shell 脚本编程。许多用于管理 UNIX 的关键程序都是用 shell 脚本语言编写的,你可能需要为特定的需求对它们进行修改。本章中包括的许多工具需要与创建和使用 shell 程序有关的一些知识。几乎每个用户都有他们自己喜欢的 shell。

bach(Bourne Again shell)是 Linux 的默认 shell,它是 Bourne shell 的兼容产品。另外在 Linux 发行版本中还有 Z shell 和 T shell。但你应该仍然使用通用的 Bourne shell,直到掌握了这种 shell 语言。实际上,所有由 Linux 的创作人员编写的 shell 程序都是在 Bourne shell 中编写的。你还应该研究 Perl 系统管理语言。这种语言为编程环境中的系统管理提供了一组强有力的工具。

□ 通信。通信培训一般不很理想。TCP/IP 和相关协议的知识对有效地设置网络计算机是必需的。类似地，如果你要建立一个异步 Internet 网络连接，就需要了解 PPP。理想的情况下，这些协议应当在一个有许多选择的实验环境中学习。参加这些课程或至少购买这方面的手册，但要准备花很多时间来实践。

□ UNIX 约定。许多 UNIX 课程不讲授，甚至不提到 UNIX 约定，因此你可能不得不在培训过程中，通过观察来积累这方面的知识。例如，/user/bin 和 /user/local/bin 等 bin 目录一般是存放二进制可执行程序的地方。你可以把自己的可执行程序放到 /user/local/bin 中。库目录（如 /usr/lib）用于存放库文件。你可以把自己的库文件放到一个 /user/local/lib 这样的目录中。了解和遵循这样一些标准的 Linux/UNIX 约定能够在发现和处理问题时节省时间。

一些有声誉的公司（或许包括你购买其计算机的公司）对所有这些主题提供培训。但是，这种培训可能不是针对 Linux 的。有些销售商销售各种 Linux 操作系统的发行版本并对一些特定主题提供课程。你还应该在你自己所在的地区寻找用户组，并查阅 Internet 上的 Usenet 新闻中的 comp.os.linux 新闻组。

培训最好分成小段进行。你应该上一课然后回过来马上在自己的网络上运用所学到的知识。Linux 有一组精心设计的工具，也许你永远也不能完全精通它们，但你必须知道在手册的什么位置可以找到你要的资料。

8.8 从这里开始

你可以在以下各章中找到有关系统管理主题的更多信息：

□ 第九章"引导与关闭"讨论引导和关闭 Linux 系统的正确步骤。

□ 第十章"管理用户帐号"介绍在 Linux 下如何创建和管理用户账号。

□ 第十四章"管理文件系统"介绍如何创建、更新和管理你的文件系统。

第九章　引导与关闭

本章内容：

☐ 引导 Linux

可以用几种不同的方法来引导 Linux。本章介绍这些方法。

☐ 用 LILO 引导管理程序引导

学习如何使用 LILO 引导管理程序引导多个操作系统。

☐ 关闭正在运行的 Linux 系统

了解正确地关闭正在运行的 Linux 系统的方法，以及为什么你不应该只是关掉电源。

管理 Linux 系统时遇到的两项最常见的工作是引导系统和关闭系统。正如你可能想到的那样，引导和关闭 Linux 系统，都是需要特别关注的。

为了使用 Linux，必须引导这个操件系统。虽然这听起来相当容易，但你必须考虑到，大多数人在他们的 PC 机上除 Linux 外至少还运行另外一个操作系统。这就是说在启动系统时，必须有方法指定要引导哪个操作系统。做这项工作有两种基本方法：可以从软盘引导 Linux，也可以用引导管理程序从硬盘驱动器进行引导。

9.1　从软盘引导 Linux

许多人使用一张引导软盘来启动 Linux。引导软盘中包括 Linux 内核的一份拷贝，该内核指向相应硬盘分区上的 Linux 根文件系统。Red Hat 和 Slackware Linux 安装程序提供了在安装过程中创建一个可引导软盘的机会。

警示：

你应当在安装 Linux 的过程中制作一个可引导的软盘，即便你打算在你的硬盘上安装引导管理程序。如果你的硬盘出现了故障，这张可引导软盘可能就是引导你的系统的唯一途径。

9.2　从引导管理程序引导

引导 Linux 的另一种方式是使用引导管理程序。Linux 带有一个名为 LILO 的引导管理程序。LILO 代表 LInux LOad(Linux 装载)。这个程序修改了你的引导硬盘的主引导扇区，并且允许在打开计算机时选择要引导的操作系统。

引导管理程序

使用引导管理程序既有优点也有缺点。使用一个引导管理程序，你就不需要软盘来引导系统。另外，在启动时你还可以从菜单选择启动不同的操作系统，或使系统默认地使用一个给定的操作系统。

谈到缺点，一个引导管理程序给引导过程增加了一层复杂性。如果你在硬盘上添加、删除或升级任何操作系统的一个版本时,你就必须修改引导管理程序或许还要重新进行安装。它修改了硬盘的主引导记录,因此,如果出了错的话,在你重新格式化硬盘之前,你可能只能用软盘引导。另外,你选择的引导管理程序还可能与某些操作系统不兼容。

在你决定是使用软盘还是使用引导管理程序引导 Linux 之前,你应当仔细考虑自己的计算需求。

也可以设置 LILO,使得它能从 OS/2 引导管理程序启动。

9.3　了解 Linux 装载程序 LILO

LILO 是一个引导管理程序,是作为 Red Hat 和 Slackware Linux 发行版本的一部分捆绑在一起提供的。它可以安装在主引导记录中、在一片已格式化的软盘上或在引导分区的用于引导 OS/2 的超级块中。

参见 3.7.5"安装 LILO"。

安装 LILO 后,你可以在引导时使用主引导记录在一组不同的操作系统中作选取。根据 LILO 的配置,LILO 计数到一个超时值后引导默认的操作系统。

安装 LILO 的最简单的方法是通过 Red Hat 或 Slackware Linux 安装程序进行安装,Linux 的安装程序是通过菜单驱动的过程运行的,该过程自动完成了许多安装操作。

注意:
极力推荐从 Red Hat 或 Slackware 安装程序安装 LILO。安装一个引导管理程序是一个天生就有危险的过程;如果安装得不对,很容易毁掉硬盘上的数据。

9.3.1　配置 LILO

LILO 读取配置文件/etc/lilo.conf,并用它找出系统上安装了什么操作系统及它们的引导信息放在何处。这个/etc/lilo.conf 文件以一些说明 LILO 如何操作的一般信息开始,然后包含了数个小节,其中列出了 LILO 可引导的每个操作系统所使用的引导信息。每个操作系统只占一个小节。

下面是 LILO 配置文件中的两个小节:

```
# Section for the Linux Partition
image = /vmlinuz
label = Linux
root = /dev/hda1

# Section for MS-DOS
other = /dev/hda3
table = /dev/hda
label = msdos
```

第一小节给出了 Linux 的引导信息。image 行告诉 LILO 在何处可以找到 Linux 的内核。在这两个小节中都出现的 label 行给出了在 LILO 引导菜单中出现的操作系统的名称。root 行指定 Linux 根文件系统的位置。

在 MS-DOS 小节中,other 行指出用于另一操作系统的分区放在磁盘分区 hda3 上。table 行告诉 LILO 到何处找/dev/hda3 的分区表。

9.3.2 使用 LILO

在安装 LILO 时,你通常要设置默认的超时值和默认引导的操作系统。这允许你在引导时有一定的时间来选取另一个操作系统。如果你没有选取操作系统,LILO 在超时计数结束时,引导默认设置的操作系统。

当你使用 LILO 引导计算机时,你会得到一个 LILO:提示。这时你有几种选择。你可以等着让 Linux 引导默认操作系统,也可以按 < Ctrl > < Alt > 或 < Shift >,让 LILO 立即引导默认操作系统。你还可以键入一个操作系统的名字让 LILO 引导你所指定的操作系统;最后,你还可以按 < Tab > 键,让 LILO 显示一个可用的不同操作系统的列表。

9.4 关闭 Linux

使用 Linux 系统时,在关闭它时一定要小心。你不能只关掉电源。Linux 在内存缓冲区中保存文件系统的 I/O 信息。如果只关掉 Linux 系统的电源,其结果会使文件系统遭到损坏。

警示:

决不要在正确关闭 Linux 系统之前就关掉电源。在关闭系统的同时,文件系统也需要正确关闭。如果你仅仅把系统的电源关掉,可能会造成文件系统的严重破坏。

关闭 Linux 系统最好的方法是用 shutdown 命令。这个命令的语法是.

/sbin/shutdown ［flags］time［warning-message］

warning-message(警示消息)是发给当前登录的所有用户的信息,time 是关闭行动发生的时间。time 参数可以有两种不同的格式:

□ 可以用 hh:mm 格式指定一个绝对时间,这里 hh 是小时(可用一位数或二位数指定),mm 是这个小时的分钟。mm 值必须用两位数指定。

□ time 值也可以用格式 + m 给出,这里 m 是关机前要等待的分钟数。可以用单词 now 代替 + 0。

表 9.1 列出了可用于 shutdown 命令的标志。

表 9.1 shutdown 命令的命令行标志

标志	描述
-t sec	在发送命令中的警示消息与把结束信号发送给所有进程之间等待 sec 秒。这个延迟为进程提供了时间,让它们去完成必须做的关闭处理工作
-k	不实际关闭系统;只是把警示消息发送给所有用户
-r	在关闭后重新启动

标志	描述
-h	在关闭后停机
-n	在重新启动或停机前,不使磁盘同步。使用时要小心,因为这可能毁掉你的数据
-f	做一次"快速"重新启动。这产生了/etc/fastboot 文件。rc 引导脚本会查找这个文件,如果找到了的话,就不做 fsck
-c	取消一个已经在进行的关闭操作。带这个选项时,就不能指定 time 参数

shutdown 命令阻止任何用户登录;通知系统上的所有用户系统将关闭;等到指定的时间,然后向所有进程发出一个 SIGTERM 信号使它们完全退出。然后,shutdown 根据 shutdown 命令中的命令行标志调用 halt 或 reboot。

警示:

可以直接输入 halt 和 reboot 来停机或重新引导系统。但是,它们不给用户发送任何警示消息,并且系统立即停机。只有当你是系统上的唯一用户时才能使用这些命令。

9.5 从这里开始

显然,还有比引导和关闭更多的管理工作。你可以在以下各章中找到与系统管理主题有关的更多信息:

☐ 第八章"了解系统管理"概述普通系统管理员所面临的各种任务。

☐ 第十章"管理用户帐号"介绍在 Linux 下如何创建和管理用户账号。

☐ 第十四章"管理文件系统"介绍如何创建、更新和管理你的文件系统。

第十章　管理用户帐号

本章内容：

☐ 添加和删除用户帐号

　　管理 Linux 系统的一个重要方面是添加和删除用户帐号。本章告诉你怎么做。

☐ 管理用户口令

　　把用户帐号添加到系统中后，你需要为这个帐户设置一个口令。

☐ 管理用户组

　　本章介绍用户组的概念，并说明如何最佳地把用户分配到用户组中。

☐ 管理起始目录

　　最后，本章介绍了与管理起始目录和文件系统有关的一些提示。

　　作为系统管理员还负责管理用户。管理用户包括添加用户，以便他们能够登录到系统上；还包括设置用户权限、为用户创建和指定起始目录、把用户分到组中和在必要时删除用户。本章将介绍用于用户帐号管理的各种工具和技术。

10.1　管理用户

　　每个用户都应有一个唯一的登录名。登录名用来标识每个用户，并避免一个用户删除另一个用户的文件这样一些问题的发生。

　　每个用户还必须有一个口令。唯一的例外是系统上只有一个用户，而且系统绝对没有通过调制解调器或网络与任何计算机相连。

　　参见 12.2"口令安全性"。

　　在某人没有访问你的系统的实际理由时，一定不要让他登录。他的登录名应当与你的其余用户不再需要的文件一起被删除掉。

10.1.1　添加用户

　　添加用户时，实际上是在口令文件/etc/passwd 中为这个用户添加了一个条目。这种条目的格式是：

login _ name : encrypted _ password : user _ ID : group _ ID : user _ information :

　　└──▶ *login _ directory : login _ shell*（登录名：加密口令：用户 ID 号：组 ID 号：用户信息：登录目录：登录 *shell*）

　　在这个语法中，各字段用冒号分开。表 10.1 中列出了这些字段。

表 10.1 /etc/passwd 文件条目中的字段

字段	描述
login-name	用于登录的名称
encrypted-password	证明用户所需的口令——防止破坏安全性的主要手段
user-ID	操作系统用来辨别用户的唯一号码
group-ID	用来辨别用户的主要的组的唯一号码或名字
user-information	对用户的描述,如该用户的名字或头衔等
login-directory	用户的起始目录(该用户登录后所处的位置)
login-shell	用户登录时所使用的 shell(例如,如果使用的 shell 是 bash,则为 /bin/bash)

adduser 命令用于把用户添加到你的 Linux 系统中。调用这个命令时带上你要添加的用户的名字。

10.1.2 使用 *adduser* 命令

当你要添加一个用户时,只需使用 adduser 命令并提供想要添加的用户的名字(参见清单 10.1)。

清单 10.1 adduser 会话过程的例子

```
#  ./adduser jschmoe

Looking for first available UID... 508
Looking for first available GID... 508


Adding login: jschmoe...done.
Creating home directory: /home/ jschmoe...done.
Creating mailbox: /var/spool/mail/ jschmoe...done.


Don't forget to set password.
 #
```

这个 adduser 命令还把 /etc/skel 目录中文件名以 .(圆点)开头的文件复制到这个用户的起始目录中。/etc/skel 目录应该包含你想让每个用户都拥有的模板文件。其中通常包括"个人"配置文件,例如,用于 shell 配置的 .profile、.cshrc 和 .login;用于设置电子邮件的 .mailrc;使你的用户以 emacs 作为编辑程序的 .emacs 等等。

adduser 命令是 Bourne shell 的一个脚本,放在 /usr/sbin 目录中。因此,你可以定制这个脚本,如果你在创建一个用户帐号时需要执行一些附加的操作的话。一个常见的修改是让 adduser 提示用户输入全名,而不是把硬编的默认用户名放到口令文件中。如果你不改变这个脚本使它询问用户的名字,你就不得不用 chfn 命令手工地改变它,例如:

```
#  chfn jschmoe
changing finger information for jschmoe.
Name[RHS Linux User]: Joseph A. Schmoe
Office[]:
Office Phone[]:
Home Phone[]:

Finger information changed.
#
```

adduser 命令不为这个帐号设置口令。为此你必须使用 passwd 命令。

10.1.3 设置用户口令

使用 passwd 命令设置用户口令。应当为每一位加入到系统中的用户设置口令；用户可以在以后登录时改变自己的口令。passwd 的使用方法如下：

1. 键入这个命令和登录名(例如, passwd jschmoe)并按 < Return > 。
2. 在 New password:提示下输入口令(在屏幕上看不到这个口令):
3. 提示再次键入这个口令。再次键入口令如下:

   New password(again): *newpassword*

这个口令被加密并放入/etc/passwd 文件。花些时间来选取口令是很重要的。选取口令应遵守如下规则:

□ 口令应该至少有六位(最好是八位)字符长。
□ 口令应该包含大写和小写字母、标点符号和数字。

参见 12.2"口令安全性"。

当添加大量用户时,你可能会有输入简短的口令的想法。不要受这种想法的诱惑。好的口令是防范闯入者的第一道防线。一定要告诉你的用户为什么你设置了这种口令。另外,经常改变口令是一个好主意,但要记住教给系统用户选择好口令的方法。

给用户分配了口令后,/etc/passwd 文件中的条目看起来如下所示:

jschmoe:Zoie.89&^0gw * :123:21:Joseph A. Schmoe:/users/jschmoe:/bin/bash 其中第二个字段就是这个口令——但与键入的不同,它是以加密形式保存的。

注释:

用户时常会忘记他们的口令。你不可能告诉用户他们自己的口令。你可以编辑/etc/passwd 文件并删掉这个用户的条目中的第二个字段,从而删掉忘记了的口令。然后你可以用 passwd 命令设置这个用户的口令。在处理这种问题时要有一套方法,并让你的用户了解它们。

10.1.4 删除用户

有几种程度不同的用户删除。从系统删除一个用户不必是一种最终的、不可挽回的行为。

下面是几种可能的情况：

□ 只删除用户的登录能力。如果一个用户要离开一段时间，并在将来某时还要回来，就可采用这种删除方式。这个用户的目录、文件和组信息保持完好无损。编辑口令文件（/etc/passwd）并把一个 * 号放在这个用户的条目的第二个字段中，如下所示：

jschmoe：* :123:21Joseph A. Schmoe：/users/jschmoe：/bin/bash

□ 从口令文件中删除用户，但在系统上保留该用户的文件。如果其他用户要使用的这些文件，或一个新用户要接替那个老用户的职责的话，就可采用这种删除方法。为此，你可以使用一个编辑程序或使用 userdel login_ name 命令。然后再使用 chown 和 mv 命令来改变被删除用户的文件的所有权和存放位置。

□ 从口令文件中删除这个用户及这个用户所拥有的所有文件。这是完全彻底删除用户的形式。你必须从口令文件删除这个用户的条目，并从系统删除该用户的文件。为此，可以使用如下 find 命令：

find *user's-home-directory* -exec rm {} \ ;

然后用 rmdir user's-home-directory 命令来删除这个用户的起始目录，并从口令文件中删除该用户的记录项。

注释：

如果在你的网点上还使用了其他配置文件（如电子邮件别名文件），你还要从这些文件中删除这个用户。

10.2　管理用户组

每个用户都是一个组的成员。可以为不同类型的组赋以不同的能力或权限。例如，有两个用户组，一个组分析公司的销售数据，另一个组的主要任务是研究新产品，让这两个组的用户方便地使用不同的文件集就是合理的。

口令文件包括单个用户的信息。组信息保存在/etc/group 文件中。下面是这个文件中的一个记录项的例子：

sales：:21：tuser, jschmoe, staplr

这个组的组名是 sales，组 ID 号是 21，组成员有 tuser、jschmoe 和 staplr。对文件和目录规定了它们的所有人、用户组和其他人对它们的访问权限。一个用户可以是多个组的成员，你可以改变组的成员关系。

10.2.1　添加用户组

你可以直接编辑/etc/group 文件，在其中输入新用户组的信息来创建一个新的用户组。

/etc/group 文件中的每一个组拥有一个与之相关的、唯一的组 ID 号。Linux 关心为组所分配的 ID 号，而不是组的名称。因此，如果你为两个组分配了同一个 ID 号，那么这两个组的表现就像同一个组一样。

10.2.2　删除用户组

你可以编辑/etc/group 文件并删除其中你想删除的用户组的条目来删除一个组。另外，你应该把具有这个组 ID 的所有文件重新分配给不同的组。做这项工作的一个简单的方法是使用 find 命令,如在下述命令中一样:

find / -gid *group -id users-home-directory* -exec chgrp *newgroup* {} \ ;

10.3　起始目录管理

如果你打算在系统上有许多用户的话,你就应该考虑在逻辑上对你的用户的起始目录进行分组。一般而言,你应该尽量把一台机器上的所有起始目录放在某个顶层目录中。这样,这些起始目录就能根据你的需要分组组织。

参见 14.2"安装和卸下文件系统"。

例如,你可以把/home 指定为用户目录的顶层目录。在/home 下,你可以按部门对用户进行分组。销售部的用户的帐号放在/home/sales 目录下;开发部的帐号放在/home/develop 目录下,等等。你的用户的起始目录就放在这些目录下。因为用户目录会使用许多磁盘空间,你可以考虑把逻辑用户组放在不同的实际文件系统上。当你需要额外空间时,你可以简单地为你的用户的起始目录创建另一个目录,并把这个目录安装到那个文件系统上的/home 目录下。

10.4　从这里开始

作为系统管理员,你负责管理和支持在你的系统上登录的用户。适当的用户管理规程有助于简化创建和删除帐号的操作。Linux 提供了一套完整的管理用户帐号和用户组信息的工具。理解如何逻辑地把用户帐号分成用户组是很重要。要考虑如何建立用户的目录结构以反映分组情况,这样你就能够充分地利用有限的磁盘空间,并能减轻文件系统的维护工作。

在以下各章可以找到更多的有关系统管理的资料:

☐ 第八章"了解系统管理"介绍普通的系统管理任务。

☐ 第十一章"备份数据"讨论如何计划数据备份和实现数据备份计划。

☐ 第十四章"管理文件系统"讨论如何在 Linux 上建立和管理文件系统。

第十一章 备份数据

本章内容：

☐ 计划备份

了解与计划和开发有效的备份系统有关的问题。

☐ 制定备份时间表

本章介绍你能够使用的不同类型的备份和调度步骤。

☐ 使用 tar 和 cpio 命令

使用 tar 和 cpio 命令制作备份和文档文件。本章将解释如何使用这两个命令。

各种问题都能导致数据的丢失：如文件被意外删除、硬件失败或保存在文件中的重要信息不能再使用等等。遇到这些情况时，用户应该有把握他们能够访问为这些"丢失"的文件所制作的备份。

你的公司的未来(以及与你的公司联系在一起的你自己的未来)也许都依赖于使这些备份文件可供使用。在数据丢失时，你和其他人都将庆幸你花费了时间和精力把文件复制到了某种介质中。这种备份工作是按照规定的、严格的、充分准备的计划来做的。备份文件的工作不是非常有吸引力的，但任何管理员都不能忽视这个过程。

11.1 有关备份的问题

下面是备份系统要考虑的一些问题：

☐ 完全备份还是增量备份。一个完全备份复制每个文件。有必要每天这样做吗？一个完全备份通常需要大量时间和足够多的介质来存放系统中的所有文件。增量备份复制最后一次完全备份后有了变化的文件。

☐ 备份文件系统。自然，现用的文件系统必须经常备份，其他的文件系统的备份次数可以少一些。要保证你有所有文件系统的最近拷贝。

☐ 备份介质的种类。根据你的系统上的设备，你可以使用 9 磁道磁带、1/4 英寸盒式磁带，4 或 8mm 的 DAT 磁带或软盘。在设备和介质的体积、存储容量和成本方面，上述每种介质都有强于其他介质之处。选择适合自己预算的备份介质，记住最便宜的介质可能是最费时的。

☐ 备份对用户的作用。备份增加了系统的负担。这是用户的一项不合理的负担吗？此外，在备份过程中发生变化的文件也许没有备份，这可能只是一件麻烦的事情。如果你正在备份现用数据库，也可能是一个重要的要考虑到的问题。你应该在系统平静的时侯进行备份吗？

☐ 用于备份的命令。有些相对简单且由来已久的命令可用于制作备份，如 tar 和 cpio。它们够用了吗？

☐ 备份文件的文档。你必须给所有的备份介质加上标识，以便在必需时用来恢复文件。

有一些程序和命令允许你制作内容表或已备份的材料的列表。

从管理员的角度看,应该按照某种自动过程,在操作人员尽可能少干预的情况下备份文件系统。备份还应该在系统相对平静时进行以便使备份尽可能完整。这种考虑必须与便于操作和成本一起加以权衡。操作员或管理员应该等到星期五午夜来做一次完全备份吗? 花2000美元买一台 DAT 磁带机,以便能够在没有操作员干预的情况下在早上 3 :00 自动备份,这值得吗?

考虑这些可选方案,确定实际的成本,做出决定或一系列行动建议。一般而言,恢复管理良好的备份信息比重新制作这些信息要便宜和容易得多。

11.2　有关备份的提示

制作备份的目的是为了尽可能快速和方便地恢复单个文件或整个文件系统。任何备份工作都应该围绕这个中心目标进行。

制定备份计划。包括要备份的文件、多长时间备份一次以及建立如何恢复这些文件的文档。让所有用户了解备份计划以及他们如何请求恢复文件。一定要遵守计划。

一定要检验你的备份。这可能包括:在保存备份后阅读备份介质中的内容表;或从备份介质恢复一个任意选取的文件。记住,备份介质(磁盘或磁带)有可能有毛病。

制作备份,使得文件能在文件系统或在另一台计算机上的任何位置上恢复。使用的备份或归档实用程序应能制作可在其他 Linux 或 UNIX 系统上使用的档案。

一定要给所有介质(磁盘、磁带以及任何用于备份的介质)贴上标签。如果你必须使用多个磁盘或磁带,确保对它们顺序地编了号并标注了日期。你必须在需要的时候能够找到这个或这些文件。

预防灾难。拥有你的系统上的文件的拷贝,以便整个系统能在一段可接受的时间内恢复。把备份磁盘或磁带放在现场以外的地方。你还应当有一个完整的硬件清单,这样,一旦发生了灾难,你能够再定购相同的设备。

计划对你的备份过程定期重新评估以保证它们始终符合你的需要。

可以获得一些有助于自动化备份过程的工具。更多的信息请参阅 sunsite.unc.edu 上的 Linux 档案。另外,Linux 还支持 FTAPE 扩展。FTAPE 允许你把备份做到 QIC-80 磁带设备中,这种设备能挂在你的系统上的一个软盘控制器上。具体情况参见 FTAPE 的 HOWTO 文档。

11.3　制定备份计划

提出一个符合你的需要的、能够恢复最近的文件拷贝的备份计划是很重要的。确定一个计划后,就要坚持执行这个计划。

理想的情况是能在任何时候恢复任何文件。在极端的情况下,这是不可能的。但你应该能在日常基础上恢复文件。为此,你可以组合使用完全备份和增量备份。完全备份是对系统上每个文件的备份,增量备份是对最后一次备份后有变化的文件进行备份。增量备份可以有不同的级别:对最后一次完全备份的增量备份或对最后一次备份的增量备份。按下述不同级别考虑备份比较方便:

□ 0级　　　完全备份

□ 1 级　　　　 对最后一次完全备份的增量备份

□ 2 级　　　　 对最后一次增量备份的增量备份

下面是一些备份计划的样例：

□ 一天做完全备份，其他天做增量备份

第 1 天	0 级	完全备份
第 2 天	1 级	增量备份
第 3 天	1 级	增量备份
第 4 天	1 级	增量备份
第 5 天	1 级	增量备份

如果你建立和保存了每次备份的一个索引，就只需要一天的备份来恢复单个文件，只需要两天的备份(第 1 天和另一天的备份)来完全恢复系统。

□ 每月完全备份一次，每周增量备份和每天增量备份。这个例子把星期二作为备份日，但也可以用一周中任何一天作为备份日。

第一个星期二	0 级	完全备份
其他星期二	1 级	增量备份
其他日子	2 级	增量备份

在这个计划中，要恢复某个文件，可能有以下情况：如果该文件这个月内没有变化，需要完全备份；如果该文件在上周改变了而本周没有改变，需要级别为 1 的备份；如果该文件本周改变了，需要级别为 2 的备份。这个计划比前例复杂，但每天的备份所用时间要少。

11.4　制作备份和恢复文件

在 Linux 系统中有几个不同的实用程序可用于备份和恢复文件。有些简单易懂；有些要复杂些。简单的方法有其局限性。选择适合你需要的。

由于备份和恢复文件非常重要，一些软件系统是专门用于这项工作的。下面的小节介绍其中的两个：

□ tar 磁带档案实用程序，可在每个 Linux 或 UNIX 系统中得到。这个易用的 Linux 版本可
  以使用多个磁带或磁盘。

□ cpio 复制文件的通用实用程序，可在每个 UNIX 系统中得到。它易于使用，但功能比 tar
  强，也能使用多个磁带或磁盘。

11.4.1　使用 tar

UNIX 的实用程序 tar 最初是为了制作磁带档案而设计的(把文件和目录复制到磁带中，然后从档案中提取或恢复文件)。现在你可以把它用于任何设备。它有以下优点：

□ 易于使用

□ 可靠而且稳定

□ 几乎可以在任何 Linux 或 UNIX 系统上读取档案。

它还有一些缺点：

□ 对于某些版本的 tar，档案必须放在一个磁盘或磁带上，这意味着，如果这个介质某一部

分失效(比如在磁盘上有一个坏扇区或在磁带上有一个坏块),整个备份就丢失了。

□ 不能备份特殊文件(如设备文件)。

□ 就其本身功能讲,tar 只能制作完全备份。如果你想做增量备份,你得做一点 shell 程序
设计工作。

参见 17.7"使用 shell 脚本"。

表 11.1 列出了 tar 的一些常用选项。你可以与 tar 一起使用许多其他的命令参数;参考联
机帮助获得一个完整的清单。

表 11.1　tar 命令的常用选项

选项	描述
c	制作一个档案
x	从默认设备上或 f 选项指定的设备上的档案中提取或恢复文件
f name	制作档案或从 name 读取档案,这里 name 是一个文件名或在/dev 中指定的一个设备(如/dev/rmt0)
Z	压缩或解压缩 tar 档案
z	用 gzip 压缩或解压缩 tar 档案
M	制作一个多卷 tar 备份
t	产生存储在一个档案中的所有文件的索引,并在标准输出设备上列出清单
v	使用长模式

下面我们来看一些在备份和恢复文件方面使用 tar 的例子。下面的命令把/home 目录复
制到软驱/dev/fd0 上:

tar -cf /dev/fd0 /home

本例中,f 选项指示档案要在软驱设备/dev/fd0 上产生。下面命令把/home 目录存档:

tar -cvfzM /dev/fd0 /home ¦ tee homeindex

v 选项指示长模式,z 选项指示档案应被压缩以节省空间,而 M 选项告诉 tar 创建一个多卷
备份。当一张软盘装满时,tar 提示你换一张。被复制的文件的一个列表被定向到 homeindex
中。看看 homeindex 文件以便知道复制了什么文件是个好主意。

find 命令用于找到在某一时期中修改过的文件,使它们能在增量备份时被安排上。下例
使用 find 命令产生前一天修改过的所有文件的一个列表:

find /home -mtime -1 -type f -print > bkuplst tar vcfzM /dev/fd0

└─→'cat bkuplst' ¦ tee homeindex

为了使这个列表作为 tar 命令的输入,把命令 cat bkuplst 放在反引号中(往回单引号,也称
作浊音符,如'cat bkuplst')。这告诉 shell 把该命令作为一个子 shell 执行,并把这个命令行中该
命令的输出放到原来用反引号括住的命令的位置上。

下面的命令从/dev/fd0 设备恢复/home/dave/notes.txt 文件。(注意,必须给出文件的全名
来恢复它)。

tar xv /usr2/dave/notes.txt

提示：

你可以把这些命令中的任何一个放入 root 的 crontab 文件中，使它们自动执行。例如：在 root 的 crontab 文件中包含的下述命令在每天下午 1:30 对/home 作一次备份：

30 01 * * * tar cvfz /def / fd0 /home > homeindex

如果你需要做更复杂的备份工作，可以制作 shell 脚本来控制你的备份。这些 shell 脚本也可以通过 cron 运行。

参见 18.3.3"用 cron 和 crontab 来安排命令"。

你还可以使用 tar 命令在 Linux 文件系统中建立档案文件，而不是把这些文件写到备份设备中。用这种方法，你可以把一组文件以及它们的目录结构归档到一个文件中。为此，只要用一个文件名代替一个设备名来作为 f 选项的参数。下面是使用 tar 命令来归档一个目录和它的子目录的例子：

tar cvf /home/backup.tar /home/dave

这个命令产生了/home/backup.tar 文件，该文件中包含了/home/dave 目录及其下的所有文件和子目录的一个备份。

注释：

tar 命令本身不能进行任何文件压缩工作。要压缩产生的归档文件，或者在 tar 命令中指定 z 选项，或者对产生的归档文件使用压缩程序（如 gzip）。

当你使用 tar 命令来制作档案文件时，把一个目录作为这个档案文件中的顶层记录项通常是一个好主意。以这种方法，当你提取这个档案文件时，它里面的所有文件都被放在你当前工作目录中的一个子目录下。否则，当你在一个错误的位置提取一个档案文件，就会在你的工作目录中得到数以百计的文件。

假设在你的当前目录下有一个名为 data 的目录，其中包含了几百个文件。制作这个目录的一个档案文件有两种基本方法。你可以进到 data 目录中并从这里制作这个档案文件：

$ pwd

/home/dave

$ cd data

$ pwd

/home/dave/data

$ tar cvf ../data.tar *

这个过程在/home/dave 中产生了一个档案文件，它只包含 data 目录中的内容，但没有包含 data 目录项。当提取这个档案文件时，你没有创建一个把这些文件放入其中的目录——你只是在你的当前目录中得到了几百个文件。

制作这个档案文件的另一种方法是从 data 的父目录开始，并指定 data 作为要归档的对象。例如：

$ pwd

/home/dave

    $ tar cvf data.tar data

这些命令也产生了 data 目录的一个档案,但把这个目录项(data)作为第一个放入这个档案的对象。以这种方法,当提取这个档案时,生成的第一个内容就是 data 目录,并且所有文件都被放到这个 data 子目录中。

注释:

    当创建这个目录中的所有文件的一个档案文件时,为这个档案文件指定一个与当前目录不同的目录是一种好做法。以这种方法,当你试图归档当前目录中的所有文件时,tar 不会搞糊涂,它会试图把当前目录中的档案文件递归地加到 tar 命令正在产生的档案中。

11.4.2　使用 *cpio*

    cpio 是一个用于复制文件档案的通用命令。你可以通过使用-o 选项用它来制作备份,或通过使用-i 选项来恢复文件。它从标准输入得到它的输入并把它的输出送到标准输出。

    cpio 有如下优点:

☐ 它可以备份任何文件集。

☐ 它可以备份特殊文件。

☐ 它存储信息比 tar 效率更高。

☐ 在恢复数据时,它会跳过坏扇区或坏块。

☐ 它的备份可以在几乎任何 Linux 或 UNIX 系统上恢复。

    人们认为 cpio 的语法比 tar 的语法更乱。同样,为做增量备份,你得做一些 shell 编程工作。

    表 11.2 列出了一些常用于 cpio 的选项。要得到你可以与这个命令一起使用的选项的一个完整描述,参见 cpio 的联机帮助。

表 11.2　cpio 命令的常用选项

选项	描述
-o	复制出。在标准输出上产生一个档案
-B	以每个记录 5120 个字节的方式进行块输入或输出。可用于磁带上的有效率的存储
-i	复制入。从标准输入提取文件。当标准输入是另一个 cpio 命令的复制出操作的结果时,通常使用它
-t	产生输入的内容表

下面我们来看一些在备份和恢复文件方面使用 cpio 的例子。

☐ 下述命令把/home 目录中的文件复制到设备/dev/fd0 中:

    ls /home ¦ cpio -o ＞ /dev/fd0

☐ 下例提取设备/dev/fd0 中的文件并在 bkup.indx 文件中建一个索引:

    cpio -it ＜ /dev/fd0 ＞ bkup.indx

☐ 下例使用 find 命令来产生/home 中前一天修改过的所有文件的一个列表:

    find /home -mtime 1 -type f -print ¦ cpio -oB ＞ /dev/fd0

该命令的输出通过管道送给 cpio, cpio 在/dev/fd0 上产生了一个档案, 在/dev/fd0 上数据是以每个记录 5120 字节存储的。

☐ 下述命令从设备/dev/fd0 恢复文件/home/dave/notes.txt:

echo "/home/dave/notes.txt" ¦ cpio -i < /dev/fd0

注释:

用 cpio 恢复时必须给出完整的文件名。

提示:

你可以把这些命令中的任何一个放入 root 的 crontab 文件中, 使它们自动执行。例如: root 的 crontab 文件中包含的下述命令在每天下午 1:30 对/home 进行一次备份:

30 01 * * * ls /home ¦ cpio -o > /dev/fd0

如果你需要做更复杂的备份工作, 可以制作 shell 脚本来控制备份操作。

你还可以通过 cron 来运行这些 shell 脚本。

参见 18.3.3"用 cron 和 crontab 来安排命令"。

11.5 从这里开始

你可以在以下各章中找到与系统管理有关的更多信息:

☐ 第八章"了解系统管理"概述系统管理员的任务。

☐ 第十章"管理用户帐号"介绍如何创建和管理用户对你的 Linux 系统的访问。

☐ 第十四章"管理文件系统"讨论文件系统的具体内容和你需要考虑的各种问题。

第十二章　提高系统安全性

本章内容：
- ☐ 实际安全措施

  本章解释为什么应该保护计算机设备。
- ☐ 口令安全

  本章将介绍如何实现一个安全的口令政策。
- ☐ 文件安全

  本章中，你将学习设置文件权限及如何找到可能有安全漏洞的权限。
- ☐ 社交伎俩的威胁

  社交伎俩就是通过利用人们的想当然或条件反射，或者通过伪装和撒谎来说服他们，使他们按你的想法去做事情。你必须知道如何教导你的用户防止入侵者用社交伎俩来侵入你的系统。

　　除非把你的系统锁在只有你自己有钥匙的壁橱里，并且总是把钥匙挂在你自己的脖子上，否则你就应该关心系统的安全性。这的确不是开玩笑。如果有多个用户，如果系统通过调制解调器或网络与外界相连，或者如果经常无人看管系统，那么就存在有人可能对系统进行未经认可的访问的危险。

　　有时，未经认可的访问不是恶意的，但这种访问仍然是令人不安的。如果有人花时间去取得对你的系统的访问权，那么他们可能有能力复制你想保密的信息，在未经认可的情况下使用你的系统的资源和修改或删除信息。

　　在大多数组织中，系统管理员对系统的安全性负责。你不必为之过度紧张，但你应该意识到危险性并能够采取措施使你的系统安全可靠。当提出安全问题时，既要坚定又要从专业的角度考虑。

　　本章既要讨论你实际使用的、使你的系统更安全的技术，又要讨论提高计算机安全的概念和方针。其中的一些概念对家庭计算机用户几乎没有用，它们主要应用于较大的系统。本章中的另一些观点非常适用于家庭用户。

注释：
　　过去几年中，大众传播媒体改变了"黑客"这个词的含义，从原来的"计算机爱好者"变为"闯入计算机的人"。在计算机社区中，普遍接受的用于闯入计算机的人的词汇是"破坏者"。本章中将对计算机的闯入者使用"破坏者"这个词。

12.1　实际安全措施

　　在所有大众传播媒体都在大肆报道病毒、计算机闯入者和使用调制解调器及网络连接的魔鬼般的计算机破坏者的同时，人们对计算机系统的实际安全关注得太少了。计算机设备对各种环境条件相当敏感。

火焰和烟雾显然会导致计算机设备迅速老化。如果你安装了某种类型的办公计算机，就应考虑安装烟雾检测器、自动灭火器和火警系统。

除火焰和烟雾外，灰尘也会对计算机设备产生大的破坏。灰尘是有磨损的，会缩短磁性介质和磁带以及光驱的寿命。灰尘会聚集在通风系统中并阻塞气流，使计算机过热。另外，灰尘会成为导电体，从而会造成电路板短路和完全损坏。

电力问题是对计算机设备的一个特殊威胁。计算机对电流中的浪涌非常敏感。所有计算机设备都应连接稳流装置以减少遭破坏的机会，这包括连在电话线上的调制解调器。许多地区都在经受"脏电源"的电流和电压波动所带来的损失。

注释：

虽然稳流器有助于防止电流波动，但它们实际上不能防电击。如果闪电击中你的房间或办公室的电线，简单的稳流器就不可能保护你的设备。在雷雨时，最好拔下你的稳流器，等到雷雨结束。

计算机通常还是窃贼们的目标。许多计算机组件小而昂贵。因此，它们很容易被偷走和卖掉。你应该对你的计算机的安全进行评价，并像对待其他有价值的财产那样努力保护它们不被偷掉。

计算机的实际安全的另一方面是防止被未经认可的人接触。如果有人能进入你的机房，在控制台前坐下，并轻易地开始操作计算机，那么你就有问题了。控制他人接触你的计算机，比防止他人偷窃或毁坏你的数据或设备更困难。制定接触你的计算机设备的规章制度，并让你的用户知道这些制度。

下面是一些可用于提高系统的实际安全的步骤：

☐ 不要在长时间内对系统、磁带驱动器、磁盘驱动器和终端或工作站等置之不顾。对进入放置你的主要系统和相关磁带和磁盘驱动器的房间有一些限制是个好办法。门上的一把锁对安全性大有助益。一个未经认可的人会从未上锁的地方拿走备份介质（磁盘或磁带）。

☐ 不要对系统控制台或其他终端设备不加管理，不能让他人用根（root）身份登录。如果用户了解这个系统，他们就可以轻易地给他们自己以根的特权，从而修改重要的软件或从系统删除信息。

☐ 向系统用户宣传实际安全方面的危险。鼓励他们报告他们所看到的任何未经认可的活动。对你不认识的、正在使用系统的人进行礼貌地盘问不要感到难为情。

☐ 如果可能，不要把敏感的信息放在与调制解调器或网络相连的系统上。

☐ 把备份存放在一个安全的地方并限制对这个地方的接近。

12.2　口令安全

口令是防止未经认可进入系统的第一道防线。这也是防卫链中最薄弱的一环。本节介绍可用来保护口令安全的一些步骤。

现实情况是用户希望使用简单、容易记忆的口令。他们不愿改变他们的口令。他们喜欢把它们写下来以备参考。但遗憾的是，对系统管理员却不是如此，从计算机安全的角度看，这些作法都是不对的。几乎要经常关注口令的安全。

root(根)帐号的口令是一个特殊的口令。任何知道此口令的人都可以访问到你的系统上的任何东西，甚至可以访问到通过网络与你的计算机相连的其他系统上的东西。要经常改变root的口令，用聪明的方法来选择这个口令并保证其安全。最好是记住它。在大多数组织中，让两个人知道 root 口令是一种好做法——但不要多于两个!

口令应至少要六个字符长;但在任何口令中只有前八个字符能够被识别。即，如果你输入了一个比八个字符还多的口令，那么这个口令就被截取成八个字符。

写一个猜口令的程序并非不可能。如果口令猜测程序要猜测随机的口令，口令本身越长，则成功猜到口令所需时间就越长。

计算机很擅长重复做相同的工作，比如，用加密算法变换一个词典中的每一个词并把它与你的口令进行比较，从而试图闯入你的系统。决不要选用词典中的词作为口令。另外，不要选用容易与你自已有联系的口令。你的名称、住址、配偶的名称、孩子的名称、宠物的名称、电话号码和驾驶执照号码等等都是破坏者们的明显目标。

既然所有简单的口令也都是容易猜测的，那么怎样挑选一个好口令呢? 一种技巧是挑选两个随机的短单词，然后用标点符号把它们连接起来。这对口令猜测者来说几乎就是一个随机字符系列，但用户记忆起来是相当容易的。下面是一些使用了这种技巧的口令例子:

joe&day

car! pan

modem! at

挑选口令的另一种方法是选一个要记住的短语，并用每个词的第一个字母来形成口令。这产生了一个随机的字符序列，但你很容易记住这个口令。例如:短语"Ladies and Gentlemen, Elvis has left the building"转换成口令 T&GEhltb。

关键是应当记住这个口令。口令不应当写在任何地方。如果你的用户觉得他们必须把他们的口令写下来，提示他们把口令藏在某个序列或句子中。例如，如果口令是 modem! at,在一张小纸片上的留言"Don't forget to pick up modem! At computer shop for repairs"在他人看到这张纸时就像一个普通的提醒之语，而口令却很好地藏在其中了。

12.3 改进登录安全

你的 Linux 系统上的每个帐号都是进入你的计算机的一扇门户。人们所需要的只是正确的钥匙——口令。如果你已经采用了好的口令管理办法，那么你在发展更安全的系统方面就有了良好的开端。与口令安全措施有直接联系的计算机安全性的另一个方面是登录或帐号安全性。

登录或帐号安全性涉及在你的系统上查找可能有潜在的安全问题的帐号及处理它们。登录安全性提出了一些不同种类的问题。

12.3.1 没有口令的帐号

许多计算机破坏者们是在发现没有口令的帐号后才得已闯入计算机的。你应该经常检查口令文件，找出这种帐号并禁止它们的使用。在 Linux 中，口令放在口令文件的第二个字段中。你可以用多种工具(如 grep、awk 或 perl)来检查空的口令字段。你可以编辑口令文件，把

口令字段改变成 * 符号,从而禁止登录到这一帐号上。这防止了任何人用登录 ID 号登录。

参见 10.1.3"设置用户口令"。

12.3.2　不使用的帐号

如果有一个登录名不再使用了,你就应该删掉这个帐号,使之免受危害。至少,你应该编辑口令文件,把其口令改成 * 字符,该字符将防止任何人登录到这个帐号上。如果你选择删掉这个帐号,你应该使用 find 命令来找到这个帐号所拥有的所有文件,然后改变它们的所有属性或删掉它们。

参见 10.1.4"删除一个用户"。

注释:

如果你使用了其他的配置文件(如系统邮件别名表),你还必须从这些文件中删除这个帐号。

12.3.3　默认帐号

Linux 带有几个标准的登录 ID 号,这些 ID 是 Linux 正常工作所需要的。例如,当第一次安装 Linux 时,根帐号是没有口令的。你应该在完成安装后检查口令文件以确保所有的默认帐号都有良好的口令或通过把口令字段设定成 * 字符,从而禁止了它们的使用。

有些软件包在它们的安装过程中自动在你的系统上创建了帐号。记住禁止它们的使用或设置它们的相应口令。

12.3.4　来宾帐号

计算机中心为来访者提供某种类型的来宾帐号使得来宾们能够暂时使用本地计算机,这种情况并非少见。这些帐号常常没有口令或者口令与登录 ID 号相同。例如,登录标识 guest 可能没有任何口令,或者口令就是 guest。正如你可能想到的,这些可能导致安全性灾难。

由于可能很多人知道这些帐号和口令,闯入者可能用它们来取得对你的系统的首次访问。当一个破坏者闯入了你的系统,他就能试图从内部得到根访问权或把你的系统当作攻击网络上其他计算机的起点。从开放的公共帐号进行攻击会使找出真正的攻击来源更加困难。

来宾或开放帐号在任何系统上都不是个好办法。如果你确实必须使用一个来宾帐号,在需要使用它之前,应一直禁止它的使用。在需要使用来宾帐号时,应为这种帐号随机地产生一个口令。在可以不用来宾帐号时,立即禁止它的使用。记住,不要通过电子邮件发送来宾口令。

12.3.5　命令帐号

计算机有几个命令帐号是常见的。命令帐号是这样一些登录标识,它们运行一个给定的命令后退出。当一个用户作为 finger 登录时,finger 程序就运行,显示系统上的人员后结束这次会话。其他这类帐号可能是 sync 或 date,这些帐号通常没有口令。尽管它们不运行一个 shell,仅仅是运行一个命令,但它们也会产生安全方面的危险。

如果在你的系统上允许命令帐号,你就应当保证这些命令不接受命令行输入。另外,这些命令不应该有任何种类的 shell 切换操作,使用户进入一个交互式的 shell。

不使用这种帐号的第二个原因是,它们可能泄露能被侵入者利用的、与你的系统有关的信息。把 finger 和 who 这样的程序用作命令帐号会使入侵者得到你的系统上的用户的登录标识。记住,登录标识(ID)和口令的组合保护你的帐号。如果一个侵入者得到了一个用户的登录标识,他就有了登录到该帐号上所需的一半信息。

12.3.6 组帐号

组帐号是多个人使用的帐号,他们知道口令,并以同一个 ID 登录。你猜对了——这是一种不好的做法。如果你有一个为多人共享的帐号被他人闯入了,并被用作攻击其他计算机的基点,要找出泄露口令的人是很困难的。实际上,如果有一个 5 人共享的帐号,就可能实际被25 个人共享。这是无法知道的。

参见 10.2"管理用户组"。

Linux 允许你根据用户组关系提供文件访问权。用这种方式,一组需要访问一个文件集的人们可以在不必共享一个帐号的情况下分享这些文件。灵活机智地使用 Linux 中的用户组,而不是创建组帐号。遵守"一人一个登录标识"的原则。

12.4 文件安全性

Linux 中的文件系统是一个由文件和目录组成的树型结构。Linux 在它的文件系统中存储了文件的数种类型的信息,包括如下信息:

☐ 文件名
☐ 文件类型
☐ 文件大小
☐ 文件在磁盘上的实际位置
☐ 各种访问和修改的时间
☐ 文件的所有者的和组的标识(ID)
☐ 与该文件相关的访问权限

如果一个用户能修改某些文件的部分文件信息,安全性就会遭到破坏。因此,文件系统在系统安全方面具有非常重要的作用。

12.4.1 权限

Linux 的文件权限控制哪个用户可以访问哪个文件和命令。这些权限标志位控制文件所有者、相关的组成员和其他用户对文件的访问权。使用 ls -l 命令,你可以产生其中列出了权限字段的文件清单。例如,这个字段可能是-rw-r--r--。这个字段中的第一个 - 显示了文件的类型。对一个普通文件,这个字段总是 - 。

参见 5.3.2"用 ls 命令显示与文件和目录有关的信息"。

后面的九个字符分别表示文件所有者、组和其他所有人的访问权限。每一类占用权限字段中的三个字符,由字符 r(读权限)、w(写权限)和 x(执行权限)组成。可在这个字段中使用这些字符中的一些或全部。

如果某人被授予了某些权限,相应的字符就出现在权限字段中。如果某种权限未被授予,则代之以一个 - 。例如,如果一个文件的权限字段是-rw-r--r--,则表明这个文件是一个普通文件(第一个字符是-),文件所有者的权限是 rw-(指具有读和写权限,但没有执行权限),其他组成员和其他人都具有 r--权限(指具有读权限,但没有写和执行权限)。文件权限通过 chmod 命令改变。

参见 15.1.7"文件权限"。

注释:
在 chmod 命令中,你可以用八进制数来指定权限,而不用 rwx 符号值。简单地把一个权限字段中的三个字符当作一个八进制数中的位——如果某个字符出现了,就把它记作 1。因此权限-rw-r--r--可以用八进制数字表示成 644。

12.4.2 SUID 和 SGID 程序

与文件相关的还有两个附加权限位 SUID 和 SGID 位。SUID 代表 Set User ID(设置用户标识),而 SGID 代表 Set Group ID(设置组标识)。带这些权限的程序的表现就像在运行它们时它们是由不同的 UID 拥有的。当运行一个 SUID 程序时,它的有效 UID 被设置成拥有该程序的用户 ID,不管实际上是谁在运行这个程序。SGID 与此类似,除了它改变的是组 ID。

虽然 SUID/SGID 特性有用处,但它们会带来很大的安全性漏洞。SUID 程序一般在程序需要特殊权限(如根权限)来运行时使用。

程序员通常尽最大的努力来保证他们的 SUID 程序是安全的。SUID 程序中多数安全漏洞发生在程序执行一个命令行、激活一个 shell 或运行一个用户能改变使之包含他们自己的命令的文件时。虽然有些 SUID 程序是必需的,但你应该尽量少地使用它们。你还应经常用 find 命令来浏览自己的文件系统以检查新的 SUID 程序(为确切地使用语法请参考联机帮助)。

12.5 避免社交伎俩的威胁

就 Linux 系统上的所有可能的安全特性而言,最大的安全性漏洞通常是你的用户。毕竟,你的用户已经有了合法的帐号。

但这与社交伎俩有什么关系呢? 社交伎俩到底是什么呢? 社交伎俩是通过利用人们的想当然或条件反射,或者通过伪装和撒谎试图说服他们,使他们按你的想法去做事情。一般来说,人们都希望得到帮助。并且,如果有机会的话,他们还常常尽力帮助别人。具有很好的社交伎俩的破坏者们利用了人们的这个特点。

假设你有一位计算机用户琼斯(Jones)先生。他是你的一位普通用户——不是一位专家。一天,琼斯先生在办公室接到一个电话,过程大概是这样的:

琼斯先生："你好！"

打电话的人："你好，琼斯先生！我是技术支持部门的 Fred Smith。由于磁盘空间有些紧张，我们将在今晚 5:30 把一些用户的起始目录移到另一张盘上，你的帐号是这次移动的一部分并且将暂时用不了。"

琼斯先生："哦，行。那时我到家了，没关系。"

打电话的人："太好了。你走之前一定要退出系统。我还要问两件事。你的登录 ID 还是 jones 吗？"

琼斯先生："对，是 jones。在移动文件时我的文件不会丢失吧？"

打电话的人："不会，先生。但我会核对你的帐号并加以确认。你的那个帐号的口令是什么？我好进去检验你的文件。"

琼斯先生："我的口令是 tuesday。"

打电话的人："好的，琼斯先生。谢谢你的帮助。我一定会检查你的帐号以证实所有文件都完好无损。"

琼斯先生："谢谢，再见。"

这里刚才发生了什么事？有人给你的一位计算机用户打电话，并且在交谈过程中设法得到一个合法的用户名和口令。还有，你猜到了——如果第二天琼斯先生打电话给技术支持部门，他可能会发现那里根本就没有 Fred Smith 这样一位工作人员。

你怎样阻止发生这类事件呢？对你的用户进行教育。你的用户决不要在电话中向打电话的人说出口令。他们绝对不应该把口令放在电子邮件或语音邮件中。破坏者运用社交伎俩说服用户，从而得到他们想要的东西，他们甚至不用闯入你的系统。

12.6　记录 *su* 命令的使用情况

Linux 通过登录 ID/口令组合检验用户身份。在你登录时，你的进程被标记上一个向系统证实你的身份的 ID。这就是检验文件和目录存取权的 UID。

Linux 提供了这样一种功能，即在你工作时，你能够换成另一个 UID。当用户使用 su 命令时，他们可以成为 root 用户或其他用户。他们必须知道要换成的目标用户的口令。例如，为了把一个用户 ID 换成用户 ernie 的 ID，使用如下命令：

su ernie

然后系统提示输入与登录 ID ernie 相关的口令。

换成 root 用户的命令是：

su root

然后系统提示输入根用户的口令。

通常，所有使用 su 的企图都被自动记录到一个系统登录文件（如/var/adm/syslog）中。定期查看这个文件以检查这类活动。

12.7　发展一个安全的系统

责任是伴随权力而来的。如果不小心对待，Linux 的共享信息、处理资源和外围设备的能力会使你的系统有被滥用的威胁。管理员的工作就是要建立系统安全措施，使只有正确的用户和系统才能与你的系统连接,以及使他们只能使用你想共享的计算机资源。

12.7.1 安全威胁

你可以监视自己系统是否遭到了安全威胁。为确定谁正在使用你的系统以及他们正在进行的工作类型,可以使用 ps 命令。

对似乎运行了很长时间的作业和似乎正在使用比正常情况更多的资源的用户要有所警惕。这些可能是一种征兆:一个登录受到了危害,一位未经认可的用户正在运行一个猜测口令的程序。

12.7.2 控制根帐号的使用

根帐号是保留给管理员使用的。做为根用户登录的人有权删除任何文件、限制任何人使用网络及对用户造成严重的破坏。这些只是事物的不利的一面。Linux 的设计思想是要为人们提供根帐号能访问工具,以便他们能比在其他环境中更好地完成他们的工作。

许多操作系统的创作人员为避免文件和系统上其他因素被意外破坏而设置了一些障碍。UNIX 和 Linux 的创作人员对管理员的态度与此不同。你会找到允许连接几乎所有计算机设备的工具。会找到监视计算机性能的软件。你可以创建无数的软件并使之适用于任何商务环境。

另外,你可以强制你的用户在计算机上只做指定的事情,或者你可以给用户有限的权利直到他们的知识有了长进。根用户,也就是管理员,有能力做这些事情。

注释:

由于根帐号是如此重要,一些公司只允许少数经挑选的人使用根帐号。

12.7.3 控制调制解调器和破坏者

允许从一个普通的(与家用调制解调器类似的)调制解调器访问系统会容许某人"破坏"系统和毁坏重要的数据。因此,许多公司坚持计算机应该有精心设计的安全机制,这些机制使得这些计算机很难使用。一些公司在计算机上放置了一个回拨选项,使得你在与这个系统交互之前,必须先向它拨号,然后等待一个回拨。

大多数情况下,建议使用一种传统的 UNIX/Linux 方法。确保你的所有的用户登录都有口令。对能够与你的系统连接的系统进行限制。敏感文件一定要有访问权限。小心设置 UID 位的程序(即那些使运行这种程序的用户能以另一个用户的权限去运行程序)。大多数闯入事件的发生是由于有人忘了关门。

注释:

说到底,安全是一个与人有关的问题而不是与系统有关的问题。不要允许把口令刻划在终端附近的墙上或用 DOS 计算机把根口令嵌入到通信程序中。

12.7.4 避免闲置的终端

在结束一天工作离开时,用户应该退出系统或使用某种终端锁定程序。大多数 UNIX 系统有这样一种程序,它在超过指定时间后关闭终端。

12.7.5　强化安全措施

防卫部门的人们对安全措施的必要性的了解是很清楚的。那些正在设计高度敏感的产品的公司理解安全的必要性。但要一个小规模的管道零件销售公司的雇员理解为什么人们如此关心安全措施是件不容易的事情。在这样的公司中,在出现了不知谁把一个包含了关键计划的文件删掉了这种事情之前,安全措施就不会受到重视。

雇员应该很快了解到计算机上数据的敏感性。一个公司在计算机的数据中有大量的投资。数据的丢失会是一件让人分心的事,或会带来混乱。不愿参与保护计算机安全的雇员应该了解到这会是被解雇的原因。

对系统管理员来说,任务就明确了。如果你是网络安全方面的主管,你怎样才能保证目录和文件获得足够的安全保障呢?庆幸的是,你可以获得许多工具的帮助,如 umask、cron 和 Lin-ux 本身。

对大多数管理员来说,权限是使人烦恼的一个重要因素。新管理员通常加强权限管理,而后就是不断接到人们的抱怨电话,说他们不能访问他们需要的某个文件或他们不能执行系统上的某个程序等等。不久这些管理员就对权限放松了,使得任何人都能够做任何事情。既要保证计算机安全,同时又要允许用户正当使用完成其工作的工具有时是难办的、使人灰心的事情。

12.7.6　处理安全事故

保障计算机的安全有时要求一些侦探工作。例如,我们来看看下面的例子:

```
# who -u
root      tty02     Jan 7 08:35    old    0fc  # 2
martha    ttym1d    Jan 7 13:20    .      Payroll # 1
ted       ttyp0     Jan 7 08:36    8:25   Warehouse
margo     ttyp2     Jan 7 07:05    9:45   CEO 0fc
root      ttyp4     Jan 7 08:36    .      Modem # 1
# date
Tue Jan 7 19:18:21 CST 1997
```

假定你知道 Martha 下午 5:00 离开了办公室。有人发现了她的口令?或者她离开时还开着终端?你可以看到,她是今天下午 13:00 登录的。现在是 19:18,并且有人正在使用她的登录。你采取安全措施吗?

如果有人确实闯进了你的系统,你怎么办呢?首先,设法确定你是否真的遇到了一个闯入者?许多时候,你注意到的可能只是人们出错的结果。如果你确实遇到了闯入者,你有数种选择。你需要确认是否造成了损失以及损失的程度。如果你能抓住他们,你起诉那些造成损失的人吗?如果你要起诉他们,你就应该开始收集和保护证据。

你必须决定如何设法保护你的系统和用你的备份恢复损失。也许最重要的事情是记录你所做的事情。马上开始记日志。对有入侵迹象的任何证据都做出标记并记录日期;这些可能是有用的证据。你的日志可能非常有助于你找出你在不得不改变或恢复文件时做了些什么。

另外两种你应当采取的预防措施是打印你的基本系统配置文件(如/etc/fstab)和制定一个机房安全制度。你必须确保你的用户知道这些制度并经常提醒他们。

另外要关注雇员离开公司的情况。当一位雇员离开时(不论何种原因),该人员都应该与计算机工作人员联系以注销其登录帐号。

谈了安全方面的这么多不同的考虑因素,那么怎样的安全措施才足够了呢? 你能达到足够的程度吗? 得到肯定的答复你可能会惊讶的。一般地说,如果从一个安全事故恢复的成本比安全措施的成本小,你就应该减小你的系统安全级别。注意,这些组成成本的因素中金钱成本只是其一,另外还有许多因素。在其他因素中,你应该考虑的还有:文件的内容、替换这些文件要花费的时间和金钱、一次攻击造成的生产时间的损失以及计算机安全问题的公开化对你的组织带来的影响。

12.7.7　进行备份

典型的 Linux 管理员处理的问题中很少有与备份或归档系统同等重要的事情。系统管理员会由于丢失有价值数据而被炒鱿鱼,公司也可能会因此而彻底失败。计算机上的磁盘是电子机械设备,它们会在某个时候出故障。

许多新的硬盘被认为故障间隔为大约平均 150000 小时(多于五年)。但平均时间统计可能具有欺骗性。你的磁盘可能在使用到第 50000 小时就出故障了,或它可能连续使用十多年以上(可能性很小)。如果你只是偶尔备份你的系统,你就是在赌博;如果你不是经常地检查你的备份磁带,你就在进行更大的冒险。

12.8　从这里开始

在以下各章中,你可以找到有关安全问题的更多信息。

□ 第十章"管理用户帐号"讨论与在 Linux 上创建和维护用户帐号有关的问题。

□ 第十一章"备份数据"描述如何建立和维护你的系统的备份。

第十三章　升级和安装软件

本章内容：

☐ 使用 pkgtool

　　Slackware 的 Linux 发行版本提供了 pkgtool 程序以帮助你安装软件。

☐ 如何安装其他软件

　　本章介绍如何在不使用 pkgtool 的情况下安装软件。

☐ 升级内核

　　在其他软件不断升级的同时，内核源代码的新版本也在定期公布。本章讨论升级你的
Linux 系统的方法及有关事项。

　　基础 Linux 系统最初只包括实用程序和数据文件的核心集合。系统管理员根据需要安装
附加命令、用户应用程序和各种数据文件。应用程序经常在升级。系统软件在添加新特性和
程序错误被改正时也在发生变化。系统管理员负责在 Linux 系统中添加、配置、维护和删除
软件。

　　"安装"这个词的含义是在给定的系统上把有关的程序文件复制到系统的硬盘上，并为程
序的正确运行配置这个应用（分配资源）。一个程序的配置信息指示应用程序的组成部分将要
安装的位置以及它在系统环境中的一般运行方式。

　　Slackware 的 Linux 发行版本包含了 pkgtool 命令以减轻安装和升级软件的困难。但是，你
自己还可能安装非 pkgtool 格式的软件。可在 Internet 网上得到的许多软件包是压缩的 tar 格
式的。

　　在大型系统上，管理员要经常安装软件，因为大多数用户接触不到磁带或软盘驱动器。把
应用软件的组件装入系统目录也经常需要管理权限。软件组件可能包含共享库、实用程序和
需要放到普通用户不能访问的目录中的设备驱动程序。

13.1　了解本章中使用的关键词汇

　　如果你阅读了本章的前言，你可能就已经猜到，应用软件的安装涉及到一些新内容。表
13.1 列出了一些你应该熟悉的词汇以及对它们的描述。

表 13.1　与应用软件的安装有关的词汇

词汇	描述
超级用户	系统上权力最高的用户，也称作根用户
系统管理员	负责使 Linux 系统保持性能良好和正常运行
安装应用程序	在 UNIX 系统上的一个应用程序的最初安装或升级，安装过程常常 需要超级用户的特权和使用计算机的磁带或磁盘驱动器

词汇	描述
配置操作	使应用程序能够在你的特定的系统环境下运行的设置行为。配置操作可以包括为多个用户的使用来设置这个应用程序,把它放到可访问的目录中或在网络中共享它

13.2　了解升级的原则

什么软件应该升级?多长时间升级一次?这些问题的答案主要取决于你的系统的目标(个人的或商务的),以及你的用户的要求。软件版本总是在变化的。Linux 系统的各个部分在不断被升级。如果你要跟上推出的每个升级版本,你可能就没有时间使用自己的系统了。

通常,在你升级系统软件时,你不必重新安装整个 Linux 系统。通常,新版本只改变了系统软件的一小部分。可能只需升级你的内核或升级你的系统库,但可能不必做一次完整的重新安装。但是,在你升级软件包时,你常常必须完全重装一个新版本,特别是在已相隔了几个版本之后。

注释:

在升级前对你的系统的当前版本作备份是个好主意。这样,一旦出了错,你总是可以恢复原来的系统。

参见 11.2"有关备份的提示"。

一般而言,当系统或应用软件的新版本修正了严重的问题或增加了你所需的功能时,你就应该升级你的系统。判断什么是严重的问题是管理员的责任。如果一个软件包的新版本修正了系统上会产生问题的部分,或修正了会破坏你的系统的程序错误,也许就值得花时间来安装它。

注释:

不要试图跟上每个软件的每一个版本;为升级而升级会花费太多的时间和精力。做一些调查,你就能够使系统保持良好的工作状态及在不中断工作的情况下只升级那些需要升级的部分。

13.3　安装软件

在 Linux 系统上安装一个主要的程序比在一个单任务的操作系统(如 MS-DOS6.2 或 Apple Macintosh System 7.6)上安装一个类似的程序要复杂得多。Linux 系统的多用户特性意味着系统上的任何应用程序都有可能同时接受多个访问调用。

对更复杂的安装,大多数应用程序(一些非常简单的应用程序例外)都要求在它们能被使用之前根据特定的系统进行配置。在应用程序的配置过程中出现提示时,由安装该软件的系统管理员来确认与他们的系统配置相符的选项。

例如,一位用户可能只有一台旧式字符终端,而另一位有一台新式 X Windows 终端。超级用户必须确保应用程序能够正确响应旧式终端,即只向旧式终端发送 ASCII 字符(即字母和数字)及确保 X Windows 终端能够接受该应用软件的色彩和图形所带来的全部优点。系统管理员管理系统,并有责任使它处于良好的使用状态(所有程序都更新到当前版本,分配适当的用户帐号等等)。

正如已提到过的,把一个程序装载到 Linux 系统上比在单用户操作系统上做这种工作要复杂得多。正在安装一个应用软件的系统管理员可能得创建新的目录来存放与这个程序相关的文件。有些软件包要求配置和重新配置系统设备。虽然最终用户只操心学习新程序的特性及其操作命令,但超级用户必须保证为这个程序合理分配、配置和维护了系统资源(当然,不能搞乱任何已安装的应用软件)。

使用菜单或命令安装软件从表面上看是相当简单的工作;但是,对于系统本身,工作却是复杂的。用于单用户操作系统的应用软件,如 DOS 程序,通常一次只运行一份拷贝,没有竞争的程序。即使在只有一个用户登录的简单的 Linux 安装中,许多进程可同时运行。如果有多个正在运行程序的用户(包括运行相同应用软件的用户),那么复杂性就显著地增加了。

Linux 操作系统善于同时摆布多个进程、程序、用户和外围设备。要在 Linux 环境中生存,一个应用软件必须被正确地装载。一个运转不灵的应用软件或一个安装不当的软件会引起系统崩溃(当一个进程或程序失去控制并锁死 CPU 时,会使 CPU 失去对所有当前运行的程序的控制)。关闭系统时,所有用户都被赶出系统,他们的程序也被中断。这经常让正在做某些复杂工作、中途受挫的人们痛心疾首,咬牙切齿。

在安装新应用软件时,保证这个应用软件与系统兼容并在安装后测试这个应用软件是系统管理员或超级用户的责任。理解在 Linux 系统上加载软件的过程需要首先了解与系统管理员的职责和特权有关的基本知识。

13.3.1 了解系统管理员的工作

如果你在一个小型系统上使用 Linux,你可能就是你自己的系统的管理员。你安装和运行自己的应用软件。你的责任是保存一份当前文件的备份、在硬盘上维持适当数量的可用空间、通过内存管理和其他方法确保系统运行在最佳状态以及做一个高效多产的系统的所需的每一件管理工作。如果你是一个大型系统环境中的一位用户,可能有一位专职人员进行系统管理工作。下述清单对管理员的工作进行了简要概括:

☐ 根据需要启动和停止系统
☐ 保证有足够的剩余磁盘空间以及文件系统没有错误
☐ 调节系统以便使对系统的硬件和软件资源进行访问的用户数最多并使系统的操作尽可能快速有效
☐ 防止系统出现非法进入和破坏行为
☐ 建立与其他计算机系统的连接
☐ 创建和关掉系统上的用户帐号
☐ 与软件和硬件的供应商及那些履行系统培训和其他系统支持合约的人员合作
☐ 对终端、打印机、磁盘驱动器及系统的其他部件和外围硬件进行安装、装配和错误处理
☐ 安装和维护程序,包括新的应用程序、操作系统升级和软件维护方面的改正工作

13.3.2 使用 *pkgtool*

一些 Linux 软件,特别是包含在一个软件发行版本(如 Slackware)中的软件捆绑成特殊的软

件包格式。Slackware Linux 提供了程序 pkgtool 来安装这种特殊格式的软件。如果你已经安装了 Linux 的 Slackware 发行版本,你就已经熟悉了 pkgtool。它被 setup 程序调用,setup 程序是你用来在系统上安装 Linux 的程序。

注释:

Linux 的 Red Hat 发行版本不包含 pkgtool 命令。

pkgtool 知道如何安装组成完整的 Slackware 发行版本的各种软件包。这些软件包捆绑在磁盘组中,每个磁盘组用某些字母代码表示。一个完整的磁盘组可能包含多个不同的软件组件,但这些软件组件通常是有联系的。比如,用于联网的磁盘组中的软件组件或在用于游戏的磁盘组中的软件组件通常是相互关联的。每个磁盘组中还包括一个称作标记文件(tagfile)的文件,它告述 pkgtool 用哪些软件集合来安装一个特殊的软件包。

如果你不带参数地运行 pkgtool,就会出现一个交互式菜单,该菜单允许你选取源目录和目的目录以及你要安装的各种磁盘组。除了以菜单方式运行 pkgtool 外,你还可以带上命令行参数来运行 pkgtool,这些命令行参数指定用于 pkgtool 的各种参数。大多数时候你可能要用菜单方式运行 pkgtool。但如果你确实需要用命令行参数运行它的话,可以参考表 13.2 中列出的 pkgtool 命令的各种参数。

表 13.2　pkgtool 命令的各种参数

选项	描述
-sets *setfile*	告诉 pkgtool 要安装哪个磁盘组。setfile 参数是磁盘组标号的一个列表,这些标号之间用 # 字符分隔,如-sets # A # C
-source_mounted	告诉 pkgtool 不要对每一张磁盘卸下和重装上源设备
-ignore_tagfiles	使 pkgtool 忽略标记文件中的指令,并安装它在给定的磁盘组中找到的每一个软件组件
-source_dir *dir*	如果你正在从磁盘组中安装多个软件包,这个参数给出可以从中找到每一张磁盘的子目录。该变量不用于从软盘安装
-target_dir *dir*	指定安装的目的目录
-source_device *dev*	指出从哪个源设备安装,通常是一个软驱。不要与-source_mounted 选项一起使用

13.3.3　安装非 Linux 软件

你将见到的大多数软件包的格式是与 Linux 发行版本中的软件组件的格式不相同的。通常,这些软件包是通过匿名 FTP 从某个档案网点下载的。

安装这些软件的过程可以是极其简单的,也可能是几乎不可能的。这完全取决于这些软件的作者们所写的安装脚本是否好以及他们的安装文档是否好。

了解软件包的格式

通过匿名 FTP 获得的软件包基本上都是压缩档案格式的文件。这些文件可以用两、三种不同的方式创建。通常,使用 tar 程序把一个包含源文件、库、文档、可执行文件以及其他必要的文件的目录树捆绑到一个档案文件中。此后档案文件常被压缩以节省空间。

软件包的文件名末尾可能有一个能说明该文件的格式的扩展名。如果文件名以.gz 结尾,它就是用 GNU 的 gzip 程序压缩的。这是用于 Linux 软件包的最常见的文件压缩格式。如果档案名用一个.Z 结尾,它就是用 compress 程序压缩的。因此,软件包 foo.tar.gz 是一个用 gzip 压缩的 tar 档案。

注释:

有时,一个用 gzip 压缩的 tar 文件的扩展名为.tgz,而不是.tar.gz。

参见 11.4.1"使用 tar"。

安装软件包

知道了软件包的格式后,下一件要做的事情是要决定将把这些源文件放在什么地方,以便你能建立这个软件包。有些软件包相当大,因此最好将它们放到一个有大量剩余空间的文件系统中。有些人为源文件创建一个独立的文件系统,并将它安装在一个 /usr/local/src 或/src 这样的目录下。不论你决定把你的软件包建在何处,都要保证有足够的磁盘空间使得能够成功地编译这个软件。

好,你可以继续做下去,把这个软件包移到已创建的源文件目录树中,并解压缩它,展开这个档案。如果文件是用 gzip 压缩的,你可以用 gzip -d 命令解压缩它。例如,下述命令:

gzip -d foo.tar.gz

展开压缩文件 foo.tar.gz,并用名为 foo.tar 的档案替换它。对用 compress 命令压缩的文件,使用 uncompress 命令展开它们。命令:

uncompress foo.tar.Z

展开压缩文件 foo.tar.Z,并用名为 foo.tar 的 tar 档案替换它。

展开这个压缩文件后,你需要把这个 tar 文件展开到一个目录树中。你要把每个独立的包的源文件放入你的源目录树中它自己的目录下。在归档这个文件之前,你应该查看一下它的 tar 列表,以了解它是否是用一个目录作为第一项建立的。使用命令:

tar -tvf *tarfile-name* ¦ more

来查看这个 tar 文件中的第一项是否是一个目录。如果是,那么这个 tar 文件在展开时创建这个目录。如果在这个 tar 文件的顶层没有目录项,顶层的所有文件都将提取到当前目录中。在这种情况下,你需要建立一个目录,并在展开这个 tar 文件之前,将它移到该目录中。

注释:

在展开一个 tar 文件之前,总是检查一下它的顶层目录。如果一个 tar 文件在当前目录中展开并把数百个文件放在当前目录中,而不是一个子目录中,这会是件让人头痛的事。

当你把这个 tar 文件放到了你想要展开它的地方,就可以用命令

tar -xvf *tarfile-name*

来展开这个 tar 文件的源目录树。

下一步取决于你正在安装的软件包是如何编写的。通常,你可以进到这个软件源文件的

顶层目录,查看一个名称与 README.lST 类似的文件。在顶层源目录中应该有数个解释安装过程的文档。

注释:

　　在大多数 Linux 上,你可以在提取一个 tar 文件时"快速地"解压缩它。只要把 z 标志加到 tar 命令上,如 tar -zxvf foo.tar.gz。

　　典型的安装过程编辑 makefile 文件来编辑这个软件将放置编译的二进制文件的目标目录。然后,人们通常运行后跟 make install 的 make 命令。

　　这个 make(制作)过程对你安装的每个包来说可能是不同的。对某些包,某种配置 shell 脚本可能要询问你一些问题,然后为你编译那个软件。一定要阅读软件包所带的文档。

13.3.4　查看文件权限

　　为一个软件包设置权限通常是在安装过程中自动进行的。你的应用软件所带的安装脚本通常在安装每个文件时为它们指定适当的所有权和权限。只有出现了错误或应该能访问这个程序的用户不能访问它时,才需要你去查找这个程序所处的目录和检查权限。

　　通常,为启动一个软件而运行的可执行文件在安装时被设置成具有可被任何用户运行的权限;但是,只有超级用户才能删除或重写它。应用程序通常被安装在一个具有读权限和执行权限而没有写权限的目录中。

13.3.5　处理问题

　　一个编写得很好的且被很好支持的应用程序安装到你的系统的过程中,只需向你询问最少量的信息。它恰当地设置权限,使得你所要做的只是测试这个程序及通知用户该应用软件现在可以使用了。常常使用电子邮件来通知用户。

　　如果一个程序未能完全安装,错误查找的工作通常只是阅读该应用软件所提供的文档和 README 文件,查阅一个出错或问题清单及它们的解决办法。但是没有人指望你掌握和精通 Linux 上使用的数十个软件包。你时常需要外界的帮助。

　　如果你不能通过使用软件包所带的资料来解决问题,你应该试着查看 Usenet 新闻,看看有没有对这个软件包的讨论。在 Usenet 上的相应 Linux 组中交流问题可以解决许多难题。如果在网上找不到帮助,可以试着与这个应用程序的开发者联系,通常是通过电子邮件联系的。记住,Linux 是免费的,并且为 Linux 制作的大多数软件包也是免费的。不要指望微缩手册和 24 小时技术支持热线。但如果你不是具有冒险精神的人,你就不会使用 Linux——对吗?

13.3.6　删除应用软件

　　如果一个应用软件被另一个较好的软件包取代了,或不再被系统上的任何用户使用了,删掉它是一个好主意。磁盘空间总是宝贵的,你当然不会想让一个旧的和无用的程序侵占新的应用软件所需要的空间。

　　与安装一样,在 Linux 系统上删除一个程序比在单用户操作系统上更复杂。只删除这个应用软件的文件和删除其目录常常是不够的。必须切断驱动程序和其他软件连接,以避免将来出问题。通过做记录和取得写入标记文件的安装信息,你常常可以弄清楚在安装这个软件时改变了什么内容。然后,你就能够推断出为了成功地删除一个软件包要删除什么文件以及要改变哪些文件。

13.4 升级内核

在升级其他软件的同时,内核源代码的新版本也在经常公布。这些新版本可能修正了错误或添加了新功能。作为一种选择,你可能会由于需要重新配置内核或添加新的设备驱动程序而对内核升级。不论在哪种情况下,升级软件的过程都是相当直接明了的。你应该确保在开始升级前对你的系统软件制作了一个备份及制作了一个 Linux 引导软盘,以便在系统损坏时能够恢复它。对重建 Linux 内核的完整描述,参见有关安装的各章:第三章"安装 Red Hat"和第四章"安装 Slackware 96"。

参见 3.8,4.10"建立新内核"。

"Kernel HOWTO"文档中详细介绍了内核的升级过程,这个文档被定期发送到 Internet 的 Linux 新闻组,也可以在各种 Linux FTP 网点(包括 sunsite.unc.edu)上得到。在你开始升级你的内核前,一定要得到这个 HOWTO 的一个拷贝并通读它。

升级内核的基本过程中的第一步是获取新的内核的源代码文件,这些源代码可以通过匿名 FTP 从各个 Linux 档案网点获得。得到源代码后,你需要保存好你的当前内核源代码。为此,把你的/usr/src/linux 目录移到另一个名称下,如/usr/src/linux.old。在/usr/src 目录中对内核源代码进行解包,该过程创建了 linux 子目录。此时,进入这个 linux 目录并阅读文档和 README 文件。新的内核软件公布时,情况可能发生了变化,所以一定要阅读文档。

从这里开始,升级过程可能会有点不同。典型的操作是键入 make config,此命令运行一个配置脚本并向你询问与你的系统有关的问题。如果这个配置阶段顺利完成了,就键入一个与 make dep 类似的命令。这个命令检查所有的文件相关性以确保新内核找到所有它需要编译的文件。

这个相关性检查完成后,键入 make clean 来删除还留在内核源代码目录中的旧目标文件。如果到这里一切顺利,你就可以键入 make 来编译新内核。编译完成后,你就可以用 LILO 引导管理程序来安装它,升级过程就完成了。

同样,在动手安装新内核之前一定要阅读"Kernel HOWTO"。这个文档对设置内核进行了深入详细的介绍,可能会大大减少你受困扰的时间。另外,它还可能使你在这个过程中避免毁坏当前 Linux 系统。

13.5 从这里开始

在以下各章中你可以找到有关安装和升级软件的更多信息。

☐ 第三章"安装 Red Hat"详细介绍了怎样安装和设置 Linux 操作系统的 Red Hat 发行版本。

☐ 第四章"安装 Slackware 96"详细介绍了怎样安装和设置 Linux 操作系统的 Slackware 96

发行版本。

□ 第五章"运行 Linux 应用程序"介绍了建立你的 Linux 系统的基本知识。

□ 第十一章"备份数据"介绍了制作系统备份的过程。

第三部分　管理文件系统

第十四章　管理文件系统

本章内容

☐ 了解文件系统

文件系统是建立在硬盘、软盘或 CD-ROM 上的目录。文件系统也可以在网络上使用。

☐ 安装和卸下文件系统

为了访问文件系统,必须通过把文件系统安装到一个安装点上来使 Linux 知道它的存在。

☐ 使用网络文件系统

NFS 允许 Linux 访问在远程机上的文件系统,就像它们在本地硬盘驱动器上一样。

☐ 维护文件系统

随着时间的推移,Linux 文件系统会变得陈旧或被损坏了,因此需要进行维护。

☐ 建立和格式化文件系统

当添加新硬盘驱动器时,必须创建和格式化文件系统。

☐ 使用交换文件和交换分区

为了利用虚拟内存,Linux 需要交换空间,交换空间是在实际 RAM 被用尽时系统用来作为内存使用的磁盘空间。

文件系统形成了 Linux 系统上所有数据的基础。Linux 程序、库、系统文件和用户文件都驻留在文件系统上。文件系统的适当管理是很重要的,因为用户的所有数据和程序都处在文件系统上。

本章中概述的许多步骤都是在安装 Linux 时自动执行的。然而,用户应该学会管理文件系统以便能创建、管理和维护 Linux 系统。了解文件系统管理对于成功地管理系统是非常重要的,为了 Linux 能运转正常,文件系统必须能很好地进行工作。

14.1　了解文件系统

在 Linux 下,用户所见到的文件空间是基于树状结构的,该树的根在顶部。这个空间中的各种目录和文件从树根向下分支。顶层目录(/)被称为根目录,图 14.1 给出了树形结构的图例。

对用户而言,该目录看上去就像一个无缝的实体,用户只能看见目录和文件。实际上,文件树中的许多目录都是实际地置于一个磁盘、不同磁盘甚至不同的计算机的不同分区中的。当这些磁盘分区之一被连接到文件树中被称为安装点的目录上时,安装点及其以下所有的目录就被称作一个文件系统。

Linux 操作系统由一些目录和许多不同的文件组成。根据用户选择的安装不同,这些目录可能是不同的文件系统。通常,大多数操作系统都驻存在两个文件系统上:根文件系统,称为/,和安装在/usr 下的文件系统。

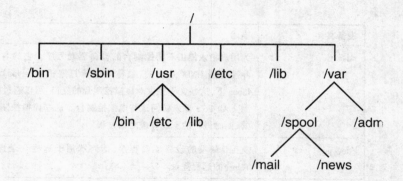

图 14.1 把 Linux 文件系统画成倒置的树,该树的根在顶部,树枝和树叶向下延伸

如果你用 cd / 命令将当前目录改变到根目录,并请求列出目录清单,你就会看到一些目录。这些目录组成了根文件系统的内容,它们也为其他文件系统提供了安装点。

/bin 目录包含称为二进制(binary)文件的可执行程序。(事实上,名为/bin 的目录是 binary 的缩写)。这些程序是必需的系统文件,许多 Linux 命令(如 ls)实际上是放在该目录中的程序。

/sbin 目录也用于存储系统二进制文件。这个目录中的大多数文件用于管理系统。

/etc 目录非常重要,它包含许多 Linux 系统配置文件。从本质上说,这些文件使你的 Linux 系统具有自己的个性。口令文件(口令)就放在这里,在启动时安装的文件系统列表(fstab)也放在这里。另外,这个目录还包括 Linux 的启动脚本、你想要永久记录的、带 IP 地址的主机列表和许多其他类型的配置信息。

程序运行时使用的共享库被存储在/lib 目录中。通过使用共享库,许多程序可以重复使用相同的代码,并且这些库可存储在一个公共的位置上,因此能减小运行程序的大小。

/dev 目录包含称为设备文件的特殊文件,这些文件用于访问系统上所有不同类型的硬件。例如,/dev/mouse 文件是用于读取鼠标的输入的。通过用这种方法组织对硬件设备的访问,Linux 有效地使硬件设备的接口看起来就象一个文件。这意味着在许多情况下,你可以用软件使用的相同的语法来对计算机的硬设备进行操作。例如,为了在软盘驱动器上建立你的起始目录的磁带档案,你可以使用下面的命令:

tar -cdf /dev/fd0 ~tackett

/dev 目录中的许多设备都放在逻辑组中。表 14.1 列出了/dev 目录中一些最常用的设备。

表 14.1 /dev 目录中一些最常用的设备

设备文件	描述
/dev/console	系统控制台,它是与 Linux 系统实际连接的计算机显示器
/dev/hd	IDE 硬盘驱动器的设备驱动程序接口。/dev/hda1 设备指在硬盘驱动 hda 上的第一个分区。设备/dev/hda 指整个硬盘 hda
/dev/sd	SCSI 磁盘的设备驱动程序接口。SCSI 磁盘和分区使用与 IDE /dev/hd 设备相同的约定
/dev/fd	提供支持软盘的设备驱动程序。/dev/fd0 是第一个软盘驱动器,/dev/fd1 是第二个软盘驱动器
/dev/st	SCSI 磁带驱动器的设备驱动程序

设备文件	描述
/dev/tty	为用户输入提供不同控制台的设备驱动程序。它的名字来源于实际挂接到 UNIX 系统的、被称为电传打字机（teletype）的终端。在 Linux 下，这些文件提供对虚拟控制台的支持，可以通过按 < Alt-F1 > 到 < Alt-F6 > 键来访问这些虚拟控制台。这些虚拟控制台提供独立的、同时进行的本地登录对话过程
/dev/pty	支持伪终端的设备驱动程序，伪终端用于远程登录进程，如使用 Telnet 的远程登录
/dev/ttyS	计算机的串行接口。/dev/ttyS0 对应 MS-DOS 下的 COM1。如果有一个串行鼠标，/dev/mouse 是对连接了鼠标的 ttyS 设备的符号链接
/dev/cua	与调制解调器一起使用的特殊呼出设备
/dev/null	一个非常特殊的设备。实际上是一个黑洞。所有写入 /dev/null 的数据将永远丢失。如果你想要运行一个命令并丢弃标准输出或标准错误输出，那么这个设备是非常有用的。而且，如果用 /dev/null 作为一个输入文件，则会建立一个长度为零的文件

/proc 目录实际上是一个虚拟文件系统。它被用于从内存中读取处理信息。

/tmp 目录用于存储程序运行时生成的临时文件。如果你有一个程序，它会生成许多大的临时文件，那么你可能想把 /tmp 目录作为一个独立文件系统来安装，而不是只把它作为根文件系统上的一个目录。如果把 /tmp 作为根文件系统上的一个目录，并且有许多大文件要写入其中，那么根文件系统的空间就会用尽。

/home 目录是用户起始目录的基础目录。通常把它作为一个独立的文件系统来安装，这样用户就能有大量用于自己文件的空间。事实上，如果系统上有许多用户，则可能需要把 /home 分成几个文件系统。为此，需要建立子目录，如用 /home/staff 和 /home/admin 目录分别作为公司职员和管理人员的子目录。把每一个这样的子目录做为不同的文件系统来安装，然后在其下建立用户的起始目录。

/var 目录保存要随时改变大小的文件。通常，各种系统记录文件都放在这个目录下。

提示：

你可在 /目录下建立其他的安装点（如果你想要的话）。如果你经常要把 CD-ROM 安装在系统上的话，那么你可能想要建立一个名为 /cdrom 的安装点。

/usr 目录及其子目录对 Linux 系统的操作是非常重要的。它包含这样一些目录，这些目录中保存系统上的一些最重要的程序。通常，/usr 的子目录包含你安装的大型软件包。表 14.2 讨论 /usr 的一些子目录。/usr 目录几乎总是作为一个独立的文件系统来安装的。

表 14.2   /usr 文件系统中重要的子目录

子目录	描述
/usr/bin	这个目录保存许多在 Linux 系统上能找到的可执行程序
/usr/etc	这个目录包含许多各种各样的系统配置文件

子目录	描述
/usr/include	这个目录及其子目录是存放 C 编译程序的所有包含文件的地方。这些头文件定义常量和函数,对 C 编程是重要的
/usr/g++-include	这个目录包含 C++ 编译程序的包含文件
/usr/lib	这个目录包含程序在链接时使用的各种库
/usr/man	这个目录包含 Linux 系统上的程序的各种联机帮助。在 /usr/man 下是一些与联机帮助的不同段相对应的子目录
/usr/src	这个目录包含保存系统的不同程序的源代码的目录。如果你得到了一个想要安装的软件包,那么 /usr/src/packagename 是安装该包前放置源代码的好地方
/usr/local	这个目录用于存放系统的本地定制内容。通常,许多本地软件安装在这个目录的子目录中。这个目录的格式在几乎你所见到的每一个 UNIX 系统上都不相同。建立此目录的一种方法是:为二进制文件建立一个 /usr/local/bin 目录;为配置文件建立一个 /usr/local/etc 目录;为各种库建立一个 /usr/local/lib 目录;为源代码建立一个 /usr/local/src 目录。如果要使 /usr/local 具有许多空间的话,则可把整个 /usr/local 目录树作为一个独立的文件系统来安装

14.2 安装和卸下文件系统

到目前为止,读者应该对什么是文件系统有了一个较好的认识。那么,如何建立一个作为独立的文件系统的目录呢?

要在 Linux 目录树中安装一个文件系统,必须有要安装的实际磁盘分区、CD-ROM 或软盘。还必须确保把文件系统附加到其上的、称为安装点的目录实际上是存在的。

安装一个文件系统不创建安装点目录。安装点必须在你试图安装文件系统前就已经存在。假设你想在安装点 /mnt 下安装在驱动器 /dev/sr0 中的 CD-ROM,那么名为 /mnt 的目录必须存在,否则,安装就会失败。当在该目录下安装了这个文件系统后,这个文件系统中的所有文件和子目录都会出现在 /mnt 目录下。否则,/mnt 目录是空的。

提示:

如果你想知道当前目录处在哪个文件系统上的话,使用 df. 命令。这个命令的输出显示了这个文件系统和可用的空间。

14.2.1 交互地安装文件系统

现在,也许你已经猜到,Linux 使用 mount 命令来安装文件系统。mount 命令的语法是:

mount   device   mountpoint

其中 device 是要安装的实际设备;mountpoint 是文件系统树中安装这个文件系统的安装点。

注释:

　　只有超级用户才能使用 mount 命令。这有助于保证系统的安全。有几个软件包可用于让用户安装特殊的文件系统,尤其是软盘。

　　除上面提到的两个参数外,mount 还接受一些命令行参数(参见表 14.3)。如果没有给出一个所需的命令,mount 就试着从/etc/fstab 文件中找出它。

表 14.3　mount 命令的命令行参数

参数	描述
-f	除了不进行实际的安装系统调用外,它完成每个操作。这个参数"假"安装文件系统
-v	长格式模式;为 mount 的工作提供附加信息
-w	安装有读和写权限的文件系统
-r	安装只有读权限的文件系统
-n	不把条目写入/etc/mtab 文件中的安装
-t *type*	指定要安装的文件系统的类型。有效的类型是 minix、ext、ext2、xiafs、msdos、hpfs、proc、nfs、umsdos、sysv 和 iso9660(默认)
-a	使 mount 试图安装/etc/fstab 中的所有文件系统
-o *list_of_options*	当带有用逗号分开的选项列表时,将使 mount 把指定的选项用于正被安装的文件系统上。有许多选项可在这里使用,要得到完整的选项清单,请参考 mount 的联机帮助

注释:

　　mount 命令有几种很常用的形式。mount /dev/hdb3 /mnt 命令把硬盘分区/dev/hdb3 安装在目录/mnt 下。mount -r -t iso9660 /dev/sr0 /mnt 命令把 SCSI CD-ROM 驱动器/dev/sr0(它是只读的、并且具有 ISO 9660 文件格式)安装在/mnt 目录下。mount -vat nfs 命令安装所有列在/etc/fstab 文件中的 NFS 文件系统。

提示:

　　如果一个文件系统未正确安装,则可用命令 mount -vf device mountpoint 来查看 mount 正在做什么。该命令会给出一个很长的清单让 mount 做每项工作(但不安装这个文件系统)。用这种方法,你可以骗过 mount 命令并得到许多关于该命令正打算做什么的信息。

14.2.2　引导时安装文件系统

　　在大多数情况下,Linux 系统使用的文件系统不经常变化。因此,你可以很容易地指定在 Linux 在引导时要安装的文件系统清单和 Linux 在关闭时要卸下的文件系统清单。这些文件系统被列在一个名为/etc/fstab 的特殊配置文件中,这个特殊配置文件就是文件系统表。/etc/fstab 文件列出了要安装的文件系统,每行一个文件系统。每行中的字段由空格或制表符分隔。表 14.4 列出了/etc/fstab 文件中的不同字段。

表 14.4 /etc/fstab 文件中的字段

字段	描述
File system specifier	指定要安装的块特殊设备或远程文件系统
Mount point	指定文件系统的安装点。对特殊文件系统(如交换文件)使用 none,none 激活交换文件,但却使交换文件在文件树中看不到
Type	给出指定文件系统的文件系统类型。目前,支持以下类型的文件系统: ·minix,支持 14 或 30 个字符长的文件名的本地文件系统 ·ext,具有较长文件名和较大索引节点的本地文件系统(这种文件系统已被 ext2 文件系统所代替,不要再使用了) ·ext2,具有较长文件名、较大索引节点及其他特性的本地文件系统 ·xiafs,一种本地文件系统 ·msdos ,用于 MS-DOS 分区的本地文件系统 ·hpfs,用于 OS/2 高性能文件系统分区的本地文件系统 ·iso9660,用于 CD-COM 驱动器的本地文件系统 ·nfs,用于从远程系统安装分区的文件系统 ·swap,用于交换的磁盘分区或特殊文件 ·umsdos,UMSDOS 文件系统 ·sysv,系统 V 文件系统
Mount Options	一个用逗号分隔的文件系统安装选项列表。最少,它必须包含文件系统的安装类型。参见 mount 的联机帮助以了解关于安装选项的更多信息
Dump Frequency	指定应该多长时间使用 dump 命令备份文件系统一次。如果没有这个字段,dump 就假定文件系统不需要备份
Pass Number	指定在引导系统时,fsck 命令按什么顺序检查文件系统。根文件系统的值应为 1。所有其他文件系统的值应为 2。如果没有指定数值,则引导时不会检查一致性

提示:

建议你在引导时通过/etc/fstab 文件而不是用 mount 命令来安装你的文件系统。记住,只有超级用户才能使用 mount。

下面是一个示例 fstab 文件:

```
# device        directory      type        options
/dev/hda1        /             ext2        defaults
/dev/hda2        /usr          ext2        defaults
/dev/hda3        none          swap        sw
/dev/sda1        /dosc         msdos       defaults
/proc            /proc         proc        none
```

在这个示例文件中,可以看到几个不同的文件系统。首先,注意到这个文件中的注释是以 # 符号为前缀的。在这个 fstab 文件中,安装了两个普通的 Linux 文件系统,即磁盘分区/dev/

hda1 和/dev/hda2。它们的类型是 ext2,并分别建立在根目录/和/usr 目录下。

options 字段下的 defaults 表明此文件系统应该用常用的默认选项集来安装。也就是:把此文件系统安装为可读/写的,把它解释为块特殊设备,异步执行所有文件的 I/O 操作,允许执行二进制文件,可以用 mount -a 命令来安装该文件系统,在这个文件系统上解释文件上设置 UID(用户 ID)和设置 GID(组 ID)的位,并且不允许普通用户安装这个文件系统。可以看出,用输入 defaults 来代替上述这些选项要容易得多。

参见 3.5.3,4.6.1"创建交换分区"。

/dev/hda3 分区是一个用于内核虚拟内存交换空间的交换分区。它的安装点被指定为 none,这是因为不希望它出现在文件系统树中。还必须把它放在/etc/fstab 文件中,这样系统就知道实际放置它的地方。交换分区也可用 sw 选项来安装。

/proc 文件系统是一个虚拟文件系统,它指向内存中进程信息的空间。可以看到,它并没有相应的要安装的实际分区。

提示:
要了解/etc/fstab 文件中所有可用选项的全部信息,请参考 fstab 的联机帮助。

也可自动安装 MS-DOS 文件系统。分区/dev/sda1 是 SCSI 硬盘驱动器 sda 上的第一个分区。通过把类型指定为 msdos 和把/dosc 作为安装点可把该分区作为 MS-DOS 分区来安装。可把 MS-DOS 文件系统的安装点放在任何位置,并不要求必须把该安装点放在根目录下。

14.2.3 卸下文件系统

既然你已经知道有关安装文件系统的各种事情,现在我们来看看怎样卸下它。使用 umount命令卸下文件系统。有几个原因使你要卸下一个文件系统,这些原因是:卸下文件系统后,你就可以用 fsck 来检查/修理一个文件系统;如果网络有问题,可卸下已安装的 NFS 文件系统;或卸下在软盘驱动器上的一个文件系统。

注释:
该命令是"umount",不是"unmount"。要确保正确地输入了该命令。

umount 命令有三种基本形式:
umount *device* ¦ *mountpoint*
umount -a
umount -t *fstype*
其中 device 是要卸下的实际设备的名字;mountpoint 是安装点目录名(只需指定这两个中的一个)。umount 命令只有两个命令行参数:-a 卸下所有的文件系统,-t fstype 只卸下指定类型的文件系统。

警示:

umount 命令不能卸下正在使用的文件系统。例如,如果在/mnt 下有某个已安装的文件系统,使用如下命令:

cd /mnt

umount /mnt

就会得到一个错误信息,告诉你这个文件系统正忙。为卸下安装在/mnt 下的这个文件系统,你必须改变到另一个文件系统中的一个不同的目录中。

14.3 了解网络文件系统

网络文件系统(NFS)是这样一个系统,它允许用户安装 TCP/IP 网络上的其他计算机的文件系统。在 NFS 下,一个远程计算机上的文件系统被本地安装并且看起来就像用户的本地文件系统。这种被本地安装的幻觉有许多用途。例如,你可以把一台有许多磁盘空间的、在你的网络上的机器当作一个文件服务器。这个计算机在它的那些本地盘上有所有用户的起始目录。通过 NFS 把这些磁盘安装到所有其他的计算机上,这样用户们就可以从任何计算机上访问他们的起始目录。

NFS 有三个必要的组成部分:

□ 要通过 NFS 安装文件系统的那些计算机必须能通过 TCP/IP 网络互相通信。

□ 带有要安装的文件系统的计算机必须使这个文件系统可被其他计算机安装。我们把这台计算机称为服务器,而使这个文件系统可被安装的过程称为输出文件系统。

□ 要安装输出的文件系统的计算机必须把这个文件系统安装成一个 NFS 文件系统,可在引导时通过 /etc/fstab 文件安装这个文件系统,或通过 mount 命令交互地安装这个文件系统。我们把这台计算机称为客户机。

下面几节讨论输出文件系统和在本地安装它。

14.3.1 输出 NFS 文件系统

为使客户机能安装 NFS 文件系统,该文件系统必须由服务器设置为是可安装的。在把这个文件系统设置成可安装的之前,必须保证服务器上已安装了它。如果该文件系统总是成为一个 NFS 输出文件系统,那么就应该确保已将它列在服务器的/etc/fstab 文件中,这样在服务器引导时会自动安装它。

当你在本地安装了这个文件系统时,你可以通过 NFS 使之有用。这是一个两步骤的过程。第一步,必须保证 NFS 守护程序 rpc.mountd 和 rpc.nfsd 正在服务器上运行。这些守护程序通常在启动/etc/rc.d/initd/nfs 脚本时启动。所需要做的只是确保在你的脚本中有以下几行内容:

daemon rpc.mountd

daemon rpc.nfsd

注释:

和基于 PRC 的程序一样,rpc.mountd 和 rpc.nfsd 守护程序不受 inetd 守护程序管理,它们在引导时被启动,向 portmap 守护程序登记它们自己。必须确保只有在 rpc.portmap 运行后才能启动它们。

第二步,你必须把 NFS 文件系统输入到名为/etc/exports 的配置文件中。这个文件包含可输出什么文件系统、允许什么计算机访问它们和允许何种类型和级别的访问等信息。

14.3.2　了解/etc/exports 文件

mount 和 nfsd 守护程序使用/etc/exports 文件来决定输出哪些文件系统以及对输出的文件系统有哪些限制。要输出的文件系统列在/etc/exports 中,每行一个。每行的格式是:本地文件系统的安装点的名称、后面跟允许安装这个文件系统的计算机的列表。列表中的每一台计算机名后面可跟用括号括起的安装选项列表(该选项列表用逗号分隔)。表 14.5 列出了在/etc/exports 文件中可使用的安装选项。

表 14.5　可在/etc/exports 文件中使用的安装选项

选项	描述
insecure	允许来自该机器的非确认的访问
secure	要求来自该机器的安全的 RPC 确认
root_squash	把来自根(即客户机上的 UID 0)的任何请求映射到服务器上的 UID NOBODY_UID 上
no_root_squash	不映射来自 UID 0 的任何请求(默认行为)
ro	把文件系统安装为只读的(默认行为)
rw	把文件系统安装为只写的
link_relative	把绝对链接(以一个斜杠开始的链接)转换为相对链接,方法是在该链接前放置必要数量的../符号,../符号的数量等于从包含链接的目录开始到服务器上的根目录为止这段路径的目录数
link_absolute	让所有的符号连接保留原样(Sun NFS 服务器的标准行为)。这是 Linux 的默认行为
map_daemon	用发出 NFS 请求的客户机上的 lname/uid map 守护程序来映射本地名、远程名和数字 ID。用于在客户和服务器 UID 空间之间的映射
all_squash	把所有的 UID 和 GID 映射到匿名用户上。这个选项对 NFS 输出的公共目录(如那些家用 FTP 和新闻)是很有用的
no_all_squash	与 all-squash 选项相反的选项。该选项是 Linux 的默认选项
squash_uids	指定属于匿名映射的 UID 列表。一个有效的 id(标识号)列表看起来像下面这样: squash_uids = 0-15,20,25-50
squash_gids	指定属于匿名映射的 GID 列表。一个有效的标识号(id)列表看起来像下面这样: squash_gids = 0-15,20,25-50
anonuid	设置匿名帐号的 UID。该选项对 PC/NFS 客户机很有用
anongid	设置匿名帐号的 GID。该选项对 PC/NFS 客户机很有用
noaccess	用于使客户不能访问某些子目录。使客户不能访问该子目录下的任何内容

这里是一个示例/etc/exports 文件：

/home   bill.tristar.com(rw) fred.tristar.com(rw)
└──▶george.tristar.com(rw)
/usr/local/bin   * .tristar.com(ro)
/projects   develop.tristar.com(rw) bill.tristar.com(ro)
/pub   (ro, insecure, root_quash)

在这个例子中,服务器输出四个不同的文件系统。第一个文件系统/home 被安装在三台不同的计算机 bill、fred 和 gmrge 上,这三台计算机可以读/写访问/home。这表明这个目录可能保存用户的起始目录。/usr/local/bin 文件系统被输出为只允许 tristar.com 域中的计算机对该文件系统进行只读访问。

/projects 文件系统被输出为:允许计算机 develop.tristar.com 读/写访问该文件系统,但计算机 bill.tristar.corn 只能读访问该文件系统。

对/pub 文件系统,没有被允许访问的主机列表。这就是说,允许任何主机安装这个文件系统。已把该文件系统输出为:只读、允许未证实的访问,并且这台服务器重新映射访问该文件系统的远程机上的任何根请求。

14.3.3 安装 NFS 文件系统

安装 NFS 文件系统与安装任何其他类型的文件系统很相似。你可在引导时从/etc/fstab 文件中安装 NFS 文件系统,或通过 mount 命令交互地安装 NFS 文件系统。

警示:

你必须保证用冒号把主机名和远程文件系统名的 file/system/path 部分分开,如:

mailserver:/var/spool/mail

当用 mount 命令或当建立一个/etc/fstab 的条目时,如果你不把主机名和目录分开,那么你的系统就不能正确地安装远程目录。

通过/etc/fstab 来安装 NFS 文件系统 当你在/etc/fstab 文件中指定一个 NFS 文件系统时,要用如下格式来标识这个文件系统:

hostname:/*file*/*system*/*path*

hostname 是放置这个文件系统的服务器的名字,/file/system/path 是服务器上的这个文件系统。

在这个文件系统条目的安装选项字段中,指定这个文件系统的类型是 nfs。表 14.6 列出了最常用的 mount 选项。

表 14.6 用于 NFS 安装的常用选项

选项	描述
rsize = n	指定 NFS 客户有读请求时使用的数据报大小(以字节为单位)。默认值是 1,024 字节
wsize = n	指定 NFS 客户有写请求时使用的数据报大小(以字节为单位)。默认值是 1,024 字节
timeo = n	以 10 分之一秒为单位设置时间,这个时间是 NFS 客户等待完成请求的时间。默认值是 0.7 秒

选项	描述
hard	用硬安装来安装这个文件系统。这是默认行为
soft	用软安装来安装这个文件系统
intr	允许中断 NFS 调用的信号。当 NFS 服务器不响应时,如果要放弃一个操作,那么这个选项就很有用

硬安装与软安装的比较

硬安装和软安装决定在 NFS 服务器停止响应时 NFS 客户机如何反映。默认时,NFS 文件系统是被硬安装的。不论采用哪种类型的安装,如果服务器停止响应,客户都要一直等到由 timeo 选项指定的超时值到了,然后重发请求(称作次要超时)。如果对服务器的请求持续到超时并且整个超时达到 60 秒,就发生了主超时。

如果文件系统是被硬安装的,那么客户就在控制台上输出一条消息,并用两倍于前一次超时周期的超时值再一次启动安装请求。这有永远做下去的可能性。客户一直试图重新安装服务器的 NFS 文件系统,直到装好它。

而另一方面,软安装只在主超时发生时产生一个 I/O 错误给调用进程。然后 Linux 继续工作。

通常,通过 NFS 安装的重要的软件包和实用程序应该用硬安装来进行安装。这就是为什么硬安装是默认安装的原因。如果在以太网有一会儿未接通时,你不想你的系统运作异常,那么你就让 Linux 等待直到网络恢复。另一方面,你可能想用软安装来安装非关键的数据(如远程新闻库分区),以便在远程主机关闭时,它不会挂起你当前的登录会话过程。

/etc/fstab 文件中的一个典型的 NFS 文件系统条目看起来可能像这样:

mailserver:/var/spool/mail   /var/spool/mail   nfs timeo = 20, intr

这个条目把主机 mailgerver 上的/var/spool/mail 文件系统安装在本地安装点/var/spool/mail 上。它指定这个文件系统类型为 nfs。另外,它设定超时值为 2 秒,并使这个文件系统上的操作可中断。

交互地安装 NFS 文件系统   可以像安装其他类型的文件系统那样交互地安装 NFS 文件系统。但是,你应该知道:由于你可以在命令行上指定所有的选项,这使 NFS 的 mount 命令不容易看懂。

还用上面的例子,用于安装/var/spool/mail 文件系统的交互的 mount 命令是这样的:

mount -t nfs -o timeo = 20, intr mailserver:/var/spool/mail   /var/spool/mail

如果你需要指定数据报大小和超时值,交互的 mount 命令会变得很复杂。极力推荐你把这些 mount 命令放在你的/etc/fstab 文件中,以便在引导时能自动地安装它们。

14.4　维护文件系统

系统管理员负责维护文件系统本身的完整性。通常,这意味着定期检查文件系统是否有被损坏或破坏的文件。如果文件系统在/etc/fstab 文件的 pass number 字段中指定的值大于 0,那么 Linux 在引导时会自动检查文件系统。

注释：

　　Linux 下常用的 ext2 文件系统有一个特殊标志 clean(称作清除位)。如果明确地同步并卸下这个文件系统，则在这个文件系统上设置这个 clean 位。如果在 Linux 引导时，一个文件系统的 clean 位被设置了，那么就不对它进行完整性检查。

14.4.1　使用 *fsck* 命令

　　经常检查文件系统中被损伤或破坏的文件是个好主意。在 Linux 的 Slackware 发行版本下，可以使用 fsck(file system check)命令来检查文件系统。在一系列用来检查指定的文件系统的命令中，fsck 命令是真正的"前端"命令。fsck 命令的语法是：

　　fsck　[-A]　[-V]　[-t　*fs-type*]　[-a]　[-l]　[-r]　[-s]　*filesys*
但是这个命令最基本的形式是：

　　fsck *filesys*

　　表 14.7 描述了 fsck 命令的命令行选项。

表 14.7　fsck 的命令行参数

参数	描述
-A	遍历/etc/fstab 文件，并试图一次检查所有的文件系统。这个选项通常用在 Linux 引导期间检查所有正常安装的文件系统。如果你使用了-A，那么你就不能再使用 filesys 参数
-V	长格式模式。打印有关 fsck 正在干什么的附加信息
-t *fs-type*	指定要检查的文件系统的类型
filesys	指定要检查哪个文件系统。这个参数可以是一个块特殊设备名(如/dev/hda1)，或一个安装点(/usr)
-a	在不询问任何问题的情况下，自动地修复在文件系统中发现的任何问题。小心使用这个选项
-l	列出文件系统中的所有文件名
-r	在修复文件系统前请求确认
-s	在检查文件系统前列出管理块的信息

　　fsck 命令实际上是一个前端程序，该程序调用命令检查与你指定的类型相匹配的文件系统。为此，Linux 需要知道它要检查的文件系统的类型。最简单地确保 fsck 调用了正确的命令的方法是用带-t 选项的 fsck 来指定一个文件系统的类型。如果你不使用-t 选项，Linux 就在/etc/fstab 中查找的这个文件系统类型，并把/etc/fstab 中的这个文件系统的类型作为你的文件系统的类型。如果 fsck 不能在/etc/fstab 中找到文件系统类型信息，那么它假定你正在使用的是 Minix 文件系统。

警示：

　　如果你在 fsck 命令中没有用 -t 参数或在/etc/fstab 中没有列出这个文件系统的类型，那么 fsck 命令就假定你正检查的文件系统是一个 Minix 文件系统。由于你的 Linux 文件系统很可能是 ext2 类型，而不是 Minix 类型,所以你应该确保 fsck 知道正确的类型。如果你正在检查一个没有列在/etc/fstab 中的文件系统,这点特别重要。

在检查一个文件系统前,卸下它是个好主意。这保证了在检查这个文件系统上的文件时,没有任何文件正在使用。

注释:

记住,如果文件系统上有文件在使用,那么就不能卸下这个文件系统。例如,如果有一个用户目前正处于你试图卸下的文件系统上的一个目录中,那么你就会得到一个信息,说该文件系统正在工作。

要检查根文件系统会出现另一个问题。你不能直接卸下根文件系统,因为 Linux 为了运行必须能够访问它。为了检查根文件系统,你应该从一张带有根文件系统的维护软盘进行引导,然后,通过指定根文件系统的特殊设备名,从软盘上运行真正的根文件系统上的 fsck 命令。如果 fsck 对你的文件系统做了修改,立即重新引导系统是很重要的。这使 Linux 能重新读取你的文件系统的重要信息,防止你的文件系统受到进一步的损坏。

警示:

如果对文件系统做了修改,确保在运行 fsck 后立即重新引导计算机,以阻止对文件系统的进一步损坏。使用 shutdown -r 命令或 reboot 命令重新引导。

14.5 建立和格式化文件系统

当你给计算机添加一个新硬盘或想改变原来硬盘上的分区信息时,你就要经过由裸盘生成一个文件系统的所有步骤。假设你已在你的系统上添加了一个新硬盘,则你必须在 Linux 能使用该磁盘以前,设置磁盘分区信息,然后在该磁盘上建立实际的文件系统。为了改变分区信息,用 fdisk 命令。在你对该硬盘分区后,你还需要用 mkfs 命令建立文件系统。

14.5.1 用 *fdisk* 创建磁盘分区

用 fdisk 命令创建磁盘分区和设置属性,该属性告诉 Linux 这个特殊分区上的文件系统是什么类型。如果你在 MS-DOS 系统上安装 Linux,那么你必须在安装 Linux 前运行 fdisk 来改变磁盘分区信息。

警示:

在磁盘上使用 fdisk 会毁坏该盘上的所有数据。因为 fdisk 完全重写该磁盘上的文件表,你以前的所有文件可能都丢失了,所以,确保在使用 fdisk 之前,你有一个磁盘的完整的当前备份。

你应该总是在一个已卸下的文件系统上运行 fdisk 命令。fdisk 是一个交互的菜单驱动程序,而不只是单一的命令。要启动 fdisk,键入:

fdisk [*drive*]

其中 drive 是你要在进行磁盘分区的实际磁盘驱动器。如果你没有指定磁盘,则假定磁盘是

/dev/hda。例如,要在系统中的第二个 IDE 硬盘驱动器上运行 fdisk,则应在超级用户命令提示符下输入:

fdisk /dev/hdb

因为 fdisk 是一个菜单驱动程序,所以当你使用 fdisk 时可使用几种不同的命令,表 14.8 对此作了总结。

表 14.8　fdisk 菜单中可用的命令

命令	描述
a	切换分区上的可引导标志
c	切换分区上的 DOS 兼容标志
d	删除一个分区
l	列出 fdisk 已知的分区类型
m	显示所有可用命令的菜单
n	添加一个新分区
p	打印当前磁盘的分区表
q	不保存任何修改后退出
t	改变分区的文件系统的类型
u	改变显示/条目的单位
v	检验分区表
w	把分区表写入磁盘并退出
x	列出专家使用的附加功能: ·b　　在一个分区中移动数据的起始位置 ·c　　改变柱面数 ·d　　打印分区表中的原始数据 ·e　　列出磁盘上的扩展分区 ·h　　改变磁盘上的磁头数 ·r　　返回主菜单 ·s　　改变磁盘上的扇区数

fdisk 可把一个磁盘分区的文件系统的类型设置为数种不同类型中的任意一种。只能使用 Linux 的 fdisk 来创建在 Linux 下使用的分区。对于 MS-DOS 或 OS/2 分区,你应该使用 MS-DOS 或 OS/2 的 fdisk 工具,然后使用 Linux 的 fdisk 把这些分区标记为 Linux 本地(Linux native)或 Linux 交换(Linux swap)。

表 14.9 列出了 Linux 的 fdisk 支持的分区。每个分区类型有一个标识它的十六进制代码。当你想要设置分区类型时,你必须在 fdisk 中输入相应的代码。

表 14.9　Linux 的 fdisk 中的分区代码和类型

十六进制代码	分区类型
0	空
1	DOS 12 位 FAT
2	XENIX 的根

十六进制代码	分区类型
3	XENIX 的用户
4	DOS 16 位 < 32M
5	扩展
6	DOS 16 位 > = 32M
7	OS/2 HPFS
8	AIX
9	AIX 可引导
a	OS/2 引导管理程序
40	Venix 80286
51	Novell?
52	Microport
63	GNU HURD
64	Novell NetWare
65	Novell NetWare
75	PC/IX
80	早期的 MINIX
81	Linux/MINIX
82	Linux 交换，用于 Linux 下的文件交换
83	Linux 本地，公共的 Linux 文件系统类型
93	Amoeba
94	Amoeba BBT
a5	BSD/386
b7	BSDI 文件系统
b8	BSDI 交换文件系统
c7	Syrinx
db	CP/M
e1	DOS 访问
e3	DOS R/O
f2	DOS 副本
ff	BBT

下面几节介绍如何使用 fdisk。下面是一个如何使用 fdisk 在硬盘上创建供 Linux 使用的分区的例子。假设你要在系统上为 Linux 配置第一个 IDE 驱动器。确保有你的数据的备份。因为硬盘上的所有数据在这个过程中都会被毁坏。第一个 IDE 硬盘的名字是/dev/hda，它是 Linux的默认设备。

运行 fdisk　用下述命令运行 fdisk：

　# fdisk

fdisk 回应如下：

Using /dev/hda as default device!

Command（m for help）：

这些信息告诉你：fdisk 将把磁盘/dev/hda 作为要分区的设备。由于这正是你所希望的，所以正好。你还应经常检查以确保你确实在对你所要的磁盘进行操作。然后，Linux 显示 fdisk 命令提示符。

显示当前的分区表　你要做的第一件事就是显示当前的分区表。用 p 命令来完成：

Command（m for help）：p

Disk /dev/hda：14 heads，17 sectors，l024 cylinders

Units = cylinders of 238 * 512 bytes

Device　　Boot　　Begin　　Start　　End　　Blocks　　Id　　System

Command（m for help）：

这张表表明当前硬盘/dev/hda 有 14 个磁头、17 个扇区和 1024 个柱面。显示单位是每个柱面 238 * 512（121,856）字节。因为有 1024 个柱面并且每个柱面是 121,856 个字节，所以你可推断该盘可容纳 1,024 × 121,856 = 124,780,544 字节或大约 120M。你还可以看到/dev/hda 没有分区。

创建一个新分区　假设你要为用户的起始目录创建一个 100M 的 Linux 文件分区和一个 20M 的交换分区。下一步就是用 n 命令来创建一个新分区：

Command（m for help）：n

Command action

e　　　extended

p　　　primary partition（1-4）

p

Partition number（1-4）：1

First cylinder（1-1023）：1

Last cylinder or + size or + sizeM or + sizeK（1-1023）：　　+ 100M

用创建一个新分区的 n 命令来显示另一个菜单。你必须选择是要创建一个扩展分区还是要创建一个主分区。通常都是要创建主分区，除非在一个磁盘上有四个以上的分区。接下来，fdisk 询问你要建立的分区号。因为这是磁盘上的第一个分区，所以你回答 1。然后询问你，该分区的第一个柱面。这决定数据区从磁盘上的什么位置开始。因为这将是磁盘上的第一分区，所以你可以在柱面 1 处开始该分区。

下一行问你分区要多大。你有几个选项可回答该问题。fdisk 既可以接受一个数（把该数解释为以柱面为单位的大小），也可以接受以字节、千字节或兆字节为单位的大小。以字节为单位的大小被指定为 + bytes，这里 byte 是该分区的大小的字节数。与此相似，+ sizeK 和 + sizeM 分别设置分区大小为千字节数或兆字节数。因为你知道你想要一个 100M 的分区，因此对这个提示最简单的回答是 + 100M。

重新检查该分区表　现在你应该再次检查这个分区表，看看 fdisk 做了什么：

Command（m for help）：p

```
Disk /dev/hda: 14 heads, 17 Sectors, 1024 cylinders
Units = cylinders of 238 * 512 bytes


Device      Boot    Begin    Start    End      Blocks    Id    System
/dev/hda1            1        1        861      1024      81    Linux/MINIX
Command (m for help):
```

该分区表显示有一个分区(/dev/hda1),它从柱面 1 到柱面 861 并使用 102,400 个块。它的类型为 81,Linux/MINIX。

创建交换分区　现在你需要用剩余的磁盘空间来创建 20M 的交换分区。这与创建第一个分区一样:

```
Command (m for help): n
Command action
e    extended
p    primary partition(1-4)
p
Partition number ( 1-4): 2
First cylinder (862-1023):    862
Last cylinder or  + size or  + sizeM or  + sizeK (862-1023): 1023
```

提示:
　　通常较好的方法是直接以柱面为单位输入最后一个分区的的大小以确保你使用了所有的磁盘空间。

　　这里你指定第二个分区的分区号为 2。当 fdisk 提示第一个柱面时,注意它给出了一个从 862 到 1023 的范围。这是因为第一个分区占用了柱面 862 以前的所有空间。因此输入 862 作为第二个分区的起始柱面。你想把磁盘上剩余的所有空间作为交换分区。你应该还剩大约 20M,但是如果你以兆字节为单位指定大小,那么 fdisk 的内部计算结果可能使两个柱面不能使用。因此在大小提示符下,你输入 1023 作为最后柱面的大小。

注释:
　　你可能会看到与下面类似的错误信息:
　　Warning:Linux cannot currently use the last xxx sectors of this partition.
这里的 xxx 是某个数字,可忽略这样的错误。这是从 Linux 还不能访问大于 64M 的文件系统的时候留下来的。

确保分区大小是正确的　到此,你已创建了要创建的两个分区。你应该再看一次这个分区表,以检查分区大小是否正确:

```
Command (m for help): p
Disk    /dev/hda: 14 heads, 17 Sectors, 1024 cylinders
Units = cylinders of 238 * 512 bytes
Device      Boot    Begin    Start    End      Blocks    Id    System
```

/dev/hda1	1	1	861	102400	81	Linux/MINIX
/dev/hda2	862	862	1023	19159	81	Linux/MINIX

Command(m for help)：

从中可以看出，/dev/hda1 使用柱面 1 到柱面 861，大小为 102,400 块，约 100M。分区/dev/hda2 从柱面 862 到柱面 1023，大小为 19156 块或约 20M。

改变分区类型 你需要做的下一件事是改变每个分区的分区类型。要改变分区类型，在 fdisk 命令提示符下使用 t 命令。对标准 Linux 文件系统分区最通用的选择是把它设置为分区类型 83，Linux 本地。交换分区应设为分区类型 82，Linux 交换。

Command (m for help)：t

Partition number（1-4）：1

Hex code（type L to list codes）：83

Command (m for help)：t

Partition number（1-4）：2

Hex code（type L to list codes）：82

当你使用 t 命令时，fdisk 提示你输入打算改变的分区号。然后提示你输入设置这个分区类型的十六进制代码。通常，用于标准文件系统的 Linux 分区被设置为类型 83。交换分区应该被设置为类型 82。这时，如果你愿意的话，你可以输入 l 以看看文件系统的列表。

完成 既然你已创建了分区并对它们进行了标记，在退出前，你应该最后看一下分区表，以确认每件事都没问题。

Command (m for help)：p

Disk /dev/hda：14 heads, 17 Sectors, l024 cylinders

Units = cylinders of 238 * 512 bytes

Device	Boot	Begin	Start	End	Blocks	Id	System
/dev/hda1		1	1	861	1024	83	Linux 本地
/dev/hda2		862	862	1023	19159	82	Linux 交换

Command(m for help)：

从中可以看出，这些分区都在正确的位置上，都有正确的大小并且文件系统类型也正确地设置了。最后一件需要做的事是用 w 命令把分区表写入磁盘并退出。

Command (m for help)： w

\#

在一个 fdisk 会话期间，你所做的任何改变都不起作用，直到你用 w 命令把它们写入磁盘。你可以常常用 q 命令退出并且不保存任何改变。这就是说，你还应该总是对你要用 fdisk 修改的磁盘有一个备份。

在用 fdisk 对磁盘做了改变后，应重新引导系统以确保 Linux 在内核中已更新了分区信息。

14.5.2 用 *mkfs* 来建立文件系统

当你用 fdisk 创建了一个文件系统分区后，你必须在能用它来存储数据之前，在该分区上建立一个文件系统。这个工作由 mkfs 命令来完成。想想建造一个停车场。如果把 fdisk 当做实际地建造一个停车场的话，那么 mkfs 就是该过程的一部分，它划线以便司机知道把车停在哪里。

就像 fsck 是检查文件系统不同类型的"前端"程序一样，mkfs 实际上根据你要建立的文件系统的类型来调用不同的程序以建立文件系统。mkfs 命令的语法是：

mkfs　［-V］［-t *fs-type*］［*fs-options*］*filesys*［*blocks*］

这里 filesys 是你要建立的文件系统的设备名称，如/dev/hda1。

警示：

mkfs 命令还接受安装点的名称(如/home)作为文件系统名称。你应该非常小心地使用安装点。如果你在一个已安装的"活的"文件系统上运行 mkfs，那么你很可能毁坏该文件系统上的所有的数据。

表 14.10 列出了可与 mkfs 命令一起使用的各种命令行参数。

表 14.10　mkfs 命令的命令行参数

选项	描述
-V	使 mkfs 产生长格式输出，包括所有被执行的文件系统专用命令。多次指定这个选项会禁止任何文件系统专用命令的执行
-t *fs-type*	指定要建立的文件系统的类型。如果文件系统类型没有指定，则 mkfs 试图在/etc/fstab 中查找 filesys 并使用相应的条目来推断出文件系统类型。如果类型没有推断出来，则建立一个 MINIX 文件系统
fs-options	指定要传送给文件系统的实际建造程序的文件系统专用选项。虽然不能保证，但是大多数文件系统建造程序支持下列选项： ·-c　在建立文件系统之前，检查设备的坏块 ·-l *file-name*　从 file-name 文件读取一个磁盘坏块清单 ·-v　让实际的文件系统建造程序产生长格式输出
filesys	指定文件系统驻留的设备。该参数是必须的
blocks	指定用于文件系统的块的数量

虽然-t fs-type 是一个可选的参数，但是你应该养成指定文件系统类型的习惯。像 fsck 一样，mkfs 试图从/etc/fstab 文件中推断出这个文件系统的类型。如果该命令不能推断出这个文件系统的类型，那么它默认地建立 MINIX 文件系统。对一个标准 Linux 文件系统，你可能要使用 ext2 分区。

14.6　使用交换文件和交换分区

Linux 系统上的交换空间是用于虚拟内存的。涉及虚拟内存的所有问题的完整讨论超出了本书的范围。任何好的通用计算机操作系统教科书都会详细讨论这个问题。

Linux 支持两种类型的交换空间：交换分区和交换文件。交换分区是一个实际磁盘分区，它的文件系统标识设置为类型 82，Linux 交换，并且被专门用作交换区域。交换文件是标准文件系统上用于交换空间的大型文件。

最好使用交换分区而不是交换文件。所有对交换文件的访问都通过标准 Linux 文件系统来执行。组成交换文件的磁盘块可能不是相邻的,因此,性能也不像使用交换分区那样好。对交换分区的 I/O 直接对设备进行操作,并且交换分区上的磁盘块总是相邻的。另外,通过使交换空间远离标准文件系统,当你的交换文件发生某些异常时,你可以减少毁坏你的标准文件系统的风险。

14.6.1　创建交换分区

为了创建一个交换分区,你必须用 fdisk 创建了一个磁盘分区,并且把它标识为类型 82、Linux 交换。在你创建交换分区后,还要用下面两个步骤来激活交换分区。

第一步,你必须以类似于建立一个文件系统的方式来准备分区。但不是用 mkfs,而是用 mkswap 命令来准备该分区。mkswap 命令的语法是:

mkswap [-c] *device size-in-blocks*

其中 device 是交换分区的名字,如/dev/hda2,size-in-blocks 是以块为单位的目标文件系统的大小。通过运行 fdisk 并浏览分区表,你可得到以块为单位的大小值。在前面"确保大小是正确的"一节的例子中,/dev/hda2 的大小是 19,159 块。Linux 要求交换分区的大小在 9 至 65 537 块之间。-c 参数告诉 mkswap 在创建交换空间时检查文件系统的坏块。

继续"确保大小是正确的"一节中的例子,在/dev/hda2 上建立一个交换分区的命令是:

mkswap -c /dev/hda2 l9159

在运行 mkswap 准备分区以后,你必须激活它以便 Linux 内核可使用它。激活交换分区的命令是 swapon,swapon 命令的语法是:

swapon filesys

这里 filesys 是用作交换空间的文件系统。引导时,Linux 调用 swapon -a。引导过程中 Linux 安装所有列在/etc/fstab 文件中的可用的交换分区。

注释:

记住在/etc/fstab 文件中为你创建的交换分区或交换文件设置一个条目,以便 Linux 在引导时可自动访问它们。

14.6.2　创建交换文件

如果你需要扩大交换空间并且不能分配磁盘空间来创建专用交换分区的话,那么可以使用交换文件。创建一个交换文件几乎与创建一个交换分区相同,其主要差别是在你能运行 mkswap 和 swapon 之前必须创建交换文件。

为了创建交换文件,可使用 dd 命令,这个命令用于拷贝大的数据块。关于这个命令的完整描述,参见 dd 的联机帮助。在创建一个交换文件之前你必须知道的主要事情是要创建的交换文件的名称和它的大小(以块为单位)。Linux 中的一个块是 l024 字节。例如,要创建一个名为/swap 的 10M 的交换文件,键入:

    # dd if = /dev/zero of = /swap bs = 1024 count = 10240

of = /swap 指定建立的文件的名字是/swap, count = 10240 设置输出文件的大小是 10,240 块或 10M。然后你可以用 mkswap 把这个文件准备为一个交换空间:

```
    #  mkswap  /swap 10240
```

记住,你必须告诉 mkswap 文件有多大。在你运行 swapon 之前,你需要确认通过使用/etc/sync命令该文件已完全写入了磁盘。

现在准备激活交换文件。和交换分区一样,用 swapon 命令来激活交换文件;例如,

```
    #  swapon  /swap
```

如果你需要删除一个交换文件,你必须确保它不是激活的。用 # swapoff 命令来使一个交换文件变为不活动,如下所示:

```
    #  swapoff  /swap
```

然后,你就可以安全地删除这个交换文件了。

14.7 从这里开始

本章中,从基本目录结构到安装和卸下文件系统,我们介绍了 Linux 文件系统的许多的不同的方面。我们探讨了用 NFS 访问远程文件系统和详细介绍了如何建立文件系统及为它们的使用做准备。最后,本章论述了交换分区和交换文件的创建。

在以下各章中你可以找到有关系统管理的更多信息:

□第八章"了解系统管理"对普通的系统管理任务做了介绍。

□第十章"管理用户帐号"介绍如何建立和管理 Linux 系统上的用户帐号。

□第十一章"备份数据"讨论如何计划数据备份和如何实现数据备份计划。

第十五章 了解文件和目录系统

本章内容

☐ 一个正确的 Linux 文件名是由什么组成的

　　所有的操作系统都只允许用某些字符和某些形式来命名一个文件。本章介绍在 Linux 中使用的正确的文件名。

☐ 各种类型的 Linux 文件

　　Linux 有许多文件类型。事实上,对操作系统来说,几乎每一件事都是一个文件,从设备(如屏幕和磁盘驱动器)到"真正的文件"(如二进制程序和文本文件)。

☐ 如何获悉和设置文件权限

　　与 MS-DOS 和 Windows 3.11 操作系统不同,Linux 允许用户指定哪些人可以访问一个文件并指定当他们有访问权限时,他们可以用该文件做什么。

☐ Linux 的目录结构

　　Linux 的许多操作(如引导、邮递及打印)都取决于某些关键目录是否存在。另外,由于传统的原因,在 UNIX 领域中许多目录是放在确定位置上的。

　　Linux 文件系统这个词有两个不同且经常是相互矛盾的含义:一个含义是磁盘和磁盘机制的文件系统,另一个含义是用户看得见并能操作的逻辑文件系统。本章讨论用户看得见并能操作的逻辑文件系统。另外,如果用户熟悉如 MS-DOS 和 OS/2 这样的 PC 操作系统的话,那么就会发现下面许多话题都是熟悉的,这是因为 2.0 版本以上的 MS-DOS 的文件结构都是模仿 UNIX 的文件结构的,而 UNIX 的文件结构也是 Linux 使用的文件结构。

　　Linux 中的每个实际的实体和逻辑实体在 Linux 文件系统中都用文件来表示。实际的实体包括磁盘、打印机和终端;逻辑实体包括目录和存储文档和程序的普通文件。

15.1　了解文件名和路径名

　　如在 MS-DOS 等其他操作系统中一样,在 Linux 系统中必须区分文件名和路径名。一个文件名由字母、数字和某些标点符号组成的简单串组成。文件名中不能包含空格或作为字段分隔符的任何字符。例如,文件名 johns.letter 是正确的,而 johns letter 则是不正确的。

　　文件名中不应包含任何对 shell 来说有特殊含义的字符。这些特殊字符如下所示:

　　! @ # $ % ^ & * ( ) [ ] { } ' " \ / | ; < > `

另外,文件名中不能包含"/"符号,因为这个符号用于指示路径名。(路径名将在本节后面讨论)。

注释:

　　实际上,你可以通过在文件名外加双引号来使用上述的任何字符。例如,"! johns.letter",但是,多数程序在访问这种文件时会比较困难,并且这样的文件也不太容易移植到其他的 UNIX 系统上。

早期的大多数 UNIX 版本(它们是 Linux 的基础)把文件名限制在 14 个字符内,但 Linux 允许一个文件名有 256 个字符。有些最近的 UNIX 版本(如 Berkeley 版本(BSD))允许 64 个字符的文件名,但是只有前 14 个字符是有效的。由于 Linux 的目标之一是可移植,所以为了书写可移植程序和 shell 脚本,你应该把文件名限制在 14 个字符以内。

路径名可以有任意多个字符。在 Linux 中,文件不是存在于真空中的,而是存在于目录中。Linux 中的最高层目录叫根目录,用斜杠符号(/)标记。如果一个名为 fred 的文件存在于根目录下,它的绝对路径名就是/fred。当用 adduser 命令向系统添加新用户时,新用户分配到一个起始目录。按常规,该起始目录通常建在根目录下一个名为 home 的目录中。如果一位名为 Fred 的用户被分配了一个名为/home/fred 的目录,那么 Fred 建立的所有文件都置于/home/fred 目录中。Fred 的某个文件的绝对路径名可能是/home/fred/freds.file。绝对路径名准确地指出了在文件系统的什么地方能找到文件。

另一种路径名是相对路径名,它明确地指出了文件相对于当前目录的位置。如果 Fred 在他的起始目录中,那么文件名 freds.file 是一个相对于当前目录的相对路径名。为了找出哪个目录是当前目录,可以使用 pwd 命令(打印工作目录)。也可以用 echo $PWD 命令检查环境变量 $PWD 的内容,以查看哪个目录是当前的工作目录。

通过使用两个建在所有目录下的别名,你可用相对路径名来定义在 Linux 文件系统任何地方的文件。一个点(.)指当前目录;两个点(..)指父目录。MS-DOS 和 OS/2 使用与此相同的约定。

如果 Fred 在/home/fred 目录中,他可用../../fred 指向/fred 目录。第二个双点指向/home 目录(/home/fred 的父目录);第一个双点指向/home 的父目录,即根目录。

如果想要移动文件,用当前目录的别名(一个圆点)是很方便的。如果 Fred 要把/fred 移到他当前的目录下,他可通过下列命令用绝对路径名来实现:

mv /fred fred

另一种方式是,Fred 可通过下列命令用当前目录的别名来实现:

mv /fred .

大多数 Linux 命令按路径名操作。在大多数情况下,你使用的路径名是当前目录中的某个文件名。默认的路径名指向你的当前目录。如果 Fred 在他的起始目录(/home/fred)中,下面的三种方式都是等价的:

command freds.letter

command /home/fred/freds.letter

command ./freds.letter

注释:

虽然文件名和路径名有差别,但是,目录也是文件。在命名目录时,要记住它和普通文件有同样的名字限制。

还要注意,Linux 和许多基于 PC 的操作系统不同,它没有磁盘驱动器字母的概念,只有目录路径。Linux 要处理磁盘驱动器字母的唯一机会是在用 m-命令处理软盘上的 MS-DOS 文件系统时,这些 m-命令如 mcopy。

参见 14.1"了解文件系统"。

15.1.1 文件的类型

Linux 只有四种基本的文件类型:普通文件、目录文件、连接文件和特殊文件。它有几种普通文件、连接文件和特殊文件,并且还有大量的标准目录文件。在下面的小节中将分别加以介绍。

可用 file 命令来确定文件的类型。file 命令可识别文件类型是可执行文件还是文本文件、数据文件等等。许多 UNIX 命令只是 shell 脚本,或者是与 MS-DOS 的批处理文件相似的解释执行的程序,可用 file 命令来报告一个 UNIX 命令是一个二进制的可执行程序还是一个简单的 shell 脚本。也可用该命令来确定文件是不是文本文件,即是否能浏览或编辑该文件。这个命令的语法是:

file [-*vczL*] [-f *namefile*] [-m *magicfile*] *filelist*

表 15.1 对 file 命令中的参数作了说明。

表 15.1 file 命令的参数

参数	描述
-c	打印输出 magic 文件(/usr/lib/magic)的语法分析形式,该参数是一个二进制文件的第一部分中的一个数值,这个数值标识了该文件的类型。它通常与-m 一起使用,用于在安装一个新的 magic 文件之前对该文件进行调试
-z	查看压缩文件内部并试图找出该文件的类型
-L	引起后续的符号连接
-f *namefile*	告诉 file,要识别的文件列表在文本文件 namefile 中。当需要识别许多文件时,该参数是很有用的
-m *magicfile*	指定用于确定文件类型的 magic 数字的一个替代文件。默认文件是 /usr/lib/magic
filelist	列出想知道其类型的、以空格分隔的一组文件

15.1.2 普通文件

普通文件是用户大部分时间都在进行操作的文件。普通文件包括文本文件、C 语言源代码、shell 脚本(由 Linux shell 解释的程序)、二进制的可执行程序和各种类型的数据。对 Linux 来说,文件就是文件,Linux 要知道的文件的唯一区别是文件是不是可执行文件。可执行文件可以直接执行,当然,这种文件应该含有要执行的内容,并且这种文件要在你的查找路径中。查找路径是你事先指定的路径名列表,Linux 查找该路径名列表以找到可执行文件。

参见 17.2"了解各种 shell"。

可执行文件是二进制文件(也就是说,它包含可执行机器代码)和 shell 脚本的文件。前一小节中讨论过的 Linux 的 file 命令查看文件中的数据并对其内容进行合理的推测。如果你键

入 file ＊,你可能会看到类似于下面的内容:

INSTALL:	symbolic link to /var/adm
ghostvw.txt:	ascii text
linux:	symbolic link to /usr/src/linux
mbox:	mail text
mterm.txt:	English text
seyon.txt:	English text
xcalc.txt:	English text
xclock.txt:	English text
xeyes.txt:	English text
xgrap.txt:	English text
xlock.txt:	English text
xspread.txt:	English text
xtris.txt:	empty

第一列中提到的所有文件都是普通文件,它们包含不同的数据类型,所有文件都置于 file 命令能被执行的那个目录中。

15.1.3 目录文件

目录是文件,它们包含文件名和子目录名,并包含指向那些文件和子目录的指针。目录文件是 Linux 存储文件名的唯一地方。当你用 ls 命令列出一个目录的内容时,你所做的事只是列出了这个目录文件的内容。你没有触及文件本身。

当你用 mv 命令对存在当前目录中的一个文件重新命名时,你所做的事只是改变了该文件在目录文件中的条目。如果你把一个文件从一个目录移到另一个目录中,你所做的事只是把这个文件的说明从一个目录文件移到另一个目录文件中,当然,这要求新的目录在同一实际的磁盘上或在同一分区上。如果不是这样的话,Linux 把该程序的每一个字节都实际的地拷贝到另一磁盘上。

15.1.4 目录与实际磁盘

Linux 系统中的每个文件都被赋予一个唯一的数值,这个数值称做索引节点。索引节点存储在一个称作索引节点表(inode table)的表中,该表在磁盘格式化时被分配。每个实际的磁盘或分区都有其自己的索引节点表。一个索引节点包含文件的所有信息,包括磁盘上数据的地址和文件类型。文件类型包括如普通文件、目录和特殊文件这样的信息。

Linux 文件系统把索引节点号 1 赋于根目录。这给予 Linux 的根目录文件在磁盘上的地址。根目录文件包括文件名、目录名及它们各自的索引节点号的列表。Linux 可以通过查找从根目录开始的一个目录链来找到系统中的任何文件。根目录文件的内容可能像下面这样:

1	.
1	..
45	etc
230	dev

420 home

123 .profile

注意文件.(点)和..(双点)在目录中的含义。因为这是根目录,所以".",和它的父目录
".."是相同的。而在/hom目录文件中它们的内容则不同:

420 .

1 ..

643 fred

注意,当前目录(.)的索引节点与建在根目录文件中的/home的索引节点相同,父目录
(..)的索引节点与根目录的索引节点相同。

Linux通过上下连接目录文件系统来驾驭其文件系统。如果你想把文件移到另一实际磁
盘的目录中,则Linux通过读取索引节点表来检测这种行动。在这种情况下,文件在被从原来
的位置删除前,实际地移动到新磁盘上并被赋予了该盘上的一个新的索引节点。

与使用mv命令一样,当你用rm命令删除文件时,你也不能触及文件本身。取而代之的
是,Linux标记该索引节点是自由的并把它放回可供使用的空闲索引节点表中。目录中的该文
件的条目被擦除。

参见16.4"移动和重新命名文件"。

15.1.5 连接

普通的连接实际上根本不是文件。它们只是指向同一索引节点的那些目录条目。索引节
点表记录一个文件有多少个连接;只有当最后一个目录引用被删除时,该索引节点才最终被释
放回空闲表中。显然,普通的连接不能跨越设备界线,因为所有的目录条目都指向同一个索引
节点。

Linux及大多数UNIX的现代版本都有另一种连接,称为符号连接。对于这种连接,这个目
录条目包含一个文件的索引节点(该索引节点本身又是对Linux逻辑文件系统上某处的另一
个文件的引用)。一个符号连接可以指向同一磁盘或另一磁盘上的另一个文件或目录,也可以
指向另一台计算机上的一个文件或目录。普通连接与符号连接之间一个主要的差别是,使用
普通连接,每个连接都有同等的地位(也就是说,系统把每个连接都看作是原始文件),并且在
文件的最后一个连接被删除之前,实际的数据不会被删除。使用符号连接,当原始文件被删除
时,所有对该文件的符号连接也都被删除。符号连接的文件没有与原始文件相同的地位。

除了连接与文件之间的这些细微的差别外,你可像直接访问文件那样对待和准确地访问
连接。

你可用1s -l命令来看出某个文件是一个连接文件,因为该命令的回应显示了这个本地文
件名,接着指示了被连接的文件:

lrwxrwxrwx 1 root root 4 Oct l7 l5:27 Info -> info/

为了指示该文件是一个连接文件,文件权限标志以1开头。

15.1.6 特殊文件

每个与Linux系统相连的实际设备(包括磁盘、终端和打印机),都在文件系统中表示出

来。大多数设备(即使不是全部)都放在/dev 目录中。例如,如果你正在系统控制台(console)上工作,那么你的相关设备就叫/dev/console。如果你正在标准终端上工作,那么你的设备名可能是/dev/tty01。终端或串行线都称为 tty 设备(它代表电传打字机,电传打字机是最初的UNIX终端)。为了确定你的 tty 设备叫什么名字,键入 tty 命令。系统会显示你所连接的设备的名字。

打印机和终端称作特殊字符设备。它们可接受和产生字符流;另一方面,磁盘把数据存储在由柱面和扇区编址的块中。你不能只访问磁盘上的一个字符,你必须读写整个块。对于磁带通常也是这样的,这种类型的设备称作特殊块设备,对更复杂的情况,磁盘和其他特殊块设备必须能像面向字符的设备那样工作,因此每个特殊块设备都有一个与之匹配的特殊字符设备。Linux 通过读取要送到字符设备的数据并为特殊块设备转换这些数据来实现这个转换过程。这一过程不需要你做任何事。

至少还有另一种类型的特殊设备你可能遇到,即称为命名管道的 FIFO(先入先出缓冲区)。FIFO 看起来像普通文件,如果你向里写入,它们就增长,但是,如果你从 FIFO 读出,它的大小就会缩减。FIFO 主要用于系统进程中,以允许众多程序向一个单一的控制进程发送信息。例如,当你用 lp 命令打印一个文件时,lp 命令建立打印进程并通过向一个 FIFO 发送信息来通知 lpsched 守护程序。守护程序是一个不用用户要求就执行的系统进程。

一个非常有用的特殊设备文件是位存储桶(bit bucket)/dev/null,你送入/dev/null 的任何东西都被忽略,当你不想看到命令的输出结果时,它是很有用的。例如,如果你不想看到打印在标准错误设备上的任何诊断报告,你就可以用下列命令把它们放入位存储桶中:

ls -la > /dev/null

15.1.7 文件权限

Linux 中的文件权限的含义比你在文件或目录上所拥有的权限的含义多。虽然权限决定谁能读、写或执行一个文件,但它们也决定这个文件的类型及如何执行这个文件。

可以用长格式的列表命令 ls -l 来显示一个文件的权限。-l 选项告诉 ls 命令使用长格式的列表。如果你键入 ls -l,则你可能看到像下面这样的目录列表:

drwx------	2	sglines	doc	512	Jan	1	13:44	Mail
drwx------	5	sglines	doc	1024	Jan	17	08:22	News
-rw-------	1	sglines	doc	1268	Dec	7	15:01	biblio
drwx------	2	sglines	doc	512	Dec	15	21:28	bin
-rw--------	1	sglines	doc	44787	Oct	20	06:59	books
-rw-------	1	sglines	doc	23801	Dec	14	22:50	bots.msg
-rw-r-----	1	sglines	doc	105990	Dec	27	21:24	duckie.gif

该列表几乎显示了目录条目和文件的索引节点所包含的与文件有关的所有信息。第一列显示文件的权限,第二列显示对一个文件(或一个目录中的附加块)的连接数量,第三列显示谁拥有该文件。(在 Linux 中,所有权有三种可能:所有者、所有者的组和其他人。所有权将在本章后面详细讲述)。第四列显示文件所属的组。第五列显示文件中的字节数,第六列显示文件创建的日期和时间,第七列显示文件本身的名字。

权限字段(第一列)分为四个子字段:

-    rwx   rwx   rwx

第一个子字段定义文件的类型。普通文件以连字符(-)作为占位符;目录用一个 d 标记。表 15.2 示出了文件类型子字段的权限值。

表 15.2　文件类型子字段的有效条目

字符	含义
-	普通文件
b	特殊块文件
c	特殊字符文件
d	目录
l	符号连接

接下来的三个子字段显示文件的读、写和执行权限。例如,这三个子字段中的第一个子字段的 rwx 是说所有者对文件有读、写和执行权限。这三个子字段中的第二个子字段是说拥有该文件的组对文件有读、写和执行权限,这三个子字段中的第三个子字段显示其他人的权限。

这些权限字段可以显示更多的信息。事实上,有几种属性包含在这三个字段内。可惜,这些属性的含义是由你所使用 Linux 的版本及文件是否是可执行文件来决定的。

注释:

通常,一个运行中的程序为运行者所拥有。如果这个程序的用户 ID 位被置位,那么运行中的程序为该文件的所有者拥有。这就是说,运行中的程序有该文件所有者的所有权限。如果你是一个普通用户,而运行中的程序为根用户所有,那么该程序不考虑你的权限而自动具有读写系统中任何文件的权限。设置程序的组 ID 位也是这样的。

还可以在这些子字段中设置粘性位(sticky bit)。粘性位告诉系统在程序运行完以后,在内存中保存一份这个程序的拷贝。如果这个程序常用,那么粘性位就可以为系统节省一点时间,因为当有人运行它时,程序不用每次从磁盘上加载到内存中。

你可以用 chmod 命令改变任何你有写权限的文件的权限。这个命令有两种不同的语法:绝对的和相对的。用绝对权限,可以准确地定义文件在八进制(基数为 8)下的权限是什么。一个八进制数可以有 0 到 7 之间的值。UNIX 最初是在使用八进制数系统的一系列 DEC 微机上建立的,因此,目前仍使用八进制数。这些八进制数放在一起以得到一个定义权限的数。表 15.3 列出了有效的八进制权限。

表 15.3　chmod 命令使用的绝对八进制权限

八进制值	授予的权限
0001	所有者的执行权限
0002	所有者的写权限
0004	所有者的读权限
0010	组的执行权限
0020	组的写权限
0040	组的读权限
0100	其他人的执行权限

八进制值	授予的权限
0200	其他人的写权限
0400	其他人的读权限
1000	粘性位置位
2000	如果这个文件是可执行文件,则组 ID 位置位;否则,强制文件锁定位置位。
4000	如果这个文件是可执行文件,则用户 ID 位置位

　　组 ID 和用户 ID 是指具有使用、读或执行文件的权限的人。最初的文件权限是在首次建立用户帐号时由系统管理员授予的。只有一个指定组中的用户才能访问该组内的文件,并且只有当用户被授予了访问这些文件的组成员权限时,才能访问这些文件。

　　为了把一个文件的读和写权限授权给每个人,你必须把需要的权限放在一起,像下面的例子那样:

0002　　所有者的写权限

0004　　所有者的读权限

0020　　组的写权限

0040　　组的读权限

0200　　其他人的写权限

0400　　其他人的读权限

0666　　每个人的读写权限

要给予一个文件这些权限,使用下面的命令:

chmod 666 file

　　相对权限使用一种稍微不同的格式。使用相对权限,必须做如下说明:

□ 把权限授予谁。

□ 要使用哪种操作(添加、删除、或设置权限)。

□ 这些权限是什么

　　例如,如果键入 chmod a=rwx file,那么你就把读、写和执行的权限给予了所有的用户。表15.4 总结了这个命令。

表 15.4　chmod 命令使用的相对权限

值	描述
谁	
a	所有用户(用户、用户的组、其他用户)
g	所有者的组
o	所有不在这个文件组内的其他用户
u	只有用户本人
操作符	
+	添加这个模式

值	描述
-	删除这个模式
=	绝对地设置这个模式
权限	
x	设置执行权限
r	设置读权限
w	设置写权限
s	设置用户 ID 位
t	设置粘性位

如果一个文件被标记为用户 ID 位置位,那么通过 ls -l 命令显示的权限如下:

-rws------   1   sglines   3136   Jan   17   15:42   x

如果添加了组 ID 位,那么权限显示如下:

-rws--S---   1   sglines   3136   Jan   17   15:42   x

此时如果你使这个文件的粘性位置位,权限显示如下:

-rws--rms--S--T 1   sglines   3136   Jan   17   15:42   x

注意:用大写字母 S 和 T 来分别表示用户组 ID 位和粘性位的状态。

15.2 查看 Linux 标准目录

你已经熟悉了目录的概念。当你登录时,系统把你置于你自已的起始目录中。PATH 环境变量被设置为指向含有可执行程序的其他目录。这些其他目录是标准 Linux 目录结构的一部分。

有两种目录组,它们是 UNIX 经典目录组和 Linux 基本遵循的、称作"正在形成的标准目录组"。这两个目录组将在下面几节中分别介绍。

15.2.1 经典 UNIX 目录

在 UNIX 系统 V 的版本 4 以前(例如,UNIX 系统 V 的版本 3.2 及更早的版本),大多数 UNIX版本是建立在一个按一定规则组织的 UNIX 目录系统上的,这个系统像下面这样:

```
/
        /etc
        /lib
        /tmp
        /bin
        /user
                /spool
                /bin
                /include
                /tmp
```

```
            /adm
            /lib
```

  /etc 目录包含大多数引导系统或激活系统所需的系统专用数据。这个目录中包含如 passwd 和 inittab 这样的文件，它们是系统正常运行所必需的。

  /lib 目录包含 C 编译程序需要的函数库。即使系统上没有 C 编译程序，这个目录也很重要，因为它包含应用程序可调用的所有共享库。共享库只有当调用它的命令运行时才载入内存。这种安排使可执行程序变小。否则，每个运行程序都包含重复的代码，这要求更多的磁盘存储空间和更多的运行内存。

  /tmp 目录用于临时性的存储。使用/tmp 的那些程序一般在执行完之后清理并删除所有的临时文件。如果你用/tmp，那么要确保在你下机前删除所有的文件。因为系统定期地自动删除这个目录中的内容，所以不要把任何以后可能需要的东西保存在这个目录中。

  /bin 目录保存引导系统所需的所有可执行程序，并且这个目录常常是存放大多数 Linux 常用命令的地方。然而，要注意，可执行程序不一定都是二进制文件。事实上，/bin 中的几个较小的程序是 shell 脚本。

  /usr 目录中包含所有其他的内容。你的 PATH 变量包含/bin：/usr/bin 字符串，这是因为/usr/bin目录包含所有的不在/bin 目录中的 Linux 命令。这种安排是历史遗留问题。在 Linux 早期，硬盘不太大。Linux 至少需要/etc/tmp 和/bin 目录来引导（即开始执行）引导程序本身。因为 Linux 早期的磁盘只有这三个目录，所以其他东西被放在 Linux 启动并运行后才能装载的磁盘上。当 Linux 还只是一个相对较小的操作系统时，把附加子目录放在/usr 目录下并不是太大的负担。一个中等大小的 Linux 系统只需用两张盘：一张根磁盘和一张/usr 磁盘。

  /usr/adm 目录包含系统管理员所需的所有计帐和诊断信息。如果系统的计账和诊断程序都关闭的话，那么这个目录实际上就空了。

  /include 目录包含 C 程序的 # include 语句所使用的全部源代码。你至少要有这个目录的读权限，因为它包含定义系统的所有的代码段和结构。你不应该修改这个目录中的任何文件，因为这些文件是系统生产厂商精心制作的。

  /usr/spool 目录包含被 lp 打印系统、cron 守护程序和 UUCP 通信系统使用的全部临时数据。"假脱机输出"到打印机上的文件被保存在/spool 目录中，直到这些文件被打印。任何等待 cron 来运行的程序（包括所有的 crontab 文件和挂起的 at 和 batch 作业）也都存储在这里。

  /usr/lib 目录包含其他的内容（这些内容是标准 Linux 系统的一部分）。通常，/usr/lib 目录代表隐藏在有规则的 Linux 系统下的有组织的混乱。这个目录包含被建在/bin 和/usr/bin 中的其他程序调用的程序；还包含终端，打印机，邮递系统，cron 和 UUCP 通信系统的配置文件。

  /usr 目录包括所有分配给用户的子目录。通常的约定是：如果你的登录号是 mary，则你的起始目录是/usr/mary。

  这种目录安排在磁盘小而且昂贵的时候是很有意义的，但是随着价格便宜（相对而言）的大磁盘的出现，就有更好的组织 Linux 的方法，就如下节讨论的新目录结构所证明的那样。

15.2.2　Linux 目录

  UNIX 的经典结构的问题之一是：由于有一个零乱的 /usr 目录，备份数据文件是很困难的。在一个系统中通常需要三种不同层次的备份：基本系统本身、定义基本系统的表的变化和用户数据。

基本系统在有变化时应当备份,同时应当备份对控制表的变更,用户的数据随时都在变化,应经常对它们进行备份。典型的 Linux 目录结构如下所示,但是,你的结构可能与此有些不同,这取决于你安装的软件包。

```
/
        /etc
                /passwd(用户数据库)
                /rc.d   (系统初始化脚本)
/sbin
/bin
/tmp
/var
/lib
/home
        /    <这里是你的用户名>(用户帐号)
/install
/usr
        /bin
/proc
```

/bin、/etc 和 /tmp 目录与它们在经典结构中的功能相同。系统定义表被移到/var 目录中,以便在系统运行改变时,你可以只备份该目录。

新的变化是:所有系统程序都被移到/sbin 目录中。所有的标准 Linux 程序都在与/bin 连接的/usr/bin 中。为了兼容性,所有经典目录都用符号连接来保持。不再包含用户数据的/usr目录被重新组织了,以避免过去在/usr/lib 目录中的混乱。

15.3 从这里开始

在本章中,你看到了 Linux 如何使用文件和目录,你也看到了文件权限系统是如何保护你的数据的。你学习了如何改变文件和目录的权限以及特殊文件的含义。最后,你看到了 Linux中最常用的目录名字和它们的用途。要了解更多的信息,请参阅下面各章:

☐第八章"了解系统管理"介绍如何用文件权限建立新用户。

☐第十四章"管理文件系统"讨论文件系统的概念和文件系统是如何组织的。

☐第十六章"管理文件和目录"讨论如何组织和使用你的文件和目录。

第十六章　管理文件和目录

本章内容
- □ 列文件清单

　　在用文件做事情之前,你需要知道你的系统上有什么文件、谁拥有它们及你可执行什么样的文件操作。Linux 提供了丰富的命令集,该命令集能列出文件的许多信息。
- □ 不用编辑程序来查看文件的内容

　　Linux 提供了不用调用编辑程序就能查看文件内容的功能。你可以查看 ASCII 文本文件和二进制文件(如数据文件和可执行文件)。
- □ 压缩文件

　　虽然硬盘驱动器在容量上日益增加而在价格上却日益下降,但是空间问题总是很重要的。Linux 提供了几种压缩文件的工具以节省空间。
- □ 用 Xfilemanager 操作文件

　　如果你正在使用 XFree86,你就可像在 Windows 95 或 Windows NT 中那样操作文件。Xfilemanager 程序提供与 Microsoft 文件管理程序相同的功能。

　　绝大多数 Linux 命令操作文件和目录。的确,Linux shell 脚本特别适合于操作文件和目录。在常用的语言中(甚至在 C 语言中),文件操作都是很困难的,而在 shell 中,文件操作却很容易,这大部分是因为在 Linux 中有很丰富的文件操作命令可供选择使用。

　　文件操作命令可以大体分为两种类型:
- □ 把文件作为对象操作的命令
- □ 操作文件内容的命令

　　本章重点讨论把文件作为对象操作的命令,这些命令是移动、重新命名、拷贝、删除、定位及改变文件和目录的属性。本章还要快速浏览一下操作文件内容的命令。

16.1　列文件清单

　　列文件清单的基本命令是 ls。ls 显示文件的方式取决于你如何使用该命令。如果在管道中使用 ls 命令,则一行显示一个文件。这也是一些 UNIX 版本(如 SCO UNIX)的默认值。其他 UNIX 版本把文件列在几列中。对大多数使用来说,列格式更方便;每行列出一个文件的系统常用另外一个命令 lc 来以列格式列出文件清单。

　　ls 命令的行为可以通过使用-abcd 形式的选项来修改。通常,ls 命令的版本分成两类:Linux 系统 V 的 ls 版本和 Berkeley 的 ls 版本。因为 Berkeley Linux 系统逐渐让位于 Linux 系统 V,所以本章重点介绍系统 V 使用的选项。如果你不知道自己使用的是哪个 ls 版本,请参阅系统手册或试试命令 man ls。

注释：

随着系统不断改进为更图形化的系统(如 HTML 和 Texinfo)时，本章中所介绍的大多数命令的联机帮助将不再被维护，并且在 Red Hat Linux 下可能是不精确的或不完善的。但目前，对 Red Hat Linux 4.0 版本而言，这些信息是准确的。

ls 命令使用的选项可以连在一起列出或分别列出。这意味着下面的命令是完全相等的：

ls　-l　-F

ls　-lF

表 16.1 以字母顺序列出了 ls 使用的选项及这些选项的用法。

表 16.1　ls 命令的选项

选项	描述
-a	列出所有条目。不用此选项或-A 选项，则不列出名字以句点(.)开头的条目。Linux 有一种"隐藏"文件的方法，即默认时所有以句点开头的文件都不列出，因为这些文件一般是用于定制应用程序的文件。例如，.profile 件常用于定制 Bourne shell 和 Korn shell；.mailrc 常用于定制整个系统的电子邮件配置文件。因为你使用的几乎每一个主要命令都有一个启动文件，所以如果 ls 命令在默认时列出所有这些启动文件的话，那么你的起始目录看上去就会很乱。如果你想看见这些启动文件，则用-a 选项
-A	与-a 相同，但不列出 . 和 ..。回忆一下第十五章"了解文件和目录系统"，下标点"."是当前目录的别名，而".."是父目录的别名。因为这些文件以句点开头，所以-a 选项列示这些文件。如果你不想看到这些别名，则用-A 选项代替
-b	强制显示以八进制 \ ddd 形式表示的非图形字符。-b 比-q 更有用，因为它允许用户看到这些字符是什么
-c	使用最后编辑时间(或最后模式改变的时间)来排序或打印。Linux 在每个文件上保持三种时间和日期标志：文件创建日期、最后访问日期及最后修改日期。通常，文件以 ASCII 顺序列出。(ASCII 顺序是字母顺序，但大写字母排在小写字母前)
-C	强制多列输出，此时条目按列降序排列。这是 ls 命令输出到终端的默认格式
-d *filename*	如果参数是一个目录，那么该选项只列出这个目录的名字(而不是目录的内容)。它经常与-l 选项一起使用以得到一个目录的状态。通常，如果一个目录名被显式地列出或用通配符隐含地列出，那么就列出这个目录的内容。因此，简单的 ls 命令只列出目录名本身，而 ls * 则列出文件、目录和在当前目录中遇到的任何目录的内容
-F	在尾部用斜杠(/)来标记目录，在尾部用星号(＊)来标记可执行文件，在尾部用符号(@)来标记符号连接，在尾部用棒(l)来标记 FIFO，在尾部用等号(＝)来标记套接字
-i	在报告的第一列打印每个文件的索引节点值(索引节点在第十五章"了解文件和目录系统"中介绍过)。如果列出连接文件，注意，两个连接文件有相同的索引节点值

选项	描述
-l	以长格式列出目录条目,给出每个文件的模式、连接数、所有者、字节大小和最后修改的时间。如果文件是特殊文件,则文件大小字段由含有主要和次要设备号的内容所代替。如果最后的修改时间在六个月以前,则显示月份、日期和年份;否则,只显示日期和时间。如果文件是符号连接,则列出连接的路径名,并在前面加符号 – > 。可把-l 与其他选项(如-n)组合使用以显示用户和组的 ID 号来代替显示它们的名字。
-n	列出与每个文件和目录相关的用户 ID 和组 ID 号来代替列出它们的名字。通常,只列出名字。如果你正在设置网络产品(如 TCP/IP),当你正在设置跨几个系统的权限时,知道 ID 号是很有用的
-q	把文件名中的非图形字符显示为字符?。对 ls 来说,这是输出到终端的默认操作。如果偶然用不能打印的字符建立了一个文件,则用-q 选项来显示该文件名
-r	反向排序,以反字母顺序显示文件或是以首先显示最旧的文件的顺序来显示文件
-s	以千字节为单位给出每个文件的大小(包括任何用于映射文件的间接块)。如果定义了环境变量 POSIX_CORRECT,则块的大小是 512 字节
-t	以修改时间而不是名字来排序(最近的排在最前面)。如果你想先看到最旧的文件,就用-rt 组合
-u	用最后的访问时间而不是最后的修改时间来进行排序(用-t 选项)或打印(用-l 选项)
-x	强制多列输出,在页上列表项横向排序而不是纵向排序

如果你安装了 Linux 的 Slackware 发行版本,你将发现 ls 还为每个文件类型提供了彩色输出。颜色在/etc 目录中的 DIR_COLORS 配置文件中定义。默认的配置是用绿色突出显示可执行文件、用蓝色突出显示目录、用深蓝色突出显示符号连接。为了定制颜色,你必须把 DIR_COLORS 文件拷贝到你的起始目录中并把该文件的名字改为 .dircolors。表 16.2 提供了可使用的颜色定义,为了得到更多的信息,请参阅联机帮助和 DIR_COLORS 文件。

注释:

对 Red Hat 发行版本,你必须键入 ls--color 以得到彩色效果。

表 16.2 产生显示颜色的 DIR_COLORS 值

值	描述
0	恢复默认的颜色
1	亮色
4	加下划线的文本
5	闪烁的文本
30	黑色前景
31	红色前景

值	描述
32	绿色前景
33	黄色(或棕色)前景
34	蓝色前景
35	紫色前景
36	深蓝色前景
37	白色(或灰色)前景
40	黑色背景
41	红色背景
42	绿色背景
43	黄色(或棕色)背景
44	蓝色背景
45	紫色背景
46	深蓝色背景
47	白色(或灰色)背景

除上述这些选项外,还有更多的选项,请查阅 ls 的联机帮助。

16.2 组织文件

在 Linux 中,组织文件没有固定的规则。文件没有像 MS-DOS 中那样的扩展名(如 .EXE 代表可执行文件)。你可以(也许应该)建立自己的文件命名系统,但在 Linux 中组织文件的经典方式是使用子目录。

然而,越来越多来自 DOS 世界的 Linux 应用程序将 DOS 的约定带入 Linux 中,虽然不作要求,但生产厂商鼓励你在使用他们的应用程序时用带扩展名的文件名。

如果你要编写自己的命令,一个有用的方法是模仿 Linux 的/bin、/lib 和/etc 目录的用法来组织你的目录。用这些目录名字建立你的子目录结构,把这个子目录结构放在你的/home 目录下面,并按 Linux 的习惯把可执行命令放入/bin 目录中,把辅助命令放在你的/lib 目录中,把初始化文件放在你的/etc 目录中。当然,不要求一定这样做,但这是一种组织文件的方法。

用 mkdir 命令建立目录,它的语法很简单:

mkdir   *directory-name*

在这个语法中,directory-name 用想建立的新目录名替换。当然,在你用 mkdir 命令建立子目录之前,你需要有该目录的写权限,但如果在你的起始目录里建立子目录,则应该没什么问题。

假定你编写了三个程序,它们是 prog1、prog2 和 prog3,所有这些程序都建在 $ HOME/bin 中,记住 $ HOME 是你的起始目录;如果你想使你的专用程序与 Linux 命令集中的标准命令一样运行,那么你必须把 $ HOME/bin 添加到你的 PATH 环境变量中。在 Bourne shell 或 Korn shell 中,用如下命令来做这件事:

PATH = $ PATH: $ HOME/bin;export PATH

在 C shell 中,用下面的命令来做这件事:

setenv   PATH   ″$PATH $HOME/bin″

注释:

记住 $HOME 代表你的起始目录的完整路径。如果你的起始目录是/home/ams,那么 $HOME/bin 被解释为/home/ams/bin。

如果你的程序调用辅助子程序,那么你可能想在 $HOME/lib 目录中建立子目录。你可以为每个程序建立一个子目录。例如,私人命令 pgml 可显式地调用 $HOME/lib/pgml/pgmla。

类似地,如果你的命令 prog1 要求一个启动表,那么你可以把那个表命名为 $HOME/etc/pgml.rc,你的数据可以放在你的 $HOME/data/pgml 目录中。

16.3 拷贝文件

拷贝文件的命令是 cp from to。你必须有源文件的读权限和目的目录的写权限(如果要覆盖已存在的文件,那么就要有该文件的写权限)。除此以外,对拷贝文件没有什么限制。

在拷贝文件时需要注意下面的几个问题:

☐ 如果你拷贝一个文件并给了它一个已存在的并且有写权限的文件的名字,那么就会覆盖原来的文件。

☐ 如果把目录名作为 cp 命令的目的名,则文件以原名被拷贝到该目录中。例如,如果键入命令 **cp *file directory***,则文件被拷贝到 directory 目录中,成为 *directory/file*。

☐ 可用命令 cp file1 file2 file3... directory 把文件列表中的所有文件拷贝到 directory 目录中。如果命令的最后一项不是目录,则会出现错误信息。

同样,如果命令中除了最后一项以外的任何元素是一个目录,则也会出现错误信息。

☐ 在 cp 命令中使用通配符要小心,因为这样拷贝的文件可能比你想拷贝的文件多。

注释:

由于许多 Linux 用户在他们的系统上也有 MS-DOS 文件,并且通常使 DOS 文件系统可以通过 Linux 访问,所以当把文件拷贝到 DOS 分区或从 DOS 分区拷贝出来时,大多数 Linux 命令都认识这些文件。Linux 可在拷贝文件时处理必需的文件转换。由于大多数 DOS 文件把回车/换行符嵌入 ASCII 文件中来指示一行的结束,而大多数的 Linux 和 UNIX 系统只把称作新行的换行符嵌入文件中来指示一行的结束,所以这种转换是必须的。

16.4 移动和重新命名文件

在 Linux 中,移动文件和重新命名文件由同一个命令:mv 来完成。mv 命令的语法和规则与拷贝命令 cp 相同,也就是说,可以把所有你想要移动的文件移动到一个目录中,但是该目录名必须放在命令列表的最后,并且你必须有该目录的写权限。

一件可以用 mv 做而不能用 cp 做的事是移动或重新命名目录。当你移动或重新命名文件时,唯一发生的事是目录文件中的这个条目改变了。只有当文件的新位置在其他实际磁盘或分区上时,文件和目录内容才会被实际地移动。

如果你试图在一个目录上使用不带选项的 rm(删除)或 cp,则命令会失败,并显示一个信息提示你:你正在处理的项是一个目录。要删除和拷贝目录,必须使用带-r 选项(递归)的 rm 和 cp。然而,mv 命令可以十分轻松地移动目录。

16.5 删除文件或目录

删除文件的命令是 rm。要删除一个不是你拥有的文件,你需要同时有读权限和写权限。如果你拥有该文件,而且你没有关闭你对该文件的拥有权限的话,那么允许你删除这个文件。例如,如果你通过键入 chmod *000 file* 关闭了你对一个文件的写权限,那么必须在删除它之前用 chmod 命令再打开对该文件的权限(通过键入 chmod *644 file*)。

如果你偶然地键入了 rm*,则删除当前目录下所有你有权限删除的文件;但不删除子目录。要删除子目录,必须用递归选项(-r)。

有些 rm 版本会停下来并询问你是否真的要删除那些你拥有但至少没有写权限的文件。其他版本的 rm 对用通配符表示的要删除的文件会给出提示。的确,你可以写一个宏或 shell 脚本,使你在实际删除文件之前,有第二次确认的机会。

如果你的 rm 版本在删除你拥有但没有写权限的文件时停下来,那么遵循下面的步骤,可以在一定程度上防止意外删除你的目录中的所有内容:

1.建立一个名为 0 的文件。在 ASCII 字符串序列中,数值 0 列在以字母开头的所有文件之前。

2.通过键入命令 chmod 000 0 来删除名为 0 文件的所有的权限。该命令删除任何人(包括你自己)的读、写、及执行权限。

3.如果你键入命令 rm*,名为 0 的文件是 rm 首先要删除的第一个文件。

如果在你键入 rm* 时,你的 rm 版本在删除 0 文件时停止,则你有机会考虑刚才做了什么。如果你不打算删除你的目录中的所有内容,按 <Del> 或 <Ctrl-c> 来杀掉 rm 进程。要测试这一点,试试只删除名为 0 的文件。不要用 rm*,因为如果你的 rm 版本不在删除文件 0 时停止,那么你将删除你的目录中的所有文件。

一个更好的防止意外删除文件的方法是在 rm 中使用-i 选项。-i 选项代表交互性。如果给出命令 rm -i filename,就会询问你是否真的要删除该文件。你必须在实际删除文件前回答 yes。如果键入命令 rm -i*,则你必须对目录中的每个文件回答 yes 才能删除这些文件。这给你提供了足够的时间来考虑你真正想要做什么。

警示:

在删除文件之前要考虑清楚。当删除一个文件时(在大多数 Linux 版本中),文件就没有了,恢复一个失去的文件的唯一方法是从备份中恢复。你确实做了备份,是吗?

参见 11.4"制作备份和恢复文件"。

如果你经常使用 rm -i 命令,那么你可以用两种方式来执行这个命令:编写一个 shell 脚本或建立一个 shell 函数。如果你编写一个 shell 脚本,那么要记住,shell 按列在 PATH 变量中的目录的顺序来查找列在 PATH 变量中的目录里的命令,如果你的 $ HOME/bin 目录列在最后,那么就找不到名为 rm 的 shell 脚本。你可将你的 $ HOME/bin 目录放在 PATH 变量列表的首位或建立一个新命令(如 del)。如果你建立了一个名为 del 的 shell 脚本,那么你必须在 shell 能识别它之前,用 chmod 命令标记它为可执行的。当你建立你的 del 命令时,你只需给它一个命令:rm -i $ *。如果你接着键入命令 del *,那么 shell 就把它转换为 rm -i *。

参见 17.6"编辑和别名化 shell 命令"。

完成相同任务的另一种方法是用别名。别名优先于必须进行查找的命令。你可以认为它是一个内部 shell 命令(类似于 MS-DOS 版本 5.0 中介绍的 doskey 命令)。

如果你正在使用 C shell,为了添加一个别名,你必须编辑名为 .cshrc 的文件。你可用任何文本编辑程序,如 vi 编辑程序(参见第十九章"使用 vi 编辑程序")来编辑此文件。对于 C shell,把下面的几行添加到 .cshrc 文件的顶部:

```
rm ()
{
/bin/rm -i $ *
}
```

为了添加一个别名到 Korn shell 中,要把下面的行添加到你的 $ HOME/.kshrc 文件中:

```
alias   rm   'rm   -i   $ * '
```

如果你想用 rm 命令删除一个目录,则会被告知那是一个目录,不能删除。如果你想删除一个空目录,就使用 rmdir 命令,如 MS-DOS 那样。

Linux 提供另一种删除目录及其内容的方法,但是这太危险了。rm -r 命令递归地删除它遇到的任何目录和文件。如果你有一个名为 ./foo 的目录(该目录包含文件和子目录),则 rm -r命令删除 foo 目录及其内容,包括所有的子目录。

如果你用命令 rm-i-r,则 rm 命令遇到的每个目录都触发一个确认提示。你必须在目录和其内容被删除前回答 yes。如果你在试图删除的目录中留有任何文件,rm 都停止,就像你试图用不带选项的 rm 命令删除非空目录时那样。

注释:

你不需要为 Linux 命令分别地给出每个选项。如果这个选项没有参数的话,你可以把选项放在一起。因此,rm -i -l 可以表示为 rm -ir。

16.6　查看文件内容

几乎每个 Linux 命令都打印到标准输出设备上(典型的输出设备是屏幕)。如果在用某些方法处理完文件后,命令从这个文件中接收输入,那么这个命令把这个文件打印到屏幕上。选择 Linux 命令的技巧取决于你想让文件如何显示。你可以使用三种标准命令:cat、more 和 less。

注释:

与所有 UNIX 系统一样,Linux 在启动时打开四个系统文件:标准输入、标准输出、标准错误及 AUX。实际上这些文件都是实际设备:

名字	别名	设备
标准输入	standard in(stdin)	键盘
标准输出	standard out(stdout)	屏幕
标准错误	standard err(stderr)	屏幕
AUX	auxiliary	辅助设备

16.6.1 用 *cat* 查看文件

为了显示短小的 ASCII 文件,最简单的命令是 cat,它表示连接。cat 命令以一个文件列表(或单个文件)为参数并把内容不加修改地在标准输出上输出(一个文件接一个文件)。它主要的用途是连接文件(如 cat file1 file2 > file3),但它也适用于把一个短文件的内容送到屏幕上。

如果你试图用 cat 显示大文件,则文件滚过屏幕的速度和屏幕处理字符流的速度一样快。停住数据流的一种方法是交替地按下 < Ctrl-s > 和 < Ctrl-q > 来开始或停止发送信息到屏幕上,或使用一次一页的两个命令之中的一个:more 或 less

16.6.2 用 *more* 查看文件

more 和 less 都是一次显示一屏数据的命令。虽然它们做大致相同的工作,但它们的做法却是不同的。more 和 less 都根据终端数据库和 TERM 环境变量来确定你的终端能显示多少行。

more 命令比 less 命令用得早,它由 Berkeley 的 UNIX 版本派生而来。事实证明它是如此有用以至于它像 vi 编辑程序一样成为了一种标准。本节只介绍该命令的基本用法。

more 命令最简单的形式是 more filename。你将看到一屏文件数据。如果想继续看下一屏,按空格键。如果按 < Return > ,则只显示下一行。如果想看一系列文件(用命令 more file1 file2...)并想停下来去编辑其中一个,可以用 e 或 v 命令。在 more 中按下 < e > 会激活你在 shell 环境变量 EDIT 中定义的编辑程序。按下 < v > 可使用 VISUAL 变量中定义的编辑程序。

如果你没有在环境中定义这些变量,则 more 对 e 命令默认地使用 ed 编辑程序,而对 v 命令则默认地使用 vi 编辑程序。

参见 17.2.2"设置 Shell 环境"。

more 命令只有一个缺点:在文件中你不能往回走并且不能重新显示前一屏。然而,用 less 命令你可在文件中往回走。

16.6.3 用 *less* 查看文件

less 命令的一个缺点是:你不能对正在显示的文件使用编辑程序。但是,less 通过允许你向前向后移动文件来弥补这个不足。

less 命令几乎与 more 命令一样工作。要按页显示文件,键入命令 *less filename*,显示一屏数据。要进到下一屏,如你用 more 命令做的一样,按空格键。

要在文件中往回移动,按 < b > 键。要移动到用文件的百分比表示的某位置,按 < p > 键并在":"提示符下指定百分比。

16.6.4 查找文件和转到 shell 中

less 和 more 命令都允许你在正在显示的文件中查找字符串。然而,less 命令还允许你往回查找文件。用查找语法 less /string 来往回查找文件。用 less 和 more 命令,如果发现了一个字符串,则显示一个新屏,这个新屏在屏幕顶部显示包含这个匹配字符串的行。用 less,按 <n> 键将重复以前的查找。

more 和 less 命令还允许你用!命令转换到 shell 中。当你用!命令换到 shell 中时,你实际上是在子 shell 中;你必须与从一个会话退出那样来退出子 shell。根据你正在使用的 shell,你可以按 <Ctrl-d> 或输入 exit 以返回到从 more 或 less 转换出来时的那个屏幕上。如果你按 <Ctrl-d> 并出现了让你用 logout 代替 <Ctrl-d> 的信息,那么你就用 logout 命令。

16.6.5 查看其他格式的文件

其他一些命令显示另一些格式的文件的内容。例如,如果想看二进制文件的内容,用 od 命令显示文件,这个命令表示八进制转储。od 命令以八进制或基数为 8 的表示法显示文件。通过使用不同的选项,od 命令可以以十进制、ASCII 或十六进制(基数为 16)来显示文件。

八进制、十进制和十六进制表示法

二进制数据的表示是一个有趣的问题。如果二进制数据代表 ASCII,则显示它就没有问题(毕竟 ASCII 是你在看大多数文件时所希望的)。但是,如果文件是一个程序,数据很可能不能以 ASCII 字符表示。在这种情况下,你不得不用一些数字形式来显示数据。

早期的小型机使用十二位的字,当然在今天,计算机世界已确定用八位的字节作为标准存储单元。虽然你可以用熟悉的十进制(基数为 10)来表示数据,但产生的问题是要显示什么呢:一个字节、一个字或 32 位?显示一个给定的位数要求把基数 2 自乘到所要求的位数。用老的 12 位系统,你可以用四个数(用 2 的 3 次方表示,它是八进制或基数为 8 的格式)表示所有的 12 位。因为早期的 UNIX 系统在这些小型机上运行,所以许多 UNIX(因此 Linux)表示法是八进制。任何字节可用一个三位八进制数来表示,就像下面这样(本例表示十进制的数值 8):

\ 010

因为计算机世界已确定用 8 位字节,八进制不再是表示数据的一个有效方法。十六进制(基数为 16 或 2 的 4 次方)是更好的方法。8 位字节可以用两个十六进制数表示;一个十进制值为 10 的字节在十六进制中表示为 0A。

od 命令让你选择如何显示二进制数据,该命令的一般形式是:

od   [*option*] ... [*file*] ...

或

od   --traditional   [*file*]   [[+] *offset*   [[+] *label*]]

表 16.3 总结了可与 od 一起使用的选项。

表 16.3 od 命令选项

短选项	完整的选项	描述
-A	--address-radix = *radix*	决定如何打印文件的偏移
-N	--read-bytes = *bytes*	限制每个文件转储 bytes 个输入字节

短选项	完整的选项	描述
-j	--skip-bytes = *bytes*	跳过每个文件最前面 bytes 个输入字节
-s	--strings[= *bytes*]	输出至少含 bytes 个图形字符的字符串
-t	--format = *type*	选取一个输出格式或多个输出格式
-v	--output-duplicates	不使用 * 来标记行压制
-w	--width[= *bytes*]	每个输出行输出 bytes 个字节
	--traditional	接受 pre-POSIX 形式的参数
	--help	显示帮助信息并退出
	--version	输出版本信息并退出

表 16.4 中的 pre-POSIX 格式参数可与表 16.3 的命令混合使用,它们的效果是叠加的。

表 16.4　od 的 Pre-POSIX 格式参数

短选项	POSIX 等价格式	描述
-a	-t a	选取已命名的字符
-b	-t oC	选取八进制字节
-c	-t c	选取 ASCII 字符或反斜线换码
-d	-t u2	选取无符号十进制短整数
-f	-t fF	选取浮点数
-h	-t x2	选取十六进制短整数
-I	-t d2	选取十进制短整数
-l	-t d4	选取十进制长整数
-o	-t o2	选取八进制短整数
-x	-t x2	选取十六进制短整数

对旧语法(第二种调用格式)而言,offset 指-j offset.label 是在第一个打印字节上的伪地址,当正在进行转储时,累加 label。对 offset 和 label,以 0x 或 0X 开头表示是十六进制。对八进制而言后缀可能是".”(点)也可能乘以 512。type 参数由表 16.5 中列出的一个或多个参数组成。

表 16.5　type 参数

参数	描述
a	被命名的字符
c	ASCII 字符或反斜线换码符
d[*size*]	有符号的十进制,每个整数 size 个字节
f[*size*]	浮点,每个整数 size 个字节
o[*size*]	八进制,每个整数 size 个字节
u[*size*]	无符号十进制,每个整数 size 个字节
x[*size*]	十六进制,每个整数 size 个字节

在表 16.5 中,size 是一个数,它还可能:对 sizeof(char)而言是 C,对 sizeof(short)而言是 S,对

sizeof(int)而言是 I,对 sizeof(long)而言是 L。如果 type 是 f,则对 sizeof(float)而言,size 可能是 F;对 sizeof(double)而言,size 可能是 D;对 sizeof(long double)而言,size 可能是 L。

注释：

sizeof 是一个 C 语言函数,它返回作为参数的数据结构的字节数。例如,可调用下面的函数来确定系统中整数的字节数,因为整数的字节数是与系统有关的：

sizeof(int);

表 16.3 中的 radix 代表进位制度,d 表示十进制;o 表示八进制;x 表示十六进制;n 表示无。bytes(字节数)是用 0x 或 0X 开头的十六进制,用 b 结尾的 bytes 要乘 512;用 k 结尾的 bytes 要乘 1024;用 m 结尾的 bytes 要乘以 1048576。不带数的-s 隐含指 3;不带数的-w 隐含指 32。默认时,od 使用-A o -t d2 -w 16。

16.7 查找文件

如果不能用 ls 命令找到文件,可以用 find 命令。find 命令是一个非常强大的工具,因此,它也是较难使用的命令之一。find 命令有三部分,每部分由多个子部分组成,这些子部分是：

□ 到哪里找
□ 找什么
□ 找到后做什么

如果知道文件名,但不知道该文件放在 Linux 文件结构的什么地方,最简单的 find 命令为：

find   /   -name   *filename*   -print

当从根目录开始查找时要小心。在大系统上,可能要花较长的时间来查找每个目录,从根目录开始,在找到要查找的文件之前,继续查找每个子目录和磁盘(以及远程安装的磁盘)。

把查找限制在一个或最多两个目录中可能是较节省的方法。例如,如果知道文件可能在/usr或/usr2 目录中,用下面的命令来替代上面的命令：

find   /usr   /usr2   -name   *filename*   -print

可与 find 一起使用许多不同的选项;表 16.6 只列出了一部分。要看看所有可使用的选项,请使用 man find 命令。

表 16.6 find 命令的典型选项

命令	描述
-name *file*	file 变量可以是文件名或含通配符的文件名。如果是含通配符的文件名,每个与通配符匹配的文件都被选出来以备处理
-links n	有 n 个或更多连接的任何文件被选出来以备处理。用想要检查的数值来代替 n
-size n[c]	占 n 个或更多个 512 字节块的文件被选出以备处理。c 加到 n 后面意味着选出占用 n 个或更多个字符的任何文件
-atime n	选出在最近 n 天中访问过的任何文件。注意,用 find 查找文件的操作将修改访问日期标志

命令	描述
-exec *cmd*	当选出一组文件列表后,你可以运行把选出的文件作为一个参数的 Linux 命令。使用-exec 有两个简单的规则:选出的文件名由{}表示,命令必须以换码分号(用 \ ;表示)来结束。假设在以根身份登录时创建了一个用户目录;那么,所有的文件被根所有,这些文件不归用户所有。可运行下述命令把/home/jack 的所有文件和所有子目录的拥有者改变成 jack: find　/home/jack -exec chown　　jack {}　　\ ;
-print	这个最常用的选项简单地打印选出的所有文件的名字和位置

find 命令还允许在文件上做许多逻辑测试。例如,如果你想找出这样一组文件,它们的文件名不能用通配符统一表示,则可以用"或"选项(-o)来获得一个列表:

find　/home　(-name *file1* -o -name *file2*) -prin

可以组合使用与 find 命令一起使用的选取标准。除非指定-o 选项,否则 find 就认为是 and (与)。例如,命令 find -size 100 -atime 2 将找出这样一个文件,它的大小至少是 100 块并且对它的最近访问至少在两天前。如上例所示,可使用括符来防止标准被模糊处理,特别在组合一个 and/or(与/或)选取标准时。

16.8　改变文件时间和日期标志

每个 Linux 文件有三个时间和日期标志:文件创建日期、文件最后修改日期和最后访问日期。文件创建日期不能人为地改变,除非故意拷贝文件或重新命名文件。无论何时程序读或打开一个文件,文件的访问日期标志都会被修改。如前一节提到的,使用 find 命令也修改访问时间。

如果文件以任何方式被修改(即被重写了,即使实际上文件未被修改),文件修改和文件访问日期标志都被更新。如果需要有选择地只备份那些自给定日期后修改过的文件,则文件上的日期标志是有用的。用 find 命令可以实现这个目的。

如果想修改文件上的日期标志,而不实际修改该文件,那么可用 touch 命令来做这项工作。默认时,touch 用当前系统日期更新文件上的访问和修改日期标志。默认时,如果试图 touch 一个不存在的文件,则 touch 创建这个文件。

可以用 touch 命令骗过检查日期的命令,例如,如果系统运行一个备份命令(该备份命令只备份在一个特定日期之后的文件),则可用 touch 作用于一个最近没有变化的文件,以确保它被选取上。

touch 命令有下面三个选项,可用这些选项来修改该命令的默认行为:

-a　　　只更新文件的访问日期和时间标志

-m　　　只更新文件的修改日期和时间标志

-c　　　防止 touch 建立文件(如果这个文件已不存在的话)

touch 的默认语法是 touch -am 文件列表。

16.9　压缩文件

如果系统空间紧张或有不常用的大型 ASCII 文件,则可通过压缩来减小文件的大小。标准的 Linux 压缩文件的实用程序是 gzip。gzip 命令可以将 ASCII 文件压缩多达 80%。大多数 UNIX 系统也提供 compress 命令,该命令主要和 tar 一起使用以把文件组成为一个档案。用 compress 命令压缩的文件以 .Z 扩展名结束——例如,archive1.tar.Z。Red Hat 的发行版本也提供 zip 和 unzip 程序来压缩和归档文件列表。

提示:

在邮寄文件或备份文件之前,压缩是一个好办法。

如果用命令 gzip filename 成功地压缩了一个文件,压缩后的文件名为 filename.gz,并且原文件被删除。要把被压缩的文件恢复为原来的组成部分,使用命令:gunzip filename。

注释:

当解压缩文件时,不必把 .gz 添加到文件名中。.gz 扩展名是 gunzip 命令所假定的。

如果想保持文件的压缩形式但又想通过管道把数据输送到另一个命令中,则使用 zcat 命令。zcat 命令就像 cat 命令那样工作,但要求用压缩文件作为输入。zcat 解压缩该文件,然后把它输出到标准输出设备上。

参见 17.3.3 "用管道连接各进程"。

例如,如果你已压缩了一个名字和地址列表并把该表存储在名为 namelist 的文件中,那么压缩文件就被命名为 namelist.gz。如果想用压缩文件的内容作为一个程序的输入,则用 zcat 命令开始一个管道,如下所示:

zcat　　namelist　　|program1|program2 ...

zcat 受到的限制与 cat 是一样的。在文件中它不能往回走。Linux 提供了一个称作 zless 的程序,其工作方式与 less 命令一样,只是 zless 对压缩文件进行操作。与 less 一起使用的命令也一样可与 zless 一起使用。

compress 命令的版权被人们忽略了;某人声称他的专利受到了侵犯。为 Linux 选择的压缩程序是免费发行的压缩实用程序 gzip。gzip 命令没有 compress 那样的潜在法律问题,而且几乎所有由 Linux 安装的压缩文件都是用 gzip 压缩的。gzip 可用于大多数压缩文件,即使这些文件是用旧的 compress 程序压缩的。

对熟悉 PKWARE 的 PKZIP 系列产品的人们来说,你可使用由 Red Hat 发行版本提供的 zip 和 unzip。zip 命令压缩几种文件并把文件存储在档案中,就像 PKZIP 那样。unzip 命令从档案中提取文件。为了解更多信息,请参见 zip/unzip 的联机帮助。

16.10　用 XFree86 的 GUI 操作文件

如果你正使用 XFree86 的 Slackware 发行版本,那么你就有机会用它的图形用户界面(GUI)工作。所有用 shell 命令进行的文件操作,都可以在这个 GUI 上用鼠标进行。如果未安装 XFree86 X Windows 系统,就可以跳过本节。所使用的程序被 Ove Kalkan 称为 Xfilemanager。(参见这个应用程序的版权菜单项以得到关于该程序的信息)。Xfilemanager 与 Windows 3.x 的文件管理器和 Windows 95 的资源管理器相似。

为激活 Xfilemanager 应用程序,你必须在桌面的空白区域按鼠标左键。这个动作显示 X Windows 实用程序菜单。移动光标到 Applications(应用程序)选项以激活应用程序的弹出式菜单。这时你可看见 Xfilemanager 命令。选择该命令以激活这个程序。

注释:

在 X Windows 下使用鼠标与在 MS-DOS 和 Microsoft Windows 下使用鼠标不同。X Windows 下鼠标的行为更像在 Machintosh 上的鼠标行为。例如,要选择一个菜单项,你必须按住鼠标键,移动光标到想要的菜单项,然后再释放鼠标键。关于使用 X Windows 的更多信息,请参阅第七章"使用 X Windows"。

X Windows 应用程序 Xfilemanager 在看起来像文件夹的窗口中显示目录的内容。这些文件夹代表目录。本节介绍如何管理出现在文件夹窗口中的文件、目录和应用程序。管理这些项包括列表、拷贝、删除和移动。

图 16.1 示出了一个名为 MyFile 的 Linux 文件夹窗口,这个文件夹在你的主文件夹中。注

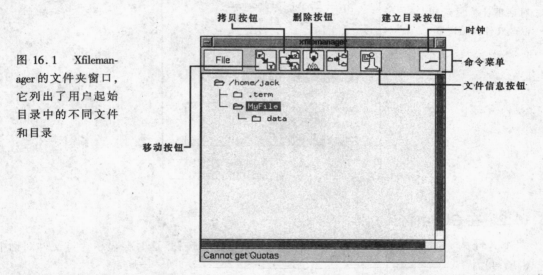

图 16.1 Xfilemanager 的文件夹窗口,它列出了用户起始目录中的不同文件和目录

意,你可通过键入 cd $HOME/MyFile 从命令行得到这个文件夹(虽然你称它为目录)。记住,$HOME 指你的起始目录,并且在 Linux 下所有的文件名都是大小写字母敏感的。

位于这个应用程序顶部的按钮提供了对一个命令菜单的访问。第一个按钮(File)允许你切换目录和退出应用程序。移动按钮允许你移动文件,而拷贝按钮让你拷贝文件。删除按钮允许你删除文件。建立目录按钮允许你建立一个新目录。文件信息按钮提供与选取文件有关的信息。最后一个按钮是一个简单的时钟。

16.10.1 用 GUI 列文件清单

可以通过单击文件夹来列出子目录中的文件。它显示一个新的窗口(见图 16.2)。这个新窗口有一个与图 16.1 窗口类似的按钮集,每个按钮执行与图 16.1 窗口对应按钮相同的功能。第一个按钮(有炸弹图标)立即退出该应用程序。

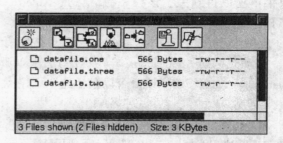

图 16.2　单击一个
文件夹列出子目录
中的文件

可通过增亮一个文件并单击文件信息按钮来显示和修改各种文件权限设置，文件信息按钮显示文件信息对话框（见图 16.3）。要改变文件权限，只要移动鼠标到相应的框上并单击。填充的框表明设置了权限；而空着的框表明没有设置权限。当你改变了权限后，你必须单击 Apply 按钮以使改变生效。

图 16.3　文件信息
对话框让你显示和
修改文件权限设置

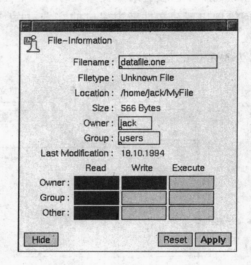

16.10.2　在 GUI 中拷贝文件

要把文件从一个文件夹拷贝到另一个文件夹，单击拷贝按钮，这时会显示拷贝文件对话框（见图 16.4）。

图 16.4　拷贝文件对话框
让你把指定文件拷贝到另
一个位置

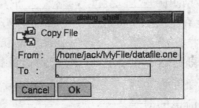

当前选取的文件名出现在 From 文本框中。你必须在 To 文本框中提供目的路径和文件名。要取消这个操作，单击 Cancel 按钮。要执行这个命令并实际拷贝文件，单击 OK 按钮。

16.10.3　在 GUI 中移动文件和重新命名文件

为重新命名文件或把文件从一个文件夹移到另一个文件夹，你可以选取文件，然后单击

Move 按钮，这时会显示移动和重新命名文件对话框(参见图 16.5)。它的操作与拷贝文件对话框非常相似。只需填入想要的信息并单击 OK 按钮以重新命名文件或移动文件。

图 16.5 移动和重新命名
文件对话框允许你拷贝和
重新命名指定的文件

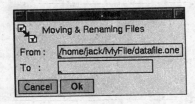

16.10.4 删除文件和文件夹

要从文件夹窗口删除文件或文件夹，从文件列表对话框中选取文件。在选取了想要的文件或文件夹后，单击 Delete，这时显示删除文件对话框(见图 16.6)。单击 OK 删除选取的文件。

图 16.6 删除文件对话框
让你删除文件或目录(文件
夹)

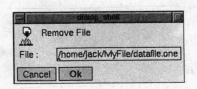

警示：

小心。与使用命令行删除文件的情况一样，如果你错误地删除了文件，那么就不能恢复文件(除了有备份文件外)。Linux 和任何 UNIX 系统在这个问题上，都没有"恢复"文件的实用程序，这是由 UNIX 维护文件系统的方法所决定的。在 MS-DOS 下，删除的文件只是在 FAT 表中做个标记，告诉操作系统该文件的空间可以使用。MS-DOS 不立即在这个空间上写东西。然而，UNIX 和 Linux 把已删除的程序曾经使用的空间(实际上是索引节点)返回到空闲表中。当空间被移到空闲表中时，该文件就再也无法恢复了！

16.11 从这里开始

在 Linux 中管理文件和实用程序是相对简单的工作。把文件组织到目录中是很容易的。查找、移动、重新命名和删除文件和目录等工作可以简单地用 find、mv、cp 和 rm 等命令来完成。要得到更多的信息，参见如下内容：

☐ 第十四章"管理文件系统"讨论管理文件系统的实践。

☐ 本章中讨论的下列命令的联机帮助：ls, mkdir, mv, cp, rm, mkdir, rmdir, cat, less, more, find, touch, gzip, compress, tar, zip 和 unzip。

第四部分　使用 Linux

第十七章　了解 Linux 的各种 Shell

本章内容

☐ 登录

在向 Linux 发出任何命令前,你必须登录到自己的帐号上,以使系统知道你的存在。

☐ 了解 Linux 包含的各种 shell

各种命令 shell 允许你向下面的操作系统发出命令。Linux 提供具有不同功能的各种命令 shell。

☐ shell 命令的语法分析

各种 shell 用不同的方法对命令行进行语法分析。根据使用 shell 的位置和使用的选项,可用 shell 命令做各种操作。

☐ 编辑 shell 命令和给 shell 命令起别名

各种 shell 允许你重新调用一个命令并编辑这个命令的参数,以使这个命令在不同的文件上工作或执行不同的操作。你还可以为一个命令创建一个新名字或别名。

☐ 编写 shell 脚本

shell 脚本是 shell 执行的、在一个文本文件中的一组 shell 命令。shell 脚本与 DOS 的批处理文件很相似。

虽然近年来,图形界面已被添加到 UNIX 系统中,但是大多数使用和管理 Linux(和其他类似 UNIX 系统)的实用程序还是通过键入命令来运行的。在 Linux 中,命令行解释程序被称为 shell。本章描述如何使用各种 shell 的特性与 Linux 实用程序和文件系统一起工作。

17.1　登录

作为 Linux 系统上的新用户和新的系统管理员,你需要选择一个登录 ID 和口令。由于 Linux 是一个多用户操作系统,它必须能够区别用户和用户类别。Linux 使用你的登录 ID 在你的名字下建立一个会话过程并决定你所拥有的特权。Linux 用你的口令来检验你是谁。

因为理论上任何用户都可以登录到任何终端上(有一个例外),所以 UNIX 操作系统以在每个终端上显示一个登录提示符开始。因为你不太可能有多个与 Linux 系统连接的终端(虽然连接多个终端是完全可以的),所以 Linux 提供了替代的或虚拟的终端以供你使用。

要切换各种虚拟终端,只需按 < Alt > 键和前六个功能键中的任何一个,就可以在各虚拟终端间进行切换。例如,要作为根(root)帐号登录到虚拟终端 1 上,按 < Alt-F1 >,将显示下面的提示:

Red　Hat　Linux　release　4.0（Colgate）
Kernel　2.0.18　on　an　i486

web　Login:

注释：

上述代码行中的提示行声明这个例子的会话是在 Linux 内核 2.0.18 版本下运行的。当更新的内核被发布时，版本号就增加，因此你可能在随带的 CD-ROM 上看见一个不同的版本。内核版本的中间号是偶数表示该版本是稳定的，而中间号是奇数表示该版本是最近(和 beta 版)发布的。

输入你的用户 ID(root)和口令。

当你登录到任意终端上时，你一直拥有该终端上的会话过程，直到你退出为止。当退出时，Linux 为下一个用户显示登录提示符。从登录到退出的这段时间，Linux 确保你拥有你运行的所有程序和你可能建立的所有文件。相反，Linux 不允许你读取或改变属于他人的文件，除非那个用户或系统管理员给你这么做的权限。你的登录 ID 和口令使 Linux 能维护你的文件安全和其他用户的文件安全。

作为 Linux 系统的系统管理员，要给每个用户分配一个用户 ID、临时口令、组 ID、起始目录和 shell。这些信息放在文件/etc/passwd 中，该文件由系统管理员所有并由他控制，系统管理员也称为根或超级用户。当你成功地登录后，你可以改变自己的口令，这个口令将以其他人无法读取的形式加密。如果你忘了自己的口令，系统管理员不得不作为根用户登录以产生一个新口令。你可用 passwd 命令来改变自己的口令(虽然你必须键入旧口令)。

注释：

要了解系统管理基本职责的更多信息(如增加用户和找出忘记的口令)，请参阅本书第二部分"系统管理"，特别是第十章"管理用户帐号"。

17.2　了解各种 shell

当你登录后，Linux 把你置于你的起始目录中，并运行一个称为 shell 的程序。shell 实际上只是一个从用户那里接受命令并执行这些命令的程序。许多程序都可以作为 shell 使用，但只有几个标准 shell 可以在几乎所有 Linux 版本上运行。

注释：

Linux shell 等同于 MS-DOS 使用的 COMMAND.COM。它们都接受并执行命令，运行批处理文件和执行程序。

17.2.1　查看不同的 shell

Red Hat Linux 提供下面的 shell：sh、bash(Bourne Again SHell)、tcsh、csh、pdksh(Public Domain Korn SHell)、zsh、ash 和 mc。试试每个 shell 并选一个你喜欢的 shell。本章重点讨论 sh shell 和 bash shell，因为大多数 Linux 发行版本安装 bash 作为默认的 shell。另外，大多数 UNIX 系统上都有 sh，你将发现许多 shell 脚本是用 sh 命令编写的。

因为 shell 是作为操作系统和用户之间的主要界面来使用的，所以许多用户认为 shell 就是 Linux。他们希望 shell 是可编程的，但是 shell 不是操作系统内核的一部分。只要你有足够的系统编程的经验和有足够的 Linux 操作系统的知识，你就可以编写一个能成为 shell 的程序。

虽然已建立了许多不同的 shell，但还是有一些流行的 shell：Bourne、C、T 和 Korn shell。Bourne shell 是最早的，其他的 shell 具有 Bourne shell 中所没有的某些特性。事实上，Linux 使用 Bourne shell 的一种变种（即 bash shell）作为它的默认 shell。（对初学者来说，Bourne shell 和 Korn shell 看起来是一样的；实际上，Korn shell 是从 Bourne shell 发展来的）。

注释：

Slackware 96 发行版本不提供 Korn shell 的拷贝。Red Hat 发行版本提供称为 pdksh 的 Korn shell 版本，pdksh 是 Public Domain Korn Shell。

C shell 是在 Berkeley 的加利福尼亚大学开发的，它是一种比 Bourne shell 更适合于编程的 shell。T shell 是 C shell 的派生物。Korn shell 具有 C shell 的所有特性，但它却使用 Bourne shell 的语法。如果现在所有这些听起来很乱的话，不用着急。你不知道或不操心正在使用的 shell，照样也可以做许多事。

在它们最简单的形式中，Bourne shell 和 Korn shell 使用美元符号（＄）作为标准提示符；C shell 使用百分比符号（％）作为提示符。好在这些提示符可以改变（或许不能，这取决于你的配置），这样在你第一次登录时，你也许能也许不能看到美元符号或百分比符号。

Bourne shell（称为 sh）是最初的 UNIX shell。它是由 Steve Bourne 编写的，他接受了 John Mashey 的一些帮助和想法，他们两个都属于 AT&T 的贝尔实验室。所有 Linux 系统上都有 Bourne shell。这个 shell 的可执行程序在文件/bin/sh 中。正是因为在所有 Linux 系统上都有 Bourne shell，也正是因为它具有前面几节描述的所有特性，及它具有强大的编程能力，所以才使 Bourne shell 成为被广泛使用的 shell。

注释：

本章中编写的许多 shell 脚本的例子能用 Bourne shell 运行。shell 脚本是 shell 命令的序列，通常是用 ASCII 编辑程序（如 vi）来编写的。你可以认为 shell 脚本与 DOS 的批处理文件很相似。

参见 19.1"vi 介绍"。

C shell（称为 csh）是由在 Berkeley 的加利福尼亚大学的 Bill Joy 开发的。Berkeley 的学生和教员对 UNIX 和其后的 Linux 有极大的影响。这些影响的两个结果是 C shell 和 vi 文本编辑程序。Bourne shell 有较多的 shell 编程功能，但 C shell 被开发用于反映这样一个事实，就是计算正变得更具交互性。C shell 的可执行程序在文件/bin/csh 中。

C shell 的语法与 C 语言很相似。这也是为 C shell 编写的 shell 脚本经常不能在 Bourne 或 Korn shell 上运行的原因之一。但是，C shell 有一些吸引人的特性是 Bourne shell 所没有的，这些特性是对命令进行编辑、保留命令的历史和为命令起别名。

默认的 Linux shell 是 bash shell。bash 放在/bin/bash 中，并提供几种将在下面几段中详述的增强特性，如命令编辑、命令历史和命令补全。

所有 Linux 系统都有 bash shell。你也可以在安装过程中装入其他 shell，例如 C shell 或 T shell。要确定你正在使用哪种 shell，请输入：

```
echo    $ SHELL
```

echo 命令把词 echo 后面的所有东西都显示到终端屏幕上。SHELL 是保存当前 shell 名字的变量(由 shell 维护); $ SHELL 是这个变量的值。

要看看 C shell 是否是可使用的,键入

csh

如果你看到提示符是百分比符号(%),则 C shell 是可使用的并正在运行(键入 exit 将返回以前的 shell)。如果你作为根登录,C shell 的提示符是 # 。如果你得到一个错误消息,那么 C shell 就不能为你所用。

在口令文件中指定你用作登录 shell 的 shell。每个登录 ID 由口令文件中的一个记录或一行来表示,记录的最后一个字段指定你的登录 shell。要改变你的登录 shell,你必须改变那个字段。改变成其他 shell 的工作相对来说是容易的。但是,在你改变 shell 之前,要决定为了这种改变去学习一种新的语法和操作方法是否值得。参阅联机帮助以获得你的 shell 的语法的详细信息。

警示:

在 Linux 中不能直接编辑口令文件(/etc/passwd)。由于这些版本中添加了安全特性,所以口令文件只能用恰当的命令来维护。例如,在 Slackware Linux 中,用 usermod 来改变到 C shell 中去,输入 usermod -s /bin/csh user,在这里,user 用要改变 shell 的那个用户的用户 ID 来替换。

其他各种 shell 也可以使用;有些是有专利的,其他的是能从 Internet 网上或其他来源获到的。要决定使用哪个 shell,只需读一读各种 shell 的联机帮助,并对每个 shell 都试一试。因为 shell 是程序,可以像运行其他应用程序那样运行它们。

17.2.2 配置登录环境

在你看到 shell 提示符之前,Linux 建立了你的默认环境。Linux 环境包括在你登录时用于控制你的会话过程的设置和数据。当然,与 Linux 中的所有事情一样,你可以完全自由地根据自己的需要来改变任何设置。

你的会话环境分为两个部分:

☐ 第一部分称为终端环境,它控制你的终端(更确切地说,是控制计算机端口的活动,这个端口与你的终端用电缆相连接)。

注释:

由于 Linux 运行在 PC 机上,"终端"实际上是显示器和键盘。你可以有也可以没有连接到 Linux 系统上的其他终端。当然,你确实有六个可以登录的虚拟终端。

☐ 第二部分称为 shell 环境,它控制 shell 的各个方面并控制你运行的所有程序。

你必须首先了解终端环境。

设置终端环境 登录会话过程实际上由两个独立的程序组成,它们一个接一个地运行以使你产生你拥有这个机器的感觉。虽然 shell 是接受用户指令并执行这些指令的程序,但是在 shell 看到用户的命令之前,用户键入的所有内容都必须首先通过一个相对透明的程序(这个程序称为设备驱动程序)。

设备驱动程序控制你的终端。它接受你键入的字符并在将它们送到 shell 进行解释之前,决定用它们做什么。同理,由 shell 产生的字符也必须在送到终端之前先通过设备驱动程序。本节首先讨论如何控制设备驱动程序的行为。

Linux 是独特的,对 Linux 的程序而言,所有与系统连接的设备看起来都一样,它们都是文件。完成这种从设备到文件的传换工作正是系统中不同的设备驱动程序的任务。系统中硬盘的行为与你的终端的行为是非常不同的,然而,要使程序把它们看成是完全相同的,这正是它们各自的设备驱动程序要做的工作。

例如,一个磁盘有块、扇区和柱面,在读写数据时,所有这些都必须被适当地编址。另一方面,你的终端接受连续的字符流,但这些字符流必须以一定的顺序和相对慢的方式传递给终端。设备驱动程序给这些数据排序并以每秒 1200 位、2400 位、9600 位或更多位的速度传递,并在数据流中插入停止位、开始位和奇偶校验位。

由于你的终端总是与系统相连,所以设备驱动程序允许你定义特殊字符(称为控制字符),把它们作为你的 shell 的文件结束符和行结束符。设备驱动程序还允许你定义某些向正在运行的进程传送信号的控制字符(如中断信号,在多数情况下它能终止运行的进程并返回 shell)。图 17.1 显示了 Linux 内核、shell 和设备驱动程序之间的关系。

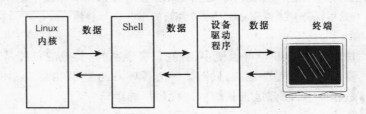

图 17.1 你能了解 Linux 是
如何通过命令 shell 与用户
进行人机对话

你可为你的终端设置许多参数,但它们中的大多数是自动处理的。然而,你应该知道一些参数和模式。

设备驱动程序有两种运行模式,分别称为已处理(cooked)模式和未处理(raw)模式。在未处理模式中,所有键入的字符都直接传递给 shell 或传递给由 shell 运行的程序。像编辑程序和电子数据表之类的程序就需要未处理模式并自动设置为未处理模式。当这种程序结束时,通常都把终端重新设置为已处理模式(但不总是这样的)。当你的终端处于未处理模式时,它不响应如中断键这样的控制键。

当终端处于已处理模式时,你键入的每个键都被设备驱动程序解释。普通键被一直储存在缓冲区中,直到按下了行结束键。在多数情况下,行结束键是 < Enter > 或 < Return > 键(然而,这个键是可被改变的)。当设备驱动程序收到行结束符时,它先解释整行,然后把解释了或分析了的行送到 shell 或应用程序中。表 17.1 列出了最重要的控制键。

用于设置和显示这些控制键参数的命令是 stty(stty 表示设置电传打字机)。过去,电传打字机终端是唯一可使用的终端;许多 UNIX 术语是这个时期留下来的。例如,把终端定义为如 tty14 这样名字的 tty 设备。要显示所有的当前设置,则要在命令行键入 stty -a。如果使用这个命令,将看到如下的一些内容:

表 17.1 控制键

键名	描述
中断键	中断正在运行的程序。当你给 Linux 一个命令并按行结束键时,程序正常运行直到正常结束。如果你按中断键,你就给正在运行的程序发送了一个信号,它告诉运行程序停止运行。有些程序忽略这个信号;如果你的终端处于未处理模式下,那么中断键被直接送到程序中并且没有预期的结果。UNIX 的约定是使用 < Del > 键作为中断键,但 Linux 将中断键改为 < Ctrl-c > ,以方便熟悉 MS-DOS 和其他操作系统的人们的用键习惯
删除键	删除缓冲区中的最后一个字符。把该键定义为 < Backspace > 键。删除键像打字机上的退格键那样工作。在有些终端和系统上, < Delete > 和 < Backspace > 键可以混用
取消键	在把缓冲区中的所有内容送到 shell 或应用程序之前,将这些东西删除掉。通常把该键定义为 @ 字符。与按中断键不同,当按取消键时,你不会看到新的 shell 提示符,设备驱动程序只是等待你键入更多的文本
行结束键	告诉设备驱动程序,文本输入已结束并希望文本被解释和送到 shell 或应用程序中。Linux 用 < Enter > 或 < Return > 键表示该键
文件结束键	告诉 shell 要退出并让 shell 显示登录提示符。文件结束符是 < Ctrl -d > 。Linux 将所有设备都当作文件;因为终端是虚拟的无限字符的来源,所以你用文件结束键来通知 Linux 你的登录会话过程结束了

speed 38400 baud; rows 25; columns 80; line = 0;
intr = ^C; quit = ^ \ ; erase = ^?; kill = ^U; eof = ^D; eol = < undef > ;
eol2 = < undef > ; start = ^Q; stop = ^S; susp = ^Z; rprnt = ^R; werase = ^W;
lnext = ^V; flush = ^0; min = 1; time = 0;
-parenb -parodd cs8 hupcl -cstopb cread -clocal -crtscts
-ignbrk -brkint -ignpar -parmrk -inpck -istrip -inlcr -igncr icrnl ixon ixoff
-iuclc -ixany -imaxbel
opost -olcuc -ocrnl onlcr -onocr -onlret -ofill -ofdel nl0 cr0 tab0 bs0 vt0 ff0
isig icanon iexten echo echoe echok -echonl -noflsh -xcase -tostop -echoprt
echoctl echoke

注意,在本系统中,把中断键(intr)定义为 < Ctrl-c > (显示为^C),把取消键定义为 < Ctrl-u > 。虽然你可以设置上面列出的所有设置,但在实际工作中,用户通常只重新设置中断键和取消键。例如,如果你想把取消键由^U 改为^C,那么就键入:

    stty   kill   '^C'

注释:
   如果你的终端表现异常,则要用命令 stty sane 重新把它设置为"最合理的"设置。

提示：

如果你希望某个设置在你每次登录时都起作用，那么，如果你运行的是 bash 或 Bourne shell，就把这个命令放在 .profile 文件中（该文件在你的起始目录中）；如果你运行的是 C shell，那么就把这个命令放在 .login 文件中。

设置 shell 环境　登录过程的一部分（即建立 Linux 会话过程的一部分）是建立用户环境。所有 Linux 进程（称作运行中的程序）各自都有独立的并且不同于程序本身的环境。Linux 环境（称为 shell 环境）由许多变量及这些变量的值组成。这些变量和变量值允许一个正在运行的程序（如 shell）来决定这个环境看上去是什么样的。

环境指诸如你所使用的 shell、你的起始目录及你正在使用的终端的类型这样一些事情。这些变量中的许多变量在登录过程中被定义并且要么不能改变要么不应该改变。只要这些变量没有标记为"只读"，你可以随意增加或修改变量。

在环境中，以"VARIABLE = value"的形式来设置变量。VARIABLE 的含义可以设置为你喜欢的任何内容。但是，对许多标准 Linux 程序而言，许多变量有预先定义的含义。例如，TERM 变量被定义为你的终端类型的名字，正如在一个标准 Linux 终端数据库中指定的那样。数字设备公司（DEC）花了几年时间制造了名为 vt-l00 的流行终端。这种终端的特性已经被许多其他厂家复制，并且经常被个人计算机的软件仿真。这种终端类型的名字是 vt-l00；在环境中它被表示为 TERM = vt100。

你的环境中还有许多其他的预定义的变量。如果你使用 C shell，那么你可用 printenv 命令列出这些变量；如果你使用 Bourne 和 Korn shell，那么就要用 set 命令。表 17.2 列出了最通用的环境变量及它们的用法。变量列显示了你要在命令行中键入的内容。

注释：

这些变量中的某些变量可以改变而另一些变量不可以改变。

表 17.2　通用 Bourne Shell 环境变量

变量	描述
HOME = /home/ login	HOME 设置你的起始目录，起始目录是你开始工作的位置。用你的登录 ID 替换 login。例如，如果你的登录 ID 是 jack，那么 HOME 被 start 定义为 /home/jack
LOGNAME = login	LOGNAME 和你的登录 ID 一样是自动设置的
PATH = path	path 选项表示 shell 查找命令的目录列表。例如，你可设置路径如下：PATH = /usr/bin：/usr/local/bin
PS1 = prompt	PS1 是主要的 shell 提示符，它定义你的提示符看上去什么样。如果你没有设置它，那么你的提示符是美元符号（ $ ）。如果你喜欢，你可以把它设置为更具创造性的符号。例如，设置 PS1 = "Enter Command > "，那么就显示 Enter Command > 为你的命令行提示符
PWD = directory	PWD 是被自动设置的。它定义你在文件系统的什么位置。例如，如果你检查 PWD（通过在命令行键入 echo $ PWD），Linux 显示/usr/bin，这说明你在/usr/bin 目录中。pwd 命令还显示当前目录

变量	描述
SHELL = *shell*	SHELL 定义你的 shell 的程序放在什么地方。例如,你可在你的 .profile 或 .login 文件中设置 SHELL 为 SHELL = /bin/ksh,这样 Korn shell 就是你的登录 shell
TERM = *termtype*	把你的终端类型名设置为终端库中指定的名字。例如,你可在你的 .profile 或 .login 文件中把 TERM 设置为 TERM = vt100

注释:

如果你想在每次登录时都定义某个环境变量,那么,如果你使用的是 bash 或 Bourne,则把这个定义放在 .profile文件中(该文件在你的起始目录中),如果你使用的是 C shell,则把这个定义放在 .login 文件中。

也许在你的环境中最重要的变量是 PATH 变量。

注释:

DOS 用户应该很熟悉 PATH 变量。在 DOS 和 Linux 下它执行相同的功能。

PATH 变量包含带冒号分界符的字符串,该字符串指向所有含有你使用的程序的目录。这些目录列出的顺序决定先查询哪个目录。在支持同一命令有多种不同形式的系统上,PATH 列出的顺序是很重要的。你的系统也可能有本地建立的、你可能要访问的命令。例如,你的 PATH 变量也可能含有下面的值:

/usr/ucb:/bin:/usr/bin:/usr/local/bin

本语句告诉你的 shell 先查看/usr/ucb 目录。如果 shell 在它查找的第一个目录中找到了命令,那么它就停止查找并执行那个命令。/bin 和/usr/bin 目录包含所有标准 Linux 命令。/usr/local/bin目录经常包含由系统上的用户添加的本地命令。添加本地命令的任务是由系统管理员负责的。

如果你要建立你自己的命令,那么你可修改 PATH 变量使之包含有你自己命令的目录。你怎样做取决于你使用的 shell。例如,如果你使用 Bourne shell 或 Korn shell,那么你可以通过在命令提示符下键入如下命令将目录添加到 PATH 变量中:

$ PATH = $ PATH:newpath

当把一个 $ 放在一个变量名前面时,就得到这个变量的当前值。在本命令中,$ PATH 变量表示当前路径。冒号和 newpath 参数添加到当前路径中。

下一节介绍几个其他的处理环境变量的方法。到目前为止,已充分说明了 shell 环境包括变量和功能,并且这些对象可以被 shell 和应用程序处理。应用程序可访问和修改这个环境,但应用程序一般处理程序中的这些变量。而另一方面,shell 只能处理在这个环境中的变量。

使用特殊的 shell 变量   shell 记录许多特殊变量。你可用 env 命令看看这些特殊变量是什么,这个命令列出在你的工作环境中可使用的变量。下面是在你输入 env 后你可能看到的简化的列表:

HOME = /usr/wrev

SHELL = /bin/sh

MAIL = /usr/mail/wrev

LOGNAME = wrev

PATH = /bin：/usr/bin：.

TZ = PST8PDT

PS1 = $

TERM = vtl00

你可像使用其他的 shell 变量那样使用这些特殊变量。表 17.3 定义了这些特殊变量。

表 17.3　特殊环境变量

变量名	含义
HOME	你的起始目录的全路径名
SHELL	当前 shell 的名字
MAIL	你的邮箱的全路径名
LOGNAME	你的登录名
PATH	shell 查找命令的目录
TZ	date 命令的时区
SECONDS	激活 shell 后的秒数
PS1	系统提示符
TERM	你使用的终端类型

HOME 变量　HOME 总是指定你的起始目录。当你登录时,你就在你的起始目录中。偶尔,你使用 cd 命令改变到其他目录中。例如,要改变到目录/usr/local/games 中,就键入 **cd /usr/local/games**。要返回到自己的起始目录中,只要输入 cd。当你正编写 shell 脚本时,你可用 HOME 变量来指定你起始目录中的文件。键入 grep $ number $ HOME/sales/data.01 这样的命令比键入 grep $ number /usr/wrev/sales/data.01 这样的命令要好的多。这是由于下面的原因：

□ 命令行更易阅读。

□ 如果你的起始目录移动了,命令仍能工作。

□ $ HOME 总是代表正在使用这个命令的那个用户的起始目录。如果你使用 $ HOME 来输入命令,那么别的用户也可使用这个命令。

PATH 变量　PATH 变量列出 shell 用于查找命令的目录。shell 按列出的目录顺序来查找这些目录。如果 PATH = /bin：/usr/bin/：.,那么无论何时 shell 要查找一个命令,它都首先查找目录/bin。如果在那里找不到这个命令,那么 shell 就查找/usr/bin 目录,最后,shell 查找 . 目录(记住：点代表当前目录)。当你输入 **cal** 打印本月的日历时,shell 首先查找/bin 目录。因为 cal 命令不在那里,所以 shell 接着查找/usr/bin 目录并找到了它。

提示：

如果有名为 cal 的个人命令,那么 shell 无法找到它；无论何时你发出 cal 命令,shell 都首先执行在 /usr/bin

中的 cal 命令。给自己的命令起名时不要和系统命令名相同。

你也许希望把自己所有的 shell 脚本放在一个目录中，并修改 PATH 变量以包含该目录。这种安排使你能从你所处的任何目录中执行你的 shell 脚本。为此，请按照下面的步骤进行：

1. 建立放置这些脚本的目录。用 mkdir ＄HOME/bin 命令在你的起始目录中建立 bin 子目录。

2. 把每个 shell 脚本移到该子目录中。例如，用 mv stamp ＄HOME/bin 命令把一个名为 stamp 的 shell 脚本移到你的 bin 子目录中。

3. 用 PATH＝＄PATH：＄HOME/bin 命令把脚本子目录添加到你的 PATH 变量中。将此命令写入文件 .profile 中，这样这个修改就会在你每次登录系统时起作用。

你需要建立那个新 bin 目录并只修改一次 PATH 变量。在 Linux 下，建立了名为/usr/local/bin 的目录以存放本地命令和脚本，这些命令和脚本不是标准 Linux 包的一部分，它们是你在本地添加的并可供所有的用户使用。在这种情况下，你应该把/usr/local/bin 也作为 PATH 的一部分。

MAIL 变量　MAIL 变量包含保存你的电子邮件(e-mail)的文件名。无论何时邮件到达你的系统中，那么它都会被放在由 MAIL 变量指定的文件中。如果你有一个在新邮件到达时通知你的程序，那么该程序检查由 MAIL 变量指定的文件。

PS1 变量　PS1 变量保存作为主要提示符的字符串。提示符是 shell 在准备接受命令时显示的字符串。在参阅本章的最后一节"定制 Linux shell"之后，你就知道如何修改这个变量以及其他的变量。

TERM 变量　TERM 变量用于标识你的终端类型。以全屏幕模式运行的程序(如 vi 文本编辑程序)需要这个信息。

TZ 变量　TZ 变量保存标识你的时区的字符串。date 程序和一些其他程序需要这个信息。

计算机系统按照格林威治平均时间(GMT)来记录时间。如果 TZ 变量设置为 PST8PDT，那么时间和日期被确定为大西洋标准时间(PST)，比 GMT 偏西 8 小时，该时间也支持大西洋夏令时间(PDT)。计算机系统自动在夏令时间和标准时间之间进行转换。

LOGNAME 变量　LOGNAME 变量保存你的登录名，它是系统与你联络的名字或字符串。LOGNAME 变量确认你是你的文件的拥有者、确认你是你可能运行的的任何进程和程序的创作者，确认你是用 write 命令发送的邮件或信息的作者。

下面的例子是 safrm 的一个扩充，safrm 是为安全删除文件而建立的 shell 脚本。LOGNAME 变量用于从/tmp 目录中删除你拥有的所有文件。为此，shell 脚本使用 find 命令。find 命令有许多选项；shell 脚本使用如下 find 命令行：

　find　/tmp　-user　＄LOGNAME　-exec rm {} \；

第一个参数/tmp 是要查找的目录。选项-user 表示你要查找属于一个指定用户的所有文件。在执行这个命令前，shell 用当前用户的登录名替换＄LOGNAME。选项-exec 表示把后面跟着的命令用于由 find 命令找到的每个文件上。在这个例子中,rm 程序用于删除找到的文件。括号({})表示传递给 rm 命令的每个文件名的位置。最后两个字符(\ ;)是 find 所需要的(这是一个用反斜线把一个字符传递给一个程序而不需要经过 shell 解释的例子)。把这个命令行添加到清单 17.1 中的 shell 脚本中,这样就获得了一个程序,这个程序既能安全删除文件又能将用户在/tmp 目录下的任何超过 10 天的内容清除掉。

清单 17.1　safrm Shell 脚本

```
# Name:          safrm
# Purpose:       copy files to directory /tmp, remove them
#                from the current directory, cleen up /tmp,
#                and finally send mail to user
# first copy all parameters to /tmp
cp $ *    /tmp
# remove the files
rm $ *
# create a file to hold the mail message
#    The file's name is set to msg
#    followed by process lD number of this process
#    For example, msgl208
msgfile = /tmp/msg $ $
# construct mail message
date > $ msgfile
echo "These files were deleted from /tmp" > > $ msgfile
# get list of files to be deleted from tmp
# -mtime + 10 gets all files that haven' t been
# modified in 10 or more days, -print displays the names.
find /tmp -user $ LOGNAME -mtime + 10 -print > > $ msgfile
# remove the appropriate files from /tmp
find /tmp -user $ LOGNAME -mtime + 10 -exec rm {} \ ;
# mail off the message
mail $ LOGNAME < $ msgfile
# clean up
rm $ msgfile
```

17.2.3　了解进程

Linux 把正在运行的程序称为进程。因为 Linux 是多任务系统,许多进程可以同时运行。为了区别这些进程,Linux 给每个新进程分配一个唯一的 ID,称为进程 ID。

进程 ID 只是一个数,用这个数唯一地标识每个运行的进程。要看看当前你的进程的进程 ID 是什么,就用 ps 命令。要看看在当前系统上运行的大多数进程 ID,就使用带-guax 选项的 ps 命令,你可以看到与下面类似的内容:

USER	PID	% CPU	% MEM	SIZE	RSS	TTY	STAT	START	TIME	COMMAND
jack	53	3.2	7.0	352	468	p 1	S	02:01	0:01	
jack	65	0.0	3.5	80	240	p 1	R	02:01	0:00	ps -guax

root	1	0.8	3.1	44	208	con	S	02:00	0:00	init
root	6	0.0	1.8	24	124	con	S	02:00	0:00	bdflush(daemon)
root	7	0.0	1.9	24	128	con	S	02:01	0:00	update(bdflush)
root	40	1.0	3.5	65	240	con	S	02:01	0:00	/usr/sbin/syslogd
root	42	0.2	2.9	36	200	con	S	02:01	0:00	/usr/sbin/klogd
root	44	0.5	3.2	68	216	con	S	02:01	0:00	/usr/sbin/inetd
root	46	0.2	3.0	64	204	con	S	02:01	0:00	/usr/sbin/lpd
root	52	0.1	2.0	32	140	con	S	02:01	0:00	selection -t ms
root	58	0.2	2.4	37	164	p 6	S	02:01	0:00	/sbin/agetty 38400 tt

进程 ID 由标题为 PID 的列定义。还要注意粗体字的那一行,它表示系统启动后的第一个进程,即 init。init 进程在本章的后面还要进行介绍。

当 Linux 被告知运行一个程序(也就是建立一个进程)时,Linux 产生发出这个请求的程序的一个精确拷贝以运行这个程序。在最简单的情况下,你请求 shell 来运行你想要运行的程序;shell 向 Linux 内核发出相同的请求。

fork 、init 和 exec 进程:fork 是复制一个已有进程的进程。Linux 通过复制机制来建立所有的新进程。当复制一个进程时,也就建立了一个与现有进程几乎完全相同的副本(包括现有进程的环境和任何打开的文件);有一个标志能防止副本与它的父应用程序完全相同,这标志告诉被复制的进程,哪个是父进程,哪个是子进程。

因为所有的进程都是用这种方式建立的,所以它们都有父进程和父进程 ID。每个运行在 Linux 系统上的进程都可以追溯它的血统到 init,init 是所有进程的祖先。init 本身(进程 ID 为 1)是唯一由 Linux 内核(用户和 Linux 内核有联系)直接运行的进程。每个你在对话过程中建立的进程都把你的登录 shell 作为它的祖先,而你的登录 shell 又把 init 作为它的父进程。

当一个进程成功地复制后,子进程调用 exec 进程把自己转换为你请求的那个进程。在 exec 后唯一改变了的是正在运行的进程的标识;新进程的环境是父进程环境的精确拷贝。

标准输入和输出   用三个打开的"文件"建立每个新进程。由于 Linux 把文件和设备同样看待,所以打开的"文件"可以是真正在磁盘上的文件,也可以是终端之类的设备。这三个打开的文件被定义为标准输入(stdin)、标准输出(stdout)和标准错误输出(stderr)。所有 Linux 命令和应用程序,都从标准输入接受输入并把输出放到标准输出上。任何诊断信息都自动放到标准错误输出上。

当你第一次登录时,标准输入、标准输出和标准错误文件都连在你的终端上;你运行的任何程序(你建立的进程)都从终端上继承了这三个打开的文件。

17.3   shell 命令的语法分析

语法分析是把命令行或你所键入的内容分解成要进行处理的组成部分的操作。在 Linux 中,语法分析包括许多内容,不只是简单的分解命令行。首先把命令字符串分解成它的组成部分:扩展文件名(如果使用了通配符的话)、扩展 shell 变量、建立 I/O 重定向、建立任何命令组或子 shell,以及进行命令替换。只有到这时,这个命令行才能像你键入的那样被执行。

如果通配符和 I/O 重定向等术语你听起来很陌生,那么你可在本章的后面找到对它们的解释。但是,你必须从基本的命令语法开始。

17.3.1 使用命令、标志和参数

要执行一个 Linux 命令,你只需键入这个命令的文件名。列出文件清单的命令是 ls,你可在/bin 目录中找到这个名字的文件。如果/bin 列在你的 PATH 变量中(应该这样),那么你的 shell 找到并执行/bin/ls。

有些 Linux 命令不是独立的文件。这些命令是建在 shell 自身中的。例如,cd(改变目录)命令建在大多数 shell 中,并且直接由 shell 执行而不用查找文件。阅读你所使用的 shell 的联机帮助,看看哪些命令是内部执行的,哪些命令是外部执行的。有些 shell 有一个命令文件,这个文件包含由 shell 直接执行的那些命令。

标志　如果要让文件正常运行,你必须把标志以适当的方式送到你的 shell 中去。命令名必须是命令行的第一项;命令名后面跟着标志和参数。标志(有时称选项)是前面有连接符(-)的单个字母,它修正命令的行为。例如,命令 ls 只是以字母顺序列出当前目录下的文件名。通过添加不同的标志,你可以以许多不同的方式列出一个目录的内容。你可以用"长格式"标志 -l 列出文件和它们的所有属性。本命令采用下面的形式:

ls -l

参见 16.1"列文件清单"。

-l 是标志。当你想使用多个标志时,只需将标志串在一起,如 ls -lF。如果文件是可执行的,那么-F 标志就显示星号(＊),如果文件是符号连接,那么-F 标志就显示 @ 符号,如果文件是子目录,那么-F 标志就显示斜线(/)。每个命令的联机帮助通常在描述任何参数之前列出所有修改标志和它们的含义。标志也可以分开列出,shell 在将它们送到程序之前,对它们做语法分析。例如,你可以将 ls -lF 命令写为 ls -l -F。

注释:

　　Linux 提供一种流行的特性——颜色增亮。当你发出 ls 命令时,Slackware Linux 根据文件的类型以不同的颜色显示文件。这使你能迅速辨认出文件是可执行文件、是目录文件还是与在其他目录中的其他文件连接的文件。另外,如果你把来自 ls 的输出重定向到一个文件中,那么这个文件含有用于指示颜色的控制代码。这些控制代码的信息可能会使使用这个文件的其他程序(如 less 程序)产生问题。

　　对于 Red Hat Linux,你必须向 ls 提供--color 标志以得到同样的效果:

　　ls --color

有一种标志类型标志下一个参数有特殊的含义。例如,sort 命令中的-t 标志用于表示下一个字符是字段分隔符。如果你想排序/etc/passwd 文件,并想使用冒号(:)分隔/etc/passwd 其中的字段,那么你可输入:

sort -t : /etc/ passwd

在这个 sort 命令中,-t 标志只在文件使用默认值以外的字段分隔符时才需要。默认的字段分隔符在 IFS(内部字段分隔符)环境变量中定义。除非-t 标志指定了其他的分隔符,否则 shell 使用 IFS 变量来分析命令行以便 shell 知道所使用的标准的字段分隔符。

参数 标志必须放在命令行中的参数前面。参数是字符串,它被在 IFS 环境变量中定义的字符分隔。IFS 中默认的字符串是空格、制表符和换行符。你可在参数之间放任意多个字段分隔符;当 shell 分析命令行时,它在处理前把这些字符缩减为一个字符。例如,如果命令后有三个空格和一个制表符,然后是第一个参数,那么 shell 自动把三个空格和一个制表符缩减为一个制表符,因此,

command < space bar > < space bar > < space bar > < Tab > parameter

变为

command < Tab > parameter

参数通常是告诉这个命令去执行某些功能的文件名或字符串。如果参数本身含有空格,那么这个参数字符串必须被放在引号中以防止 shell 扩展它。下面的命令行含有两个参数;shell 试图在名为 York 的文件中找到字 New:

grep New York

如果想在标准输入中找到字符串 New York,那么键入的命令必须是下面这样的:

grep "New York"

在这种情况下,字符串 New York 被作为一个参数送到 grep 命令中。

17.3.2 匹配文件名

大多数现代操作系统(包括所有版本的 Linux 和 DOS)都支持在查找文件和字符串时使用通配符。表 17.4 总结了文件名补全字符,也称为通配符。

表 17.4 文件名补全字符

字符	含义
*	代表一个字符集。当它是文件名中的第一个字符时,它代表除句点以外的字符集。下列例子把所有以 sales 开头的文件合并到名为 allsales 的文件中: cat sales * > allsales
?	代表单个字符。下列例子打印一组具有 sales.yy 形式的名字的文件,这里 yy 代表 90 年代的某一年(sales.90、sales.91 等等):lp sales.9?
[]	代表在一个范围内的单个字符。下列例子删除名字分别为 sales.90、sales.92、sales.93 的一组文件:rm sales.9[0-3]

注释:

如果你把文件名通配符或表达式放在引号里面,那么在分析命令行时,这些文件名就得不到扩展。例如,如果你键入 ls * ,那么你得到当前目录的所有文件。但是,如果你健入 ls" * ",那么你可能得到错误信息"file not found(没有找到文件)",这是因为你正指示 ls 去查找一个名为 * 的文件。

通配符“＊” 星号(＊)是最流行的通配符。它只是表示任意和所有的字符。例如,字符串 a＊表示所有以 a 开头的文件。你可在一个表达式中用多个星号来定义一个文件集。例如,表达式＊xx＊.gif 表示有 gif 扩展名并在文件名中间有 xx 的所有文件。匹配的文件包括名为 abxx.gif、xxyyzz.gif 和 xx.gif 的文件。

用星号(＊)来代表任何的字符序列。例如,要打印当前目录下所有以.txt 结尾的文件,那么输入:

lp ＊.txt

使用星号通配符时请注意,如果你输入下面的命令,那么就打印所有名字以 txt 结尾的文件:

lp ＊txt

文件名为 reportxt 的文件包含在第二个命令的打印文件中但它不包含在第一个命令的文件中。如果你输入下面的命令,那么 shell 把你的目录中的每个文件及名为 txt 的单个文件送到命令 lp 中(你的目录中的名为 txt 的文件被两次送到 lp):

lp ＊ txt

在最后的例子中,lp 命令首先打印＊代表的文件;就是说,打印所有的文件。然后 lp 命令移到要打印的文件列表中的第二项(Linux 把＊和 txt 之间的空格解释成分界符)。lp 命令把 txt 作为要打印的下一个文件名。

＊符号可以用在一个字符串的任何地方,例如,如果你想用 ls 命令列出当前目录下所有名字中有 rep 字符的文件名,那么就输入:

ls ＊rep＊

Linux 列出名为 frep.data、report 和 janrep 这样的文件。有一个例外:不列出以句点开始的文件。要列出以句点开始的文件(通常称之为隐藏文件),你必须指定开始的句点。例如,如果你有一个名为.reportrc 的文件,并且想把它列出来,那么你就输入如下所示的前一个命令的变种形式:

ls .＊rep＊

警示:

当你删除文件时,使用星号通配符要小心。命令 rm ＊删除你的目录中的所有文件。一个最常见的错误是,当你只是想删除带有相同的前缀或后缀的文件集时却不经意地删除了所有的文件。如果不是键入 rm ＊txt(这个命令删除所有以 txt 结尾的文件)而是键入 rm ＊ txt,那么 Linux 首先删除所有文件,再试图删除名为 txt 的文件。但此时已没有文件了。

为安全起见,如果你用星号作为文件名的一部分,那么最好使用带-i 选项的 rm。rm -i ＊txt 命令在删除每个文件之前提示用户确认删除操作。

? 通配符 用问号(?)通配符代表一个字符。假定在你的当前目录中有文件 reportl、reportb、reportl0、reportb3、report.dft 和 report.fin。你知道 lp rep＊命令将打印所有这些文件,但你只想打印前两个文件(reportl 和 reportb),请输入:

lp report?

要列出所有名字是三个字符且以 x 字符结尾的文件,请输入:

ls ?? x

· 278 ·

这个命令列出名为 tax 的文件,但不列出名为 trax 的文件。

因为问号代表一个字符,所以字符串??? 代表只有三个字符的所有文件。你可用字符串 ＊.??? 来产生一个扩展名为三个字符的文件列表。例如,如果你要查找含有图形图像和其他数据的一个目录,那么下面的命令列出所有扩展名如.tif、.jpg 和.gif 的文件和扩展名有三个字符的其他文件:

ls ＊.???

注释:

记住 Linux 不是 MS-DOS,它没有文件名限于 8 个字符以内、扩展名只能用三个字符的限制。另外记住, Linux 的文件名是对大小写敏感的。

[]表达式 有时你需要比前面两个更通用的通配符提供的选择还多的选择。假设你要选择文件 jobl、job2 和 job3,但不选择文件 jobx。你用? 通配符不可能选出正确的文件,因为它代表可能出现的任意一个字符。但是,你可以用 job[123]作为文件的描述符。

你还可以通过在一对方括号内括入一个字符范围来代表一个字符。要列出名字以大写字母开头的所有文件,请输入:

ls [A-Z] ＊

假设你有文件名为 sales.90、sales.91、sales.92 和 sales.93 的文件并且你想要把前面三个文件拷贝到名为 oldstuff 的一个子目录中,假设 oldstuff 子目录已存在,请输入:

cp sales.9[0-2] oldstuff

与问号一样,在方括号([])中的项代表一个字符。你可描述允许数值中的分离数字值,如[123],它只允许字符 1、2 或 3;你也可描述字符的范围,如[A-Z],它代表在大写字母 A 到大写字母 Z 之间的任意一个字符。

你也可以指定一个范围集,该范围集合并多个范围。例如,如果你只想指定字母字符,那么你可以用[A-Z,a-z]。在 ASCII 字符集中,在 ASCII Z 和 ASCII a 之间有一些特殊字符;如果你指定[A-z],那么在你的请求中就包含了这些特殊字符。

17.3.3 用管道连接各进程

你经常需要将一个程序或命令的输出作为另一个程序的输入。与其分别地键入每一个命令并把结果保存在中间文件中,还不如用管道(I)连接命令序列。

例如,要排序名为 allsales 的文件,然后打印该文件,请输入:

sort   allsales ¦ lp

管道这个名字很恰当。管道(竖杠)左面程序的输出通过管道被送到右面程序中,作为右面程序的输入。你可以用管道连接多个进程。例如,要打印所有名字以 sales 开头的文件中的数据的一个排序列表,请输入:

cat   sales ＊ ¦ sort ¦ lp

17.3.4 重定向输入和输出

许多程序希望从终端或键盘得到输入;许多程序将它们的输出送到终端屏幕。Linux 把键盘输入和名为 stdin 的文件相联系;把终端输出和名为 stdout 的文件相联系。你可以重定向输入和输出,以便不从终端输入或输出到终端,而是从文件输入或输出到文件中。

用 <(小于)符号重定向输入到命令或程序中,以便从文件输入而不是从终端输入。假设你要通过电子邮件将一个名为 info 的文件送到地址为 sarah 的人那里,那么你可以输入下面这个命令取代把文件内容重新键入到 mail 命令中,在这个命令中你把 info 文件作为输入(stdin)而输入到 mail 命令中:

mail sarah < info

用 >(大于)符号把一个程序的输出重定向到一个文件中。程序的输出不是输出到终端屏幕上而是输出到文件中。date 命令在终端屏幕上显示当前的时间和日期。如果你想将当前的时间和日期存储在名为 now 的文件中,请输入:

date > now

警示:
   如果在 > 符号右边的文件名已经存在,那么这个文件将被重写。小心,不要用这种方法破坏了有用的信息。

   如果你想把信息附加或连接到已有的文件中,那么使用两个 > > 字符。要把当前日期附加到名为 report 的文件中,请输入:

date > > report

下面是一个稍长的例子。假设名为 sales 的文件由销售数据组成;每行的第一个字段含有一个用户的 ID 代码。第一个命令行把 date 命令的输出放到名为 sales_report 的文件中。第二行命令使用 sales 文件作为 sort 命令的输入并将输出结果附加到 sales_report 文件中。最后一行将 sales_report 文件通过电子邮件送给用户 sarah 和 brad。

date > sales_report
sort < sales > > sales_report
mail sarah brad < sales_report

警示:
   小心,不要重定向同一个文件作为一个命令的输入和输出。这样很可能会破坏这个文件的内容。

表 17.5 总结了 Linux 使用的重定向符号。

表 17.5　Linux 的重定向符号

符号	含义	举例
<	从文件中获得输入	mail sarah < report
>	把输出送到文件中	date > now
> >	附加到一个文件中	date > > report

17.3.5　替换 shell 变量

在本章初你设置 PATH 变量为 PATH = $ PATH:newpath 时,你已学习了 shell 变量的扩展。

shell 用 PATH 变量的当前值替换 $ PATH。shell 是真正的解释性语言,很像 BASIC 语言;shell
变量是主要的要操作的对象。因为要经常操作 shell 变量,所以每个 shell 都提供了测试和定义
shell 变量的方法。

shell 变量是作为字符串来存储的。当把两个变量放在一起时,就把它们各自的字符串连
接在一起。例如,如果你有两个变量:X = hello 和 Y = world,那么表达式 $ X $ Y 的结果是字符
串 helloworld。如果你给出下面的命令,那么 shell 分析这两个参数,并用字符串 hellos 替换 X、
用字符串 world 替换 Y,然后再把它们送到 echo 命令中:

    echo $ X $ Y

然后 echo 命令打印出 hello world。

注释:

如果你在 $ X 和 $ Y 之间放了十二个制表符,输出的结果仍然不变。

如果这种替换是模糊的,那么 shell 就选择最明显的替换,它经常产生不可预知的结果。
例如,如果你键入 echo $ XY,那么 shell 把它替换为 helloY。如果你还有变量 XY,那么就用这
个变量的值替换。为了避免这些不明确性,shell 有一个简单的允许你准确地定义你的意思的
机制。如果你键入 $ {X}Y,那么 shell 先替换 X 的值,再把 Y 附加到这个字符串上。

Bourne shell 和 Korn shell 有一个丰富的 shell 变量的扩展技术集,该技术集在进行替换之前
对变量进行各种测试。请查阅 sh 和 ksh 的联机帮助,以获得更详细的资料。

17.3.6 替换命令结果

在 shell 执行了变量替换之后,它在命令行最终准备好之前再次扫描要运行的命令行。命
令替换是说 Linux 用一个命令的结果来代替一个位置参数。它以下面的方式指定:

command-1 parameter `command-2`

在使用撇号或单引号(')和向后单引号(`,也称为重音号)时要小心。表 17.6 列出了每个
符号的作用。

表 17.6 引号和撇号

符号	含义
"	引号使文件名不能产生并且禁止参数的扩展;但是,shell 变量和命令替换仍然有效
'	撇号禁止任何语法分析,括在撇号中的内容都被作为单个参数传递
`	向后单引号(或重音号)隐含命令替换。用向后单引号括起的命令被执行,就像这个命令自己在命令行上执行一样。然后这个命令产生的任何在标准输出上的输出替换这个命令,接着,针对这些参数,系统再次对这个命令行进行语法分析

考虑下面的命令行:

echo   Today \ 's   date   and   time   are   `data`

它产生这样的输出:

    Today's date   and   time   are   Mon   May 18   14:35:09   EST   1994

为使 echo 命令表现正常，前面命令中的 Today's 的's 前放置了一个反斜线（\），也称为转义字符（Today \ 's）。事实上键盘上每个非字母数字的字符对 shell 都有特殊的含义。要在一个字符串中使用这些特殊字符中的任意一个字符并阻止 shell 解释这个字符，那么你就必须"转义"这个字符，就是说，你必须在这个字符前放置反斜线。如果你想传递反斜线本身，则要使用 \ \ 。要把美元符传递给一个命令，就使用 \ $ 。

17.3.7　了解命令组、子 shell 和其他命令

用回车结束一个简单命令。如果你想在按 < Return > 之前将多个命令放在一个命令行上，你可用分号（；）定界每个命令。从而形成一个命令组。当 shell 分析命令行时，它将分号作为行结束符。如果你键入下面的字符串，那么 shell 按顺序执行每个命令，与一行写一个命令一样：

command-1；*command-2*；*command-3*

例如，你可以输入 clear;ls 来清屏并显示一个目录列表。

命令组　如果你想重定向输入或输出到一个组的所有命令中，那么你可通过使命令行成为一个命令组来实现。命令组被定义为括在大括号（{ }）中的任何数量的命令。例如，下面的命令字符串把两个命令的输出定向到名为 output-file 的文件中：

{ *command-1*；*command-2*}　　　>　　　output-file

也可使用任何形式的重定向。命令组的输出可以放到管道中，如下面的例子：

{ *command-1*；*command-2*} ¦ *command-3*

在这种情况下，command-1 的输出被送到管道，然后 command-2 的输出被送到同一个管道，而 command-3 只看到一个数据流。

注释：

命令组中执行的命令在当前的 shell 中运行。也就是说，它们可能修改环境或改变目录。

子 shell　当你运行一个命令组中的一系列命令时，这些命令在当前 shell 中运行。如果这些命令中的一个命令修改了环境或改变了目录，那么这个改变在命令组执行完后生效。要避免这种问题，则要在子 shell 中运行命令组。

一个子 shell 是当前 shell 的一个复制品，但是因为子进程不能修改它们的父进程的环境，所以在子 shell 中运行的所有命令在命令组运行结束时不会影响环境。要在子 shell 中运行一个命令组，则用圆括号代替大括号。上节中的命令组例子现在变为下面的样子：

（*command-1*；*command-2*）¦ *command-3*

只有 command-3 运行在当前 shell 中，但是子 shell 的输出通过管道送到 command-3 的标准输入中。

17.4　执行后台进程

因为 Linux 是一个多任务操作系统，所以你可以用多种方法在后台运行命令。最简单的后台进程形式使你能运行一个与前台命令并行的命令。其他方法把命令放在后台中越来越深

的地方。

17.4.1　安排在后台运行的进程

　　shell 允许你开始一个进程并在第一个进程完成之前，开始另一个进程。当你这么做时，你把第一个进程放到了后台。通过把"与"符号(&)作为行(该行含有要在后台运行的命令)的最后一个字符来把一个进程放在后台。看看下面的命令：

sort sales ＞ sales.sorted &

　　如果你输入这个命令，那么你就会在屏幕上看到一个数。这个数是放到后台的进程的进程 ID 号(PID)。PID 是操作系统辨认这个进程的手段。

　　通常当你运行一个命令时，shell 就暂时终止运行，直到该命令结束。如果你把"&"符号附加在一个命令字符串的尾部，那么这个命令字符串与 shell 并行运行。通过把"&"符号放在命令字符串后，shell 在后台命令一启动就重新恢复运行。除非你用后台命令重定向 I/O，否则后台命令和当前 shell 都从终端输入并向终端产生输出。除非后台命令自己处理 I/O，否则后台进程的正确语法如下所示：

command-string [*input-file*]　　*output-file*　　&

　　例如，要把以字符 .txt 结尾的文件集拷贝到一个名为 oldstuff 的子目录中，并且不等待这个进程结束，就将以 sales 开头的所有文件中的数据进行排序和打印，可以使用下面两个命令来实现：

cp ＊.txt oldstuff &
cat sales ＊ ¦ sort ¦　　lp

提示：

　　当你不想等到一个程序结束后再运行另一个程序时，你可以把这些作业放入后台。当你有一组任务，并且其中至少有一个任务能够自我运行时，你可以把这些作业放入后台。启动那个能够自我运行的任务并把它放入后台。

　　你还可以使用 Linux 提供的虚拟终端来执行一条命令，然后登录到另一个终端上。

　　因为后台进程是你的 shell 的一个子进程，所以当你退出时，后台进程被自动地结束。所有的子进程在父进程结束时都被结束。

17.4.2　使用 *nohup* 命令

　　要把一个命令放入后台中比 & 操作允许的更深的位置，就要使用 nohup 命令(该命令代表不挂起)。nohup 命令把命令串作为它的参数。但是，如果你想把命令真正放到后台，那么 nohup 命令必须与 & 操作符一起使用。如果一个命令在前台用 nohup 运行，那么这个命令在你不连接终端或挂起调制解调器时将不被撤消(这是它最初的目的)。nohup 命令的语法是：

nohup　　*command-string* [*input-file*]　　*output-file*　　&

17.4.3　使用 *cron* 守护进程

　　如果你用 nohup 命令运行一个命令，那么这个命令立即执行。如果你想稍后或在"有空"

的时候才运行这个命令,那么你必须激活 cron 守护进程。

  cron 守护进程是一个由 Linux(或者更准确说,是由主进程 init)在后台运行的命令。cron 为所有 Linux 进程提供调度服务。你可请求 cron 在指定时间、定期地、在每天的一个特定时间或 cron 允许的任何时候运行一个程序。

参见 18.3.3"用 cron 和 crontab 来安排命令"。

  at 命令 at 命令希望把一个时间或日期作为参数,并从其标准输入获得任意数量的命令串。当 at 命令发现一个文件结束符时,它建立一个要在你指定的时间执行的 Boume shell 脚本。

  at 命令接受日期和时间的类型是很灵活的。例如,如果你输入命令 **at now + 1 day**,那么从标准输入获得的下一个命令将在明天的此时执行。使用 at 命令的一种方法是在 shell 脚本中使用 at。

  一个 shell 脚本只是一个含有所有需要执行的一系列命令的文件。此时这个文件名就成为你添加到 Linux 命令语言中的命令。使用 at 命令的一种方法是:

at now ＋l day

command-1

command-2

当把这些命令放入到一个 sllell 脚本中时,这些命令行使你能很方便地在第二天运行一个或多个命令。要运行多个不同的命令,只要在 at 命令行后输入新的命令。你可从这个脚本中运行任意数量的命令。

  batch 命令 batch 在逻辑上等同于 at now。如果你试图使用 at now 命令,那么你就会看到很多"now has passed"错误信息。如果逻辑上可能的话,batch 命令的作用与 at now 完全一样,只有一个小小的例外:cron 守护进程为由 at、batch 和 cron 产生的命令维护一个独立的队列。假设你把下面的命令输入到名为 backup 的文件中了:

  tar   -cvf   tackettbkup   /usr/home/tackett

你就可以让系统用下面的命令备份目录/usr/home/tackett:

  batch backup

参见 19.2.2"建立你的第一个 vi 文件"。

  crontab 命令 cron 守护进程的最佳使用之一就是自动进行系统维护。使用 cron,作为系统管理员的你可以在星期一到星期六的每天早上 4 点建立自动的系统备份。用 crontab 命令你可以安装、删除和列出你想要以这种方式运行的命令。

  要定期地运行命令,你必须以 crontab 格式建立一个文件。crontab 文件由用空格或制表符分隔的六个字段组成。前五个字段是整数,分别指定分(00 ~ 59)、时(00 ~ 23)、日(01 ~ 31)、月(01 ~ 12)和星期(0 ~ 6,0 代表星期日)。第六个字段是命令串。每个数字字段可以包含一个连续的数值范围(如 1 ~ 5 表示星期一到星期五)或不连续的数字集(如 0,20,40 表示每隔 20 分钟就应该运行指令一次)。一个字段也可以用星号来表示所有合法的值。

下面的例子是每 20 分钟运行一次 calendar 命令,从星期一午夜开始,于星期五下午 11:40 结束:

0,20,40 ＊ ＊ ＊ 1-5 calendar -

如果你把这个文件命名为 cronfile,那么你可以通过发出命令 crontab cronfile 把这个文件安装到 cron 系统中。

cron 守护程序有一个一分钟的时间间隔,即,使用这个命令的最短时间间隔是 1 分钟。作为系统管理员,你可以限制一次允许运行的命令的数量。仅仅因为你让 cron 运行 at、batch 或 crontab 文件并不意味着它恰好在你指定的时间运行。

17.5 了解命令反馈

Linux 对由于这个或那个原因而放弃的命令提供立即反馈。多数情况下的错误是拼错了命令名或没有正确地形成文件名。如果你试图运行一个不存在的命令,那么 Linux 的回答是:

command: command not found

如果你试图使用一个不存在的文件名,那么 Linux 的回答是:

command: file: No such file or directory

如果错误是由其他事情而不是由命令行错误而引起的,那么命令本身通常报告发生了什么(虽然这个报告总是难于理解)。

如果你试图用 nohup 运行一个命令,并且没有重定向标准错误,那么 Linux 自动将错误信息放在该命令运行目录中的名为 nohop.out 的文件中。

因为由 cron 运行的命令不那么急,所以任何错误(实际上,任何放在标准输出上和没有重定向的输出)都是通过电子邮件传送给你。

17.6 编辑和别名化 shell 命令

不同的 shell 都包含提供运行命令的捷径特性。命令编辑使你可以修改已经键入的命令。使用 Linux 的命令历史特性,你可恢复你以前输入的命令。别名化使你能建立代表其他命令的命令。命令补全使你能在键入文件名的一部分之后填入剩余的部分。

17.6.1 编辑命令

编辑命令意味着在你键入一个命令后,在按 < Return > 之前,你可编辑或修改该命令的某一部分而不必重新键入命令。要编辑一个命令,按 < Esc > 进入编辑模式,然后使用 vi 编辑程序的行移动命令来修改这个命令。你可用 < backspace > 回到这个命令中要修改的地方,用其他 vi 命令,如用 x 删除一个字符,用 r 替换一个字符,等等。

17.6.2 查看命令历史

命令历史特性允许你往回查看你以前输入的命令并恢复它们。这个特性省去了你重新键入命令的时间和麻烦。当你把这一特性和编辑命令相结合时,你可以很容易地改正在一个复杂命令中的错误,并高效率地处理一些重复性任务。

在两种 shell 中,history 命令显示 shell 保存的以前命令的列表。命令被编了号。例如,要执行命令 10,输入! 10。bash shell 还利用了 PC 机的箭头键,你可通过按 < ↑ > 键恢复以前的命令。

17.6.3 别名化命令

别名化命令允许你给一个命令定义一个名字,请看下面的例子:man 命令显示 Linux 文档或联机帮助。要使字 help 成为 man 的别名或替代物,请输入:

alias help = man

现在你可以输入 help cp 或 man cp 以显示有关 cp 命令的 Linux 联机帮助。

你也可对有选项或参数的命令使用别名。例如,如果你想要列出当前目录中按最后修改时间以降序排列(以便最近修改的文件可以放在列表的最后)的所有文件名,可以用命令:

ls -art

ls 命令是列文件清单命令;-a 选项指定所有的文件,-r 选项按反向、降序排列文件,-t 选项以最后的修改时间排序。这样就有许多东西要记住。你可用下面的命令把别名 timedir 分配给这个复杂的命令:

alias timedir = "ls -art"

引号("")是必须的,因为 shell 希望 timedir 别名以一个空格或 < Return > 结束。现在,如果你输入 timedir,那么你就会获得你想要的目录列表。

注释:

从命令行设置的别名只在当前会话中有效。为想在登录时使别名有效,如果使用的是 Bourne shell 则把别名定义放在文件.profile 中;如果使用的是 C shell,则把别名定义放在.login 文件中。

17.6.4 补全命令

命令补全允许你键入文件名的开始部分,然后按制表键扩展文件名。这可以在输入命令时节省时间和减少拼写错误。如果两个文件共享一个公共的前缀,Linux 将该命令扩展到最后一个共用字符上,停止扩展这个文件名,然后发出报警声。你需要提供唯一的文件名。

17.6.5 用剪切和粘贴添加文本

Red Hat Linux 和 Slackware Linux 都提供一个能在引导时启动的程序,该程序允许你使用鼠标选取屏幕上任何地方的文本,然后将文本粘贴到命令行来让 shell 进行解释。要获得鼠标光标,你只需按一个鼠标按钮。然后你通过在要选取的文本开始处按下鼠标左按钮,并按住按钮,拖动光标到要选取的文本结束处来选取屏幕上想要的文本。当选定了文本后,按右鼠标按钮把文本拷贝到命令行。

17.7 使用 shell 脚本

shell 接受命令、解释命令并安排操作系统以你指定的方式运行命令。在前面几节,你看到了 shell 是如何解释特殊字符来补全文件名、如何重定向输入和输出、如何通过管道连接进程和如何把作业和进程放在后台的。

你可从终端键入命令，或从文件中得到命令。shell 脚本就是在一个文件中一个或多个 shell 命令的集合。要执行这些命令，就键入这个脚本名。这种方式的优点是：

□ 不用重复键入一个命令序列。

□ 可以一次就确定完成一个目标的步骤。

□ 你可以为自己和其他用户简化操作。

通过使用变量和关键字，就可以写 shell 能解释的程序。这是有用的因为它允许你建立你和其他人在各种情况下都能使用的一般的 shell 脚本。

假设在你登录后，你想定期看看谁登录了你的系统，还想运行名为 calendar 的程序（这个程序显示你今天的和明天的约会），并把当前日期和时间打印在屏幕上。要做这些事，你要输入下面的命令：

who

calendar

date

如果你把这三个命令放入名为 whatsup 的文件中，并使该文件是可执行的，那么你就有了一个 shell 脚本，你可像执行其他命令一样执行这个脚本。文件 whatsup 必须是一个文本文件。你可以用 vi 或 emacs 文本编辑程序把这些命令放在 whatsup 文件中。要使这个文件成为可执行的，输入：

chmod   + x   whatsup

命令 chmod 修改或建立文件的权限。+ 选项使这个文件是可执行的，即它使这个文件像一个标准的 Linux 命令那样工作。将命令放入这个文件和使这个文件成为可执行文件这两件事都是一次性的操作。从此，你可以输入 whatsup 来执行你的 shell 脚本。你可与使用其他命令一样使用 shell 脚本。例如，要打印 whatsup 命令的结果，就输入：

whatsup ¦ lp

要将 whatsup 命令的结果放入名为 info 的文件以便将来参考，输入：

whatsup   >   info

作为一个复习，按照下面的步骤来建立一个你随时可使用的 shell 脚本：

1. 使用一个文本编辑程序（如 vi 或 emacs）将 shell 命令放入一个文本或 ASCII 文件中。在前面的例子中，把命令放入了名为 whatsup 的文件中。

2. 用 chmod + x filename（例如，chmod + x whatsup）来得到文件的可执行权限。

3. 通过键入这个命令名并按 < Return > 来测试这个命令。

在使用这个进程几次以后，你将发现建立一个有用的脚本是多么容易。当然，最难的部分是判断使用了哪个 shell 命令和如何使用 shell 的编程功能来表达你需要执行的那些步骤。

你可测试一个 shell 脚本，并看到它运行的所有步骤，通过输入：

sh   -x   script-name

在这个语法中，script-name 是你要查看的脚本的名字。sh -x 命令显示这个脚本运行的所有步骤，当你试图调试一个脚本文本时这是很有用的。

17.7.1 用 shell 编写程序

为编写使用 shell 的程序，你必须知道变量和控制结构。别被这些词汇吓住。变量是一个对象,在某一时刻,它有一个值,这个值是可能赋给它的许多不同值中的一个。控制结构指定你可以控制一个脚本执行流的方法。控制结构有两个基本类型:判断结构(如 if... then... else 结构或 case 结构)和循环结构(如 for 或 while 循环)。用判断结构,你从一个或多个选择中选择一个执行路线,通常根据变量的值或命令的结果来进行这种选择。用循环结构,你重复一个命令序列。在前面"设置 Shell 环境"一节中讨论了 shell 变量;在后面"用控制结构编程"一节中提供了有关控制结构的更多信息。

使用 echo 你可用 echo 命令显示 shell 脚本的执行情况。echo 命令显示它的参数,即在屏幕上显示跟在单词 echo 之后的所有内容。将字符串放在引号中可保证字符串中的所有字符都能显示。你也可把 echo 的结果重定向到一个文件中。

命令

```
echo    "Please stand    by..."
```

在终端屏幕上显示下面一行:

```
Please stand    by...
```

下面的命令将 Please stand by...放入名为 messg 的文件中:

```
echo    "Please stand    by..." > messg
```

提示:

使用 echo 可以使用户在输入一个命令时感到发生了事情。当用户输入的命令执行几秒钟或更长时间还没有给出任何输出结果时,使用 echo 是一个好办法。

当你要跟踪一个 shell 脚本时,echo 命令也是有用的。在关键点使用 echo 命令,它会告诉你脚本中正在发生什么。下面把 whatsup 文件和 echo 命令一起使用或者说在 whatsup 文件中添加了两个 echo 命令:

```
echo    "let's see    who is on the    system."
who
echo    " Any appointments? "
calendar
date
echo " All done"
```

当你运行 whatsup 文件时,将看到下面:

```
$    whatsup
Let's see who is on the system.
sarah    tty01    Dec 20    08:51
brad     tty03    Dec 20    08:12
ernie    tty07    Dec 20    08:45
Any appointments?
12/20    Sales    meeting    at    1:45
12/21    party    after    work!
Mon    Dec    20    09:02    EST    1993
```

```
All    done
$
```

使用注释　常会出现这种情况,在你写了一个 shell 脚本后,有一段时间没有使用它,那么你可能忘掉了这个 shell 脚本是做什么的或它是如何完成任务的。把注释放入你的 shell 脚本,让注释来解释这个任务的目的和如何完成这个任务。注释是给每个阅读脚本的人的一种注解。shell 忽略注释,但注释对阅读者是非常重要的。

英磅符号(#)标志 shell 中的一个注释的开始。从英磅符号到行尾的每个字符都是注释部分。下面显示了如何注释 whatsup 文件:

```
# Name:      whatsup
# Written:    1/19/17, Patty Stygian
# Purpose:    Display who's logged in, appointments, date
    echo "Let's see who is on the system."
    who          # See who is logged in
    eaho "Any appointments? "
    calendar         # Check appointments
    date         # Display date
    echo "All done"
```

再次运行这个 shell 脚本,将看到与前面相同的结果。注释在任何方面都没有改变 shell 脚本的行为。

使用 shell 程序中的变量　要使用变量,你必须知道如何给变量赋值和如何访问存储在变量中的值。变量值的使用是直接的,但给变量赋值却有四种方法:

☐ 使用直接赋值
☐ 使用 read 命令
☐ 使用命令行参数
☐ 使用命令的输出

使用直接赋值　给变量赋值最直接的方法就是写一个表达式,如:

myemail = edsgar@crty.com

这个表达式给变量 myemail 赋的值为 edsgar@crty.com。等号(=)两边不应包含空格。给变量赋值的直接赋值方法,用下面这种形式:

variable-name = variable-value

如果 variable-value 包含空格,则要将该值放入引号中,例如,要将办公室地址 Room21, Suite C 赋予变量 myoffice,就用下面的命令:

myoffice = "Room21, Suite C"

当 shell 看到后面跟变量名的美元符时,它就取得该变量的值。当下面两个语句被执行时,你可看到这种现象:

echo "My e-mail address is $ myemail"

echo " My office is $ myoffice"

假如你经常要把文件拷贝到名为/corporate/info/public/sales 的目录中。要把一个名为 cur-
rent 文件拷贝到那个目录中,输入:

cp current /corporate/info/public/sales

要使它更简单,你可用下面的表达式将长目录名赋值给变量 corpsales:

corpsales = /corporate/info/public/sales

现在要把 current 文件拷贝到那个目录,只要输入:

cp current $ corpsales

shell 用变量 corpsales 的值替换 $ corpsales,然后发出拷贝命令。

使用 read 命令　　read 命令获得下一行的输入,并把它赋给变量。下面的 shell 脚本扩展了
前面 corpsales 例子,它要求用户指定要拷贝的文件名:

```
#  Name：copycorp
#  Purpose：copy specified file to
#            /corporate/info/public/sales
      corpsales = /corporate/info/public/sales
      echo ″ Enter name of file to copy″      #     prompt user
      read filename                            #     get file name
      cp $ filename $ corpsales                #     do the copy
```

read 命令暂停脚本的执行并等待键盘的输入。当按 < Return > 时,脚本继续执行。如果在
read 命令等待输入时按下了 < Ctrl-d > (有时表示成^C),那么就终止脚本的执行。

使用命令行参数　　当 shell 解释一个命令时,它把变量名与命令行中的每一项相联系。命
令行上的项是由空格或制表符分隔的字符序列。(用引号指示一个由空格分隔的字符集代表
一项)。与命令行中各项相联系的变量是 $ 0、$ 1、$ 2 等等一直到 $ 9。这十个变量对应于命
令行上各项的位置。命令的名字是 $ 0,这个命令的第一个参数是 $ 1,等等。要说明这个概
念,请看下面名为 shovars 的简单的 shell 脚本:

```
#  Name：        shovars
#  Purpose：      demonstrate command-line variables
      echo $ 0
      echo $ 2  $ 4!
      echo $ 3
```

现在假设你输入:

shovars -s hello ″look at me″   bart

这个 shell 脚本的输出是:

shovars

hello bart!

look at me

在这个输出中,第一行是命令名(变量 $ 0),第二行是第二和第四个参数(变量 $ 2 和 $ 4),最
后一行是第三个参数(变量 $ 3)。

下面是一个更重要的例子。shell 脚本删除一个文件,但首先要把它拷贝到目录/tmp 中,

以便你可以在需要时恢复该文件：

```
# Name：        safrm
# Purpose：     copy file to diretoly /tmp and then remove it
#               from the current diretory
# first copy    $ 1    to    /hnp
        cp     $ 1    /tmp
# now remove the    file
        rm  $ 1
```

如果你输入 safrm   abc def，只有文件 abc 从当前目录中删除，因为 safrm shell 脚本文件只删除变量 $ 1。但是，你可用 $ * 表示命令行上的所有参数。通过用 $ * 代替出现的每个 $ 1，可以使 safrm 脚本更通用。如果这时你输入 safrm   abc def xx guio，那么这四个文件（abc def xx guio）都将从当前目录中删除。

替换命令的输出　你可将一个可执行命令的执行结果赋值给一个变量。例如，要把当前工作目录的名字存储到名为 cwd 的变量中，输入：

cwd = `pwd`

注意，打印工作目录命令 pwd 括在向后单引号中而不是括在单引号中。

下面的 shell 脚本通过把当前的月、日、年附加在文件名尾部来改变这个文件的名字：

```
# Name：        stamp
# Purpose：     rename file：append today's date to its name
# set   td   to    current date in form of    mmddyy
        td = '+ % m% d% y'
# rename file
        mv $ 1    $ 1. $ td
```

在本例中，设置变量 td 为当前日期。在最后一行，这个信息被附加到变量 $ 1 上。如果今天是 1997 年 2 月 24 日，那么你在名为 myfile 的文件上使用这个脚本，这个文件将被重新命名（移动）为 myfile.022497。

在 shell 程序中使用特殊字符　你已经看到 shell 如何给予某些字符特殊的对待，如 > 、* 、? 、$ 和其他一些字符。如果你不想让这些字符受到特别对待，那么需要作些什么呢？本节提供了一些答案。

你可以用单引号来使 shell 忽略特殊字符。用一对撇号把字符串括起来，就像下面例子中这样：

grep   '^Mary   Tuttle'   customers

这个 grep 命令的结果是，显示 customers 文件中以 Mary Tuttle 开头的那行。脱字符号(^)告诉 grep 从这行开始处进行查找。如果文本 Mary Tuttle 没有放在撇号中，就会被逐字地解释（或在一些系统中被作为管道符号）。另外，在 Mary 和 Tuttle 之间的空格当出现在撇号中时是不会被 shell 解释的。

你也可用引号来使 shell 忽略大多数特殊字符，只有美元符号和重音符号除外。在下面的例子中，星号、空格和大于号都被看作为标准字符，因为这个字符串被括在引号中：

echo　"　＊＊　　Please enter your response -- > "

但是,在下面的例子中, $ LOGNAME 被正确的估定,但 $ 5 却没有值:

echo "　> > > Thanks　for the　　$ 5, $ LOGNAME"

用反斜线(\ )使 shell 忽略单个字符。例如,要使 shell 忽略 5 前面的美元符号,则发出这样的命令:

echo "　> > > Thanks for the　　\ $ 5, $ LOGNAME"

结果是你希望得到的:

　> > > Thanks for the　　$ 5 , wrev

17.7.2 用控制结构编程

在 shell 编程过程中有两种主要的控制结构:判断结构和循环结构。在判断结构中(如 if... then... else 和 case),你可以有这样的脚本,它根据一个表达式的值来决定运行什么命令,这个表达式的值如一个变量值、相关文件的属性、脚本中的参数数量或执行命令的结果。在循环结构(如 for 和 while 循环)中,你可在一个文件集上或在某个条件成立时执行一个命令序列。

下面几节用一些不太复杂的例子说明用某些控制结构编程的要点。

使用 case case 结构是一种判断结构,它允许你根据一个变量的值来选择几种行动路线中的一种。清单 17.2 给出了一个短小的菜单程序:

清单 17.2 用 case 完成一个菜单 Shell 脚本

```
# Name:         ShrtMenu
# Purpose:      Allow user to print a file , delete a file,
#               or quit the program
# Display menu
        echo " Please choose either P, D, or Q to"
        echo " [P]rint a file"
        echo " [D]elete a file"
        echo " [Q]uit"
# Get response from user
        read response
# Use case to match response to action
        case $ response in
          P¦p) echo " Name of file to print? "
                read filename
                lp $ filename; ;
          D¦d) echo " Name of file to delete? "
                read filename
                rm $ filename; ;
            *)  echo " leaving now"; ;
        esac
```

case 语句的语法是:

```
case  word  in
    pattern)  statement(s);;
    pattern)  statement(s);;
    ...
esac
```

word 参数与每个 pattern 参数进行匹配,从列表最上面的 pattern 开始。如果 word 与一个 pattern 匹配,那么就执行这个 pattern 的以两个分号(;;)结束的 statement 语句。case 语句以单词 esac 结束(esac 是 case 倒过来的拼写)。

在清单 17.2 中,管道符用于给出匹配的一个选择。例如,P|p 意味着大写和小写的字母 P 都认为是匹配的。

pattern * 代表所有没有显式地声明的其他 pattern。如果用户按除 <P>、<p>、<D> 或 <d> 以外的任何键,该脚本都从菜单中退出。

清单 17.3 使用了一个 case 语句,这个 case 语句根据参数的数目来作出选择。shell 用 $ # 表示参数的数目。

清单 17.3   用 case 进行命令行语法分析

```
# Name:           recent
# Purpose:        list the most recent files in a directory
# If user types recent < Return > then the names of
#    the l0 most recently modified files are displayed
# If the user types recent n < Return > then the names of
#    the n most recently modified files are displayed
# Otherwise, user is notifigd of incorrect usage
#
# Case based on number of parameters
    case $ # in
        0)    ls -lt | head;;
                # ls -lt lists names of file in order of
                # most recently modified
                # head displays the first 10 lines of a file
        1)    case $ 1 in
                [0-9] * ) ls -lt | head - $ 1 ;;
                * )echo " Usage: recent number-of-files" ;;
                esac;;
                * ) echo " Usage: recent number-of-files" ;;
    esac
```

查找退出状态　当一个 shell 命令执行时,它可能成功也可能不成功。如果你使用命令 grep "American Terms" customers 来看看字符串 American Terms 是否在文件 customers 中,并且这个文件存在,你有这个文件的读权限,American Terms 确实在这个文件中,那么 shell 命令就成功地执行了。如果这些条件中有一个不是真的,那么 shell 命令就不能成功地执行。

shell 总是返回关于命令、程序、或 shell 脚本的状态的报告。报告返回的值叫做命令的退出状态,它由变量 #? 表示。如果你输入下面的命令,那么你将看到 $? 的值。

grep ″ American Terms″ customers
echo $?

注释:

如果 $? 的值是 0,那么这个命令是成功的;否则,这个命令是失败的。

在下面的例子中,命令 who| grep $1 的退出状态被用于 case 语句中:

```
# Name:        just.checking
# Purpose:     Determine if person is logged in
# Usage:       just.checking login_name
#
        case ′ who ¦ grep $1 > /dev/null ′ in
        0) echo ″ $1 is logged in. ″ ;;
        * ) echo ″ $1 is not here. Try again later. ″ ;;
esac
echo ″ Have a great day! ″
```

如果你输入 just.checking rflame 并且 rflame 确实登录了,那么你将看到:

rflame is logged in,
Have a great day!

如果 rflame 没有登录,那么你将看到:

rflame is not here. Try again later.
Have a great day!

使用 if 结构   if ...then...else...fi 结构是一个判断结构,它允许你根据命令的结果选择两种行动路线中的一种。这个结构中的 else 部分是可选项。一个或多个命令放在省略号(...)的地方。假设在 if 后面的最后一个命令的退出状态是 0(即成功地执行了这个命令),那么在 then 之后和 else(如果有)之前的命令被执行;否则,执行在 else 之后的命令。

换句话说,一个或多个命令被执行。如果最后的命令是成功的,那么执行 then 部分中的命令,然后执行 fi(结构的末尾)后面的命令。如果最后的命令不成功,那么就执行在 else 后面的命令。

下面是一个很熟悉的例子,它和用 case 语句写的功能一样:

```
# Name:        just.checking
# Purpose:     Determine if person is logged in
# Usage:       just.checking login_name
#
if
    who ¦ grep $1 > /dev/null
```

```
then
    echo " $ 1 is logged in. "
else
    echo " $ 1 is not here. Try again later."
fi
echo " Have a great day! "
```

使用 test 命令 本章中使用的许多 shell 脚本假定用户能恰当地操作。这些脚本没有检查用户是不是有拷贝或移动文件的权限,或者用户正在处理的内容是普通文件而不是目录。test 命令能够处理这些问题和其他一些问题。例如,如果文件 abc 存在并且是一个普通文件,那么 test -f abc 就是成功的。

你可通过在选项前使用感叹号来把 test 的意思反过来。例如,要测试你没有文件 abc 的读权限,用 test ! -r abc。表 17.7 列出了 test 命令的几种选项。

表 17.7　用于文件的 test 命令的选项

选项	含义
-f	如果文件存在并且是一个普通文件,则成功
-d	如果文件是一个目录,则成功
-r	如果文件存在并且是可读的,则成功
-s	如果文件存在并且不是空文件,则成功
-w	如果文件存在并且是可写的,则成功
-x	如果文件存在并且是可执行的,则成功

清单 17.4 是一个使用 test 命令的例子。

清单 17.4　使用 test 命令的脚本举例

```
# Name:        safcopy
# Purpose:     Copy file1 to file2
#              Check to see we have read permission on file1
#              If file2 exists then
#                   if file2 is a file we can write to
#                   then warn user, and get permission to proceed
#                   else exit
#              else
#                   copy file
# Check for proper number of arguments
   case $ # in
     2)   if test ! -r $ 1          # cannot read first file; ;
          then; ;
                 exit (1)           # exit with non-zero exit status; ;
          fi; ;
          if test   -f   $ 2        # does second file exist? ; ;
          then; ;
```

```
                    if test    -w    $2    # can we write to it?;;
                    then;;
                         echo " $2 exists, copy over it? (Y/N) ";;
                         read    resp                     # get permission from user;;
                         case $resp in;;
                             Y¦y)     cp $1 $2;;        # go ahead;;
                                * ) exit(1);;           # good bye!;;
                         esac;;
                    else;;
                         exit(1)      # Second file exists but can't write;;
                    fi
                    else      # Second file doesn't exist; go ahead and copy!;
                  cp $1 $2;;
                    fi;;
     * ) echo " Usage: safcopy source destination" ;;
         exit (1);;
     esac
```

你也可以用 test 命令来测试数值。要确定变量 hour 中的值是否大于 12,用 test $ hour -gt 12 命令。表 17.8 列出了比较数值时可与 test 一起使用的一些选项。

表 17.8　比较数值时 test 使用的选项

选项	含义
-eq	等于
-ne	不等于
-ge	大于或等于
-gt	大于
-le	小于或等于
-lt	小于

清单 17.5 给出了用于显示一个适时的问候。

清单 17.5　用 test 命令显示一个问候。

```
# Name:        greeting
# Purpose:     Display Good Morning if hour is less than 12
#                    Good Afternoon if hour less than 5PM
#                    Good Evening if hour is greater than 4PM
# Get hour
     hour = 'date + %H'
# Check for time of day
     if test $ hour -lt 12
     then
       echo " Good Morning, $ LOGNAME"
```

```
        else
          if test  $ hour -lt 17
          then
            echo " Good Afternoon, $ LOGNAME"
          else
            echo " Good Evening,  $ LOGNAME"
          fi
        fi
```

使用循环结构　循环控制结构允许你编写包含循环的 shell 脚本。循环的两种基本类型是 for 循环和 while 循环。

用 for 循环,你指定与一些命令一起使用的一组文件或一组数值。例如,要把名字以 .txt 结尾的所有文件拷贝到目录 textdir 中,则使用下面的 for 循环:

```
for   i   in   * .txt
do
          cp    $ i    textdir/ $ i
done
```

shell 解释 for i in * .txt 语句并允许变量 i 代表当前目录下任何以 .txt 结尾的文件的文件名。然后你可以把 $ i 与在 do 和 done 两个关键字之间的任何语句一起使用。

清单 17.6 中的脚本打印一个文件集,每个文件都有自己的扉页。该脚本还把邮件发送给关心这个打印请求状态的用户。字符 $ * 代表送给这个 shell 命令的所有参数。

清单 17.6　用 for 命令处理文件

```
# Name:         Prntel
# Purposs:      Print one or more files
#               each with own title page
#               Notify user which files were sent to the printer
#               and which were not.
#               Do this for all parameters to the command
for i in $ *
do
      if lp   -t   $ i   -dlasers   $ i > /dev/null
      then
          echo    $ i > > printed
      else
          echo    $ i > > notprinted
      fi
done
# end of loop
if test   -s   printed
then
      echo    " These files were sent to the printer" > mes
      cat printed > > mes
```

```
            mail  $ LOGNAME  < mes
            rm mes printed
fi
if test -s notprinted
then
            echo " These files were not sent to the printer" > mes
            cat notprinted > > mes
            mail  $ LOGNAME  < mes
            rm mes notprinted
fi
```

while 循环查看命令的退出状态的方法与 if 语句的相同。清单 17.7 中的脚本在用户已接到新邮件时通知他们。这个脚本假设如果邮箱变化了,那么用户就有了新的邮件。这个脚本使用 diff 命令来比较两个文件,并且报告它们的不同。如果是同一个文件,则退出状态为 0(命令是成功的)。

清单 17.7 用 while 的循环

```
# Name:              checkmail
# Purpose:           Notify    user if their    mail    box    has    changed
# Suggestion:        Run     this    in    the    background
# get a size of mail box for comparison
        cp    $ MAIL    omail              # Get    set    for    first time through
# MAIL   is a   "special"   variable   indicating   the   user's   mailbox
# while omail and      $ MAIL are the same, keep looping
        while diff omail  $ MAIL > /dev/null
        do
            cp $ MAIL omail
            sleep 30                  # sleep, pause for 30 seconds
        done
# There must be a change in the files
        echo" New mail!!" ¦ write  $ LOGNAME
```

你看到 if...then...else 语句使用的一些命令和概念可转到 while 循环中。当然,其差别在于使用 while 循环时,你正在处理一个叠代的、重复的过程。

17.8 定制 Linux shell

shell 在你登录时启动。表 17.2 和 17.3 示出了一些特殊变量的值,这些变量的值是 shell 赋予的,它们帮助你定义 shell 的环境。shell 设置这些值中的一些值。如果你使用 Bourne shell 或 bash shell,那么你可以通过编辑.profile 文件来改变这些设置并给出其他变量的值。如果你使用 C shell,那么你通过编辑文件.login 来设置变量。你还可以用别名命令来定义命令的别名。

无论何时你发出一个命令,一个新的 shell 就启动了;它继承了已存在的 shell 的许多特性或环境。对新的 shell，要注意下面两点：

□ 新 shell 在当前目录下运行。在一个 shell 中 pwd 命令返回的值与在启动这个 shell 之前它返回的值相同。

□ 新 shell 从已存在的 shell 中接收许多变量。有一些方法能确保在已存在的 shell 里设置的变量能输出到新 shell 中。

17.8.1 把变量输出到新 shell 中

当你建立 shell 变量或给已有的变量赋值时，它们存在于正在运行的 shell 中。在登录 shell 中设置的变量可用于所有命令行参数。在一个 shell 中设置的变量只在那个 shell 中才有那个变量值。当你退出那个 shell 时，这个变量值就消失或被重新设置。

例如，从命令行输入这样两个命令：

today = Thursday

echo ＄ today

假设 echo 命令显示 Thursday。现在假设你编写并执行下面的名为 whatday 的 shell 脚本。

```
#  Name：whatday
#  display the current value of the variable today
        echo " Today is ＄ today. "
#  set the value of todey
        today = Fridey
#  display the current value of the variable today
        echo " Today is ＄ today. "
```

现在，从命令行输入下面的四个命令：

chmod ＋x whatday

today = Thursday

whatday

echo ＄ today

在屏幕上将出现下面几行：

Today is.

Today is Friday.

Thursday

变量 today 在登录 shell 中的值是 Thursday。当你执行 shell 脚本 whatday 时，你就会看到最初没有定义变量 today（显示为 Today is.）。然后 today 变量在 shell 中有了值 Friday。当 whatday 脚本终止时，你返回到登录 shell，today 又是它的原始值 Thursday。

要在 shell 脚本 whatday 启动时给 today 变量一个与它在登录 shell 中所具有的值相同的值，则使用 export 命令。这个命令把变量从一个 shell"输出"或传递到子 shell 序列中：

export today

现在任何从登录 shell 启动的 shell 都继承了变量 today 的值。把 export 命令添加到以前的命令序列中：

today = Thursday

export　　today

whatday

echo　$ today

将看到如下输出：

Today is Thursday.

Today is Friday.

Thursday

注意，变量在由 whatday 脚本启动的 shell 中接收的值没有被带回到登录 shell 中。变量值的输出或继承是单向的，即从运行的 shell 向下输出到新的 shell 中，而不会向上返回。这也是为什么当你在某个 shell 中改变当前目录时，当这个 shell 终止时你仍然返回到你启动这个 shell 的地方。

用下面的语法可以把任意变量从一个 shell 向下输出到另一个 shell 中：

export　　variable-name

在这个语法中，variable-name 是你要输出的变量名。例如，要把终端类型从它的当前设置改变为 vt100，则输入下面的命令，以使 TERM 的新值对所有的子 shell 序列或程序都是可使用的：

TERM = vt100

export　　TERM

当你在 .profile 文件中改变或设置 bash shell 变量时，要确保输出这些变量。例如，如果你要把 PATH 设置为 PATH = /bin:/usr/bin:/usr/local/bin:. ，那么在 .profile 文件中设置它并把 export 命令放在它后面：

export　　PATH

要改变 shell 的提示符，你必须在 .profile 文件中为 PS1 设置一个值。要把 PS1 的值从 $ 改为 Ready $ ，则使用一个文本编辑程序把下面几行放入 .profile 文件中：

PS1 = ″ Ready　$ ″

export　　PS1

注释：

　　直到你退出并再次登录，你对 .profile 和 .login 所作的改变才会生效。

17.8.2　定义命令的别名

　　命令的别名对定义那些你经常要使用而又不愿伤脑筋来记住里面的细节的那些命令是有用的。命令的别名对用一组有用的工具来优化环境也是有用的。下面这个命令把别名 recent 分配给一个命令，这个命令列出当前目录中最近修改的 10 个文件：

alias　　recent = ″ls -lat ¦ head″

　　要避免在每次登录时都要键入命令的别名，如果你使用 C shell，那么就把这些命令的别名放在 .login 文件中；如果你使用 bash 或与此相似的 shell，那么就把这些命令的别名放在 .profile 文件中。现在，当你在你的 shell 中时，你可使用这些命令的别名。

17.9 从这里开始

shell 是用户和 Linux 操作系统之间的主要界面。虽然一个 shell 几乎可以是任何一个可执行程序,但是有几个标准 shell 是或者随 Linux 提供、或者以源代码(用 C 编写的)的形式免费获得、或者已经为你的机器编译好了。所有 Linux 的 shell 都被认为是高度复杂的、包含了编程语言中所有有用的结构的、具有特殊目的的编程语言。Linux shell 语言的特殊目的是把在 Linux 环境中建立的许多小命令和许多实用程序紧密地连接在一起。通过使用 I/O 重定向和后台进程,shell 语言使你能用最小的努力编写复杂的程序。要了解更多的信息,请参阅:

□ 第五章"运行 Linux 应用程序"中有关使用 Linux 的基本信息。

□ 第十九章"使用 vi 编辑程序"中有关编辑文本文件的信息。

第十八章　多进程管理

□ 启动多个进程

Linux 提供了这样一种方法,使你能启动多个同时运行的进程,然后分别与每个进程进行对话。

□ 用 at、batch、cron 和 crontab 来安排多个进程

Linux 还提供了另一种方法,这种方法不用人工干预就能启动在一天中的不同时刻运行的程序。

□ 用 who 和 ps 来显示系统的状态

通过使用任何 UNIX 系统上的 who 和 ps 命令,你可以快速地确定谁登录了和他们正在干什么。

□ 通过用 nice 和 renice 改变各进程的相对优先权来管理多个进程

能够使用的 CPU 周期是有限的,因此有时一个进程可能需要比另一个进程更多的 CPU 周期。用 nice 和 renice,Linux 使你能控制一个进程获得 CPU 周期的优先权。

□ 用 kill 命令终止进程

有时一个程序可能停止了工作,或者可能你执行了扫描整个驱动器的命令。在这两种情况下,Linux 都允许你用 kill 命令来撤消一个正在运行(或已停止)的程序。

Linux 是一个多用户多任务的操作系统。多用户指多个用户可以在同一时间使用计算机系统(这与 MS-DOS 单用户操作系统不同)。多任务是指 Linux(与 Windows NT 一样)可以同时执行几个任务;它可以执行一个任务并且在这个任务还没有完成时又进行另一项任务。

操作系统管理多个用户的请求和管理多个任务。大多数系统都只有一个 CPU 和一个主存(RAM)。但一个系统可能有多个用于二级存储的磁盘或磁带驱动器,并且有多个输入/输出设备。必须管理所有这些资源并在多个用户间共享这些资源。操作系统造成了一种假象,好像每个用户都独占计算机系统。

18.1　了解多任务

如前所述,Linux 的工作是要造成这样一种假象,即当你提出一个请求时,系统只注意你。实际上,在你按 < Return > 到系统对你的命令作出响应的这段时间内,数以百计的请求可能已经被处理了。

想象一下要同时跟踪许多任务。你必须在多个用户中或属于一个用户的多个进程中分享处理能力、存储能力和输入输出设备。Linux 监控一个等待执行的任务清单(亦称队列)。这些任务可以包括用户作业、操作系统任务、邮件和如打印那样的后台作业。Linux 为每个任务安排系统时间片。按人的标准看,每个时间片都非常短,只有零点几秒。按计算机的时间看,一个时间片足以供一个程序处理成百上千条的指令。每个任务的时间片的长度是由每个任务的相对优先权来决定的。

Linux 使队列中的一项任务工作一会儿之后,就把这项任务放到一边,又去执行另一项任务,依次类推,然后再返回第一项任务继续为这项任务工作。Linux 不断进行这些循环,直到它完成了一项任务并把这项任务从队列中去掉,或者直到这项任务被终止。用这种管理方法(有时称为分时),系统的资源被所有的任务共同分享。当然,分时必须以一种可靠的和高效的方式进行。UNIX 称一项任务为一个进程。表 18.1 给出了进程的几种类型。

表 18.1 进程的类型

进程类型	描述
交互进程	由 shell 启动并在前台或后台运行
批处理进程	通常被安排在指定时刻执行的一系列进程
守护进程	通常在引导时启动以执行即时的操作系统任务,如 LPD、NFS 和 DNS

你已经看见了,你可以把程序放入后台或在后台运行程序。当程序在后台运行时,你可以继续输入命令和用其他资料进行工作。这是多任务的一个特性:Linux 用分时的方法来平衡立即要执行的命令和在后台运行的命令。本章介绍其他安排进程的方法,以便它们没有你的注意就能运行(批处理进程)。

参见 17.4"执行后台进程"。

Linux 操作系统主要负责具体协调多个用户和多个任务。作为一个用户,你有权指定你想要运行的程序,有些 Linux 命令使你能指定要启动进程的时间。你还可以监控自己的进程并查看其他的进程都在运行什么。在有些情况下,你可以改变它们的相对优先权。如果必要,你随时可以终止你自己的进程。如果你是系统管理员,那么除了拥有上述的所有能力外,你还有启动、监控和管理属于操作系统的进程或任何用户的进程的责任和权力。

表 18.2 列出了能控制 Linux 的多用户和多任务能力的命令。

表 18.2 多用户和多任务命令

命令	作用
at	在给定的时间执行命令
batch	当系统负载允许时执行命令
cron	执行已安排好的命令
crontab	为单个用户维护 crontab 文件
kill	终止进程
nice	在一个进程启动前调整它的优先权
nohup	在你退出后允许一个进程继续运行
ps	显示进程信息
renice	调整一个正在运行的进程的优先权
w	显示谁已登录和他们正在做什么
who	显示系统的登录用户

注释:
要了解表 18.2 中的命令的更多的信息,可用下述命令查阅联机帮助:

man　　command

你也可以使用--help 选项：

command --help

18.2　启动多个进程

通过键入程序名你可以开始运行一个程序。你也可以从包含 shell 命令的文件中启动程序。运行着的程序可以与系统的许多不同部分进行交互作用。一个程序可以从文件读出或向文件写入、可以管理它在 RAM 中的信息，或者把信息发送到打印机、调制解调器或其他设备上。操作系统还把信息附加在进程上，以便系统能跟踪和管理它。

一个进程就是一个正在运行的程序，但又与程序不同。从某种意义上讲，一个进程的含义比一个程序的含义多，因为一个程序只是一个指令集，而一个进程却是动态的，因为它使用运行着的系统的资源。另一方面，单个 Linux 程序可以启动多个进程。

Linux 通过为每个进程分配一个进程 ID 号(PID)来识别和跟踪进程。

18.2.1　启动多个进程

你已经看到你的登录 shell 始终是在运行着的。无论你什么时候键入命令，你都至少启动了一个新的进程，而登录 shell 仍继续运行。例如，如果你输入如下命令，那么名为 report.txt 的文件就被送到 lp 程序打印：

lp report.txt

参见 17.2"了解各种 shell"。

当 lp 程序完成任务时，shell 提示符重新出现。在 shell 提示符重现前，登录 shell 和 1p 命令都在运行；这时你就启动了多个进程。在把 shell 提示符放回屏幕前，shell 一直在等待，直到 lp 命令完成。

18.2.2　启动后台进程

通过给出启动进程的命令并在这个命令后面放一个并列符号(&)，可以把一个进程作为后台作业来运行，例如：如果键入命令 lp report.txt&，那么 shell 立即作出响应，它显示一个数值，这个数值代表该进程的 PID。不等该进程完成，shell 提示符就重新出现。我们来看看下面这个例子：

$ lp　　report.txt &

3146

$

在这个例子中，3146 是由 lp 命令启动的进程的 PID。

不管你是否在后台运行 lp 命令，与 lp 命令相关的进程都从当前 shell 启动。lp 进程是当前 shell 的一个子进程。这个例子指出了进程间的一种普遍关系，即父子关系。当前的 shell 是父进程而运行中的 lp 进程是子进程。通常，一个父进程要等它的一个或多个子进程完成后才继续运行。如果想让父进程不等子进程完成就继续,则要把并列符号(&)附加在产生(spawn)或启动子进程的命令后面。在子进程运行时,你可以继续其他的工作或命令。

注释:

如果你工作在一个字符终端或一个远程登录上,那么你的当前 shell 通常就是你的登录 shell。如果你正在使用一个虚拟终端或一个 GUI 终端窗口,那么每个会话过程都与一个独立的 shell 相关联。

18.2.3　用管道启动多个进程

启动多个进程的另一种方式是在一个命令行上使用一个或多个管道。要打印一份当前目录中最近修改过的 10 个文件的长格式列表,就输入:

`　　ls　　-lt ¦ head ¦ lp`

这个命令同时启动三个进程,并且这三个进程都是当前 shell 的子进程。管道是这样工作的:它使竖杠(¦)两侧的命令同时开始。谁也不是谁的父进程;它们一建立就都是当前运行着的进程的子进程。从这个意义上讲,你可以把管道符号两侧的命令当做兄弟进程。

有些程序被编写成它们自己能产生多个进程。ispell 命令就是这样的一个例子,它列出一个文档包含的、Linux 在一个系统词典中找不到的词。ispell 命令产生一些子进程。假设你输入了:

`ispell final. rept > final. errs &`

那么你可以看见如下的显示结果:

`1286`

`　$`

这里,1286 是这个 ispell 进程的 PID; $ 提示符表示 shell 已准备好可以处理来自用户的另一条命令。虽然 ispell 可能产生一些子进程并等待这些子进程完成,但你却不用等待。在这个例子中,当前 shell 是 ispell 的父进程,ispell 的子进程可以被认为是这个登录 shell 的孙进程。虽然父进程可以等待它的子进程,但祖父进程却不用等待。

所有这些例子都说明了用户可以启动多个进程。你可以等子进程完成后再继续运行或不等子进程完成就继续运行。如果你不等子进程完成就继续,那么就把这个子进程变成了一个后台进程。下一节将介绍一些 Linux 命令,你可使用这些命令把进程安排在指定时间运行或以相对较低的优先权运行。

18.3　使用调度命令

Linux 环境提供了许多处理命令执行的方法。Linux 让用户建立命令表并让用户指定何时运行这些命令。例如,at 命令接受一个从键盘键入的或一个文件中的命令表,并在 at 命令指定的时间运行这些命令。batch 命令与 at 命令相似,但 batch 是在系统有时间运行这些命令时才运行这些命令,而不允许用户指定一个特定的时间。cron 命令允许定期地运行这些命令。crontab 允许用户编辑 cron 使用的文件。

所有调度命令都可用于在系统不很忙时运行任务。也适用于在开销最少时执行外部服务脚本(如数据库的查询)。

18.3.1 用 *at* 命令在指定时间运行命令

要为一个指定时间安排一个或多个命令,可以使用 at 命令。用这个命令,你可以指定时间、日期或同时指定时间和日期。at 命令需要两个或更多的参数。至少,你要指定你要执行的命令和你要执行这些命令的时间。

下面的例子在凌晨 1:23 执行一个作业。如果用户在凌晨 1:23 之前的一小段时间(即在子夜到凌晨 1:23 之间)内工作,那么这个命令就在今天凌晨 1:23 执行。否则,这个命令在第二天凌晨的 1:23 执行。这个作业打印/usr/sales/reports 目录中的所有文件并向名为 boss 的用户发送一些邮件,通知他打印工作已在凌晨 1:23 执行。在终端键入下面的命令,在每行的行尾按 < Return > 键。当你输完所有命令行后,按 < Ctrl-d > 来执行这些命令。

    at 1:23
    lp   /usr/sales/reports/ *
    echo "Files   printed, Boss! " ¦   mail -s "job done"   boss

参见 17.2.2"设置终端环境"。

由 at 调度的命令是在 at 命令行后输入的命令列表。

当你结束这个 at 命令后,你会看到类似下面的显示:

    job 756603300.a   at   Tues Jan 21   01:23:00   1997

这个回答表明这个作业将在指定的 1:23 执行。作业号 756603300.a 标识这个作业。如果你决定取消这个作业,则像下面这样使用与之相连的作业号来进行:

    at   -d   756603300.a

如果你有多个要用 at 调度的命令,那么最好把这些命令放入一个文件中。例如,如果文件名是 getdone,你打算把这些命令安排在上午 10 时运行,那么就输入:

    at 10:00   < getdone

或

    at 10:00   -f   getdone

记住,小于号(<)的意思是把 getdone 文件的内容作为 at 命令的输入。-f 选项使你不用重定向就能指定这个命令文件。

你还可以为一个 at 作业指定一个日期。例如,要把一个作业安排在 1 月 24 日下午 5:00 运行,那么输入如下命令:

    at 17:00   Jan   24
    lp /usr/sales/reports/ *
    echo "Files printed, Boss! " ¦ mail -s" Job   done" boss

你用 at 调度的这个作业被送入操作系统定期检查的一个队列中。不需要为了要执行这个作业而登录,at 命令总是在后台运行的,它释放了资源但仍然完成这个作业。在你的 at 作业中的命令产生的任何输出都自动地邮寄给你。

要查看你用 at 调度了哪些作业,输入 at -l。使用前面的例子,你会看到如下结果:

    job 756603300.a   at   Sat   Dec   21   01:23:00   1996

job 756604200.a　　at　　Fri　Jan　　24　17:00:00　　　1997

只列出你的 at 作业。

要删除一个已安排好的 at 作业,输入后面加这个作业号的 at -d。例如,要删除上面列出的第二个作业,输入:

at　-d　756604200.a

表 18.3 总结了使用 at 命令的不同方法。

表 18.3　at 命令总结

格式	操作
at　　hh:mm	以指定的小时(hh)和分钟(mm)(24 小时制)安排作业
at　　hh:mm　　month　　day year	用指定的年(year)、月(month)、日(day)、小时(hh)和分钟(mm)安排作业
at　-l	列出已安排的作业;是 atq 命令的一个别名
at　　now　　+ count　　time-units	以现在加上时间单位计数(count)来安排作业;时间单位(time-units)可以是分钟、小时、天或星期
at　-d　job_id	取消作业号与 job_id 匹配的作业;是 atrm 命令的一个别名

作为根用户,你可以使用所有这些命令;对其他用户,文件/etc/at.allow 和文件/etc/at.deny 决定了使用这些命令的权限。如果文件/etc/at.allow 存在,那么只允许名字列在该文件中的用户使用 at 命令。如果文件/etc/at.allow 不存在,那么系统检查/etc/at.deny 文件,允许名字不在该文件中的用户使用 at 命令。(换句话说,不允许列在文件/etc/at.deny 中的用户使用 at 命令)。

如果这两个文件都不存在,那么只有超级用户(root)可以使用 at。如果文件/etc/at.allow 是空的,那么每个用户都可以使用 at 命令。

18.3.2　用 *batch* 运行长任务

Linux 用于安排任务的命令不止一个。上一节介绍了 at 命令,它使用户有权力决定什么时候运行一个任务。但是,总有这种可能,即安排在同一时间的作业比系统能处理的作业多。batch 命令使操作系统能决定合适运行进程的时间。当你使用 batch 来安排一个作业时,Linux 在系统负载不太大时启动和运行这个进程。在 batch 下运行的作业和用 at 运行的作业一样,也是在后台运行的。事实上,batch 在 Red Hat Linux 中是 at -b 命令的别名。

提示:

把你想用 at 或 batch 运行的命令放入文件中,这样每次你想运行这些作业时就不需要重新键入这些命令。要用 batch 来安排 getdone 文件中的命令,就输入 batch < getdone 命令。

batch 命令的格式是在 batch 命令后面的那些行中输入命令清单;用 < Ctrl-d > 来结束这个命令清单。可以把这个命令清单放入一个文件中,然后把这个文件的输入重定向到 batch 中。要对一个文件集排序、打印排序结果并通知 boss 用户这个作业已完成,可以输入如下命令:

batch

```
sort /usr/sales/reports/ * ┆ lp
echo "Files printed,Boss! " ┆ mailx -s "Job done" boss
```

系统回答如下：

```
job    7789001234.b    at    Fri    Feb    21 11:43:09 1997
```

其中列出的日期和时间是按 < Ctrl-d > 来完成这个 batch 命令的日期和时间。当这个作业完成时,请检查你的邮件;这些命令通常显示的所有内容都邮递给了你。

18.3.3 用 *cron* 和 *crontab* 来安排命令

at 和 batch 都是用来安排只运行一次的命令的。要安排定期运行的命令或进程,就要使用 cron 程序。你在 crontab 文件中指定想要运行一个命令的时间和日期。时间可以用分钟、小时、月中的日期号、年中的月号或星期中的日期号来指定。

cron 程序只启动一次,即在系统引导时启动。单个用户没有直接运行 cron 的权限。而且,作为系统管理员,也不应该通过键入 cron 命令名来启动它;应该把 cron 放在一个 shell 脚本中,作为在系统启动过程中运行的命令之一。

一经启动,cron(chronograph 的缩写)检查用 at 运行的作业队列,还要检查普通用户或 root 用户是否用 crontab 文件按排了作业。如果没事做,cron 就去"睡大觉"并变成非活动的。它每分钟"醒来"一次,检查是否有要运行的命令。我们可以看到这个工具是多么重要和多么有用;而且 cron 使用很少的系统资源。

用 crontab 来安装一个将按照定期时间表执行的命令列表。这些命令被安排在一个指定的时间运行(如一月一次、一小时一次、一天一次等等)。根据指定的时间表来执行的命令列表必须包含在 crontab 文件中,crontab 文件是用 crontab 命令来安装的。当你安装了 crontab 文件后,cron 就在指定的时间读取和执行表中所列出的命令。另外用 crontab 命令,可以查看包含在这个文件中的命令列表,并且如果你愿意,还可以取消这个列表。

在你用 crontab 命令安装你的 crontab 文件之前,用一个文本编辑程序(如 vi 或 emacs)来创建含有你想要安排的命令列表的文件。crontab 命令掌握这个文件的放置地点。每个用户只有一个 crontab 文件,它是在发出 crontab 命令时建立的。这个文件放入一个由 crontab 命令读取的目录中。

Linux 把用户的 crontab 文件存在/usr/spool/cron/crontab 目录中并且该文件以用户名命名。如果你的用户名是 mcn 并且用一个文本编辑程序建立了一个名为 mycron 的文件,并通过键入 crontab mycron 安装了这个文件,那么你就建立了文件/usr/spool/cron/crontabs/mcn。(在这个例子中,用 mycron 的内容创建或重写了 mcn 文件,mycron 可能包含启动一个或多个命令的条目)。

注释:

要使用 crontab 命令的用户必须被列在/etc/cron.d/cron.allow 文件中。如果你从命令行上把一个用户添加到系统中(使用 useradd 命令),那么这个用户不会被自动地添加到/etc/cron.d/cron.allow 文件中。作为 root 用户,你必须用一个文本编辑程序把新用户添加到 cron.allow 文件中。

虽然开始时你可以用一个文本编辑程序来建立 crontab 文件,但是在你建立了 crontab 文件后,只能用 crontab 命令来修改这个文件。不要试图用 crontab 命令以外的任何其他方法去替换或修改 cron 要检查的这个文件(即/usr/spool/cron/crontab/user file)。

crontab 文件中每行包括一个时间模式和一个命令。这个命令在指定的时间模式上执行。时间模式被分成五个字段，这五个字段由空格或制表符分隔。任何经常出现的输出（即不重定向到 stdout 或 stderr 的信息）都将邮递给用户。

下面是 crontab 文件中的命令的语法：

minute   hour   day-of-month   month-of-year   day-of-week   命令

前五个字段是时间选项字段。这五个字段都必须指定。如果想忽略哪个字段，就把星号（*）放在该字段中。

注释：

从技术上讲，crontab 字段中的星号意味着"任何有效值"而不是"忽略该值"，即可与任何值匹配。例如，crontab 的条目 02 00 01 * * date 是说在每月的第一天子夜（零小时）过两分钟的时候运行 date 命令。因为月和星期的字段都是星号，所以这个条目在每月的第一天运行，这一天可以是一星期中的任何一天。

表 18.4 列出了可用于 crontab 的时间字段选项。

表 18.4　crontab 命令的时间字段选项

字段	范围
minute	00 到 59
hour	00 到 23（子夜是 00）
day-of-month	01 到 31
month-of-year	01 到 12
day-of-week	01 到 07（星期一是 01，星期日是 07）

在 crontab 文件中可以有任意多的条目，且可以指定它们在任何时间运行。这就是说你可以在单个 crontab 文件中运行任意多的命令。

要排序名为 /usr/wwr/sales/weekly 的文件并在每周一早 7:30 把输出邮递给名为 twool 的用户，则在文件中使用下面的条目：

30 07 * * 01 sort /usr/wwr/sales/weekly ¦ mail -s "Weekly Sales" twool

本命令指定分钟为 30，小时为 07，天为 *，月也是 *，星期是 01（代表星期一）。

注意上例中在 mail 和 sort 命令之间的管道。命令字段可以包括管道符号、分号、箭头或任何可以在 shell 命令行上输入的内容。在指定的日期和时间，cron 用一个标准 shell（bash）来运行整个命令字段。

要为前四个字段中的任何一个字段指定一个序列值，则要用逗号把这些序列值分开。假设有一个程序 chkquotes，它访问一个提供股票指数的服务并把该指数放入一个文件中。要获得 3 月 10 日和 9 月 10 日并且是周一、周二、周四的上午 9:00、11:00 和下午 2:00 和 4:00 的指数，则用下面的条目：

* 09,11,14,16 10 03,09 01,02,04 chkquotes

用 vi 或其他允许你把文件保存为文本文件的编辑程序把这个命令行放入一个文件中，假设你把这个命令放入了名为 cronjobs 的文件中。要用 crontab 把这个文件放到 cron 能找到它的地方，输入：

crontab cronjobs

每次用这种方式使用 crontab,它就重写你可能已经启动的任何 crontab 文件。

crontab 命令有三个选项:

□ -e 选项编辑当前的 crontab 文件的内容。(-e 选项用 ed 编辑程序或你的 shell 中的 EDI-
TOR 变量指定的编辑程序来打开你的文件)。

□ -r 选项从 crontab 目录中删除当前的 crontab 文件。

□ -l 选项列出当前的 crontab 文件的内容。

参见 17.2"设置 shell 环境"。

在所有这些情况下,crontab 都用具有你的登录名的 crontab 文件来进行工作。如果登录名
是 mcn,那么 crontab 文件就是/usr/spool/cron/crontabs/mcn。crontab 命令自动这样做。

系统管理员和用户共同承担确保系统被合理使用的责任。当你安排一个进程时,要了解
它可能对整个系统产生的影响。Linux 允许系统管理员授权所有的用户、指定的用户对 at、
batch 和 cron 命令访问或不授权用户对 at、batch 和 cron 命令访问(即拒绝某些用户访问)。

发现和改正错误:

"我的 crontab 文件中的命令不能运行。"cron 命令通过使用 Bourne Again shell(bash)来运行你的 crontab 条
目。如果使用的 shell 特性不被 bash 支持,那么你的条目就失败。例如,Public Domain Korn shell(pdksh)允许你
用波形符(~)来代表起始目录或使用 alias 命令来为某些命令指定别名。

"当我想使用 at 命令时,我被告知我没有使用它的权限。"你没有把你的登录 ID 添加到/etc/cron.d/at.al-
low 文件中。

"我想用 at now 命令来立即运行一个命令。"不管你键入的速度有多快,at now 总是用信息:ERROR:Too
late 来回答。最好的替换方式是使用 batch 命令来运行这个命令。但是,使用 at now + 5 min 会在 5 分钟之内
运行这个命令。在按 < Return > 后,迅速在 5 分钟之内输入你的命令。

18.4 报告和监控多任务环境

我们知道,Linux 是一个多用户、多任务的操作系统。由于许多人可以用该系统同时做许
多事,所以用户发现确定谁在使用系统和什么进程正在运行是很有用的,同样,监控各进程也
是很有用的。

知道其他人可以跟踪你输入的命令是很重要的。大多数用户没有你的权限是不能访问你
的文件的,但他们能看到你输入的那些命令的名字。另外,系统管理员或有 root 口令的那些人
都可以细读系统上的所有文件。

虽然你不必怀疑 Linux 系统上的隐私性,但是你应该知道系统可以被任何想花时间去监
控的人监控。你能得到的关于什么正在系统中运行的信息比仅仅满足好奇心要有用得多:通
过查看什么作业正在运行,你可合理地安排你的任务。你还可以看到你的进程是否仍是活动
的,以及它的运行是否正常。

18.4.1 用 *who* 找出谁在系统上

who 命令的目的是找到谁已登录到系统中了。who 命令列出目前已登录的用户的登录名、

终端线路和登录时间。

who 命令在很多情况下都有用。例如,如果要用 write 命令与计算机上的某个人进行通讯,那么你可用 who 找到此人是否在系统上。你还可以用 who 命令来查看某些用户是什么时候登录到计算机上的,以记录其在系统上所使用的时间。

使用 who 来列出登录到系统上的用户 要看看现在登录到系统上的每个人,输入 who。你就会看到类似下面的显示:

```
$    who
root      console    Dec 13    08:00
ernie     tty02      Dec 13    10:37
bkraft    tty03      Dec 13    11:02
jdurum    tty05      Dec 13    09:21
ernie     ttys7      Dec 11    18:49
$
```

这个列表显示 root、ernic、bkraft 和 jdurum 现在已登录到系统上。它还指出,root 是在上午 8:00 登录的,bkraft 是在 11:02,jdurum 是在 9:21。你还可以看到 ernie 登录到两个终端上了,并且其中一个登录发生在两天前的下午 6:49(即 18:49)(这可能是要注意的,也可能只是 ernic 平时的工作习惯)。

在用户列表中使用标题 有几个选项可用于 who,但本章介绍如何只使用其中的两个选项来监控系统上的进程。

-u   只列出目前已登录的用户

-H   在每列上方显示标题

用这两个选项,你可以得到更多的有关目前登录的用户的信息。用-H 选项显示的标题是 NAME、LINE、TIME、IDLE、PID 和 COMMENTS。表 18.5 解释在标题中出现的这些词汇。

表 18.5　who 命令的输出格式

字段	描述
NAME	列出用户的登录名
LINE	列出正在使用的线路或终端
TIME	列出用户登录的时间
IDLE	列出自那条线路上的最后活动以后所过去的小时和分钟。如果活动发生在系统时间的最近一分钟内就显示一个句点。如果自线路被使用后已过去了超过 24 小时的时间,那么就显示词 old
PID	列出用户登录 shell 的进程 ID 号
COMMENT	如果注释已经被包括在/etc/inittab 中或者如果存在网络连接的话,则列出注释字段的内容

注释:

你可能不想看见在任何最近的 Linux 系统中频繁地填充 COMMENT 字段。过去,使你登录到 UNIX 的那些进程(getty 或 uugetty)直接用/etc/inittab 文件中的条目来启动,并且它们通常监听来自特殊终端的登录请求。COMMENT 字段可以确定这个特殊终端的位置,并告诉你谁已登录及他们在哪个终端登录。今天,监听登录请求的进程通常由服务访问功能处理,并且该进程不再被列在/etc/inittab 中。

下例使用-u 和-H 选项，并给出了 Linux 返回的响应：

```
$ who  -uH
NAME      LINE        TIME          IDLE      PID      COMMENTS
root      console     Dec 13 08:00   .        10340
ernie     tty02       Dec 13 l0:37   .        11929    Tech-89.2
bkraft    ttv03       Dec 13 11:02   0:04      4761    Sales-23.4
jdurum    tty05       Dec 13 09:21   1:07     10426
ernie     ttys7       Dec 1118:49    old      10770    oreo.coolt.com
$
```

你可以从这个表中推测：与 ernie 有关的最后一个会话是来自名为 oreo.coolt.com 的网点，并且这个会话过程超过 24 小时都没有任何活动（这可能是有问题的信号）。根的会话过程和 ernie 的第一个会话过程都在最近一分钟内被访问过。bkraft 会话过程的最后一次活动是在 4 分钟以前；对 jdurum 会话过程的活动的最后报告是在一小时零七分钟前。

还要注意，这个列表包括每个用户的会话过程的登录 shell 的 PID（进程 ID 号）。下一节讲述用户如何使用 PID 来进一步监控系统。

18.4.2 用 ps 报告进程的状态

ps 命令报告进程的状态。你可以用它来确定哪个进程正在运行、进程是否完成了、进程是被挂起了还是遇到了某些困难、进程已运行了多久、进程正在使用的资源、进程的相对优先权和在你能够撤消一个进程前所需要的 PID（进程 ID 号）。所有这些信息对用户都很有用且对系统管理员更有用。如果不带任何选项，那么 ps 列出每个与你的当前 shell 有关的进程的 PID。该命令还能看到所有在系统上运行的进程的详细列表。

用 ps 监控进程 ps 命令常用于监控后台作业和系统上的其他进程。因为在大多数情况下，后台进程不与屏幕和键盘通信，所以你可用 ps 命令来跟踪这些进程。

ps 列表显示四个默认标题，这些标题作为放在每个标题下的字段中的信息的说明，这些标题是 PID、TTY、TIME 和 COMMAND。表 18.6 解释了这些标题。

表 18.6 ps 输出中的标题

字段	解释
PID	进程标识号
TTY	开始这个进程的终端
TIME	进程的累计执行时间，以分和秒表示
COMMAND	正在执行的命令名

假设你想排序名为 sales.dat 的文件，并把排序好的文件备份保存在名为 sales.srt 的文件中，然后把排序好的文件邮递给用户 sarah。如果你还想把这个作业放在后台，则输入：

```
sort  sales.dat ¦ tee  sales.srt ¦ mailx  -s "Sorted Sales  Data"  sarah  &
```

要监控这一进程，输入 ps，就会看到如下显示：

PID	TTY	TIME	COMMAND
16490	tty02	0:15	sort
16489	tty02	0:00	mailx
16492	tty02	0:00	ps
16478	tty02	0:00	bash
16491	tty02	0:06	tee
16480	tty02	96:45	cruncher

你可以看到随这个命令一起启动的每个进程的 PID 和累计时间。你还能看到你的登录shell(bash)和 ps 本身的信息。注意,管道中的所有命令都是立即运行的,就像你认为的那样(这是管道进程的工作方式)。最后的条目是与一个运行了一个半小时以上的命令有关的信息。如果这是一个问题,你可能要用 kill 命令(在本章稍后介绍)来终止这个进程。如果你输入 ps 而只看到下面的列表,你就知道你以前放入后台的作业已完成了:

PID	TTY	TIME	COMMAND
16492	tty02	0:80	ps
16478	tty02	0:00	bash
16480	tty02	99:45	cruncher

注释:

偶尔使用 ps 来检查一个命令的状态。但是,如果每隔一秒钟就使用 ps 来查看后台作业是否完成的话,那么把作业放入后台就没有多大意义了。

用 ps 获得有关进程的更多信息　有时,你需要了解比默认的 ps 列表所提供的有关进程的信息还要多的信息。要产生附加的信息,你可以调用表 18.7 中列出的某些选项。

表 18.7　ps 命令的通用选项

选项	作用
-a	还显示其他用户的进程
-c	task_struct 环境中的命令名
-e	显示在命令行和 and 之后的环境
-f	显示"树形"家族树格式(进程和子进程)
-h	无标题
-j	作业格式
-l	长格式
-m	显示内存信息
-n	USER 和 WCHAN 的数字输出。WCHAN 是这个进程正在其中休眠的内核函数的名字,这个函数名中的 sys_ 被删掉了。如果 /etc/ps-database 不存在,那么这个数字换用十六进制数
-r	只显示正在运行的进程
-s	信号格式
-S	添加子 CPU 时间和页错误

选项	作用
-txx	只显示与 ttyxx 有关的进程
-u	用户格式;给出用户名和启动时间
-v	vm(虚拟内存)格式
-w	宽行输出;不为了把命令行放到一行中而截取命令行
-x	显示没有控制终端的进程

因为在 ps 命令运行时情况可能且确实有所改变,所以 ps 命令只给出 ps 命令在执行的瞬间的进程状态的快照。这个快照也包括 ps 命令本身。

在下面的例子中,显示了三个命令。第一个命令是登录 shell(bash)。第二个命令是 sort,用于排序名为 inventory 的文件。第三个命令是你正在运行的 ps 命令。

要找到你现在正在运行什么进程,使用下面的命令:

```
$ ps
PID      TTY       TIME       COMMAND
65       tty0l     0:07       -bash
71       tty0l     0:14       sort inventory
231      tty0l     0:09       ps
```

要获得一个完整的列表,使用下面的命令:

```
$   ps   -uax
UID        PID   PPID   C    STIME        TTY        TlME      COMD
amanda     65    1      0    11:40:11     tty01      0:06      -bash
amanda     71    65     61   11:42:01     tty0l      0:14      sort inventory
amanda     231   65     80   11:46:02     tty0l      0:00      ps -f
```

注意这个完整的列表中的几个内容。除 PID 外,还列出了 PPID。PPID 是进程的父进程的进程 ID 号。在本例中,列出的第一个进程(PID 65)是下面两个进程的父进程。在第四列(列标题为 C)中的条目给出进程近来使用的 CPU 时间的总值。在选择下一个要运行的进程时,操作系统选择把一个 C 值低的进程放在一个 C 值高的进程上面。在 STIME 列中的条目是进程启动的时间。

要监控系统上的每个进程并得到一个完整列表,可输入 ps -uax。通过用管道把这个命令送到 grep $ LOGNAME 命令中,则属于你的登录名的进程被显示而其他的进程被过滤掉。要查看你的所有进程的完整列表,输入:

```
ps   -uax ¦ grep $ LOGNAME
```

要列出两个终端(例如,tty1 和 tty2)的进程,使用如下命令:

```
$   ps   -t   ″1 2″
PID      TTY       TIME       COMMAND
32       tty0l     0:05       bash
36       tty02     0:09       bash
235      tty02     0:16       vi calendar
```

在本例中,-t 选项用于限定只列出与终端 tty01 和 tty02 有关的进程。终端 tty02 正在运行

shell 命令(PID 36)且正在使用 vi 来编辑日历(PID 235)。还列出了每个进程的累计时间。如果你正从图形界面上使用 shell(xterm 命令),那么就使用带-t 选项的名为 pts001、pts002 等等的设备来查看来自这些会话的进程。

　　有时一个进程被标记为 < defunct > ,这意味着这个进程已终止并且已通知它的父进程,但父进程还没有意识到这个进程是"死的",这种进程叫做僵尸进程;这有可能是由于父进程正在忙于其他某件事。僵尸不久就会消失。如果你看到许多 defunct 进程或看到逗留了一段时间的进程,则是操作系统遇到困难的信号。

注释:
　　因为僵尸进程没有父进程,所以你不能杀掉僵尸进程。摆脱僵尸进程的唯一的方法是重新引导你的机器。

18.5　控制多个进程

　　Linux 为用户提供了同时运行多个进程的能力。它还允许用户或系统管理员能够控制正在运行的进程。当需要做下面的工作时,这种控制能力是有益的:
- [ ] 初始化一个在父进程停止运行后仍继续运行的进程(用 nohup 命令)。
- [ ] 调度优先权不同于其他进程的一个进程(用 nice 命令)。
- [ ] 终止或停止一个进程(用 kill 命令)。

18.5.1　对后台进程使用 *nohup*

　　通常,当父进程死了或终止时,该进程的子进程也终止。这就是说,当你启动一个后台进程时,当你退出时它就终止。要使进程在你退出后仍继续运行,则要使用 nohup 命令。把 nohup 命令放在命令行的开始处:

nohup sort sales.dat &

　　上例中的这条命令告诉 sort 命令忽略用户已退出系统;它应该一直运行,直到进程完成。使用这种方法,你可以启动一个能够运行几天甚至几周的进程。更重要的是,在它运行时,你不需要去登录。当然,你要保证你所启动的作业表现良好,即它最后会终止并且不会产生过量的输出。

　　当你使用 nohup 时,它把一条命令的所有输出和错误信息(这些信息通常出现在屏幕上)送到 nohup.out 文件中。看看下面的例子:

```
$ nohup sort sales.dat    &
1252
Sending output to nohup.out
$
```

已排序的文件和所有出错信息都放在 nohup.out 文件中。现在看看下面这个例子:

```
$ nohup sort sales.dat > sales.srt    &
1257
Sending output to nohup.out
$
```

所有出错信息都放在 nohup.out 文件中,但是已排序的 sales.dat 文件却放在 sales.srt 文件中。

注释:

当你使用带管道符号的 nohup 时,你必须对管道符号中的每个命令都使用 nohup:

nohup sort sales.dat ¦ nohup mailx -s "Sorted Sales Data" boss &

18.5.2 用 *nice* 安排命令的优先权

使用 nice 命令按指定的优先权来运行命令。nice 命令给你一些控制能力,这些控制能力是使一个作业的优先权高于另一个作业的优先权。如果你不使用 nice,那么进程按预先设置的优先权运行。你可以用 nice 命令降低某个进程的优先权,以便安排其他进程比 nice 的作业更频繁地使用 CPU。超级用户(可以作为 root 用户登录的用户)还能提高进程的优先权。

注释:

nice--help 和 nice--version 在 nice 的 GNU 实现中不能工作。

nice 命令的一般形式如下:

nice　　-*number command*

优先权的级别是由 number 参数决定的,一个较高的数值意味着较低的优先权。默认值设为 10,number 是默认值的偏移量。如果有 number 参数,那么优先权以这个参数值累加,最大可以累加到 20。如果你输入下面的命令,则 sort 进程以优先权 10 启动。

sort sales.dat > sales.srt &

如果你想用 lp 命令启动另一个进程,但使 sort 命令有更高的优先权,那么你可以输入:

nice　　-5　　lp　　mail_list &

要给 lp 命令最低的优先权,就输入:

nice　　-10　　lp　　mail_list &

注释:

上面的数字选项前面放了选项指定符-,你不要把它与负号混淆。

只有超级用户才能增加进程的优先权。为此,需要把一个负数作为 nice 的参数。记住,nice 的值越低,优先权越高(最大优先权为 20)。要赋予一个作业"最高优先权",超级用户可以象下面这样来启动作业:

nice　　--10　　job　　&

并列符号(&)是可选项;如果作业是交互的,那么你就不能使用并列符号把该进程放入后台。

18.5.3 用 *renice* 安排正在运行的进程的优先权

renice 命令(某些系统上有这个命令)允许你修改一个正在运行的进程的优先权。Berkeley UNIX 系统有 renice 命令。由于与 Berkeley 系统兼容,所以在 Linux 系统 V 中的/usr/ucb 目录中也有这个命令。用 renice 命令,你可以在命令执行时调整其优先权。renice 的格式和 nice 的格式很相似:

renice -number   *PID*

要改变一个正在运行的进程的优先权,你必须知道它的 PID。要找出你的所有进程的 PID,输入:

ps -e | *grep*   *name*

在这个命令中,name 用正在运行的进程替换。grep 命令过滤掉所有不包含你正在查找的进程名的进程。如果这个名字的多个进程正在运行,那么你不得不通过查看进程启动的时间来确定你想要的那个进程。如果你想影响属于某个组或某个用户的所有进程,那么你可在 renice 命令中指定正在运行的进程的 GID 或 UID。

在 ps 列表的第二列中的条目是这个进程的 PID。在下面的例子中,当前用户有三个进程正在运行(除 shell 外)。当前用户的名字是 pcoco。

```
$    ps   -ef   ¦   grep   $ LOGNAME
pcoco   11805   11804   0   Dec   22   ttysb 0:01    sort    sales.dat > sales.srt
pcoco   19955   19938   4   16:13:02   ttyp0 0:00    grep    pcoco
pcoco   19938      1    0   16:11:04   ttyp0 0:00    bash
pcoco   19940   19938  142  16:11:04   ttyp0 0:33    find .  -name core  -exec   rm   {};
$
```

要降低 PID 为 19940 的进程的优先权(即 find 进程),输入:

renice -5   19940

正如你所希望的,下面有关 renice 的情况都是真的:

☐ 你只能对你所有的进程使用 renice。

☐ 超级用户可以在任何进程上使用 renice。

☐ 只有超级用户才能提高进程的优先权。

18.5.4 用 *kill* 终止进程

有时,你想要或需要终止一个进程,下面是要终止一个进程的一些原因:

☐ 该进程使用 CPU 时间太多。

☐ 该进程运行了很长的时间,没有产生期待的输出。

☐ 该进程产生到屏幕或磁盘文件中的输出太多。

☐ 该进程似乎锁住了一个终端或一些其他的会话过程。

☐ 由于操作或编程的错误,该进程正在使用错误的输入和输出文件。

☐ 该进程没用了。

很可能,你还会遇到许多要终止进程的其他的原因,如果将要终止的进程是一个后台进程,那么就使用 kill 命令去摆脱这些状况。

要终止一个不在后台的命令,按 < Ctrl-c >。但是,当命令在后台时,按中断键不能使之终止。因为后台进程不在终端控制下,所以任何中断键的键盘输入都被忽略。终止后台命令的唯一方法就是使用 kill 命令。

后台进程的正常终止 kill 命令向要求终止或撤消进程的程序发送信号。要使用 kill,可用下面两种形式中的任何一种:

kill *PID*(*s*)

kill -*signal*   PID(*s*)

要撤消 PID 为 123 的进程,输入 kill 123。要撤消 PID 为 123、342 和 73 的几个进程,输入:kill 123 342 73。

通过使用-signal 选项,你可以做比撤消进程更多的事。其他的信号可引起一个正在运行的进程重新读取配置文件或停止一个进程而不用撤消它。用 kill -l 可列示有效的信号。然而普通用户可能只使用不带信号的 kill,或顶多使用-9 信号(即 I-mean-it-so-don't-ignore-me 信号,该信号将在下一节介绍)。

警示:

在 kill 命令中使用正确的 PID。用错了 PID 可能会终止一个你想让它继续运行的进程。记住,错误撤消进程或系统进程会产生灾难性的影响。还要记住,如果你是作为系统管理员登录的,那么你可以撤消任何进程。

如果你成功地撤消了一个进程,你不能从 shell 那里得到通知;只是重新出现了 shell 提示符。如果你试图撤消一个你没有权限撤消的进程,或者你试图撤消一个不存在的进程,那么你会看到错误信息。

假设你的登录名是 chris,并且假设你现在已登录到 tty01 上。要看看你的已经在运行的进程,输入 ps -f,就会看到下面的响应:

UID	PID	PPID	C	STIME	TTY	TIME	COMMAND
chris	65	1	0	11:40:11	tty01	0:06	-bash
chris	71	65	61	11:42:01	tty0l	0:14	total_updt
chris	231	65	80	11:46:02	tty01	0:00	ps -f
chris	187	53	60	15:32:01	tty02	123:45	crunch stats
chris	53	1	0	15:31:34	tty02	1:06	-bash

注意程序 total_updt 正在你的当前终端上运行。另一个程序 crunch 正在另一个终端上运行并且你认为这个程序使用的 CPU 的时间不该这么多。要撤消这个进程,输入 kill 187 也许就足够了。要撤消这个进程的父进程,输入 kill 53。

如果你是作为系统管理员登录的,并且看到有人留下他的终端没人照管(如果你已经用远程终端启动 Linux 的话),你也许想要撤消这个用户的父进程及它的子进程。系统管理员可以撤消该用户正在运行的钟表进程(子进程)和登录 shell(父进程),以便没人管的终端再也不能登录。

有时终止一个进程的父进程也会终止子进程。要知道,终止父进程及其子进程会终止所有与父进程有关的活动。在前面的例子中,输入 kill 187 53 来终止这两个进程。

提示:

如果你的终端锁住了,那么就用 < Alt-功能键 >(F1-F6)登录到另一个虚拟终端上,输入 ps -ef | grep $ LOGNAME,并撤消被锁住的那个终端的登录 shell。

后台进程的无条件终止   发出 kill 命令把一个信号送到一个进程中。Linux 程序可以发送或接受多于 20 个的信号,每个信号都以一个数字表示。例如:当你退出时,Linux 把一个挂起信号(信号值为 1)发送给从你的登录 shell 启动的所有后台进程。该信号撤消或终止那些进程,除非它们是以 nohup 启动的(如本章前面所介绍的)。

使用 nohup 来启动一个后台进程能使该进程忽略要让它终止的信号。你也可以使用为忽略某些信号而编写的程序或 shell 脚本。如果你在使用 kill 时没有指定一个信号,那么信号 15 会被送入这个进程。命令 kill 1234 把信号 15 发送给 PID 为 1234 的进程。然而,如果该进程被设置为忽略信号 15,那么在你使用这个命令时,这个进程就不会终止。但是,你可以用一种进程"不能拒绝"的方法来使用 kill。

信号 9 是无条件撤消信号;它总是撤消一个进程。要无条件地撤消一个进程,使用如下格式:

kill　-9　*PID*

假设你输入 ps -f 并看到了如下的响应:

UID	PID	PPID	C	STIME	TTY	TIME	COMMAND
chris	65	1	0	11:40:11	tty01	0:06	-bash
chris	71	65	61	11:42:01	tty0l	0:14	total_updt inventory
chris	231	65	80	11:46:02	tty01	0:00	ps -f
chris	187	53	60	15:32:01	tty02	123:45	crunch stats
chris	53	1	0	15:31:34	tty02	1:06	-bash

要撤消进程 187,通常你输入 kill l87。如果你又输入了 ps -f 并看到该进程还在,那么你就知道该进程被设置为忽略 kill 命令。用 kill -9 187 可以无条件地撤消它。当你再次输入 ps -f 时,你就会看到该进程已经不在了。

警示:

使用 kill 命令的无条件版本的缺点是 kill -9 不允许在终止进程前让它完成它正在做的工作。如果把 kill -9 用于一个正在更新文件的程序上,那么你可能丢失更新的材料或整个文件。

要合理地使用功能强大的 kill -9。在大多数情况下,你不需要-9 选项;发出不带参数的 kill 命令就可以终止大多数的进程。

终止所有的后台进程　要撤消所有的后台作业,输入 kill 0。在后台运行的命令有时启动多个进程,跟踪并找到所有与你要杀掉的进程有关的 PID 号是很乏味的。因为 kill 0 命令终止所有由当前 shell 启动的进程,所以它是较快也不太乏味的终止进程的方法。输入 jobs 命令来查看什么命令正在当前 shell 的后台运行。

18.6　从这里开始

本章给出了管理多进程所需要的命令。你可以看到,当你用并列符号(&)把作业放入后台或当你使用了管道时,你就运行了多个进程。你可以用 at 命令把作业安排在指定的时间运行,可以用 batch 命令把作业安排在系统认为合适的时间运行,可用 cron 和 crontab 把作业安排在指定的时间定期地运行。要了解更多的信息,请参阅:

□　本章第二部分"系统管理"讨论如何监控和维护你的 Linux 系统。系统管理是一个不容易学的主题,事实上它要求你采用上机实践的学习方法。本书的这一部分介绍了系统管理员(常称为 *sys admin*)需要理解的基本概念和系统管理员的任务。

☐ 第十七章"了解 Linux 的各种 shell"为编写在 Linux 系统上启动、停止和监控进程的程序脚本提供了有关 shell 的信息。

还可参阅本章讨论的各种命令的联机帮助。

第十九章　使用 *vi* 编辑程序

本章内容

☐ 基本的 vi 命令

　要使用一个编辑程序,你必须知道如何定位光标、如何插入和删除字符和保存你的工作。

☐ 如何建立新文件和修改已存在的文件

　建立和修改文件是所有编辑程序的基本工作。

☐ 了解 vi 的两种模式

　与你可能遇到的其他编辑程序不同,vi 有两个不同的模式:命令模式,它允许你向编辑程序输入命令;输入模式,它使你能输入文本。

☐ 如何执行基本的字处理功能

　只输入文本不是编辑程序的工作。本章介绍如何把 vi 作为一个普通的字处理程序。学习如何在一个文档中查找和替换文本、剪切、粘贴和同时编辑多个文档。

☐ 如何设置 vi 环境

　每个人在选择编辑程序的工作方式时都有自已的不同偏好。vi 使你能定制它的行为以满足你的需要。

　　在前面几章中,我们已看到将命令序列或 shell 程序存储在文件中是多么方便和有益。你可能需要建立数据、电子邮件、列表、备忘录、笔记和报告等等,你可以用某些类型的文本编辑程序来完成这些任务。你的 Linux 系统上可能有几个编辑程序或字处理程序可帮助你完成这些任务。但是,要将命令或 shell 程序放入一个文件中,你就需要一个可以将工作结果保存到文本文件(ASCII 格式的文件)中的编辑程序。Linux 提供一个称为 vi 的标准文本编辑程序,你可用它完成所有的工作(最复杂的写作和编辑工作除外)。

　　Linux 系统还有其他的文本编辑程序:一个在 XFree86 系统下使用的图形编辑程序和两个标准的、非图形的、称作 ed 和 ex 的文本编辑程序。后面两个都是行编辑程序,就是说,你一次只能对一行进行工作。大多数的 Linux 发行版本还提供另一个编辑程序(称为 emacs)。vi 和 emacs 是全屏幕编辑程序;当你使用它们时,你可以看到一屏信息,这样你就能对内容进行修改和增加内容。因为你将看到在所有编辑程序中,vi 较容易使用并且较容易在每台 UNIX 机器(包括 Linux)上获得,所以本章对 ed 或 ex 不做过多的讨论。

参见 20.2"使用 emacs"。

注释:

　　Slackware 发行版本上的 vi、ex 和 ed 编辑程序实际上是一个称作 elvis 的编辑程序的不同名字。名字 vi、ex 和 ed 是对 elvis 的符号连接,因此,当你键入 vi 时,你实际上正在运行 elvis。Red Hat 发行版本的 vi 实际上是一个称作 vim(VI iMproved)的程序。

19.1　*vi* 介绍

要了解 vi,你需要了解在 UNIX 世界中 vi 的一些历史。虽然当今的系统(包括 Linux)有很多用户友好的和强大的编辑程序,你仍然应该学习如何使用 vi,因为在每个 UNIX 系统(Linux 也一样)都可得到 vi 的一个拷贝。有时 vi 是关键时刻唯一可以得到的编辑程序。因此,你需要知道它的某些基本操作。

UNIX 是在这样一种环境中开发出来的,当时用户的终端是电传打字机或一些慢速的硬拷贝终端;那时还没有使用视频显示器。在那个环境的编辑程序是行编辑程序——即用户一次只能看到一行文本并只能对这一行文本进行工作的编辑程序。现在的 UNIX 系统有两个行编辑程序,它们是:ed 和 ex。

在 UNIX 的早期阶段,在大学中得到它基本上是免费的。有几所大学的学生和教员对 U-NIX 工作环境作出了许多贡献。一些著名的改进来自 Berkeley 的加利福尼亚大学,这些改进包括全屏幕编辑程序,即允许你一次对一屏而不是一行的信息进行工作的编辑程序。该全屏幕编辑程序叫 vi,它的意思是可视的编辑程序。这个时代正好是向面向屏幕工作转换的时代。用户正在用视频终端而不是硬拷贝设备工作。

提示:

你不必成为一位使用 vi 的专家。为了获得帮助只需在命令提示符下键入 man vi。如果你正使用 Red Hat 的 Linux 版本,那么你也可按 < Esc > 然后键入 help 来获得帮助。

注释:

本章不包含所有的 vi 特性,那需要更多的篇幅(实际上,有些书籍就是专门写 vi 的)。但是,你可以学习一些命令去做最需要的编辑工作。如果你想知道更多的 vi 高级特性和高级文本编辑操作,参考 Linux 提供的联机帮助。

19.1.1　什么是 *vi*

因为 vi 是标准 UNIX 环境的一部分,所以它被数以百万计的 UNIX 用户学习和使用。你会发现,它启动很快并能用于简单和复杂的任务。就像你所希望的那样,你可用它输入、修改或删除文本、查找或替换文本、拷贝、剪切和粘贴文本块。你还可以看到它能被定制以适应你的需要。你可把光标移动到屏幕上的任何位置,并可使光标在整个编辑文件上移动。同样的方法可适用于任意文本文件,不管它的内容是怎样的。

vi 编辑程序不是一个字处理程序或一种桌面排版系统。vi 没有任何菜单,事实上也没有帮助功能。

注释:

最初的 vi 版本没有帮助功能。但是,较新的 vi 版本(如 Slackware 96 发行版本的 elvis 和 Red Hat 发行版本的 vim)提供一些联机帮助。

字处理器系统通常提供屏幕及硬拷贝排版和打印功能,如把文本用黑体、斜体、下划线表示,但 vi 却不提供。其他的 Linux 命令可以执行这些功能中的一些功能。例如,lp 可以打印,nroff 可以编排文本格式。某些文本处理程序(如 TeX 和 LaTeX)可以处理嵌入到文本中的命令,如粗体和下划线属性。

vi 编辑程序以下面两种模式进行操作:

☐ 在命令模式中,你的键击被解释为给 vi 的命令。这些命令中的某些命令允许你保存文件、退出 vi,移动光标到文件中的不同位置上、以及修改、重排、删除、替换和查找文本。

☐ 在输入或文本输入模式中,你的键击被作为你正在编辑的文件的正文来接受。当 vi 在输入或文本输入模式中时,编辑程序就像一台打字机。

在编辑过程中,你可在两种模式之间自由切换。但你必须记住你正在使用的模式并且知道如何变换模式。有些人开始会觉得不方便,但这是你必须面对的学习的曲折过程。在本章的后面,你将学习 showmode 选项,它会告诉你 vi 的当前模式。但是,通过一定的实践,你就会发现,vi 对编辑 Linux 的 ASCII 文件,尤其是配置文件和 shell 脚本是十分方便的。

19.1.2 了解编辑过程

你通过建立一个新文本或修改一个已存在的文本来编辑文本。当你建立一个新文本时,你把这个文本放入一个具有普通 Linux 文件名的文件中。当你修改存在的文本时,你用已存在的文件名把这个文件的一个拷贝调到这个正在编辑的会话过程中。不管是哪种情况,当你使用编辑程序时,文本被放在系统内存中称为缓冲区的存储区域中。使用缓冲区能防止你直接改变文件的内容,直到你决定存储这个缓冲区。这对于想要放弃做过的修改是有利的。

当你改变和增加文本时,这些编辑操作只影响缓冲区中的文本,而不影响磁盘上的文件中的文本。当你对这些编辑操作满意时,就可发出命令以保存这个文本。这个命令将改变写入磁盘上的文件。只有这时改变才是永久的。你可经常将修改的内容保存到磁盘上(经常保存你正在编辑的文件是个好主意,以防死机或掉电)。当你存盘时,你不必退出编辑程序。本章将介绍几种退出编辑程序的方法。这些方法中的某些方法将缓冲区的内容写到磁盘上的文本文件中。

vi 编辑程序被称为交互式的,因为它在编辑过程中与你进行交互。编辑程序通过显示状态信息、错误信息或有时在屏幕上什么也不显示(这是典型的 Linux 方式)来与你进行通信。屏幕的最后一行(称为状态行)保存从 Linux 获得的信息。你可在屏幕上看到对文本的修改。

你使用编辑程序来修改、重排、删除、替换和查找文本。当你在命令模式中使用编辑程序时,你实施这些编辑操作。在几个实例中,一个命令是一个字母,它是这种操作的名字的第一个字母。例如,i 代表插入(insert)操作;r 用于替换一个字符。

大多数命令对单行文本或几行文本进行操作。在缓冲区中这些行都编了号,从第一(顶行)到最后一行。当你增加或删除行时,行号自动调整。每行的行号是该行在缓冲区中的地址。一个地址范围是用逗号分开的两个地址或行号。如果你想指定的范围从缓冲区中的第三行到第八行,则用 3,8 表示。

光标的位置总是指示你在编辑缓冲区中的当前位置。在命令模式中发出的某些命令会影响在光标位置处的字符。除非你移动光标,否则在那个位置上会发生改变。当然,vi 有一些在编辑缓冲区中移动光标的命令。

现在你已经知道 vi 是一个全屏幕编辑程序。你向 vi 发命令,以把光标移动到文件中的不同位置上,并且当你这样做时,你会看到这种变化。因此 vi 必须能够移动及修改在你的终端上和在其他终端类型的主机上的文本。通过检查 shell 的变量 TERM,vi 知道你正在使用什么终端和这个终端的视频能力是怎样的。Linux 用 TERM 变量来确定你的终端的能力,如下划线、负像显示、清屏方法,功能键的分配和颜色功能。

发现并处理问题:

"我的 vi 编辑程序不能在我的终端或屏幕上正确地工作;我看见"奇怪的"字符"。TERM 变量可能设置得不正确;另一种终端设置不当的症状是字符块重写了易读的文本。$ TERM 表达式给出你的当前终端的设置值。要检查 TERM 的值,输入 echo $ TERM。如果你使用的终端是 vt100 或仿真 vt100,那么这个命令显示如下结果(在终端上键入这个命令,不要在 vi 编辑程序中键入这个命令):

vt100

如果回送的终端类型不对,那么如果你正在使用 bash shell,就通过输入下面的命令来设置 TERM 的值:

TERM = vt100

export   TERM

如果你正在使用 C shell,那么输入下面的命令(等号两边的空格很重要):

setenv   TERM = vt100

export   TERM

你的终端类型可能不是 vt100;因此要相应地设置 TERM。

参见 17.2"设置 shell 环境"。

"我启动 vi,但没有得到所期望的响应。" 检查你的终端设置是否合适。你的终端类型与你的终端名不相同;你的终端类型必须与/usr/lib/terminfo 目录中的终端类型中的一种类型匹配。

19.2 使用 vi

要启动 vi,只需在 shell 提示符(命令行)旁键入它的名字。如果你知道你想要建立或编辑的文件的名字,则可发出以文件名为参数的 vi 命令,例如,要用 vi 建立文件 myfile,输入 vi myfile。

当 vi 运行时,终端屏幕清屏,并在屏幕每一行的左边显示代字符号(~),但第一行不显示。~是空缓冲区的行标志。下面是你应在屏幕上看到的简化形式(只列出五行以节省空间):

~

~

~

~

光标在第一行的最左位置上(这里用下划线代表)。你可能看到在屏幕左边有 20 到 22 个代字符号。如果不是这种情况,要检查 TERM 的值(如前一节"发现并处理问题"中所讲述的那样)或告诉你的系统管理员。

当你看到这些显示时,说明你已经成功地启动了 vi;vi 处于命令模式,等待你输入第一个命令。

注释：

与大多数字处理程序不同，vi 以命令模式启动。在你开始输入文本以前，你必须用 < a > 或 < i > 键切换到输入模式，这两种模式都将在下一节描述。

19.2.1　*vi* 的两种模式

如前面提到过的，vi 编辑程序用两种模式进行操作：命令模式和输入模式。在命令模式中，vi 将你的键击解释成命令；有许多 vi 命令。你可以用命令保存文件、退出 vi、移动光标到文件的各个位置上，或修改、重排、删除、替换或查找文本。你甚至可以把一个命令送给 shell。如果你输入一个字符作为命令，但该字符却不是命令，那么 vi 会发出鸣响。别担心，鸣响是一种听觉指示，它要你检查你正在做什么并改正任何错误。

你可在输入模式（亦称为文本输入模式）中通过把字符添加在光标后或把字符插入在光标前来输入文本。在行首，增加和插入没有区别。要想从命令模式切换到输入模式，按下下列键中的一个键：

　　< a >　　　　在光标后添加文本
　　< i >　　　　在光标前插入文本

只在输入文本时才使用输入模式。大多数的字处理程序以输入模式启动，但 vi 不是。当你使用一个字处理程序时，你可以任意输入，即可以输入文本又可以发出命令，当然，发出命令必须使用功能键或那些与你键入文本的键不同的键。vi 不以这种方式进行工作：你必须在开始输入文本之前通过按 < a > 或 < i > 来进入输入模式，然后显式地按 < Esc > 以返回到命令模式。

19.2.2　建立第一个 *vi* 文件

学习 vi 的最好方法就是使用它。本节给出一个如何用 vi 建立一个文件的循序渐进的例子。在每一步中，你可以看到一个要执行的动作和随后需要的击键。这里不用关心其完全的准确性。本例使你经历使用 vi 建立文件、在命令和输入模式之间切换和保存你的结果的操作过程。如果你遇到困难，你可按 < Esc >，然后输入：q! 来退出并重新开始。

1. 输入 vi 以启动 vi。你将看到屏幕左边都是代字符号。
2. 进入输入模式以把字符放在第一行。按 < a > 键；不要按 < Return >。现在你可以把字符添加到第一行。在屏幕上你应该看不到字符 a。
3. 增加几行文本到缓冲区中，通过键入：

   Things to do today.

   a. Practice vi.

   b. Sort sales data and print the results.

   你可以用 < Backspace > 键改正在你正在键入的行上的错误。不要担心会不精确；本例是用于练习的。在本章后面几节中你将学习进行修改的其他方法。
4. 按 < Esc >，从输入模式切换到命令模式。如果你已在命令模式下，此时按 < Esc >，你就会听到系统的鸣叫声。
5. 要把你的缓冲区的内容保存在名为 vipract.1 的文件中，键入：w vipract.1。字符：w

vipract.1 出现在屏幕底行(状态行)。这些字符不出现在文本中,:w 命令把缓冲区写入指定的文件中。本命令把缓冲区的内容保存或写入文件 vipract.1 中。

    6.查看在状态行上确认的操作。你应该在状态行上看到如下信息:

"vipract.1"［New File］3 lines,78 characters

    本语句确认文件 vipract.1 已被建立,是一个新文件,有 3 行和 78 个字符。如果你键入的信息与上述信息不同,则显示的内容是不同的。

    7.输入 :q! 来退出 vi。

    当你键入 :q! 时,你还在命令模式中,并看到在状态行上的这些字符。但是,当你按 < Return > 时,vi 终止并返回到登录 shell 的提示符下。

    你使用这些步骤或类似的步骤来完成你的所有的编辑任务。在继续读下去之前,确认你可以用它们进行工作。

关于 *vi*,要记住下述事项:

    ·vi 以命令模式启动。

    ·要从命令模式转换到输人模式,分别按 < a >(添加文本)或 < i >(插入文本)。

    ·在输入模式中添加文本。

    ·只有在命令模式时才能向 vi 发命令。

    ·只有在命令模式时才能给 vi 发命令以保存文件,才能退出 vi。

    ·要从输入模式切换到命令模式,按 < Esc >。

19.2.3 用已存在的文件启动 *vi*

    要编辑或查看在当前目录中已经存在的文件,键入 vi,后面跟以文件名。用前一节建立的文件试一下这个命令,输入:

vi vipract.1

你会看到下面的显示(这里显示的行数比你在屏幕上看到的行数少):

Things to do today

a.Practice vi.

b.Sort sales data and print the results.

    ~

    ~

    ~

"vipract.1" 3 lines,78 characters

    如前面所说,代字符号出现在缓冲区中空行的最左边。看状态行:它包括你正在编辑的文件名和行数及字符数。

发现并处理问题:

    "我键入了一个文件名,这个文件我知道它是存在的,但 vi 的表现就像我正在建立一个新文件。"没有人是理想的打字员;你可能键入了当前目录中不存在的文件名。假设你键入 vi vipract.1,但在当前目录中没有名为 vipract.1 的文件,你仍可以启动 vi,但 vi 的表现就像你正在建立一个新文件。

    "我试图编辑一个文件,但 vi 显示没有读权限,并且我又看见了 shell 提示符。"你试图编辑一个不允许你阅读的文件。另外,你不能编辑目录,就是说,如果你键入 vi directory_name,在这里 directory_name 是一个目录名,那么 vi 就通知你,你打开了一个目录并且不允许你编辑它。如果你试图用 vi 编辑一个二进制的可执行程序,那么与 ASCII 不同,你将会看到充满奇怪(控制)字符的屏幕。这些字符是你不能阅读和编辑的。vi 希望文件是按行存储的。

"我在 vi 中打开一个文件,但我看见了一个信息,它说行太长了。"你正试图在数据文件上使用 vi,数据文件只是一个长字节串。你可以编辑这个文件,但这样做可能会破坏数据文件。

"我在 vi 中打开一个文件,但我看见屏幕上有一些非常奇怪的字符。"你可能正在用 vi 编辑一个由字处理程序生成的文件。

在所有这些情况中,都应按 <Esc> 进入命令模式,然后键入:q! 以退出 vi 并返回你的登录 shell 提示符。用:q! 能确保你退出 vi 并且对已存在的文件没有做任何改变。

19.2.4 退出 *vi*

你可以用几种方法退出 vi。表 19.1 列出了可用于退出 vi 的命令。

注释:
记住,要退出 vi,你必须在命令模式中。要改变到命令模式中,按 <Esc>。(如果你已在命令模式中,当你按 <Esc> 时,你将听到来自终端的一声鸣响。)

表 19.1 退出 vi 的方法

命令	作用
:q	在对缓冲区没有作任何改变之后退出,或在缓冲区被改变并被保存到文件中之后退出
:q!	退出,并且放弃自缓冲区最后一次保存到文件以后的所有对缓冲区的改变
:wq,:x,或 ZZ	把缓冲区写入工作文件,然后退出

如表 19.1 所示,几种击键都完成相同的工作。为了体验一下这几种方法,用 vi 来编辑本章前面建立的文件 vipract.1。要编辑这个文件,键入 vi vipract.1。你可以看到类似下面的显示:

Things to do today
a. Practice vi.
b. Sort sales data and print the results.
  ~
  ~
  ~
″vipract.1″ 3 lines,78 characters
光标由带下划线的字符指示。当你刚打开文件时,光标在文件的第一个字符下,即在 Things 的 T 下面。因为你打开文件后未作任何修改,所以可以键入:q 来退出。你看到 shell 提示符。你也可键入:wq 来退出这个文件;如果你这样做的话,你在 shell 提示符出现前将看到如下信息:
    "vipract.1" 3 lines,78 charaters

这个信息之所以出现是因为 vi 首先把缓冲区写到文件 vipract.1 中,然后退出。

用相同的文件重新启动 vi(键入 **vipract.1**)。你将看到类似如下的显示:

Things to do today.

a. Practice vi.

b. Sort sales data and print the results.

~

~

~

″vipract.1″ 3 lines, 78 characters

虽然 vi 以命令模式启动,但为了确定,按 < Esc >。现在按空格键足够长的时间以使光标移到第一行中 today 后面的句点下。要用惊叹号代替这个字符,按 < r >(替换)并键入!。第一行现在变为:

Things to do today!

因为你已经改变了缓冲区,所以 vi 不让你退出除非你保存这些修改或显式地给出退出但不保存修改的命令。如果你试图输入 :q 来退出 vi,那么 vi 显示下面的信息以提醒你在修改文件后没有把它写入磁盘上的文件中:

No write since last change (:quit! overrides)

要放弃你对文件已做的修改并退出,输入 :q!。要保存这个修改并退出,键入 :wq 或其他等效的形式(**ZZ** 或 **:x**)。

注释:

vi 不进行文件的备份。在你输入 **:wq** 之后,原来的文件被修改并且不能恢复到它原来的状态。你必须自已对 vi 文件进行备份。

参见 11.4"制作备份和恢复文件"。

警示:

尽量少用 :q! 命令。当你输入 :q! 时,你对文件的所有修改都将丢失。

与使用 :q! 命令不同,把文件保存到另一文件名中经常是更安全的方法。这个主题将在后面的一节"另存为一个新文件"中介绍。

19.2.5 取消命令

在 vi 中,只要你没有把修改结果存入磁盘文件中,你就可以"取消"最近的操作或对缓冲区的修改。你在命令模式中做此工作。假设你无意中删除了一行文本、改变了一些你不应该改变的内容、或增加了一些不正确的文本,按 < Esc > 改变到命令模式中,然后按 < u >;则文件内容又回到缓冲区被修改前的样子。

注释:

取消命令只能取消最后一次的操作。另外,你不能用取消命令来取消已写入文件中的修改。

下面是使用取消命令的例子。用文件 vipract.1 再次启动 vi(键入 vi vipract.1)。你将看到类似下面的显示：

Things to do today!

a. Practice vi.

b. Sort sales data and print the results.

~

~

~

"vipract.1" 3 lines, 78 characters

要在第二行的 vi 和句点之间加入短语 for 60 minutes,按 < Return > 移到第二行。现在光标出现在第二行的第一个字符下。现在通过按空格键把光标移动到 vi 后面的句点上。通过按 < i > 给出输入命令然后输入短语中的字符来插入短语 for 60 minutes。按 < Esc > 以返回命令模式。你的屏幕现在看上去是这样的：

Things to do today!

a. Practice vi for 60 minutes.

b. Sort sales data and print the results.

~

~

~

60 分钟好吗? 未必。要取消对第二行的修改,确认你处于命令模式中(按 < Esc >),然后按 < u >。现在,文件的第二行为：

a. Practice vi.

然后再来一次,也许练习 60 分钟是个好主意。再按 < u >(你已经在命令模式中),你将看到短语 for 60 minutes 又出现了。是否要练习那么长时间呢? 你决定吧。用取消命令取消修改(以及撤消取消命令)多少次都行。即使你决定保留缓冲区原来的形式,vi 也认为缓冲区已经修改,你必须用:q!(放弃修改)或:wq(保存修改)退出。

如果你决定保存修改过的文件,那么输入：w vipract.2 将它存入另一个文件中。

提示：

你可使用 < Backspace > 键来改正当你键入单行时所产生的错误。不幸的是,当回退时,你删除了所有前面的字符。左箭头(←)不删除字符。箭头键将在本章的后面介绍。

19.2.6 写文件和保存缓冲区

你已经看到如何将缓冲区写入文件并且退出 vi。但是,有时你想将缓冲区保存到一个文件中但却不退出 vi。你应该在编辑时定期地保存文件。如果由于断电导致系统关闭,那么你可能会丢失未及时保存的工作。要保存缓冲区,要从命令模式中发出:w(写)命令。

注释：

在你发出写命令前,如果你已不在命令模式中,那么首先按 < Esc > 以确保你在命令模式中。如果你已在命令模式中,那么你就会听到嘟嘟的鸣响声。

保存文件的步骤有一些变化。你可根据情况来使用写命令的形式,有四种不同的情况。下面的几节将讲述这些情况。表 19.2 列出了写命令的各种变种。

表 19.2 保存文件或写文件的命令

命令	作用
:w	当 vi 正在编辑时将缓冲区写入这个文件
:w *filename*	将缓冲区写入名为 filename 的文件中
:w! *filename*	强迫 vi 重写名为 filename 的文件

保存一个新文件 如果你启动 vi 时没有指定文件名,那么你要将文件保存到磁盘上就必须提供一个文件名。在这种情况下,你发出的写命令的格式为:

　　:w *filename*

本命令将缓冲区写到文件名为 filename 的文件中。如果命令成功,那么你会看到这个文件的文件名和文件的行数和字符数。如果你指定的是一个已存在的文件名,那么下面的信息将出现在状态行:

　　File exits -use " w! filename" to overwrite.

这种情况将在本章后面"重写已存在的文件"一节中介绍。

保存到当前文件中 你可能希望将缓冲区保存到你正在编辑的文件中。例如,如果你用一个已存在的文件启动 vi,对这个文件做了一些修改,并想将这些修改保存到原来的文件中,那么你只需输入:w ,它是写命令的一种形式 。

提示:

　　定期保存你所做的修改。经常使用:w命令,在编辑期间,至少每 15 分钟使用一次这个命令。你不知道什么时候系统就可能坏了。

　　:w 命令将缓冲区保存到你现在正在工作的文件(你的工作文件)中。状态行告诉你这个文件的文件名和写入这个文件的文件行数和字符数。

另存为一个新文件 你可能想将缓冲区存入新文件中,这个新文件与你原来启动的文件不同。例如,如果你用 vipract.1 文件启动 vi,对这个文件进行了一些修改,并想将这些修改保存到一个新文件中,以便不丢失原来的 vipract.1 文件,那么你可以将这个文件作为新文件保存。键入下面的写命令,用新文件名保存这个文件:

　　:w *filename2*

这个写命令的形式与本章前面"保存一个新文件"一节中所讲述的形式基本相同。缓冲区被写入名为 filename2 的文件。如果命令成功,那么你将看到这个文件的文件名和文件的行数和字符数。如果你指定的是一个已存在的文件名,那么下面的信息将出现在状态行:

　　File exits -use ! to overwrite.

下一节中将解释这种方法。

重写一个已存在的文件　如果你试图将缓冲区保存到一个与启动 vi 的文件不同的、已存在的文件中,那么你必须显式地告诉 vi 你想要重写或替换的已存在的文件。如果你在试图保存缓冲区时指定一个已存在的文件的文件名,那么 vi 显示如下信息:

　　File exits - use ! to overwrite.

如果你确实想将缓冲区保存到已存在的文件中,用如下写命令的形式:

　　:w! *existing _ file*

在这个语法中,existing_file 是你想替换的文件的文件名。小心,当你重写了文件后,就不能恢复文件原来的形式了。

19.2.7　定位光标

当你编辑文本时,你需要把光标定位于你想要插入附加文本、删除文本、改正错误、替换单词或把文本附加在已有文本的结尾处的位置上。你在命令模式中输入的、用于选定位置的命令称为光标定位命令。

箭头键　你可在许多系统(但不是全部系统)上使用箭头键定位光标。很容易就能看到箭头键是否工作:用已有的文件启动 vi,看一下箭头键会有什么效果。如果在你的 TERMCAP 环境变量中指定了正确的终端类型,那么你应该还能使用 Linux 键盘上的 < Page Up > 和 < Page Down > 键。

要建立一个包含 usr 目录中文件和目录列表的称为 vipract.3 的新文件,输入:

　　ls /usr > vipract.3

你可以用这个文件来试验光标定位命令。

当建立了这个文件后,就用 vipract.3 文件启动 vi(键入 vi vipract.3)。现在试试使用箭头键和 < Page Up > 及 < Page Down > 键在编辑缓冲区中移动。

可能有这种情况,虽然光标定位键好像在工作,但它们却把一些奇怪的字符带入这个文件。要检查这些键是正在输入字符而不是在移动光标,按 < Esc > 以确保你在命令模式中,然后输入:q。如果 vi 允许你退出并且不抱怨文件被修改了,那么就没问题。

提示:

在 vi 中,你可用 < Ctrl-l > 清除屏幕上假的或不寻常的字符。

其他光标移动键　你可以在 vi 中不用箭头键而用其他方法来定位光标。你应该熟悉这些方法,以防你不能或不想用箭头键。本节还将介绍一些比用箭头键更有效的光标定位方法。

当开发 vi 时,许多终端还没有箭头键。那时用其他键来定位光标,现在这些键仍被用于定位光标。vi 用 < h >、< j >、< k > 和 < l > 键来定位光标。为什么是这些键呢? 因为它们处于击键者方便的位置上。不需要多少练习就能熟悉这些键,与箭头键相比,一些有经验的用户更喜欢这些键。

下面是其他一些用于移动光标的键:

□ 按空格键或 < l > 向右移动光标一个位置。

□ 按 < Return > 或 < + > 将光标移动到下一行行首。注意使用 < j > 键将光标移动到下一行的当前位置。

□ 按减号(−)将光标移到上一行行首。注意用 < k > 键将光标移动到上一行的当前位置。

□ 按 < h > 将光标向左移动一个字符。

□ 按 < 0 > (零)将光标移到一行行首。

□ 按 < $ > (美元符) 将光标移动到一行行尾。

有些 vi 命令允许你相对于一行上的字来定位光标。字定义为一个字符序列,这个字符序列用空格或常用的标点符号与其他的字符分开,这些标点符号如:

. ? , −

这些命令如下:

键击	作用
< w >	将光标向前移动一个字
< b >	将光标移到当前字的开始处
< e >	将光标移到当前字的末尾处

下面的例子说明了这些操作中的一些操作。通过输入 vi vipract.1 来启动 vi 并打开 vipract.1 文件。现在用刚刚说明的光标定位命令把光标(以下划线表示)移动到文件第三行的字 data 的 t 下。第三行看上去是这样的:

b.Sort sales data and print the results.

要移到下一个字的开始处,按 < w > ;光标定位在字 and 下的 a 处。要移到这个字的末尾,按 < e > ;光标定位在 and 的 d 下。要移到这个字的开始处,按 < b >;光标再次定位在 and 的下的 a 处。

可以在按 < w > 键前先按一个数字键来将光标向前移动几个字到另一个字的开始处。例如,要把光标从当前位置(在字 and 的 a 下)移动到三个字前的一个字的字头(即字 results 的 r 下),按 < 3 > < w > 。同样,通过按 < 4 > < b > 可以向后移动四个字;通过按 < 2 > < e > 可以向前移动到第二个字的末尾。

你也可以将这种整数技术和键 < h >、< j >、< k >、< 1 >、< + >、< - > 一起使用。例如,按 < 1 > < 5 > < j > 把光标定位在向下数的第 15 行中。如果缓冲区中没有 15 行文本,就会听到嘟嘟声,而光标则停在原地不动。

大范围移动键　你可快速定位光标到屏幕的顶部、中部和底部。在每种情况下,光标都出现在行首。下面的命令允许你定位屏幕上的光标:

□ 按 < Shift-h > 将光标移到屏幕的第一行。有时称之为 home 位置。

□ 按 < Shift-m > 将光标移到现在屏幕显示的各行的中间的一行。

□ 按 < Shift-1 > 将光标移到屏幕的最后一行。

如果你想在文件中一次移动一屏(这比按 23 次 < Return > 或 < j > 更加有效),用滚动文件命令。按 < Ctrl-f > 向前移动一屏;按 < Ctrl-b > 向后移动一屏。

要快速地移动到文件或缓冲区的最后一行,按 < Shift-g > 。要移动到文件的第一行,按 < 1 > < Shift-g > 。事实上,要移动到缓冲区中指定的行中,在按 < Shift-g > 前键入行号。要移动到文件的第 35 行(如果有第 35 行的话),按 < 3 > < 5 > < Shift-g > 。

注释：

　　花一些时间用在最后这几节描述的命令来练习定位光标。记住，你必须在命令模式中，以便光标定位命令能工作。在你发出一个光标定位命令前按<Esc>。

19.2.8　添加文本

　　要向正在编辑的缓冲区中添加文本，你必须从命令模式转到输入模式。这时任何你键入的常用的文本字符都添加到了缓冲区中。如果你在输入模式中按<Return>，那么vi在缓冲区中"打开"或添加一行。在你开始添加文本之前，首先将光标定位于你要添加文本的位置。按<a>进入输入模式，并在光标位置之后添加文本。按<i>进入输入模式，并在光标位置之前插入文本。当你添加完文本后，按<Esc>返回命令模式。

　　下面是两个在输入模式下输入的例子。光标的位置由下划线表示。对每种情况，分别显示输入前后的情况。

　　□ 使用<i>（插入命令）来添加文本的例子。

　　　　输入前（光标在important的i下）：

　　　　This report is important.

　　　　按<i>以便在字important前插入文本，键入very，按空格键，然后按<Esc>。

　　　　输入后：

　　　　This report is very_ important.

　　□ 用<a>（附加命令）来添加文本的例子。

　　　　输入前（光标在is的s下）：

　　　　This report is important.

按<a>在字is后面添加文本，按空格键，键入very，然后按<Esc>。

　　　　输入后：

　　　　This report is very important.

　　　　再次注意光标位于你添加的最后一个字符下（在本例中，光标位于very的y下）。

　　　　当你想在一行的行尾添加文本时，你可以将光标定位于行尾，然后按<a>；你也可以把光标定位在这一行的任意地方，然后按<Shift-a>把光标定位到这一行的行尾，使你进入输入模式，并允许你添加文本，所有这些都用一个命令完成。同样，你可以通过按<Shift-i>移动到当前行的行首，并在行首插入文本。

　　　　要在当前行的下面或上面添加一行文本，你就分别按<o>键或<Shift-o>键。每次键击都"打开"缓冲区中的一行并允许你添加文本。在下面的两个例子中，你在一些已有的文本中添加一行。

　　□ 用<o>在当前行下面插入几行的例子。

　　　　插入前：

　　　　All jobs complete

　　　　please call

　　　　if you have any questions.

　　　　光标在第二行行首。按<o>在这一行下面增加一行或几行。现在键入下面几行：

　　　　Jack Tackett, Jr.

555-1837

按<Esc>。

插入后：

All jobs complete

please call

Jack Tackett, Jr.

555-183 7

if you have any questions.

□ 使用<Shift-o>在当前行上面插入几行的例子。

插入前：

All jobs complete

please call

if you have any questions.

光标在第三行。按<Shift-o>在这行之上添加一行或几行。现在键入下面几行：

Jack Tackett, Jr.

555-1837

按<Esc>。

插入后：

All jdbs complete

please call

Jack Tackett, Jr.

555-183 7

if you have any questions.

在这两种情况中，当你按<Esc>时，光标定位在你键入的最后一个字符下(即在电话号码中的 7 下)。虽然你只添加了两行，但你可以通过在每行结尾处按<Return>来添加更多的行。当然，你可以只添加一行而根本不用按<Return>。

表19.3总结了添加文本的命令。按<Esc>以确保你在使用这些命令前是在命令模式中。

表 19.3　添加文本的命令

键击	作用
<a>	在光标位置后添加文本
<Shift-a>	使你进入输入模式并且在当前行的末尾添加文本
<i>	在光标位置前插入文本
<Shift-i>	使你进入输入模式并且在当前行行首插入文本
<o>	在当前行的下面打开一行以添加文本
<Shift-o>	在当前行的上面打开一行以添加文本

19.2.9　删除文本

对文件进行更正或修改就可能删除文本。你必须在命令模式中才能删除字符。如果你键入删除字符命令时是在输入模式中,那么命令字母就会作为字符出现在缓冲区文件中。如果发生了这种情况,按 < Esc > 进人命令模式并且按 < u > 来"取消"这次错误。

使用 vi,你可删除一个字符、一个字、许多连续的字、直到一行行尾的所有文本、或一整行。因为 vi 是一个可视的编辑程序,所以当你删除字符、字或行时,它们从屏幕上消失。表 19.4 描述了删除命令。

表 19.4 删除文本命令

键击	作用
< x >	删除光标处的字符
< d > < w >	删除从当前字的光标处到下一个字的开始处之间的内容
< d > < $ >	删除从光标处到行尾之间的内容
< Shift-d >	同 < d > < $ >,删除当前行的剩余部分
< d > < d >	删除整行,不管光标在该行的位置

所有这些命令都从光标处产生作用。将光标移到你想要修改的字符、字或行上,然后发出所需的命令。练习这些命令并看看它们的效果。你将发现它们对改正文件的错误是很用帮助的。

通过在命令前键入一个整数,可将这些命令应用到几个对象中,这些对象是字符、字或行。(整数技术在本章的定位光标一节中已介绍过了)。下面是一些例子:

□ 按 < 4 > < x > 以删除 4 个字符。

□ 按 < 3 > < d > < w > 以删除 3 个字。

□ 按 < 8 > < d > < d > 以删除 8 行。

提示:

要使 vi 显示行号,按 < Esc > 以确保你在命令模式中,然后输入:se number。要关闭行号,输入:se nonumber。

你还可以指定要删除的行的范围。通过按冒号(< Shift-; >),键入由逗号分开的两个你要删除的行号(删除时包括这两行),按 < d >,然后按 < Return > 来做这个工作。例如,要删除 12 行到 36 行(包括 12 和 36 行)的内容,键入:**12,36d** 并按 < Return >。

当你删除两行或更多行时,状态行说明删除了多少行。记住,你可以按 < u > 来取消删除操作。

19.2.10 修改和替换文本

另一个经常要面对的编辑任务是修改文本或用一个文本字符串替换另一个文本字符串(这两种操作之间没有多大差别)。vi 中的修改命令允许你修改一个词或一行中的剩余部分。在效果上,你正在用一个字替换另一个字或一行中的剩余部分。可用替换命令来替换或修改单个字符或字符序列。表 19.5 总结了修改和替换命令。在你输入这个命令后,只需键入恰当的新内容。

表 19.5　修改和替换命令

键击	作用
＜r＞	替换单个字符
＜Shift-r＞	替换一个字符序列
＜c＞＜w＞	修改当前字,从光标处到这个字的字尾
＜c＞＜e＞	修改当前字,从光标处到这个字的字尾(与＜c＞＜w＞相同)
＜c＞＜b＞	修改当前字,从该字的字头到光标以前的那些字符
＜c＞＜$＞	修改一行,从光标处到该行的行尾
＜Shift-c＞	修改一行,从光标处到该行的行尾(与＜c＞＜$＞相同)
＜c＞＜c＞	修改整行

　　修改发生在与光标位置有关的地方。在使用这些命令前你必须在命令模式中。把光标定位在缓冲区文件中想要改正的位置,并在使用这些命令前按＜Esc＞。因为 vi 是可视的,所以当你执行这些命令时,缓冲区就改变了。

　　这些命令中的每个命令都使你进入了输入模式。除使用＜r＞来替换单个字符外,你必须按＜Esc＞来完成所做的修改并返回命令模式。

提示:

　　要修改几个字,在按＜c＞＜w＞之前使用一个整数(这个整数表示要修改的字数)。

　　下面是 3 个如何使用修改和替换命令的例子:

□ 使用＜c＞＜e＞来修改从光标处到这个字的字尾的例子。

　　修改前:

　　The report demonstraits thw , strengths of are apporach .

　　光标位于单词拼写不正确的地方(demonstraits 的 i 下),从那里开始更正错误。要修改拼写,按＜c＞＜e＞,键入 tes,然后按 Esc。

　　修改后:

　　The report demonstrates thw , strengths of are apporach .

□ 用＜Shift-r＞来替换一个字符序列的例子。

　　替换前:

　　The report demonstrates thw, strengths of are apporach .

　　光标位于单词拼写不正确的地方(字 thw 的 w 下),从那里你开始替换字符。要把 thw 改正为 the 和一个空格,按＜Shift-r＞,键入 e,按空格键,然后按＜Esc＞。

　　替换后:

　　The report demonstrates the_ strengths of are apporach .

□ 用＜c＞＜w＞修改文本的例子,从当前字开始,连续修改两个字。

　　修改前:

　　The report dgmonstrates the strengths of are apporach .

　　光标位于你想要开始修改的字的字母下(字 are 的 a 下)。要找到这行的最后两个字,按＜2＞＜c＞＜w＞,键入 our approach,并按＜Esc＞。

修改后：

The report demonstrates the strengths of our apporach.

记住,在你对这些行进行修改后,要按 < Esc > 并返回命令模式。

19.2.11 查找

如果要自己一行一行的读文件,在文件中找到一个字、短语或数字是很困难的。与大多数编辑程序和字处理程序一样,vi 有一个允许你查找字符串的命令。你可以从缓冲区中的当前位置处向前或向后查找。你还能持续查找。当 vi 到达缓冲区文件尾时,vi 又从文件头开始查起,反过来也一样。表 19.6 总结了用于查找的命令。在每种情况下,vi 都按你指定的方向查找指定的字符串,并将光标定位于这个字符串的开始处。

表 19.6 查找命令

命令	作用
/string	在缓冲区中向前查找字符串 string
? string	在缓冲区中向后查找字符串 string
< n >	以当前的方向再次查找
< Shift-n >	以相反的方向再次查找

当你键入查找命令时,这个命令出现在状态行中。要在一个文件中向前查找字符串 sales > 100K,首先确保你在命令模式中,然后输入：

/sales > l00K

键入的命令出现在状态行上。如果这个字符串在缓冲区中,vi 将光标定位在字 sales 的第一个 s 下。如果这个字符串不在缓冲区中,那么 vi 在状态行上显示信息"Pattern not found(样式没有找到)"。要查找在另一个地方的这个字符串,按 < n >；vi 将光标定位在这个字符串出现的下一个位置上,或者如果没有"下一个字符串",那么光标就不移动。

发现并处理问题：

"我输入了一个文件中有的字符串,但 vi 却找不到。"这个错误最常见的原因是你输入的字符串不正确。vi(和一般的计算机)不能做很好的思考；vi 很难判断出你键入的内容的真正含义。如果你正在查找字符串 vegi-burger 而你却键入 vigi-burger,那么 vi 不能找到你想要查找的字符串(除非你碰巧拼错了缓冲区中的 vegi-burger,而它正好又和你要查找的字符串匹配)。在你按 < Return > 之前仔细检查要查找的字符串。

"我查找一个带标点符号的短语,但 vi 返回一些奇怪的结果。"如果你正在查找 vi 认为是"特殊"的字符,那么在 vi 中的查找可能不能给出你想要的结果。例如,如果你想要找到一个字,你知道这个字在一个句子的句尾(例如,字符串 end.),你必须"转义"这个句点；对 vi 而言,句点意味着"任何字符",而不是"句子的结尾"。如果你输入/end.并按 < Esc >,那么 vi 定位到 ending、定位到字 end 后跟一个空格和定位到 end 后跟一个句点。要找到唯一的 end 后跟一个句点的字符串,输入/end \ .。在 vi 中的查找还是大小写敏感的。如果你正在缓冲区中查找字 Tiger,那么输入/Tiger,而不是/tiger。

19.2.12 拷贝、剪切和粘贴

当你删除或剪切字符、字、行或行的一部分时,删除对象被保存在通用缓冲区中。这个缓冲区的名字并不重要；重要的是你可以将这个缓冲区的内容放入或粘贴到你正在编辑的文本的任何地方。用 < p > 或 < Shift-p > 命令来做这件事。< p > 命令将对象粘贴到光标位置右边或光标位置后面; < Shift-p > 命令将对象粘贴到光标位置左边或光标位置前面。

下面是剪切和粘贴文本的一些例子:

□ 使用 < p > 命令把通用目的缓冲区的内容粘贴到光标后面的例子。

粘贴前(光标在 out 的 o 下):

Carefully carry these out instructions.

按 < d > < w > 以删除字符 out 和一个空格。现在将光标移到 carry 后面的空格处并按 < p >。

粘贴后:

Carefully carry out _ these instructions.

□ 用 < Shift-p > 把通用缓冲区的内容粘贴到光标前的例子。

粘贴前(光标在 these 的 t 下):

Carefully carry these out instructions.

按 < d > < w > 以删除字符 these 和一个空格。现在将光标移到 instructions 的第一个 i 处并按 < Shift-p >。

粘贴后:

Carefully carry out these instructions.

提示:

要改变两个字符的顺序,将光标定位在第一个字符下,然后按 < x > < p >。试着将字 tow 改为字 two。

前面的这些例子向你展示如何在删除文本后进行粘贴。但在粘贴之前你不必删除文本。你可以使用称为拉出(yank)的操作,在一些字处理程序中,它与拷贝操作相同。拉出命令的形式类似于删除命令的形式。这个想法是你拉出或拷贝文本的一部分,然后用 < p > 或 < Shift-p > 命令将文本的这部分粘贴到别处。下面的表列出了一些拉出命令(注意大多数拉出命令使用小写字母 y):

键击	作用
< y > < w >	拉出从当前字的光标处到下一个字的开始处之间的内容
< y > < $ >	拉出从光标处到行尾之间的内容
< Shift-y >	与 < y > < $ > 相同,拉出当前行的剩余部分
< y > < y >	拉出整个当前行

通过在这些命令前键入整数,所有这些命令都可以用于多个对象,这些对象是字符,字或行。

要将一个四行的序列拷贝到文本的另一部分中,使用下列步骤:

1.将光标定位在这四行的第一行的行首。

2.按 < 4 > < y > < y >,把从光标处到行尾之间的内容拉出四次。缓冲区(你在屏幕上看到的内容)没有发生变化。

3.将光标定位在文本的其他地方。

4.按 < p > 把拉出的这四行粘贴到光标所在行的下面。

19.2.13 重复命令

vi 不仅保存刚删除或刚拉出的文本以备将来使用,而且它也存储你使用的最后一个命令以备将来使用。你可按 < . > 来重复改变缓冲区的最后一个命令。

假设你已经完成了一个报告,但你认为最好应该把含有下面文本的两行放在报告的关键位置:

*************** Please comment ******

*************** On this section ******

为此,按以下步骤:

1. 把光标定位在缓冲区文件中你想要第一次放置这两行的地方。
2. 通过按 < o > 打开一行,并键人有星号和文本的这两行以插入这两行。
3. 按 < Esc > 以确保你在命令模式中。
4. 根据需要,把光标定位到报告的其他部分,并按 < . > 以一遍又一遍地插入相同的这两行。

19.3 设置 *vi* 环境

vi 编辑程序有一些你可以选择使用或不可以选择使用的选项。这些选项中的一些选项可以由系统管理员在整个系统范围内设置。你可以用许多选项来定制自已的环境,这些选项在你启动 vi 时起作用。表 19.7 总结了所有的可用于设置 vi 的环境选项。当设置环境选项时(将在下一节中介绍),你可以使用这个表的第一列中显示的缩写,或使用第二列中的全名。

表 19.7 vi 的环境选项

缩写选项	功能
ai	autoindent 选项把每一行缩排为与其上一行的行首对齐(这对编程是有用的)。它的默认值是 autoindent off
ap	autoprint 选项在当前行改变时将它打印到屏幕上。它的默认值是 autoprint on
eb	errorbells 选项在出现命令错误时使计算机嘟嘟叫。它的默认值是 errorbells off
nu	number 选项在编辑文件时显式行号。它的默认值是 number off
redraw	redraw 选项当发生变化时使屏幕刷新。它的默认值是 redraw on
report	report 选项设置编辑操作改变的次数,这个次数能导致一个信息出现在状态行上。例如,report = 3 将在你删除三行后触发一个信息,但当你删除少于三行时不显示信息。它的缺省值是 report = 5
sm	showmatch 选项在输入右圆括号时显示匹配的左圆括号。这个选项主要对编写程序代码的程序员有用。它的默认值是 showmatch off
smd	showmode 选项在给出相关命令时,在状态行右边显示 INPUT、REPLACE 或 CHANGE。它的默认值是 showmode off

缩写选项	功能
warn	已修改了缓冲区内容,但没有将缓冲区存入磁盘文件中,却试图退出 vi 时,warn 选项将显示一个警告信息。它的默认值是 warn on
wm = n	wrapmargin 选项定义右边距。在本命令的语法中,n 是一个整数。如果 n 大于 0,那么本命令强迫回车,以便留出右边距。例如,wm = 5 告诉 vi 当字符出现在行内的最后 5 个字符中时换行。通过指定 wm = 0 来关闭这个选项,这是默认值
ws	word search(在某些系统上称作 wrapscan)在查找期间遇到 < eof >(文件结束字符)时从 < eof > 绕到 < bof >(文件开始字符)继续进行查找。它的默认值是 word search on

19.3.1 使用 *set* 来浏览和设置选项

要浏览你的系统的当前设置的选项,在 vi 的命令模式中键入:set。为 vi 的这次会话设置的当前选项显示在状态行上。set 命令显示的选项根据默认选项和你使用的 vi 的不同而不同。下面的例子是你在发出 set 命令时可能看到的情况:

autoprint errorbells redraw report = 1 showmatch showmode term = vtl00 wrap margin = 5

注释:

发出不带参数的 set 命令只显示用户设置的选项。你可以将 set 命令缩写为 se。要在同一行设置许多选项,用 se 命令并用一个空格分隔选项,如下面的例子:

: se ap eb redraw report = 1 sm smd warn wm = 5 ws

注意到第一个字符是冒号,它指示 vi,将要输入一个命令。

要看看所有可能的选项和这些选项的设置的列表,键入:set all。将显示表 19.7 中的选项和这些选项的设置。

19.3.2 设置 *showmode* 选项

使用最多的选项之一是 showmode 选项。要学习 showmode 选项,再次用文件 vipract.1 启动 vi(键入 vi vipract.1)。

当 vi 执行时,你在屏幕上看到你的第一次 vi 会话的文本。在你的第一次会话中,你可能已经注意到:当向此文件输入文本时,你没有办法确定你是否在输入模式中。通过使用 showmode 选项,当你在输入模式中时,你可让 vi 通知你。showmode 选项在状态行上指示你所处的模式。

当你设置 showmode 选项时,vi 显示输入模式所处的类型:INPUT MODE、APPEND MODE、REPLACE 1 CHAR 模式等等。要在 vi 中设置 showmode,按 < Esc > 以确保你处在命令模式中,然后输入:set showmode。现在进入输入模式(按 < i >)。你应该在状态行上看到 INPUT MODE 信息。按 < Esc > 返回命令模式。你可能想看看在给出替换或修改命令时发生了什么。

19.3.3 设置切换选项

任何不带数字参数的选项都像一个切换开关：你可以打开它或关闭它。例如，如你在前一节学到的，设置 showmode 选项要输入：

:se showmode

要关闭 showmode 选项，你只需在这个选项前加一个 no：

:se noshowmode

19.3.4 为每个 *vi* 会话改变选项

在一个 vi 会话过程中设置一个选项仅为当前的会话设置了这个选项。通过把 set 命令放入你的起始目录中的名为 .exrc 的文件中，你可以定制你的 vi 会话。要看看这个文件是否存在，键入如下命令：

cd

vi .exrc

第一个命令使你回到你的起始目录。第二个命令用 .exrc 文件启动 vi。如果这个文件存在，那么它就出现在 vi 屏幕上。如果这个文件不存在，vi 告诉你这是一个新文件。

在 .exrc 文件中的 set 命令以字 set 开始但没有冒号。例如，下面的一行设置选项 number 和 showmode：

set number showmode

注释：

.exrc 文件在启动 vi 时被读入。如果你在 vi 中建立它，那么你必须重新启动 vi，以使这个文件中的那些设置起作用。

你设置的选项和你赋给某些选项的值，都是由你的爱好和你将要做的编辑的类型来决定的。用某些选项试验一下或与一些更有经验的用户交谈。

19.4 从这里开始

虽然本章没有讨论 vi 的所有选项或特性，但介绍了从哪里启动 vi 和如何使用 vi 的基本特性。对你而言，vi 是一个非常重要的编辑程序，因为每个 Linux/UNIX 机器上都有 vi。这个编辑程序还能快速装载并且不需要许多系统资源，因此，你可以在其他的编辑程序不能安装时使用它。系统管理员用 vi 来做许多快而繁琐的编辑任务。要了解更多的信息，请参阅以下各章：

- 第十一章"备份数据"讨论如何保护你的文本文件以免被意外删除。这一章介绍如何备份用 vi 建立的重要文件。
- 第十五章"了解文件和目录系统"介绍如何处理文件和在 Linux 下如何对待这些文件。当使用 vi 或任何其他的编辑程序时，你应该对文件系统有一个基本了解。
- 第二十章"使用 emacs 编辑程序"讨论可用于 Linux 的另一个编辑程序。emacs 提供许多超过 vi 的增强特性。emacs 还给你提供一个环境,在这个环境中,你可做许多通常要用其他程序来做的事情,例如阅读邮件和阅读新闻。

□ 第二十一章"打印"介绍在你用 vi 建立了文本文件后如何打印这些文件。

第二十章　使用 *emacs* 编辑程序

本章内容

☐ **如何使用基本的 emacs 命令**

在只学了几条命令后,你就可以十分容易地编辑文件。

☐ **如何用 emacs 建立新文件和修改已存在的文件**

所有编辑程序的基本工作都是建立和修改文件。

☐ **如何执行基本的字处理功能**

编辑程序不仅仅是只输入文本。本章介绍如何把 emacs 作为通用字处理程序使用。你将学习如何在一个文档中查找和替换文本,如何同时剪切、粘贴和编辑多个文档。

emacs 的名字代表 Editor MACroS,它是作为早期的名为 teco 的文本编辑程序的替代物而诞生的。在当今 UNIX/Linux 世界中可使用的编辑程序中,emacs 是使用最多和最广泛移植的编辑程序中的一种。事实上,emacs 的各种版本可在工业界所知的几乎每个计算机平台上使用,从 Linux 到 Microsoft Windows。

一个完整的 emacs 版本非常大,要占用几兆字节的磁盘空间。它是全性能编辑程序,非常强大,并且其功能已被扩展,远远超过了文本编辑功能的范围。在某些安装中,你可用它来编辑文件、保存日历、与电子邮件一起工作、管理文件,读 Internet 公告板(Usenet)或网络新闻、建立大纲、把它作为计算器使用,甚至浏览 WWW 网。在某些方式中,emacs 是包括文本编辑程序的工作环境。流行的 emacs 版本通过 GNU 许可证发行。本章介绍的是在安装 Linux 期间安装的 emacs 版本。

20.1　启动 *emacs*

emacs 编辑程序是 GNU 的创始人 Richard Stallman 建立的。emacs 的源代码在遵守 GNU 的许可证的条款下基本上是可免费获得的。Stallman 是自由软件基金会和 GNU(GNU's Not UNIX)计划的倡导者和创始人。免费获得 emacs 与 Stallman 的哲学思想吻合,他认为所有软件都应该是免费的,而且计算机系统应该开放给任何人使用。用户还被鼓励进行修改工作,但必须与其他人共享这些修改成果。

参见附录 D1"GNU 通用公共许可证"。

emacs 编辑程序没有 vi 具有的两种基本模式,这就是说,你键入的任何内容都放入文件缓冲区中。要给编辑程序下命令以保存文件、查找文本、删除文本等等,你必须使用其他键。在 emacs 中,你用 < Ctrl > 键加各种字符(通常是 < Ctrl-x > 和 < Ctrl-c >)和 < Esc > 键来完成各种命令。各种通用的命令将在本章后面讲述。

参见 19.2.1"vi 的两种模式"。

这些 emacs 命令实际上是全文本命令的快捷键。例如, < Ctrl-x > < Ctrl-s > (它们将当前缓冲区保存到文件中)实际上是一种快捷键,免得用户先按 < Esc >,然后键入实际的 emacs 命令 :-x save-buffer。显然,使用 < Ctrl-x > < Ctrl-s > 键序列比用完整的 emacs 命令要简单得多,也容易记得多。在本章末尾列出了一个基本命令的简表。

emacs 还允许你在同一个会话中编辑多个缓冲区或文件。即你可用 emacs 一次编辑多个文件。本章还涉及一些缓冲区操作命令。emacs 还使用缓冲区保存删除的文本和提示命令。

要启动 emacs,键入 **emacs** 并按 < Return >。这时会出现一个底部有状态行的空白屏幕。

本章不讨论在 emacs 中使用的所有的键击和命令,但你可通过按 < Ctrl-h > < h > 来获得帮助。在此之后,你可用 < Ctrl-x > < Ctrl-c > 完全退出或用 < Ctrl-x > < l > 返回你的编辑操作。因此,与 vi 不同,emacs 有联机帮助功能甚至还有一个教程。

当你请求联机帮助后,emacs 显示另一个缓冲区,并准备提供帮助。如果你按 < t >,那么 emacs 启动一个非常好的教程。如果你按 < k >,那么 emacs 提供你输入的下一个命令/键的帮助信息。因此,如果你按 < Ctrl-h > < k > < Ctrl-w >,那么 emacs 显示有关删除一个标记域的信息。

要返回你正在编辑的会话,按 < Ctrl-x > < l > 使 emacs 返回来只编辑一个缓冲区。

完整的 GNU emacs 系统很大,但你可以定制它使之与以你的本地环境匹配。一些容易获得的较小的 emacs 版本是 Russell Nelson 的 Freemacs 和 Dave Conroy 的 MicroEmacs。还请记住 Linux 发行程序提供一些类似 emacs 的其他的编辑程序(即 JED 和 JOVE),它们与完整的 emacs 安装比起来要小得多。

注释:
　　本章不包含 emacs 的所有特性,因为我们的篇幅不允许。事实上,有专门介绍 emacs 的书籍。在这里,你只学习一些命令去完成最需要的编辑任务。如果你想知道更多的 emacs 高级特性和高级文本编辑操作,参考你的系统提供的参考手册。你不需要成为使用 emacs 的专家。emacs 还有一个非常详细的教程,它作为系统的一部分。运行教程的更多信息将在本章的后面提供,但你现在可按 < Ctrl-h > < t > 来启动教程。

20.2 使用 *emacs*

通过建立新文本或修改已存在的文本来编辑文本。当建立新文本时,你将文本放入用普通 Linux 文件名命名的文件中。当修改已存在的文件时,你使用已存在的文件名将这个文件的一个拷贝调入这次编辑操作。在这两种情况中的任何一种情况下,当你使用这个编辑程序时,文本都被放入系统内存中称为缓冲区的存储区域中。

使用缓冲区能防止你直接修改文件内容,直到你决定存储缓冲区为止。这对你决定放弃已经作的修改并重新开始是有益的。

emacs 允许你同时编辑多个缓冲区。用这种方法,你可以将一个缓冲区的文本剪切和粘贴到另一个缓冲区中、比较不同文件的文本、或把一个文件合并到另一个文件中。emacs 甚至使用一个特殊缓冲区来接受命令和向用户报告信息。这个缓冲区(小缓冲区)显示在屏幕底部。

emacs 也允许你在各种缓冲区自己的窗口中显示它们自己的内容;因此,即使你没有使用图形用户界面,你也可以同时看到几个文件。

20.2.1　查看 *emacs* 屏幕

图 20.1 显示了一个典型的 emacs 屏幕。上部显示各种缓冲区的内容,有时有多个窗口。然后在屏幕底部显示一个模式行。这一行(通常反显)向用户提供缓冲区的信息,如:缓冲区名、主要模式和次要模式、缓冲区中显示的文本的数量。在模式行下面是只有一行的小缓冲区,在这里你输入 emacs 的命令并且在这里 emacs 报告各种命令的执行结果。

缓冲区中当前的位置用光标显示。emacs 把光标称为点(point),尤其是在联机帮助系统中,所以记住这个词指的是光标是很重要的。

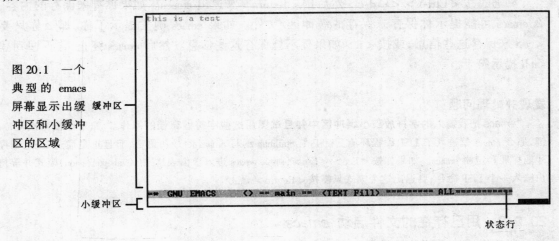

图 20.1　一个典型的 emacs 屏幕显示出缓冲区和小缓冲区的区域

20.2.2　建立第一个 *emacs* 文件

下面的指导介绍如何编辑你的第一个 emacs 文件。如果你遇到了困难,则可以通过按 < Ctrl-x > < Ctrl-c > 退出并重新开始。遵循下面的步骤:

1.启动 emacs(键入 emacs 并按 < Return >)。你可以看到图 20.1 的屏幕。
2.向缓冲区添加几行文本。键入:

　　Things to do today.

　　a. Practice emacs.

　　b. Sort sales data and print the results.

注释:

注意在屏幕底部的小缓冲区。你键击的内容出现在这里,这是因为你正向 emacs 编辑程序键入命令。

你可以用 < Backspace > 键来改正你正在键入的这一行的错误。别担心这里的准确性,这个例子是用于练习的。在本章后面几节中你将学到其他的进行修改的方法。

3.将缓冲区保存到名为 emacs-pract.1 的文件中。首先按 < Ctrl-x > < Ctrl-s >,然后键入 emacs-pract.1。注意在屏幕底部出现了 emacs-pract.1。按 < Return > 。这个命令将缓冲区存入或写入文件 emacs-pract.1 中,因为这个文件是指定的文件。

注释：

注意文件名中的字符个数。与 MS-DOS 和 Windows 不同，Linux 允许输入多于八个字符并具有三个字符扩展名的文件名。

你会看到如下的状态行上的确认：

Wrote /root/emacs-pract.1

这个语句确认已建立了文件 emacs-pract.1，并把它保存到磁盘上。如果你键入的信息与指定的不完全相同，那么显示的内容也可能不同。

4.通过按 < Ctrl-x > < Ctrl-c > 然后按 < Return > 来退出 emacs。如果你有未保存的内容，那么 emacs 可能提示你保存未保存的缓冲区/文件。如果 emacs 确实提示了你，那么你只要按 < y > 来保存这些信息，或按 < n > 如果你不想保存这些信息。然后 emacs 终止，你返回到登录 shell 提示符下。

发现并处理问题：

"emacs 把我键入的字符放到小缓冲区中并且试图用这些字符做奇怪的操作。" 如果你按两次 < Esc > 键，那么 emacs 就进入了 LISP 编程环境。LISP 是 Stallman 编写 emacs 的最初语言，而且正是通过 LISP，程序员才能扩展和定制 emacs。如果你按 < Esc > < Esc >，那么 emacs 进入求值表达式(eval-expression)模式并等待用户输入一个 LISP 命令；要退出这个模式只需按 < Return >。

20.2.3 用已存在的文件启动 *emacs*

要编辑或查看当前目录中一个已存在的文件，输入 emacs，后面跟以这个文件名。用上一节建立的文件来试试这条命令，输入：

emacs emacs-pract.1

你将看到如下内容：

Things to do today.

a. Practice emacs.

b. Sort sales data and print the results.

看看小缓冲区：它包含你正在编辑的这个文件的文件名。

发现并处理问题：

"我键入了一个我知道存在的文件名，但 emacs 却建立了一个新文件。" 你可能没有正确地键入这个文件名，或者这个文件在当前目录中不存在。假设你输入了 emacs pract1.并按回车键，但在当前目录中却没有名为 pract1.的文件，那么你仍然启动了 emacs，但 emacs 却建立了一个新文件。

"我想编辑一个文件，但 emacs 显示没有读权限的信息。而且出现了 shell 提示符。" 你试图编辑一个不允许你读的文件。另外，你不能编辑目录；这就是说，如果你键入 emacs directory_ name，这里 directory_ name 是目录名，那么 emacs 通知你：你打开了一个目录并且不允许你编辑它。如果你试图用 emacs 来编辑一个二进制的可执行文件，那么与 ASCII 文件不同，你将看到满屏的奇怪(控制)字符。你不能阅读和编辑它们。emacs 希望把文件作为无格式的文本来存储。

"我在 emacs 中打开了一个文件，但是出现了一个信息，说行太长。" 你正试图把 emacs 用于只是一个长字节串的数据文件或二进制文件。

"我想用<Ctrl-x><Ctrl-s>保存文件,但终端这时却挂起,不响应键盘操作。" 你的终端可能响应了控制流字符<Ctrl-s>和<Ctrl-q>。按<Ctrl-q>重新开始你的操作。

"我在 emacs 中打开了一个文件,但屏幕上出现了一些奇怪的字符。" 你可能正在用 emacs 处理一个由字处理软件产生的文件。

在所有这些情况中,按<Ctrl-x><Ctrl-c>退出 emacs 以返回到你的登录 shell 提示符,对是否保存文件的提示回答 n。使用这些键击能确保你退出 emacs 并且对已存在的文件没有做任何修改。

20.2.4 退出 *emacs*

如前所述,要退出 emacs,可以按<Ctrl-x><Ctrl-c>。如果你没有将修改的内容存入文件,那么 emacs 会提示你保存文件。如果你键入 y,那么 emacs 保存文件并使你返回 Linux shell。如果你没有提供文件名,那么 emacs 提示你输入文件名,然后退出。如果你对保存缓冲区的提示的回答是 n,那么 emacs 将再次提示你以确定你想不保存缓冲区并退出。此时你必须对这个提示键入完整地响应:yes 或 no。如果你回答 yes,那么 emacs 返回 Linux 并且不保存你在缓冲区中所做的任何修改。另外,如果你打开了多个缓冲区,那么 emacs 对每个缓冲区都进行提示。

警示:

默认安装的 emacs 在你编辑缓冲区时执行定期的保存操作。emacs 不备份文件的拷贝,虽然在你第一次保存文件时,文件的一个快照被保存在 # filename # 中。当你按<Ctrl-x><Ctrl-c>后,原来的文件就被修改并且无法恢复到原来的状态。因此,你应该在启动编辑会话之前备份自己的 emacs 文件,以确保自动更新不会偶然地重写一个重要文件,使得你无法将文件恢复到原来的样子。

警示:

少用 n 来回答退出但不存盘的提示。当你回答 n 时,自上次存盘到现在对文件所做的所有修改都会丢失。如果你不确定是否放弃你对文件进行的所有修改时,最好将这个文件保存到不同的文件名中。

也许你还没有做完你的 emacs 会话,但此时你确实需要 Linux 执行其他的操作。在这种情况下,你有几种选择:

- ☐ 你可以中止 emacs 并返回 Linux shell。
- ☐ 你可以切换到另一个虚拟终端上。
- ☐ 你可以从 emacs 中发出一个 shell 命令。

中止 emacs 你可以中止 emacs,事实上,通过按<Ctrl-z>你可以中止几乎任何的 Linux 应用程序。这个键击组合将当前的应用程序放入后台并向你提供另一个 shell 提示符。重新激活 emacs 的命令取决与你正在执行的 shell。你可键入命令 **fg**,这个命令的意思是将后台任务带回前台。如果你正在使用的 shell 不懂这个命令,键入 **exit**,这个命令重新激活 emacs,且你的所有文件和缓冲区都仍然完好无损。

在 emacs 和其他虚拟终端之间切换 Linux 向用户提供六个虚拟终端;因此,你有六个不同的会话过程。当你处于 emacs 中时,你可以按<Ctrl-Alt-Fx>以激活另一个虚拟终端,这里 Fx 是键盘功能键 F1 到 F6 中的一个键。如果你还没有登录到那个虚拟终端上的一个会话过程中,那么你必须这样做,就像你第一次引导 Linux 那样。这时你有了一个完全活动的 Linux 的会话过程。要想切换回 emacs,只要重复按 < Ctrl-Alt-Fx > 的过程。如果你忘记了哪个会话正在运行 emacs,那么你可以按下 < Ctrl-Alt > 并一个接一个地按每个功能键以循环经过每个虚拟终端。

参见 5.2"管理用户"。

你也可用 ps 命令来显示所有活动的进程,如清单 20.1 所示。ps -guax 命令的输出指出现在正在执行的每个进程是在哪个终端上。

清单 20.1 ps 命令的输出

USER	PID	%CPU	%MEM	SIZE	RSS	TTY	STAT	START	TIME	COMMAND
root	1	0.5	3.1	44	208	?	S	20:48	0:00	init
root	6	0.0	1.8	24	124	?	S	20:48	0:00	bdflush(daemon)
root	7	0.0	1.9	24	128	?	S	20:48	0:00	update(bdflush)
root	23	0.0	2.9	56	200	?	S	20:48	0:00	/usr/sbin/crond -l10
root	36	0.6	3.5	65	240	?	S	20:48	0:00	/usr/sbin/syslogd
root	38	0.1	2.9	36	200	?	S	20:48	0:00	/usr/sbin/klogd
root	40	0.3	3.2	68	216	?	S	20:48	0:00	/usr/sbin/inetd
root	42	0.1	3.0	64	204	?	S	20:48	0:00	/usr/sbin/lpd
root	47	0.1	6.0	259	404	?	S	20:48	0:00	sendmail; accepting c
root	51	0.1	2.0	32	140	?	S	20:48	0:00	selection -t ms
root	52	1.5	7.2	376	484	v01	S	20:48	0:00	-bash
root	53	0.3	3.4	88	232	v02	S	20:48	0:00	/sbin/getty tty2 3840
root	54	0.3	3.4	88	232	v03	S	20:48	0:00	/sbin/getty tty3 3840
root	55	0.2	3.4	88	232	v04	S	20:48	0:00	/sbin/getty tty4 3840
root	56	0.3	3.4	88	232	v05	S	20:48	0:00	/sbin/getty tty5 3840
root	57	0.3	3.4	88	232	v06	S	20:48	0:00	/sbin/getty tty6 3840
root	67	0.0	3.5	80	240	v01	R	20:49	0:00	ps -guax

然后,你可以用 TTY 的值(从 v01 到 v06)来找到正确的虚拟终端。例如,如果 ps 命令指示 emacs 现在正在 tty v01 和 tty v02 上操作,那么你按 < Alt-Fl > 或 < Alt-F2 > 以返回合适的 emacs 会话。

从 emacs 中访问 Linux 命令 有时你所需要做的事只是一个快速检查,以看看一个文件是否存在或者执行一些其他的快速 Linux 命令;你不需要完整的 shell 会话来执行这个操作。在这种情况下,你可从 emacs 中执行 shell 命令。要在 emacs 中执行 shell 命令,按 < Ctrl-u > < Esc > < ! >。你被将提示输入一个 shell 命令。输入命令并按 < Return >。emacs 将命令传递给 Linux shell,然后 Linux shell 执行这个命令。

如果你没有按 < Ctrl-u >,那么 emacs 把输出放入一个称为 * Shell Command Output(shell 命令输出) * 的缓冲区/窗口。在本章后面我们将对窗口作更多的介绍,但窗口基本上都允许你同时看见多个缓冲区。emacs 提供在窗口间移动和删除窗口(不删除它们对应的缓冲区)的各种命令。要删除输出窗口,按 < Ctrl-x > < 1 >。

20.2.5 取消命令

在 emacs 中,只要你还没有把对缓冲区的最近操作和修改保存到磁盘文件中,你就可以"取消"它们。要做取消操作可按 < Ctrl-x > < u >。通过重复使用这个命令,可以取消对缓冲区的修改。

注释:

emacs 首先把"取消"了的内容记录在内存缓冲区中,然后记录在一个文件中,因此理论上,你可取消你对缓冲区所做的每一次修改直到占满了你的磁盘空间。但实际上,你将发现取消命令只对最近的几个命令或最近你所做的编辑工作有用。

你虽然能用取消命令取消写入缓冲区的操作,但你不能用取消命令取消写入文件的操作。

如果你想从磁盘上再次读出文件(这样就覆盖了当前缓冲区中的修改),你可以按 < Ctrl-x > < Ctrl-r >。这个命令将指定的文件读入当前的缓冲区,删除当前缓冲区以前的内容。因此,如果你指定相同的文件名,那么 emacs 用磁盘上这个文件的内容替换当前的缓冲区。这是一个不用退出并重新启动 emacs 就能取消许多修改的快速方法。

但是如果 emacs 已自动保存这个文件或者你已经把不想要的修改保存到这个文件中了,怎么办呢? emacs 在你第一次保存一个文件时创建一个备份文件,但在你保存它之前是不创建备份文件的。备份文件名与原文件名相同,只是在文件名的头和尾放一个 # 字符。因此,如果文件名为 emacs-prtc.1,那么备份文件名就是 # emacs-prtc.1 #。如果你意外地用不想要的改变内容重写了当前文件,那么也许你能用备份文件重新恢复。

20.3 写文件和保存缓冲区

你已经看到如何将缓冲区写入文件并退出 emacs。但是,有时要将缓冲区保存到文件中却不退出 emacs。在编辑会话期间应该定期保存文件。如果系统由于系统故障或电源断电而关闭,那么你可能丢失近期内没有存盘的工作内容。要保存缓冲区,按 < Ctrl-x > < Ctrl-s >。

如果你启动 emacs 时没有指定一个文件名,那么如果你要将文件保存到磁盘上就必须提供一个文件名。在这种情况下,按 < Ctrl-x > < Ctrl-s >,输入文件名,然后按 < Return >。

也许你想将缓冲区保存到一个与你最初启动 emacs 的文件不同的新文件中。例如,用文件 emacs-pract.1 启动 emacs,对这个文件做了些修改,并想将这些修改保存到一个新文件中而不失去原来的 emacs-pract.1 文件,那么你要用新文件名来保存文件,按 < Ctrl-x > < Ctrl-w >。emacs 提示你输入文件名。随后缓冲区被写入命名的文件中。如果命令成功,那么你就能看到这个文件名。

如果你指定一个已存在的文件名,那么在小缓冲区中会显示一个信息,询问你是否要重写这个文件。只需恰当地回答这个问题就行了。

20.3.1　使用文件

如果你想装载另一个要编辑的文件,那么 emacs 允许你将一个新文件装载到当前缓冲区中或将一个文件装载到一个新缓冲区中,而留下当前的缓冲区不用。emacs 还允许你将一个文件的内容插入当前缓冲区中。

要用另一个文件的内容替换当前缓冲区,按 < Ctrl-x > < Ctrl-v > 。emacs 在小缓冲区中提示要输入一个文件名。如果没有记住完整的文件名或如果文件名太长,那么可使用 emacs 的补全选项。当 emacs 提示要输入文件名时,可以只键入文件名的前几个字母,然后按 < Tab > 键。这时 emacs 就扩展该文件名以匹配包含这几个字符的任何文件。如果与之匹配的文件不止一个,那么 emacs 就显示一个窗口,该窗口包含与你输入的字符匹配的所有文件,并且 emacs 允许你从中选择一个文件。

要想将文件恢复到新缓冲区中,按 < Ctrl-x > < Ctrl-f > 。在小缓冲区的提示符旁输入这个文件名。emacs 通常以这个文件名来命名这个缓冲区,但是你也可以通过按 < Esc > < x > 来改变缓冲区名,为缓冲区输入新名字,并按 < Return > 。模式行会显示这个新名字。

要把一个文件插入到当前缓冲区中,只需将光标移到要插入这个文件的位置上,然后按 < Ctrl-x > < i > 。

20.3.2　定位光标

当你编辑文本时,你需要将光标定位到你想要插入附加的文本、删除文本、改正错误、修改单词或在已存在的文本末尾添加文本的位置上。你输入的这个命令称为光标定位命令。

箭头键　你可以在许多(但不是所有)系统上用箭头键来定位光标。很容易看到箭头键是否工作:用一个已存在的文件启动 emacs 并看看箭头键有什么效果。也许你还能使用 < Page Up > 和 < Page Down > 键。

输入下面的命令来建立一个名为 emacs-pract.3 的新文件,它包括/usr 目录中的文件和目录的列表。你可以用这个文件来体验光标定位命令。

ls /usr > emacs-pract.3

如果你用 < Ctrl-u > < Esc > < ! > 命令序列建立这个文件,你将看到下面的信息:

Shell command completed with no output(完成 Shell 命令但没有输出)

注释:

不用担心这个信息,它不意味着有问题。因为标准输出被重定向到这个文件中,因此 emacs 没有得到送到缓冲区中的输出。

当建立了这个文件后,用 emacs-pract.3 文件启动 emacs(键入 **emacs emacs-pract.3** 并按 < Return >)。现在试着用箭头键及 < Page Up > 和 < Page Down > 键(如果键盘上有这两个键的话)在正在编辑的缓冲区中移动。如果这些键工作,你就可以用这些键定位光标。

可能会出现这样一种现象:虽然显示光标定位键在工作,但它们正将奇怪的字符带进这个文件中。这些字符是计算机用于表示各种键的代码,而不是表示这些字符本身。如果你看到这些字符,你必须用不同的键盘命令来定位光标而不是用这些键盘键。

提示：

要清除屏幕上 emacs 中的假的或不正常的字符,按 < Ctrl-l >。

其他移动光标键　在 emacs 中,你可用其他方法定位光标而不用箭头键。你应该熟悉这些键以防你不能或不想使用箭头键。本节还介绍一些比使用箭头键更有效的定位光标的方法。

当 1975 年开发 emacs 时,许多终端还没有箭头键,定位光标采用了另一些键,现在这些键仍然用于定位光标。做一些练习以适应这些键。有经验的 emacs 用户更喜欢使用这些键而不用箭头键。下面是其他一些移动光标的键:

□ 按 < Ctrl-f > 将光标向右(向前)移动一个位置。

□ 按 < Ctrl-b > 将光标向左(向后)移动一个位置。

□ 按 < Ctrl-n > 将光标移动到下一行当前位置上。

□ 按 < Ctrl-p > 将光标移动到上一行的当前位置上。

□ 按 < Ctrl-a > 将光标移动到行首。

□ 按 < Ctrl-e > 将光标移动到行尾。

一些 emacs 命令允许你相对于行上的字来定位光标。字定义为一个字符序列,这个字符序列用空格或常用的标点符号分隔,这些常用的标点符号包括句号、问号、逗号和连字符。这些命令如下所示:

□ 按 < Esc > < f > 将光标向前移动一个字。

□ 按 < Esc > < b > 将光标向后移动一个字。

下面的例子展示了这些操作中的某些操作。通过键入 emacs emacs-pract.1 并按 < Return > 来启动 emacs 和打开 emacs-pract.1 文件。现在用前面讲述的任何光标定位命令来将光标(用下划线表示)移动到这个文件第三行的字 data 中的 t 上。第三行看上去是这样的:

b. Sort sales data and print the results.

要将光标移动到下一个字的开始处,按 < Esc > < f > ;光标定位在这一句的字 and 的 a 下。按 < Esc > < f > 将光标移到 print 中的 p 下。要将光标移到字 and 的开始处,按 < Esc > < b >;光标又再次定位在 and 的 a 下。

大范围移动键　如果你想一次移动一屏,那么你可以使用滚动文件命令(用这些键比按 < Page Down > 更有效)。命令 < Ctrl-x > <] > 向前移动一页。下面是滚动文件的键击:

□ 按 < Ctrl-v > 向前移动一屏。

□ 按 < Esc > < v > 向后移动一屏。

□ 按 < Ctrl-x > <] > 向前移动一页。

□ 按 < Ctrl-x > < [> 向后移动一页。

要快速移动到文件或缓冲区的最后一行,按 < Esc > < Shift-. >。要移动到文件的第一行,按 < Esc > < Shift-, >。事实上,要把光标移动到缓冲区的指定行,键入命令 goto-line n,在这里 n 是你想要移到的那行的行号。要想将光标移到文件的第 35 行(如果有 35 行的话),按 < Esc >,输入 goto-line 35,并按 < Return >。

通过按 < Esc-n >,你可以重复你想要输入的任何命令,在这里,n 是你要重复这个命令的次数。

花一些时间用最近几节中介绍的命令来练习如何定位光标。

20.3.3　添加文本

要将文本添加到正在编辑的缓冲区,你必须将光标定位在你想要开始输入文本的位置,这时你键入的任何普通文本字符都被添加到缓冲区中。如果你按 < Return > ,那么 emacs 在缓冲区中"打开"或添加一行。在你开始添加文本之前,首先将光标定位在你想要添加文本的位置。然后你才键入文本。

要在当前行下面添加一行文本,可以使用命令 < Ctrl-o > 。这个命令"打开"缓冲区中的一行并允许你添加文本。下面例子将一行文本添加到某些已存在的文本中。

添加前:

All jobs complete

please call

if you have any questions.

光标在第二行上。按 < Ctrl-o > 在这一行的下面添加一行或几行文本。键入:

Lee Nashua

555-1837

添加后:

All jobs complete

please call

Lee Nashua

555-1837

if you have any questions.

虽然你只添加了两行,但你可以通过在每行末尾按 < Return > 来添加更多的行。当然,你也可以根本不按 < Return > 而只添加一行。

20.3.4　删除文本

改正和修改文件可能涉及删除文本。使用 emacs,你可以删除一个字符、一个字、许多连续的字、从光标到行尾的所有文本或一整行。因为 emacs 与 vi 一样是可视编辑程序,所以当你删除字符、字或行时,你会看到它们从屏幕上消失了。

表 20.1 列出了删除命令并说明了它们的作用。它们都从当前的光标位置处产生作用。把光标移到你想要修改的字符、字或行上,然后发出所需的删除命令。使用这些命令进行练习以看看这些命令的效果。你将发现它们对于改正文件是很有用的。

表 20.1　删除文本的命令

键击	作用
< Ctrl-d >	删除光标处的字符
< Esc > < d >	删除光标处的字
< Ctrl-k >	删除从光标处到行尾之间的内容

键击	作用
< Esc > < k >	删除光标处的句子
< Ctrl-w >	删除一个标记区域(参见后面的表 20.4 中的"标记文本"中用于标记一个区域的命令)

如果你使用 < Ctrl-k > 命令,那么被删除的信息不放到位存储桶中去。被删除的这些字符被添加到撤消缓冲区中,任何时候你都可以使用 < Ctrl-y > 命令把它们拉出来。

20.3.5　查找和替换文本

通过自己一行行地读文件来查找文件中的一个字、一个短语或一个数字是很困难的。与大多数编辑程序和字处理程序一样,emacs 有一个命令,这个命令允许你查找字符串,并且如果你愿意,还可以用其他字符来替换查找到的字符串。你可以从缓冲区中的当前位置向前或向后查找。你还可以连续查找。当 emacs 到达文件尾时,它又从缓冲区文件头开始查找,反过来也一样。表 20.2 总结了查找命令。在每种情况中,emacs 按你指定的方向查找你指定的字符串,并将光标定位于这个字符串的开始处。

表 20.2　查找和替换命令

命令	作用
< Ctrl-s >	从光标处向前查找
< Ctrl-r >	从光标处反向查找
< Ctrl-x > < s >	重复向前查找
< Ctrl-x > < r >	反方向重复查找
< Esc > < r >	用第二次在小缓冲区中键入的字符串(每个字符串以 < Esc > 结尾)替换第一次在小缓冲区键入的字符串的所有实例
< Esc > < Ctrl-r query >	在执行替换之前,在小缓冲区中用如下键作回答: . < Ctrl-g > :取消操作 . < ! > :替换剩余的 . < ? > :得到一个选项列表 . < . > :替换并退出到启动命令的地方 . < , > :不用询问就替换剩余的 . < y > 或空格键:替换并继续替换操作 . < n > :不替换但继续进行操作

查找　当你键入查找命令时,这个命令出现在小缓冲区中。要向前查找文件中的字符串 sales ＞ 100K,使用:

　　< Ctrl-s > sales ＞100K

这个命令启动一个增量查找,它在整个缓冲区中进行查找。注意,当你键入要查找的字符串时,emacs 将光标定位在这个字符序列上。如果 emacs 找不到这个文本,那么就出现 search failed(查找失败)的信息。如果这个字符串在缓冲区中,那么 emacs 将光标定位在字 sales 的第一个 s 下。当你找到了第一个匹配字符串时,你必须按 < Esc > 键以停止查找;否则,当你输入其他文本时,emacs 会继续查找与之匹配的一个字符串。emacs 把这些查找类型称为增量查找;

当你输入要查找的字符串时,emacs 就开始查找。

　　如果你把 < Esc > 键放在要查找的字符串开始处并在这个字符串尾按 < Return > 键,那么 emacs 也可以执行非增量查找,如下面所示:

　　< Ctrl-s > < Esc > sales > 100K

　　如果你正在查找一个大文件,并且发现输入了错误的要查找的字符串,那么 emacs 查找整个文件。要停止查找,按 < Ctrl-g >。

发现并处理问题:

　　"我键入了一个在文件中存在的字符串,但 emacs 却找不到它。" 最可能引起这个错误的原因是你未正确地键入了这个字符串。emacs(和一般的计算机)对思考工作不在行,emacs 很难判断你输入的内容的真正含义。如果你正在查找字符串 vegi-burger,但你却键入了 vigi-burger,那么 emacs 就不能找到你想要的字符串(除非你碰巧拼错了缓冲区中的 vegi-burger 而它又正好与要查找的字符串匹配)。在按 < Return > 前,请仔细检查要查找的字符串。

　　替换 虽然查找文本可以帮助你找到一个特殊字或文本的一部分,但是很多时候你还想替换查找到的文本。一个例子是:如果你发现了一个拼写错误,那么你会想在整个缓冲区中改正这个错误,而不是一次只改一个错。例如,要用 mistake 替换出现在每个地方的单词 misstake。emacs 提示你输入要替换的字符串,输入 **misstake**。emacs 对整个文件查找字符串 misstake,并用 mistake 替换 misstake。emacs 还试图尽可能地匹配大写字母。因此,如果 misstake 以 Misstake 的形式出现,那么 emacs 用 Mistake 来替换它。

　　也许你不想用替换字符串替换每个匹配的字符串,在这种情况下,你可以指示 emacs 在替换字符串前先询问。要使 emacs 先询问再替换,按 < Esc > < Ctrl-r >。

　　例如,如果你想要有选择地替换操作系统的名字(用 Linux 的前身 UNIX 替换 Linux),那么按 < Esc > < Ctrl-r >。emacs 在小缓冲区用 Query repalce:来响应。输入要替换的字符串 UNIX。emacs 开始查找并在状态行中显示 Query replacing Linux with UNIX。如果你想要终止查找和替换操作,按 < Ctrl-g >。

　　当 emacs 找到一个出现 Linux 的地方,它就停下来并提示你进行一个操作。你可能的回答有如下几种:

键击	作用
< Ctrl-g >	取消操作
< ! >	不用提示就替换剩余部分
< ? >	得到一个选项列表
< . >	替换当前的句子并退出
< y > 或空格键	替换当前的句子但不移动到下一个句子中
< n >	不替换但继续替换操作

　　修改文本 另一个你要经常面对的编辑任务是修改文本或用一个文本字符串替换另一个文本字符串(这两种操作没有很大差别)。你用替换命令来替换单个字符或字符序列。你还可以用修改命令来改正一个最常见的输入错误(即调换了两个字母)。表 20.3 总结了修改命令。

表 20.3 修改命令

键击	作用
<Ctrl-t>	调换两个相邻的字母
<Esc><t>	调换两个字
<Ctrl-x><Ctrl-t>	调换两行
<Esc><c>	正确大写这个字(字首大写)
<Esc><l>	小写整个字
<Esc><u>	大写整个字

这种修改发生在光标位置左右。在使用这些命令前,将光标定位到缓冲区文件中想修改的位置上。

20.3.6 拷贝、剪切和粘贴

当你删除或剪切字符、字、行或行的一部分时,删除对象被保存到称为"撤消缓冲区"的地方。这个名字并不重要,重要的是你可以将该缓冲区的内容放到或粘贴到你正在编辑的文本的任何地方。用<Ctrl-y>(拉出命令)来做这种操作。<Ctrl-y>把这个对象粘贴到光标位置的右边或后面。

下面是一个使用<Ctrl-y>将撤消缓冲区的内容粘贴到光标后的例子:

粘贴前:

Carefully carry these out instructions.

按<Esc-d>删除字 out 和一个空格。移动光标到字 carry 的 y 后面的空格处并按<Ctrl-y>。

粘贴后:

Carefully carry out these instructions.

要将连续的四行拷贝到这个文本的另一部分中去,你必须首先标记这四行文本,删除它们以把它们放到撤消缓冲区中,然后将它们拉出放回到恰当的位置上。按照如下步骤:

1. 将光标定位在这四行中的第一行的行首。
2. 按<Ctrl-Space bar>来设置标记。
3. 移动光标到第四行的行尾。这样就建立了 emacs 的一个区域。
4. 按<Ctrl-w>删除文本。
5. 因为你想拷贝这些行,所以你必须替换要删除的文本。用<Ctrl-y>命令来做这件事。
6. 移动光标到缓冲区中你想要拷贝这个文本的那个位置上。
7. 按<Ctrl-y>把被拉出的四行粘贴在光标所在行的下面。

发现并处理问题:

"我删除已标记的区域,但我标记的区域却没有被删除。"可惜,Linux 提供的 GNU emacs 不显示指示标记的标记符,所以很容易忘掉已设置的标记符或很容易将标记符放在不恰当的位置。要检查标记符的位置,用命令<Ctrl-x><Ctrl-x>。本命令交换标记符和光标的位置。如果光标移到了你认为有标记符的地方,那么你就知道已恰当地设置了标记。要将光标移回以前的位置,只需重新发出命令<Ctrl-x><Ctrl-x>来把它们交换回来。

20.4 基本命令总结

表 20.4 给出了 emacs 提供的主要命令的简表。< Esc > < c > 表示按下和释放元键(通常在 PC 键盘上是 < Esc > 键,虽然在有些键盘上你可以使用 < Alt > 键,然后按下 < c > 键)。< Ctrl-c > 指同时按下 < Ctrl > 键和 < c > 键。记住,在任何时候按 < Ctrl-g > 都停止执行当前的命令。

表 20.4 基本 emacs 命令

键序列	描述
保存到磁盘上	
< Ctrl-x > < Ctrl-s >	把当前缓冲区保存到磁盘中
< Ctrl-x > < Ctrl-w >	把当前缓冲区写入磁盘中,询问一个新文件名
< Ctrl-x > < n >	改变当前缓冲区的文件名
< Esc > < z >	把缓冲区的所有修改写入磁盘并退出 emacs
从磁盘上读取	
< Ctrl-x > < Ctrl-f >	找到文件,把文件读入一个由这个文件名建立的新缓冲区中
< Ctrl-x > < Ctrl-r >	把文件读入当前缓冲区中,删除缓冲区以前的内容
< Ctrl-x > < Ctrl-i >	把文件插入到当前缓冲区的光标处
移动光标	
< Ctrl-f >	把光标向前移动一个字符
< Ctrl-b >	把光标向后移动一个字符
< Ctrl-a >	把光标移到当前行的行首
< Ctrl-e >	把光标移到当前行的行尾
< Ctrl-n >	把光标移到下一行
< Ctrl-p >	把光标移到上一行
< Esc > < f >	把光标向前移动一个字
< Esc > < b >	把光标向后移动一个字
< Esc > < a >	光标移到某行
< Esc > < Shift-. >	把光标移到缓冲区的开始处
< Esc > < Shift-, >	把光标移到缓冲区的结束处
删除和插入	
< Ctrl-d >	删除下一个字符
< Ctrl-c >	插入一个空格
删除和插入	
< Esc > < d >	删除下一个字
< Ctrl-k >	删除从光标处到当前行行尾之间的内容
< Return >	插入一个新行
< Ctrl-j >	插入一个新行并缩排
< Ctrl-o >	打开一个新行
< Ctrl-w >	删除标记和光标之间的区域

续表

键序列	描述
< Esc > < w >	把区域拷贝到撤消缓冲区中
< Ctrl-x > < Ctrl-o >	删除光标周围的那些行
查找和替换	
< Ctrl-s >	从光标处向前查找
< Ctrl-r >	从光标处反向查找
< Ctrl-x > < s >	重复向前查找
< Ctrl-x > < r >	反方向重复查找
< Esc > < r >	用第二次在小缓冲区中键入的字符串(每个字符串以 < Esc > 结尾)替换第一次在小缓冲区键入的字符串的所有实例
< Esc > < Ctrl-r >	在执行替换之前进行询问,在小缓冲区中用如下键作回答: . < Ctrl-g > :取消操作 . < ! > :替换剩余的 . < ? > :得到一个选项列表 . < . > :退到启动命令的地方 . < y > 或空格键:替换并继续替换操作 . < n > :不替换但继续进行替换操作
标记文本	
< Ctrl > < space bar >	在当前光标处设置标记
< Ctrl-x > < Ctrl-x >	交换标记和光标
< Ctrl-w >	删除标记了的区域
< Esc-w >	把标记了的区域拷贝到撤消缓冲区中
< Ctrl-y >	在当前光标处插入撤消缓冲区的内容
缓冲区	
< Ctrl-x > < b >	切换到另一个缓冲区
< Ctrl-x > < x >	切换到缓冲区列表中的下一个缓冲区
< Esc > < Ctrl-n >	改变当前缓冲区的名字
< Ctrl-x > < k >	删除一个非显示的缓冲区

20.5 定制 *emacs*

通过把定制函数放在名为 .emacs 的文件中,你可以定制你的 emacs 版本。这个文件必须驻留在你的起始目录中。这个文件含有用 emacs LISP 编写的函数,用这些函数你可以使 emacs 成为你喜欢的样子。下面是一个 LISP 函数的例子:

(keyboard-translate ? \ C-h ? \ C-?)

如果你的终端把 < Backspace > 解释为 < Ctrl-h > 字符,那么这个函数是有用的。默认时这些字符是用于从 emacs 中调出帮助的键序列。通过指定一个新函数并把这个函数与一个键捆在一起,你可以定制 emacs 如何响应这些键序列。

在上面这个例子中,? \ C-h 表示按下 < Ctrl-h > 。? \ C-? 表示 < Delete > 键。在几乎所有

· 357 ·

的 ASCII 键盘上,这两个键都表示相同的 ASCII 值,即 8。当你把这个函数行输入到你的 .emacs 文件中并保存这个文件之后,在你下一次激活 emacs 时,你就可以用 < Backspace > 键来删除字符。

当然,这也意味着你将不再能从键盘上访问帮助。为了缓和这个矛盾,你可将帮助函数与一个新序列对应,就像对删除函数所做的那样。只需将下面这一行放入你的 .emacs 文件,指定你选择的键是 key:

(keyboard-translate ? \ C-key ? \ C-h)

20.6　从这里开始

你可在下面几章中找到有关另一个编辑程序和有关 Linux 文件系统的更多的信息:

□ 第十一章"备份数据"介绍如何恰当地备份文本文件以避免它们被意外地删除。

□ 第十五章"了解文件和目录系统"讨论文件和目录的基础知识。当你使用 emacs 或任何其他的编辑程序时,你都应该对文件系统有一个基本的了解。虽然编辑程序建立和修改文件,但命名这些文件和把这些文件放在适当的目录中却是你的工作。

□ 第十九章"使用 vi 编辑程序"讨论这个流行的编辑程序的基本使用方法。vi 很重要,因为在所有的 Linux/UNIX 系统上都可找到它。如果你知道如何使用 vi,那么你就应该能够编辑在任何系统上的文件。系统管理员还使用 vi 做许多系统管理工作。

□ 第二十一章"打印"介绍如何在 Linux 下打印文本文件。在 Linux 下打印文件是有技巧的,该章帮助你准备打印系统。

第二十一章 打　　印

本章内容

☐ 配置打印机

与 Windows 95 和 OS/2 那样的操作系统相比,Linux 所要求的配置要多一点。为了正确地打印文件,Linux 需要一系列的目录和配置文件。打印守护程序(lp)使用这些配置文件和目录来打印文件。

☐ 把文件发送给打印机

打印文件的命令看上去很简单,但在简单的命令行背后是每个 Linux 用户都可以使用的强大的打印系统。

☐ 检查打印机状态

因为 Linux 对打印的文件进行假脱机处理,所以你可能要检查你的打印作业的状态,尤其当发生错误时。

☐ 取消打印作业

有时用户很匆忙,在不知道文件包含多少页时就打印文件。如果你错误地打印了一个文件,那么你需要知道如何取消这个打印作业。

☐ 发现并处理问题

在 Linux 下,必须具备多个不同的条件才能打印文件。如果其中有一个条件不具备(例如,一个配置文件没有放在正确的目录中或具有不正确的文件权限),那么就会出问题。

虽然大家都认为计算机革命将带来无纸办公,但是,目前并没有这样。今天,纸的用量比 20 年前的用量还要多。当 UNIX 操作系统还处于孩提时期时,贝尔实验室就用它产生和打印技术文档了。结果 UNIX(因此 Linux)有了大量的实用程序,这些程序是围绕打印(或至少对打印的数据进行格式编排)而设计的。本章重点介绍实际打印文件的机制。

UNIX/Linux 的通用打印系统被称为 lpr 系统。

21.1　在 Linux 下选取打印机进行工作

如果你可以在 MS-DOS 中使用打印机,那么你就应该能够在 Linux 中将 ASCII 字符打印到打印机上。唯一的缺点是在 Linux 中你也许不能使用打印机的某些特性。其主要的原因之一是在 Linux 下,系统首先把要打印的文件送入另一个文件中。因为打印机是较慢的外围设备,而系统不想只为打印文件而使会话过程慢下来,所以 Linux 将文件送到暂存区,这个过程称为假脱机,而打印机就称为假脱机设备。当你打印 Linux 中的一个文件时,文件不直接送到打印机,取而代之的是,它进入一个队列以等待轮到打印它。如果你的文件是队列中的第一个文件,那么它几乎立即被打印。

注释：

Spool(假脱机)是 Simultaneous Peripheral Operation Off Line(同时的、脱机的外围设备操作)的缩写。这个术语是在 IBM 大型主机的早期创造的，那时用脱离主机的较小的计算机来打印报告。这种技术允许昂贵的主机继续它们的任务而不用把时间浪费在打印之类的日常事务上。

因为 Linux 继承了 UNIX 的大量功能，所以 Linux 支持许多类型的打印机，如表 21.1 所示。表中列出的这些打印机不是 Linux 支持的所有打印机，因此如果你可在 DOS 中使用打印机(如前面提到的)，那么你就应该能够在 Linux 中使用打印机。

表 21.1　Linux 支持的打印机

Linux 设备名	描述
appledmp	苹果点阵打印机(ImageWriter)
bj10e	佳能 BubbleJet BJ10e
bj200	佳能 BubbleJet BJ200
cdeskjet	惠普 DeskJet 500C，每象素 1 位颜色
cdjcolor	惠普 DeskJet 500C，每象素 24 位颜色和高质量颜色(Floyd-Steinberg)抖动
cdjmono	惠普 DeskJet 500C，只打印黑色
cdj500	惠普 DeskJet 500C(同 cdjcolor)
cdj550	惠普 DeskJet 550C
declj250	交替 DEC LJ250 驱动器
deskjet	惠普 DeskJet 和 DeskJet Plus
dfaxhigh	DigiBoard 公司的 DigiFAX software format
dfaxlow	DigiFAX 低(标准)分辨率
djet500	惠普 DeskJet500
djet500c	惠普 DeskJet500C(同 cdjcolor)
epson	Epson 兼容的点阵打印机(9 或 24 针)
eps9high	Epson 兼容的 9 针交叉行打印机
epsonc	Epson LQ-2550 和富士通 3400/2400/1200 彩色打印机
escp2	Epson ESC/P 2 语言打印机，包括 Stylus 800
ibmpro	IBM 9 针 Proprinter
jetp3852	IBM Jetprinter 喷墨彩色打印机(型号 # 3852)
laserjet	惠普 LaserJet
la50	DEC LA50 打印机
la75	DEC LA75 打印机
lbp8	佳能 LBP - 8II 激光打印机
ln03	DEC LN03 打印机
lj250	DEC LJ250 Companion 彩色打印机

Linux 设备名	描述
ljet2p	带 TIFF 压缩的惠普 LaserJet IId/IIp/III
ljet3	带 Delta Row 压缩的惠普 LaserJet III
ljet4	惠普 LaserJet 4（默认值是 600pdi）
ljetplus	惠普 LaserJet Plus
m8510	C. Itoh M8510 打印机
necp6	360×360 DPI 分辨率的 NEC P6/P6＋/P60 打印机
nwp533	索尼微系统 NWP533 激光打印机（只用于索尼）
oki182	okidata MicroLine 182
paintjet	惠普 PaintJet 彩色打印机
pj	交替 PaintJet XL 驱动器
pjxl	惠普 PaintJet XL 彩色打印机
pjxl300	惠普 PaintJet XL300 彩色打印机
r4081	Ricoh 4081 激光打印机
sparc	SPARC 打印机
t4693d2	Tektronix 4693d 彩色打印机，每种 R/G/B(红、绿、兰)色度成份占 2 位
t4693d4	Tektronix 4693d 彩色打印机，每种 R/G/B(红、绿、兰)色度成份占 4 位
t4693d8	Tektronix 4693d 彩色打印机，每种 R/G/B(红、绿、兰)色度成份占 8 位
tek4696	Tektronix 4695/4696 喷墨绘图仪

注释：

表 21.1 和以下各节是根据 Grant Taylor 和 Brian McCauley 的 1994-1996 年版的"Linux Printing HOWTO"文档改编的。

参见附录 A2"Linux HOWTO"。
参见附录 B3"HOWTO 索引"。

21.2　配置打印机的基本知识

本章假设你知道如何在 Linux 下编辑文件，并且对文件所有权和权限有一个基本的了解。还假设你已经正确启动和运行了 Linux 系统。在特殊情况下，如果使用远程打印，那么必须安装网络子系统并正确地操作它。查看 chmod 和 chown 命令的联机帮助以得到进一步的信息。因为当你配置打印机时，你需要编辑几个文件，所以你还应该复习第十九章和第二十章关于使用 vi 和 emacs 编辑程序的内容。

21.3　如何在 Linux 下进行打印工作

在 UNIX 下(在此为 Linux 下)最简单的打印方法是把要打印的数据直接送入打印机设备。

下面的命令把一个目录列表送到第一台并行打印机中（用 DOS 的术语叫做 LPT1）：

ls > /dev/lp0

这种方法没有利用 Linux 的多任务能力，因为完成这个命令所占用的时间与打印机实际打印数据所占用的时间一样长。在慢速打印机上或者在未选择或未连接的打印机上，打印过程可能很长。较好的方法是缓冲打印数据，也就是把要打印的数据收集到一个文件中，然后启动一个后台进程来把这些数据送入打印机。

将随后要打印的文件进行假脱机处理，这是 Linux 的工作方式。对每台打印机，都定义了一个打印缓冲区。把要打印的数据收集到打印缓冲区内，一个打印作业是一个文件。后台进程（称为打印机守护程序）经常扫描打印缓冲区以查看有无要打印的新文件。如果有一个文件，那么就把数据送到适当的打印机（称为脱离假脱机状态）。当有一个以上的文件等待打印时，就按完成文件的顺序进行打印：先进先出。因此，打印缓冲区是一个有效的队列，并且经常把等待的作业称为在打印队列中的作业。在远程打印的情况下，数据首先与其他打印作业一样在本地进行假脱机处理，然后后台进程把这些数据送到特定的远程机器上的特定打印机中。

打印机守护程序进行工作所需的必要信息是：所要使用的实际设备、要查看的打印缓冲区、用于远程打印的远程机器和打印机等等，这些信息都存储于一个名为/etc/printcap 的文件中。这个文件的细节将在以后的"了解/etc/printcap 文件"一节中讨论。

术语"打印机"指在/etc/printcap 文件中指定的打印机。术语"实际打印机"指实际在纸上打印字符的设备。可能在/etc/printcap 中有多个条目，它们都描述一个实际打印机但做法不同。如果你对这些还不太明白，请看/etc/printcap 一节。

21.4 了解用于打印的重要程序

UNIX 的打印系统由五个程序组成。它们应该在表 21.2 所示的位置上，它们为根（root）所拥有，属于守护进程组，并且具有表 21.2 所示的权限。

表 21.2 重要的打印程序

文件权限	文件位置
-rwsr-sr-x	/usr/bin/lpr
-rwsr-sr-x	/usr/bin/lpq
-rwsr-sr-x	/usr/bin/lpc
-rwsr-sr-x	/usr/bin/lprm
-rwsr-s---	/usr/bin/lpd

表 21.2 中前四个文件的权限用于提交、取消和检查打印作业。/usr/sbin/lpd 是打印机守护程序。

注释：

表 21.2 中的位置、拥有权和权限是简化了的，也许对你的系统来说是不对的，因此要注意 lpd 文件和权限。

所有这些命令都有联机帮助，从中你可以找到更多的信息。重要的一点是：默认时，lpr、lprm、lpc 和 lpq 使用名为 lp 的打印机。如果你定义了一个称为 PRINTER 的环境变量，那么就用这个定义了的名字替换 lp。你可以通过在命令行上指定要使用的打印机名字来撤消 lp 和 PRINTER 环境变量。例如：

lpc -PMYPRINTER

21.4.1 *lpd* 守护进程

　　Linux 通过 lpd 守护进程处理所有的打印作业。如果这个进程没在运行，那么不能进行任何打印操作并且要求打印的文件一直保留在它们的打印缓冲区目录中直到启动了 lpd 进程（在后面"了解最重要的目录"一节中介绍了与打印缓冲区目录有关的详细信息）。如果系统在启动时没有装载 lpd，或者如果出于某些原因你必须撤消然后重新启动 lpd 守护进程，那么就用下面的命令启动打印机守护进程：

lpd [*options*]

　　lpd 的联机帮助给出了一个 lpd 的选项列表，但在配置 Linux 打印机时最重要的选项是-l，它建立一个日志文件，这个文件记录对系统的每个打印请求。当你正在调试打印系统时，这个日志文件是很有用的。

21.4.2 *lpr* 命令

　　lpr 命令向打印机提交一个作业，或将打印作业放到队列中。实际发生的事是把你指定的文件拷贝到打印缓冲区目录中。为 Linux 系统指定的每台打印机都必须有它自己的打印缓冲区目录。这个打印缓冲区目录的大小在每个目录中的 minfree 文件中指定。minfree 文件指定保存假脱机文件的磁盘块的数量。这样做就能使 lpd 守护程序在对打印请求进行假脱机处理时不会用完整个硬盘。

　　lpd 找到文件，然后负责将数据送到实际打印机上。如果你没有指定文件，那么 lpr 就使用标准输入。

21.4.3 *lpq* 命令

　　lpq 命令显示给定打印机的打印缓冲区目录的内容。lpq 显示的一条重要信息是作业标识号(ID)，它用于标识一个特定的作业。如果你想取消一个挂起的作业，那么你就必须指定这个标识号。

　　lpq 还用一个值来指示队列中的每个作业的等级（即指出作业在队列中的什么地方）。激活是指文件实际上正在打印（或者至少 lpd 正在试图打印它）。

21.4.4 *lprm* 命令

　　lprm 命令从队列中删除一个作业，即把不打印的文件从打印缓冲区目录中删除。你可以指定一个作业的标识号（用 lpq 命令得到的）或指定 - 作为作业标识号，在后面这种情况下，所有属于你的作业都被取消。

　　如果作为 root 用户发出 lprm，那么打印机的所有作业都被取消。如果你是 root 并想删除属于一个指定用户的所有作业，就要指定这个用户的名字。

21.4.5 *lpc* 命令

lpc 命令使你能检查打印机的状态并控制打印机使用的某些方面。在特殊情况时，lpc 使你能启动和停止打印机的假脱机状态、使打印机能或不能工作、以及重新安排打印队列中作业的顺序。下面的命令禁止在 myprinter 上打印，激活 yourprinter 上的打印队列，并且将 37 号的作业移到这个队列的开始处：

lpc down myprinter

lpc enable yourprinter

lpc topq 37

如果你不带任何命令参数来激活 lpc，那么 lpc 就是交互的，它将提示你要采取什么操作。表 21.3 给出了一些较重要的命令，为了得到完整的指导，请阅读联机帮助。大多数 lpc 命令用打印机的名字(在/etc/printcap 中指定的)作为参数。

表 21.3　一些通用的 lpc 命令

命令	参数	描述
stop	*printer*	停止这台打印机，但打印请求仍存在
start	*printer*	允许这台打印机开始打印以前的要打印的文件和任何要在这台打印机上打印的新文件
exit, quit	(无)	退出 lpc 交换模式
status	*printer*	显示这台打印机的当前状态。status 提供下面这些信息，如：打印队列是否是激活的，这台打印机是否是可用的，现在在队列中正在等待打印的作业数量是多少(如果有作业的话)

注释：

记住，某些 lpc 命令被限于只能由 root(即超级用户)使用。

警示：

在 Linux 下 lpc 目前使用起来还是非常不稳定的。一些用户已报告 lpc 会显示不正确的状态信息，有时甚至会挂起系统。

21.5　了解重要的目录

对打印而言，只有一个重要的目录，就是打印缓冲区目录，要打印的数据在/etc/lpd 打印它之前被聚集到这里。然而，一个系统通常有多个打印缓冲区目录，一台打印机一个打印缓冲区目录，这样比较容易管理打印机。例如，我的系统使用/usr/spool/lpd 作为主打印缓冲区，每个单独的打印机都在主打印缓冲区下有一个与这台打印机同名的目录。因此，名为 ps_nff 的打印机把/usr/spool/lpd/pa_nff 作为它的打印缓冲区目录。

这些打印缓冲区目录应该属于守护程序组，并且用户及组成员可读写它，而其他的人都能读它，也就是说，在你建立了这个目录后，要用 chmod 命令来确保它具有-rwxrwxr-x(0775)的权限。对 myprinter 的目录，相应的命令是：

chmod ug = rwx, o = rx myprinter

chgrp daemon myprinter

参见 15.1.7"文件权限"。

注释：
　　这里给出的位置、拥有权和权限是简化了的，对你的系统而言，它可能是不正确的，所以你应该注意 lpd 文件和权限。

21.6　了解重要的文件

　　除了前面讨论的程序以外，每个打印缓冲区目录中还包含一些具有-rw-rw-r-权限的文件，这些文件是：

☐ /etc/printcap　　这个文件含有系统中每个有名字的打印机的规格。
☐ .seq　　　　　　 这个文件含有 lpr 要分配的作业号计数器。
☐ status　　　　　 这个文件含有由 lpc stat 报告的信息。
☐ lock　　　　　　 lpd 用这个文件防止它自己在同一台打印机上同时打印两个作业。
☐ errs　　　　　　 这个文件记录打印机的出错情况。

　　Linux 的打印并不要求有 errs 文件，但为了使 lpd 能够记录打印机的出错，这个文件则必须存在。只要 errs 文件的名字在/etc/printcap 中已指定，你就可随时调用 errs 文件。errs 文件通常在建立打印缓冲区目录时手工地建立。以后，在"设置一台打印机"一节中还要更详细的讨论它。

　　一个非常重要的文件是/etc/printcap，在下面这一节将详细地描述它。

21.7　了解/etc/printcap 文件

　　/etc/printcap 是一个文本文件，你可以用你喜欢的编辑程序来对它进行编辑。/etc/printcap 应该为 root 用户所拥有，并且具有-rw-r--r--权限。

　　通常，/etc/printcap 的内容很难懂，但是当你知道这个文件是如何工作的时候，它的内容就很容易理解了。导致这个问题有两个方面原因，一方面原因是在某些发布软件中没有关于 printcap 的联机帮助，另一方面原因是大多数 printercap 要么是用程序建立的，要么是由没有考虑其可读性的人们建立的。为了使自己看得明白，最好用大量注释使自己的 printercap 文件尽可能具有逻辑性和可读性。如果你还没有这个文件，那么你可以从 lpd 资源获得联机帮助。

　　一个 printcap 条目描述一台打印机。事实上，printcap 条目为一个实际设备提供一个逻辑名，然后描述应该如何处理送入这个设备的数据。例如，一个 printcap 条目定义：要使用的实际设备是什么、这个设备的数据应该存储在什么打印缓冲区目录中、应该对数据进行什么预处理、实际设备上的错误应该记录在什么地方等等。你可以限制要送入某个作业的数据量，或者把打印机的使用限制到某类用户。下面列出了如何在 printcap 文件中定义一台打印机：

　　# Sample printcap entry with two aliases

myprinter¦laserwriter：\

  # lp is the device to print to - here the first parallel printer.

：lp = /dev/lp0：\

  # sd means spool directory - where print data is collected

：sd = /usr/spool/lpd/myprinter：

可以有多个 printercap 条目，它们定义几种处理数据(这些数据要送到同一台实际打印机)的方法。例如，根据在每个作业前送入实际打印机的某些设置序列的不同，一台实际打印机可能支持 PostScript 数据格式和惠普 LaserJet 数据格式。定义两台打印机是合理的：一台打印机通过预先附加惠普 LaserJet 序列来预处理数据；另一台预先附加 PostScript 序列。产生惠普数据的程序将数据送入 HP 打印机。同时，产生 PostScript 的程序将数据打印到 PostScript 打印机上。

注释：

    如果你没有通过环境变量指定一个默认的打印机或没有在 lpr 命令行上指定一台打印机，那么 Linux 将把打印作业送入 lp 打印机。因此，你应该在 printcap 文件中指定一台打印机作为 lp 打印机。

    在数据送入实际打印机前对它进行修改的程序叫做过滤程序。过滤程序可以根本不把数据送到实际打印机上，也就是说，过滤程序滤掉了一切。

21.7.1 了解/etc/printcap 中的字段

    printcap 文件有太多的字段以至在本章中要完全描述这些字段是不可能的，因此我们只描述最重要的那些字段。/etc/printcap 中所有的字段(除了打印机名字外)都包括在冒号之间并用一个双字母码表示。双字母码后面跟一个取决于字段类型的值。共有三种字段类型：字符串、布尔和数字。表 21.4 给出了最常用和最重要的字段，其后的一节还将更详细地对他们进行介绍。

表 21.4 /etc/printcap 的字段

字段	类型	描述
lp	字符串	指定打印设备，例如，/dev/lp0
sd	字符串	指定这台打印机的打印缓冲区目录的名字
lf	字符串	指定记录这台打印机上错误的文件
if	字符串	指定输入过滤程序的名字
rm	字符串	指定远程打印主机的名字
rp	字符串	指定远程打印机的名字
sh	布尔	指定这个字段就禁止打印标题(扉页)
sf	布尔	指定这个字段就禁止在作业结束时进纸
mx	数字	指定允许的最大打印作业的值(以块为单位)

    lp 字段 如果你指定/dev/null 为打印设备，那么其他所有进程都可以正确执行，但最后的打印数据会丢弃，即不能打印出来。除非要检查打印机配置或使用了怪异的打印机，否则丢弃打印结果很少使用。当你正在建立一个远程打印机时(即你已经指定了 rm 和 rp 字段)，指定：lp = ：。

除非你正在使用一个远程打印机,否则不要使这个字段空白。如果你没有指定打印设备,那么打印机守护程序就会抱怨。

lf 字段　你指定的文件都应该是已存在的,否则,就不进行登记。

if 字段　输入过滤程序是这样一些程序,它们在它们的标准输入上接收要打印的数据并在其标准输出上产生输出。通常使用输入过滤程序来检测普通 ASCII 文本并把它转换为 PostScript,即普通文本是它的输入而 PostScript 是它的输出。

当你指定一个输入过滤程序时,打印机守护程序就不把打印缓冲区目录的打印数据送入指定设备,而是用打印缓冲区目录的数据作为标准输入、用打印设备作为标准输出来运行输入过滤程序。

rm 和 rp 字段　把要打印的数据送入与另一台机器连接的打印机是非常简单的,只要指定远程机 rm 和远程打印机 rp 并确保打印设备字段 lp 是空的。

注释:

数据在被传送到远程机之前,仍然被送入本地打印缓冲区目录中。你指定的任何输入过滤程序也仍然运行。

sh 和 sf 字段　除非有很多不同的人在使用你的打印机,否则你很可能对扉页不感兴趣,如果你不使用扉页,就指定 sh。

如果你的打印机通常用于字处理软件包的输出,那么禁止进纸(通过指定 sf)是非常有用的。因为大多数字处理软件包生成完整的数据页,所以如果这台打印机守护程序在每个作业结尾处加入一个进纸标志,那么在每个作业后你都会得到一张白纸。当然,如果这台打印机通常用于程序或目录列表的输出,那么使用进纸标志就可以保证最后一页能被完整地送出,这样每个列表都能从新页的开头开始。

mx 字段　mx 字段允许你限制送入打印缓冲区中要打印的数据的大小。你指定的数值是以 BUFSIZE 块为单位的(在 Linux 下是 1K)。如果你指定为 0,那么就没有这种限制,即允许打印作业只受可供使用的硬盘空间的限制。

注释:

这个限制只是限制送入打印缓冲区的数据的大小,而不是限制送入实际打印机的数据量。

如果用户试图超过这个限制,那么文件就会被截断。用户将会看到这样一个信息:

(lpr: file-name: copy file is too large)

对于非 PostScript 打印机,如果用户或程序故意地或意外地生成非常大的输出的话,那么这个限制是很有用的。而对 PostScript 打印机,这个限制根本没用,因为很少量的打印缓冲区的 PostScript 数据就能生成很多输出页。

21.7.2 设置 *PRINTER* 环境变量

你可能想把这样一行添加到你的登录脚本中,或者甚至添加到默认的用户的登录脚本中,这一行就是设置 PRINTER 环境变量。在 bash shell 下,相对应的行是 export PRINTER = myprinter。这使人们在每次提交一个打印作业时不用指定-Pmyprinter。

要添加更多的打印机,只需用不同的打印机名字来重复这个过程。记住:你可以有多个 printcap 条目,而它们都使用相同的实际设备。用这种方法,根据你在向它提交打印作业时称呼它的方式的不同,你可以把相同的实际设备看成是不同的。

21.8 建立用于测试的 printcap 条目

下面的 shell 脚本是一个非常简单的输入过滤程序:它只把其输入连接到/tmp 中的文件的末尾,放在一个适当的标题后面。在 printcap 条目中指定这个过滤程序并把/dev/null 指定为打印设备。这个打印设备实际是不使用的,但是你必须设置它为某个值;否则,打印机守护程序就会出问题。

```
#！/bin/sh
# This file should be placed in the printer's spool directory and
#  named input_filter. It should be owned by root, group daemon, and
#  be world executable(-rwxr-xr-x).
echo------------------------------------------------------------- > >    /tmp/
date                                                             > >    /tmp/
echo------------------------------------------------------------- > >    /tmp/
cat                                                              > >    /tmp/
```

在下面的 printcap 条目中,注意格式的可读性和除最后一行外的所有行上都使用了续行符(\):

```
myprinter|myprinter: \
:lp = /dev/null: \
:sd = /usr/spool/lpd/myprinter: \
:lf = /usr/spool/lpd/myprinter/errs: \
:if = /usr/spool/lpd/myprinter/input_filter: \
:mx # 0: \
:sh: \
:sf:
```

21.9 设置打印机

为了综合使用前面介绍的内容,下面的步骤指导你在/dev/lp0 上设置一台打印机。然后

你可以将这个过程扩展到对其他打印机的设置。(顺便说一句,要做所有这些操作,你必须是root用户)

1.检查 lpr、lprm、lpc、lpq 和 lpd 的权限和位置。在本章前面的表21.2中列出了它们的正确设置和目录。

2.为打印机建立打印缓冲区目录(在这里命名为 myprinter)。确保目录和打印机都为 root 用户和守护程序组所拥有,并且只有用户和组成员可以写,其他人只能读(-rwxrwxr-x)。使用下面的命令:

mkdir /usr/spool/lpd

mkdir /usr/spool/lpd/myprinter

chown root.daemon /usr/spool/lpd /usr/spool/lpd/myprinter

chmod ug = rwx, o = rx /usr/spool/lpd /usr/spool/lpd/myprinter

3.在/usr/spool/lpd/myprinter 目录中,建立所必须的文件并给它们正确的权限和拥有者。使用下面的命令:

cd /usr/spool/lpd/myprinter

touch .seq errs status lock

chown root.daemon .seq errs status lock

chmod ug = rw, o = r .seq errs status lock

4.在/usr/spool/lpd/myprinter 目录中建立 shell 脚本 input_filter。使用前面"建立用于测试的 printcap 条目"一节中给出的过滤程序作为你的过滤程序。确保这个文件被 root 和组守护程序所拥有并且可以被任何人执行。使用下面的命令:

cd /usr/spool/lpd/myprinter

chmod ug = rwx, o = rx input_filter

5.如果还没有/etc/printcap 文件,那么就要建立这个文件。删除这个文件中的所有条目,添加在"建立用于测试的 printcap 条目"一节中给出的用于测试的 printcap 条目。确保这个文件为 root 用户所拥有,并且其他人只能读。你可以使用 chmod 命令来设置合适的文件权限:-rw-r--r--或 644(以八进制表示)。

6.编辑 rc.local 文件(你可使用任何 ASCII 编辑程序,如 vi 或 emacs)。把行/etc/lpd 添加到文件末尾,它在每次系统引导时都会运行打印机守护程序。但是,现在不需要引导,可以用 lpd 命令手动运行它。

参见 19.2.3"用已存在的文件启动 vi"。

7.键入下面命令来进行一次打印测试:

ls -l ¦ lpr -Pmyprinter

8.使用 ls 命令查看/tmp,寻找一个名为 testlp.out 的文件。这个文件应该包含你的目录列表,你可以用 more、less 或 cat 命令来检查这个列表。关于这些命令的更多信息,参见第十六章"管理文件和目录"。

参见 16.6"查看文件内容"。

9.使用一个如 vi 这样的 ASCII 编辑程序编辑/etc/printcap：

- 在第一台打印机条目中，只把第一行中出现的两个 myprinter 改为 testlp。
- 在第二台打印机条目中，把/dev/null 改为你的真正的打印设备，例如，/dev/lp0。
- 在第二台打印机条目中，把 if 行完全删除。

现在，拷贝 myprinter 条目以便你在这个文件中有两个相同的条目。

10.要么重新引导系统，要么撤消打印机守护程序并重新启动它。这样做是因为打印机守护程序只在首次启动时才查看/etc/printcap 文件。

11.再做一次打印测试，输出结果将会出现在你的实际打印机上。你可以用下面的命令：

　　ls -l ¦ lpr -Pmyprinter

发现并处理问题：

"我得到一个信息：lpd: connect: No such file or directory." 打印机守护程序/etc/lpd 没有在运行。你可能忘了把它添加到你的/etc/rc.local 文件中，或者，你确实添加了它但你却没有重新启动它。添加它并重新启动它，或者运行/etc/lpd。记住：要做这件事你必须重新启动。

"我得到一个信息：Job queued,but cannot start daemon." 这个信息经常出现在 lpd：connect 信息的后面，产生这个信息的原因同上。

"我得到一个信息：lpd: cannot create spooldir/.seq。" 你没有建立 printcap 条目中指定的打印缓冲区目录，或者你给的这个目录的名字不对。另一个可能的答案（虽然不太可能）是剩余的磁盘空间太小了。

"我得到一个信息：lpr: Printer queue is disabled." 作为 root 用户，用 lpc enable printer-name 命令使这台打印机能够工作。注意：作为 root 用户，你甚至可以把作业提交给一台不能使用的打印机。

"我提交了一个作业并且没有错误信息，但实际打印机上却什么输出也没有。" 导致这个错误可能有许多原因：

·确保这个实际打印机已接通、已选取并且被实际地连接到在/etc/peintcap 文件中指定的设备上。

·使用 lpq 命令来看看这个作业是否在打印队列中。如果在，那么可能是这个设备正忙、打印机可能关了或者打印机上可能有错误。如果有错误，则检查 printcap 条目中指定的错误记录以得到线索。

·你可以用 lpc status 命令来检查打印机是否关闭，如果是，那么用 lpc up printer-name 或 lpc restart printer-name 把打印机打开（要做这个工作，你必须是 root 用户）。

如果在检查后，你的打印作业仍然不输出，那么确保你已指定的任何输入过滤程序都在正确的目录中并且有正确的权限。如果你正在运行 syslogd，那么你可以用 lpd 查看你的那些记录来查找信息。如果你看见记录条目说：cannot execv name of input filter（不能执行这个名字的输入过滤程序），那么就几乎可以肯定是这个问题。

另一个可能是：你的打印机是一台 PostScript 打印机，而你却没有把 PostScript 数据送给它。大多数 PostScript 打印机忽略非 PostScript 数据。你可能需要安装相应的从文本到 PostScript(text- PostScript)的输入过滤程序。

最后（如果这是原因的话，你会觉得挺可笑），检查你的输入过滤程序实际产生的输出并检查输出设备不是/dev/null。

"我的打印机好像已锁住了。前面的技术似乎都不能解决这个问题。" 当前面介绍的方法都无效时，还有一个方法是撤消 lpd 守护程序并重新启动它。如果这样还不行，最后的方法是用 shutdown -r now 命令重新引导你的 Linux 系统。确保其他人没有登录并且在使用 now 选项前已保存了任何文件；否则，在关闭系统前，要指定一个时间，还要给你的其他用发送户一个信息。你还可以在 DOS/Windows 机上测试打印机以确保这个实际打印机本身是好的。

21.10　配置 Red Hat 打印机

如果你已经在 Red Hat 下安装了 XFree86，那么你可以使用如图 21.1 所示的打印机配置工具来添加和删除打印机、维护/etc/printcap 及假脱机文件和目录。你可以在控制面板上找到这个工具。

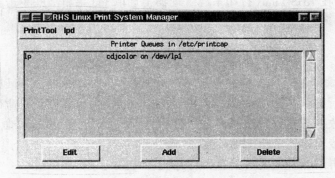

图 21.1 用 Red Hat 的图形实用程序管理打印机是很容易的

要增加一个新打印机，单击 Add 按钮。要编辑一个已存在的打印机的配置，选取条目并单击 Edit 按钮。这两种操作都会产生如图 21.2 所示的对话框。

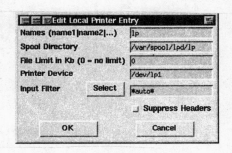

图 21.2 要在 Linux 中进行适当的打印工作，你必须指定某些选项，如打印机名字和实际端口的位置

如果你正在增加一台打印机，那么你必须首先指定它是本地的打印机还是远程的打印机。本地打印机是连接到并口或串口的打印机；远程打印机是连接到网络上的打印机。你必须为对话框中的每个字段输入一个值。表 21.5 描述了每个字段。

表 21.5 打印机字段项

字段名	描述
Names	这台打印机的名字和它的队列。你可以指定多个名字（各个名字间用¦字符分隔）
Spool Directory	这台打印机的假脱机文档的目录，如/usr/spool/lpd/myprinter
File Limit	最大的文档大小（以千字节为单位）。0 值表示无限制
Printer Device	这台打印机的实际连接，如 lp0
Input Filter	输入你的定制过滤程序的完整的路径和文件名。如果你的打印机要求在作业的结尾有一个 EOF 字符（许多 DOS 打印机要求这样），单击 Select 按钮并选取 EOF 复选框
Suppress Headers	如果你不想每个文档都有一个扉页，那么就选取这个框
Remote Host	远程主机对话框中的这个字段指定要连接打印机的远程主机的名字
Remote Queue	远程主机对话框中的这个字段指定在远程机上的打印机队列。输入完整的路径

在你增加或修改了一台打印机的条目后,你可能发现你需要重新启动 lpd 守护程序。为此,只需在 RHS Linux 打印系统管理器上选取 lpd 菜单项并单击重新启动 lpd 菜单项。

21.11　从这里开始

lpr 命令是打印文件的标准 Linux 界面。在命令行上,你可以用 lpr 在许多不同类型的打印机上进行打印并使用许多不同的选项。然后,你可以用 lpq 命令检查你的打印作业的状态。如果你改变了主意和想取消一个打印作业,就可以使用 lprm 命令。你应该阅读打印 HOWTO 的最新版本以得到更多的信息。

要得到相关主题的信息,请阅读下面各章:

□ 第三章"安装 Red Hat"讨论如何安装 Linux 的 Red Hat 发行版本。

□ 本章第二部分"系统管理"详细讨论系统管理员和他们的任务是什么。

□ 附录 A"信息来源"告诉你如何找到 Linux 的打印 HOWTO。

第五部分　网络管理

第二十二章　了解 TCP/IP 协议集

本章内容：

☐ TCP/IP 的历史

　　了解 TCP/IP 如何从美国国防部的一个项目成长为一个受人们喜欢的、用于连接 Internet 的协议集。

☐ TCP/IP 的基本组成部分

　　了解组成 TCP/IP 协议的组成部分，并把它们与另一个主要的计算机网络结构模型（开放系统互连模型）进行比较。

☐ 网络编址

　　本章介绍如何分配和使用地址，这些地址被 TCP/IP 用来识别 Internet 上的系统。

☐ 逻辑网络

　　学习如何把一个计算机网络的各部分（服务器、路由器和其他设备）组合在一起以形成与 Internet 连接的 TCP/IP 网络。

　　当各种大小的网络（包括 Internet）都依赖于 TCP/IP 进行通信时，广泛使用的传输控制协议/网际协议（即 TCP/IP）已变得十分重要。

　　TCP/IP 最初是作为政府资助的一个项目而开发的，现在已广泛使用，用于连接各种大小的网络。它能在不同的机器间实现通信。事实上，你可以在所有工作站、微机和主机上找到它。

　　本章介绍 TCP/IP 的起源和语言、它的寻址和命名规则及建立 Internet 的基本概念。

22.1　TCP/IP 的历史

　　在 70 年代中期，美国国防部（DOD）认识到在其部门发展中的电子通信问题。在 DOD 工作人员、研究实验室、大学和承包商之间日益增加的电子信息的通信量遇到了主要的障碍，即各个实体都拥有不同的计算机厂商的计算机系统，运行不同的操作系统，并使用不同的网络拓扑结构和协议，那么信息如何共享呢？

　　美国高级研究计划署（ARPA）被指定来解决这个问题，即处理不同的网络设备和不同的拓扑结构。ARPA 与大学和计算机厂商结成一个联盟来开发通信标准。这个联盟指定和建立了一个四个节点的网络，这就是今天 Internet 的基础。在 70 年代，这个网络采用了一个新的、核心协议设计，这个协议后来成了 TCP/IP 的基础。

　　说到 TCP/IP，就需要对 Internet 做一个简要的介绍。Internet 是一个巨大的网际网，它允许世界上所有的计算机之间进行通信。它以异常快的速度成长。如果现在我来估计一下 Internet 上的计算机和用户的数量，那么这个数量在本书印刷时早就过时了！Internet 节点包括大学、主要的公司、美国及国外的研究实验室、学校、大小商业机构和个人计算机使用者。它是 WWW 的主干，是存储数以百万计的共享程序、各种主题的新闻、公共论坛和信息交换、电子邮件的资源库。另一个特性是用 Telnet 协议可远程登录到网络上的任何计算机系统上。因为有许多互连的系统，所以可以共享大量的计算机资源，使大程序在远程系统上执行。

22.2 Internet 术语

Internet 协议集由许多基于 TCP 和 IP 的相关的协议组成。要阐明这些组成部分的相互关系，表 22.1 提供了一些定义和注释。

表 22.1　网络术语

术语	定义
数据报	可与"数据分组"和"网络信息"互换使用，用来表示交换信息的一个单元
DNS	域名服务，由网络中的一个或多个计算机提供的、用于帮助确定到所需节点的路径的服务。这使网络上的每个系统不用保存它想联系的系统的列表。它被邮递网关使用
GOSIP	政府开放系统互连简介，用于美国政府计算机网络和项目中的 OSI 协议集
Internet	基于 TCP/IP 和相关协议的一个计算机网络。它是互连商业、大学、政府设施和研究中心的公共网际网
FTAM	文件传输、访问和管理，它是 OSI 指定的文件传输和管理协议
FTP	文件传输协议，它使文件在两个系统之间传输
IP	网际网协议，一个负责在 Internet 中传送数据报的协议
NFS	网络文件系统，一个使客户机能装载远程文件系统和目录的网络虚拟磁盘系统
NIC	网络信息中心，负责管理 Internet、TCP/IP 地址和网络名
节点	网络上的一台计算机
OSI	开放系统互连，ISO 定义数据通信的标准模型
RFC	请求注释，是由 NIC 维护的文件，这个文件涉及 Internet 协议、寻址、路由、配置和其他相关的 Internet 主题
RIP	路由信息协议，它用于在路由器之间交换信息
RMON	远程监控器，能够收集有关网络通信量信息的远程监控器
RPC	远程程序调用，它使程序能在服务器上执行
SMTP	简单的邮递传输协议，用它在系统间传输电子邮件
SNMP	简单的网络管理协议，用于管理远程网络设备和从远程设备收集有关配置、错误和警告信息的协议
TCP	传输控制协议，这个协议在两个应用程序间实现可靠的、面向连接的数据传输
Telnet	用于建立远程终端连接的协议
UDP	用户数据报协议，用于在代理服务器之间传递数据的无连接的协议
VT	虚拟终端，通过网络使用 Telent 登录到远程系统的一种方法

22.3 开放系统互连模型

目前使用了许多不同类型的计算机,它们具有不同的操作系统、CPU、网络接口和许多其他的特性。这些差别使在不同计算机系统间进行通信的问题成为了一个重要的问题。在1977年,国际标准化组织(ISO)建立了一个子委员会,这个子委员会开发数据通信标准以促进多个厂家的合作。结果产生了开放系统互连模型(OSI)。

OSI 模型并没有指定任何通信标准或协议,而是提供通信任务应该遵循的指导原则。

注释:

了解 OSI 模型只是一个指定要实现的功能的模型(一个框架)是很重要的。它没有详细描述如何实现这些功能。但是,ISO 确实为 OSI 模型的各部分提供了满足 OSI 标准的特殊协议。例如,ISO 采用 CCITT X.25 协议作为提供 OSI 模型网络层的大多数服务的实现。

为了简化问题,ISO 子委员会采用了分层解决的方法。将复杂的通信过程分成较小的子任务,使这个问题变得较容易管理,并且可单独的优化各个子任务。OSI 模型被分为七层:

☐ 应用层
☐ 表示层
☐ 会话层
☐ 传输层
☐ 网络层
☐ 数据链路层
☐ 物理层

提示:

一个简单的记住这些层的顺序(自上而下)的方法是造一个含有每层第一个字母的句子,例如:All People Seem To Need Data Processing。

每层都被分配了一组特定的功能。每层都使用它下面那一层的服务,并向上一层提供服务。例如,网络层使用数据链路层的服务并向传输层提供与网络有关的服务。表 22.2 解释每一层提供的服务。

注释:

层的概念很简单,层使用下层提供的服务,并向其上层提供服务。让我们看看一个公司是如何运作的:秘书提供秘书的服务,即给董事长(上一层)写备忘录。秘书使用送信人(下一层)的服务来递送信息。通过分离这些服务,秘书(应用层)不需要知道信息是如何实际送给其接收者的。秘书只需请求送信人(网络层)来传递它。就像许多秘书可以用标准的送信人的服务来传递备忘录那样,一个分层的网络也可以将数据包交给网络层去传递。

表 22.2　每个 OSI 层提供的服务

层	描述
物理层(第一层)	该层提供计算机系统与网络之间的实际连接。它指定接插件和插头,分配电压值等等
数据链路层(第二层)	该层为传输"打包"和"解包"数据。它把形成的信息放在帧中。帧表示在电线上或其他媒介上实际传输的数据结构
网络层(第三层)	该层提供数据在网络上的路由选择
传输层(第四层)	该层提供传输序列和传输确认
会话层(第五层)	该层建立和终止通信链路
表示层(第六层)	该层进行数据转换并确保以一种通用格式交换数据
应用层(第七层)	该层向用户执行的应用程序提供一个接口,这个接口是用户应用程序和网络通信进程之间的'网关'

注释:

　　不要把应用层与计算机上执行的应用程序混淆起来。记住:应用层是 OSI 模型的一部分,它不说明用户和通信通道间的接口是如何产生的;应用程序是这个接口的特殊实现。一个真正的应用通常完成应用层、会话层和表示层方面的工作,而把传输层、网络层、数据链路层和物理层方面的工作留给网络操作系统。

　　每一层都与其他计算机中与之对等的层进行通信。例如,一个系统中的第三层可以与另一个系统中的第三层进行通信。

　　当信息从一层传送到下一层时,一个信息头要添加到数据中,以指示信息是从哪里来的和到哪里去。一层中带信息头的数据块成为下一层的数据。例如,当第四层将数据传送到第三层时,它在数据上添加了自己的信息头。当第三层将信息传送到第二层时,它把第四层的带信息头的数据作为自己的数据并在传输它之前添加了自己的信息头。

　　在每一层中,信息单元有不同的名字(见表 22.3)。因此,通过了解用于描述数据的术语,你就知道正在讨论的是哪一层。

表 22.3　OSI 各层使用的描述信息单元的术语

OSI 层	信息单元名称
应用层	信息
传输层	段
网络层	数据报
数据链路层	帧(也称分组)
物理层	位

　　在 OSI 模型出现以前,美国国防部把自己的网络模型定义为 DOD 模型。DOD 模型与 TCP/IP 协议集有很密切的关系,如下节中所介绍的。

22.4　TCP/IP 协议堆栈

　　TCP/IP 协议堆栈代表与 ISO OSI 网络模型很相似的网络结构。图 22.1 展示了 ISO 协议堆栈与 TCP/IP 各层的对应关系。

TCP/IP 在协议堆栈上面各层之间没有 OSI 那样清晰的区分。OSI 上面三层大致相当于 Internet 进程协议。进程协议的例子有 Telnet、FTP、SMTP、NFS、SNMP 和 DNS。

OSI 模型的传输层负责可靠的数据传送。在 Internet 协议堆栈中,这相当于主机到主机的协议。这方面的例子有 TCP 和 UDP。TCP 用于从上层协议传送不同长度的信息,并提供必要的确认和远程系统间的面向连接的流控制。

UDP 类似于 TCP,只是它不是面向连接的并且不确认数据的接收。UDP 只接收信息并将它们传递给上层协议。因为 UDP 没有任何与 TCP 有关的开销,所以它为如远程磁盘服务这样的操作提供了更为有效的接口。

图 22.1 OSI 与 TCP/IP 的比较

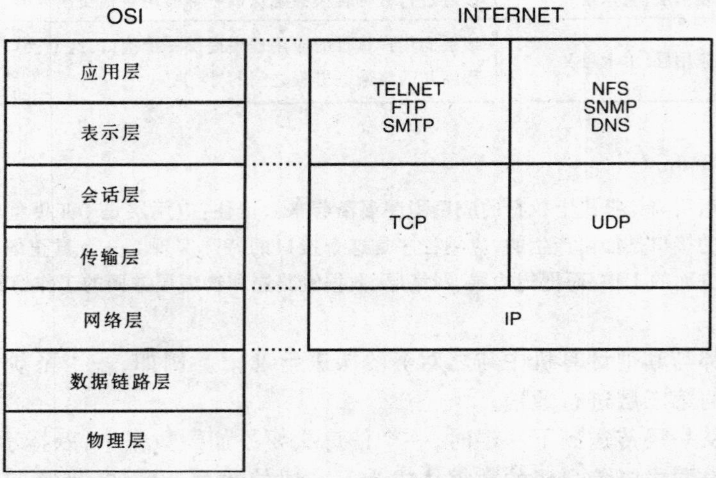

OSI	INTERNET
应用层 表示层	TELNET FTP SMTP / NFS SNMP DNS
会话层 传输层	TCP / UDP
网络层	IP
数据链路层	
物理层	

网际网协议(IP)负责系统间的无连接的通信。它对应 OSI 模型中的网络层的一部分,这个部分负责在网络上移动信息。通过检测网络层地址来完成这种通信,网络层地址确定发送信息的系统和路径。

IP 提供与网络层相同的功能并且帮助获得系统间的信息,但它不保证这些信息的传递。IP 还可以将信息分成块然后在目的地重新把它们组合起来。每个块都可以采用系统间的不同的网络路径。如果这些块不是按顺序到达的,那么 IP 在目的地以正确的顺序重新组合这些块。

22.5 IP 地址

网际网协议要求给网络上的每个设备分配一个地址。这个地址(称为 IP 地址)由四个八位二进制数组成。这些八位二进制数用来定义一个唯一的地址,其中一些表示网络(和可选的子网)的地址,另一些表示这个网络上的一个特殊节点。

在 Internet 上有些地址有特殊的含义:

□ 以 0 开始的地址指当前网络中的本地节点。例如,0.0.0.23 指当前网络上的 23 号工作站。地址 0.0.0.0 指当前工作站。

□ 回送地址(127)在故障排除和网络诊断中是很重要的。网络地址 127.0.0.0 是工作站中的本地回送地址。

□ 全地址用值 255 表示,即把所有的位都置 1。因此,192.18.255.255 将信息送到网络

192.18 上的所有节点上，类似地，255.255.255.255 将信息送到 Internet 上的每个节点上。这些地址对多点传送消息和公告服务是很重要的。

警示：

当你给工作站分配节点号时，不用 0、127 或 255 是很重要的，因为这些是保留值并且有特殊的含义。

22.5.1 IP 地址类

根据应用和组织的规模，IP 地址是在称为类（classes）的基础上分配的。三个最通用的类是 A、B 和 C。这三个类表示本地网络能在本地分配的位的数量。表 22.4 给出了不同地址类之间的关系、可用的节点数和起始地址设置。

表 22.4 IP 地址类

类	可使用的节点	起始位	起始地址
A	$2^{24} = 167,772$	0xxx	0-127
B	$2^{16} = 65,536$	10xx	128-191
C	$2^{8} = 256$	110x	192-223
D		1110	224-239
E		1111	240-255

A 类地址用于非常大的网络或有关的网络集合。B 类地址用于有多于 256 个节点（但少于 65,536 节点）的大网络。C 类地址被大多数组织使用。获得一些 C 类地址对一个组织来说是一个较好的主意，因为 B 类地址的数量是有限的。D 类为网络上多点传播信息而保留，F 类则为实验和开发而保留。

获得 IP 地址 Internet 地址是由网络信息中心（NIC）管理的，NIC 的地址是：

Network Solutions

ATTN：InterNIC Registration Services

505 Huntmar Park Drive

Herndon，VA 22070

（703）742-4777

在 WEB 上：

你也可在 Web 上通过 http://www.internic.net 访问 InterNIC。

当你把一台计算机或一个网络连接到 Internet 上时，大多数情况下，你的 Internet 服务提供商将能够为你的网络安排 IP 地址登记。

获得 RFCs 除分配地址外，NIC 还可以提供其他有价值的信息。它是所有与 Internet 有关的技术文档的资源库。它有一个文档集，这个文档集描述所有相关的协议、路由方法、网络管理指导和使用不同的网络技术的方法。

如表 22.1 中提到的，RFC 代表 Request For Comments（请求注释）。你可以用 FTP 协议来连接几个不同的资源库从 Internet 上获得 RFC。RFC 文档可在 Inetrnet 上通过匿名 FTP 从各种网点获得,如 ftp.internic.net 的/rfc 目录中。

表 22.5 列出了与建立一个网络有关的 RFC。这些文档中的一部分很详细地说明了不同协议的功能和其相应技术规范及理论。其他一些文档更通用,它们提供对网络管理员有用的关键信息。一位 Internet 网络管理员至少应该知道这些信息在什么地方和如何获得它们。这些文档为你计划和发展一个组织的网络提供了有用的信息。

表 22.5 有关的 RFC

RFC 名字	描述
RFC791.txt	Internet 协议 DARPAInternet Internet 程序协议说明书
RFC792.txt	Internet 控制消息协议
RFC793.txt	传输控制协议 DARPAInternet Internet 程序协议说明书
RFC950.txt	Internet 标准子网程序
RFC1058.txt	路由信息协议
RFC1178.txt	为你的计算机选择一个名字
RFC1180.txt	TCP/IP 教程
RFC1208.txt	网络术语词汇表
RFC1219.txt	关于子网号的分配
RFC1234.txt	在 IP 网络下进行 IPX 通信

22.5.2 网络命名

网络节点的命名需要有计划。当你选择名字时,要记住必须便于网络管理并易于用户接受。许多组织都有网络命名的标准。如果你的组织有这样一个标准,那么最好遵循这些标准以防止混乱。如果你的组织没有这样的标准,那么你就有足够的想象空间。计算机和网络的名字可以像用户名命名工作站那样简单,如 Diane、Beth 或 John。

如果你有许多相似的计算机,那么给它们编号(例如,编号为 PC1、PC2 和 PC128)可能更好。必须给一个计算机系统一个唯一的名字。不要把一个计算机命名为"thecomputerinthenorthoffice",这样做用户就会抱怨。总之,即使是系统管理员也必须经常键入计算机的名字。还应该避免"oiiomfw932kk"之类的名字。虽然这种名字可以防止网络入侵者与你的计算机连接,但是它也可能阻止你与你自己的工作站连接。

有特色和后面跟一个主题的名字是很好的,它帮助提供未来的扩展空间并且使用户有一个与他们自己的机器连接的感觉。总之,与名为"OF1284"的机器相比,人们更喜欢名为"sparky"的机器。

当选择一个命名方案时,要记住下面几点:

□ 名字要简短——最多 6 到 8 个字符。虽然 Internet 协议允许名字最长为 255 个字符,但是你应该避免这样做,因为某些系统不处理长名字。(每个标号最长可以为 63 个字符。一个节点的用句点分隔的全称域名的每个部分都称为一个标号。)

□ 考虑使用一个主题,如星星、鲜花、颜色,除非你的网点有其他的命名标准。

□ 名字不要用数字开头。

□ 在名字中不要使用特殊的字符。

□ 不要重复名字。

□ 要与你的命名方针一致。

如果你遵循下面的指导,那么你就可以创建一个成功的命名方法。

Internet 的名字表示这个网络中的组织和系统的功能。下面是你可使用的名字的举例:

spanky.engineering.mycompany.com

nic.ddn.mil

下面是难使用或难记住的名字的举例:

thisismyworkstation.thelongwindeddepartment.longcompnam.com

34556nx.m3422.mycompany.com

最后列出的名字可以被解释为在网络 56 上 345 房间中的具有网络管理功能的工作站,但是这种类型的命名方案通常被认为是不实际的,因为它可能导致混乱和误导信息。

Internet 的名字使你能引用在特殊节点上的用户,例如,

Eddie@PC28.Programming.mycompany.com

22.5.3 NIC 命名树

NIC 维护一个网络命名树。这个树用于将相似的组织组成一组放在这棵树的一个分枝下。图 22.2 示出了这个命名树。主要的组织被分成组放在相似的分枝下。这是 Internet 标号的来源,这些标号如 com、edu 和 gov,在 Internet 名字中常能看见这些标号。

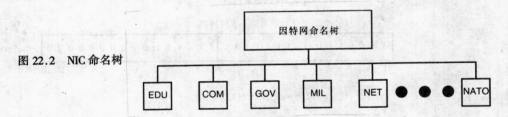

图 22.2　NIC 命名树

表 22.6 给出了 NIC 树的一些常见的分枝名和定义。在这个树下还有许多其他的分枝,但表中所给出的是最常见的。

表 22.6　常见的 NIC 名字

名字	组织的类型
edu	教育机构(如大学和学院)
com	商务机构(大多数公司)
gov	美国非军方政府机构(白宫、农业部)
mil	军队(军队用户和它们的承包商)
net	Internet 的网络经营和管理
org	其他类型的组织(通常是非盈利组织)

22.6 子网和子网掩码

划分子网是把一个大逻辑网络分成较小的实际网络的过程。要分解网络的原因很多,其中包括:网络技术的电气方面的限制;为了简单而进行分段,例如在一个建筑的每层(或在每个部门或为每项应用)建立一个独立的网络;或用高速线路进行远距离连接。

最终得到的这些网络是整个网络中的较小的分支并且也较容易管理。较小的子网通过网关和路由器相互通信。另外,一个组织可能在同一个网络上有几个实际存在的子网,以便将网络功能逻辑地划分为工作组。

单个子网是整个网络的一部分。假设 B 类网被分成 64 个独立的子网。要完成这种子网划分工作,IP 地址被看作两个部分:网络部分和主机部分(参见图 22.3)。网络部分是由分配的 IP 地址位和子网信息位组成。这些子网信息位其实是从主机的地址部分移来的。B 类网络分配的网络部分的位数是 16,子网部分又增加 6 位,所以总共用 22 位来标识这个子网。这种划分导致在 64 个网络中,每个网络有 1,024 个节点。网络部分可以较大也可以较小,这取决于所需的网络数量或每个网络的节点数量。

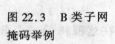

图 22.3 B 类子网
掩码举例

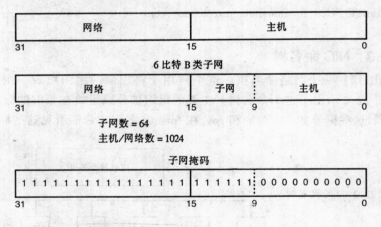

设置一个子网掩码就是确定网络地址在哪里结束和主机地址从哪里开始。子网掩码包括网络部分中所有为 1 和主机部分中所有为 0 的数。

假设 C 类网络按如下方式组成:

N = network(网络)

H = Host(主机)

NNNNNNNN.NNNNNNNN.NNNNNNNN.HHHHHHHH

每个位置表示 32 位地址空间中的一位。如果这个 C 类网络被分成四个 C 类网络,那么格式与下面类似:

NNNNNNNN.NNNNNNNN.NNNNNNNN.NNHHHHHH

子网掩码就像下面这样:

11111111.11111111.11111111.11000000

如果将此地址用点分十进制表示法来写,那么这个子网掩码是 255.255.255.192。这个掩码用于在这个特定网络中的所有子网上的节点间的通信。

如果从主机部分取出三位，那么就能形成八个网络，由此产生的网络掩码如下：

11111111.11111111.11111111.11100000

这个子网掩码是 255.255.255.224。因为有 5 个地址位是可使用的，所以这八个网络中的每个网络都应该有 29 个节点。（如果把全为 1、全为 0 和 127 这三个不是合法地址也包括在内的话，就应该是 32 个节点）。

这个概念可以扩展到 B 类和 A 类网络上。唯一不同的是剩下为 0 的部分。看看 B 类网络。地址空间按如下方式划分：

NNNNNNNN.NNNNNNNN.HHHHHHHH.HHHHHHHH

如果从主机部分取出两位，添加到网络部分中，那么就使用下面的子网掩码：

11111111.11111111.11000000.00000000

这个掩码被写为 255.255.192.0。

子网掩码所需要的位可以从主机部分中的任意位置取出，但这会导致复杂的子网掩码和地址排除。你应该尽可能避开这一点。

22.7　路由

路由是在网络间传输信息的方法。路由器工作在网络协议的网络层。可以用几种不同的方法对数据进行路由选择。路由信息协议（RIP）使 Internet 网络的路由选择方法得以实现。

22.7.1　路由信息协议（RIP）

RIP 是为中小型网络设计的，它以 Xerox 网络系统（XNS）路由协议为基础。RIP 使用距离向量路由算法来确定消息的路由。这种算法假设给每条路径都赋予了成本。这个成本可以代表网络吞吐量、线路类型或路径的需要程度。然后这个协议确定用于传输消息的最低成本的路径。（你可从几个 RFC 文档中获得有关路由的信息）。

路由协议的工作原理

要维护到邻近节点的跳数（hop）列表，RIP 路由器把路由表保存在路由器或计算机内存中。这个表每隔 30 秒向邻近的路由器传来的信息更新一次。这些信息用于重新计算系统间最低成本的路径。网络上的每个路由器都发出或公告路由信息并接收路由信息。

路由协议只能在消息可被选择路由的距离内使用。每个路由器只能传输路由成本小于等于 16 的消息。如果在一条线路上发送的信息的成本超过 16，那么主机就认为是不可到达的。成本是对网络上不同的路径赋值的方法，以便在存在多条到达目的地的路径时确保一条有效的到达目的地路径。

当发生网络中断时，路由器必须重新找到最小成本路径。这需要时间并且可能导致消息以一个较高的成本传输了一段时间。当节点被损坏时，所有的路由器必须重新调整它们各自的路由表。在这段时间内，消息可能在网络中丢失。一段时间后，路由器重新同步并且继续进行路由选择。

路由器损坏也是我们关心的问题。发生路由器损坏时，邻近的路由器在 180 秒内会更新它们与损坏的路由器的邻接性。在这段时间后，如果没有收到从损坏的路由器发出的路由信息，那么那个路径就被从本地路由器的数据库中删除。

RIP 不管理路由器的距离，只管理成本。结果，RIP 可能在两点间不使用最短的实际路径。

已对这个协议进行了一些修改以帮助改正这一问题。一个正在开发和测试的较新的路由协议是首先开放最短路径(OSPF)协议,这个协议正开始获得承认和使用。

22.7.2　网络分段

由于各种原因 Internet 网络被分成了许多段。这些原因中有些与低层的网络技术有关;其他的原因与地理位置有关。隔离网络段的最主要的一些原因是基于网络的使用。如果在网络的一些节点间有许多传输,那么最好隔离这些节点。这种隔离减少了它们的使用,并为其他网络用户提供了一个更灵敏的网络。

要分段的其他原因是要改变联网技术或要在使用不同联网技术的网络之间进行通信。例如,办公区可能正在运行令牌环网,而在购物区可能正在运行以太网。它们都有独特的功能。办公区可能要求令牌环网与一台 AS/400 进行通信。购物区可能有能使购物区的控制器和计算机进行通信的以太网。然后,为了跟踪订单,购物区的信息可能要被上载到办公区网络去。使用两种不同技术的网络之间的连接通常是通过路由器来完成的。路由器只把必须交换的信息从一个网传送到另一个网。之后就可以在各自的网络节点间共享这些信息。

网络中路由器的过多使用可能会变成网络的负担,弊大于利。如果一个网络上的所有节点都必须与另一个网络上所有节点进行通信或者反过来,那么使用路由器就没有什么益处。在这种情况下,由于路由协议中的开销太大,路由的优势就没有了,此时,网桥是一个更好的选择。

网桥使两个网络的所有信息可以共享。这种访问是在物理层进行的,而不是在网络层进行的,所以不用解释地址也没有路由的开销。网桥传输所有的信息(包括系统广播消息)。如果两个网络很少共享信息,那么路由器是一个较好的选择;否则,网桥是一个合适的选择。

22.8　建立 Internet 网络

Internet 网络的设计和配置与任何计算机网络的设计很类似。它包括了许多类型的节点,其中包括工作站、服务器、打印机、主机、路由器、网桥、网关、打印服务器和终端。Internet 要求每个设备都有一个唯一的 IP 地址。一个设备根据其功能可以有多个地址,但至少需要一个地址用于与其他设备进行通信。

22.8.1　了解连接类型

TCP/IP 网络可以由一些连接到局域网的系统或由与 Internet 网上成千个系统连接的数以百计的系统组成。每个组织可以建立符合自己需要的网络类型。

图 22.4 给出了一个简单的网络,这个网络由几个工作站和一个文件服务器组成。为网络上的每个工作站分配了网络地址 194.62.23。为每个设备分配了一个自己的节点地址。这个网络是一个公司中的大多数部门或者甚至是一个小办公室使用的典型网络。它还有空间连接打印机和把更多的工作站连接到这个网络中。该网络不提供与其他局域网或广域网的连接。

图 22.5 中的网络要复杂得多。它包括通过路由器和服务器来互联的三个独立的网络。每段上的每个工作站和计算机也许可以、也许不可以使用其他两个网络上的信息。这是由子网掩码及服务器和路由器采用的安全措施决定的。

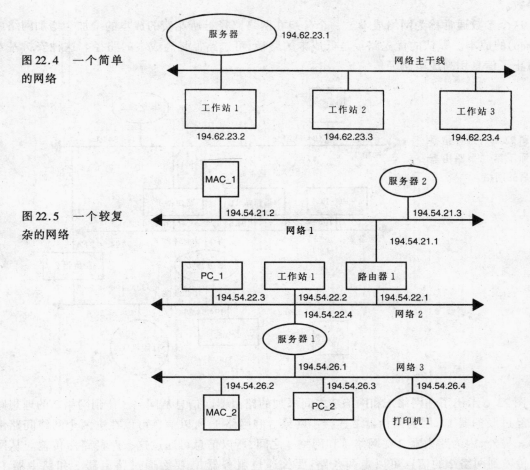

图 22.4 一个简单的网络

图 22.5 一个较复杂的网络

　　一个网络的信息根据需要被传输到另一个网络中。这种配置类型是大多数大型公司网络的典型配置。根据底层网络技术的实际长度限制或单个网络的负载来选择这种网络。一个或多个网络可能会遇到必须跨多个网络传输大的通信量的问题。

　　在网络 1 和 2 之间的路由器 1 提供这两个网络间的路由信息。如果连接网络 2 和网络 3 的服务器也有路由功能,那么信息就可以从网络 3 传送到网络 2。另外,用服务器 1 可把信息从网络 3 路由传送到网络 2,也可以利用路由器 1 把信息从网络 2 路由传送到网络 1。连接网络 2 和网络 3 的服务器 1 有两个 IP 地址:一个网络 2 上的 IP 地址,一个网络 3 上的 IP 地址。路由器 1 也是这样,有网络 2 和网络 1 上的地址。

　　考虑这样一种情况,在这种情况中网络 3 和网络 1 之间有大量的 Internet 网络通信量。在这种情况下就值得在网络 1 和网络 3 之间放上另一个路由器。这个增加的路由器可以消除一些在服务器 1 上的过度的路由选择操作,并使信息在服务器 1 关机时仍能在网络间传输。

　　这个增加的路由器可以增加网络的容错级别。这种容错性是基于在服务器 1 关机时信息仍然可以从网络 3 传送到网络 2 这个事实的。网络 3 和网络 2 之间的路径可能会通过网络 1 和路由器 1。图 22.6 示出了添加的路由器 2。

　　网络的容错改善了网络的完整性,在某些应用中这一点特别重要。如果时间急迫的信息必须在两个网络间共享的话,那么就应该在网络间提供另一条可供选择的路径,这可以通过使用附加路由器来实现。因为这些路径可能是间接的(通过第三个网络),所以应该使用一个配置参数。

这个参数通常称为网络成本。一个分组在网络路径上所花费的成本的增加会增加网络中继(hop)的成本。默认的优先路径是低成本的路径;可选路径是高成本的路径。这种安排基本上防止了信息用高成本路径传输。

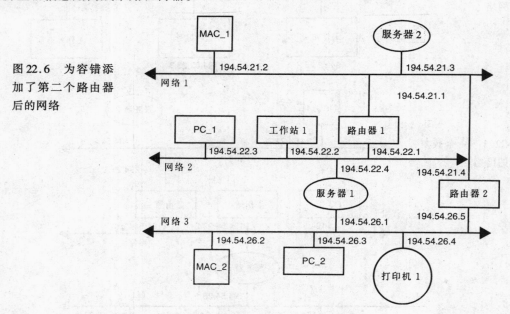

图 22.6 为容错添加了第二个路由器后的网络

图 22.6 示出了在网络 1 和网络 3 之间添加的路由器。信息从网络 3 传到网络 2 的理想路径是经过服务器 1。因为路由器 2 连接了网络 3 和网络 1,所以信息可以在这两个网络间路由传输。另外,因为路由器 2 在网络 1 和网络 3 之间,所以信息可通过这条路径路由传输。从网络 3 传输到网络 2 的信息可以走两条路:要么通过服务器 1,要么通过路由器 2 和路由器 1。后者不是优先的路径,因为信息可以直接通过服务器 1 路由传输。因此,赋予从网络 2 通过路由器 1 和路由器 2 的路径一个较高的成本。必须在多段网络中执行这种类型的路径分析。

22.8.2 选择联网配置

Internet 网络使用的实际媒介几乎可以是当前使用的任何网络技术。Internet 网络通信不限于以太网、ARCnet、或令牌环网。它可以在异步 RS-232、T1 线路上传输和通过帧中继传输。无论为网络选择何种网络拓扑结构,都必须遵从与联网技术有关的配置、安装和操作规则。

记住应用程序所要求的带宽。许多应用程序要求传输兆字节的数据,因此,带宽成为要考虑的主要问题。在网络上传送文件之前压缩文件通常可节省带宽。

参见 16.9"压缩文件"。

另一个要考虑的因素是网络的实际位置。如果所有的节点都在同一个建筑中,那么可以用单一的局域网(LAN)。然而,如果网络遍布整个城镇,那么就需要 T1 连接。如果节点分布在不同的地理位置,那么就要使用帧中继器或分组交换网络。

在对一个网络进行布局时,你必须考虑网上传输的信息类型、物理位置和网络负载。为帮助确定网络的容量,检查工作站、服务器和应用程序的类型。

如果网络中使用了无盘工作站,那么网络上的每个节点就需要更高的网络负载。原因是每个远程无盘工作站都要求通过网络下载所有的操作系统代码。因为所有的应用程序、实用程序和数据文件都是远程存储的,所以在那个工作站上的每个操作都需要网络访问。

另外要考虑到网络上的 NFS 通信量。NFS 提供远程虚拟磁盘服务,因此在远程磁盘上获取和存储信息也常常要用到网络。

其他要考虑因素是大型的图形图象、用于虚拟内存的交换文件和页面文件、分布式数据库应用、打印机数据流和终端数据流。这些在任何网络中都是必须考虑到的,但是基于 PC 的局域网的设计者和用户通常不必考虑它们。当要为一个公共用户社区联网时,联网环境的各个方面都要考虑到。

其他要认真考虑的因素是拨号和远程访问的需要。如果这种访问与终端和屏幕通信量有关,那么一个已有系统的串行端口可能就够用了。如果建立的是点对点协议(PPP)连接,那么你必须考虑当用户通过电话线加载实用程序、程序和数据库时,网络上要加上多少开销。这是需要考虑的,因为 IP 不限于使用如 Novell IPX 和其他网络协议那样的高速链路。

22.8.3 了解网络配置的指导原则

网络必须按指导原则进行设计。下面是设计网络时要考虑的一些问题:

☐ 现在怎样使用这个网络?

☐ 以后几年将怎样使用这个网络?

☐ 这个网络上将使用什么应用程序?

☐ 这个组织中的工作组将来需要网络资源吗?

☐ 这个网络上将有什么类型的工作站和有多少工作站?

☐ 这个网络上将有多少服务器、小型机和其他主机?

☐ 这个网络上将有什么其他的网络设备(如打印机和绘图仪)?

☐ 共享磁盘组和光盘组是必需的吗?

☐ 要集中管理这个网络吗?

☐ 这个网络要连到 Internet 或其他公共网络上吗? 或者它将是一个广域网的基础?

☐ 这个网络要使用什么协议(IPX、DECNET、LAT、OSI 协议和 TCP/IP)?

☐ 在哪里交换关键数据(确定几条不同的路径)?

☐ 网络如何扩展和变化?

在你回答了所有这些问题之后,你就定义了这个网络。节点数说明需要多少 C 类地址空间或是否需要 B 类网络。

与远程设施的连接也应当提到。可把负载分布到多个网络段上。努力使跨网络的通信量最少。例如,如果你有两个系统,这两个系统要交换许多信息并且为了使它们能通信需要跳过三个网络,那么就要考虑将这两个系统移到同一个网络中。

确定最佳网络拓扑以满足网络分析中指定的需求。为允许网络的扩展,最佳方案是确定最大负载,并在这个网络中负载最小的位置发展网络。

22.8.4 使用路由器和网桥

路由器和网桥是提供网络和系统间的连接的专用设备。有时术语网关和路由器可互换使用。严格地讲,网关是在不同类型的网络间传送信息的系统;而路由器是在相同类型的网络间传送信息。

在本书中,一般用路由器来描述从一个网络获取消息并把它们传送到另一个网络的设备。路由器有足够的智慧来获悉接收的消息是否必须传送到另一个网络或一个路由器。

路由器在网络层工作并通常与一个协议(如 IP 或 IPX)有关。大多数能路由传输 IPX 信息流的路由器也能路由传输 IP 信息流。路由器用于连接多个局域网和广域网。它提供一个在网络间共享数据的方法。另外,因为路由器工作在网络层,所以它可以帮助减少广播信息流。

如果一个网络使用许多不同的协议,而另一个网络只使用 IP,那么如果这两个网络要通信,则需要只路由传输 IP 信息的路由器。路由器防止把消息放到不能处理它们的网络上。

另一方面,网桥能用于互连局域网和广域网;它们共享信息而不受协议的限制。网桥允许两个互连的网络同时有许多不同的协议。由网桥传输的消息通常不包括任何详细的路由信息。这些信息通常不被处理。

网桥的一个缺点是:在由网桥连接的所有路径上都能看见来自所有互连网络的所有网络广播消息和多点传送的消息。这导致与网络更新消息有关的大量开销。另外,网桥只将信息传送到网桥另一边的网络地址中,但是它能传送所有的网络协议和广播消息。

路由器和网桥用于在网络间共享信息。根据网络要求、涉及的协议、网络容量和用户要求来确定选用哪一种比较合适。适当地选择网络构件可以帮助网络有效地运作、便于将来的发展和确保持久的可靠性。

注释:
　　只有要共享多个协议分组时才使用网桥;否则,路由器是更好的选择,因为它帮助减少网络开销。

22.9　从这里开始

在下面各章中,你可以找到有关 TCP/IP 的更多信息:

□ 第二十三章"配置 TCP/IP 网络"介绍如何建立和配置 Linux 的网络系统。

□ 第二十四章"配置域名服务"解释 Internet 名字解析系统。

□ 第二十五章"使用 SLIP 和 PPP"介绍如何在串行线路上配置异步 TCP/IP。

第二十三章　配置 TCP/IP 网络

本章内容

☐ 配置 TCP/IP

　配置 TCP/IP 涉及/etc 目录中的一组配置文件。这些文件为 Linux 提供它的 IP 地址、主机名和域名；它们还控制网络接口。

☐ 配置接口

　使用 ifconfig 程序来配置以太网接口。ifconfig 设置如软件回送和以太网卡这样一些接口，以便 Linux 可以使用它们。

☐ 路由

　路由确定一个分组从它的源通过网络传送到它的目的地所经过的路径。用 route 程序指定路由和其他网络信息。

☐ 监控你的网络

　netstat 程序显示内核路由表、活动的网络连接状态和有关每个网络接口的有用的统计数字。用 netstat 程序监控和找到网络问题。

在管理 Linux 机器时，配置 TCP/IP 网络是你将要面对的较常见的任务之一。多数情况下，这不太复杂，但是，确实需要有一些网络设计考虑和了解一些程序及配置文件。

23.1　了解 TCP/IP 配置文件

Linux 中的 TCP/IP 网络由/etc 目录中的一组配置文件控制。这些文件告诉 Linux 它的 IP 地址、主机名和域名是什么，并且还控制网络接口。表 23.1 说明了每个文件做什么，后面几节将详细讨论这些文件。

表 23.1　Linux TCP/IP 网络配置文件

文件	描述
/etc/hosts	把主机名映射成 IP 地址
/etc/networks	把域名映射成网络地址
/etc/rc.d/rc3.d/S10network	在引导时配置和激活以太网接口

23.1.1　/etc/hosts 文件

每个在 TCP/IP 网络上的计算机都有一个 IP 地址、规范的主机名、零个或者多个主机别名。/etc/hosts 文件是将主机名映射为 IP 地址的最原始的方法。

注释：

本章使用的所有主机名、域名和 IP 地址都是虚构的，它们不反映 Internet 上的任何真正的网络。

为便于说明,我们来看一下 Tristar 公司建立的网络。这个网络由 InterNIC(控制 Internet 地址的组织)分配给 Tristar 的单个 B 类网络地址组成;这个网络被分成两个 C 类子网。hosts 文件的格式如下:

```
# /etc/hosts for unixl.tristar.com
#
# For loopbacking.
127.0.0.1    localhost

# This machine
166.82.1.21      unixl.tristar.com unixl       # the    local machine

# Other hosts on our network
166.82.1.20      server.tristar.com server     # the server
166.82.1.22      wkl.tristar.com               # workstation 1
166.82.1.10      netprl.tristar.com netprl     # networked printer
166.82.1.1       gateway.tristar.com gateway   # the router
166.82.1.1       gate-if1            # lst interface on gateway
166.82.2.1       gate-if2            # 2nd interface on gateway
166.82.1.30      unixlt.tristar.com unixlt     # Laptop via PLIP

# end of hosts file
```

提示:
　　注意上面的网关对 IP 地址 166.82.1.1 有两个主机名。给一台机器上的每个网络接口一个唯一的名字是一个好主意。这样做,当你使用 ifconfig 和 route 命令时,就能很容易地看到什么正在进行。

　　hosts 文件的格式由每行开始的第一列上的 IP 地址、这个地址的规范的主机名和零个或多个别名组成。这些字段由空格或制表符分隔。空行和后面带 # 字符的文本被认为是注释并被忽略。
　　IP 地址 127.0.0.1 称为本地回送地址(local loopback address),并为此目的而保留。通常把名字 localhost 分配给它。如果你只把你的机器作为独立系统使用,或用 SLIP 或 PPP 与外部世界连接,那么在你的 hosts 文件中只需要本地主机(localhost)的地址。

注释:
　　/etc/hosts 文件的功能几乎都被连接到 Internet 网络或大型内部网络的机器上的域名服务(DNS)接管。但是,在启动时或运行在单用户模式时,不能获得 DNS,因此把重要的机器(如服务器和网关)的信息放到/etc/hosts 文件中是个好主意。
　　在一个只有几台机器、又没有连接到 Internet 的网络中,在文件/etc/hosts 中保存所有主机的完整列表比配置和维护 DNS 要容易得多。

提示：

对网络命名便于做静态路由之类的一些事情，它们要使用一个主机名或一个网络名。你不需要用子网的 IP 地址来记住这些子网，只需用它们的名字来记住它们。

23.1.2 /etc/networks 文件

与主机有名字和 IP 地址一样，也可以命名网络和子网。由 /etc/networks 文件来进行这种命名工作。networks 文件中的 IP 地址只包括网络地址部分和子网字节。下面是用于 trastar.com 的例子：

```
#    /etc/networks for tristar.com

localnet      12 7.0.0.0       # software     loopback network
tristar-c1    166.82.1         # Development Group Network, Class C
tristar-c2    166.82.2         # MIS Network, Class C

# end of networks file
```

第一行是本地网络名和 IP 地址 127.0.0.0。如果你没有把你的 Linux 机器连接到 TCP/IP 网络上或只使用 SLIP 或 PPP，那么你需要放到这个文件中的所有内容就是本地网络名和 IP 地址。

接下来两行定义两个 C 类子网，这两个子网是 Tristar 从它的 B 类网络中建立的。

23.2 初始化以太网接口

ifconfig 程序使 Linux 内核知道软件回送和以太网卡这样一些网络接口，这样 Linux 就可以使用它们。ifconfig 程序也被用于监控和改变网络接口的状态。下面是一个简单的 ifconfig 调用：

ifconfig *interface* *address*

该命令激活指定的网络接口并给它分配一个 IP 地址。这称为激活一个接口。ifconfig 的通用调用语法是：

ifconfig *interface* [*aftype*] [*options*] ¦ *address*

表 23.2 列出了 ifconfig 的命令行参数。

表 23.2 ifconfig 命令行参数

参数	描述
interface	网络接口名，通常是后跟一个标识号的设备驱动程序名。这个参数是必要的

参数	描述
aftype	地址集,它们被用于解码和显示所有协议的地址。目前已支持 inet (TCP/IP)、ddp(Appletalk)、ipx(Novell)以及 AX.25 和 netrom(这两个都是 amateur packet radio)地址集。inet 集是默认值
up	激活指定的接口
down	使指定的接口不活动
[-]arp	打开或关闭在指定接口上使用的 ARP 协议。负号用于关闭该选项
[-]trailers	打开或关闭以太网帧上的跟踪器。目前还未在 Linux 网络系统中实现
[-]allmulti	打开或关闭接口的无区别模式。打开这个模式让接口把网络上的所有信息流都送给内核,而不仅仅是把发给你的机器的信息发送给内核
metric N	把接口度量值设置为整数值 N。度量值表示在这个路径上发送一个分组的"成本"。目前 Linux 内核还没有使用路由成本,但是将来会使用
mtu N	将接口在一次传输中可以处理的最大字节数设置为整数值 N。目前内核中的网络代码不处理 IP 分段,因此一定要把 MTU(最大传输单元)值设置得足够大
dstaddr addr	设置点对点链路的另一端的 IP 地址。它已被 pointopoint 关键字所替代
netmask addr	为接口设置 IP 网络掩码
[-]broadcast [*addr*]	当使用了一个地址时,设置这个接口的广播地址。如果没有给出地址,就打开这个指定接口的 IFF_ BROADCAST 选项。前导负号表示关闭这个选项
[-]pointopoint [*addr*]	打开指定接口的点对点模式。它告诉内核该接口是对另一台机器的直接链接。当包含了一个地址时,这个地址被分配给列表另一端的机器。如果没有给出地址,就打开这个接口的 IFF_ POINTOPOINT 选项。前导负号表示关闭这个选项
hw	为指定接口设置硬件地址。硬件类型名和与此硬件地址对等的 ASCII 字符必须跟在这个关键字后面。目前支持以太网(ether)、AMPR、AX.25(ax25)和 PPP(ppp)
address	分配给指定接口的主机名或 IP 地址。这里使用的主机名被解析成它们的对等 IP 地址。这个参数是必需的

通常你不需要使用所有的这些选项。ifconfig 可以仅由接口名、网络掩码和分配的 IP 地址来设置所需的一切。当 ifconfig 疏漏了或者你有一个复杂的网络时,你只需显式地设置大多数参数。

提示:

如果你的 Linux 机器是在一个网络上,那么 ifconfrg 程序必须禁止未经许可的使用以保证它的安全。把网络接口设置为无区别模式可允许别人在你的网络中进行窥探并获取口令等敏感数据。这是对安全性的严重破坏。

参见 12.1"实际安全措施"。

23.2.1 用 *ifconfig* 检查网络接口

不带参数运行 ifconfig 可使它输出内核知道的所有网络接口的状态。在命令行上运行只带接口名的 ifconfig 会输出这个接口的状态:

$ ifconfig lo

lo   Link encap Local Loopback
                inet addr 127.0.0.1 Bcast 127.255.255.255 Mask 255.0.0.0
                UP LOOPBACK RUNNING MTU 2000 Metric 1
                RX packets 0 errors 0 dropped 0 overruns 0
                TX packets 1658 errors l0 dropped 0 overruns 0

本例使用了 lo,即软件回送接口。你可以看到分配的 IP 地址(inet addr)、广播地址(Bcast)、和网络掩码(Mask)。这个接口是激活的(UP),它的 MTU 为 2000、Metric 为 1。最后两行给出了有关接受的(RX)和传送的(TX)分组数,以及分组出错数、丢掉的分组数和超限数的统计数字。

23.2.2 配置软件回送接口

所有在内核中安装了网络层的 Linux 机器都有一个软件回送接口。这个接口用于测试网络应用程序,及在机器没有连接到真正的网络上时,为本地 TCP/IP 的服务提供一个网络。

回送系统的网络接口名为 lo。键入下面命令以运行 ifconfig:

ifconfig lo 127.0.0.1

此命令激活回送接口并给它分配地址 127.0.0.1。这是传统上用于回送的地址,因为 A 类网络(127.0.0.0)永远也不会被 InterNIC 分配给任何人。

要使回送系统充分可用,你需要用 route 命令为它增加一条路径,这将在后面"了解 TCP/IP 路由"一节中讨论。

23.2.3 配置网络接口

配置一个以太网接口要做稍多一点的工作,特别是如果你正在使用子网的话。对 ifconfig 的基本调用就像下面对 unix1.tristar.com 所使用的那样:

ifconfig eth0 unixl

这使 ifconfig 激活以太网接口 0 及在/etc/hosts 文件中查找 unix1 的 IP 地址,并将该地址分配给这个接口。此时测试以太网接口将看到如下代码:

$ ifconfig eth0

```
eth0        Link encap      10Mbps Ethernet HWaddr 00:00:El:54:3B:82
            inet addr      166.82.1.21Bcast166.82.1.255 Mask 255.255.255.0
            UP BROADCAST RUNNING MTU 1500 Metric 0
            RX packets 3136 errors 217 dropped 7 overrun 26
            TX packets 1752 errors 25 dropped 0 overrun 0
            interrupt:10 base address:0x300
```

注意广播地址和网络掩码是由 ifconfig 根据/etc/hosts 中的 IP 地址自动设置的。如果你正在使用子网,那么你需要显式地指定广播地址和网络掩码。例如,如果你有一个 C 类网络并正在用主机地址部分的第一位来建立两个子网,那么当运行 ifconfig 时,你必须指定广播地址和网络掩码。

ifconfig eth0 unixl broadcast l66.82.1.127 netmask 255.255.255.128

23.2.4 配置并行 IP 接口

ifconfig 对并行 IP(PLIP)、串行 IP(SLIP)和点对点协议(PPP)接口的管理有些不同。要激活 PLIP 接口,要把 pointopoint 选项增加到 ifconfig 命令行中。假设 Tristar 便携机 unixlt 被连接到 unixl 上的第一个并行端口上。用下面的方式调用 ifconfig 以激活 PLIP 链路:

ifconfig plip0 unix1 pointopoint unixlt

此命令用 unix1 的 IP 地址激活 plip0 接口和设置 pointopoint 标志,并且告诉接口这个链路的另一端的 IP 地址是 unixlt。ifconfig 在/etc/hosts 中查找 unixl 和 unixlt 的 IP 地址,并恰当地分配这些地址。在这台便携机上,你使用类似的调用:

ifconfig plip0 unixlt pintopoint unixl

参见 25.1"了解 SLIP 和 PPP 的要求"。

23.3 了解 TCP/IP 路由

路由决定一个分组从它的源通过网络到达它的目的地所经过的路径。通过把目的 IP 地址与内核路由表进行匹配来确定这个路径,并向指定的机器(它可以是也可以不是分组的目的地)传输一个分组。内核路由表包括如下形式的信息:"要从机器 Y 到达网络 X,用成本 1 把一个分组送到机器 Z",它还包括该路径的生存时间和可靠性值。

23.3.1 决定路由的策略

在网络上建立路由的第一步是确定路由的策略。对于小型无连接的网络,用 route 命令在引导时在每台机器上建立静态路由就足够了。而对有许多子网或连接到 Internet 网络上的大型网络就需要使用动态路由。路由程序通过与其他机器上的路由程序进行通讯并根据这个网络的拓扑结构安装路由来提供动态路由。

一个常用的策略是把静态路由和动态路由结合起来使用。每个子网上的机器使用静态路由到达它的近邻。把默认路由(由不与路由表中其他路由匹配的分组所使用的路由)设置为到作为网关的机器,网关进行动态路由并知道网络世界的其他部分。大型网络可以用这种方式构成,以减少配置文件的混乱和动态路由程序使用的带宽总量。

23.3.2 使用/sbin/route 程序

/sbin/route 程序处理内核路由表,并被用于设置到其他计算机或网络的静态路由,这些路由经过用 ifconfig 配置和激活的接口。这些工作通常由/etc/rc.d/rc3.d/S10network 脚本在引导时去做。表 23.3 描述了/sbin/route 命令行的参数。

表 23.3 /sbin/route 命令行的参数

参数	描述
(None)	不为/sbin/route 提供任何选项使它输出当前的路由表
-n	这个参数导致与无选项时一样的输出
del	这个参数从路由表上删除指定目的地址的路由
add	这个参数在路由表中添加到指定地址或网络的路由

检测内核路由表　运行不带命令行参数或只有-n 参数的/sbin/route 将输出路由表:

/sbin/route

Kernel routing table

Destination Gateway Genmask   Flags Metric Ref   UseIface

127.0.0.0 *   255.0.0.0   U   0   0   100 lo

这个表是在一台只激活了回送接口的机器上得到的。表 23.4 描述了路由表报告中的各个字段。

表 23.4 路由表报告中的字段

字段	描述
Destination	这个路由的目的地 IP 地址
Gateway	这个路由使用的网关的主机名或 IP 地址。如果没有网关,就会输出一个星号
Genmask	这个路由的网络掩码。内核用它来设置路由的通用性(generality),在与这个路由的目的地 IP 地址进行比较之前,把 Genmask 和分组的 IP 地址进行按位"与"操作
Flags	这个路由的标志(U 意为 up;H 意为主机;G 意为网关;D 意为动态路由;M 意为修改)
Metric	这个路由的度量成本。目前的内核网络层不支持它
Ref	依赖于这个路由的其他路由数
Use	这个路由被使用的次数
Iface	这个路由发送分组的网络接口

我们回到 Tristar 网络,下面是便携机 unixlt 上的输出例子,这台便携机正在使用 SLIP 链路:

$ /sbin/route

Kernel routing table

Destination	Gateway	Genmask	Flags	Metric	Ref	Use	Iface
slip.tristar.c	*	255.255.255.255	UH	0	0	0	sl0
127.0.0.0	*	255.0.0.0	U	0	0	100	lo
default	slip.tristar.c*		UG	0	0	1	sl0

回送接口的路由表项与前面相同,这里有两个新表项。其中的第一个表项指定到 slip.tristar.com的路由。第二个新表项指定用 slip.tristar.com 作为网关时的默认路由。

注释:

连接到网络上的每台机器在它的路由表中必须有一个默认路由。当路由表中的其他路由项都和分组的目的地不匹配时,则使用默认路由。

添加静态路由 通过运行带有 add 参数的 route 程序把路由添加到路由表中。route add 命令的命令行语法是:

ronte add [-net ¦ -host] *addr* [gw *gateway*] [metric *cost*]
└──→ [netmask *mask*] [dev *device*]

表 23.5 说明 route add 命令使用的命令行参数。

表 23.5 route add 命令使用的命令行参数

参数	描述
-net ¦ -host	把指定的地址强制作为网络或主机的地址
addr	新路由的目的地址。这可以是一个 IP 地址、主机名或网络名
gw *gateway*	指定发送给这个地址的任何分组都要通过 gateway 参数指定的网关
metric cost	设置路由表中的度量值(metric)字段
netmask *mask*	指定要增加的路由的掩码。route 程序将猜测这是什么,因此在通常情况下,你不需要指定它
dev *device*	强制 route 用指定的网络接口设备与新的路由联系。另外,route 通常能正确地猜测出新路由使用了什么设备,因此你不需要经常使用它

提示:

当在路由表中添加一个网关路由时,你必须确保指定的网关是可到达的。通常,在用网关添加路由之前,你必须为这个网关添加一个静态路由。

路由举例 现在我们来看一些例子,从回送接口开始。在用 ifconfig 配置回送接口之后,你需要给它添加一个路由,如下面所示:

```
# route add 127.0.0.1
```

因为 route 把给它的地址和已知的那些接口地址进行比较,并把回送接口分配给新路由,所以不需要别的东西。下面的例子说明在建立了 SLIP 链路并且用 ifconfig 激活了这个接口后,如何为在 Tristar unixlt 机器上的 SLIP 链路设置路由:

```
# route add slip.tristar.com
# route add default gw slip.tristar.com
```

第一条命令为主机 slip.tristar.com 增加一个静态路由;第二条命令告诉内核对所有带有未知目的地的分组使用 slip.tristar.com 作为网关。

提示:

确保 route 命令中使用的任何主机名都在/etc/hosts 文件中,这样 route 可以找到它们的 IP 地址;否则,route 将失败。

如果你把八位 IP 地址分成两部分,从而把你的网络划分为子网,那么在运行 route 时你必须指定所需的网络掩码。例如:如果你有一个 C 类网并且有 4 个使用最后八位地址的前两位的子网,那么你需要用下述形式运行 route:

```
# route add hostname netmask 255.255.255.192
```

这能确保 route 在路由表项中放入了正确的网络掩码。

对于以太网和其他广播网络接口,你需要增加路由,这些路由告诉内核,通过每个已配置的接口可以到达哪些网络。使用 ifconfig 建立 unix1.tristar.com 上的 eth0 网络接口之后(像前面所做的那样),你需要运行 route 以安装到达那个接口上的网络的路由:

```
# route add -net 166.82.1.0
```

这看起来似乎还不能正确地设置路由表项,因为没有指定接口;但是,route 通过把命令行上的 IP 地址和每个网络接口的 IP 地址进行比较来找到这个接口。它把路由分配给与之匹配的接口。在本例中,eth0 已被赋予地址 166.82.1.21,带有一个掩码 255.255.255.0。这个地址与 route 命令中给出的网络地址匹配,因此 route 通过使用接口 eth0 来安装到达网络 166.82.1.21 的路由,如下所示:

```
$ route
```

Kernel routing table

Destination	Gateway	Genmask	Flags	Metric	Ref	UseIface
166.82.1.0	*	255.255.255.0	UN	0	0	0 eth0
127.0.0.0	*	255.0.0.0	U	0	0	100 lo

为了告诉 unix1 如何到达另一个子网,为可靠起见还需要两个路由表项:

```
# route add gateway.tristar.com
# route add -net 166.82.2.0 gw gateway.tristar.com
```

这样就把一个静态路由添加到 gateway.tristar.com,然后通过把 gateway.tristar.com 作为 166.82.2.0 网络的网关来为 166.82.2.0 添加一个网络路由,如下所示:

```
$ route
```

Kernel routing table

Destination	Gateway	Genmask	Flags	Metric	Ref	UseIface
gateway.tristar	*	255.255.255.0	UH	0	0	0 eth0
166.82.1.0	*	255.255.255.0	UN	0	0	0 eth0
166.82.2.0	gateway.tristar	255.255.255.0	UN	0	0	0 eth0
127.0.0.0	*	255.0.0.0	U	0	0	100 lo

其中列出了为 gateway.tristar.com 添加的静态路由和到 166.82.2.0 网络的网关路由。

· 397 ·

用 route 命令删除路由 通过调用带 del 选项的 route 并指定要删除路由的目的地址来删除路由,例如:

```
# route del -net 166.82.2.0
```

删除网络 166.82.2.0 的网络路由。

23.4 用 *netstat* 监控 TCP/IP 网络

netstat 程序是监控 TCP/IP 网络的非常有用的工具。它可以显示内核路由表、活动的网络连接状态、和每个网络接口的有用的统计数字。表 23.6 描述了 netstat 的通用命令行参数。要得到更多的信息请参考联机帮助。

表 23.6 netstat 程序的通用命令行参数

参数	描述
-a	显示所有 Internet 连接的有关信息,包括那些正在监听的信息
-i	显示所有网络设备的统计数字
-c	不断显示网络更新状态。这个参数使 netstat 每秒一次地输出网络状态列表,直到该程序被中断
-n	以数字/原始形式显示远程地址、本地地址和端口信息,而不是解析主机名和服务名
-o	显示计时器的终止时间和每个网络连接的回退(back off)情况
-r	显示内核路由表
-t	只显示 TCP socket 信息,包括正在监听的信息
-u	只显示 UDP socket 信息
-v	显示 netstat 的版本信息
-w	显示原始(raw)socket 信息
-x	显示 UNIX 域 socket 信息

23.4.1 显示活动的(active)网络连接

运行不带命令行参数的 netstat 产生你的机器上的活动网络连接的列表。下述清单示出了 netstat 的默认输出:

```
$ netstat
Active Internet connections
Proto Recv-Q Send-Q Local Address           Foreign    Address       (State)
tcp      0       0   unix1.tristar.com:1266  server.tristar.:telnet ESTABLISHED
Active UNIX domain sockets
Proto RefCnt Flags  Type                     State        Path
unix  1       [ACC] SOCK_STREAM              LISTENING    /dev/printer
```

unix 2	[ ]	SOCK_STREAM	CONNECTED	/dev/log
unix 2	[ ]	SOCK_STREAM	CONNECTED	
unix 1	[ACC]	SOCK_STREAM	LISTENING	/dev/log

第一部分示出了活动的 TCP 协议连接,这个连接是用户 lance 连接的,它从 unixl. tristar. com 的端口 1266 到 server. tristar. com 的 telnet 端口。表 23.7 描述了活动 Internet 连接清单中的字段。

表 23.7 活动 Internet 连接清单中的字段

字段	描述
Proto	连接所使用的协议,TCP 或 DUP
Recv-Q	在这个 socket 上收到的但还没有被用户程序拷贝的字节数
Send-Q	送到远程主机但还没有被确认的字节数
Local Address	分配给这个连接的本地主机名和端口号。除非使用-n 标志,否则把这个 socket 的 IP 地址解析成这个地址的规范主机名,并且端口号被翻译成服务名
Foreign Address	分配给这个连接的外部主机名和端口号。-n 标志影响这个字段,与它影响 Local Address 字段一样
State	socket 的当前状态。它可以是下述状态中的一种: ESTABLISTED　　　　本连接被完全地建立 SYN_SENT　　　　socket 现在正试图对远程主机进行连接 SYN_RECV　　　　正在初始化这个连接 FIN_WAIT1　　　　socket 已关闭并且正在等待关闭本连接 FIN_WAIT2　　　　本连接已关闭。socket 正在等待从远程主机关闭 TIME_WAIT　　　　socket 是关闭的并且它正在等待一个远程主机关闭转发信息 CLOSED　　　　socket 不在使用 CLOSE_WAIT　　　　远程主机已关闭它的连接。本地主机正在等待 socket 关闭
	LAST_ACK　　　　远程主机被关闭并且 socket 也是关闭的。本地主机正在等待确认 LISTEN　　　　socket 正在侦听到来的连接企图 UNKNOWN　　　　不知道 socket 的状态 User　　　　拥有这个 socket 的用户的登录 ID

第二部分显示活动的 UNIX 域 socket。UNIX 域 socket 是一个 IPC(进程间通讯)机制,它把 U-NIX 文件系统作为约会系统。各进程在文件系统中建立特殊的文件,然后,由想要通讯的机器上的其他进程打开这些特殊文件。前面的 netstat 列表显示了两个正在侦听的 socket:一个在/dev/printer 上,而另一个在/dev/log 上。还有两个当前已连接的 socket:一个连到/dev/log,而另一个还没有指定与之相连的路径。表 23.8 说明了在活动 UNIX 域 socket 列表中的字段。

表 23.8　在活动的 UNIX 域 socket 列表中的字段

字段	描述
Proto	这个 socket 上使用的协议,通常是 unix
RefCnt	与这个 socket 连接的进程数
Flags	这个 socket 的标志。现在,唯一知道的标志是 SO_ ACCEPTON(ACC),它指示该 socket 是未连接的并且建立这个 socket 的进程正在等待一个连接请求
Type	访问 socket 的模式。这个字段将包含下面关键字之一: OCK_ DGRAM　　　数据报,无连接模式 OCK_ STREAM　　面向连接的流模式 OCK_ RAW　　　　原始模式 OCK_ RDM　　　　可靠递送信息模式 OCK_ SEQPACKET　连续分组模式 NKNOWN　　　　netstat 程序不知道的模式
State	socket 的当前状态。使用下面的关键字: FREE　　　　　　没有分配这个 socket LISTENING　　　这个 socket 正在等待连接请求 UNCONNECTED　在这个 socket 上没有当前的连接 CONNECTING　　这个 socket 企图建立连接 CONNECTED　　这个 socket 有一个当前的连接 DISCONNECTING　这个 socket 正企图关闭连接 UNKNOWN　　　这个 socket 的状态不可知。在通常的操作条件下,你看不到它
Path	其他进程用来与这个 socket 连接的路径名

提示:
　　丢掉许多分组或得到许多超限错误的网络接口是机器或网络超载的特征。检查网络接口的统计数据是快速诊断问题的方法。

　　调用带-o 选项的 netstat,将把内部状态信息添加到活动 Internet 连接清单中。下面是一个例子:

```
$ netstat -o
Active Internet connections
Proto  Recv-Q  Send-Q  Local Address           Foreign Address          (State)
tcp       0       0    localhost:1121          localhost:telnet         ESTABLISHED
  └─→off(0.00/0)
tcp       0       0    localhost:telnet        localhost:1121           ESTABLISHED
  └─→on   (673.69/0)
```

　　信息添加在每行的末尾,包括接收方转发的字节数、发送方转发的字节数、计时器状态(开或关)、以及时间/回退值(在括弧中)。显示的时间是计时器终止前所剩余的时间,回退指当前数据传输重试的次数。这个数据在诊断网络问题方面很有用,因为根据它能够容易地看出哪个连接有问题。

注释:

因为-o选项输出内部 TCP/IP 数据的状态,所以这个数据的格式可能改变,或者在将来的联网软件版本中可能删除这个选项。

23.4.2 检查内核路由表

调用带-r 选项的 netstat 将打印输出内核路由表。格式与 route 命令的格式相同。

23.4.3 显示网络接口统计数据

调用带-i 选项的 netstat 将打印输出每个活动的网络接口的使用情况统计数据。它是调试网络问题的另一个极好的工具。使用这个命令很容易看到何时分组被丢掉了、何时分组超时了等等。

下面是一个使用-i 选项的例子,而表 23.9 解释了清单中的每一个字段。

```
$ netstat -i
Kernel Interface table
Iface  MTU  Met  RX-OK  RX-ERR  RX-DRP  TX-OVR  TX -OK  TX-ERR  TX-DRP  TX-OVR Flags
lo     2000   0     0      0       0       0      1558      1       0       0 LRU
```

表 23.9 内核接口表中的字段

字段	描述
Iface	网络接口名
MTU	这个接口在一次传输中所能传输的最大字节数
Met	这个接口的度量值
RX-OK	接收到的无错误的分组的数量
RX-ERR	接收到的有错误的分组的数量
RX-DRP	丢失的分组的数量
RX-OVR	有超时错误的分组的数量
TX-OK	无错传输的分组的数量
TX-ERR	有错传输的分组的数量
TX-DRP	在传输期间丢失的分组的数量
TX-OVR	由于超时而丢失的分组的数量
Flags	下面的标志会在这个字段中显示: A　这个接口接收多点传送地址的分组 B　这个接口接收广播分组 D　这个接口的调试特性现在是活动的 L　这是回送接口 M　这个接口处于混合模式 N　这个接口不处理分组的尾部

字段	描述
O	这个接口上的地址解析协议被关闭
P	把这个接口作为点对点的连接
R	这个接口正在运行
U	这个接口已被激活

23.5 从这里开始

本章涵盖了配置一个用于网络的 Linux 机器的基本知识。对于所讨论的命令可以在联机帮助上找到更多信息。要了解关于 TCP/IP 网络和配置的更多的信息,参见下面各章:

☐ 第十七章"了解 Linux shell"给出了编写 shell 脚本的更多细节。

☐ 第二十二章"了解 TCP/IP 协议集"详细介绍了 TCP/TP 协议。

☐ 第二十四章"配置域名服务"介绍了如何把 Linux 设置为 DNS 客户机和服务器。

第二十四章　配置域名服务

本章内容
- □ 了解 DNS

  域名服务(DNS)提供了有效的和相对透明的把主机名映射成 IP 地址的机制。
- □ 配置解析器(resolver)

  如果你打算使用 DNS 名字解析机制,那么你必须配置你的本地解析库。
- □ 用 named 设置服务器

  Linux 中的 DNS 名字服务器是由 named 守护进程提供的,这个程序从一组配置文件中读取配置信息。在本章中,你将学习设置 named 和使 DNS 在你的 Linux 系统上运行起来。
- □ 查找 DNS 的问题

  因为 DNS 是一个非常复杂的系统,所以你可能做错许多事。大多数问题源于你的配置文件中的语法错误。

最初,在 Internet 系统刚形成时,网络上的主机数量非常少。维护名字/地址映射是十分容易的。每个主机简单地把所有主机名和地址的一个完整列表保存在一个本地文件中。随着 Internet 的加速发展,这个系统很快就变得难以处理了。当增加一台新主机时,就需要更新在每个计算机上的主机文件。另外,因为每台新计算机在每个主机文件中要占一新行,所以主机文件的大小变得越来越大。很明显,需要新的解决办法。

把 Internet 系统名映射成 IP 地址是一项需要好好考虑的任务。随着过去几年中 Internet 爆炸性地发展,维护本地 ASCII 文件中主机名到 IP 地址的映射的原始系统很快就变得不实用了。由于网络上有数以千计的计算机,而且每天还有更多的计算机加入到网络上,所以需要新的系统。这个新系统是一个在网络范围内的分布式数据库,称为 BIND,即 Berkely 的 Internet 域名服务器。它还被称作域名服务、域名系统或 DNS,这个系统提供了有效的和相对透明的把主机名映射成 IP 地址的机制。

DNS 极难配置,但是,一旦配置成功,就很容易维护。本章要对如何建立和配置一个 DNS 系统进行概要介绍。它不是一个完整的参考资料;关于这个主题有专门的书籍。

24.1　介绍 DNS

DNS 提供了一种机制,这种机制把 IP 地址转换为代表主机、网络和邮件别名的助记名。它通过把整个 Internet IP 地址和名字空间分解为不同的逻辑组来做这项工作。每个组对它所拥有的计算机和其他信息具有控制权。

因为 DNS 是一个复杂的话题,所以它有自己的一套特殊术语。表 24.1 列出了一些常用的 DNS 术语的定义。

表 24.1 常用 DNS 术语

术语	描述
域	代表网络一部分的逻辑实体或组织。例如,unc.edu 是位于 Chapel Hill 的北卡罗莱纳大学的主域名
域名	主机名的一部分,它代表包含这个主机的域。例如,在地址 sunsite.unc.edu 中,域名是 unc.edu。它可和域交换使用
主机	网络上的一台计算机
节点	网络上的一台计算机
名字服务器	提供 DNS 服务的计算机,它把 DNS 名字转换为 IP 地址
解析	把一个 DNS 名字转换为与其相应的 IP 地址的过程
解析器	从名字服务器中提取 DNS 信息的程序或库子程序
反向解析	将给出的 IP 地址与其相应的 DNS 名字匹配
欺骗	使网络看上去好像具有不同的 IP 地址或域名的行为

从概念上可把 DNS 分为下面三个部分:

□ 域名空间。这是标识一组主机并提供它们的有关信息的树结构的详细说明。从概念上说,树上的每个节点都有它控制下的主机的有关信息的数据库。查询命令试图从这个数据库中提取适当的信息。简单地说,这只是所有不同类型信息的列表,这些信息是:名字、IP 地址、邮件别名和那些在 DNS 系统中能查到的内容。

□ 名字服务器。它们是保存并维护域名空间中的数据的程序。每个名字服务器含有一个域名空间子集的完整信息,并保存其他有关部分的信息。

一个名字服务器拥有它控制范围的完整信息。控制的信息按区(zone)进行划分,区可以分布在不同的名字服务器上,以便为每个区提供冗余服务。每个名字服务器知道负责不同区的其他名字服务器。如果来了一个请求,它请求给定名字服务器负责的那个区的信息,那么这个名字服务器只简单地返回信息。但是,如果来了一个请求,它请求不同区的信息,那么这个名字服务器就要与控制该区的相应服务器联系。

□ 解析器。解析器是简单的程序或库子程序,它从名字服务器中提取信息以响应对域名空间中主机的查询。

24.2 配置解析器

使用 DNS 的第一步是在你的计算机上配置解析库。如果你打算使用 DNS 名字解析,即使你不想运行一个本地域名服务器,那么你都必须配置你的本地解析器。

24.2.1 /etc/host.conf 文件

通过/etc 目录中的名为/etc/host.conf 的文件来配置本地解析器库。这个文件告诉解析器使用那些服务,按什么顺序进行。这个文件是一个普通的 ASCII 文件,它列出解析器选项,一行一个。这个文件中的字段可以用空格或制表符分隔。字符 # 表示注释行。

可在 host.conf 文件中指定多个选项,如表 24.2 所示。

表 24.2 /etc/host.conf 文件的配置选项

选项	描述
order	指定按哪种顺序来尝试不同的名字解析机制。按列出的顺序来进行指定的解析服务。支持下面的名字解析机制： hosts 试图通过查找本地/etc/host 文件来解析名字 bind 询问 DNS 名字服务器来解析名字 nis 使用网络信息服务(NIS)协议来解析主机名字
alert	以 off 或 on 为参数。如果打开,任何试图骗取 IP 地址的行为都通过 syslog 工具进行记录
nospoof	如果用逆向解析找出与指定的地址匹配的主机名,对返回的主机名进行解析以确认它确实与你查询的地址匹配。为防止"骗取"IP 地址,通过指定 nospoof on 来允许这种功能
trim	以域名为参数。在/etc/hosts 中查找名字前,trim 删除这个域名。这使你只把基本主机名放在/etc/hosts 中而不指定域名
multi	以 off 或 on 为参数。只与 host 查询一起使用,用来确定一台主机是否在/etc/hosts 文件中指定了多个 IP 地址。这个选项对 NIS 或 DNS 查询无效

下面是使用了这些选项的/etc/host.conf 配置文件的一个例子：

```
#  Sample /etc/host.conf file
#
#  Lookup names via DNS first then fall back to /etc/hosts
order bind hosts
#  We don't have machines with multiple addresses
multi off
#  check for IP address spoofing
nospoof on
#  and warn us if someone attempts to spoof
alert on
#  Trim the tristar.com domain name for host lookups
trim tristar.com
```

这个例子给出了域 tristar.com 的通用解析器配置。这个解析器首先用 DNS 然后用本地/etc/hosts 文件查找主机名。

注释：
在解析查找中指定本地/etc/hosts 文件是个好主意。如果由于某种原因,你的名字服务器不能使用了,你还可以解析在你的本地主机文件中列出的那些主机名。你还应该在你的本地计算机上的/etc/hosts 文件中保存所有本地主机的列表。

在一台机器上使用多个 IP 地址被禁止了。这个主机通过重新解析主机名字(从 IP 地址逆向查找返回的主机名字)来检查 IP 地址欺骗。虽然对性能会有一点影响,但是它有助于确保没有一台主机能假装成与实际不同的主机。另外,解析器在检测到欺骗企图时发出警告。最后,解析器将从本地/etc/hosts 文件中查到的任何主机名中的域 tristar.com 删掉。

24.2.2 /etc/resolv.conf 文件

现在我们已经配置了解析库的一些基本行为,我们还需要为解析器的 DNS 部分设置一些信息。只有在用 DNS 进行主机名字解析(即在/etc/host.com 文件的 order 语句中指定 bind)时,才需要这样做。那么,如果不使用 DNS,就不用读本章了,是吗?

/etc/resolv.conf 控制解析器使用 DNS 解析主机名的方式。当解析主机名时,它指定要联系的 DNS 名字服务器和按什么顺序与这些服务器联系。它还提供本地域名以及在没有指定域名时用来推测主机的域名的线索。

表 24.3 列出了可以在/etc/resolv.conf 文件中使用的选项。

表 24.3 /etc/resolv.conf 文件的配置选项

选项	描述
domain	指定这个主机的本地域名。如果没有给出它,则解析器试图用 get-domainname( )系统调用来获得本地域名
nameserver	指定进行名字解析所使用的 DNS 名字服务器的 IP 地址。你可以多次使用 nameserver 选项,可以使用多达三个名字服务器。这些名字服务器的使用是按它们的排列顺序进行的。你应该把最可靠的名字服务器列在最前面,以便在查询时不会超时
search	如果在主机名中没有指定域名,则列出要尝试的域名。如果没有给出这个选项,那么通过使用本地域加上这个本地域的每个父域来建立域名列表

下面是用于 tristar.com 的/etc/resolv.conf 文件的例子:
```
#  /etc/resolv.conf  for tristar.com
#
#  Set our local domain name
domain tristar.com
#  Specify our primary name server
nameserver 166.82.1.3
```
在这个例子中,通过 domain 选项指定本地域,并列出一个用于解析主机名的名字服务器。

注释:

你需要指定 DNS 名字服务器的 IP 地址作为 nameserver 选项的参数(不是主机名)。如果你指定了主机名,那么 DNS 不知道要连接哪个主机来查找名字服务器的主机名。

上例中没有使用 search 选项来指定查询顺序。这意味着如果你要查询一台机器的地址

（例如,skippy）,解析器则首先试图查找 skippy。如果未找到,则查找 skippy.tristar.com,然后再查找 skippy.com。

DNS 服务器会意外毁坏。如果你只依赖 DNS 服务器进行名字解析,它一旦毁坏了,你就无法工作了。确保指定了多个服务器,并且在你的本地/etc/hoets 文件中很好地保存了一个主机列表,以防万一。

24.3 用 *named* 守护进程来设置名字服务器

真正的奇迹就要在这里开始。你已经看到了如何设置解析器的基本配置以及如何告诉你的解析器使用哪个名字服务器。在下面的各节中,你将了解建立名字服务器的机制。

Linux 下的 DNS 名字服务器由 named 守护进程提供。这个守护进程通常在引导时启动,并且它从一组配置文件中读取它的配置信息。通常 named 一直运行直到机器关闭。在 named 启动并且用其配置信息初始化后,它就把它的进程 ID 写入 ASCII 文件/etc/named.pid 中。然后,它开始监听在/etc/services 中指定的默认网络端口上的 DNS 请求。

24.3.1 named.boot 文件

named 在启动时读取的第一个文件通常是/etc/named.boot。这个非常小的文件是 named 使用的所有其他的配置文件的关键,它包含指向各种配置文件和指向其他名字服务器的指针。在 named.boot 文件中,注释以分号开始,并且注释一直持续到行尾。可以在 named.boot 文件中提供几个选项,表 24.4 列出了这些选项。

表 24.4 named.boot 文件的配置选项

选项	描述
directory	指定 DNS 区(zone)文件所在的目录。你可以重复此选项以指定几个不同的目录。你可以给出与这些目录相关的文件路径名
primary	以一个域名和一个文件名为参数。此选项声明 named 对指定的域具有控制权,并使 named 从指定的文件装载区信息
secondary	这个选项让 named 充当指定域的次级服务器。它的参数是一个域名、一个地址列表和一个文件名。named 试图从地址列表中指定的主机传输区信息,然后把区信息存储在这个选项行上指定的文件中。如果 named 不能与任何主机联系,它就试图从次级区文件中取得信息
cache	为 named 建立高速缓存信息。以一个域名和一个文件名作为参数。域名通常用 .(点)指定。指定的文件包括一组称为服务器提示的记录,这些记录列出了根名字服务器的信息
forwarders	以一个名字服务器列表作为参数。这个选项告诉本地名字服务器:如果它不能从它的本地信息中解析出地址,那么就与这个列表中的服务器联系
slave	把本地名字服务器变为一个从属服务器。如果给出了此选项,那么本地服务器就试着通过递归询问来解析 DNS 名字。它只把请求传递给 forwarders 选项行列出的服务器中的一个

除这些选项外,还有另外一些不常用的选项。要了解这些选项的更多的信息,请参考 named 联机帮助。

注释:

由于 tristar.com 没有与 Internet 连接,所以这些例子中的许多 IP 主机和网络地址是假想的。当建立你自己的名字服务器时,要确保你使用了分配给你的正确地址。

下面是一个示例 named.boot 文件:

```
; named.boot file
; A sample named.boot for tristar.com
;
directory  /var/named
;
cache . named.ca
primary tristar.com named.hosts
primary 197.198.199.in-addr.arpa  named.rev
```

这个例子为 tristar.com 建立了主名字服务器。如你所见,注释用;字符开始。文件中的 directory 语句告诉 named,它的所有工作文件都处于/var/named 目录中。因为 named.boot 文件中列出的其他文件都没有与它们有关的目录路径,所以它们都放在/var/named 中。

下一行为这个名字服务器建立高速缓存信息,这个选项应该出现在几乎每一台作为名字服务器运行的机器上。它允许 named 使用高速缓存,并从 named.ca 文件装载根服务器信息。

注释:

cache 项非常重要。没有它,在本地名字服务器上就不能获得高速缓冲存储区。这会在查找名字时产生严重的性能问题。另外,本地服务器不能与任何根名字服务器联系,结果,本地服务器不能解析任何非本地主机名,除非建立了一个传递(forwarding)名字服务器。

named.boot 文件中的下一行告诉 named,这个服务器拥有域 tristar.com 的主控制权。区和主机信息记录放在 named.hosts 文件中。下一节你将详细学习这些区控制权记录。

named.hosts 文件中的第二个 primary 行显示这个服务器还有 197.198.199.in.addr.arpa 区的主控制权,该区的信息在 named.rev 文件中。这种奇怪的语法是 named 获取信息把 IP 地址与 DNS 名字匹配的的方法。因为 DNS 最初是为了把 DNS 名字与 IP 地址匹配而建立的,所以需要一个不同的 primary 行来进行逆向解析。

注释:

in.addr.arpa 域用于指定逆向解析,或 IP 地址到 DNS 名字的解析。

24.3.2 数据库文件和资源记录

各种 named 数据库文件中的信息是以称为资源记录的形式存储的。每个资源记录都有一个类型,这个类型说明记录的功能。资源记录是 named 使用的最小信息块。

大多数人都会觉得资源记录的语法和主数据库文件总的来说有些深奥和难懂。但某些资源记录不得不在某些文件中的某些地方出现。大多数 DNS 配置问题都可以追溯到这些主配置文件中的错误。这一切说明,有必要深入探讨资源记录语法和各种主文件。

注释:

在主配置文件中,有指定绝对主机名和相对于这个域的主机名的选项。如果主机名以一个圆点符号 . 结束(如 foo.tristar.com.),那么主机名就被认为是绝对的。而不以一个圆点结尾的主机名被认为是相对于本地域的主机名,该域也称为原点(origin)。可以用@字符表示原点。

资源记录使用与各种类型的资源记录相一致的通用语法。但是,使情况更复杂的是,根据记录的类型,记录的某些部分是可选的,而且如果没有指定,则假定使用默认值。资源记录的基本格式是:

[owner] [tt1] [class] type data

各个字段由空白(如空格或制表符)分隔。表 24.5 讨论了这些字段的含义。

表 24.5　资源记录格式中的字段

字段	描述
owner	使用此记录的域或主机名。如果没有给出名字,那么就假定是前一个资源记录的域名
tt1	生存时间字段,它指出自 DNS 服务器得到该记录中的信息后,多长时间(以秒为单位)内这个信息是有效的。如果没有给出 tt1 的值,则使用最后的授予控制权(SOA)记录的最小 tt1 值
class	指定网络的地址类。对于 TCP/IP 网络,使用值 IN。如果没有给出类,则使用前一个资源记录的类
type	列出这个资源记录的类型。这个值是必需的。下一节将列出各种资源记录类型
data	指定与这个资源记录有关的数据。这个值是必需的。数据字段的格式取决于类型字段的内容

如上所示,资源记录的格式很容易混淆。存在几个可选字段,而且数据字段取决于资源记录的类型。更糟糕的是,存在几种不同类型的资源记录。表 24.6 列出了最常用的资源记录类型;另外还有一些很少使用的类型。如果你对另外一些类型感兴趣的话,请参考相应的 RFC 和 named 的联机帮助。

表 24.6　常用的资源记录类型

类型	描述
A	把地址与主机名相关联的地址记录。这个数据字段保存以点分十进制形式表示的地址。任何给定的主机都只能有一个 A 记录,因为这个记录被认为是授权信息。这个主机的任何附加主机名或地址映射必须用 CNAME 类型给出
CNAME	使主机的规范名字与它的别名相联系,规范名字是在这个主机的 A 记录中指定的

类型	描述
HINFO	提供关于主机的信息。这个数据字段保存特定主机的软硬件信息。它只是一个自由格式的文本字符串,因此,你可在其中放入对你的硬件有价值的内容
MX	建立邮件交换器记录。这个数据字段保存整型首选值后跟主机名。MX 记录告诉邮件传送进程把邮件送到另一个系统,这个系统知道如何把它递送到它的最终目的地
NS	指向另一个区的名字服务器。NS 资源记录的数据字段包括这个名字服务器的 DNS 名字。你还需要指定使这个名字服务器的地址与主机名相匹配的 A 记录
PTR	把地址映射为名字,如在域 in.addr.arpa 中那样。主机名必须是规范的主机名
SOA	告诉名字服务器它后面跟着的所有资源记录是控制这个域的。(SOA 表示授予控制权)。其数据字段用()括起来的并且通常是多行的字段。SOA 记录的数据字段包含以下项:
	origin 这个域的主名字服务器的规范名。它通常是用 .(点)结尾的绝对域名,因此,它不能被 named 守护程序修改
	contact 负责维护这个域的人的电子邮件联系地址。因为 @ 符号在资源记录中有特殊的含义,所以用 .(点)符号代替这个符号。如果负责维护 tristar.com 的区信息的人是 Dave,那么联系地址就是 dave.tristar.com
	serial 这个区信息文件的版本号,它是整数。次级名字服务器用它来确定这个区信息文件是何时改变的。每次改变信息文件时都应该使这个数加 1
	refresh 次级服务器在试图检查主名字服务器的 SOA 记录之前应等待的秒数。SOA 记录不经常改变,因此,一般可以把这个值设成一天左右
	retry 这是次级服务器在主服务器不能使用时,重试对主服务器的请求应等待的秒数。通常,它应按几分钟的时间进行设置
	expire 这是次级服务器在不能与主服务器取得联系的情况下丢掉区信息之前应等候的秒数。通常这个数很大,一般设置在 30 天左右
	minimum 这是没有指定 ttl 的资源记录的默认 ttl 值。如果你的网络没有太大的改变,那么这个数可以设置得相当大,例如两个星期。可以在你的资源记录中指定一个 ttl 值来代替它

如上所示,资源记录格式一下子就变复杂了。下面我们来阅读 named 使用的一些主配置文件,这样可能会把这些内容弄清楚些。

24.3.3 named.hosts 文件

在你的 named.boot 文件中,把 named.hosts 作为包含你的本地域(tristar.com)信息的文件列出。可以在 named.boot 的 primary 行上为这个文件起你想要的名字。named.hosts 文件包含控制区(tristar.com)中的主机的有关控制权信息。清单 24.1 给出了一个使用多种资源记录类型的 named.hosts 文件的例子:

清单 24.1 一个实例 named.hosts 文件

```
; name.hosts file for tristar.com
;
@               IN              SOA             ns.tristar.com. dave.tristar.com. (
6 ; serial number
86400 ; refresh 24 hrs
300 ; retry 5 minutes
2592000 ; expire 30 days
86400 ; minimum 24 hrs
)
IN     NS     ns.tristar.com.
;
; your domain itself tristar.com
;
@                       IN                      A                       199.198.197.1
IN          MX           100              mailhost.tristar.com
IN          HINFO              PC-486            Linux
;
; your   primary   nameserver
;
ns              IN          A      199.198.197.1
nameserver      IN   CNAME            ns.tristar.com.
;
; other     hosts
;
mailhost     IN   A      199.198.197.2
opus             IN   A      199.198.197.3
IN     MX     100        mailhost.tristar.com
skippy                   IN          A  199.198.197.4
IN     MX     100       mailhost.tristar.com
;
; the   localhost
;
localhost               IN              A                       127.0.0.1
```

注释:

资源记录中以 .(点)结尾的主机名不被进一步翻译。如果.(点)不是主机名的最后一个字符,那么 named

假设给出的主机名是相对于以@表示的原点域名的,并且把这个域名添加到主机名后面。

我们来仔细阅读一下清单 24.1 中的 named.hosts 文件。这个文件中的第一个记录是域的 SOA(授予控制权)记录。这个记录的第一行以@字符开始,@字符表示这是当前原点或域 tristar.com。原点由 named.boot 文件中相应的 primary 行上列出的域定义给出。此后是代码 IN SOA,它告诉 named 这个资源记录使用 Internet(TCP/IP)编址并且是授予控制权记录。

这行上接下来的两项是这个域(tristar.com)的主名字服务器的规范名字,和用点代替@的电子邮件联系人的地址 dave.tristar.com。然后,列出 SOA 记录要求的各种数据字段,一行一个。(关于这些数据字段中每一条的完整解释请参考表 24.6)。

在 SOA 记录后,下一行是名字服务器资源记录,它列出 ns.tristar.com 作为这个域的名字服务器。因为在域字段中没有列出任何域,所以假设是最后一个指定的域,也就是在 SOA 记录中列出的@。而且,显然,@字符确实是本地域(tristar.com)。这是较容易理解的。

下面三行设置一些关于 tristar.com 域本身的信息。虽然为了清楚起见已经把域名列为@(因为@是这个文件中列出的最后域名),但是如果你使域字段空白的话,那么这些资源记录仍然会默认地使用@。行:

```
@          IN        A        199.198.197.1
```

允许用户使用 tristar.com,就像它是一个真正存在的机器。如你所见,已分配给它一个 IP 地址 199.198.197.1,这确实是 ns.tristar.com 的 IP 地址。下一行为 tristar.com 建立一个邮件交换器 MX 记录,以便所有发给这个机器的邮件传递给 mailhost.tristar.com。这一组的最后一行为 tristar.com 建立了一个主机信息 HINFO 记录,它告诉网络上的所有人,它是一个正在运行 Linux 的 PC-486。

在这几行前面,通过 NS 资源记录把 ns.tristar.com 列为名字服务器。为使 named 正常工作,你必须提供一个地址或 A 记录,它给出 ns.tristar.com 的地址。文件中的下一行正是做这项工作的。在给出这个名字服务器地址的"粘接记录"后面,有一个 CNAME 资源记录。这个记录告诉你 nameserver.tristar.com 是 ns.tristar.com 的别名。

接下来为这个域上的另外三个主机:mailhost、opus 和 skippy 建立地址记录。注意,在 opus 和 skippy 的 A 记录后都有 MX 记录,它们把所有 opus 或 skippy 接收到的邮件路由到 mailhost.tristar.com 中。因为在这些 MX 记录的第一个字段中没有指定名字,所以它们使用前面的名字 opus 或 skippy。

注释:
如果一个资源记录的拥有者字段是空的,它就被缺省地设置为最后一次指定的拥有者字段值,因此,很容易把应用到一个主机的记录组成一组。但是,如果把新主机的一些新的记录增加到文件中,那么你就必须小心。如果你把它们增加到文件的中间,可能会改变某些现存的资源记录的默认主机。在向一个现有的文件中添加资源记录前一定要看仔细。

最后,这个 named.hosts 文件的最后一个主机是 localhost,它被映射成地址 127.0.0.1。可见,这些文件的语法相当复杂,而且很容易出错。

24.3.4 named.rev 文件

除了 named.rev 文件是反向工作外,它与 named.hosts 文件非常相似。它把地址映射成主机名。清单24.2给出了一个用于 trietar.com 的 named.rev 文件的实例。

清单24.2 named.rev 文件的一个实例

```
; named.rev File for tristar.com
;
@       IN       SOA       ns. tristar.com. dave. tristar.com (
6 ; serial number
86400 ; refresh 24 hrs
300 ; retry 5 minutes
2592000 ; expire 30 days
86400 ; minimum 24 hrs
)
IN       NS       ns. tristar.com.
;
; reverse map your IP addresses
;
1       IN       PTR       ns. tristar.com.
2       IN       PTR       mailhost. tristar.com.
3       IN       PTR       opus. tristar.com.
4       IN       PTR       skippy. tristar.com.
```

在这个例子中,包含了在 named.hosts 文件中见到的相同的 SOA 记录。它只是为域建立控制信息。在这里,@(原点的值)在 named.boot 文件中的 primary 行设置为 197.198.199.in-addr. arpa。回忆一下,in-addr.arpa 域是指地址到名字的逆向映射。

注释:
作为 in-addr.arpa 行的一部分而列出的地址是反向网络地址。本章例子中的网络地址是 199.198.197.0. 当你在逆向映象数据文件中列出它时,就是:

197.198.199.in-addr.arpa

这个文件中还有列出这个域的名字服务器的 NS 记录。在它之后是组成逆向地址解析记录的记录。它们是 PTR 记录并且给出了主机号(在 in-addr.arpa 值中没有列出的 IP 地址的一部分)以及匹配它的规范主机名。在这里你必须用规范的主机名来代替相对主机名。例如,下面一行:

2   IN   PTR   mailhost. tristar.com.

告诉 named 把主机地址 199.198.197.2 映射成主机名 mailhost. tristar.com.。

24.3.5 named.ca 文件

正如本章前面说明的,named 的高速缓存操作非常重要。幸运的是,建立高速缓存的 named.ca 文件通常也是最简单的 named 配置文件。它只列出各个域的根名字服务器和它们的 IP 地址。它包含一对特殊的字段指示符,它们告诉 named 这些是根服务器。

你可以只拷贝清单24.3 中的例子 named.ca 文件的格式。要得到完整的当前根名字服务器的列表,可以使用 nslookup 实用程序。

清单 24.3 named.ca 文件的举例

```
; named.ca      file
;
.         99999999          IN        NS       NS.NIC.DDN.MIL.
          99999999          IN        NS       NS.NASA.GOV.
          99999999          IN        NS       KAVA.NISC.SRI.COM.
          99999999          IN        NS       TERP.UMD.EDU.
          99999999          IN        NS       C.NYSER.NET.
          99999999          IN        NS       NS.INTERNIC.NET.
;
NS.NIC.DDN.MIL.      99999999         IN        A       192.112.36.4
NS.NASA.GOV.         99999999         IN        A       128.102.16.10
KAVA.NISC.SRI.COM.   99999999         IN        A       192.33.33.24
TERP.UMD.EDU.        99999999         IN        A       128.8.10.90
C.NYSER.NET.         99999999         IN        A       192.33.4.12
NS.INTERNIC.NET.     99999999         IN        A       198.41.0.4
```

可见,named.ca 文件只是简单地把 NS 名字服务器记录映射成它们的相应地址。

24.4 错误查找

DNS 是一个非常复杂的系统。你可能会做错许多事,并且会使系统不能够正常运行。伴随 DNS 的建立出现的许多问题都会引起相同的结果,但起因却是不同的。但是,大多数问题是由于配置文件中的语法错误而导致的。

确保在你的 DNS 配置文件中正确地指定了主机名。如果它是一个绝对主机名,要确认它是以一个圆点结尾的。

对在 SOA 和 CHAME 记录中使用的名字要尤其小心。如果你在这里做错了,这些资源记录会把主机名查询重定向到不存在的计算机。

确保在改变配置文件后要增加你的配置文件中的版本号。如果你忘了,那么 DNS 将不能再读取文件。

确保为 A 记录输入了正确的 IP 地址,并检查这个地址是否与你的/etc/hosts 文件(如果你有一个的话)匹配。另外,确保 DNS 名字和 IP 地址与 named.rev 中的相应的逆向解析信息匹配。

查找错误的最好工具是 nslookup 命令。使用 nslookup 彻底地测试你的 DNS 服务器。对你的 DNS 数据库中的每个地址都进行定期逆向解析,以确保所有的名字和地址都正确。

24.5 从这里开始

本章介绍了 DNS 系统的各个组成部分并探讨了在 Linux 系统上运行一个 DNS 名字服务器所需的各种配置文件。因为资源记录的语法是相当深奥的,所以在写你的配置文件时,你需要对配置文件多加注意。

在以下各章可以找到更多的关于网络的信息：

☐ 第二十三章"配置 TCP/IP 网络"介绍如何建立和配置 TCP/IP 网络。

☐ 第二十五章"使用 SLIP 和 PPP"介绍如何为拨号 Internet 的访问配置 SLIP 和 PPP。

☐ 第二十六章"了解 lnternet"概要介绍了 Internet 和 DNS。

第二十五章　使用 SLIP 和 PPP

本章内容

☐ 建立 SLIP 和 PPP

为使 SLIP 和 PPP 在你的服务器上工作,你需要确保在你的 Linux 内核或配置文件中设置了相应的内容。

☐ 自动连接

dip(拨号 IP 协议驱动程序)提供自动控制调制解调器的脚本语言、设置 SLIP 网络接口和内核路由表。

☐ 建立安全性

PPP 提供直接的 IP 连接,有效地把机器放在同一网络的链路的两端。已开发了两种确认协议使 PPP 更为安全。这两个协议是口令确认协议(PAP)和盘问握手确认协议(CHAP)。

Linux 内核支持传输 Internet 信息的两个串行线路协议：SLIP(串行线路 Internet 协议)和 PPP(点对点协议)。这些协议是为"穷人"开发的,它使"穷人"不使用昂贵的租用线路也能获得 Internet 网络连接。任何人只要有适当高速的调制解调器和支持这些协议的服务提供商都可以用比租用线路低得多的成本使他们的 Linux 机器获得 IP 连接。在 Linux 发行后不久就可使用 SLIP 的 Linux 驱动程序,在此之后才支持 PPP。

25.1　了解 SLIP 和 PPP 的要求

你需要确保在你的 Linux 内核或配置文件中设置了一些内容。TCP/IP 网络必须能使用并且应该配置回送接口。

参见 23.2.2"配置软件回送接口"。

需要把你的域名服务(DNS)服务器的 IP 地址包括在/etc/resolv.conf 文件中,为的是能方便地访问除拨号主机以外的其他机器。如果你的拨号连接太慢或有错,那么你可能想在 Linux 机器上运行一个名字服务器,以便高速缓存任何 DNS 查询,并减少在你的拨号连接上的 DNS IP 传输量。

参见 24.2.2"/etc/resolv.conf 文件"。
参见 24.3"使用 named 守护进程来设置服务器"。

25.2 用 *dip* 使 SLIP 操作自动化

Linux 提供了许多管理 SLIP 操作的程序。拨号 IP 协议驱动程序 dip 是功能最多的工具之一。它为自动控制调制解调器，并自动设置 SLIP 网络接口和内核路由表提供了脚本语言。你可使用 dip 来启动 SLIP 连接或为其他机器提供拨号 SLIP 服务。dip 的语法是：

dip［-tvi］［-m mtu］［scriptfile］

表 25.1 描述了 dip 的最常用的命令行参数。

表 25.1 dip 的常用命令行参数

参数	描述
-a	提示用户输入用户名和口令
-t	以命令模式运行 dip。命令模式使用户得到 dip 的所有功能，允许用户手工地启动 SLIP 连接
-v	和-t 一起使用以显示当前的错误级别
-i	让 dip 运行于输入模式。当 dip 为其他人拨号进入你的机器提供 SLIP 服务时，要使用这个参数
-m *mtu*	迫使 dip 使用指定的 MTU 值
scriptfile	要运行的 dip 脚本的名字

25.2.1 以命令模式使用 *dip*

以-t 选项调用 dip 使它处于命令模式。这种模式使你能直接控制 dip，是开发和调试 dip 脚本的极好工具。下面你可以看到 dip 的命令模式是如何工作的：

$ /sbin/dip -t

DIP：Dialup IP Protocol Driver version 3.3.7i-uri（17 Apr 95）

Written by Fred N. van Kempen, MicroWalt Corporation.

DIP >

从 DIP > 提示符，你可以运行任何 dip 命令（通过键入这个命令并按〈Return〉）。help 命令显示可使用的命令列表。以不正确参数调用一个命令将显示该命令的一个简短的用法说明。表 25.2 描述了在命令模式提示符下或在 dip 脚本中可以使用的命令。

表 25.2 dip 中可使用的命令

命令	描述
chatkey *keyword*［*code*］	把一个关键字和错误级别代码添加到由 dial 命令返回的错误代码集中。当你的调制解调器返回 BUSY、VOICE 或其他的指定信息时，用 chatkey 命令来检测
config［*arguments*］	config 命令允许你直接操作 dip 提供的 SLIP 接口。本命令通常不能使用，因为它有严重的安全方面的危险。要使这个命令能用，源代码文件 command.c 必须略加修改
databits *bits*	设置每个字节中作为数据使用的位数。它提供 6 到 7 位的拨号连接

命令	描述
default	引起 dip 在内核路由表中设置指向远程主机的默认路由
dial *num*	拨指定的电话号码
echo on ¦ off	打开或关闭回送。打开回送能使 dip 显示调制解调器送出了什么和接收了什么
flush	丢弃来自调制解调器的还未读取的任何响应
get $ var	把变量 $ var 设置为常量 ask 或指定的远程常量,提示用户输入一个值或者从串行线路上取下一个字并把这个字赋给 $ var
goto *label*	跳转到 dip 脚本中的指定标号上
help	显示在命令模式中的可使用的命令列表
if $ var op *number*	在 goto label 脚本中执行条件转移。$ var 必须是 $ errlvl、$ locip 和 $ rmtip 中的一个。number 必须是一个整数。op 可使用下面的操作符,它们的含义与在 C 语言中相同: = =、! =、<、>、< =、和 > =
init *initstring*	用 reset 命令把它发送给调制解调器的初始字符串设为 initstring
mode SLIP¦CSLIP	为连接设置协议模式并使 dip 进入守护程序(daemon)模式。本命令通常使 dip 进入守护程序模式并且不把控制返回给脚本或 DIP > 命令行
modem HAYES	设置调制解调器类型。目前只支持 HAYES 类型的调制解调器。(HAYES 必须大写)
netmask *mask*	把 dip 安装的路由的网络掩码设置成 mask
parity E¦O¦N	设置串行线路的校验方式:偶校验、奇校验或不校验
password	提示用户输入一个口令并以一种安全的方式取得它。这个命令在你输入口令时不回显口令
print	把文本回送到启动 dip 控制台上。文本中包括的变量用它们的值代替
port *dev*	设置 dip 使用的设备
quit	退出 dip 程序
reset	把初始字符串发送给串行线路
send *text*	把指定的文本发送到串行线路。能正确处理传统的 C 风格的反斜线
sleep *num*	将处理过程延时指定的秒数
speed *num*	设置串行线路的速度
stopbits *bits*	设置串行端口使用的停止位的数量
timeout *num*	把默认的超时值设置为整数值 num,以秒为单位
term	使 dip 进入终端仿真模式。它允许你直接与串行链路交互。按 < Ctrl-] > 将返回 DIP > 提示符
wait *word num*	使 dip 等待串行线路上的指定字的到来,等待时间的最大值为 num 秒

dip 还为用户使用提供了许多变量。有些变量(如本地和远程 IP 地址)可以由用户设置,其他的变量是只读的,用于诊断和提供信息。每个变量都以美元符开始,而且必须用小写字

母。表25.3列出了这些变量和它们的用法。

表25.3 dip提供的变量

变量	描述
$ local	本地机器的主机名
$ locip	分配给本地机器的 IP 地址
$ remote	远程机器的主机名
$ rmtip	远程机器的 IP 地址
$ mtu	用于连接的 MTU 值
$ modem	正在使用的调制解调器类型(只读)
$ port	dip 正在使用的串行设备名(只读)
$ speed	串行设备的速度设置(只读)
$ errlvl	最后命令执行的结果代码(只读)。零表示成功,其他的任何值都表示一个错误

提示:

给主机名设置 $ local 或 $ remote 变量会使 dip 把主机名解析为它的 IP 地址并且把它们存储到各自的 IP 地址变量中。这使你在编写脚本时省些事。

注释:

你不能用 get 命令直接设置只读变量。

25.2.2 用静态 IP 地址使用 *dip*

给使用同一个 SLIP 提供商的每台机器分配独立的 IP 地址是很常见的。当你的机器启动到远程主机的 SLIP 链路时,dip 用这个已知的地址配置 SLIP 接口。清单25.1 是用静态 IP 地址建立从 unixlt.tristar.com 到 unixl.tristar.com 的 SLIP 链路的 dip 脚本。

清单 25.1 在 SLIP 上使用静态 IP 地址的 dip 脚本举例

```
# Connect unixlt to unixl using static IP Addresses
# Configure Communication Parameters
port /dev/cua1  # use modem on /dev/cua1 serial line
speed 38400
modem HAYES
reset                                    # Send imtialization string to modem
flush                                    # Throw away modem response


get  $ local unixlt                      # Set local IP address
get  $ remote unixl                      # Set remote IP address


 # Dial number for unixl modem
dial 555-1234
```

```
if $ errlvl ! = 0 goto error              # lf the dial command fails, error out
wait CONNECT 75
if $ errlvl ! = 0 goto error              # If we don't get a CONNEGT string
 # from the modem, error out


send  \ r \ n                             # Wake up login program
wait ogin: 30                             # Wait 30 seconds for login prompt
if $ errlvl ! = 0 goto error              # Error out lf we don't get login prompt
send Sunixlt \ n                          # Send SLIP login name for unixlt
wait ssword: 5                            # Wait 5 seconds for password prompt
if $ errlvl ! = 0 goto error              # Error out if we don't get password
send be4me \ n                            # Send password
wait running 30                           # Wait for indication that SLIP is up
if $ errlvl !  = 0 goto error             # Otherwise error out


 # We're in, print out useful information
print Connected to $ remote With address $ rmtip
default                                   # Make this link our default route
mode SLIP                                 # Turn on SLIP mode on our end


 # Error routine in case things don't work
error:
print SLIP to $ remote failed.
```

提示:
　　跟踪 SLIP 帐号会是很困难的。传统上,用小写字母给 UNIX 用户帐号分配登录名,用客户机名前加一个大写 S 来作为这个机器的 SLIP 帐号的登录名,使它更容易跟踪并且可避免登录名与通常的用户帐号相混淆。

　　清单 25.1 中的脚本初始化调制解调器并为 SLIP 链路设置本地和远程 IP 地址。如果你在这里使用主机名,那么 dip 把这些名字解析为它们的 IP 地址。然后该脚本拨号调制解调器并进行登录工作。一旦登录并确认已在远程主机上建立了 SLIP 链路,该脚本就让 dip 配置路由表,然后把串行线路切换到 SLIP 模式。

　　如果出现错误,那么该脚本末尾的错误处理子程序就打印警告信息并终止整个脚本。出现这种情况时,dip 在以合理状态离开串行线路方面是非常出色的。

25.2.3　用动态 IP 地址使用 *dip*

　　随着 SLIP 越来越流行,为 SLIP 客户机管理 IP 地址的任务就变得越来越困难。当支持 SLIP 的终端服务器投入使用时,这个问题就变得更糟了。现在,根据终端服务器在哪个端口上接收到你的呼叫,可能会把一个 IP 地址范围中的任何一个地址分配给你。这使得捕获从串行线路上得到的数据中的 IP 地址信息的 dip 脚本要有所变化。清单 25.2 是从串行线路上捕获本地和远程 IP 地址的 dip 脚本。

清单 25.2 动态 IP 地址的 dip 脚本举例

```
# Connection script for SLIP to server with dynamic IP address
# assignment. The terminal server prints out :
#
# remote address is XXX.XXX.XXX.XXX the local address is YYY.YYY.YYY.YYY


# Set the desired serial port and speed.
port /dev/cual
speed 38400


# Reset the modem and terminal line.
Reset
flush


# Prepare for dialing.
dial 555-1234
if $ errlvl ! = 0 goto error
wait CONNECT 60
if $ errlvl ! = 0 goto error


# We are connected. Login to the system.
login:
wait name: 10                                        # Log in to system
if $ errlv1 ! = 0 goto error
send Sunixlt \ n                                     # Send user ID
wait ord: l0
if $ errlvl ! = 0 goto error
send be4me \ n                                       # Send password
if $ errlvl ! = 0 goto error
get $ remote remote l0                               # Get remote IP address
if $ errlvl ! = 0 goto error
get $ local remote l0                                # Get local IP address
if $ errlv1 ! = 0 goto error
done:
print CONNECTED to $ remote with address $ rmtip we are $ local
default                                              # Set routing
mode SLIP                                            # Goto SLIP mode
goto exit
error:
print SLIP to $ host failed.
exit:
```

清单 25.2 中的脚本用 get $ remote remote 10 来监视串行线路, 并捕获 $ remote 变量中第一个看起来像 IP 地址的内容。该命令超时限为 10 秒, 如果它没有找到一个 IP 地址, 就产生一个出错信息。

25.3 使用 *diplogin* 来提供 SLIP 服务

dip 程序从客户机自动启动 SLIP 链路。Linux 还支持进入拨号 SLIP 链路。为做这项工作，还可使用一些软件包。这里我们使用 diplogin 程序，实际上它只是 dip 的另一个名字。

为其他人提供 SLIP 服务要求在你的 Linux 机器上为每个人建立一个指定的帐号，并正确地配置这些帐号。你还需要为每个提供 SLIP 服务的主机写一个带适当信息的/etc/diphosts 文件。

25.3.1 建立 SLIP 帐号

你可以手工地建立 SLIP 帐号，或使用对每个询问都有适当响应的 adduser 脚本。下面的例子是 unixl. tristar. com 上的口令文件中用于 unixlt. tristar. com 的/etc/passwd 条目：

Sunixlt：IDR4gDZ7K7D82：505：100：unixlt SLIP Account：/tmp：/sbin/diplogin

建议将/tmp 用作 SLIP 帐号的起始目录，防止 SLIP 用户把文件默认地写入你的文件系统的敏感区域中，从而减少安全方面的风险。确保对 diplogin 程序使用正确的路径。

25.3.2 使用 etc/diphosts 文件

etc/diphosts 文件控制对你的机器进行 SLIP 访问并包含每一个允许使用 SLIP 的账号的连接参数。该文件还包括与下述相似的行：

Sunixlt：：unixlt. tristar. com：unixlt SLIP：SLIP, 296

这个文件中的字段是用户 ID、第二口令、呼叫机器的主机名或 IP 地址、当前没有使用的信息字段和本帐号的连接参数。连接参数字段包括用于这个帐号的协议（SLIP 和 CSLIP）和最大传输单元（MTU）的值。

如果第二个字段非空，那么当指定的帐号登录到你的机器上时，diplogin 提示用户输入一个外部安全口令。如果远程主机的回答与这个字段中的字符串不匹配，那么就放弃登录尝试。

警示：

diplogin 程序要求有超级用户特权才能修改内核路由表。如果你不是在运行 dip setuid root，那么你就不能使用 dip 和 diplog 之间的链路。你必须制作一个独立的、称为 diplogin 的 dip 的拷贝，并使它的 suid 为 root。

这些就是所要做的。建立 SLIP 帐号和/etc/diphosts 文件完全配置了你的系统以支持进入的 SLIP 链路。

25.4 使用 PPP

点对点协议（PPP）是通过串行链路传送数据报的另一个协议。在 SLIP 之后开发的 PPP 包含许多 SLIP 缺乏的特性。它可以自动处理选项，如 IP 地址、数据报大小、客户授权。它还可以用非 IP 协议来传输分组。

25.4.1 用 *pppd* 和 *chat* 自动建立 PPP 链路

PPP 的运行分为两部分：Linux 内核中的 PPP 驱动程序和用户必须运行的称为 pppd 的程序。使用 PPP 最基本的方法是用一个通信程序手工地登录到远程主机上，然后在远程和本地主机上手工地启动 pppd。用一个带 pppd 的 chat 脚本来控制调制解调器、登录到远程主机上、启动远程 pppd 是非常方便的。在深入讨论 pppd 之前，先简单看一下 chat。

使用 *chat* 程序　chat 是在计算机和调制解调器之间进行自动交互的程序。它主要用于在本地和远程 pppd 守护进程之间建立调制解调器连接。chat 的语法是：

chat [*options*] *script*

表 25.4 列出了用于 chat 程序的命令行选项。

表 25.4　*chat* 的命令行选项

选项	描述
-f　*filename*	使用指定文件中的 chat 脚本
-l　*lockfile*	通过使用指定的锁定文件来产生一个 UUCP 风格的锁定文件
-t　*num*	用指定的数作为每个期待的字符串的超时值（以秒为单位）
-v	将 chat 发送到和接收的每项信息记录到 syslog 中
script	要使用的 chat 脚本

你不能同时即使用-f 选项又指定一个 chat 脚本，它们是相互排斥的。如果你使用带-l 的 chat，就不要把 lock 选项与 pppd 一起使用，因为由 chat 产生的锁定文件会引起 pppd 失败，这是由于调制解调器设备已经在使用。

提示：

当调试 chat 脚本时，在一个虚拟终端上运行 tail -f /var/adm/messages 并在另一个虚拟终端上运行带-v 选项的 chat。你然后就能看到 chat 正在进行的谈话，这个谈话与在第一个虚拟终端上进行的一样。

制作 *chat* 脚本　chat 脚本由一个或多个由空格分隔的期待-回答字符串对组成。chat 程序等待期待的文本并在接收到这个文本时发出回答文本。可选的子期待-子回答对可以包括在期待部分，用连字符分隔。

下面是一个典型的为登录到 Linux 机器而写的 chat 脚本。

ogin:- \ r \ n-ogin: abbet1 word: costello

这个脚本的意思是 chat 应该等待字符串 ogin:的出现。如果在收到它之前，chat 超时，那么 chat 应该送出一个回车和换行，并再次等待字符串 ogin:。当 chat 看到 ogin:字符串时，它发送 abbetl，然后等待 word:并发送 costello 作为回答。

提示：

在期待的字符串中只包括必需的文本以明确认出你正在等待的内容，这样就能把错误匹配或由于断章取义地截取文本彻底毁掉你的脚本的机会减少到最小程度。例如，用 ogin:替换 login:和用 word:替换 password:。

chat 通常在每个回答字符串之后发送一个回车(除非这个字符串以 \ c 序列结束)。回车符在期待字符串中是不出现的,除非在期待字符串中显式地使用了带 \ r 的字符序列。

大多数调制解调器在收到忙音或未检测到一个载波时都能够报告呼叫失败的原因。如果它收到上述指定的字符串,你可以用期待字符串 abort 让 chat 失败。多个 abort 对是有累积效果的。下面的脚本是一个使用 abort 期望字符串的例子:

abort 'NO CARRIER' abort 'BUSY' ogin:--ogin: ppp word:be4me

如果在这个 chat 脚本中的任何一点收到 NO CARRIER(无载波)或 BUSY(忙),这个 chat 脚本都使 chat 失败。

chat 可识别许多字符和转义序列(参见表 25.5)。

表 25.5 *chat* 认识的字符和转义序列

序列	描述
BREAK	用作回答字符串,这使 chat 把一个中断发送给调制解调器。这个特殊的信号通常使远程主机改变它的传输速度
' '	发送带单个回车符的空字符串
\ b	空格符
\ c	禁止在回答字符串后发送换行符,必须放在回答字符串的末尾
\ d	使 chat 等待一秒
\ k	指定中断信号的另一个含义
\ n	发送一个换行字符
\ N	发送一个空字符
\ p	暂停 0.1 秒
\ q	防止它包括的字符串在 syslog 文件中显示
\ r	发送或期待一个回车
\ s	发送或期待一个空格符
\ t	发送或期待一个制表符
\ \	发送或期待一个反斜线符
\ *ddd*	以八进制指定一个 ASCII 字符
^C	指定用 C 表示的控制字符

提示:

你可以使用 abort 字符串来阻止在你的高速调制解调器上的低速呼叫。把你的调制解调器配置成在它建立一个连接时返回 CARRIER 14400 字符串并把 abort CARRIER 2400 加到你的 chat 脚本中。用这种方法,如果你的调制解调器以 2400bps 连接而不是以 14400bps 连接,那么 chat 就失败。

使用带 chat 的 PPP pppd 程序有这样一些命令行选项,它们控制 PPP 链路的所有方面。pppd 命令的语法是:

pppd [options] [tty_name] [speed]

表 25.6 描述了最常用的选项。

表 25.6   常用 *pppd* 命令行选项

选项	描述
device	使用指定的设备。如果需要,pppd 把/dev/加到这个字符串。当没有给出设备时,pppd 使用控制终端
speed	设置调制解调器的速度
asyncmap *map*	设置异步字符映射。这个映射指定哪些控制字符不能通过连接被发送并且需要转义。这个映射是 32 位的十六进制数,其中每一位代表一个字符。第零位(00000001)代表字符 0×00
auth	请求远程主机确认自己
connect *program*	使用程序或 shell 命令来建立连接。这里正是使用 chat 的地方
crtscts	使用硬件流控制
xonxoff	使用软件流控制
defaultroute	使 pppd 在你的内核路由表中设置到达远程主机的默认路由
disconnect *program*	在 pppd 终止连接后,运行指定的程序
escape C1, C2, . . .	传输时使指定的字符转义。这些字符用对等的 ASCII 十六进制值指定
file *filename*	从指定的文件中读取 pppd 选项
lock	在串行设备上使用 UUCP 风格的锁定
mru *num*	把最大的接收单位设置为指定的数
netmask *mask*	设置 PPP 网络接口的网络掩码
passive	当 pppd 不能立即启动连接时,使 pppd 等待一个有效的连接而不是失败
silent	阻止 pppd 启动一个连接。而是让 pppd 等待一个来自远程主机的连接

另有 40 多个其他的命令行参数控制 PPP 各层次的所有方面。详细情况参阅联机帮助。

注释:

pppd 程序要求/etc/ppp/options 文件已存在,即使这个文件是空的。此文件由 pppd 读取,可用来放置 pppd 每次运行时你想让它使用的选项。

你能够以多种方式组合使用 pppd 和 chat。你可以在命令行上为这两个程序指定所有命令行参数,把 pppd 选项放在一个文件中,或把 chat 脚本放在一个文件中。下面是带完整命令行参数的简单例子:

```
$ pppd connect 'chat " " ATDT555l234 ogin:unixlt word:be4me' \
/dev/cual 38400 mru 296 lock debug crtscts modem defaultroute
```

这个例子以简单的、拨电话号码的 chat 脚本作为参数来运行 pppd,把用户 unixlt 登录到远程主机上。其中包括设备、速度、MRU 和许多其他选项。

在另一个极端情况下,你可以把 pppd 的大多数选项放在一个文件中,并使 chat 读取一个脚本。下面是这样一个对 pppd 的调用:

pppd /dev/cual 38400 connect 'chat -f unixl.chat'

下面几行显示这个引用文件的内容：

```
# Global PPP Options File
mru 296                        # Set MRU value
lock                           # Use UUCP locking
crtscts                        # Use hardware handshaking
modem                          # Use modem control lines
defaultroute                   # Make PPP set up default route
```

pppd 读取此文件并处理它在其中发现的选项。任何跟在 # 字符后面的文本都被作为注释而忽略。

下述 chat 脚本设置了多个 abort 字符串、拨电话号码、等待一个登录提示并用 ppp-word 口令把用户 ppp 登录到远程主机上：

```
abort 'NO CARRIER'
abort 'BUSY'
abort 'VOICE'
abort 'CARRIER 2400'
'' ATDT555-234
CONNECT ' \ c '
ogin：-BREAK-ogin：ppp
word：ppp-word
```

25.4.2 提供 PPP 服务

把 Linux 机器配置成 PPP 服务器比建立一个 SLIP 服务器更简单。它只需要一个新帐号和一个正确运行 pppd 程序的 shell 脚本。

用一个/etc/passwd 条目创建一个称作 ppp 的帐号，如下所示：

```
$ ppp：*：501：300：PPP Account：/tmp：/etc/ppp/ppplogin
```

并适当地设置口令。uid(501)和 gid(300)号不必相同。如果你愿意，你还可以为你的每一个 PPP 客户分配一个帐号。/etc/ppp/ppplogin 文件应该是一个可执行的脚本，如下所示：

```
#！/bin/sh
# PPP Server Login Script
# Turn off messages to this terminal
mesg n
# Turn off echoing
stty -ech0
# Run pppd on top of this sh process
exec pppd -detach silent modem crtscts
```

这个脚本以-detach 参数执行 pppd，以防止 pppd 本身脱离所在的 tty。如果 pppd 脱离了，且这个脚本存在，那么将使这个拨号连接关闭。silent 选项使 pppd 等待远程 pppd 守护程序启动这个连接。modem 选项使 pppd 监控这个调制解调器的控制线,而 crtscts 使 pppd 使用硬件流控制。

所要做的就是这些。当用户用适当的用户名和口令登录到你的机器上时,你的机器上就会自动建立 PPP 链路。

25.4.3 使 PPP 连接安全可靠

使你的 PPP 链路安全可靠是非常重要的。允许任何人将你的机器连接到 PPP 服务器或允许任何人连接到你的 PPP 服务器是与让任何人将机器直接连到你的网络上一样糟。PPP 提供直接的 IP 连接,将机器有效地放置到同一网络上的链路的两端。

为使 PPP 更安全,已开发了两个确认协议:口令确认协议(PAP)和盘问握手确认协议(CHAP)。当正在建立 PPP 连接时,每台机器都需要另一台机器来确认自己。这使得可以完全控制谁可以使用你的 PPP 服务。CHAP 是更安全的协议,也是我们要在这里讨论的协议。

CHAP 使用一套密钥,它们是由使用 CHAP 机器的拥有者保密的文本字符串,和一个加密的盘问系统来相互确认。CHAP 的一个有用的特性是只要 PPP 链路连通,它就定期发出盘问请求。例如,这个协议可以检测出通过切换电话线路来取代合法用户的入侵者。

CHAP 的密钥存储在/etc/ppp/chap-secrets 中。要在你的 PPP 链路上使用确认程序,你可以在调用 pppd 时增加 auth 选项,并为被检查的主机向 chap-secrets 文件中增加相应的信息。下面是 unixlt.tristar.com 的 chap-secrets 文件的举例:

    # unixlt.tristar.com CHAP secrets file
    # client/server/secret/IP addr
    unixlt.tristar.com unixl.tristar.com "It's Full of Stars"
    unixlt.tristar.com
        └─→unixl.tristar.com unixlt.tristar.com "three stars" unixl.tristar.com
    * unixlt.tristar.com "three stars" tristar.com

其中每行包括四个字段:客户主机名、服务器主机名、密钥以及一个可供这个客户选用的 IP 地址列表。由提出确认请求的主机(服务器)来指定这个文件中的客户和服务器。客户必须响应这个请求。

这个文件定义了三个不同的 CHAP 密钥。当 unixl.tristar.com 请求 unixlt.tristar.com 的 CHAP 确认时,使用第一行;第二行用于相反的情况。最后一行用一个通配符来定义客户。这允许任何知道密钥的机器建立一个到 unixlt.tristar.com 的连接。通配符(*)可用于客户或服务器的字段中。

对 chap-secrets 文件的小心管理使得你可以完全控制那些能访问你的 PPP 服务器的机器和你可以用 PPP 访问的机器。

25.5 从这里开始

SLIP 和 PPP 是租用线路连接的低成本的替代方案。你已看到了运行 SLIP 和 PPP 的条件和用 dip 和 chat 命令自动建立 SLIP 和 PPP 连接的方法。你已经学习了如何把 Linux 配置为 SLIP 或 PPP 服务器,和如何使用 CHAP 协议来提高 PPP 的安全性。

□ 第十章"管理用户帐号"介绍了如何增加和删除用户帐号。

□ 第二十二章"了解 TCP/IP 协议集"解释 TCP/TP 是什么以及这个协议是怎样工作的。

□ 第二十三章"配置 TCP/IP 网络"介绍如何建立在网络上使用的 Linux 机器。

□ 第二十四章"配置域名服务"介绍如何使 Linux 使用 DNS。

第六部分　使用 Internet

第二十六章　了解 Internet

本章内容

☐ Internet 网的背景知识

　　了解 Internet 网的历史和规模。

☐ Internet 名字的基本知识

　　了解 Internet 中计算机名字的不同部分的含义。

☐ DNS 名字系统

　　介绍域名服务及它是如何解析计算机名字的。

☐ 查找 Internet 网上的主机

　　学习用 nslookup 来查找 Internet 网上的主机。

不管到那里,你都能听到 Internet 网和 World Wide Web(万维网)。市场上有数以百计的书籍都把目标瞄准了 Internet 网上的计算机用户,不论其是初学者还是有经验的人。很多公司还提供联网服务,当然要收取少量费用。但什么是 Internet 网呢? 它是怎样运行的? 它为什么有用呢? 本章将讲述这些问题以及有关这个迅速成长的信息网络的其他问题。

提示:

　　许多计算机用户把 Internet 简称为 Net。

26.1　Internet 的结构

Internet 实际上是互相交换信息的计算机网络的网络。事实上,Internet 这个词来自于术语 internetwork,其含义是"在网络间进行通信"。你可以认为 Internet 是一个连接有许多计算机的大云团(参见图 26.1)。当新的计算机和网络加入或现有的网络改变时,这个云团都会变化和增长。

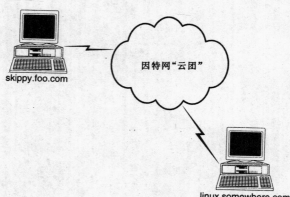

图 26.1　Internet 的逻辑云团结构包括许多互连的网络

因特网"云团"

skippy.foo.com

linux.somewhere.com

在这个 Internet 云团中有许多相互连接的计算机网络。这些系统使用 TCP/IP 协议集来进行数据通信。

26.2 历史简介

Internet 是由美国国防部高级计划研究署(DARPA)的一个研究项目发展来的,这个项目致力于研究链接各种计算机网络的方法,其结果是形成 ARPANET 网(该网始建于 1969 年)。到 1971 年,大约 40 台计算机或主机被连接到 ARPANET 网上。研究人员开发了跨网络发送电子邮件的能力。在整个 70 年代,ARPANET 网不断发展,其他计算机网络也开始与之连接。

网络互联的研究导致了 TCP/IP 网络协议的开发,该协议替代了称作网络控制协议(NCP)的旧协议集,成了 ARPANET 网的标准。当越来越多的网络连接到 ARPANET 网上并相互连接时,这个庞大而复杂的网络就成为人们所熟知的 Internet。原来的 ARPANET 网于 1990 年关闭,Internet 成为它的兴旺发达的继承者。

26.3 规模

在过去十年中,Internet 网经历了难以置信的发展过程。在 1984 年,Internet 网上大约有 1000 台主机。到了 1989 年,其总数增加到 100 000 台以上。三年后,即 1992 年,Internet 网上有超过一百万台的计算机。到 1994 年 7 月为止,在 Net 上有超过三百二十万台主机,拥有大约两千万用户。今天就远远超过这个数目了。随着由 WWW 提供的易于使用的信息检索工具的发展,许多非技术用户逐渐认识到 Internet 网上具有大量他们可访问的信息资源。

至于 Internet 网的地理范围,它几乎跨越整个世界,几乎每个工业化国家都与 Internet 网有某种形式的连接。

注释:

基本上有两种不同层次的 Internet 网连接:
- 最基本的交互方式连接,一个网点与一个 Internet 成员网络有某种实际连接。这个网点运行 TCP/IP 协议集作为它的联网协议并且能与其他计算机进行直接的实时网络连接。这被称为是 IP 连接。
- 另一种连接类型通常使用 UUCP 协议把电子邮件和 Usenet 新闻传输给一个 IP 连接的网点或从一个 IP 连接的网点中接受电子邮件和 Usenet 新闻。使用这种连接类型的用户不能交互地访问网上的其他计算机。

26.4 Internet 名字

Internet 上拥有数百万台计算机,你如何指定你想要与之进行会话的那台计算机呢? 你必须知道这个计算机的名字,就像要给某人写信时必须知道收信人的姓名一样。这些名字是由称为域名服务(DNS)的约定来指定的,DNS 在 Internet 请求注释(RFC)号 1032,1033,1034 和 1035 中定义。(要了解更多的信息,请参见第二十四章"配置域名服务"。)

注释:

请求注释提供 Internet 社区的正式文档、方针和程序。这些文档通常用缩写 RFC 和一个数字表示。

DNS 名字的格式如下：

[*subdomain*].[*subdomain*].[...].*domain*

有时一个域名不是指一台特定的计算机,而是指某种别名。

注释:

方括号([ ])表示可选择的项。因此,别把方括号当作名字的一部分来键入。

26.4.1 域

通常,域名给出在一个组织中的一台计算机或一组计算机的分级结构。域名最右边的部分(域字段)提供最通用的类别。美国使用九个域字段,表 26.1 中列出了这些字段。

表 26.1 美国域的列表

域	说明
arpa	ARPANET 成员(舍弃)
com	工商业组织
edu	大学和教育学院
gov	非军事政府组织
int	国际组织
mil	军事部门
net	网络运作组织
org	其他组织
us	美国 ISO 域

提示:

为了了解 US 域的更多信息,请参考 RFC 1480。

在美国以外,每个国家或地区用一个双字母域来标识,它是根据国际标准化组织(ISO)文档 3166 指定的国家(或地区)代码而定的。(由于 Internet 主要地起源于美国,所以最初 us 域并没有被广泛地使用)。表 26.2 中列出了其他国家或地区的域。

表 26.2 国际的 DNS 域

国家或地区	域	国家或地区	域	国家或地区	域
阿富汗	**af**	阿塞拜疆	**az**	中非共和国	**cf**
阿尔巴尼亚	**al**	巴哈马群岛	**bs**	爱沙尼亚	**ee**
阿尔及尼亚	**dz**	巴林群岛	**bh**	乍得	**td**
美洲摩亚群岛	**as**	孟加拉国	**bd**	埃塞俄尼亚	**et**
安道尔	**ad**	巴巴多斯岛	**bb**	智利	**cl**
安哥拉	**ao**	贝拉勒斯	**by**	弗克兰群岛	**fk**
安圭拉岛	**ai**	比利时	**be**	中国	**cn**

国家或地区	域	国家或地区	域	国家或地区	域
南极洲	aq	伯利兹	bz	法罗群岛	fo
安提瓜	ag	贝宁	bj	圣诞岛	cx
阿根廷	ar	百慕大群岛	bm	斐济	fj
亚美尼亚	am	不丹	bt	科科斯群岛	cc
阿鲁巴岛	aw	玻利维亚	bo	芬兰	fi
澳大利亚	au	波斯尼亚	ba	哥伦比亚	co
奥地利	at	博茨瓦纳	bw	法国	fr
布韦岛	bv	克罗地亚	hr	科摩罗群岛	km
巴西	br	古巴	cu	法属几内亚	gf
英属印度群岛	io	塞浦路斯	cy	刚果	cg
文莱	bn	捷克共和国	cz	法属波利尼西亚	pf
保加利亚	bg	丹麦	dk	库克群岛	ck
布尔基纳法授	bf	吉布提	dj	法国南部地区	tf
布隆迪	bi	多米尼加岛	dm	哥斯达黎加	cr
柬埔寨	kh	多米尼加共和国	do	伊朗	ir
喀麦隆	cm	东帝汶	tp	象牙海岸	ci
加拿大	ca	厄瓜多尔	ec	伊拉克	iq
佛得角	cv	埃及	eg	加蓬	ga
开曼群岛	ky	赤道几内亚	gq	爱尔兰	ie
冈比来	gm	以色列	il	俄联邦	ru
格鲁吉亚	ge	意大利	it	斯瓦巴德和扬马延	sj
德国	de	牙买加	jm	卢旺达	rw
加纳	gh	日本	jp	斯威士兰	sz
直布罗陀	gi	约旦	jo	圣赫勒拿	sh
希腊	gr	哈萨克斯坦	kz	瑞士	ch
格陵兰岛	gl	肯尼亚	ke	圣基斯－尼维斯	kn
格林纳达	gd	基里巴斯	ki	叙利亚	sy
瓜德罗普	gp	朝鲜民主主义共和国	kp	圣卢西亚	lc
关岛	gu	韩国	kr	台湾岛	tw
危地马拉	gt	科威特	kw	圣皮埃尔和密克隆	pm
几内亚	gn	吉尔吉斯斯坦	kg	瑞典	se
几内亚比绍	gw	老挝	la	圣文森和格林纳达岛	vc
圭亚那	gy	拉脱维亚	lv	塔吉克斯坦	tj
海地	ht	黎巴嫩	lb	萨摩亚群岛	ws
赫得和麦克唐那群岛	hm	莱索托	ls	坦桑尼亚	tz
洪都拉斯	hn	利比里亚	lr	圣马力诺	sm
香港	hk	利比亚	ly	泰国	th

国家或地区	域	国家或地区	域	国家或地区	域
匈牙利	hu	列支敦士登	li	圣多美及普林西比	st
冰岛	is	立陶宛	lt	多哥	tg
印度	in	荷兰	nl	沙特阿拉伯	sa
印度尼西亚	id	荷兰安的列斯	an	托克劳	tk
卢森堡	lu	密克罗西亚	fm	塞内加尔	sn
澳门	mo	汤加	to	马达加斯加	mg
中立区	nt	塞昔尔群岛	sc	马拉维	mw
新喀里多尼亚岛	nc	特利尼达和多巴哥	tt	马来西亚	my
新西兰	nz	塞拉利昂	sl	马尔代夫	mv
尼加拉瓜国	ni	突尼斯	tn	马里	ml
尼日利亚	ng	新加坡	sg	马耳他	mt
尼日尔	ne	土耳其	tr	马绍尔群岛	mh
纽埃	nu	斯洛伐克共和国	sk	马提尼克岛	mq
诺福克群岛	nf	土库曼斯坦	tm	毛里塔尼亚	mr
北马里安纳群岛	mp	斯洛文尼亚	si	毛里求斯	mu
挪威	no	特克斯和凯特斯群岛	tc	墨西哥	mx
阿曼	om	索罗门群岛	sb	摩尔达维亚	md
巴基斯坦	pk	图瓦卢	tv	摩那哥	mc
帛琉群岛	pw	索马里	so	蒙古	mn
巴拿马	pa	乌干达	ug	蒙特塞拉特	ms
巴布亚新几内亚	pg	南非	za	摩洛哥	ma
巴拉圭	py	乌克兰	ua	莫桑比克	mz
秘鲁	pe	西班牙	es	美安马	mm
菲律宾	ph	阿拉伯联合国	ae	纳米比亚	na
皮特凯思群岛	pn	英国	uk	瑙鲁	nr
波兰	pl	瓦利斯和富图纳群岛	wf	尼泊尔	np
葡萄牙	pt	美国	us	波多黎各	pr
西撒哈拉	eh	卡塔尔	qa	斯里兰卡	lk
乌拉圭	uy	留尼汪岛	re	苏丹	sd
也门	ye	罗马尼亚	ro	苏利南	sr
乌兹别克	uz	南斯拉夫(前)	yu	瓦努阿图	vu
扎伊尔	zr	委内瑞拉	ve	赞比亚	zm
越南	vn	津巴布韦	zw	佛吉尼亚岛(英国)	vg
梵蒂冈	va	佛吉尼亚岛(美国)	vi	萨尔瓦多	sv

26.4.2 子域

　　DNS 名字的子域字段用于标识一个域中的一台特定的计算机或地址。域名中的子域从右向左变得越来越具体。最右边的子域字段(即域字段旁边的那个字段)通常用于指出一个给定域中的一个特定的组织。例如：ncsu.edu 这个名字就是指 edu 域中的北卡罗尼亚州立大学(ncsu) 这个子域。第二个子域字段指定一个组织中的公司、组或计算机。这些子域组合在一起在这个域中形成了一个逻辑树结构。第二十九章"使用电子邮件"更详细地讨论了这个话题。

　　要指定位于某个网点的用户，就要使用特殊的定界符号@来指定在一个网点的 DNS 名字中的一个用户、别名或邮箱。例如：在 Sales 部门的 Joe Smith 在 linux1.somewhere.com 机器上有一个叫作 Smith 的用户帐号,则 Joe 的地址全称为：

　　smith@linux1.sales.somewhere.com

符号@用于把目的地邮箱和目的地计算机分隔开。

注释：

　　用电子邮件地址中的 DNS 名字部分来指定一个部门或组织而不是指定一个机器是很常见的。在前面的例子中,为避免在电子邮件地址中使用特定的计算机名字,系统管理员可以用 smith@sales.somewhere.com 甚至只用 smith@somewhere.com 作为接受邮件的地址。

26.5　域名服务的基本知识

　　你已经学习了如何按 DNS 约定来表示主机名字,但是,当你向 smith@linux1.somewhere.com 发送邮件时,Linux 怎么知道如何与计算机通信呢？这个简单的问题实际上提出了联网方面的所有问题。而且,了解 DNS 如何翻译名字对普通用户是很有用的,并且对系统管理员也是绝对重要的。

26.5.1　名字和数字

　　回忆一下,本章已简要地介绍了通过 IP 连接到 Internet 网上并使用 TCP/IP 协议集来帮助通信的网点。TCP/IP 用一个唯一的 32 位数字(称为 IP 地址)来标识每台主机。与 DNS 名字一样,IP 地址被分为四个 8 位的字段,每个字段间用一个句点"."分隔。

注释：

　　在网络术语中,一个 8 位的字段是指一个 8 位位组而不是指一个字节。这避免了混淆,因为有些计算机使用的字节大小不是 8 位。

　　每台计算机与网络相连接的每个实际接口只有一个 IP 地址。

　　计算机的 IP 地址分为两个部分：网络部分(它指定特定的网络),主机部分(它标识网络上的特定机器)。目前根据网络地址类型,有五类 IP 地址,以 A 类到 E 类表示。

　　在 A 类地址中,第一个八位位组具有 1 到 126 之间的一个值,网络部分由第一个八位位组组成。显然,A 类网络数只有 126 个；然而,每个网络可以有一千六百万台以上的计算机。A 类网络只分配给主要的公司和网络提供者。

B 类网络把前两个八位位组指定为网络部分,且第一个八位位组范围在 128 到 191 之间。把最后两个八位位组留作主机号。B 类网络空间提供 16,384 个网络 ID 号,每个号有 65,534 个主机 ID 号。通常把 B 类地址分配给大公司和组织,如大学。

C 类地址使用三个八位位组来指定网络部分,第一个八位位组的范围为 192 到 223。它提供二百多万个不同的 C 类网络,但是每个网络只有 254 台主机。C 类网络通常分配给小公司和组织。

在 D 类地址中,第一个八位位组在 224 到 239 的范围内并用于多址传输。

E 类地址(第一个八位位组在 240 到 247 的范围内)被保留以备将来使用。

注释:

在一个 IP 地址中,数字 0、127 和 255 有特定的含义。八位位组中,0 表示主机不知道它的这部分地址。127 指回送(本地主机)地址,255 指广播地址。当 4.2 版本的 BSD UNIX 发布时,广播地址的 IP 地址的主机部分使用 0,后来改为用 255,并且在 RFC 中被标准化。一些旧系统还用 0 代表其广播地址,这被称为是 Berkeley 广播地址。

当计算机使用 TCP/IP 通信时,它们使用前述的数字 IP 地址。DNS 名字只是一种机制,用于帮助我们可怜的大脑记住是哪台主机以及它与哪个网络相连。最初,当 Internet 刚形成时,网上的主机数非常少。因此,每台主机在本地文件中有一份完整的全部主机名字和地址的一览表,由于显而易见的原因,这个系统很快变得难于控制。当增加一台新主机时,必须重新更新每台计算机上的每个主机文件。

随着 Internet 爆炸性的增长,主机文件也变得十分庞大。现在,DNS 名字到 IP 地址的映射是通过一个分布式数据库和特定的查找软件实现的。形成 DNS 名字解析系统的分布式数据库和软件由下面的基本部分组成:

☐ 域名空间
☐ 名字服务器
☐ 解析器

域名空间　　域名空间是对识别一组主机并提供这些主机的信息的树结构的详细说明。从概念上讲,树上的节点拥有一个信息数据库来描述它管辖下的主机。查询试图从这个数据库中提取适当的信息。简言之,域名空间只是所有不同类型信息的列表,这些信息包括名字、IP 地址、电子邮件别名等,可用于在 DNS 系统中进行查找。

名字服务器　　保存和维护域名空间中的数据的程序称作名字服务器。每个名字服务器都拥有域名空间的一个子集的完整信息和域名空间的其他部分的缓存信息。另外,一个名字服务器还拥有它管理的域的全部信息。管理信息被分成称作"区"的域,区可以在不同的名字服务器间划分,以便为每个区提供冗余服务。每个名字服务器都知道负责其他区的名字服务器。如果请求的信息是与某个名字服务器管理的区有关的,这个名字服务器就简单地返回所需的信息。但如果询问的信息与另一个区有关,这个名字服务器就与管理那个区的相应服务器联系。

解析器 解析器只是一个程序,它从名字服务器提取信息来回答对域名空间中一个主机的查询。

26.5.2 查找主机信息

要查找主机或域的信息,你可以使用两个基本的信息来源:whois 信息系统和 nslookup 程序。

使用 whois whois 查询 DNS 系统,并返回网络地址、与管理和技术有关信息、电话号码、通信及电子邮件地址。该命令语法是:

whois[*name*]

name 是一个网络或一个域名或一个登记了的用户。whois 工具是连接到服务器上并把信息返回给你的计算机的本地客户程序。

除使用 whois 工具外,你还可以直接与信息服务器相连并获得这个信息。你可以远程登录到 rs.internic.net 上并在第一个提示符下键入 whois 。提示符 whois:就出现了,在这里你就可以进行查询了。下面是几个 whois 会话的例子:

whois: ncsu.edu

North Carolina State University NCSU-DOM

    Computing Center

    Box 7109

    Raleigh, NC 27695-7109

    Domain Name: NCSU.EDU

    Administrative Contact:

        malstrom, Car1 W.   CWM10   Car1_Malstrom@ncsu.EDU

        (919) 515-5455

    Technical Contact,   Zone Contact:

        Fatmi,   Mohammand MF210 Mohammad_Fatmi@NCSU.EDU

        (919) 515-5492

    Record last updated on 10-Apr-95.

    Record created on 16-Apr-87.

    Domain servers in listed order:

    FBI.CC.NCSU.EDU   152.1.1.22

    CC00NS.UNITY.NCSU.EDU   152.1.1.161

    EOS01A.EOS.NCSU.EDU   152.1.9.5

whois: interpath.net

Interpath INTERPATH-DOM
PO Box 12800
Raleigh， NC 27605

Domain Name：INTERPATH.NET

Administrative Contact，Technical Contact，Zone Contact：
    Interpath Hostmaster INTP-HM hostmaster@interpath.net
    (919) 890-6300 (919) 890-6305 fax (919) 890-6319

Record last updated on 23-Apr-96.
Record created on 18-NOV-93.

Domain servers in listed order：

DNS1.INTERPATH.NET   199.72.1.1
DNS3.INTERPATH.NET   199.72.1.5

whois：ibm.com
International Business Machines IBM-DOM

Domain Name：IBM.COM

Administrative Contact，Technical Contact，Zone Contact：
    Trio，Nicholas R.   NRT1   nrt@WATSON.IBM.COM
    (914) 945-1850

Record last updated on 07-NOV-96.
Record created on 19-Mar-86.

Domain servers in listed order：

NS.WATSON.IBM.COM   129.34.139.2
NS.AUSTIN.IBM.COM   192.35.232.34
NS.ALMADEN.IBM.COM   198.4.83.35
NS.EUROPE.IBM.COM   193.129.186.200

   使用 nslookup   nslookup 工具查询 DNS 系统以返回指定主机和网络的信息。虽然
nslookup 返回多种不同类型的信息,但其默认功能是解析 DNS 名字并返回与该 DNS 名字相应
的 IP 地址。

nslookup 命令有两种基本形式：交互式和非交互式。非交互式的语法格式如下：

nslookup [*hostname*]

这种形式的 nslookup 将解析 DNS 名字 hostname 并返回它的 IP 地址。

当不给参数或第一个参数以一个连字符开头，第二个参数是名字服务器的名字或 IP 地址时，你可以选择交互模式。在交互模式中，你可以通过指定要查询的名字服务器、改变要查找的信息种类、改变默认域名、可以进行调试等等来定制 nslookup 的功能。虽然，在交互模式中可以使用许多不同的选项，但大部分选项都是用于查找信息而不是查找 IP 地址的。要了解 nslookup 其他特性的详细情况，请参考 nslookup 联机帮助。

用 set type＝命令可以改变在 nslookup 交互模式中的查找类型。表 26.3 列出了你可以指定的信息类型和 set type＝命令相应的类型代码。

表 26.3　nslookup 中可使用的查找信息

信息	类型代码
主机的 IP 地址（默认）	A
规范的别名	CNAME
CPU 和操作系统信息	HINFO
电子邮件收件地址	MD
电子邮件组记录	MG
电子邮件交换器记录	MX
电子邮件重新命名域名	MR
邮箱或电子邮件清单信息	MINFO
区的名字服务器	NS
任何找到的信息	ANY

还有一些可与 nslookup 一起使用的附加类型代码，它们在 RFC 1035 中指定。

26.6　从这里开始

在以下各章中可以找到有关 Internet 网的更多信息：

☐ 第二十四章"配置域名服务"详细讨论配置域名服务。

☐ 第二十七章"用 telnet、flp 和 r-命令访问网络"讨论使用 Internet 网的不同的方法。

☐ 第二十八章"用 WWW 漫游 Internet 网"介绍在 Internet 网上可获得的不同类型的信息。

第二十七章 用 *telnet*、*ftp* 和 *r*-命令访问网络

本章内容
☐ 执行远程命令
    学习如何登录到远程计算机上、如何传输文件和如何执行命令。
☐ telnet 命令
    本章讨论如何使用 telnet 以登录到远程计算机上。
☐ ftp 命令
    学习如何用 ftp 命令来传输文件。
☐ r-命令
    学习 Linux 下可使用的各种远程命令。

计算机联网的主要益处是能够共享资源和信息，及可以从遥远的地方访问这些信息。Linux 提供一组强有力的工具来做这些事。虽然 WWW 使你能访问许多超文本格式的信息，但是还有很多工具允许你登录到远程计算机上、传输文件和执行远程命令。

27.1 使用 *telnet* 访问远程计算机

telnet 命令是在 Linux 下远程登录的基本工具。telnet 为你提供远程计算机的终端会话，它允许你像在本地登录那样执行命令。

为了通过 telnet 登录到一台计算机上，你必须知道远程计算机上的合法用户的名字和口令。虽然有些系统确实为来宾(guest)提供登录功能，但出于对安全的考虑，这种情况下能使用的功能是很少的。当允许来宾登录时，系统几乎总是把这些用户放在一个受限制的 shell 中或放在一个菜单系统中。之所以这样做是因为要保证计算机的安全和防止系统被怀有恶意的或不小心的用户使用。受限制的 shell 防止用户执行特殊的命令；菜单系统只允许从一个预先指定的菜单集中进行选择，完全阻止 shell 访问。

telnet 还允许用户通过输入他们的用户名字和口令从远程网点登录到他们自己的计算机上。用这种方法，用户可在他们的计算机上检查电子邮件、编辑文件和运行程序，就像他们本地登录那样。当然，你必须使用基于终端的环境而不是 X Windows 系统。telnet 只为普通终端（如 DEC VT-100）提供终端仿真，它不支持 X Windows 等图形环境。

27.1.1 *telnet* 命令综述

telnet 的基本语法是：

telnet[hostname]

其中 hostname 是远程计算机的名字，如果没有指定远程主机，telnet 以交互命令模式启动。如果给出了远程主机名，telnet 就立即启动一个会话。

除主机名参数外,telnet 还接受几个命令行参数。表 27.1 列出了这些参数。

表 27.1   telnet 命令的命令行参数

参数	描述
-d	打开调试
-a	自动登录
-n *tracefile*	打开跟踪程序,把跟踪数据保存在 tracefile 中
-e *escape_char*	设置这个会话的转义字符为 escape_char。如果 escape_char 被从参数中省略,那么这个 telnet 会话就没有转义字符
-l *user*	把用户名发送给远程系统以自动登录,本参数自动地包含-a 参数
port	指定与远程系统连接的端口号,这个参数用于指定不同的网络程序。如果没有指定它,那么 telnet 就连接到默认的 telnet 端口上

27.1.2   *telnet* 会话示例

现在我们来看 telnet 会话的例子。通过键入 telnet,后跟要连接的计算机的主机名,你可以启动 telnet 会话,然后,telnet 返回如下信息:"trying some IP address"(some IP address 是你指定的计算机的地址)。如果 telnet 成功地连接到这台计算机上(即这台计算机启动了并正在运行而且网络也在运行),那么 Linux 报告"Connected to computer name",然后告诉你,转义字符是某些指定的字符序列,几乎总是 < Ctrl-] >。输入转义字符序列,将使你从终端会话进入本地的 tel-net 命令解释程序。如果你想把命令直接发送到 telnet 程序而不是发送到远程计算机会话中,那么你就要这么做。

一旦 telnet 成功地连接到远程系统上,就显示登录信息并且系统提示你输入登录 ID 和口令。假设你有一个合法的用户名和口令,那么你就能成功地登录,并且此时就可以交互地在远程系统上工作。

下面是一台 Linux 计算机上的 telnet 会话举例,这台计算机与另一台 Linux 计算机相连接:

$ telnet server.somewhere.com
Trying 127.0.0.1...
Connected to server.somewhere.com.
Escape character is '^]'.
"Red Hat Linux release 4.0 (Colgate)

kernel 2.0.18 on an I486

login:bubba
Password: password
Last login: Mon Nov 11 20:50:43 from localhost
Linux 2.0.6. (Posix).
server:~ $

```
server: ~ $ logout
Connection closed by foreign host.
 $
```

当你结束了远程会话后,确保你使用 logout 退出了远程系统。然后 telnet 报告远程会话被关闭,而且你返回到你的本地的 shell 提示符下。

27.2 使用 FTP 进行远程文件传输

文件传输协议(FTP)是在 TCP/IP 网络上的计算机之间传输文件的简单和有效的方法。ftp 允许用户传输 ASCII 文件和二进制文件。

在 ftp 会话过程中,通过使用 ftp 客户程序你可以连接到另一台计算机上。从此,你可以在目录树中上下移动;列出目录内容;把文件从远程计算机拷贝到你的计算机上;把文件从你的计算机传输到远程系统中。使用标准的文件保护方式;如果你没有那个文件的合适的权限,那么你就不能从远程系统中获得文件或向远程系统传输文件。

为了使用 ftp 来传输文件,你必须知道远程计算机上的合法用户名和口令。这个用户名/口令的组合用来确认你的 FTP 会话,并用来确定你对要传输的文件可以进行什么样的访问。另外,你显然需要知道对其进行 FTP 会话的计算机的名字。

你应该认识到:由于操作系统的不同,FTP 客户程序有不同的命令集。本章介绍 Linux 的 ftp 客户程序,然而,当你启动一个与远程计算机的 FTP 会话时,远程系统所期望的命令可能是不同的。FTP 系统相互完全不兼容的情况是很少的。通常,你常用的那些命令可能有一点不同或不能使用。

27.2.1 匿名 FTP

由于 Internet 网爆炸性的增长,许多组织已经制作了大量可通过 FTP 获得的信息资源库。这些 FTP 网点拥有从文本文件到各种想要的软件。但是如果你在远程机上没有帐号,你如何访问这些巨大的数据库呢? 为了访问这些文件,你需要在每个 FTP 网点都得到一个帐号吗?

一句话,答案是不需要。在 Internet 网上通用的惯例是:允许来宾通过 FTP 访问文件资源库以便用户能传输文件。这个来宾访问被称为匿名 FTP。为使用匿名 FTP,你启动与远程系统连接的 FTP 会话,并使用 anonymous(匿名)作为用户名,使用你的电子邮件地址作为口令。例如,在 linux.somewhere.com 上的用户 smith 想启动公共 FTP 网点的 FTP 会话:

```
$ ftp ftp.uu.net
ftp.uu.net (login: smith): anonymous
Password: smith@linux.somewhere.com
```

注释:

很多网点不允许使用匿名 FTP。允许来宾用户与你的计算机相连确实会使你陷入某种危险境地。在匿名 FTP 不被允许的情况下,FTP 命令失败,出现一条类似这样的信息:Login failed-User "anonymous" unknown(登录失败,不知道用户"anonymous")。允许匿名 FTP 的网点一般把用户限定在只有读访问权的目录下。如果允许你把文件放在远程机上,那么通常你也只能把它们放在一个目录中。

27.2.2 FTP 命令综述

Linux 的 FTP 命令在交互模式中提供一组冗长的命令选项。如前所述,有些远程主机可能不支持所有这些命令。此外,你可能不需使用其中的许多命令。表 27.2 列出了可在 FTP 会话中使用的命令。

表 27.2 在交互模式中可使用的 FTP 命令

命令	描述
!	转到 shell 中
$	执行一个宏命令
account	把 account 命令送到远程服务器
append	附加到一个文件的末尾
ascii	设置文件传输方式为 ASCII 模式
bell	命令完成后响铃
binary	设置文件传输方式为二进制模式
bye	终止 FTP 会话并退出
case	切换 mget 的大写或小写文件名映射
cd	改变远程机上的工作目录
cdup	把远程工作目录改为父目录
chmod	改变远程文件的文件权限
close	终止 FTP 会话
cr	当接受 ASCII 文件时,切换回车符截取
delete	删除远程文件
debug	切换调试模式
dir	列出远程目录的内容(给出大小和权限)
disconnect	结束 FTP 会话(与 close 相同)
exit	结束 FTP 会话并退出
get	从远程机获取一个文件
glob	切换本地文件的通配符扩展
hash	切换每传输一数据块打印一个 # 字符
help	打印本地帮助信息
idle	获取或设置远程机上的空闲时间
image	设置文件传输形式为二进制模式(同 binary)
lcd	改变本地工作目录
ls	列出远程目录的内容(给出大小和权限)
macdef	定义一个宏
mdelete	删除远程机上的多个文件
mdir	列出多个远程目录的内容
mget	从远程机获取多个文件
mkdir	在远程机上建立一个目录

命令	描述
mls	列出多个远程目录的内容
mode	设置文件传输模式
modtime	显示远程文件的最后修改时间
mput	把多个文件送到远程机上
newer	如果远程文件比相应的本地文件新，那么就得到这个远程文件
nmap	为默认文件名映射设置模板
nlist	列出远程目录的内容
ntrans	为缺省文件名映射设置翻译表
open	与远程 FTP 网点相连接
passive	进入被动的传输模式
prompt	强制在多个命令上使用交互提示符
proxy	在代替的连接上发出命令
put	把文件发送到远程机上
pwd	在远程机上打印工作目录
quit	终止 FTP 会话并退出
quote	发出一个任意的 FTP 命令
recv	接受一个文件
reget	在本地文件结尾处重新开始获取文件
rstatus	显示远程机的状态
rhelp	从远程服务器中获取帮助
rename	重新命名文件
reset	清除排队的命令响应
restart	按指定的字节数重新开始文件传输
rmdir	删除远程机上的目录
runique	当用相同的文件名把多个文件取到同一目录中时，为每个接受的文件指定一个唯一的文件名
send	把文件发送到远程机
site	把特定网点的命令发送到远程服务器中，可使用 umask、idle、chmod、help、group、gpass、newer 或 minfo 中的一个
size	显示远程文件的大小
status	显示当前状态
struct	设置文件传输结构
system	显示远程系统的类型
sunique	当用相同的文件名把多个文件送入同一目录中时，为每个发送的文件指定一个唯一的文件名
tenex	设置 tenex 文件传输类型
tick	在传输期间，切换打印字节大小计数

命令	描述
trace	切换分组跟踪
type	设置文件传输类型
user	发出新用户信息
umsk	从远程机上获得或设置 umask
verbose	切换到长模式
?	打印本地帮助信息

可以看到,FTP 有许多命令,但是实际上你只需查看你最常用的那些命令。

启动 FTP 会话   open 命令用于打开一个与远程主机的会话,其语法是:

open   *hostname*

如果在 FTP 会话期间要与一个以上的网点连接,通常只用不带参数的命令。如果在会话期间只想与一台计算机连接,那么在命令行上指定远程主机名(hostname)作为 FTP 命令的参数。

终止 FTP 会话   close、disconnect、quit 和 bye 命令用于终止与远程机的会话。close 和 disconnect 命令关闭与远程机的连接,但是使用户留在本地计算机的 FTP 程序中。quit 和 bye 命令都关闭用户与远程机的连接(如果有一个是活动的),然后退出用户机上的 FTP 程序。

改变目录   cd[目录]命令用于在 FTP 会话期间改变远程机上的目录,cdup 命令把用户带到当前目录的父目录中,lcd 命令改变本地目录,使用户能指定查找或放置本地文件的地方。

远程目录列表   ls 命令列出远程目录的内容,就像使用一个交互 shell 中的 ls 命令一样。ls 命令的语法是:

ls[目录][本地文件]

如果指定了目录作为参数,那么 ls 就列出该目录的内容。如果给出一个本地文件的名字,那么这个目录列表被放入本地机上你指定的这个文件中。

dir 和 ls 命令提供长格式列表,该列表给出权限、大小、所有者和日期。dir 命令的语法如下:

dir[目录][本地文件]

下面是 dir 目录列表的例子:

```
-rw-r--r--     1 root    archive   2928   May    1993     README
-rw-r--r--     1 root    archive   1723   Jun    1993     README.NFS
dr-xr-xr-x     2 root    wheel     8192   Jun    12:16    bind
-rwxr-xr-x     5 root    wheel     8192   Aug    06:11    decus
drwxr-xr-x    19 root    archive   8192   Feb    1994     doc
drwxr-xr-x     6 root    wheel     8192   Jun    15:45    edu
dr-xr-xr-x     7 root    wheel     8192   Sep c  09:33    etc
```

从远程系统获取文件 get 和 mget 命令用于从远程机上获取文件。get 命令获取作为参数指定的文件(filename);get 命令的语法如下:

get　　filename[remote_filename]

你还可以给出本地文件名,这个文件名是这个要获取的文件在你的本地机上创建时的文件名。如果你不给出一个本地文件名,那么就使用 remote_filename。

mget 命令一次获取多个文件。mget 命令的语法是:

mget　　文件名列表

通过把用空格分隔的或使用通配符的文件名列表传送给 mget 来指定这些文件。对每个文件都会向你发出提示。要关闭提示,则要在使用 mget 之前使用 prompt 命令。在这两种情况下,文件都以 ASCII 文件传输,除非你已把传输模式设置为其他模式。

向远程系统发送文件 put 和 mput 命令用于向远程机发送文件。put 命令发送作为参数指定的本地文件。其语法是:

put　　文件名

mput 命令发送一系列本地文件,mput 命令的语法为:

mput　　文件名列表

通过把一个用空格分隔的或使用通配符的文件名列表传给 mput 来指定这些文件。对每个文件都会向你发出提示。要关闭提示,使用 prompt 命令。在这两种情况下,文件都以 ASCII 文件传输,除非你已把传输模式设置为其他模式。

改变文件传输模式 ftp 按 ASCII 文件传输文件,除非你指定其他的模式。这对纯文本是很好的,但会使二进制数据没有用了。ascii 和 brinary 命令设置传输模式,使用户避免对二进制文件的破坏。

注释:

你想要传输的许多文件都是二进制格式的。以 .tar 结尾的文件是用 tar 命令建立的档案文件。以 .z 和 .gz 结尾的文件要么是用 compress 命令压缩的,要么是用 GNU 的 gzip 命令压缩的。以 .zip 结尾的文件是用 PKZIP 命令建立的压缩档案文件。当你拿不定的时候,就用二进制传输模式,使用 ASCII 模式会损坏二进制数据文件。

检查传输状态 当传输大型文件时,你可能会发现让 ftp 提供关于传输情况的反馈信息是很有用的。hasp 命令使 ftp 在每次传输完数据缓冲区中的数据后,就在屏幕上打印一个 # 字符。本命令在发送和接收文件时都可以用。

FTP 中的本地命令 当你使用 ftp 时,字符"!"用于向本地机上的命令 shell 传送一个命令。如果当你在 ftp 会话中时,你却需要做某些事,那么它是很有用。假设你要建立一个目录来保存接收到的文件。如果输入! mkdir new_dir,那么 Linux 就在你当前的本地目录中创建一个名为 new_dir 的目录。

27.2.3　FTP 会话示例

清单 27.1 示出了一个短的 FTP 会话。

清单 27.1　建立 FTP 连接并显示目录列表

```
$ ftp opux

Connected to opus.

220 opux ftp server (Linux opus 2.0.6 #4 Mon Nov 11 16:01:33 CDT 1996)ready.

Name (opus:smith): smith

Password (opus:smith): password

331 Password required for smith.

230 User smith logged in.

Remoth system type is UNIX.

Using ASCII mode to transfer files.

ftp> dir

200 PORT command successful.

150 Opening ASCII mode data connection for /bin/ls.

total 8
-rw-r--r--    1 root      daemon         1 525 Sep 29 15:37 README
dr-xr-xr-x    2 root      wheel            512 Jun 24 11:35 bin
dr--r--r--    2 root      wheel            512 Jun 24 11:18 dev
dr--r--r--    2 root      wheel            512 Jun 24 11:24 etc
dr-xr-xr-x    4 root      wheel            512 Sep 29 15:37 pub
dr-xr-xr-x    3 root      wheel            512 Jun 24 11:15 usr
-r--r--r--    1 root      daemon           461 Jun 24 13:46 welcome.msg

226 Transfer complete.

433 bytes received in 0.027 seconds(16 kbytes/s)

ftp> get README

200 port command successful.

150 Opening ASCII mode data connection for README (1525 bytes).

226 Transfer complete.

local: README remote: README

1561 bytes received in 0.0038 seconds (4e + 02 kbytes/s)

ftp> quit

221 Goodbye.

$
```

　　在上例中,用户打开了与主机 opus 的 FTP 会话并作为 smith 登录。远程 FTP 服务器提示用户输入口令(口令不在屏幕上显示)。然后 ftp 把 smith 登录到远程系统并显示提示符 ftp> 等待输入交互模式命令。用户告诉 ftp 用 dir 命令列出远程目录,然后用 get 命令传输文件 README。当完成了 ftp 会话后,用户用 quit 命令退出并返回到本地的 Linux shell 提示符下。

27.2.4　匿名 FTP 会话示例

　　在上一节中,用户启动了与一个系统的 FTP 会话并查看了一些目录。这个用户在这个远程系统上有一个合法的用户名字和口令。现在来看一个与 Internet 网上的一个主要软件档案网点的匿名 FTP 会话。清单 27.2 与清单 27.1 很相似,但有一些有趣的区别。

清单 27.2 进行一个匿名 FTP 连接

```
$ ftp ftp.uu.net
Connected to ftp.uu.net.
220 ftp.UU.NET FTP server (Version wu-2.4(1) Wed Nov 1345:10 EST 1996) ready.
Name (ftp.uu.net:bubba): anonymous
331 Guest login ok, send your complete e-mail address as password.
Password: your_e-mail_address
230-
230-                          Welcome to the UUNET archive.
230-    A service of UUNET Technologies Inc, Falls Church, Virginia
230-    For information about UUNET, call +1 703 204 8000,
230-    or see the files in /uunet-info
230-
        Access is allowed all day.
        Local time is Wed Nov 13 15:53:02 1996.
230-
230-    All transfers are logged with your host name and email address.
230-    If you don't like this policy, disconnect now!
230-
230-    If your FTP client crashes or hangs shortly
230-    after login, try using a
230-    dash (-) as the first character of your password.
230-    This will turn off the informational messages which may
230-    be confusing your ftp client.
230-
230-Please read the file /info/README.ftp
230-    it was last modified on Mon Nov 11 17:39:53 1996 - 2 days ago
230 Guest login ok, access restrictions apply.
ftp >
ftp > dir
200 PORT command successful.
150 Opening ASCII mode data connection for /bin/ls.
total 4149
drwxr-sr-x   2 34   0              512 Jul 26   1992 .forward
-rw-r--r--   1 34   uucp             0 Jul 26   1992 .hushlogin
-rw-r--r--   1 34   archive         59 Jul 31   1992 .kermrc
-rw-r--r--   1 34   archive          0 Jul 26   1992 .notar
drwx--s--x   5 34   archive        512 Jul 23   19:00 admin
lrwxrwxrwx   1 34   archive          1 Jul 26   1992 archive ->
drwxrws--x   4 0    archive        512 Apr 20   16:29 bin
lrwxrwxrwx   1 34   archive          23 Sep 14   1993 by-name.gz ->
                                         └──►index/master/by-name.gz
lrwxrwxrwx   1 34   archive          23 Sep 14   1993 by-time.gz ->
                                         └──►index/master/by-time.gz
```

```
-rw-r--r--      1 34    archive        90112 Apr 26    1991 compress.tar
lrwxrwxrwx      1 0     archive            9 Jul 23    18:50 core -> /dev/null
drwxrws--x      2 0     archive          512 Jul 26    1992 dev
drwxrwsr-x     21 34    archive         1024 Sep 29    15:18 doc
drwxrws--x      6 0     archive          512 Apr 14    16:42 etc
lrwxrwxrwx      1 34    archive           31 Dec 8     1993 faces ->
                                                            └─▶/archive/published/usenix/faces

drwxrswr-x      2 34    archive          512 Jul 26    1992 ftp
drwxrwsr-x      4 34    archive          512 Sep 29    10:34 government
drwxrwsr-x     18 34    archive         1024 Sep 29    10:28 graphics
-rw-rw-r--      1 27    archive       798720 Jul 11    20:54 gzip.tar
lrwxrwxrwx      1 34    archive           17 Jul 26    1992 help -> info/archive-help
drwxrwsr-x     20 34    archive         1024 Dec 2     1993 index
drwxrwsr-x     19 34    archive          512 Sep 29    10:30 inet
drwxrwsr-x      4 34    archive          512 Sep 29    15:36 info
drwxrwsr-x     25 34    archive          512 Sep 29    10:29 languages
drwxrwsr-x      4 34    archive          512 Sep 29    10:28 library
drwx--s--x      2 0     0               8192 Jul 26    1992 lost + found
lrwxrwxrwx      1 34    archive           20 Aug 2     1992 ls-LR.Z ->
                                                            └─▶index/master/ls-lR.Z

lrwxrwxrwx      1 34    archive           21 Sep 14    1993 ls-LR.gz ->
                                                            └─▶index/master/ls-lR.gz

lrwxrwxrwx      1 34    archive           21 Aug 2     1992 ls-ltR.Z ->
                                                            └─▶index/master/ls-ltR.Z

lrwxrwxrwx      1 34    archive           22 Sep 14    1993 ls-ltR.gz ->
                                                            └─▶index/master/ls-ltR.gz

drwxrwsr-x     24 34    archive         1024 Sep 29    15:10 networking
drwxrwsr-x      2 34    archive          512 Aug 10    09:26 packages
d--xrws--x     17 34    archive          512 Sep 26    12:29 private
drwxrwsr-x     25 34    archive         1536 Sep 29    15:30 pub
drwxrwsr-x     17 34    archive         1024 Sep 29    15:38 published
lrwxrwxrwx      1 34    archive           10 Jul 26    1992 sco-archive ->  vendor/sco
drwxrwsr-x     20 34    archive          512 Sep 29    04:18 systems
drwxrwxrwx     14 34    archive         1536 Sep 29    15:36 tmp
lrwxrwxrwx      1 34    archive           17 Jul 26    1992 unix-today ->
                                                            └─▶vendor/unix-today

lrwxrwxrwx      1 34    archive           17 Jul 26    1992 unix-world ->
                                                            └─▶vendor/unix-world

drwxrwsr-x     36 34    archive         1024 Sep 29    15:29 usenet
drwxrws--x      6 0     archive          512 Oct 22    1992 usr
lrwxrwxrwx      1 34    archive           16 Aug 2     1992 uumap -> networking/unmap
-rw-rw-r--      1 34    archive      3279895 Sep 28    21:05 uumap.tar.Z
drwxrwsr-x      3 210   archive         2560 Sep 29    15:36 uunet-info
drwxrwsr-x     64 34    archive         1536 Sep 29    10:29 vendor
```

· 449 ·

```
226 Transfer complete.
3257 bytes received in 0.76 seconds (4.2 kbytes/s)
ftp>
ftp> cd systems/unix/linux
250-Files within this subtree are automatically mirrored from
250-tsx-11.mit.edu:/pub/linux
250-
250 CWD command successful.
ftp>
ftp> binary
200 Type set to I.
ftp> get sum.Z
200 PORT command successful.
150 Opening BINARY mode data connection for sum.Z(80959 bytes).
226 Transfer complete.
local: sum.Z remote: sum.Z
80959 bytes received in 5.6 seconds (14 kbytes/s)
ftp> quit
221 Goodbye.
$
```

这里启动的是对 ftp.uu.net 的 FTP 会话,ftp.uu.net 是 Internet 网上的一个主要 FTP 档案网点。因为这是匿名 FTP,所以在登录提示符下给出的用户名是 anonymous。口令是完整的电子邮件地址。然后,ftp.uu.net 显示一个欢迎标题,它提供与这个档案有关的一些信息。在本例中,你可以看到:用户改变了目录,设置文件模式为二进制,获得了一个压缩的二进制文件然后退出。

发现并改正错误:

"我传输了一个二进制文件,但它不能正常运行。我不能 unzip 它,untar 它,uncompress 它或做任何事。"确保你把传输模式设置为二进制。你可在 FTP> 提示符下用 binary 命令来设置传输模式为二进制。

"我正处在传输大型文件的过程中并且我想检查这个过程的进度。"用 hash 命令。FTP 在处理完每个数据缓冲区之后会在屏幕上打印 # 字符。根据你的 Linux 版本,数据缓冲区的大小可能是不同的,但通常它是 1024、4096、8192 字节。

"我想做一次匿名 FTP,但该网点告诉我它不知道 anonymous 用户,这次登录失败了。"你要么是拼错了 anonymous,要么是该网点不允许匿名 FTP。在后一种情况下,你必须在这个远程计算机上有合法的用户名和口令。

"我想传输多个文件,但我不想让 FTP 对每个文件都提示我。"使用 prompt 命令,它切换提示的开和关。

"我想使用匿名 FTP,但该网点告诉我:我没有输入合法的电子邮件地址作为口令。"过去,在匿名的 FTP 会话期间的约定是输入 guest 作为口令。现在的约定是输入你的电子邮件的地址。许多 FTP 的网点运行特定的 FTP 服务软件,它检查口令并确保口令的形式是 uesr@host.somewhere.domain。再试一次,确保你正确地输入了你的完整的电子邮件地址。

27.3 使用 *r-*命令

除 ftp 和 telnet 以外,还有其他一些命令允许你访问远程计算机和在网络上交换文件。这些命令统称为 r-命令。

r-命令值得特别注意,因为它们的特性之一是:如果你不小心,就会造成严重的安全漏洞。当你发出一个 r-命令时,远程系统检查名为/etc/hosts.equiv 的文件,以查看你的本地主机是否列在这个文件中。如果它没有找到你的本地主机,那么它检查远程机上的你的起始目录中的名为.rhosts 的文件。然后,r-命令检查你的本地主机名是否在.rhosts 文件中。如果你的本地主机名列在这两个文件中的一个,那么它就执行这个命令而不用检查口令。

虽然每次你需要访问远程机时不用键入你的口令可能是非常方便的,但是它可能会引起严重的安全问题。我们建议你在你的本地系统上建立/etc/hosts.equiv 和.rhosts 文件之前,要仔细考虑 r-命令隐含的安全问题。

27.3.1 *rlogin*

rlogin 命令与 telnet 命令很相似,因为它允许你启动远程系统上的交互命令会话。rlogin 的语法是:

rlogin [-8EKLdx] [-e *char*] [-k *realm*] [-1 *user-name*] *hostname*

然而,最常用的用法是:

rlogin *hostname*

表 27.3 解释了 rlogin 的各种选项。

表 27.3 rlogin 命令的各种命令行选项

选项	描述
-8	此选项始终允许 8 位输入数据通道。该选项允许发送格式化的 ANSI 字符和其他的特殊代码。如果不用这个选项,除非远程终止和启动字符不是 < Ctrl-s > 和 < Ctrl-q > ,否则就去掉奇偶校验位
-E	停止把任何字符当作转义字符。当和-8 选项一起使用时,它提供一个完全的透明连接
-K	关闭所有的 Kerberos 确认。只有与使用 Kerberos 确认协议的主机相连接时才使用这个选项
-L	允许 rlogin 会话在 litout 模式中运行。要了解更多的信息,请参见 tty 联机帮助
-d	打开与远程主机进行通信的 TCP socket 的 socket 调试。要了解更多的信息,请查阅 setsockopt 的联机帮助
-e	用于为 rlogin 会话设置转义字符,默认的转义字符是"~"。你可以指定一个文字字符或一个 \ nnn 形式的八进制值
-k	请求 rlogin 获得在指定区域内的远程主机的 Kerberos 许可,而不是获得由 krb＿realmofhost(3)确定的远程主机区域内的远程主机的 Kerberos 许可
-1	允许指定远程名。如果指定了远程名,则使用 Kerberos 确认

选项	描述
-x	为通过 rlogin 会话传送的所有数据打开 DES 加密。这会影响响应时间和 CPU 使用量,但是却使安全性得到提高

27.3.2 *rsh*

rsh 是"remote shell"(远程 shell)的缩写。rsh 命令在指定的远程主机上启动一个 shell 并执行你在 rsh 命令行中指定的命令(如果有命令的话)。如果你没有给出要执行的命令,那么就用 rlogin 使你登录到远程机上。

rsh 命令的语法是:

rsh [-Kdnx] [-k *realm*] [-1 *user-name*] *hostname* [*command*]

最通常的用法是:

rsh *hostname* [*command*]

command 参数可以是从 shell 提示符下键入的任何 Linux 命令。表 27.4 解释了用于 rsh 的命令行选项。

表 27.4 用于 rsh 的命令行选项

选项	描述
-K	关闭所有的 Kerbero 确认。该选项只在与使用 Kerbero 确认的主机连接时才使用
-d	打开与远程主机进行通信的 TCP socket 的 socket 调试。要了解更多的信息,请查阅 setsockopt 的联机帮助
-k	请求 rlogin 获得在指定区域内的远程主机的 Kerberos 许可,而不是获得由 krb_relmofhost(3)确定的远程主机区域内的远程主机的 Kerberos 许可
-l	允许指定远程名。如果指定了远程名,则使用 Kerberos 确认,与在 rlogin 命令中一样
-n	重定向来自特殊设备/dev/null 的输入
-x	为传送的所有数据打开 DES 加密。这会影响响应时间和 CPU 使用量,但却使安全性得到提高

Linux 把标准输入放入 rsh 命令中并把它拷贝到要远程执行的命令的标准输入中。它把远程命令的标准输出拷贝到 rsh 的标准输出中。它还把远程标准错误拷贝到本地标准错误文件描述符中。任何退出、终止和中断信号都被送到远程命令中。另外,任何没有用引号括起的的特殊 shell 字符(如″>>″)都在本地处理。如果用引号括起来,那么这些字符由远程命令来处理。

27.3.3 *rcp*

rcp 代表"remote copy"(远程拷贝)。rcp 命令是你需要了解的最后一个 r-命令。它用于在计算机之间拷贝文件。你可以用 rcp 把文件从一台远程计算机拷贝到另一台远程计算机上,不使用本地机上的源文件或不使用本地机上的目的文件。

rcp 命令有两种形式。第一种形式用于文件到文件的拷贝；第二种形式用于把文件或目录拷贝到另一个目录中。rcp 命令的语法是：

rcp [-px] [-k *realm*] *filename1 filename2*

rcp [-px] [-r] [-k *realm*] *files(s) directory*

每个文件或目录参数既可以是远程文件名也可以是本地文件名。远程文件名具有如下形式：*rname@rhost：path*，其中 rname 是远程用户名，rhost 是远程计算机，path 是这个文件的路径。文件名必须包含一个冒号。

表 27.5 说明了用于 rcp 的各个参数。

表 27.5 rcp 命令的命令行参数

选项	描述
-r	递归地把源目录树拷贝到目的目录中。要使用这个选项，目的必须是一个目录
-p	试图保留源文件的修改时间和模式，忽略 umark
-k	请求 rlogin 获得在指定区域内的远程主机的 Kerberos 许可，而不是获得由 krb_relmofhost(3) 确定的远程主机区域内的远程主机的 Kerberos 许可
-x	为传送的所有数据打开 DES 加密。这会影响响应时间和 CPU 使用量，但却使安全性得到提高

如果在文件名中指定的路径不是完整的路径名，那么这个路径就被解释为是相对远程计算机上这个指定用户的登录目录的路径。如果没有给出远程用户名，那么就使用当前的用户名。如果远程主机上的路径包含特殊 shell 字符，那么要用反斜线（\）、双引号(")或单引号(')括起来。这使所有的 shell 元字符都被远程地解释。

注释：

rcp 不提示输入口令，它通过 rsh 命令来执行拷贝。

27.4 从这里开始

在以下各章中，你可以找到更多的有关 Internet 的知识：

□ 第二十六章"了解 Internet 网"给出 Internet 的概述和介绍。

□ 第二十八章"用 WWW 漫游 Internet"介绍在 Internet 上可获得的各种信息类型和用于访问这些信息的工具。

□ 第二十九章"使用电子邮件"介绍如何在 Internet 上发送和接收电子邮件。

第二十八章 用 WWW 漫游 Internet

本章内容

☐ Web

World Wide Web(也称作 Web 或 WWW,中文译名为万维网)是 Internet 中成长最快的部分。本章介绍 WWW。

☐ 介绍 URL

URL (统一资源定位符)是访问 Web 页面的途径。

☐ 查找 Web

在本章中,你将学习使用 Linux 在 Web 上查找信息。

☐ 其他网络工具

Web 只是 Internet 的一部分。你还可以使用 FTP、telnet、archie、gopher 和 WAIS 来访问信息。

☐ 其他信息资源

本章还介绍 Usenet 新闻和邮递清单。

你可能已听说过,在 Internet 上可获得各种信息。确实是这样,你可以在 Internet 上找到任何信息,从最近的气象卫星照片到统计数据和联机购物。

本章讨论你可用以获得 Internet 信息的服务。你可以使用 WWW、FTP、Gopher、telnet、WAIS 或 archie 服务。你最可能的是使用它们的一些组合。本章介绍每种主要的服务,并给出如何使用这些服务的一些基本信息。因为 Web 提供了访问 Internet 信息如此方便的手段,并且在 Web 浏览器上可以使用许多其他的服务,所以本章重点介绍如何在 Web 浏览器上使用这些服务。

28.1 介绍 WWW

Internet 是一个完全分布式的网络,这意味着你的计算机不仅与门厅里的计算机直接相连,而且还与全球数以千计的计算机相连。你的计算机与另一台计算机相连,而它又与另外两台计算机相连,如此等等。

更复杂的是,Internet 是国际范围的网络。实际上,世界上的每个国家都以某种形式访问 Internet。多年来,已有许多可以获取信息的服务(FTP、gopher 等等),但没有一个服务是容易使用的。你必须拥有所有适当的软件。然后,你必须知道可以使用什么服务,和什么时候可以使用这些服务,等等。我们需要像 WWW 那样的"信息导航"服务,以便用户能较容易地在 Internet 上获取信息。(要了解更多的 Internet 的信息,请参见第二十六章"了解 Internet"。)

1989 年,Web 是作为 CERN(欧洲的一个物理研究实验室)的一个网络和超文本项目开始的。研究人员看到各网点的人们都有这样的需要,即希望能实时地与任何类型的计算机共享和交换信息和文档。他们还想用一种简单和一致的方法来处理这些信息。这样,Web 就诞生了。

Web 使用一组超文本链接,超文本链接使用户能很容易地在 Internet 的任何网点的文档、图形、文件、音响剪辑等之间漫游。当你在文档中选择了超文本链接时,就自动读取这个链所指向的对象。一次一个链接，Internet 用户能很快地找到他们想要的各种信息。

28.1.1　了解 Web 的结构

　　Web 是基于客户机/服务器模型的。客户软件包(你的计算机上的 Web 浏览器软件)与一台作为服务器的计算机(用 Web 服务器软件)进行通信，并通过一组客户机和服务器软件都能理解的规则与服务器交换信息。这组规则称作协议。Web 服务器和客户机软件通过超文本传输协议(HTTP)来进行通信。当 Web 客户程序读取 Web 服务器上的文档时，这些程序就可以使用 HTTP来通信。正如本章后面的部分要介绍的，Web 服务器还可能支持其他的 Internet 协议。

关于客户机和服务器

　　客户机/服务器关系是网络中的重要概念，特别是在 Web 漫游中。服务器是向其他计算机提供服务的计算机。服务可能是由服务器提供任何种类的程序、例程或数据。例如，服务器可以返回你不能直接访问的数据库中的信息。

　　客户机是使用服务器提供的服务的计算机。客户机与服务器进行通信，并请求某些种类的服务。许多时候，客户计算机使用专门的软件与服务器计算机上的专门的服务器程序进行交互。

　　使用客户机/服务器模型，不同网点上使用不同的计算机的人们能够访问同一服务器上的信息。你可以用不同类型的数据建立不同的服务器计算机。因为人们使用客户程序来与服务器进行通信，所以你可以为他们使用的每种计算机平台开发不同的客户程序。这样，使用 Windows 或 Macintosh 的人们就能与 UNIX 或 Linux用户一样容易地使用客户软件来访问 UNIX 或 Linux 服务器上的信息。

　　为了访问 Web，你需要称作 Web 浏览器的客户软件。Web 浏览器是一个程序，它知道如何通过 HTTP 协议来与 Web 服务器进行通信，它还显示信息及提供表示超文本链接的方法。有多种浏览器可以使用。现在使用最多的浏览器是 Netscape 公司的 Navigator 和微软公司的Internet Explorer。有多种获得浏览器的方法，如从你的 Internet 服务提供商(ISP)那里获得、在商店购买或从 Internet 上下载等等。在你安装了浏览器和用你的 Internet 访问信息配置了这个软件之后，你就可以继续下去了。

28.1.2　了解 URL

　　通过使用称作统一资源定位符(URL)的描述地址，你可以获得 Web 上的信息。可以把URL 看作是指向 Internet 上一个对象的指针，它不仅告诉你对象的位置，还告诉你这个对象叫什么名字和如何访问这个对象。你通过 Web 访问的每个对象都有一个 URL。

　　URL 的语法看上去有点吓人。但实际上，它是相当简单的。下面是一个例子：

http://www.ncsa.uiuc.edu/SDG/Software/Mosaic/Docs/Whats-new.html

　　吓人吗？实际上没有那么吓人。冒号(:)左边的部分指定获得数据的访问方法。这种访问方法指定用于与服务器进行通信的协议，从中还可了解将要进行交互的类型。表 28.1 列出了一些有效的访问方法。

表 28.1　URL 的有效访问方法

方法	描述
http	用于访问大多数 Web 页面的协议。为用超文本标记语言(HTML)编写的页面提供交互式超媒体链接

方法	描述
wais	用于访问广域信息服务（WAIS）网点
gopher	用于访问 gopher 服务器
ftp	提供匿名 FTP 连接
telnet	打开一个网点的远程登录连接
news	用于阅读 Usenet 新闻

在 Web 以前，...

在 Web 以前，许多服务和信息源就已存在。这些服务使用与 HTTP 不同的协议。然而，许多 Web 客户程序（如 Netscape Navigator）允许你从浏览器上访问这些服务。例如，你可以使用 FTP 协议把文件传输到你的计算机中，从 gopher 服务器获取文档，用 WAIS（广域信息服务）进行文本查找和阅读 Usenet 新闻。

在 URL 中，跟在 :// 后面的是你想要连接的服务器计算机的主机名。在服务器名字之后是你想要查看或获取的文档的目录路径。路径完全取决于文件放在远程服务器上的位置。（如果这个文件在默认目录中，你可以没有路径）。最后给出的是文档的文件名。文档可以是文本、超媒体文档、声音文件、图形或其他类型的文件。

再看看上面的例子。下面的 URL：

http://www.ncsa.uiuc.edu/SDG/Software/Mosaic/Docs/whats-new.html

使用 HTTP 协议与服务器计算机 www.ncsa.uiuc.edu 通信，并且表示你对/SDG/Software/Mosaic/Docs 目录中的名为 Whats-new.html 的文档感兴趣。

文档名上的 html 扩展名告诉你的 Web 客户（例如，Netscape Navigator），这个文档是用超文本标记语言（HTML）编写的。HTML 是用于编写 Web 的超文本页面的特殊语法。有关 HTML 的更详细的情况，请参见第三十一章"用 HTML 建立 Web 文档"。

28.1.3 搜索 Web

Web 是巨大的，而且每天都在变得更大。为了帮助你更快地找到信息，你可以使用搜索引擎（search engine）而不用通过选择数千个页面来找到信息。搜索引擎是一个程序，它浏览它的数据库以找到与你的请求匹配的信息。一些搜索引擎（如 Alta Vista 和 Infoseek）搜索整个 Web 并把它们的信息存储在巨大的数据库中。其他搜索引擎只对指定的 Web 网点进行搜索。

当你在典型的 Web 网点上看到一个 Search 按钮时，它通常只是对这个 Web 网点的搜索。当你想搜索整个 Web 时，你需要使用更通用的搜索工具。下面的列表给出了其中的一些搜索引擎，它们扫描跨 Internet 的各个 Web 网点。有些甚至让你搜索其他的 Internet 信息来源，就像 Usenet 或 FTP 网点上的搜索引擎一样。

☐ *Alta Vista*（http://www.altavista.com），用于 Web 和 Usenet。你可以在 Web 或 Usenet 上的任何位置找到任何内容。但你应该尽可能地收缩你的搜索范围，因为你可能会得到太多的返回信息！

☐ *Yahoo!*（http://www.yahoo.com），用于 Web、Usenet、电子邮件地址、时事新闻、人名搜索、城市地图和股票。Yahoo! 实际上不是一个搜索引擎。它主要是大量 Web 网点的分门别类的清单,这些 Web 网点是用户提供的。Yahoo! 可用于搜索公用信息,及用于了解在 Web 上有多少各种各样的信息。Yahoo! 还提供对搜索引擎的连接。

☐ *Infoseek* (http://www.infoseek.com)用于 Web、Usenet、FAQ、时事新闻、电子邮件地址、地图、股票和公司列表。Infoseek 包含搜索引擎和列表服务,当你想要搜索比 Web 或 Usenet 更多的东西时,Infoseek 是很好的。Infoseek 拥有与许多其他搜索引擎不同的搜索语言。

☐ *Open Text Index* (http://index.opentext.net)用于 Web、Usenet、时事新闻和电子邮件地址。这是替代 Alta Vista 的一个容易使用的工具,当你需要搜索模糊主题时,它是一种好的工具。你还可以用其他语言(如日语和西班牙语)进行搜索。

☐ *Excite* (http://www.excite.com)用于 Web、Usenet 和 Excite Web 网点回顾。Excite 对 Web 进行概念性搜索,当你不能肯定你需要搜索的准确术语时,Excite 是好的搜索工具。由于 Excite 在很多 Web 网点上使用单一网点搜索引擎,所以它是免费的。

☐ *Lycos* (http://www.lycos.com/)用于 Web、FTP 网点和 gopher 网点。Lycos 具有与 Yahoo! 类似的特性。它是简单搜索公用主题的好工具。你可以搜索声音、图形或主题。

☐ *Search.Com* (http://www.search.com/)用于 Web 和 Usenet。这个搜索引擎还使你能搜索其他的搜索引擎(如 AltaVista、HotBot 或 Infoseek)。Search.Com 提供其他搜索引擎的一个按字母序排列的清单,并提供了方便的实用工具,用于建议用什么搜索引擎可找到你所需要的内容。

☐ *Inference Find*! (http://www.Inference.com)只用于 Web。它本身不是一个搜索引擎,Inference Find! 把其他搜索引擎的结果分成组,并删除重复的结果。目前,它调用 WebCrawler、Yahoo、Lycos、AltaVista、InfoSeek 和 Excite。

☐ *HotBot* (http://www.hotbot.com)用于 Web 和 Usenet。HotBot 对于要找到那些使用了特殊技术(如 JavaScript 或 VRML)的网点是很好的工具。你还可以把你的搜索范围收缩到指定的地理位置(如欧洲)、指定的域类型(如 edu)或指定的一个 Web 网点(如 www.apple.com)上。

好的关键字使你的查找更有效。提出对你真正想要找到的内容而言是唯一的那些词。尽量避免大量使用的词汇,如 WWW、Internet、computer 等等。如果你确实需要它们,那么用其他更具体些的词汇和布尔操作符把它们组合起来,以便收缩搜索范围,例如:

WWW and "Search Engines"

注释:

大多数搜索引擎还允许你使用引号(" ")来搜索短语。要了解具体情况,请查看你的搜索引擎的帮助。

你可能发现,搜索引擎列出的网点太多了。你可以通过收缩搜索范围来减少网点数。正确地使用某些简单的词汇(如,AND、OR 和 NOT)可以帮助你把数以千计的网点减少到几个网点。

这里的 AND、OR 和 NOT 不是你每天使用的 AND、OR 和 NOT。它们是由 19 世纪的数学家 George Boole(乔治.布尔)创立的逻辑符号系统。布尔搜索使用由操作符和搜索词汇组成的基本语法。因为这些词汇与英语语法的作用不完全相同,所以要确保正确地使用它们。表 28.2 给出了如何使用 AND、OR 和 NOT 的一些例子。

表 28.2 有用的布尔表达式

表达式	描述
ADD 或 +	返回包含你的所有搜索词汇的页面。如果所有要搜索的词不全在某个页面上,那么就不显示它。当你有不同的词汇并想把结果收缩到几个精确命中的页面时,使用 AND 或 +。例如,BMW AND roadster 或 BMW + roadster 将只显示同时含有 BMW 和 roadster 的页面
OR	返回含有你的搜索词汇中的任何一个词汇的那些页面。使用 OR 将得到包含在你的搜索中列出的任何词汇的那些页面。例如,BMW OR roadster 将显示所有含有 BMW,或含有 roadster,或含有它们两者的页面
NOT	返回不含有在你的搜索中指定的词的页面(有些搜索引擎不支持这个选项)

不要害怕实验。对同一个目标试用几种不同的搜索方法,以便对这些表达式和你要查找的词或短语返回的结果有一个较好的感觉。你将发现,使用搜索词汇的经验会有助于你把结果收缩到易控制的范围方面变得更熟练。

现在,我们已经介绍了 URL 和在 Web 上进行搜索,下面我们将更详细地介绍表 28.1 中列出的一些其他访问方法。下面每节都将介绍一种服务,介绍使用和不使用浏览器访问这种服务的方法,以及介绍这种服务返回的信息的例子。

28.2 在 Web 浏览器中使用 *FTP*

FTP 或文件传输协议是 Internet 使用的、用于在计算机之间交换文件的方法。无论你查找什么(软件、文档、FAQ 列表、程序或别的什么内容),你都可以通过匿名 FTP 得到一份拷贝。

匿名 FTP 是一种服务,它使你能从 Internet 上你没有帐户的机器上检索数据。通过使用匿名 FTP,你可以访问远程系统上系统管理员使之成为公用的那些文件。

参见 27.2"使用 FTP 进行远程文件传输"。

FTP 支持用 ASCII 模式来传输文本文件,支持用二进制模式来传输其他类型的文件。幸运的是,大多数 Web 客户程序自动地为你确定文件类型,因此你不必担心。通常,通过查看文件扩展名,你就可以确定档案文件的类型或压缩程序的类型。表 28.3 列出了你会遇到的最常用的文件扩展名。

表 28.3 可通过 FTP 得到的二进制文件的通用文件扩展名

扩展名	描述
.Z	用 UNIX 的 compress 程序压缩的
.z	可能是用 GNU 的 gzip 程序或 UNIX 的 compress 程序压缩的
.gz	用 GNU 的 gzip 程序压缩的
.tar	由 UNIX 的 tar 程序创建的、含多个文件的档案文件
.zip	由 pkzip 创建的、含多个文件的档案文件

有时,你会发现由这些方法中的多种方法建立的文件。例如,文件 programs.tar.Z 是一个由 tar 实用程序创建的、含多个文件的档案文件,然后再用 compress 实用程序压缩的。

要使用 Netscape(它内置了对 FTP 的支持)之类的 Web 客户程序去执行匿名 FTP 的传输,则要用 ftp 来替换 URL 的协议部分。例如,要启动一个对 sunsite.unc.edu 的匿名 FTP 会话,则使用下面的 URL:

ftp://sunsite.unc.edu

这个 URL 使你的 Web 客户程序对 sunsite.unc.edu 进行 FTP 连接,并使你以匿名 FTP 会话登录。你的 FTP 会话建立后,你就可以通过单击显示出来的超链接在各目录中漫游并传输文件。

注释:

大多数匿名 FTP 服务器要求使用电子邮件地址作为口令。如果有问题,应该检查在你的浏览器中设置的与电子邮件有关的首选项。

要在 Netscape 中指定非匿名 FTP 会话,键入:

ftp://username@ftp.startup.com

其中 username 是你的用户名,ftp.startup.com 是你想建立 FTP 连接的地方。你会在后面被提示键入你的口令。

注释:

当你在 FTP 会话中选择从远程服务器传输文本文件时,大多数 Web 客户程序在屏幕上显示这个文件。你需要通过菜单选择把这个文件保存到磁盘上。有些 Web 浏览程序允许你指定下载文件到磁盘上而不是到屏幕上。

在 WEB 上:

要通过 Web 来获得一个 FTP 网点列表,请参见:

http://www.yahoo.com/Computers_and_Internet/Internet/FTP_Sites/.

28.3　在 Web 浏览器中使用 *archie*

与使用 Web 一样,使用匿名 FTP 的一个主要问题是要知道你感兴趣的文件放在 Internet 上的什么地方。为了帮助用户找到文件,建立了 archie 系统。archie 基本上是匿名 FTP 网点的一个搜索引擎。

archie 是数据库查询程序,它和世界各地的匿名 FTP 网点联系并向每个网点索要它的所有文件的完整列表。然后,archie 在它自己的内部数据库中对这些信息进行索引。你可以搜索这个数据库来找到文件在 Internet 上的位置。因为更新 archie 数据库显然是很费时间的过程,所以通常这个数据库大约是每月更新一次。因此,可能(虽然可能性很小)archie 给你的位置是不正确的。

archie 是非常流行的服务。世界上的各种 archie 服务器负担非常繁重,对 archie 服务的请求需要花一些时间才能完成。一些网点对同时连接的数量有所限制,以防止服务器太慢甚至不能使用。如果你试用一个 archie 服务器并发现它已经满载,那么你可以试用另一个服务器或等几分钟再试。

在 WEB 上:

现在,许多 archie 服务器支持用 Web 进行查询。要进行 archie 搜索,请查看 http://WWW.nexor.co.uk/public/archie/servers.html,以便得到一个从 archie 到 Web 的网关的清单。从这个页面,你可以链接到 archie 数据库的许多镜像网点中去。通常,与最靠近你的网点连接速度最快。

表 28.4 列出了一些世界范围内可用的 archie 服务器。

表 28.4 可用的 archie 服务器

服务器	IP 地址	位置
archie.unl.edu	129.93.1.14	美国(NE)
archie.internic.net	198.49.45.10	美国(NJ)
archie.rutgers.edu	128.6.18.15	美国(NJ)
archie.ans.net	147.225.1.10	美国(NY)
archie.sura.net	128.167.254.179	美国(MD)
archie.au	139.130.4.6	澳大利亚
archie.uni-linz.ac.at	140.78.3.8	奥地利
archie.univie.ac.at	131.130.1.23	奥地利
archie.cs.mcgill.ca	132.206.51.250	加拿大
archie.uqam.ca	132.208.250.10	加拿大
archie.funet.fi	128.214.6.102	芬兰
archie.univ-rennesl.fr	129.20.128.38	法国
archie.th-darmstadt.de	130.83.128.118	德国
archie.ac.il	132.65.16.18	以色列
archie.unipi.it	131.114.21.10	意大利
archie.wide.ad.jp	133.4.3.6	日本
archie.hana.nm.kr	128.134.1.1	韩国
archie.sogang.ac.kr	163.239.1.11	韩国
archie.uninett.no	130.39.2.20	挪威
archie.rediris.es	130.206.1.2	西班牙
archie.iuth.se	130.240.12.30	瑞典
archie.swich.ch	130.59.1.40	瑞士
archie.twnic.net	192.83.166.10	台湾(中国)
archie.ncu.edu.tw	192.83.166.12	台湾(中国)
archie.doc.ic.ac.uk	146.169.11.3	英国
archie.hensa.ac.uk	129.12.21.25	英国

要与这些服务器中的一个服务器连接,远程登录(telnet)到这个服务器上并作为 archie 登录。每个服务器都略有不同,但大部分是基本相同的。当你登录到一个服务器上后,你会得到

如下的提示符：

archie >

在这里你可以输入你的搜索命令。不同的服务器有不同的默认搜索值，要确定你所连接的服务器的默认设置是什么，使用 show search 命令。show search 命令返回下面各值中的一个值：

regex   archie 把你的搜索字符串解释为 UNIX 的规范表达式。

exact   你的搜索字符串必须精确地与一个文件名匹配。

sub   你的搜索字符串与文件名中的子字符串匹配。这是大小写不敏感的搜索。

subcase   除了字符串中的字母的大小写必须匹配以外，其他的与 sub 搜索类型相似。

你可以通过使用 set search 命令来设置所希望的搜索类型。例如：

archie > **set search search-type**

一旦设置了你想要的搜索方法，用 prog 命令按文件名来进行搜索。例如：

archie > **set search sub**

archie > **prog linux**

对 archie 数据库进行大小写不敏感的搜索，以找到所有包含子字符串 linux 的文件。对 archie 找到的每个匹配文件，它报告拥有这个文件的主机及在这个主机上的这个文件的全路径名。

在你使用 archie 时，如果你搞糊涂了或需要一些帮助，只要在 archie > 提示符下键入 help。这将为你提供如何在 archie 上获得帮助的有关信息。在 help > 提示符下键入？将提供你可以获得的帮助子主题的列表。

在你找到了要搜索的信息之后，你需要退出 archie，在 archie > 提示符下键入 exit 或 quit。

28.4　在 Web 浏览器中使用 *telnet*

telnet 存在的时间几乎和 Internet 一样长。通过使用 telnet，你可以与世界上的数据库、图书目录和其他信息来源连接。要看看佛蒙特州的天气情况吗？要考查阿塞拜疆的农作物的生长条件吗？要得到你在网上看到的某个人的更多信息吗？telnet 使你能做这些事情，甚至更多。当你远程登录到另一台计算机上时，你正通过 Internet 登录到那台机器上。你不能像在 Web 上那样找到图形，因为 telnet 只有文本。

注释：

    gopher 是另一种早期的 Internet 工具，最容易通过 gopher 菜单找到许多 telnet 网点。参见下一节对 gopher 的介绍。

要从你的浏览器上启动 telnet，输入你想要进入的 telnet 网点的 URL。例如：

telnet://pac.carl.org

将启动一个 telnet 程序，并将把你带到你输入的位置上。从这里，你可离开浏览器并进入"菜单领域"。

参见 27.1"使用 telnet 访问远程计算机"。

配置 Netscape 以便能使用 telnet

你的浏览器中可能没有 telnet。你需要获得 telnet 程序,并把它安装在你的计算机上,然后配置浏览器以便能使用它。下面是一个为 Netscape 配置 telnet 的例子:

1. 从 Netscape Navigator Options(选项)菜单,选取 Preferences(首选项)。
2. 从可使用的标记中选取 Applications(应用程序)和 Directories(目录)。
3. 选取 Telnet Application(应用程序)窗口旁的 Browse(浏览)。
4. 找到并选取 telnet executable。
5. 按 < Return > 键。现在 Netscape 就配置好了。

Windows 95 和 Windows NT 在 Windows 系统文件夹中包含了 telnet 应用程序。对于 Mac 和较老的 Windows 版本,NCSA Telnet 是流行的选择。

大多数 telnet 站点十分容易使用并且有联机帮助系统。大多数站点最好与 VT100 仿真程序一起使用,在有些情况下,则只能与 VT100 仿真程序一起使用。你还可能发现,目前在 Web 上已有许多可用资源。

28.5 在 Web 浏览器中使用 *gopher*

gopher 是一种 Internet 服务,它允许你从一系列菜单中进行选择以访问所需要的信息。gopher 是第一批在用户友好界面方面作了许多努力的 Internet 服务中的一种。

当你连接到一个提供 gopher 服务的网点上时,你得到可供选择的菜单。每个菜单项或是文件,或是另一个菜单。你可以从这个菜单上选取你的选项,而不必知道目的地网点的名字或 IP 地址,或者不必知道你要询问的特殊信息的目录和文件名。gopher 为你处理这些细节。

注释:

实际上,在 Internet 上,没有那个信息源是"gopher 专用的"。你通过 gopher 能获得的信息也可以通过其他方法来获得(如 HTML Web 页面、FTP 或 telnet)。在有些情况下,为了安全起见,网点可能选择只通过 gopher 来提供信息资源。

为了用 Web 浏览器来访问 gopher 服务器,要改变 URL 的协议部分,用 gopher 来代替 http。例如,在 sunsite.unc.edu 上的 gopher 服务器的 URL 是:

gopher://sunsite.unc.edu

gopher 提供了容易漫游 Internet 的方法。遗憾的是,gopher 能检索的信息没有被很好的组织,因此,要查到你想要的内容可能有一点冒险。因为 Gopherspace(Gopher 空间)上的项是作为一组菜单呈现的,所以你有时必须通过许多不同菜单以获得你要查找的文件。除这个问题外,通过 gopher 可获得许多有用的信息。

gopher 的缺点是各种 gopher 服务器缺少标准的主题列表。每个 gopher 服务器的管理员以他们自己方式来组织信息。这意味着你访问的每个 gopher 服务器都有不同的主题。如果不同的 gopher 服务器碰巧有某些相同的主题,很可能这些主题的名称却不相同。

提示:

因为 Gopherspace 比 WWW 使用的时间长,所以它太大以至于不能随机地查找它。veronica 很像 archie,但它查找 gopher 服务器。为了解有关 veronica 的更多信息,请参见 gopher://gopher.scs.unr.edu/00/veronica/veronia-faq。

在 WEB 上:

为了获得一个 gopher 站点的清单,请参见:
http://www.yahoo.com/Computers_and_Internet/Internet/Gopher/.

28.6 用 Web 浏览器访问 Usenet 新闻

最简单地定义一下,Usenet 新闻(也称网络新闻或简称新闻)是联机讨论的一个论坛。在这里,世界上的许多计算机对几乎可想到的每个主题(称为论题)交换大量的信息。这些计算机不是实际地连接到同一个网络上的;为了交换数据,它们逻辑地连接在一起。为了得到对 Usenet 新闻的完整讨论,请参见第三十章"使用 Usenet 新闻"。

Usenet 上的新闻论题根据主题被划分成新闻组。这些新闻组又根据每个通用主题的不同按层次作进一步的划分。

参见 30.4"Usenet 的结构是怎样的?"。

Usenet 新闻针对你能想到的几乎任何主题进行交谈和讨论。它是找到和交换信息的一种很好的方法。

28.7 邮递清单

在 Internet 上,相互之间进行讨论的另一种方法是电子邮件的邮递清单。邮递清单不同于 Usenet 新闻,它的各种信息和讨论是通过电子邮件而不是通过 Usenet 新闻媒体来发送的。

为什么用邮递清单来代替 Usenet 新闻组呢? 通常,邮递清单把目标瞄准较少的一组人。在 Usenet 上建立一个新的新闻组是十分困难的,因为需要经过提议、讨论和投票的过程。但是任何系统管理员都可以建立邮递清单。另外,由于一个邮递清单是在一台计算机上维护的,所以系统管理员对谁能列入清单有更多的控制能力,并且能更有效地处理有问题的用户。一些邮递清单(如讨论计算机安全问题的邮递清单)只限制某些人使用。如果你需要列在某个清单中,那么你必须向这一清单的管理员申请。

28.7.1 找到邮递清单

与 Usenet 新闻一样,有各种主题的邮递清单。在 Usenet 新闻组 news.answers 上定期公布公用的邮递清单的完整列表。

在 WEB 上:

你可以通过 Web 在 http://www.liszt.com/上搜索邮递清单。

28.7.2 使用邮递清单

通常,邮递清单是通过使用邮件反射器(reflector)来建立的。邮件反射器是一个特殊的电子邮件地址,它把发送给它的任何邮件都反射给组中的成员。通常,与邮递清单相联系的有两个电子邮件地址:一个是清单维护者的电子邮件地址,另一个是清单本身的电子邮件地址。

假设,小工具(widgets)的用户们有一个电子邮件地址。这个邮递清单的电子邮件地址可能具有 widgets@somewhere.com 形式。如果你把电子邮件信息发送给这个地址的话,那么这个信息就被发送给订阅这个清单的所有人。

按惯例,Internet 邮递清单对管理请求(如对这个清单的订阅请求)使用一个特定的电子邮件地址。把-request 添加到这个清单的名字上来形成这个地址。因此,对假想的小工具邮件发送清单而言,管理用的电子邮件地址应该是 widgets-request@somewhere.com。所有关于管理问题的邮件都应该被发送到这个管理地址上。

每个邮递清单(以及 Usenet 新闻组)都有它自身的规则和文化。在把邮件发送到清单之前,你应该熟悉本地的顾客。通常,当你预定清单时,你会得到介绍信息,可能是常见问题(FAQ)的列表。介绍信息包含任何在这个清单上的使用特殊规则。确保你首先阅读了 FAQ,以便不像几百个其他用户那样询问同样的问题。

参见 30.7"网格成规:Usenet 的成规"。

28.8 使用广域信息服务系统(WAIS)

WAIS(广域信息服务系统)是在很多数据库中查找信息的系统。"广域"一词所隐含的意思是能够通过使用客户机/服务器软件在一个大型网络(如 Internet)上进行搜索。

通过使用 WAIS,你可以通过 Internet 来获取存储在数据库中的文本或多媒体文档。除了 WAIS 为你做搜索工作外,你可以认为 WAIS 和 gopher 是一样的。

与 gopher 一样,为使用 WAIS,你需要有客户机软件或必须用 telnet 与一个提供 WAIS 公共访问的网点连接。有一个称作 swais 的交互式 UNIX WAIS 客户机程序。要使用这个系统,你可以远程登录到 sunsite.une.edu 上,并以 swais 登录,然后你就得到一个可以搜索的数据库的菜单。

28.9 从这里开始

WWW 是一个非常好的、用于探索和利用 Internet 巨大信息资源的手段。可以获得各种 Web 浏览器,其中有些是自由软件,有些是商业化的产品。使用 Web 浏览器使漫游 Net 和查找你需要的信息变得很容易。在下面各章中你可以学到有关 Web 和 Internet 的更多知识。

□ 第二十六章"了解 Internet 网"对 Internet 和它的基本服务进行了概述。

□ 第三十一章"用 HTML 建立 Web 文档"对用于建立 Web 页面的超文本标记语言做了介绍。

第二十九章　使用电子邮件

本章内容
- [ ] 了解电子邮件的基本知识

  在本章中,你将学习如何通过使用 mail 和 elm 电子邮件程序来发送、阅读和回复电子邮件。
- [ ] 使用电子邮件消息

  你还将学习如何打印消息、如何把消息保存到文件中和如何删除消息。
- [ ] 路由传送电子邮件

  本章还说明如何通过转发电子邮件、建立邮递清单和向其他人发送邮件拷贝来路由传送电子邮件。

电子邮件似乎给世界带来了一场风暴。在世界上,数以百万计的计算机用户已经访问过电子邮件。大量的商业网络或 Internet 服务提供商 (ISP)可以使你或你的组织在世界范围内访问电子邮件。

29.1　了解电子邮件

电子邮件是在单机系统上的或在网络系统上的用户用来发送和接收电子消息的任何程序。至少,你应该向这个程序提供接收者的地址和你要发送的消息。地址包括接收邮件者的登录名。如果接收者在网络的另一个系统上,那么地址中还要包括标识这个目标计算机系统的部分。你可以在使用电子邮件程序时准备消息,也可以事先使用文本编辑程序(如 vi)来准备消息。

参见 19.2"使用 vi"。

使用电子邮件有如下优点:
- [ ] 你可以在几秒或几分钟内把报告、数据和文档发送到目的地。
- [ ] 你不用担心在给一些人传送消息时会中断他们,也不用担心当你接收消息时会被中断——因为这些都是由计算机系统来控制的。
- [ ] 你不必使用电话套语或与要通信的人预约。
- [ ] 你可以在你方便的时间发送和接收电子邮件。

当你发送电子邮件时,由计算机系统进行投递,这包括把消息放到网上,并把它发送给其他网点。从这个意义上,你可以说邮件被传送了。过一会,消息就到达接收者的机器上了。

如果发送者和接收者在同一台计算机系统上工作,那么发送和接收都发生在同一台机器上。目标计算机上的电子邮件系统验证接收者地址确实存在,然后消息被添加到保存那个用户的所有电子邮件的文件中(如果不涉及网络,那么本地计算机系统就验证接收者地址)。存储邮件的文件被称为用户的系统邮箱,并且通常有与接收邮件的用户名字相同的名字。例如,如果你的登录名是 george,那么你的系统邮箱是目录/var/spool/mail 中的名为 george 的文件。当消息被"投递"到这个邮箱中时,就说这个邮件已经收到了。

注释:
有一种称作邮局协议(POP)邮件的公用电子邮件,其中电子邮件存放在一个远程系统上,在你阅读邮件时获取。本章假定在你的 Linux 计算机上运行着一个完全的邮件系统,用 sendmail 程序来完成收发邮件的工作,sendmail 程序控制发送和接收电子邮件的后台作业。

图 29.1 示出了发送和接收电子邮件之间的关系。

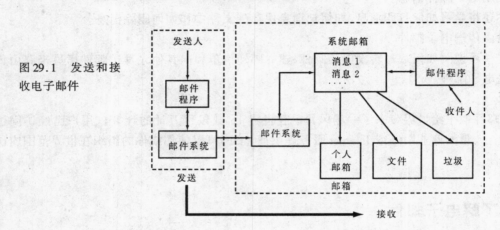

图 29.1　发送和接收电子邮件

邮件总能到达吗?

当你发送电子邮件时,你可能看到屏幕上的一条消息,它显示 Mail Sent!。意思是说,邮件已经被送出,而不是说已经被收到了或投递了这个邮件。通常,如果你的电子邮件不能被收到的话,那么你的电子邮件系统会通知你。

有数种原因使得电子邮件消息可能到达不了目的地。在把邮件发送到一个网络时,网络地址可能是正确的,但那个网络上的用户名可能不正确。或者,整个地址可能是正确的,但由于权限或资源配额的问题,导致这个邮件不能被放入用户的系统邮箱中。在这两种情况下,邮件都被发送了但却是不能被收到。另一种情况是电子邮件被投递了,但用户的邮箱是坏的。最后的一种可能是接收者忽略了电子邮件,或几天、几个星期或更长的时间没有登录了。

当你有了邮件时,你的计算机系统会通知你。当你阅读你的电子邮件时,你可以一条消息接一条消息地去处理。用你的电子邮件你可以做以下一些事情:

☐ 在你读过这些邮件之后,删除个人消息——或者根本不用费心去阅读它们。(使用电子邮件并不意味着不会获得没用的邮件。)

☐ 把有些消息保留在系统邮箱中。

☐ 把有些消息保留在个人邮箱中。

☐ 把其他消息保留在个人文件或文件夹中。

☐ 直接回复消息的发送者。

☐ 向接收相同消息的一组用户进行"组回复"。

□ 把邮件转发给其他人。

□ 打印你的邮件。

你应该管理你的邮件,以使它不会占用比实际需要更多的磁盘空间。实际上不必保留收到的每个电子邮件。如果你有规律地从你的系统邮箱中删除消息,你会发现这使你更容易阅读你收到的邮件。

在 Linux 中可以使用数个不同的电子邮件程序,包括集成在 Web 浏览器(如 Netscape)中的电子邮件程序。最通用的电子邮件接口是 mail。实际上,mail 在每个 UNIX 环境中都能得到。使用 mail 程序,你可以做下面这些事情:

□ 管理和查看你的电子邮件。

□ 在发送的电子邮件中包括 Subject(主题)标题。

□ 在发送给其他人的电子邮件拷贝中包括 cc 标题。

□ 把电子邮件转发给其他人。

□ 建立邮递清单。

本章给出了 mail 的一些例子。稍后,本章还将介绍另一个 Linux 的邮件程序,即 elm 邮件程序。

29.2 用 *mail* 发送电子邮件

你可以把电子邮件发送给个人、一个组或一个邮递清单。与送一个书面信件一样,你必须指定电子邮件接收者的地址。有时,你可能在发送电子邮件时,编写一条消息;其他时候,你可能要发送准备好的消息;你甚至可以用电子邮件发送一个命令或一个程序的输出结果。当使用 mail 或 elm 时,你发出的消息必须是一个文本文件,即一个 ASCII 文件。

注释:

简单邮件传输协议(SMTP)被用于在计算机之间传输邮件。它目前只支持 ASCII 文件。若要通过电子邮件发送二进制文件,你必须用 uuencode 实用程序将这个二进制文件转换成 ASCII 文件。

不管你如何准备消息,你都要用如下形式的命令来发送邮件:

mail *address*

本命令启动 mail 系统。然后你可以编写邮件消息,并把它送到指定的地址。在这个语法中,address 是接收消息者的电子邮件地址。一个地址可以有几个不同的形式。为把电子邮件发送给在你正在使用的机器上有登录 ID 号的人,使用那个人的登录 ID。例如,要把电子邮件发送给在你的系统上的某个人,他的登录名为 george,请输入下面的命令:

mail george

如果 george 在你可以通过某个网络或某组网络能访问的另一个系统上,那么你必须包括该系统在网络上使用的名字。假设 george 是网络名为 apples.startup.com 的计算机系统上的用户名,你可以输入下面的命令来发送电子邮件:

mail george@apples.startup.com

这个地址的确切形式取决于你正在使用的网络类型和本地的约定或规则。你可以向本地专家或你的系统管理员询问你的公司在网络上的地址形式。

要把相同的消息发送给多个用户,就在 mail 命令行上放上每个用户的地址,如下所示:
mail fred bill george@apples.startup.com

29.2.1　在发送电子邮件时编写消息

许多用户在发送电子邮件时编写消息而不是在发送前编写消息。这通常是最快的但不是发送邮件的最好方法。它之所以不是一种好方法,这是因为在编写消息时受到编辑能力的限制。通常,一次只能处理一行。首先,你键入命令以发送电子邮件,指定地址,按 < Return >。然后你输入消息,通过在一行上键入一个圆点来表示消息输入结束;你还可以用 < Ctrl-d > 来结束消息。这里有一个如何将电子邮件发送给名为 lynn 的用户的例子。输入下面的命令来启动邮件系统,并指定 lynn 在你的系统上的地址:

mail lynn

Subject：Congratulations! Lunch Thurday?

现在键入消息,当你想结束一行时按 < Return >。下面是你想把消息发送给 Lynn 的例子(在每行结尾要按 < Return > 键,用空格分开这个消息的段落):

Lynn,

Just wanted to tell you that I thought you did a great
job at the meeting yesterday! It seems as if we're
finally turning this problem around.

Want to get together for lunch Thursday?
Give me a call.
joe

你还可以用 < Ctrl-d > 代替圆点来结束消息。计算机显示 EOT 作为结束,意为传送结束。

29.2.2　取消消息

当你正写一条消息时,你可以取消这个消息,但你不能在发送这个消息后取消它。要在写消息时取消这个消息,可以按系统配置为中断键的那个键(通常是 < Ctrl-c > 或 < Del >)。当取消一条消息时,它被存入名为 dead.letter 的文件中。你可以删除这个文件,或稍后为了另一条消息来编辑它。当你正在使用邮件时,你必须按两次 < Ctrl-c > 以取消这个邮件消息(以防你误按 < Ctrl-c > 或 < Del >)。在取消了你的邮件消息后,出现命令行提示符。下面的例子给出了取消功能是如何工作的:

mail lynn

Subject：Congratulations! Lunch Thursday?

Lynn,

Just wanted to tell that I thought you did a great
job < Ctrl-c >
(Interrupt - one more to kill letter)

现在,你必须决定是想继续这封信还是撤消它。如果你决定继续,你只要像下面这样继续键入信的内容:

at the meeting yesterday! It seems as if we're finally
turning this problem around.

这时,你又决定取消这封信,因此你按 < Ctrl-c > 或 < Del > 。系统用(Interrupt-one more to kill letter)进行响应。因为你想撤消这个消息,所以再次按 < Ctrl-c > 或者 < Del > ;退出 mail,出现 shell 提示符。

29.2.3 发送准备好的消息

你可能想用文本编辑程序(如 vi)来编写用电子邮件发送的消息。如果你使用文本编辑程序,那么你就有了用于编排文本格式和拼写检查这样一些工具。你使用什么程序来建立文本都没有关系,只要你最终建立的是文本或 ASCII 文件就可以。

假定你要传送的文件名为 report.txt,接收者的地址是 bigshot@turn.green.com。有三种方式来发送这个文件,如下面的清单所示。在下面的例子中,mail 命令使用选项 -s,而作为标题的字符串用引号括起来了:

□ 使用一个管道。要用 mail 命令发送 report.txt,输入:

  cat report.txt ¦ mail -s ″Sales Report″ bigshot@turn.green.com

□ 使用重定向输入。用 mail 命令和 -s 选项发送 report.txt,输入:

  mail -s ″Sales Report″ bigshot@turn.green.com < report.txt

□ 用 ~r 把一个文件包含在消息中。要使用 mail 发送这个文件(通过使用默认的 Subject 提示符),输入这些命令:

  mail bigshot@turn.green.com
  Subject: Sales Report
  ~r report.txt
  ~.
  EOT

在你采用这三种方法中的任何一个方法后,都会出现系统提示符;每种情况的结果都是相同的。

注释:

  在第三个例子中,你使用 ~r 来阅读(或包含)文件 report.txt,使它的内容包含在电子邮件消息中。这是一个代字符命令的例子。要使用这个命令,在你正在阅读或发送邮件时要在命令前使用代字符(~)。你可能知道还有其他几个代字符命令很有用;它们将在本章的适当地方加以讨论。

29.2.4 用电子邮件发送命令或程序的结果

参见 17.2"了解各种 shell"。

    如果你运行一个在屏幕上产生结果(称为标准输出)的命令或程序,你可以用管道把这个输出送到 mail 命令中。假设你在名为 contrib.lst 的文件中有一些信息,使用命令 sort 来排序这个文件,然后把结果送给你自己(登录名为 imgood)和 bigshot(你在本章的前面遇到过的那个人)。要做这些工作,请输入:

    sort contrib.lst ¦ mail -s "Sorted Contrib Info" imgood bigshot@turn.green.com

29.3 阅读邮件

    在你有电子邮件时,大多数 Linux 系统会在你登录时通知你。由你来阅读它和处理它。你可以用 mail 或另一个电子邮件程序来阅读你所拥有的所有邮件。在你阅读邮件时,电子邮件程序把消息打上阅读标记。根据你使用的命令以及你退出电子邮件程序的方式,你已阅读的消息要么被保存在系统邮箱(/var/spool/mail/ $ LOGNAME)中,要么保存在你的登录目录中的名为 mbox 的文件中。

29.3.1 用 *mail* 阅读邮件

    要用 mail 来阅读你的邮件,请键入 mail。如果你的登录名是 imgood,你将看到类似于下面的显示信息(你要键入的内容用黑体字表示):

```
mail
mail            Type ? for help.
"/var/spool/mail/imgood": 5 messages 2 new 1 unread
         1 sarah  Wed Jan 8 09:17     15/363
         2 bigshot@turn.green.com    Thu Jan 9 10:18    26/657    Meeting on Friday
U        3 fred_Fri    Jan 10 08:09    32/900    New Orders
 > N     4 jones    Fri Jan 10 13:22    35/1277    Draft Report
N        5 smith@somewhere.com    Sat Jan 11 13:21    76/3103    Excerpt from book
?
```

    对上述显示信息,注意以下问题:

☐ 第一行标识这个程序,提示键入一个问号来获得帮助。

☐ 第二行指出 mail 正在读取你的系统邮箱/var/spool/mail/imgood,及你有五个消息。两个消息是自你上次检查你的邮件后收到的,一个是以前的但你还没有阅读它,两个消息已经读过了。

☐ 接下来的五行给出有关你的邮件的信息。现在忽略前面几个字符。每一行都有消息号、发送者的地址、发送消息的日期、消息的行数、字符数以及主题(如果给出了的话)。仔细看看下一行：

2 bigshot@turn.green.com   Thu Jan 9 10:18 26/657   Meeting on friday

这一行指出：2 号消息来自 bigshot@turn.green.com,这个地址说明这个消息是从一个网络传到你的机器上的(来自本地用户的邮件只用用户的登录 ID 来标记)。这个消息是在 1 月 9 日、星期四、于 10:18 发送的；它有 26 行 657 个字符。主题是"Meeting on Friday"。

□ 用 N 开始的消息行指示新邮件(这个邮件是自你上次检查邮件以后收到的)。用 U 开始的消息行指示未阅读的邮件。不用 N 或 U 开始的消息行指示你已经阅读过了并把它保存在你的系统邮箱中。

□ 在一条消息行上的大于号（>）标记当前的消息(接下来你要处理的消息)。

□ 在最后一行上的问号(?)是 mail 的命令提示符。

阅读当前消息　当前消息是用大于号(>)标记的消息。要读取这个消息,只要按<Return>。当你打开它时,你看到下面的内容：

Message 4:
From jones Fri, Jan 10 13:22 EST 1997
Received: by your.system.com
Date: Fri, 10 Jan 1997 13:22:01 -0500
From: Carol Jones < jones >
Return-Path: < jones >
To: aborat, lynn, oackerm, imgood
Subject: Draft Report
Here is a draft of the report I intend to submit next week.
Please take a look at it and let me know your comments.
Thanks.
-----------------Report Starts Here-----------------
Opportunities for expansion
Prepared by Carol Jones
Over the past 6 months, we've seen an indication of an increase in the
demand for our services. Current market trends indicate that the demand
will continue for at least 18 months and possibly longer. The manager of
our service staff states "We're up to our necks in new customers and
:

以每次一屏的方式显示消息。当你看到一个冒号(:)时,你可以按<Return>来看下一屏消息或按<q>键以退出浏览这个消息。按<Return>阅读这个消息的下一屏。

当你看最后一屏时,你会看到 EOF:(表示文件结束)。按<q>或<Return>返回到? 提示符。注意大于号仍指向你刚刚阅读的消息。以前是当前消息的消息仍然是当前消息。

在消息本身开始之前,可能会显示一些行。这些是标题信息,是有用的。通常,标题信息包括下面的内容:

- ☐ 消息号
- ☐ 谁发送的消息
- ☐ 什么时候发送的
- ☐ 接收消息的系统的名字
- ☐ 接收消息的日期
- ☐ 发送者的"真名"以及他的登录 ID
- ☐ 返回路径
- ☐ 这个消息发送给谁
- ☐ 主题

所有这些信息都随着每个电子邮件消息传送。发送者总是被标识,使伪造非常困难。出现在 From 行中的真名是从口令文件中发送者条目中的字段中取出的。如果你产生了一个回复(在本章稍后讨论),那么邮件系统使用 Return-Path(返回路径)或 Reply-To(回复给)信息。To 行包括这个消息接收者的地址或地址列表。(本例的消息是组消息)。发送者提供 Subject 行。

阅读下一条消息　有两个阅读下一条消息的方法(下一条消息就是你的邮箱里的当前消息后面的那条消息)。你可以按 < Return > 或 < n > 来显示下一条消息。在你阅读完它之后,它将成为当前消息。读下一条消息与读当前消息的方法一样。在读到列表的最后一条消息之后,你将看到"At EOF"。

阅读任何消息　在你的邮箱中的所有消息都被编了号。当你看到? 提示符时,你可以通过键入消息号来阅读消息。例如,要阅读第 2 号消息,键入 2 并按 < Return >。这时第 2 号消息就成了当前的消息。

29.3.2　从其他文件阅读电子邮件

当你启动 mail 时,你阅读保存在系统邮箱/var/spool/mail/ $ LOGNAME 中的消息。回想一下第十七章"了解 Linux Shell",LOGNAME 是保存你的登录名的 shell 变量。如果你是作为 imgood 登录的,那么你的邮件被保存在/var/spool/mail/imgood 中。你可以从其他文件(这些文件保存完整的电子邮件消息,在这里,完整的消息是指有标题和内容的消息)中读取邮件。当然,你必须有这些文件的读权限。

要从一个文件中读取消息,请键入 mail 命令来启动电子邮件程序,命令后跟 *-f*　*filename*,并按 < Return >。例如,要阅读在 mbox 文件中的电子邮件,输入:

mail -f mbox ┊

你可以用与从系统邮箱中读取电子邮件相同的方法来从这个文件中读取邮件。

注释:

mbox 文件在你的起始目录中,并自动包括那些你已经读过但还没有删除的消息。当你退出 mail 时,这些消息被保存到 mbox 中。

29.3.3 在阅读时发送邮件

你可以在使用 mail 程序阅读消息时发送电子邮件。为此,在? 提示符下输入 m address。遵循下列步骤:

1. 启动 mail 程序(键入 mail 并按 < Return >)。
2. 阅读某些消息或做其他一些事情,在? 提示符下键入下面命令,把电子邮件发送给登录名为 ernie 的用户:

    m ernie

3. 当提示输入主题时,键入主标题:

    Subject：Game Time

4. 键入消息并在最后一行以圆点结束,如下面的例子所示:

    Don't forget we're playing V-ball at 6:30

    .

    计算机用下面的行回答:

    EOT

    ?

5. 继续使用 mail。

29.4 打印邮件消息

通过使用 mail,你可以把当前的消息打印到与你的系统连接的打印机上。首先,使你想打印的消息成为当前消息,然后在? 提示符下键入 ¦ lpr。效果上,你正在把当前的消息用管道送到 lpr 程序中。

要打印一组消息,把这些消息保存到一个文件中,然后打印这个文件。参见本章稍后的"用 mail 把电子邮件保存到文件中"一节,了解保存消息的有效方法。

29.5 用 *mail* 获得帮助

当你键入 mail 命令启动你的电子邮件程序时,你会看到一个? 提示符。mail 程序告诉你键入? 可以获得帮助。要得到命令清单和每条命令的某些信息,键入? 并按 < Return > 。

在你键入? 并按 < Return > 后,你可以看到类似下面的内容:

```
Mail    commands
t < message list >         type messages
n                          goto and type nest message
e < message list >         edit messages
f < message list >         give head lines of messages
d < message list >         delete messages
s < message list >         file append messages to file
u < message list >         undelete messages
```

```
R  < message list >       reply to message senders
r  < message list >       reply to message senders and all recipients
pre < message list >      make messages go back to /usr/spool/mail
p  < message list >       print message
m  < user list >          mail to specific users
q                         quit, saving unresolved messages in mbox
x                         quit, do not remove system mailbox
h                         print out active message headers
!                         shell escape
cd [directory]            chdir to directory or home if none given
A < message list > consists of integers, ranges of same, or user names
separsted by spaces. If omitted, Mail uses the last message typed.
A < user list >  consists of user names or aliases separated by spaces.
Aliases are defined in .mailrc in your home directory.
&
```

这个清单给出了在？提示符下可以使用的命令。其中一些命令将在本章后面介绍,现在对其中一些内容给予说明：

☐ 对每种情况下,你都可以使用命令的第一个字母或键入整个命令。

☐ 在[ ]和 < > 中的项是可选的;你不要将括号作为命令的一部分键入。

☐ 通过使用 * ,你可以使 message list 指所有的消息。例如,要把所有的消息保存到名为 allmail 的文件中,键入 s * allmail 并按 < Return > 。

☐ 你可以使 message list 指单个消息号。例如,要把 2 号消息保存到名为 meeting 的文件中,键入 s 2 meeting,并按 < Return > 。

☐ 可以通过在两个消息号之间放一个连字符,使 message list 指一个范围内的消息号。例如,2-4 指消息号为 2、3 和 4。如果要把消息 2、3 和 4 保存到文件 memos 中,键入 s 2-4 memos,并按 < Return > 。

☐ 在 print message 行中的 print 并不意味着要在打印机上打印消息。它的意思是显示消息。

☐ 在把消息转发给其他人或保存到文件中之前,如果要修改消息,可以使用 edit 命令。

29.6 用 *mail* 把电子邮件保存到文件中

你可能想保存某些你收到的电子邮件。由于下列原因,把你的所有邮件保存在你的系统邮箱中是不现实的：

☐ 无论何时你想阅读邮件时,都有太多的消息要浏览。

☐ 系统管理员经常对你的系统邮箱的大小进行限制。系统邮箱的大小取决于你的系统管理员是如何设置系统邮箱的大小的。如果达到这个限制值,你就不能再收到新的邮件。

☐ 你的邮件不能被组织,要找到重要的消息或所有与特定项目或主题相关的消息是很困难的。

我们在本章前面介绍过,已阅读的消息被保存在文件 mbox 中(除非你有其他的指定)。还知道通过键入 mail -f mbox 并按 <Return> ,可以阅读这些消息;通过使用 mail 命令的-f 选项,你还可以从其他文件中阅读消息。

当你使用 mail 时,有两个主要方法(带或不带标题)把当前消息保存到一个文件中。用这两种方法,你都可以指定一个文件来保存消息,并且这个消息是添加到这个文件中的。如果你没有指定一个文件,那么消息就被添加到你的起始目录中的 mbox 文件中(你的个人邮箱)。如果你使用 q 退出 mail 程序,那么消息就被从你的系统邮箱中删除。

当你看到? 提示符时,你可以用下面的任何一种方法来保存消息:

□ 键入 *s* ,把当前消息添加到你的起始目录的 mbox 文件中。

□ 键入 *s filename* ,把当前消息的文本添加到名为 filename 的文件中,标题不变(如果你想稍后用你的电子邮件程序来阅读这个消息的话,这种方法是很有用的)。

□ 键入 *w filename* ,把当前消息的文本添加到名为 filename 的文件中,并且不带标题信息(如果你只想在用其他程序处理的文件中使用消息的文本,这种方法是有用的)。

提示:

要把消息保留在你的系统邮箱中而不是保留在 mbox 文件中,则要使用保留命令 pre。你可以使用带消息清单的 pre 命令。

我们知道已经阅读的消息被自动保存到 mbox 中,除非你使用保留命令。

当你使用 save 命令(s)时,要养成指定文件名的好习惯。如果你没有指定文件名,那么当前消息被添加到文件 mbox 中。如果你使用了消息清单但没有指定一个文件,那么 mail 就把这个消息清单作为保存当前消息的文件名。如果用 q 退出电子邮件程序,那么保存过的消息就从你的系统邮箱中删除。

29.7 用 *mail* 删除消息和撤消删除消息

要从你正在阅读的消息文件中删除消息,用 d 命令。如果你用 q 退出 mail 程序,那么任何你用 d 命令删除的消息都从这个文件中删除。

当你用 mail 来阅读你的电子邮件时,使用 d 或 delete 命令来标记要删除的消息。如果此后你用 q 退出这个程序,那么加标记的消息将从你的邮箱中删除,除非你已经保存了它们,否则,你将永久地失去这些消息。对于某些消息来说,删除它们而不保存它们是一个好主意。

要删除当前消息,键入 d 并按 <Return> ;你还可以指定消息清单。

如果你标记了要被删除的消息或一组要被删除的消息,你可以改变主意,并用 u 命令撤消删除这条消息或这组消息。但必须在你输入 q 退出之前使用 u 命令。否则,消息将永久地失去。使用 u 或 undelete 命令与使用 d 或 deledte 命令的方法相同。

提示:

要撤消对所有标记为删除的消息的删除,要在? 提示符下键入 u * 。

29.8 用 *mail* 回复电子邮件

要回复电子邮件,使用在 Reply-To 标题字段中指定的地址。如果没有这个字段,则使用 Return-Path 标题字段中的信息。下面是两个消息的部分标题;其中的一个含这两个标题字段,而另一个只有 Return-Path 标题字段。在每个例子中,有关的字段都使用黑体字。

消息 1:

From server@malte.abc.com Mon Nov 8 18:31 EST 1993
Received: from MALTE.ABC.COM by s850.mwc.edu with SMTP
Return-Path: < server@matle.ams.com >
Date: Mon, 8 nov 93 18:17:15 -0500
Comment: From the DuJour List
Originator: dujour@mathe.abc.com
Errors-To: asap@can.org
Reply-To: < dujour@mathe.abc.com >
Sender: dujour@mathe.abc.com

消息 2:

From jones Fri,Jan 7 13:22 EST 1994
Received: by your.system.com
Date: Fri, 7 Jan 1994 13:22:01 -0500
From: Carol jones < jones >
Return-Path: < jones >
To: aborat, lynn, oackerm, ingood
Subject: Draft Report

要回复第一条消息,使用 Reply-To 地址 dujour@mathe.abc.com。注意,Reply-To 字段和 Return-Path 字段是不同的。在第二个例子中,使用 jones 来回复这个消息的发送者。

注释:

如果标题中包括 Reply-To 的话,则总是使用 Reply-To 地址,因为它代表发送者的特定地址。当不能获得 Reply-To 地址时,Return-Path 通常提供一个完整的、返回发送者的地址。

你可以让 mail 程序来确定用于回复电子邮件消息的地址。为此,用下面的两个命令之一:

R　　把回复只发给这个消息的发送者
r　　把回复发给这个消息的发送者及此消息的所有电子邮件接收者。

对这两个命令中的任何一个,你都可以指定消息清单(如在本章前面介绍的那样)。否则,

R 或 r 命令只能用在当前消息上。

下面的部分标题显示如何使用这两个命令。这个标题是从 Caro Jones 的消息中摘录的。在这里她请一个组对她准备的报告草案作评论：

> From jonesFri, Jan 7 13:22 EST 1994
> Received: by your system.com
> Date: Fri, 7 Jan 1994 13:22:01 -0500
> From: Carol Jones < jones >
> Return-Path: jones
> To: aborat, lynn, oackerm, imgood
> Subject: Draft Report

要回复 jones,则在? 提示符下键入 **R**。你会看到如下的回答：

> To: jones
> Subject: Re: Draft Report

To 行告诉你只把回复给一个人;Subject 标题指出这个消息是对原来发送的消息的一个回复。

要使发布清单中的每个人都能看到你的评论,则在? 提示符下键入 **r**。你会看到如下的回答行：

> To: jones, aborat, lynn, oackerm, imgood
> Subject: Re: Draft Report

To 行告诉你这个回复不仅将发给原来消息的作者,并且将发给原发布清单上的每个人。Subject 标题指出这个消息是对原来发送的消息的一个回复。

从这里开始,按照本章前面"用 mail 发送电子邮件"一节中介绍的方式来输入你的消息。

警示：

使用 r 来回复消息要小心。你送出的内容被送给每个获得原消息拷贝的人。由于 Linux 是大小写敏感的,所以多数人不习惯以大写字母输入命令,这是很常见的错误,而有时却很麻烦。

注释：

在你发送回复之前,思考一下你要写什么和谁将读到这些消息。在电子邮件中嘲笑和伤害是起不到好作用的——通常不会得到好的后果。使用电子邮件不同于与人交谈:你没有机会看到或听到对方的反应,他们也没有机会看到或听到你的反应。当你使用电子邮件时,礼貌和坦诚更容易取得好效果。

你可以看到转发邮件是多么容易;一旦你发送给一个人一些消息,你将永远说不清消息在哪里截止了或有多少人会看到它。多加思考并理智一些。

参见 30.5.1"缺乏视觉参考"。

29.9 把邮件传递给其他人

电子邮件按地址发布。转发一条消息、发送一条消息的多个拷贝(cc:)、建立地址的别名或地址的更简单的形式及建立邮递清单等任务都涉及对地址的处理。你不必直接处理，mail程序中内置了这些功能。

29.9.1　转发消息

要转发一条消息(实际上，你把这些消息包括在你编写的消息中)，你必须首先启动mail，这与启动它去阅读消息的方式是一样的；然后用m、r或R命令发送一条消息。当你编写你的消息时，用一个代字符命令(˜f)来转发一个或多个消息。˜f命令的通用形式是˜f msglist。下面是一个循序渐进的例子，它介绍如何转发一条消息：

1. 启动mail(键入mail并按<Return>)。系统用类似下面的内容来响应：

mail　　　　　type？for help.

"/var/spool/mail/imgood"：5 messages 2 new 1 unread

　　　　　　　1 sarah Wed Jan 8 09：17 15/363

　　　　　　　2 bigshot@turn.green.com Thu Jan 9 10：18 26/657 Meeting on Friday

U　　　　3 fred Fri Jan 10 08：09 32/900 New Orders

＞N　　　4 jones Fri Jan 10 13：22 35/1277 Draft Report

N　　　　5 smith@somewhere.com Sat Jan 11 13：21 76/3103 Excerpt from book

？

2. 通过键入5并按<Return>来读取消息5。(这里没有显示这个消息的内容。)假定你要把这个消息转发给地址为sarah，anglee@hb.com和lynn@netcong.com.的朋友们。

3. 用m命令把邮件发送给第2步中列出的地址，键入一个主题，并键入你的消息的开始部分。如下所示：

? m sarah anglee@hb.com lynn@netcong.com

Subject：Forwarding an excerpt from new Que Linux book

Hi!

I'm forwarding an excerpt I came across from a new book by Que.

It's Special Edition Using Linux, Third Edition. I'll be

getting my own copy tomorrow.

Do you want me to pick up a copy for you，too?

4. 用命令˜f转发第5号消息(键入˜f 5，并按<Return>)。mail用下面消息响应：

Interpolating：5

(continue)

5. 光标现在处在单词continue下。你可以继续把文本添加到你的邮件消息中或通过键入˜.然后按<Return>来结束。此时，出现？提示符。

29.9.2　用 *mail* 发送拷贝

你可以通过把一个或多个地址放在cc：list(cc：清单)上，向一个或多个地址发送一个电子邮件消息的拷贝。cc：list会像你期望的那样工作：即把这个邮件送到主要地址或多个地址中(这些地址在To标题中)，还把这个邮件送到在Cc标题的地址中。要把地址包括在cc：list中，在你在发送消息时，使用代字符命令˜c address。

下面的例子说明如何把简短的备忘录发送到一个主要地址(wjones),并把它的一份拷贝发送给你自己和另一个地址(假定你的地址是 imgood,另一个用户的地址是 ecarlst)。给自己发送一份以便你有这个备忘录的拷贝。下面的步骤是把 cc:list 加到接收者清单中。

1. 启动 mail,把电子邮件发送给主要地址 wjones,并给出一个主题标题。输入下面的命令来完成它:

    $ mail fred
    Subject：Memo-Sales Agreement with Framistan

2. 输入你想要发送的这个备忘录的内容。例如,键入如下内容:

    TO：   Fred Jones
    Date：   Oct 31,1996
    From：   Henry Charleston
    RE：   Sales Agreement With Framistan Motors
    On October 29,1996,I held a meeting with the CEO of Framistan Motors.
    We concluded and initialed a sales agreement by which Framistan would
    purchase 10,000 units of our thermo-embryonic carthurators.the agreement
    has been forwarded to the appropriate parties in our organization and
    we intend to formally complete the agreement within two weeks.

3. 给出 ~c 地址命令,把这些地址添加到 cc:list 中。例如,键入下面的命令来给自己(im-good)和 ecarlst 发送拷贝。

    ~c ecarlst imgood

4. 要发送这个消息,输入一个代字符和一个圆点(~.)。出现 EOT 消息,后面是 shell 提示符。

提示:

要复审和修改一个将发出的消息中的标题,在你编写这个消息时,输入 ~h。这将一次显示一个标题,你可以修改它们。

当消息以这种方式发送时,所有的接收者都可以看到 To 和 Cc 标题。任何用 r 命令来回复这个消息的人都将把回复发送给在 To 和 Cc :list 中的每个地址和把回复发送给作者。

你可以定制 mail,以便它总是提示你输入 Cc 标题,就像它提示你输入 Subject 标题那样(这个问题将在本章后面“定制 mail 环境”一节中介绍)。当然,你可以按 < Return > 键,从而不把任何内容输入到 Cc 清单中。

29.9.3　使用别名和邮递清单

mail 程序与大多数电子邮件程序一样允许为一个地址建立一个别名和为一个地址列表建立一组别名。你可以把组的别名当做邮递清单。使单一的地址有别名比使用规范的地址要容易些,因为别名通常较短和更容易记忆。

要为邮件会话设置单个的或组的别名,你可以在阅读你的电子邮件时,在? 提示符下使用 alias 命令。为使这些别名更有用,应该把这些别名放入你的起始目录中的名为 .mail rc 的文件中(将在下一节中介绍)。

下面是在 mail 程序中设置和使用别名的例子：

1. 通过在提示符下键入 mail 来启动 mail。在出现头部以后,你会看到? 提示符：

mail   type? for help.
"/var/spool/mail/imgood"： 5 messages 2 new 1 unread
           1 sarah Wed Jan   5 09：17   15/363
           2 croster@turn.green.com Thu Jan   6 10：18 26/657   Meeting on Friday
U   3 wjones Fri Jan   7 08：09 32/900   Framistan Order
 >N   4 chendric Fri Jan   7 13：22 35/1277   Draft Report
N   5 kackerma@ps.com Sat Jan   8 13：21 76/3103   Excerpt from GREAT new
Linux
?

2. 为建立单个别名,使用 alias 命令后跟这个地址的别名。下面的例子为地址 croster@turn.green.com 建立别名 ros：

alias ros croster@turn.green.com

3. 在一个地址中使用别名 ros；mail 将其扩展为完全的形式。例如,你可以输入命令 m ros,从而开始发送想要邮寄给 croster@turn.green.com 的消息。

要建立组的别名,使用后面跟有这些地址的别名的 alias 命令。下面的例子用来建立别名 friends,然后把一些邮件转发给该组：

```
alias friends chendric karlack abc.com!homebase!fran eca@xy.srt.edu
m friends
Subject：Excerpts from new Linux book - get a copy!
~f 5
Interpolating：5
~.
EOT
?
```

29.10　定制 *mail* 环境

通过把命令或把设置环境的变量放在你的起始目录中的 .mailrc 文件中,你可以定制你的 mail 环境。无论何时你使用 mail 程序,这个程序都检查这个文件。你可以在 .mailrc 中设置相当多的环境变量和命令,而且不同的 mail 程序将使用不同的命令。查看 mail 程序的联机帮助,可得到 .mailrc 的所有选项。在本章前面"用 mail 获得帮助"一节中已介绍了 mail 识别的一些命令。本节介绍可在 .mailrc 文件中使用的命令和变量的子集。表 29.1 列出了这些命令；表 29.2 中列出了环境变量。

表 29.1　mail 命令

命令	定义
#	表示一个注释行。不做任何操作
alias	设置单个别名或组别名。用法是：*alias alias-name address-list*
set	设置环境变量。用法是：*set variable-name* 或 *set variable-name = string*

提示：

无论何时你使用 mail，你都可以在问号(?)提示符下发出表 29.1 中的任何命令。

表 29.2　mail 环境变量

变量	定义
askcc	在输入消息后提示输入 cc:list。默认值是 noaskcc
asksub	在输入消息前提示输入 Subject 清单。默认时是提示输入
noheader	在启动 mail 时，不打印可获得的消息的标题信息。默认时是打印标题信息
ignore	在输入消息时，忽略中断字符。如果连接的电话或其他通信线路上有"杂音"，这个变量很有用。默认值是 noignore
metoo	当你的名字在组别名中时，消息通常不发送给你。默认值是 nometoo

提示：

通过在文件 /etc/mail.rc 中放置命令或设置变量，你可以设置系统范围的环境。

下面的例子建立 .mailrc 文件，以便你可以使用表 29.1 和表 29.2 中列出的命令和环境变量。英镑符(#)用于解释这个工作。你可以用 vi 或其他能产生文本或 ASCII 文件的编辑程序来建立这个文件。

```
#  .mailrc file for D．Gunter
#  make sure interrupts are NOT ignored
set noignore
#  set variables so that prompts for Subject and Cc always appear
set asksub
set askcc
#  individual aliase
alias billy wbracksto
alias ham jhron@cucumber.abc.com
alias me gunter
#  group aliases, mailing list
alisa pirates jroger@blackflag.net bbow
alias research jones jreynold eackerma
alias framistan wjones imgood cornlo@framistan.org imgood
```

把这些语句放在 .mailrc 文件中。现在,无论何时启动 mail,这些命令语句都会被处理。

29.11   退出 *mail* 程序

当你阅读邮箱中的电子邮件时,你可以阅读、跳过或删除信息。这些操作不发生在邮箱本身,而是发生在邮箱内容的临时拷贝中。你可以退出电子邮件程序使你的邮箱内容被你的操作所修改(用修改过的临时拷贝代替原来的内容),或者,你可以退出电子邮件程序使你邮箱内容不被修改,忽略你在电子邮件会话期间所做的一切。

29.11.1   退出并保存修改

要退出 mail 程序并保存所做的修改,在? 提示符下按 < q > 和 < Return >。你将再次看到 shell 提示符。当你用这种方法退出 mail 时,你阅读过但未删除的消息被保存在你的起始目录中的 mbox 文件中。

假定你使用 mail 来阅读你的邮件。你的登录名是 imgood,你的起始目录是 /home/imgood。当你键入 mail 来启动 mail 程序时,你会看到下面一屏的信息:

```
mail          Type? for help.
"/var/spool/mail/imgood":   5 messages 2 new 1 unread
        1 sarah Wed Jan    8 09:17 15/363
        2 bigshot @ turn.green.com Thu jan   9 10:18    26/657    Meeting on Friday
U       3 fred Fri Jan    10 08:09 32/900 New Order
 > N    4 jones Fri Jan    10 13:22 35/1277    Draft Report
N       5 smith @ somewhere.com Sat Jan    11 13:21    76/3103    Excerpt from book
?
```

假定你通过按下 < Return > 键来阅读当前信息,然后在? 提示符下键入 1,并按 < Return > 键来阅读消息 1。然后,如果你按 < q > < Return > 来退出的话,那么你就会看到如下信息:

```
Saved 2 messages in /home/imgood/mbox
Held 3 messages in /var/spool/mail/imgood
```

你阅读的这两个信息被保存到你的主目录中的 mbox 文件中;而其他三个消息被保存在你的系统邮箱 /var/spool/mail/imgood 中。

如果你经常这样来保存你阅读过的消息,那么 mbox 文件将变得很大。你可能偶尔要打印该文件并删除它。你还可以从该文件中阅读邮件,就像它是你的系统邮箱那样(如本章后面讲述的那样)。

注释:

你可以阅读邮件并指出当前信息被保存在你的系统邮箱 /var/spool/mail/imgood 中,而不是被保存在 mbox 文件中。要在阅读完一条消息后做这件事,可在? 提示符下输入 pre(用于保留)。

29.11.2   退出但不保存修改

退出 mail 程序的另一种方法是在? 提示符下按 < x > < Return >。当你这样做时,你将退出 mail 程序且不对你的系统邮箱或其他文件作任何修改,就像你根本没有阅读过你的邮件那样。随后,你就可以看到 shell 提示符。当你想退出这个程序但想把邮件保存在你的系统邮箱中时,你可能要用这种方法来退出 mail 程序。

29.12　使用 *elm* 邮件程序

如本章前面所提到的,Linux 有几个不同的邮件程序。每一个程序都有它自己的优点和缺点。

随 Limux 的 Slackware 发行版本提供的一个邮件阅读器是 elm 邮件程序。这是一个面向屏幕的邮件程序,而不是一个面向行的邮件程序。它提供一组交互式的菜单提示,并且非常容易使用。实际上所有可以用 mail 来做的事都可以在 elm 下做到,而且,通常会更加容易!

因为 elm 非常易于使用,所以本节只介绍使用它的关键部分。通过使用 elm 的联机帮助或通过阅读它的联机帮助,你可以对它有更深入的了解。

29.12.1　启动 *elm*

要用 elm 来启动一个邮件会话,你只需在命令提示符下键入 elm。如果这是你第一次使用 elm,那么它询问是否在你的帐号下建立配置目录和建立 mbox 文件(如果没有 mbox 文件的话)。下面是你第一次启动 elm 时将看到的内容:

```
$ elm
Notice:
This version of ELM requires the use of a .elm directory in your home
directory to store your elmrc and alias files.Shall I create the
directory .elm for you and set it up (y/n/q)? y
Great! I'll do it now.


Notice:
ELM requires the use of a folders directory to store your mail folders in.
Shall I create the directory /home/gunter/Mail for you(y/n/q)? y
Great! I'll do it now.
```

在 elm 建立了它的目录和 mbox 文件后,它运行 mail 主程序。这是一个面向全屏幕的邮件程序,它清屏并显示类似下面的信息:

```
Mailbox is '/var/spool/mail/gunter' with 2 messages [ELM 2.4 PL25]
N  1  Nov  11 Jack Tackett     Linux book
N  2  Nov  11 Jack Tackett     more ideas


You can use any of the following commands
by pressing the first character;
```

d)elete or u)ndelete mail, m)ail a message,

r)eply or f)orward mail, q)uit

To read a message, press ＜ return ＞. j ＝ move down, k ＝ move up,? ＝ help

command:

在屏幕的顶部,elm 告诉你:你的系统邮箱放在什么地方、它里面有多少消息和正在运行哪个版本的 elm。然后,elm 列出你的邮箱中的消息,一行列出一条消息。在每个新消息前放置字母 N,就像 mail 程序那样。每个消息的摘要行告诉你:这个消息是否是新的、这个消息的日期、发送者和主题。(根据你的 elm 版本的不同,你的屏幕上的显示内容可能略有不同)。当前信息在这个清单中被高亮显示。(在以前的清单中,当前信息用黑体字显示)。

29.12.2 使用 *elm* 命令

在屏幕的底部是命令摘要,它告诉你当前屏幕可使用什么命令。正如在前面的例子中那样,你可以删除和撤消删除邮件、邮递消息、回复消息、转发邮件或退出。按 ＜j＞ 键把选取的消息移到上一条消息上;按 ＜k＞ 键把选取的消息移到下一条消息上;按 ＜?＞ 键可以获得帮助。屏幕底部的 Command:提示符告诉你,你可以按一个命令键来让 elm 做某事。

可见,由于有大量的提示和全屏帮助,elm 是非常容易使用的。表 29.3 列出了可以在 elm 中执行的所有命令。

表 29.3 elm 的命令总结

命令/键击	描述
＜ Return ＞、空格键	显示当前的消息
¦	通过管道把当前消息或加标记的消息送到一个系统命令中
!	shell 切换
$	重新同步文件夹
?	显示联机帮助
+, ＜→＞	显示下一个索引页
-, ＜←＞	显示上一个索引页
=	把当前消息设置为第一条消息
*	把当前消息设置为最后一条消息
＜ number ＞ ＜ Return ＞	把当前消息设置为第 ＜ number ＞ 号消息
/	按模板搜索主题行
//	按模板搜索整个的消息文本
＞	把当前消息或已标记的消息保存到文件夹中
＜	按日历项扫描当前消息
a	改到"别名"模式
b	重新发送当前消息
C	把当前消息或已标记的消息拷贝到文件夹中
c	改变到另一个文件夹中

命令/键击	描述
d	删除当前消息
< Ctrl-d >	删除带指定模板的消息
e	编辑当前的文件夹
f	转发当前的消息
g	对组(所有接收者)回复当前消息
h	显示标题和消息
J	使当前消息号加一
j, < ↓ >	进到下一条未删除的消息上
K	使当前消息号减一
k, < ↑ >	进到上一条未删除的消息上
l	用指定的标准来限制消息
< Ctrl-l >	重画屏幕
m	邮寄一条消息
n	下一条消息,显示当前消息,然后加一
o	改变 elm 选项
p	打印当前消息或标记的消息
q	退出,可能对删除、存储和保存消息进行提示
Q	快速退出,没有提示
r	对当前消息的回复
s	把当前消息或标记的消息保存到一个文件夹中
t	为进一步的操作标记当前的消息
T	标记当前的消息并进入下一条消息
< Ctrl-t >	标记带指定模板的消息
u	撤消删除当前消息
< Ctrl-u >	撤消删除带指定模板的消息
x, < Ctrl-q >	退出且不改变文件夹;如果你修改了文件夹,那么在你退出时询问是否退出
X	无条件退出且不改变文件夹

29.13 从这里开始

在下面各章中,你可以找到有关在 Internet 上交换信息的更多信息:

☐ 第二十八章"用 WWW 漫游 Internet"介绍在 Internet 上可使用的各种信息类型。

☐ 第三十章"使用 Usenet 新闻"介绍用于交换公共消息的 Usenet 新闻系统。

第三十章 使用 Usenet 新闻

本章内容
- [ ] 什么是 Usenet 新闻？
  本章介绍在 Net 上可利用的大量讨论组。
- [ ] Usenet 的历史
  简单地介绍 Usenet 的历史，介绍 Usenet 的起源和为什么会产生 Usenet。本章还给出了 Usenet 术语的简要词汇表。
- [ ] Usenet 新闻系统的新闻组结构
  了解新闻组是如何运作的和如何组织这些新闻组。
- [ ] Usenet 文化
  为了在 Usenet 世界中生存，你需要知道如何与你的 Usenet 朋友相处。
- [ ] 介绍 rn 新闻阅读程序
  学习如何使用最广泛使用的新闻阅读程序。

随着 Internet 爆炸性的发展，Usenet 新闻已经吸引了许多人的注意力。现在，许多联机服务提供对 Usenet 的访问。但是什么是 Usenet 呢？ Usenet(User Network 的缩写)是一个典型的计算机网络(proto-network)，其中的计算机相互交换按主题分层组织的信息。之所以使用典型网络这个术语是因为 Usenet 不是普通意义上的实际网络。它由交换 Usenet 新闻的所有计算机组成。

30.1 什么是 Usenet 新闻

在最简单的定义中，Usenet 新闻、网络新闻或新闻是一个联机讨论的论坛。世界上的许多计算机交换称作文章(articles)的信息块，对几乎所有可想到的话题进行讨论。这些计算机不是实际地连接到同一个网络上，而是逻辑地连接在一起以交换数据。因此，它们形成了称为 Usenet 的逻辑网络。在本章中，术语 Usenet、新闻和网络新闻可互换使用的。

注释:
驱动 Usenet 的软件被分为两个部分:新闻阅读程序(用户用于阅读和公布新闻文章的软件)和处理文章以及在系统间传输文章的软件。

许多人在最初了解 Usenet 时，都认为它是一个 PC 公告牌系统(BBS)，虽然 Usenet 新闻初看确实有一些与 BBS 的相似之处，但它们之间存在实质性的和重要的差别:
- [ ] 不同主题的各种新闻文章不像使用 BBS 那样是驻留在一台计算机上的。它们通过存储-转发机制被从一台计算机发送到另一台计算机上。每个接收新闻的网点在交易(称作新闻补给)中与一个或多个相邻网点交换文章。结果，新闻文章要花一些时间从一个地方传播到另一个地方。

□ 没有人负责。是的,谁都可以阅读新闻。Usenet 没有总的管理者(没有像 BBS 系统管理员那样的管理者)。每个网点都有许多自治组,Usenet 新闻被很准确地描述为"有组织的无政府状态"。

通常,Usenet 新闻被分为两个逻辑部分:构成在计算机间邮寄文章和传输新闻文章的机制的程序和协议;以及供阅读和邮寄新闻文章的用户程序。本章主要讨论用户部分。

30.2　Usenet 词汇表

Usenet 新闻有它自己的结构和文化,这将在稍后的"Usenet 文化"一节中讨论。Usenet 还有它自己的术语,这些"专用术语"会使新用户糊涂,特别是那些使用过 BBS 系统的用户。表 30.1 给出了 Usenet 中的常见术语表。

表 30.1　在 Usenet 中遇到的常用术语

术语	定义
文章	给新闻组公布的一条消息
带宽	一个工程术语,指给定传输媒介所能传输的数据量。常用于"浪费带宽"词组中,该词组用于描述那些含很少有用信息的文章
BTW	"By the Way(顺便说一句)"的缩写
FAQ	常见问题(Frequently Asked Question)清单的缩写。大多数新闻组都有一个定期发布的 FAQ。邮寄在组的 FAQ 中有答案的问题通常被认为是不礼貌的行为
flame	过激的批评。矛头指向某个人的,充满粗鲁、愤怒和侮辱的句子的文章
FYI	"For Your Information(想获得你的信息)"的缩写
hierarchy	层次结构。按主题把新闻组组成树状结构的 Usenet 系统
IMHO	"In My Humble Opinion(以我的愚见)"的缩写
newsgroup	新闻组。讨论普通主题文章的逻辑组
news reader	新闻阅读器。与 m 类似的用户程序,用于阅读和把文章投递给 Usenet
net.personality	网上人物。Usenet 或 Internet 社会中的著名人士
net.police	网上警察。强制在 Usenet 上执行规则的神秘组织。通常用作讽刺
netiquette	网上成规。Usenet 的成规
newbie	网上新兵。使用 Usenet 新闻的新手
quoting	信息引用。你用作回答的消息的一部分。大多数新闻阅读程序允许你引用文章。你应该只引用文章的有关部分以节省带宽。有时还称为回引
ROFL	"Rolling On the Floor, Laughing(捧腹大笑)"的缩写
RTFM	"Read The Fripping Manual(阅读详解手册)"的缩写。通常用在"这是对你的问题的一个简短回答。请 RTMF 了解更多的信息。"
post	投递。把文章提交给新闻组

术语	定义
signal-to-noise	信号噪音比,工程术语。指数据总量与背景噪音的比率。在 Usenet 上,它指新闻组中的有用信息与离题的闲话的比率。高信号噪音比指新闻组中有很多有用的信息和很少的离题闲话
signature	签名。放在你所公布内容的结尾的一个短文件。通常包括你的名字和电子邮件地址,可能还有一些幽默的引用
sig file	签名文件,参见签名
smiley	脸谱。在投递的消息或电子邮件消息中表示情感的常用符号。例如, :-)和:-(分别是笑脸和哭脸。(把你的头向左倾斜,斜着看这两个符号)

30.3　历史简介

1979 年末,Duke 学院的两位研究生开始考虑如何连接 UNIX 计算机,以便他们能交换文本信息。北卡罗林那州立大学的另一名研究生也参加到这一努力中,并编写了第一个由 shell 脚本集组成的新闻传输系统。这个软件首先被安装在两个 Usenet 网点(unc 和 duke)上。1980 年初,Duke 的另一台计算机 phs 也加入了。这个新闻软件最后用 C 语言重新编写了,以便能公开发行。这就是称为 A News 的软件。

由于这个新闻软件很受大众欢迎,很快人们就发现,这个新闻传输软件不能处理日益增长的新闻数据流。Berkeley 的加利福尼亚大学的程序员开始重新编写 A News 软件以增强其功能。这个新版本(称为 B News)于 1982 年发行。

在这段时间内,新闻文章是都用 UUCP(UNIX-to-UNIX Copy Program)协议传输的。随着越来越多的网点加入到这个新闻网络中,这个网络负载已到了不能管理的地步。人们很快意识到 UUPC 不能再作为主要的新闻传输协议来工作了,于是开始转向 Internet 网和 TCP/IP 协议以寻求帮助。在 1986 年,发布了实现网络新闻传输协议(NNTP)的软件包。这个协议在 RFC 997 中定义。NNTP 允许新闻文章通过 TCP/IP 而不是用较慢的 UUCP 协议来交换。它还允许用户阅读和投递远程机的新闻,以便主新闻处理软件不必安装在每台计算机上。

由于 NNTP 可在 Net 网上使用,所以已经快速成长的 Usenet 新闻系统就发展得更快了。当时的新闻处理软件(B News)很快变得太慢,以至于不能处理迅速增长的新闻流。在 1987 年,多伦多大学的 Henry Spencer 和 Geoff Colyer 开发了一个新的新闻处理软件:C News。此后,Rich Salz 开发了一个称作 INN 的、新的新闻传输系统,它是 Internet 上最广泛使用的一个新闻服务器之一。

Usenet 新闻系统继续以高速度增长。现在,其他商业性的信息服务提供商已把传送 Usenet 信息作为他们联机业务的一部分。有些 BBS 网络(如 FidoNet)也传送 Usenet 新闻。

注释:
　　有关 Usenet 新闻历史的出色参考是 Gene Spafford 博士写的新闻文章"Usenet 软件:历史与渊源"。这篇文章定期向 news.announce.newusers 新闻组公布。

30.4 Usenet 的结构

不夸张地说,目前有数千个新闻组。究竟有多少呢?没有人知道确切的数字——肯定超过了 20,000 个。事实上,对每个话题都有数千个新闻组,而且这个数字每天都在增长。

30.4.1 新闻组的层次结构

如果这么多的新闻组没有以某种方式组织起来,那么在这些新闻组中寻找你感兴趣的主题信息就会是一个梦魇。Usenet 新闻组按主题来分层组织。新闻组的名字由用圆点分隔的子名组成。当你由左至右地阅读这个名字时,这个名字从普通分类到特殊分类。在分层结构的顶层是几个标准分类和许多特定的分类。这些标准分类是很完善的。表 30.2 列出了 Usenet 新闻系统中的顶层新闻组的标准分类。

表 30.2 在 Usenet 分层结构中顶层新闻组的标准分类

分类	描述
comp	与计算机有关的各种话题
misc	各种不适合放到其他分类中的话题
news	与 Usenet 新闻系统本身有关的各种话题
rec	消遣和娱乐主题
soc	社会问题
sci	各种科学话题
talk	为不间断的会话设计的话题

与 Internet 上的其他事物一样,表 30.2 规则也有例外。存在其他的顶层分层结构;其中,大多数专用于世界上的不同区域。例如,ba 和 triangle 组分层结构分别关注于与旧金山海湾区域和北卡罗莱纳州研究三角公园区域有关的话题。

在其他组分层结构中,有一个是值得特别讨论的。alt 分层结构对新闻组的建立规则非常宽松。实际上,任何人都可以在 alt 分层结构下建立一个组;但是,在任何别的顶层组下建立一个新闻组是非常困难的。alt 分层结构有许多讨论社会主流之外的主题的新闻组。事实上,许多人发现 alt 分层结构中的有些主题是令人讨厌的。由于很多网点决定禁止 alt 分层结构中的部分或所有新闻组,所以在网上一直有很多对新闻检查的论战。

30.4.2 新闻发布

除把文章组成组放在分层结构中以外,Usenet 还提供了限制文章在新闻系统中传播的特性。新发布提供了把文章限制在特殊的地理区域的机制。如果发布被设置到特殊区域,那么只有在那个发布区域中的网点可以接收这一文章。每个网点的系统管理员决定他们的网点使用什么样的发布。

为什么限制一篇文章的发布呢?假设你住在北卡罗莱纳州,并且你要向本地用户组公布集会通知。在澳大利亚的 Usenet 的读者很可能对你的集会不感兴趣。把你的文章的发布限制在适当的地理区域,可以节省网络带宽,减少公布你的消息的花费,并减少世界各地必须阅读你的消息的人们的愤怒。

你可以在公布文章时,在文章的标题中包括 Distribution:行来限制这篇文章的发布。当你公布文章时,大多数新闻阅读程序向你询问发布。在 Distribution:行的冒号(:)之后输入适当的地理发布区域。表 30.3 列出了一些常用的新闻发布区域。

表 30.3　常用的新闻发布值

值	解释
local	通常,具有 local 发布的文章被限制在你的组织中的本地新闻服务器组中。这个发布通常用于本地组织的新闻组
nc	每个州有与这个州的邮政缩写相同的州范围发布 本例中使用的 nc 限制文章只能发送到北卡罗莱纳州的机器上
us	把文章发送到美国国内的所有 Usenet 网点上
na	把文章发送到北美洲范围内的所有 Usenet 网点上
world	把文章发送到世界上每个可到达的 Usenet 网点上。通常,如果没有指定其他的发布值,那么这是默认的发布值

你的网点可能使用其他一些发布。可能存在组织范围或区域范围的发布,你可以使用这些发布来确定你的文章的发布范围。通常,你应该选取一个发布,它只把你的文章发送到对这篇文章感兴趣的区域。

30.4.3　没有中央控制

Usenet 没有中央控制使许多人迷惑不解。你的本地系统管理员实际上只有控制本地系统的权力,没有中心组或组织制定方针或接受申诉。尽管其管理结构有如此明显的缺陷,但 Usenet 运作得相当好。事实上,许多人认为它比有中央权威运作得还要好。

那么怎样保持有序的工作方式呢? Usenet 是依靠网点间的合作以及其自身发展过程中形成的许多惯例来运作的。

Usenet 易于很好地自我管理。如果一个用户开始滥用 Usenet,那么可以相信那个用户和他的系统管理员就会收到关于这个问题的数以千计的 e-mail 消息和电话,这通常使问题很快就得以解决。

30.5　Usenet 文化

Usenet 有它自己独特的文化。你应该在进入 Usenet 之前花一些时间来熟悉这种文化的各个方面。如果你这样做了,那么你在 Usenet 上的活动会更容易一些。

在过去的几年中,一些联机通讯服务已经把 Usenet 新闻作为一项特性添加到他们的服务中。结果,成千 Usenet 的新手开始阅读和投递 Usenet 新闻。这些用户中的许多人抱怨 Usenet 的参与者太粗鲁,或他们总的来说不喜欢他们联机服务的用户。Usenet 文化不同于所有其他可找到的信息服务。它谈不上好与坏,只是不同而已。如果你试着宽容对待 Net 文化中种种差别的话,你可能会发现在 Usenet 上的体验就会更轻松些。

超过一百万人(也可能是几百万人,尽管没有人能肯定)每天阅读和公布 Usenet 新闻文章。

这些人来自不同的职业、不同的生活方式和世界上许多不同的国家。因为 Usenet 新闻在全世界的计算机上传播,所以它确实形成了一个国际社会。你在 Usenet 上遇到的许多人不以英语作为主要语言。你不能假定阅读你的文章的人都与你具有共同的文化背景、道德观念、宗教或社会价值。最可能的是,阅读你的文章的人在很多方面都与你不同。

Usenet 文化的一个方面,"过激的批评(flame)"通常对新用户来说是一种不愉快的经历。它是粗鲁的、有失体面的、其中充满了侮辱词句的消息,是由某人回答你的某篇文章时公布的。遗憾的是,你会看到,对"过激的批评"人们无能为力,不如不理它们。Usenet 太大了,不能使每个人都高兴,而有些人好像只是为了取乐而侮辱别人。或许他们发现这比心理治疗更便宜。

30.5.1 缺乏视觉参考

电子通信的问题是在谈话时缺乏任何形式的视觉输入。当人们在现实生活中互相谈话时,会不断地有意识或无意识地从其他人的形体语言中接收信息。因为你在 Usenet 上阅读和公布信息时不能看到其他人,所以这些视觉提示都没有了。因为通常都是使用形体语言和视觉提示来表达情绪和感觉的,没有它们就很容易误解别人文章中的意思。

幸运的是,你可以使用 Usenet 上的一些约定来代替部分失去的视觉提示。你可以通过在一个短语两边放置星号来表示重点强调这个短语,例如:"I * really * mean it !"。另外,所有大写字母都表示呼喊。如果你在公布一篇文章时,意外地打开着 < Caps lock > 键,那么可能会有一些用户把此事告诉你。

你还可以把情绪写入你的消息中来表达情绪。例如,如果你使用一个讽刺的语句,那么你可在这个语句的末尾加 < sarcasm > (讽刺)以确保这句话被别人理解。脸谱(smiley,又称为情绪像标)还可以把情绪加到你的邮件中。一个脸谱是用 ASCII 字符表示的脸,如果你横过来看会看得更清楚一些。:-) 是高兴、微笑的脸;而:-(是一个忧愁的脸。

在 WEB 上

在 http:www. eff. org/papers/eggtti/eeg_286.html 上有一个脸谱的规范列表。如果你真的感兴趣,那么可以看看这个列表中的脸谱,它们中的一些是非常有趣和有创意的,但微笑的脸和忧愁的脸是最经常使用的。

30.5.2 新闻组文化

就像人是各不相同的一样,Usenet 上的每个新闻组都有不同的文化。每个新闻组有不同的重点话题,并吸引不同类型的人。在一些组中,你将找到大量的大学学生,而在其他组中,你可能主要找到搞研究的科学家。

某些技术性强的分层结构(如 comp 和 sci)倾向于更面向对事实的讨论,虽然也会发生激烈的争论。这些组的成员通常对讨论事实和讨论与一些技术有关的问题感兴趣。当你向这些组公布文章时,要确保你花了时间去仔细地写你的文章并为你提出的各种观点提供论据。

技术性不强的分层结构(如 rec)趋向于更面向观点的讨论。记住,你可能会得到对你的文章的回应,它所反映的其他人的意见可能与你自己的大相径庭。talk 分层结构中的组和 misc 中的一些组会进行某些非常热烈的讨论。其中很多组讨论非常敏感的问题,如流产和枪支控制。如果你是 Usenet 的新手,在这些组中要小心。在向一个组公布文章之前,要花一些时间来熟悉这个组。准备好接收对你的文章言词激烈的回复和 e-mail。这里的许多人有很强的信仰。

注释：

当你第一次开始阅读一个新闻组时，在公布文章前，你要花一些时间来熟悉这个组的文化。阅读这个组几天，并尽量感受文章的基调及可接受和不可接受的行为。

在有些新闻组中，公布文章是受限制的，这些新闻组被称作是有节制的新闻组。有节制的新闻组由仲裁人管理。向这种组公布的所有文章在向组的其他成员公布前都必须先由仲裁人批准。仲裁人决定这篇文章的内容是否合适这个组。如果是，就将这篇文章公布到组中。大多数新闻软件自动检测一个新闻组是否是有节制的，并且通过 e-mail 把文章传送到仲裁人手中，而不是直接公布文章。

30.6　阅读和公布新闻

既然你已经了解了 Usenet，那么让我们看看阅读和公布新闻文章的基本过程。本节以一般性的词汇来讨论阅读和公布新闻，更详细的信息将取决于你所使用的新闻阅读软件。可使用许多不同的软件包来与新闻系统进行交互，但每一个软件包都是不同的。很多人使用 Web 浏览器（如 Netscape）和集成在它里面的新闻阅读程序。另一些人则喜欢使用面向行的工具（如 rn）。一些一般性的概念对所有新闻阅读软件都适用。

30.6.1　订阅新闻组

在你开始阅读新闻时，你要做的第一件事就是决定你想要阅读哪个新闻组。选择新闻组的过程被称为订阅。

大多数新闻阅读程序向你提供一个可获得的新闻组清单，以便你可以选择一个你感兴趣的新闻组。订阅的实际过程在各种新闻阅读软件包中都是不相同的。但是它通常都涉及从清单中选取一系列新闻组。从此，当你阅读新闻时，只有你已订阅的组是可见的。你可以在任何需要的时候增加订阅的组或取消对不感兴趣的组的订阅。

30.6.2　阅读新闻

一旦你订阅了新闻组，你就可以开始阅读新闻。从你的订阅组中选择一个新闻组。你的新闻阅读程序显示这个新闻组中的各种文章的文章主题清单。根据你的新闻阅读程序，这些主题可能以某种顺序排序，也可能不排序。有些新闻阅读程序可以根据主题对文章进行分类，显示哪个文章是对其他文章的回复。这称为"贯穿线索(threading)"。

当你选择一篇要阅读的文章时，你看到在这个文章顶部有几行信息。这些行组成文章的标题。标题包含文章的许多信息，包括作者、写作日期、主题、文章要公布的新闻组和文章到达你的网点的路径。你还可能看到一些附加信息，如作者属于哪个组织和一组标识文章内容的关键字。

在大多数新闻阅读程序下，当你看一篇文章时，这个文章被标记为已读。通常，在你选择一个新闻组时只显示新文章，这就是说，在你看完一篇文章后，它可能不再在清单中显示了。

如果你想保存这篇文章,你可以把它保存到磁盘上或把它打印出来。通常,你还可以把这篇文章标记为未读,以便你的新闻阅读程序在你下一次进入这个新闻组时能再次显示该文章。许多新闻阅读程序还允许你列出旧文章,这样,你有这个新闻组的一个旧新闻文章的清单,这些文章被标记为已读过但还没有被新闻系统删除。

30.6.3 通过 E-Mail 回复

当你阅读了一篇文章后,你可能决定对讨论的话题作一个评论。如果你的信息不是使新闻组中的每个人普遍感兴趣的话,那么你可能想通过 e-mail 来回复这篇文章,这是大多数新闻阅读程序允许你做的选择。

如果你选择用 e-mail 回复,那么新闻阅读软件使用文章标题的信息来找出作者的 e-mail 地址,然后为你调用一个 e-mail 编辑程序供你编辑信息。通常你还有把原始文章包括在回复中的选项。如果你确实把原始文章包括在内,那么你必须编辑原始信息以便只把相关的部分包括在内。一旦你完成了回复信息的编辑,你就可以把这个 e-mail 信息发送给原始文章的作者。

30.6.4 公布文章

准备一篇新闻文章并通过 Usenet 系统把它发送出去的行为称作公布文章。当你决定公布一篇文章时,你可以公布另一篇文章的后续文章,也可以准备一篇关于新主题的新文章。通常,你的新闻阅读程序用不同的命令进行不同类型的公布。

公布一篇后续文章　后续文章是对另一篇文章的回复。这篇文章与原来的文章有相同的主题,并且被具有贯穿线索功能的新闻阅读程序显示为回复。

当你公布一篇后续文章时,你可以选择包括原来的文章。包括原来文章的一部分能为你的回复提供一个参考框架。记住,在有些网点,看到原来的文章和看到你的回复之间可能已过去数天了。如果你确实选择包括原来的文章,那么尽量只包括或引用文章中与你的回复相关的部分。要通过数层包括文件和引用来查找新信息是令人乏味的。

你应该检查 Subject 行以确保这个主题仍能准确地反映你公布的内容。另外,看一下 Newsgroup 行以确保你的后续文章将被送到一个合适的新闻组。

公布一篇新文章　如果你决定开始对一个新主题的讨论,那么你可能要公布一篇新文章而不是后续文章。公布新文章的机制与公布一篇后续文章很相似:在新闻阅读程序中使用相应的命令;新闻阅读程序向你询问一些信息,如目的地新闻组、主题和发布;然后你进入了一个编辑程序中。其主要的差别是你正在开始一个新主题而不是回复一个主题。

提示:
关于 Usenet 书写风格的完整文档被定期公布到新闻组 news. anno ance. newusers 中。

在写文章时你需要考虑一些事情。如果你愿意的话,可以把它们当作"Usenet 风格提示"。这些提示包括文章的格式和文章的内容。

你应该使每行的长度小于 80 个字符。许多终端不能显示多于 80 个字符的行。与此类似，你应该尽量把你的文章的长度保持在 1000 行以下。有些网点仍然运行老版本的新闻传输软件，长文章可能会引起问题。

你可能想建立一个签名文件，这个签名文件自动地包括在每个邮件的结尾处。大多数新闻阅读程序支持签名文件，虽然根据你的软件的不同，其确切机制是不同的，但大多数人把他们的名字和 e-mail 地址放在他们的签名文件中，并放上他们的地理位置。有些人添加了一些幽默的引用或一个小 ASCII 图片。要尽量避免使用大的签名文件。有些新闻软件限制你的签名文件为四行左右。

在你公布文章时，你需要给它一个主题。努力选取短而说明问题的主题行。数以千计的人们在一个特定的新闻组中扫描主题，如果你的文章使他们感兴趣，他们就会挑选你的文章。另外，要仔细考虑将把你的文章公布给哪个组，大多数新闻阅读程序允许你把一篇文章公布给多个组。你应该按需要只把文章公布给最少量的新闻组。记住：每一个新闻组都有数以千计的人在阅读。

30.7 网络成规：Usenet 上的成规

在本章中我们一直强调，注意你的消息的基调和内容是如何被解释是非常重要的。Usenet 上及整个 Internet 上的这种通用准则用它自己的术语称作网络成规（netiquette）。网络成规适合于 Internet 的所有方面，包括电子邮件。

"网络成规"这个词汇用到 Usenet 新闻时只是指"合适的和礼貌的"行为。大多数时候，只要你记住 Usenet 是一个非常大的和丰富多彩的地方，那么在它上面你就没有什么真正的问题。不是 Usenet 上所有用户都与你有着相同的背景、信仰或价值观，在你公布文章时，你应该努力记住这一点。

确保在你公布的文章中清楚地表达了你的意思。由于缺乏形体语言及在公布与回复之间存在延时，极容易误解别人的意思。另外，记住许多参与者的母语不是英语，他们可能不知道本地方言和讽刺。

引人注目的商业广告在 Usenet 新闻中是令人不满的。有一些新闻组适合于推销产品和服务。类似地，不要公布系列文章，如臭名昭著的 MAKE.MONEY.FAST 或 Craig Shergold 明信片文章。这些文章在 Usenet 已流传数年了，如果你公布这样的文章，那么你（及你的系统管理员）都会招致数以千计的人的愤怒反应。

尽量不要公布过激的批评（flame），特别是拼写和语法方面的过激批评。尽管过激批评似乎是 Usenet"风景"中的永久存在的部分，但这些个人攻击和狂骂的信息是不起任何作用的。如果有人激烈批评你公布的某篇文章，你应该花些时间冷静下来并仔细考虑如何回复；最好的解决办法是根本不回复。有时，你可能收到过激的批评，但你的冷静的回复可能使激烈批评你的那个人向你道歉。如果你只是发出另一个激烈批评，那么你只会使问题升级。记住在另一端的人也是人而不是计算机。

注释：

如果某个用户要挑起矛盾，你可以把它们放入你的撤消文件（kill file）中。撤消文件是你的新闻阅读程序的一个配置文件，它包含用户或主题的一个列表。在你阅读新闻时，在撤消文件中出现的任何内容都自动地不在阅读程序中显示。大多数新闻阅读程序都支持某种形式的撤消文件。这种避免确实令人讨厌的用户带来的吵闹的方法没有任何损失。

　　一般来说,有一些常识和谦让对在 Usenet 上避免问题大有助益。无论如何,记住 Usenet 是一个大地方。你要使 Usenet 每个人都高兴并不容易。最后,总有人会对你的某篇文章发火,你可能就此遭到激烈的批评。

30.8　使用 *rn* 新闻阅读程序

　　可使用许多不同类型的新闻阅读软件,多得无法在本章中逐个介绍。rn 新闻阅读程序是一个非常通用的新闻阅读程序,几乎可以在每个 UNIX 变种上找到它。它是由 Larry Wall 开发的,是目前广泛使用的。rn 既不是最容易使用的新闻阅读器,也没有某些最吸引人的特性,但它仍是现在最流行的新闻阅读程序之一。rn 允许你通过一个 ASCII 界面来阅读新闻,这个界面适合在本地终端上使用,也适合在远程网络会话中使用。

注释:

　　另一个新闻阅读器 trn 也十分流行,它随 Linux 的多种发行版本一起发行。除了对贯穿线索功能的支持外,trn 新闻阅读程序几乎与 rn 完全相同。为了与大多数 UNIX 系统的变种兼容,本章只讨论 rn 新闻阅读程序。要了解 trn 的贯穿线索功能的更多信息,请参考它的 Linux 联机帮助。

　　当你第一次启动 rn 时,你看到一条欢迎你进入该程序的信息,欢迎信息后面跟着新闻组清单。此时,你有机会来订阅不同的新闻组。如果你的网点带有大量的新闻组,那么建立你最初的订阅信息要花相当多的时间。rn 将订阅信息保存在你的起始目录中的名为 .newsrc 的文件中。
　　在你完成了你的订阅后,rn 使你进入新闻组选取模式。一次显示一个你订阅了的新闻组的名字。按 < y > 键,你可以进入某个新闻组并开始阅读文章,按 < n > 键跳到下一个新闻组或按 < q > 键进入前一个新闻组。你还可以在某个新闻组的提示符下按 < = > 键来得到这个新闻组的主题清单。在 rn 和 trn 中的大多数命令是单字符命令,在任何一个命令的提示符下按 < h > 键,都可以获得帮助。
　　在你选取了一个要阅读的新闻组后,你就进入了文章选取模式。在此模式中,有几个命令能帮助你浏览这个新闻组中的文章,表 30.4 列出了一些可在文章选取模式中使用的命令。

表 30.4　可在文章选择模式中使用的一些命令

命令	描述
< n > < 空格键 >	向前搜索下一篇未读的文章。只有在文章的末尾、在文章选取提示符下,才能用空格键做此项工作
< 空格键 >	如果不在文章选取提示符下,则显示当前文章的下一页
< Shift-n >	进到下一篇文章
< Ctrl-Shift-n >	进到与当前文章有相同主题的下一篇文章
< p >	向回搜索前一篇未读的文章。如果一篇也没有找到,则停在当前文章上

命令	描述
< Shift-p >	进入前一篇文章
< Ctrl-Shift-r >	进入与当前文章有相同主题的最近的前一篇文章
< h >	显示文章选取模式的帮助信息
< r >	通过 e-mail 回复这篇文章的作者
< Shift-v >	通过 e-mail 回复这篇文章的作者,包括当前的文章
< f >	公布一篇后续文章
< Shift-f >	公布一篇后续文章,在新文章中包括原来的文章
< s > *filename*	把当前的文章保存到名为 filename 的文件中
< q >	退出当前的组并返回到新闻组选取模式

这只是 m 和 tm 中使用的部分选项。它们是具有丰富特性的程序,允许许多的用户定制。参考用户手册和联机帮助以了解更多的信息。

30.9 从这里开始

在本章中,我们讨论了 Usenet 的结构、阅读和公布文章的基本知识、新闻组的分层结构和 Usenet 的文化。只要有一些耐心,你就会发现 Usenet 新闻是一个不可缺少的信息来源。你可以在下面各章中找到有关电子通信和 Internet 的更多信息。

□ 第二十六章"了解 Internet"介绍 Internet 和它提供的各种服务。

□ 第二十八章"用 WWW 漫游 Internet"介绍 Internet 上的各种类型的信息。

□ 第二十九章"使用电子邮件"介绍如何使用电子邮件系统与其他人进行通信。

第七部分　建立 Web 网点

第三十一章　用 HTML 建立 Web 文档

本章内容

☐ 了解 HTML

在你开始建立 Web 页面之前,你需要对 HTML 有一个基本了解。HTML 是用于开发 Web 页面的语言。

☐ 使用 HTML

本章介绍到哪里去寻找用于编辑和转换 HTML 的软件。你还将学习基本的 HTML 编码。

☐ 使用标记

标记是 HTML 的基本构件,它是 HTML 的一部分,它告诉 Web 浏览程序如何显示文本和图形及其他形式的信息。本章描述主要的 HTML 标记和它们的属性,以及怎样使用它们。

☐ 把锚(anchor)和超文体链接结合起来使用

对于动态的 Web 页面,你可以提供锚和链接,以便用户能够移动到其他 Web 页面上以获取有关的信息。

☐ 使用图形

Web 最流行的特性之一是使用图形。本章介绍如何在 HTML 文档中包含图形。

在第二十八章"用 WWW 漫游 Internet"中,你已学习了如何访问 WWW,也知道了可使用的各种类型的信息。你可以选择超文本链接从一个地方跳到另一个地方。你可以看到具有时髦的图形和声音、列表、表格和各种简练资料的 Web 页面。但是,你如何实际建立其他用户能够访问的 Web 页面呢? 实际上它不像你想象的那样难。你所需要的只是访问 Web 服务器,这个 Web 服务器使用超文本传输协议(HTTP)和用超文本标记语言(HTML)编写的一组文档。

本章介绍 HTML,我们来看看用 HTML 编写 Web 页面包含哪些内容。

31.1　了解 HTML

超文本标记语言(HTML)是用于开发 Web 页面和文档的语言。HTML 与 C++、Java、Pascal 或 Perl 等编程语言不同,它基本上是一个跨平台的标记语言,它被设计得很灵活以便在各种浏览程序中显示文本和其他元素(如图形)。

HTML 文档由嵌在 ASCII 文档中的特殊标记组成。这些标记由 Web 浏览程序解释,它格式化文档并显示文档。

注释:

HTML 是通用标准标记语言(SGML)的子集,SGML 是电子文档交换的国际标准(ISO 88791)。SGML 是定义和标准化文档结构的一种元语言。SGML 还描述了这样一种语法,这种语法可用来设计其他标记语言。任何有效的 HTML 文档也是有效的 SGML。与任何 SGML 的派生语言一样,HTML 的语法由文档类型定义(DTD)文件来描述。

HTML 告诉 Web 浏览程序如何显示 Web 文档。而且 HTML 提供的格式化信息是相当通用的。Internet 上可使用多种不同的 Web 浏览程序,如 Netscape 的 Navigator、Microsoft 的 Internet Explorer 或 NCSA 的 Mosaic。许多浏览程序在图形界面(如 X Windows 系统或 MS Windows)下运行。有些浏览程序(如 Lynx)是 ANSI 浏览程序,并且受它们所能显示的图形特性的限制。

当你编写 HTML 文档时,记住,由于阅读者使用的浏览程序的不同,这些文档看上去会是不同的。所有可使用的 Web 浏览程序都尽可能正确地格式化 HTML 文档。然而,你看到的文档与使用不同浏览程序的其他人看到的可能是不同的;那些在不同的操作系统下使用相同的浏览程序的人们看到的文档也可能是不同的。

31.2　使用 HTML

作为 Web 不断发展的工具,建立 HTML 文档变得越来越容易。许多新工具把许多实际的 HTML 编码隐藏起来。你要做的只是写字、格式化你的文档并把它保存到合适的位置上。有些浏览程序(如 Netscape 的 Navigator Gold)包含让你用指示和选择(或点击)来建立 HTML 页面的编辑程序。其他的指示和选择工具有 Microsoft 的 FrontPage、Adobe 的 PageMill 和 Macromedia 的 Backstage。

如果你不想使用 HTML 编辑程序或已经有了要放到 Web 上去的文档,那么有许多你可用于把字处理、桌面排版、电子表格或其他文档转换成 HTML 的软件。较新的软件包已经开始把 HTML 作为保存文件时的一个选项。

在 WEB 上
　　http://www.yahoo.com/Computers_and_Internet/Software/Internet/World_Wide_Web/ HTML_Converters/有许多可用的转换软件。

有些时候,你可能想自己动手来建立自己的 HTML。虽然有许多工具可帮助你减少编写 HTML 的乏味性,但是你可能发现这些工具不能让你做你想做的所有事情。

你还会发现使用 HTML 是相当容易的。因为 HTML 是一个基于 ASCII 的标记语言,所以你所需要的只是一个能让你以 ASCII 格式保存文件的编辑程序,和在你开发 Web 页面时能用来浏览你的 Web 页面的浏览程序。开发 Web 文档时不需要网络连接。任何 Web 浏览程序都应该允许你打开一个本地的 HTML 文件并浏览它,就像从 Internet 上得到它一样。

注释:
　　你可能发现,使用 HTML 编辑程序是有益的。有些编辑程序允许你选择你想格式化的文本,然后从菜单应用 HTML 标记而不用你自己键入这些标记。另一些编辑程序看上去更像字处理器,你选取文本并从工具条上选取你想要的格式类型。无论在那种情况下,你可能都需要直接编辑 HTML 以获得你想要的准确的外观和感受。

在 WEB 上
　　你可以从网点 http://homepage.interaccess.com/~cdavis/editrev/index.html 上找到 AOLpress 的编辑程序;

从网点 http://www.sausage.com.au 上找到 Sausage Software HotDog/HotLDog Pro 的编辑程序；

从网点 http://homepage.interaccess.com/˜cdavis/editrev/index.html 上找到 Bradbury Software Homesite 的编辑程序。

你可以从网点 http://www.yahoo.com/Computers_and_Internet/Software/Internet/World_Wide_Web/HTML_Editors/ 上找到 HTML 编辑程序的一个清单。

在你进一步学习 HTML 的语法之前，先来看看一个 Web 页面和它的 HTML 源代码。图 31.1 示出了一个简单的 Web 页面。

清单 31.1 给出了这个页面的 HTML 源代码。在这里，你将看到 HTML 页面的基本元素。

清单 31.1 一个简单的 HTML 页面的源代码

```
< HTML >
< HEAD >
    < TITLE > Hello Web! < /TITLE >
< /HEAD >
< BOOY >
< H1 > Hello! < H1 >
This is the body section of a simple HTML page.
< P >
< IMG src = "example.gif" >
< /BODY >
< /HTML >
```

图 31.1 一个简单
的 HTML 页面

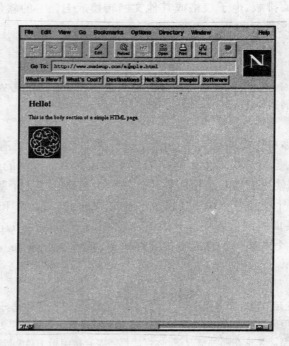

你将发现 HTML 是相当简单的：

□ 所有的 HTML 标记都用角括号（字符 < 与字符 > ）括起来。清单 31.1 开始处的 < HTML > 标记就是一个例子。

□ 大多数 HTML 标记要求你使用一个开始标记(< tag_ name >)和一个结束标记(</tag_ name >)。通过放置这些标记,你可以开始和停止格式化。如果你没有结束标记,那么你将看不到任何格式化,你甚至看不见这个文本。

□ 许多 HTML 标记具有可以定制的属性。一个属性允许你改变一个标记的默认行为。例如,如果你想要一个不带边框的表,那么你可以在 < TABLE > 标记内设置一个属性(BORDER = some_ number)来改变它。

□ 所有 HTML 文件要求在文件开始处有一个 < HTML > 标记,在文件结束处有一个关闭 </HTML > 标记。这些标记告诉 Web 浏览程序它正在处理的文档是用 HTML 编写的。

通常,HTML 文档由两个逻辑部分组成:头部和主体。头部包含关于文档的信息,主体包含文档信息本身。正如你所猜测的,头部被包括在 < HEAD > 和 </HEAD > 标记之间,而主体被包括在 < BODY > 和 </BODY > 标记之间。

一个 HTML 页面的头部包含与文档本身有关的信息。你可以在头部使用数种标记,但 < TITLE > 标记使用最多。文档标题(包含在 < TITLE > 和 </TITLE > 标记中的内容)出现在 Web 浏览程序的标题条上。

HTML 页面的主体部分包含当你用一个 Web 浏览程序浏览页面时所看到的大多数元素。就是在这里,你输入你想让人们看到的所有元素,如文本、图形、链接(URL)、清单和表等。

注释:

当某人对你的页面制作了一个书签时, < TITLE > 元素标识你的页面名,页面使用的正是这个名字。虽然 HTML 不限制 < TITLE > 元素的长度,但是你应该考虑给页面一个短的、易于显示的、描述性的标题。标题长度的首要原则是只用一个短语及不长于 60 个字符。

因为文档标题被显示在一个单独的窗口中,且不是文本本身的一部分,所以标题文本本身必须是纯文本且没有任何超链接或文本格式。

提示:

HTML 源代码的优点是你可以查看它。找到一个你感兴趣的页面并看看这个页面是如何制作的? 通过查看其他人的源代码,你可以学到许多东西。

查看源代码通常是通过 Web 浏览程序中的菜单选项来进行的。例如,为了看到 Netscape 下的页面的 HTML 源代码,必须从 View(查看)菜单上选取 Document(文档)。

既然你已经了解了 HTML 的基本知识(是的,确实如此),该是学习标记和学习如何使用标记的时候了。虽然有许多不同的标记,但是你会发现,掌握其中的一些(及用不同的方法组合它们)后,你就可以建立极好的 Web 页面。

31.3 使用基本的 HTML 元素

基本的 HTML 语法由三个部分组成:标记、属性和 URL。这些部分分别具体说明了如何格式化和显示页面项、某些操作的特性及其他文件和文档的位置。

31.3.1 标记

标记是 HTML 的基本构件,是 HTML 的一部分,它告诉 Web 浏览程序如何与其他格式信息一起显示文本和图形。你可能忆得,标记是书写在角括号(<tag_name>)中的,并且大多数标记还需要一个结束标记(</tag_name>)。在图 31.1 中使用了 <TITLE> 标记:

    <TITLE>Hello Web!</TITLE>

这一行告诉你的浏览程序把字符串 Hello Web! 作为一个 <TITLE> 来格式化。看到开始标记(<TITLE>)和结束标记(</TITLE>)了吗? 所有在这两个标记之间的元素(在这里是文本)都被显示在 Web 浏览程序窗口的标题条中。类似地,其他标记也只影响包含在它们之间的元素。

31.3.2 属性

有时,标记必须指定精确的信息,如文件的位置。把属性和标记一起使用以提供如何实现这个标记的详细信息。例如,看看下面的标记:

    <IMG SRC="example.gif">

这是一个 <IMG>(图象)标记,它告诉 Web 浏览程序显示一幅图形图象。但是要显示哪个图象呢? 这就要用到属性了。在这个例子中,属性字段是 SRC="example.gif",它给出了如何解释 <IMG> 标记的详细信息。在本例中,example.gif 文件是要显示的图象。

提示:

在 <IMG> 标记中使用高和宽属性能帮助浏览程序更快地显示图形。在 Netscape 中,如果图象是 GIF 或 JPG 格式,你就可以由它自己来打开图象。再从 View 菜单中选择 View Document Info 以查看这幅图象的大小。

31.3.3 URL

Web 资源可通过称作统一资源定位符(URL)的描述地址来访问。在 Web 上访问的每个对象都有一个 URL。HTML 使用 URL 来指定所需文件的位置或用超文本链接的其他 Web 页面的位置。

31.3.4 了解 HTML 语法

前面已经介绍过,HTML 分为三个基本组成部分:标记、属性和 URL。其中,基本构件是标记。标记用来为 Web 浏览程序提供命令,而属性和 URL 用于提供这些命令的详细情况。

根据标记的功能,可把标记分成数个类别。一些标记提供文档的整体信息,一些标记用于格式化文本,一些标记用于图形和用于对其他文档的超文本链接。

在 WEB 上

要得到 HTML 标记及其属性清单,参见 Que 公司的《HTML 快速参考》在网点 http://www.mcp.com/que/developer_expert/htmlqr/toc.htm 上的联机版本和 Que 公司的《使用 HTML——专版》在网点 http://www.mcp.com/que/et/se_html2/toc.htm 上的联机版本。

31.3.5 使用文档标记

<HTML> 和 </HTML> 标记用于告诉 Web 浏览程序,它正在处理的文档是用 HTML 编写的。<HTML> 标记应该是你的文档中的第一个标记,而 </HTML> 将是文档中的最后一个

标记。

　　HTML 文档分成头部和主体两部分。头部包含关于文档的信息,而主体包含文档信息本身。正如你已猜到的,头部包括在 < HEAD > 和 < /HEAD > 标记之间,而主体部分包括在 < BODY > 和 < /BODY > 标记之间。有数种标记可放在头部内,但现在只有 < TITLE > 标记是被广泛使用的。文档标题(包括在 < TITLE > 和 < /TITLE > 标记之间的内容)显示在 Web 浏览程序的标题条中。

31.3.6　格式化文本

　　HTML 提供了数种不同的方法来格式化要显示的文本。记住:你的 Web 页面中的文本的实际格式是由用于浏览页面的 Web 浏览程序来控制的。

　　标题　HTML 支持六个级别的标题。在文档中,你可以使用从 < H1 > 到 < H6 > 的标记。图 31.2 给出了这些标题在 Web 浏览程序上(本例中是 Netscape)看起来是怎样的。记住:这些标题在不同的浏览程序上的显示是不同的——字体和大小看起来可能不同。清单 31.2 给出了源代码。

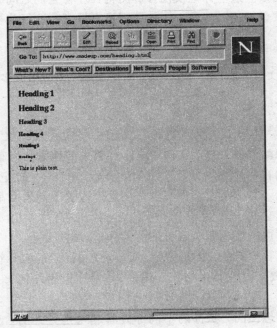

图 31.2　在 Netscape 中显示的各个标题级别

清单 31.2　标题风格实例的源代码

```
< HTML >

< HEAD >
    < TIELE > Heading example < /TITLE >
< /HEAD >
```

```
< BODY >
    < H1 > Heading 1 < /H1 >
    < H2 > Heading 2
    < /H2 >


    < H3 > Heading 3


    < H3 >
    < H4 > Heading 4 < /H4 >
    < H5 > Heading 5 < /H5 >
    < H6 > Heading 6 < /H6 >
This is plain text.
< /BODY >


< /HTML >
```

请看清单 31.2 中的级别 2 和级别 3 标题标记的位置。HTML 不关心标记是否放在行尾，或它们出现的地方。这些标记仅仅告诉浏览程序在它们之间的所有文本以它们定义的标题级别显示。还要注意行 This is plain text 周围没有标记。这行将被浏览程序作为普通文本显示。

提示:

通常,在 Web 文档中只使用三种标题是一种好主意。如果你需要多于三种级别的标题,请考虑使用附加的页面。

规范的文本 HTML 提供了数种在文档中格式化普通文本的方法。举个例子来说,Web 浏览程序完全忽略你的 HTML 文件中文本行结束的地方。回车也被忽略,因此,你必须使用特定的标记来指出在何处分隔行及段从何处开始。 < BR > 标记使正在显示你的文档的浏览程序插入一个行分隔符。把它当作在这行的这个位置上插入回车。后续文本被移到下一行。

如果你想建立新段,使用 < P > 标记。 < P > 具有与 < BR > 一样的效果,除了大多数浏览程序插入一个空白行作为段分隔符的一部分,以便使一个文本块与另一个文本块看起来是分开的。因为浏览程序控制文本的显示,所以 < P > 标记的实际行为可能是变化的。用 < P > 标记,你通常不需要 < /P > 结束标记。但是,如果你使用任何 < P > 属性,那么就需要 < /P > 结束标记。

有时你可能想使同一页面的不同部分看起来是分开的。为此,HTML 提供了在文档中画一条水平线的方法。 < HR > 标记(它表示水平线尺)被用于画一条水平线。 < HR > 标记在这行的前面插入一个段分隔符,因此,你不需要 < P > 标记。当与 < P > 标记一起使用时, < HR > 不需要结束标记。

你已看到了几种在 HTML 页面上控制文本格式的方法。下面来看另一个短小的 HTML 样例,从中看看行分隔符、段标记和水平尺在文本显示方面的效果。清单 31.3 给出了一个使用这些格式化标记的 HTML 样例。

清单 31.3   一个显示基本文本格式的 HTML 样例

```
< HTML >
< HEAD >
< TITLE > A Sample Text Formatting Page < /TITLE >
< /HEAD >
< BODY >
< H2 > Text Sample 1 < /H2 >
Here is some sample text that is written on separate lines
without using line breaks. < p >
< H2 > Text Sample 2 < /H2 >
This sample text has a < BR >
line break in the middle. < p >
< H2 > Text Sample 3 < /H2 >
Text before a paragraph mark. < p >
Text after a paragraph mark. < HR >
Text after a horizontal rule mark.
< /BODY >
< /HTML >
```

图 31.3 给出了它在 Mosaic 上的显示结果。

图 31.3　在 Mosaic 上
显示的文本格式

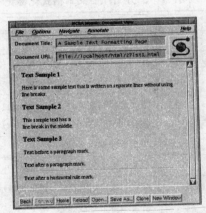

　　假设你想要显示某些文本(如一张表)并想使这些文本中的回车和间隔与你输入它们时完全一样,那么你可以使用 < PRE > 和 < /PRE > 标记来定义预格式化的文本。任何用这些标记括起的文本以等宽(monospace)字体来显示,并且所有的回车和间隔与输入时的完全一样。

　　在某种程度上,你可以定义文本显示的方法。HTML 提供了这样一些标记,它们告诉浏览程序以黑体、下划线或斜体来显示文本。这些标记被称为物理风格。用于黑体文本的标记是 < B > 和 < /B > ,用于下划线的标记是 < U > 和 < /U > ,用于斜体的标记是 < I > 和 < /I > 。把你想格式化的文本放在你所要的风格的开始和结束标记之间。

　　HTML 还为格式化文本提供一些逻辑风格。 < EM > 和 < /EM > 标记被用于标记要强调的文本,这些文本通常用斜体显示。 < STRONG > 和 < /STRONG > 标记被用于指示重点要强调的文本,这些文本通常用黑体显示。

　　图 31.4 说明了文本格式看起来可能是有很大区别的。

图 31.4 在 Netscape
上显示的格式化文本
的例子

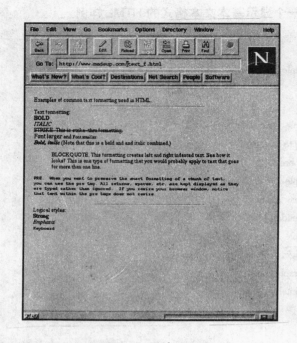

表 31.1 提供了用于文本格式化的最常用的 HTML 标记的快速参考表。

表 31.1 部分 HTML 文本格式化标记

标记	作用
< B > ... </B>	使文本以黑体显示
< BLOCKQUOTE > ... </BLOCKQUOTE >	用左和右缩排来格式化文本
< FONT > ... </FONT >	用属性控制文本的各个方面,如,文本的颜色(COLR = rgb_value)和大小(SIZE = number)
< I > ... </I >	使文本以斜体显示
< PRE > .... </PRE >	使文本格式和输入它时一样
< STRIKE > ... </STRIKE >	格式化文本,使文本加删除线显示
< U > ... </U >	使文本带下划线显示
< EM > ... </EM >	逻辑风格;突出文本(通常以斜体显示)
< KBD > ... </KBD >	逻辑风格;以键盘风格显示文本(通常用等宽字体显示)
< STRONG > ... </STRONG >	逻辑风格;强调文本(通常用黑体显示)

杂项标记 不能归到其他标记类中去的两个格式化标记是 < ADDRESS > 和 </ADDRESS >。这两个标记被用于在文档内标记地址、签名等等。通常,具有这种格式的文档被放在文档结尾处,后跟一个水平尺标志。准确的 < ADDRESS > 文本格式由各种 Web 浏览程序决定。

31.3.7 用列表组织信息

有时,需要传递以某种逻辑方式组织的信息。例如,你可能要显示一幅图形图象列表,或者你可能想显示有编号的、最大编号值为 10 的列表。HTML 提供了几种不同的方法来编排和显示信息列表。在 HTML 中,使用列表是传递信息的强有力的方法,因为用户的 Web 浏览程序以一致的方式编排列表中的所有文本。你所需要做的是决定如何把这些信息组合在一起。

显示无序列表 无序列表是显示时用小圆头(bullet)或其他格式符号分隔的文本。在无序列表中的每个文本项可以长达数行。

用两组标记来建立一个无序的列表。< UL > 和 < /UL > 标记定义列表的开始和结束,< LI > 标记被用于标记每个列表项。清单 31.4 是简单的无序列表的 HTML 源代码。图 31.5 给出了这个列表在 Mosaic 中的显示情况。

清单 31.4 一个无序的列表

```
< HTML >
< HEAD >
< TITLE > An Unordered List < /TITLE >
< /HEAD >
< BODY >
< LI > This is list item 1.
< LI > This is list item 2.
< LI > This is list item 3.
< /UL >
< /BODY >
< /HTML >
```

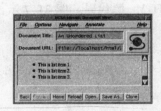

图 31.5   在 Mosaic
中看到的无序列表

显示有序列表 有序列表以数字顺序显示列表信息。每次标识一个新列表项时,列表项的编号就加 1。有序列表用 < OL > 和 < /OL > 标记来定义,而且用于无序列表的 < LI > 标记也用在有序列表中以标记每个列表项。

清单 31.5 给出了简单的有序列表的 HTML 源代码。图 31.6 给出了这个列表在 Mosaic 中的显示情况。

清单 31.5 一个有序列表

```
< HTML >
< HEAD >
< TITLE > An Ordered List < /TITLE >
< /HEAD >
< BODY >
< OL >
< LI > This is list item 1.
< LI > This is list item 2.
< LI > This is list item 3.
```

```
</OL>
</BODY>
</HTML>
```

使用定义列表 想想书中的词汇表是怎样组织的:通常单独印刷每个词或词组,然后给出对它进行定义的段落。HTML 定义(或词汇)列表提供了用 Web 页面做这件事的方法。定义列表由词组(这可以是一个词或一系列词)组成,后跟对这些词组的定义。定义通常是解释词组的文本。

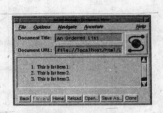

图 31.6 在 Mosaic 上看到的有序列表

虽然定义列表对词汇表特别有用,但是你可以使用它们来显示任何种类的、需要标题和解释的信息。定义列表常用于把词汇表中的词组标记为对另一个文档的超文本链接,并且用其定义来描述被链接的文档。(建立超文本链接将在本章的后面讨论,因此,请记住这个定义列表的应用程序)。

定义列表需要 < DL > 和 < /DL > 标记来标记这个列表的开始和结束。定义列表不使用列表项标记,而是使用双标记: < DT > 用于标记词汇表项,而 < DD > 标记用于词汇表项的定义。清单 31.6 给出了一个简单的定义列表的 HTML 源代码。图 31.7 示出了这个列表在 Mosaic 上的显示情况。

清单 31.6 一个简单的定义列表
```
< HTML >
< HEAD >
< TITLE > A Simple Glossary List < /TITLE >
</HEAD >
< BODY >
< DL >
< DT > Item 1
< DD > This is the definition field for list item 1.
< DT > Item 2
< DD > This is the definition field for list item 2.
< DT > Item 3
< DD > This is the definition field for list item 3.
</DL >
</BODY >
</HTML >
```
组合列表 可见,HTML 中的各种列表提供了把信息显示给用户的多种方法。事实上,HTML 允许你组合列表类型以使你对信息显示具有更多的控制能力。你可以很容易地在一列表类型中嵌套另一列表类型。

图 31.7 在 Mosaic 上看到的一个简单的定义列表

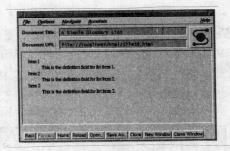

假设你想用主页的一部分告诉用户你喜爱的电影和音乐。你可以在无序列表内嵌套两个词汇表列表以建立详细的大纲。清单 31.7 给出了一个使用嵌套列表的 HTML 源代码。

清单 31.7 通过嵌套不同的列表类型来建立定制的列表

```
< HTML >
< HEAD >
< TITLE > A Custon List < /TITLE >
< /HEAD >
< BODY >
This list shows some of my favorite musicians and movies.
It uses two definition lists nested in an unordered list.
It also uses some text formatting tags. < p >
I hope that you enjoy it. < HR >

< LI > Here are some of my favorite movies < p >
< DL >
< DT > Hopscotch
< DD > This is a wonderful film about an ex-CIA agent traveling the world writing his memoirs
< DT > Highlander
< DD > An action adventure about a battle between immortals.
"There can be only one!"
< /DL >
< P >
< LI > Here are some of my musical groups < p >
< DL >
< DT > Tannahill Weavers
< DD > One of the best Scottish folk bands around.
< DT > Altan
< DD > A high-energy Irish folk band.

< DT > Jimmy Buffet
< DD > Folk hero of parrot-heads everywhere.
< /DL >
< /UL >
< /BODY >
< /HTML >
```

这个组合列表的例子比你以前看到的其他例子要复杂些,但是它仍然使用的是本章所介绍的技术。注意词汇表在 HTML 源代码中被缩排。这种缩排是为了使源代码更容易阅读(回忆一下,当 Web 浏览程序显示页面时,它忽略行分隔符和多余的空格)。图 31.8 示出了这个页面在 Netscape 上的显示情况。

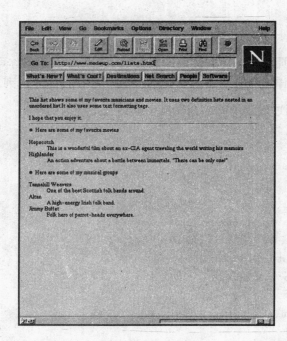

图 31.8 在 Netscape 上看到的定制列表

作为一个快速回顾,表 31.2 给出了建立我们上面提到的各种列表的 HTML 标记。

表 31.2 HTML 列表标记

标记	作用
< UL > ... </UL >	建立无序(小园头)列表;列出以 < LI > 标记开始的各项
< OL > ... </OL >	建立有序(编号的)列表;列出以 < LI > 标记开始的各项
< DL > ... </DL >	建立定义列表;列出的各项以 < DT > 标记开始,用 < DT > 标记定义这些项,用 < DD > 标记给出这些项的定义

31.3.8 用锚链接各页面

现在介绍实质性内容。在本节中,你将学习如何把多个 Web 页面挂在一起并建立从一个位置跳到另一个位置的超文本链接。

HTML 中的超文本链接被称作锚,用 < A > 和 </A > 标记来定义锚。把这些标记放在你想用作超文本链接的那些字周围。通常,Web 浏览程序自动地在超文本链接下加上下划线并用不同的颜色显示它们。

为了在选择超文本链接时,告诉 Web 浏览程序获取哪个文档,你要与锚标记一起使用 HREF 属性和 URL。假设你想建立对 NCSA Mosaic 的主页的超文本链接。如果你想包括句子 "Click here to go to the NCSA Mosaic home page.",其中单词"here"是超文本链接,你需要下面的

HTML 行：

Click < A HREF = "http://www.ncsa.uiuc.edu/SDG/Software/Mosaic/index.html" >

here < /A > to go to the NCSA Mosaic home page.

锚标记包围超文本链接(在这个例子中,即单词"here")。HREF 属性被插入到这个锚标记中。

注释：

你可以把任意 URL 放在 HREF 属性中。你可以链接到一个 Web 页面、一个 FTP 网点、一个 Gopher 服务器或任何其他的位置上。

除了只建立超文本链接外,你还可以使用 NAME 属性为链接命名。在一个文档中,命名的链接对跳到特定的位置上是非常有用的。你可以在长文档的开始处列出内容表,并且把在内容表中的作为超文本链接的每项放到文档中的适当地方。通过用 HREF 把它们结合起来,你可以把用户送到另外一个文档中的特定位置上。

假设你有一个长文档——可能是一个讨论小工具的常见问题(FAQ)列表。你可以在内容表中建立到"如何使用小工具"那一节的超文本链接。你需要做的第一件事是在"如何使用小工具"那一节中建立一个命名的锚,以便你可以从内容表跳到这一节。为此,可使用与下面类似的 HTML 代码：

< A NAME = "howtouse" > How to Use Widgets < /A >

widgets are a very powerful tool if used properly.

Unfortunately, no one knows enough about them to use

them properly. Since they have no relevance to HTML, you

don't need to discuss them further in this chapter.

现在,你所要做的是在内容表中放置到这一点的超文本链接。为此,使用 HREF 属性来与这个锚相链接,并在锚的名字前放一个 # 符号。这个内容表项与下面的类似：

< A HREF = " # howtouse" > How to Use Widgets < /A >

当有人选择内容表中的项"How to Use Widgets(如何使用小工具)"时,浏览程序跳到这个文档后面的名为 howtouse 的锚上。

注释：

你可以给锚命名,锚是对另一个位置的超文本链接。只需在同一个锚中使用 NAME 和 HREF 属性。例如：

< A HREF = "http://www.doesnotexist.com/index.html # end" > Go to the end < /A >

将把你带到另一个文档中。它还会显示这个文件,显示的开始位置是锚 < # end > 在该文件中的位置。

31.3.9 使用图形

使 Web 如此流行的一个特性是它能用简单的格式把图形和文本组合起来。HTML 使你能很容易地把图形插入到你的文档中。然而,在你开始把所有种类的图形图像放入文档之前,要记住许多人是通过低速电话线来访问 Web 的,并且以低速传输图形可能要花很长的时间。另外,有些人使用基于文本的浏览程序(如 Lynx),这种浏览程序根本不能显示图形。你应该确信即使用户关闭了图形或它们的浏览程序不支持图形,他们仍可以很容易地在 Web 浏览器中漫游。稍后,你将学习检测图形支持的方法。

你可以在你的 HTML 文档中用两种方法来使用图形:通过使用超文本链接或通过使用内联图像。

☐ 你可以建立对图形文件本身的超文本链接。这种方法要求用户有可以正确地显示图形文件的辅助程序。可显示的图形类型取决于你所使用的辅助程序。用于这种方法的链接是超文本链接,它们把图形图像当作目标文档。

☐ 你可以把图形直接插入到你的 HTML 文档中。以这种方式插入的图像称作内联图像。许多浏览器支持把 JPG、GIF 或 XBitmap 格式的图形作为内联图像。

HTML 使用 < IMG > 标记来指示内联图像。这个标记与 SRC = "filename"属性一起使用以定义要显示哪个图像文件。HTML 还提供 ALIGN = 属性以告诉 Web 浏览程序如何把图形图像和这些图形图像附近的文本排列好。ALIGN 的有效值是 TOP、MIDDLE 和 BOTTOM。

如前所述,你需要制作不支持图形的浏览器也可以使用的 Web 页面。为此,你应该在使用图像时提供有关这幅图像的某些文本说明。HTML 为你提供了一种方法,它能定义要显示的某些文本,它们在浏览程序不能显示一幅图形图像时显示。ALT = "text about the graphic"属性定义一些替代文本,当不能显示图形时,就显示这些替代文本。

下面的例子有助于综合上述内容。清单 31.8 是显示一个内联 GIF 图像的 HTML 代码的一部分。如果浏览器不能显示这幅图像,那么将显示这幅图像的描述信息。

清单 31.8　把一幅图形插入到你的脚本中

```
< HTML >

< HEAD >
    < TITLE > Image example < /TITLE >
< /HEAD >
< BODY >

< H2 > Images < /H2 >
< P >
< P >
< IMG src = "venus.jpg"
    align = "right"
    height = "160"width = "82"
    alt = "Statue of Aphrodite" >

< UL >
< LI > Statue of Aphrodite, known as the "Venus de Milo".
< LI > Carved out of marble in Greece, circa 100 B.C.
< LI > Currently in the Louvre in Paris
< LI > Part of the Louvre's Greek, Etruscan and Roman Antiquities
Collection
< /UL >

< HR >
```

To go to the Louvre's web site click < A HREF = "http://mistral.
culture.fr/louvre/ louvrea.htm" > HERE < /A >

< /BODY >

< /HTML >

图 31.9 给出了这个页面在 Netscape 上的显示情况。你可以看到不同的元素(标题、列表、水平线、图形和一个链接)是如何组合成页面的。

图 31.9 在 Netscape 上显示的一幅内联图形

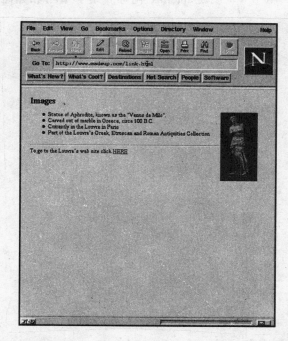

你还可以把图形图像和锚结合起来以建立图形超文本链接。只需用定义要装载哪个文件的锚标记把 < IMG > 标记包围起来就可。在下面的例子中,用一幅图作为对另一个 HTML 文档的一个超文本链接:

Click the picture to find out more about this statue.
< A HREF = "staue.html" >< IMG SRC = "statue.gif"
ALIGN = BOTTOM ALT = "[photo of statue]" >
< /A >

31.4 从这里开始

本章向你介绍了基本的 HTML 和如何建立 Web 页面。你学习了如何使用为 Web 浏览器提供命令的标记,及如何使用为命令提供细节的属性和 URL。在 Internet 上可获得很多 HTML 指南,它们涵盖了从语法到设计的所有内容。使用一种搜索引擎来查阅你感兴趣的 HTML 话题。

在 WEB 上

Yahoo! 的 HTML 列表是初学者的好起点,这个列表在:

http://www. yahoo. com/Computers_ and_ Internet/Information_ and_ Documentation/ Data_ Formats/ HTML/上。

在下面各章中,你可以找到有关 WWW 和 Internet 的更多信息:

□ 第二十六章"了解 Internet"提供了对 Internet 的基本概述。

□ 第二十八章"用 WWW 漫游 Internet"向你介绍了 Web 和如何搜索它。

第三十二章　开始使用 Apache

本章内容
- 如何编译 Apache 源代码

  了解 Apache 服务器的源代码的编译过程。
- 如何配置 Apache 服务器

  本章介绍配置文件的各个组成部分。
- 调试信息

  在本章中,你将获得一些基本的调试帮助信息,如对"为什么 Web 服务器不启动?"等问题的解答。
- Apache-SSL 是什么

  你还能获得有关如何获得、安装和启动 Apache-SSL 的信息。

为了把 Linux 系统作为 Web 服务器使用,你必须在系统上安装特殊的服务器软件包。两种最流行的 UNIX Web 服务器软件包是 Apache 和 NCSA。事实上,1996 年 11 月调查表明 Apache 占所有已安装的 Web 服务器的 40% 以上。虽然本章与其他几章一样是专门介绍 Apache 服务器的,但是这里的词汇同样适用于其他 Web 服务器。NCSA 服务器系列在配置文件方面与 Apache 有很多相同之处,因为 Apache 起初是从 NCSA 1.3 服务器派生而来的,并且保持与现有 NCSA 的向后兼容性是 Apache 开发组的任务。

本章介绍安装 Apache 和建立有生命力的服务器所有必需的基本步骤。如果你在这之前已经安装了 Apache 或 NCSA 服务器,那么你可以跳过本章,当然你应该浏览一下本章内容,以查看与以前版本的本质区别。

32.1　编译 Apache

人们已经知道,Apache 几乎能在每种 UNIX 变体上编译,如:Solaris 2.X、SunOS 4.1.X、Irix 5.X 和 6.X、Linux、FreeBSD/NetBSD/BSDI、HP-X、AIX、UItrix、OSF1、NeXT、Sequent、A/UX、SCO、UTS、Apollo Domain/OS、QNX 和一些你可能从来没有使用过的变体。向 OS/2 的移植已经完成。据悉,向 Windows NT 的移植也正在进行中。对开发组而言,可移植性是最重要的。

本书随带的 CD-ROM 以 a.out 和 ELF 两种格式提供了 Apache 的最新的二进制版本。还提供了 Apache 的完整的源代码。因为在 CD-ROM 上有 Apache 的二进制版本,所以,如果你急着要建立和运行 Apache 的话,你可以跳过编译过程并进到下一节。然而,如果你想要添加新模块或扩展由 Apache 提供的功能,那么你就需要知道如何编译它。

把源代码包复制到你的文件系统中。需要数兆字节的空闲磁盘空间来编译这个服务器。解压缩并把它放入/src 子目录。用与下面类似的命令序列完成这项工作:

```
cd /CDROM
cp apache_1.1.1.tar.gz /usr/local/etc/httpd/
```

```
cd  /usr/local/etc/httpd/
tar -zxvf  apache_1.1.1.tar
cd  src
```

32.1.1 步骤 1：编辑配置文件

配置文件由配置程序使用以创建专用于你的平台的 Makefile。创建 Makefile 时还要使用运行时定义集(如果需要的话)和你选择的要一起编译的模块。配置程序还建立 modules.c 文件,该文件包括编译时要把哪些模块要连接在一起的信息。

你必须声明你正在使用哪个 C 编译程序(最可能使用 gcc),而且你必须不注释对 AUX_CFLAGS 的相应设置。只需在这个 Makefile 中找到用于 AUX_CFLAGS 的 Linux 项。例如:

```
CC = gcc
AUX_CFLAGS =  -DLINUX
```

注释：

对于 CFLAGS 的定义,如果你想为服务器端的包含文件处理每个设置执行位的文件,则把 CFLAGS 设置为 -DXBITHACK。如果你想减小在配置项被写入日志文件时执行逆向 DNS 查找的开销,则把 CFLAGS 设置为 -DMINIMAL_DNS。

参见 33.2.1"服务器端的包含命令"。

另一方面,如果想使主机名有更大的可信度,你可以把 CFLAGS 设置为-MAXIMAL_DNS。如果你想借助主机名作为部分安全措施以保护你的网点,那么你应该这样设置 CFLAGS。这样做是可选的,主要是为了向后兼容 NCSA 1.3。

在这个文件的底部是随 Apache 发行版本带来的软件包模块的清单。注意:默认时不是所有的模块都被编译到最后的程序中的。为了在编译中包括一个模块,去掉对这个模块的配置项的注释。注意有些模块是相互排斥的。例如,同时编译可配置的日志模块和通用的日志模块是不明智的。

另外,有些模块(如 mod_auth_dbm)可能需要与外部库连接,并需要把配置项添加到 EXTRA_LIBS 行中。稍后你将学到更多的有关模块的知识;为了建立并运行 Apache,建议你只使用默认提供的模块。

32.1.2 步骤 2：运行配置脚本

配置脚本是简单的 Bourne shell 脚本,这个脚本把配置文件作为输入并产生 Makefile 和 modules.c。

32.1.3 步骤 3：运行 *make*

make 命令编译这个服务程序。你可以看到一些有关数据类型的警告(特别在用-Wall 设置编译时),但不应该有致命的错误。

如果一切顺利,那么在你的 src/目录中就应该得到一个名为 httpd 的可执行程序。

32.2　建立文件的分层结构

设置服务程序的下一步是做出一些基本的决定,这些决定是与这个服务程序的不同部分将放置在文件系统上的什么位置有关。记下每个决定,在下一节"进行基本配置"中将需要它们。

你需要决定的第一件事是这个服务程序的根目录将放在哪里。这是服务程序将驻留的子目录,并且 conf/目录、logs/和 cgi-bin/子目录及其他与服务程序有关的目录都放在这个目录下。建议把根目录设置为/usr/local/etc/http。你可以把你的配置文件和日志文件放在其他地方。服务程序的根目录应该能方便地把与服务程序有关的内容都放在一起。另外,如果这个服务程序出故障并留下核心文件,那么将能在这个服务程序的根目录中找到这个文件。

第二要决定文档的根目录将放在哪里,所有的 HTML 和其他媒体都驻留在这个目录中。文档根目录中的名为 myfile.html 文件将被作为 http://host.com/myfile.html 来引用。这个目录可以是服务程序根目录的子目录,它也可以在服务程序根目录之外,在它自己的目录中。通常,它是服务程序根目录下的子目录,名为 htdocs。如果为了得到更多的磁盘空间或其他原因,你选择把这个文档根目录移到服务程序根目录外面的话,那么你应该给它一个十分短的名字,例如,home/www 或/www/htdocs。例如,如果你在 FTP 服务器顶层上实现 Web 服务器,那么你可能要在/home/ftp/pub 中指定文档根目录。

最后,你需要决定在你的服务器的什么位置放置日志文件。这个空间应该有十分大的工作区域,取决于你估计你的服务器将有多忙。作为参考,每天有 100K 次命中的站点(相对而言,这是中等偏下的通信量)每天会产生 15M 的日志文件信息。出于性能方面的考虑,最好把日志目录放在一个单独的磁盘分区上甚至放在一个单独的磁盘驱动器上,因为甚至在适度繁忙的服务器上,访问日志在每秒钟内可能也要被写数次。

32.3　进行基本配置

为了建立基本 Web 网点,你需要对配置文件进行少量修改。

Apache 有三个独立的配置文件。这种模型可追溯到 NCSA,并且理由很充分:存在三个大型的主要管理配置区域,因此把它们设置为独立的文件使得 Web 管理员在需要时可以为每个配置文件设置不同的写权限。

你将在这个服务器根目录的 conf/子目录中找到 Apache 的这些配置文件。每个配置文件都带有-dist 文件名后缀。建议你不带-dist 复制这些文件并编辑产生的新文件,保留带-dist 的文件作为备份和参考。

这些配置文件由与 shell 命令类似的命令和伪 HTML 标记组成。基本单元是命令,它可以带许多参数:

Directive argument argument . . . .

如:

Port 80

或

AddIcon /icons/back.gif..

你还可以把命令组成一组放在某个伪 HTML 标记内。与 HTML 不同,这些标记应该各占一行,例如:

< Virtualhost www.myhost.com >

DocumentRoot /www/htdocs/myhost.com

ServerName www.myhost.com

< /Virtualhost >

32.3.1　httpd.conf

第一个要考查的配置文件是 httpd.conf。这个文件用于设置与服务器有关的系统级基本信息,如它与哪个端口绑定,它上面有哪些用户等等。如果你不是正在安装服务器的网点的系统管理员,那么你可能要请该网点的管理员来帮助你回答这些问题。

这个文件中包含的基本项如下:

☐ Port *number*

例如:Port 80

这是与 Web 服务器绑定的 TCP/IP 端口号。端口 80 是 http:URL 中的默认端口。换句话说,http://www.myhost.com/等价于 http://www.myhost.com:80/。然而,由于许多原因,你可能想在不同的端口上运行你的服务程序。例如,已经有一个服务程序在端口 80 上运行,或者这是你想保密的服务程序。(但是,如果有敏感的信息,又没有口令保护,那么你至少应该对主机访问进行控制。)

☐ User　*# number _ or _ uid*

Group　*# number _ or _ uid*

如:

User　nobody

Group　nogroup

Apache 需要用根帐号启动以使它与低于 1024 的端口相结合。在占据端口后,Apache立即把它的有效用户 ID 改变为其他值,通常改为用户 nobody。为了安全,这样做是很重要的。作为根帐号来运行服务程序意味着其中的任何漏洞(很可能通过服务程序本身,或通过 CGI 脚本)可能被外面的用户在机器上运行命令而加以利用。因此,把用户设置为 nobody、www 或某些其他无碍大雅的用户 ID 是最安全的选择。这个用户 ID 必须能够读取文档根目录中的文件,并具有对配置文件的读权限。这个参数应该是实际的用户名;然而,如果你想给出一个数字的用户 ID,那么在这个数前使用一个英磅符号(#)。Group 命令与此相同;它决定你想要这个服务程序使用哪个组 ID。

☐ SeverAdmin *email-address*

设置一个用户的 e-mail 地址,该地址用于接收与服务器操作有关的邮件。当服务器发生错误时,发给访问你的网点的浏览器的消息中将包含"请把这个问题报告给 user@myhost.com"之类的消息。将来,如果 Apache 遇到与系统有关的主要问题,它会把警告 e-mail 发送给 ServerAdmin 用户。

☐ ServerRoot *directory*

例如:

ServerRoot /usr/local/etc/httpd

设置在前面决定的服务器根目录。给出完整的路径,不要在这个路径的末尾使用斜线符。

☐ ErrorLog *directory / filename*

   TransferLog *directory / filename*

   准确地指定记录错误和 Web 访问的地方。如果给出的文件名不以斜线开始,那么就假定它是相对于服务器根目录的。在前面,我曾建议把日志文件放在服务器根目录外的独立的目录中;这是你指定日志目录及在这个目录中指定日志文件名的地方。

☐ ServerName *DNS _ hostname*

   有时,Web 服务器有必要知道它的主机名,这个名字可能与它的实际主机名不同。例如,名字 www.myhost.com 实际可能是 gateway.myhost.com 的 DNS 别名。在这种情况下,你不想让服务器产生的 URL 为 http://gattway.myhost.com/。ServerName 允许你精确地设置成 www.myhost.com。

32.3.2 srm.conf

在启动 Apache 以前,要设置的第二个配置文件是 srm.conf。在这个文件中设置的重要内容如下:

☐ DocumentRoot *directory*

   如前面介绍过的,这是你的文档树的根目录,它是/usr/local/etc/httpd/htdocs 或/www/htdocs。这个目录必须存在,并且对用以运行 Web 服务器的用户(通常是 nobody)来说是可读的。

☐ ScriptAlias *request _ path _ alias directory*

   ScriptAlias 让你在文档根目录之外指定特殊目录作为请求的路径的别名,而且这个目录中的对象是被执行的,而不是只从文件系统中读取的。例如,默认时提供:

   ScriptAlias /cgi-bin/ /usr/local/etc/httpd/cgi-bin/

   这意味着对 http://www.myhost.com/cgi-bin/fortune 的请求将执行程序/usr/local/etc/httpd/cgi-bin/fortune。Apache 还带有许多对初学者有用的 CGI 脚本,它们是说明 CGI 编程的简单的 shell 脚本。

   最后,包含 CGI 脚本的目录不应该放在文档根目录下。在处理 ScriptAlias 的代码和处理请求/路径名解析的代码之间的异乎寻常的交互作用可能会引起问题。

32.3.3 access.conf

access.conf 的结构比其他的配置文件更严格。内容被包括在 < Directory > < /Directory > 伪 HTML 标记之间,这两个标记定义了列在它里面的命令的范围。

参见 33.1"配置基础"。

例如,在 < Diretory /www/htdocs > 和 < /Directory > 之间的命令会影响处在/www/htdocs 目录下的每件事。此外,可使用通配符,例如:

   < Directory /www/htodocs/ * /archives/ >

```
....
</Divectory>
```
会影响到/www/htdocs/list/archiver/、/www/htdocs/list2/archives/等目录。

32.4 启动 Apache

为了启动 Apache,只需运行前面编译好的二进制文件(或预编译的二进制文件),运行时带上-f 选项及在前面产生的 httpd.conf 文件,例如:

/usr/local/etc/httpd/src/httpd -f /usr/local/etc/httpd/conf/httpd.conf

此时,用 ps 命令来看看 httpd 是否正在运行可能是一个好主意。通常,像下面这样:

ps -aux ¦ grep

就足够了。你可能会惊奇地看到许多 httpd 进程正在同时运行。这是怎么回事呢?

早期的 Web 服务程序(如 CERN 和 NCSA)使用这样一个模型,即:使用一个主 Web 服务程序,并且这个主服务程序为每个到来的请求复制它自己。一个复制的服务程序会响应一个请求,而原来的服务程序返回以便在端口上监听其他的请求。虽然这肯定是简单和强壮的设计,但是复制(或用 UNIX 的术语叫分叉)在 UNIX 下是一种开销很大的操作,因此即使在最好的硬件上,每秒命中两次以上的负载都是相当沉重的。另外任何种类的、减少发生复制数量的节制措施实现起来也是困难的。当复制数非常多时,原来的服务程序就很难知道有多少复制的服务程序仍然在运行。因此,这些服务程序就没有简单容易的方法来拒绝或延迟那些缺乏资源的连接。

而 Apache(与 NCSA1.4+、Netscape 的 Web 服务程序和其他基于 UNIX 的 Web 服务程序一样)却使用一组并行运行的、固有的子进程。子进程是由父进程来决定的,父进程能知道有多少个子进程是活动的,能产生新的子进程(如果需要的话),甚至能终止老的子进程(根据当时的状况,如果有许多空闲的子进程的话)。(父进程和子进程实际上都是 UNIX 的术语)。

再回到服务程序上来。启动你的 Web 浏览程序,并使它指向你的本地服务器。(使用通常的 http://格式并把你定义的 ServerName 参数附加在 httpd:conf 文件中)。它工作吗? 如果一切顺利,那么你应该能够看到一个目录索引,它列出了文档根目录中的所有内容;或者,如果 index.html 在这个目录中,你将看到这个文件的内容。

表 32.1 给出了其他的命令行选项。

表 32.1 httpd 的命令行选项

选项	结果
-d serverroot	为 ServerRoot 设置初始值
-X	以单进程模式运行服务程序;这对调试很有用,但是当向外界提供服务时,不要以这种模式运行
-v	打印这个服务器的版本,然后退出
-?	打印可用于 Apache 的命令行参数的清单

在你检查并确信 Apache 正确地启动了之后,你可能想把启动命令添加到你的系统引导脚本中,以便在系统引导时 Apache 能自动启动。通常把启动命令放在文件/etc/rc.d/rc.local 中。

32.5 调试服务器启动过程

通常 Apache 能给出许多有意义的错误信息,在下面几节将更详细地解释一些错误信息。

32.5.1 打开文件错误信息

httpd：Could not open document config file...

fopen：No such file or directory

这些打开文件的错误信息通常是只给 -f 参数提供了相对路径所带来的结果;此时,Apache 查找相对于编译时形成的的服务程序根目录(它被设置在 src/htepd.h 中)的文件而不是查找相对于你所在目录中的文件。你必须给出完整的路径或相对于编译时形成的服务程序根目录的路径。

32.5.2 端口和结合错误信息

httpe：could not bind to port [x]

bind：Operation not permitted

导致端口和结合错误信息的原因很可能是由于试图在低于 1024 的端口上运行服务程序,但没有作为"根"用户来启动。大多数 UNIX 操作系统(包括 Linux)防止没有根目录访问权的人试图在低于 1024 的端口上启动任何类型的服务程序。如果你作为根用户来启动服务程序,那么错误信息就应该消失。

httpd：could not bind to port

bind：Address already in use

这些端口和结合错误信息表示在你的机器的指定端口上已经有程序在运行。你有另一个 Web 服务程序在运行吗? 没有标准 UNIX 机制能用于确定在什么端口上正在运行什么;在大多数系统上,文件/etc/services 可以告诉你最通用的守护程序是什么,但它不是完整的列表。你还可以试用带各种选项(如-a)的 netstat 命令。

32.5.3 坏的用户名或坏的组名信息

httpd：bad user name...

httpd：bad group name...

坏的用户名或坏的组名错误信息意味着你在 httpd.conf 中设置的用户或组实际上在你的系统中是不存在的。你会看到这样的错误,它告诉你特定的文件或目录不存在。如果这些文件在那里的话,那么确保它们对用以运行这个服务程序的用户 ID(即 root 和 nobody)来说是可读的。

32.5.4 服务器最初启动时的错误信息

假设 Apache 已经启动,并且由 ps 知道它确实在运行。但当你进入这个网点时,你遇到了下述问题或错误信息:

□ 根本没有连接。确信在你和服务器之间没有防火墙,防火墙会过滤掉发给服务器的分组。其次,对你运行 Web 服务器的端口试用 telnet,例如,telnet myhost.com 80。如果你没有得到"连接到 myhost.com"的返回信息,那么你还未与服务器连接。

☐ 403 访问被禁止。你的文档根目录可能是不可读的,或者可能在你的 access.conf 文件中有某些阻止从你的 Web 浏览器所在的机器访问你的网点的内容。

☐ 500 服务器错误。你的前页(front page)是一个 CGI 脚本吗? 这个脚本可能是失败的。

以上是在最初启动服务器时通常遇到的错误。如果你能够与产生错误信息的服务器建立联系,那么下一个查找错误信息的最好地方是在 ErrorLog 中。

32.6 设置 Apache-SSL

在这里,我们将采用稍微绕弯的方式来介绍 Apache Web 服务器的变体 Apache-SSL 并介绍如何建立 Apache-SSL。Apache-SSL 可以在安全套接字层协议(Secure Sockets Layer protocol)基础上进行安全交易。SSL 是基于 RSA 公共密钥的加密协议。它由 Netscape Communications 公司开发,用于 Netscape 浏览器和 Netscape Web 服务器中。

直到最近,在 WWW 上进行 SSL 交易的唯一选择仍然是使用专用服务器,如 Netscape 的 Commerce 服务器或 OpenMarket 的 Secure 服务器。由于美国的出口限制,这些服务器的高度加密版本在美国之外还得不到。

Eric Young(广泛使用的 libdes 软件包的作者)与 Tim Hudson 一起编写了实现 SSL 的库,称为 SSLeay。此后,SSLeay 软件包被扩展为通用的密码和证书处理库,但仍保持原来的名字,SSLeay。

后来,Ben Laurie(Apache Group 的成员)采用了 SSLeay 库并使它与 Apache 服务器配合工作,使 Net 上的人们都可以使用他的插入码(patch)。此后,Community ConneXion 公司的 Sameer Parekh(以后称之为 C2)采用了 Ben Laurie 的插入码,并建立了可以在美国国内合法使用的软件包。

因为在美国 SSL 使用的 RSA 技术受到 RSA 数据安全公司(RSADSI)(www.rsa.com)所拥有的专利的保护,所以,在美国国内使用"机器外"的 SSLeay 软件包是不合法的。C2 获得了 RSA 技术的使用许可,通过使用"RSAREF"软件包,从而使 SSLeay 软件包在美国国内使用是合法的。"RSAREF"软件包由 RSADSI 和 Consensus 发展有限公司(www.consensus.com)生产。

由于出口的限制,在美国以外的人们下载和安装 C2 Apache-SSL 软件包是不合法的。事实上,我们甚至未能把 SSL 插入码放在本书所带的 CD-ROM 上,因为这本书可能会突然得到"军需品"的标签,从而需要从美国政府那里得到出口本书的许可!

在美国国内的人们安装 Apache-SSL 的过程与在美国国外的人们安装 Apache-SSL 的过程是不同的。在美国国内的人们只需从 http://stronghold.c2.net/中下载并安装 C2 的软件包。美国以外的人们必须独立地安装 SSLeay,然后从他的网点用 Ben Laurite 的插入码来补缀 A-pache。

32.6.1 在美国国内安装

在美国国内,只为非商用目的,使用从 C2 下载的 Apache-SSL 版本是合法的。要商业性地使用 Apache-SSL,你必须从 C2 购买 Apache-SSL Commerce 许可证。在从 C2 下载了这个软件包之后,这个服务器的安装就是相当简单的了。

然而,在你能开始使用 SSL 之前,为了使用 SSL,你需要产生你自己的一对密钥/证书。C2 Apache-SSL 发行版本带一个名为 genkey 的程序,你可以使用这个程序来产生你的密钥和证书。为了与 Apache 服务器一起使用,运行/usr/local/ssl/bin/genkey httpd 以产生一对公共/私人 RSA 密钥。它还产生一个 PKCS#10 证书签名请求,你把这个签名请求和适当的文档一起送到你选择的证书管理机构(例如,Verisign)。这个脚本还产生测试证书,这样你就能立即开始使用这个服务器,而无需等待你的证书管理机构回复签了名的证书。

在产生了密钥/证书并把它们安装在合适的位置上之后,你就可以开始使用这个服务器。但,首先要熟悉专用于 Apache-SSL 的配置命令:

☐ SSLCertificateFile 文件名

这个 SSLCertificateFile 文件名是存储你的服务器的证书的地方。SSLCertificateFile 命令是需要的。

☐ SSLCertificatekeyFile 文件名

除非列在 SSLCertificateFile 中的文件还含有密钥,否则,这个 SSLCertificatekeyFile 命令是需要的。

☐ SSLLogFile 文件名

SSLLogFile 是 Apache-SSL 为每个连接记录与 SSL 有关的特定信息的地方,如使用的密码和客户确认信息。

☐ SSLVerifyClient 0 ¦ 1 ¦ 2

SSLVerifyClient 决定这个服务器是否应该使用 X509 客户确认,0 表示不用,1 表示它是可选的,2 表示需要客户证书。

☐ SSLVerifyDepth depth

SSLVerifyDepth 是在检验给定的客户证书时,服务器要沿着证书链走多远才能找到根证书管理机构。如果你没有使用 X509 客户证书,那么 1 可能是一个好的默认值。

☐ SSLFakeBasicAuth

SSLFakeBasicAuth 命令允许你使用 X509 客户证书来对你的 Web 服务器文档树的各个领域的访问提供基本的 HTTP/1.0 确认。

注释:

SSLFakeBasicAuth 必须和 SSLVerifyClient 2 一起使用。如果它和任何其他的 SSLVerifyClient 设置一起使用,那么它易于遭到破坏。

在安装了证书和密钥之后,你可以只运行/usr/local/etc/httpd/start 来启动这个服务器,它用 conf/httpd.conf 和 conf/httpsd.conf 中的默认配置文件来启动服务器。

32.6.2　在美国以外安装

对美国以外的人们而言,安装过程涉及的内容要多一些。你必须获得 SSLeay 软件包(ftp://ftp.psy.uq.oz.au/pub/Crypto/SSL/),然后根据这个软件包中的指示来安装它。

第二,你必须从 Ben 的网点(即 http://www.algroup.co.uk/ApacheSSL/)获得 Ben 对 Apache 的插入码。然后,根据这个软件包中的指示,你必须把这些插入码安装到你的 Apache 源代码树中。

应该注意到,在发布时,Verisign(**www.verisign.com**,RSA 的一个新版,它是 SSL 的第一个有资格授权的版本)刚开始为 Apache-SSL 密钥签名。期待其他的 CA(资格授权)的出现。Netscape 3.0 带来了半打其他的已确定并等待被承认的 CA。事实上,Netscape 3.0(和其他的浏览器,在此真诚希望)允许任意使用 CA,但提醒用户:新的 CA 正在使用,但仍然允许进行加密会话。

32.7　从这里开始

在下面各章中,你能够更详细地学习有关建立、配置和运行 Apache Web 服务器的内容:

☐ 第三十三章"配置 Apache"更详细地介绍 Apache 的配置选项。

☐ 第三十四章"管理 Internet Web 服务器"将介绍如何使你的服务器强壮、有效、自动化和安全可靠。

第三十三章　配置 Apache

本章内容

☐ 配置 MIME 类型

　　你可以配置服务器上的对象的 MIME 类型并使用这些 MIME 类型来触发特殊的操作。

☐ 管理请求

　　你可以重定向和别名化对你的网点的不同部分的请求,你还可以配置目录索引。

☐ 使用服务器端的包含命令

　　在本章中,你将学到如何在你的 HTML 文件中设置和实现服务器端的包含命令。

☐ 使用 cookies

　　HTTP cookies 是在无状态协议中维护状态的方法。在本章中,你不仅要了解这意味着什么,还要学习如何实现 cookies 来跟踪用户会话。

　　现在,你应该有了一个运行的 Web 服务器,虽然它可能是最小配置的。在本章中,你将了解与这个服务器结合的大多数功能。本章是按教程的形式组织的,这样如果你是 Apache 的新手的话,你就能够快速前进。在本章末尾,你还可以研究一些实验性的 Apache 模块。

　　由于 Apache 的快速发展,可能在你读到本章时,Apache 又有了一些重要的新功能。然而,已有的功能不可能有太大的变化。Apache Group 一直把实现向后兼容作为自己的责任。

33.1　配置基础

　　srm.conf 和 access.conf 文件是在服务器上放置与实际对象有关的大多数配置的地方。srm.conf 文件也称作 ResourceConfig 文件,它是能在 htepd.conf 中设置的命令。access.conf 文件也称作 Accessconfig 文件,它也是 htpd.conf 中的命令。

　　srm.conf 和 access.conf 这两个名字主要与历史有关。一方面,当还是 NCSA 服务器时,access.conf 只被用于设置权限、限制和确认等。然后,当添加了目录索引后,需要能够根据目录控制某些特性。access.conf 文件是具有某种严格访问控制结构的唯一配置文件,该结构是伪 HTML < Directory > 容器。

参见 33.2"access.conf"。

　　对 Apache 的经修改的配置文件分析程序来说,大多数命令实际上可以出现在任何地方——例如,出现在 access.conf 中的 < Directory > 容器中,出现在 htepd.conf 中的 < virtualHost > 容器中等等。然而,为清楚起见,你应该在配置文件中保留某种结构。你应该把服务器级别处理的配置选项(如 Port 和 < VirtualHost > 容器)放在 httpd.conf 中,把通用服务器资源信息(如 Redirect、AddType 和目录索引信息)放在 srm.conf 中,及把对目录的配置放在 access.conf 中。

　　除 < Directory > 容器外,还有 < Limit > 容器。< Limit > 容器在 < Directory > 容器中使用,用

以指定在某些 HTTP 方法上应用的一些特殊命令。在本章的后面将给出这方面的例子。

33.1.1　针对目录的配置文件

在进一步介绍不同的配置选项之前,我们先来看看控制针对目录进行配置的机制。这个机制是通过使用你要配置的目录中的本地配置文件来实现的。你或许已经在 access.conf 中控制了子目录选项,如在第三十二章"开始使用 Apache"中介绍的那样。然而,由于一些原因,你可能想让用户来维护这些配置而不是让那些有权重新启动服务器的人员来维护这些配置,如用户维护他们的主页。为了这个目的,创建了 AccessFileName 命令。

参见 32.3"进行基本配置"。

默认的 AccessFileName 是 .htaccess。如果你想使用别的什么内容(例如 .acc),那么你必须在 srm.conf 文件中放入下面的内容:

AccessFileName .acc

如果查找 AccessFileName 文件是允许的,并且接收到一个被解释为/www/htdocs/path/path2/file 文件的请求,那么服务器将依次查找/.acc、/www/.acc、/www/htdocs/.acc、/www/ht-docs/path/.acc 和/www/htdocs/path/paht2/.acc。另外,如果它找到这个文件,那么服务器将分析这个文件以查看应用了什么配置选项。(记住,对每个命中都必须单独进行这种分析,因此这对性能影响很大。)

你可以在你的访问配置文件中设置如下选项来关闭 AccessFileName 命令:

< Directory / >

AllowOverride None

< /Directory >

为简短和清晰起见,假设 AccessFileName 选项已经把这些文件的名字设置为 .htaccess。这些文件可以影响什么选项呢? 如以前所提到的,AllowOverride 命令控制 Access.Config 文件中 < Directory > 容器内可使用的选项的范围。表 33.1 列出了 AllowOverride 的准确的参数。

表 33.1　AllowOverride 的参数

参数	结果
AuthConfig	当列出时,.htaccess 文件可以指定它们自己的确认命令,如 AuthUserFile、AuthName、AuthType 和 require
FileInfo	当列出时,通过使用 AddType、AddEncoding 和 AddLanguage 等命令,.htaccess能覆盖任何对文件的元信息的设置
Indexes	当列出时,.htaccess 文件可以本地设置控制描述目录索引的命令,就象在 mod_dir.c 模块中实现的那样,如控制 FancyIndexing、AddIcon 和 AddDescription 等命令
Limit	这个参数允许使用那些限制基于主机名或主机 IP 地址访问的命令(如 allow、deny 和 order)
Options	这个参数允许使用 Options 命令
All	这个参数使上述所有参数为真

AllowOverride 选项不能被合并,即如果对/path/的配置与对/的配置不同,那么/path/更优先,因为它更深。

33.1.2 MIME 类型: *AddType* 和 *AddEncoding*

HTTP 协议的基本要素是:通过 HTTP 传输的每种数据对象都有与之相联系的 MIME 类型。这也是 Web 自然地成为多媒体格式发源地的原因。

注释:

起初,MIME(多用途 Internet 邮件扩展)致力于标准化通过 e-mail 进行的多媒体文档的传输。电子邮件信息可以在标识要传送的数据的头部中包含元信息,这是 MIME 规范的一部分。MIME 头部的一种类型是 Content-Type,它声明对象的格式或数据类型。例如,赋以 HTML 的标签是"text/html",赋以 JPEG 图像的标签是"image/jpeg"。

在 WEB 上

MIME 类型的注册表由 Internet Assigned Numbers Authority 维护,其地址是 http://www.isi.edu/div7/iana/。

当浏览器向服务器请求一个对象时,服务器把对象传送给浏览器,并声明这个对象的 Content-Type 是什么。用这种方法,浏览器可以做出有关如何再现(render)这个文档的智能决定。例如,它可以把这个文档送到图像(处理)程序、把这个文档送到 PostScript 查看程序或把这个文档送到 VRML 查看程序。

对服务器的维护程序而言,这意味着对外提供的每个对象都必须有与之联系的正确的 MIME 类型。幸运地是,已经有了一个约定,它通过让文件名带两个、三个或四个字母的后缀来表达数据类型,例如,foobar.gif 很可能是一幅 GIF 图像。

服务器所需要的是一个能把后缀映射为 MIME 内容类型的文件。幸运地是,在 Apache 的配置目录中带有这样一个文件,这个文件的名字是 mime.types。这个文件的格式是简单的,由每行一个记录组成,其中的记录是 MIME 类型和可接受的后缀的列表。虽然映射到一个特殊 MIME 类型的后缀不止一个,但你不能使每个后缀有多于一个的 MIME 类型。你可以用 TypeConfig 命令来为这个文件指定另一个位置。

Internet 的发展是如此之快,以致于很难使 mime.type 文件保持最新状态。为了克服这种困难,你可以在 srm.conf 文件中使用一个特殊的命令 AddType,如下所示:

AddType x-world/x-vrml wrl

现在,无论何时服务器被要求提供一个以 .wrl 结尾的文件,它知道还要发送下面这样一个文件头:

Content-type: x-world/x-vrml

这样,你就不必担心使 mime.type 文件的将来发行版本与你个人的安装和配置相协调的问题。

在稍后的数页中你会看到,AddType 还被用于指定这样一些"特殊"文件,这些文件被服务器内的某些特性魔术般地处理过。

AddType 的同类是 AddEncoding。就像 MIME 头部 Content-Type 可以指定这个对象的数据格式那样,Content-Encoding 头部指定这个对象的编码。编码是在对象被传输或存储时的一个属性。从语义上讲,浏览器应该知道它必须根据所列出的编码来"解码"它所得到的内容。最通常的使用是在压缩文件中。例如,如果有如下命令

AddEnoding x-gzip gz

并且,如果你访问名为 myworld.wrl.gz 的文件,那么在应答中发送的 MIME 头部将像下面这样:

Content-Type:x-world/x-vrml

Content-Encoding:x-gzip

任何浏览器都会知道,"哦,在把这个文件交给 VRML 查看程序之前,我必须先解压缩它"。

33.1.3 *Alias*、*ScriptAlias* 和 *Redirect* 命令

Alias、ScriptAlias 和 Redirect 命令(它们都用在 srm.conf 中,并且都由 mod_alias.c 模块实现)使得在服务器上的 URL 空间与文件系统的实际布局之间进行映射具有某些灵活性。

如果最后这句话很费解的话,不用担心。它基本的意思是说:任何像 http://myhost.com/x/y/z 这样的 URL 不一定要映射到服务器文档根目录下的名为 x/y/z 的文件上:

Alias */path/ some/other/path/*

上面的命令接受对文档根目录下的虚构子目录/path 中的对象的请求,并把这个请求映射到另一个完全不同的目录中。例如,下面的请求:

http://myhost.com/statistics/

通常可能是进入文档根目录/statistics 的,除非由于某种原因,你想把它指向文档根目录以外的某个地方(例如,/usr/local/statistics)。为此,你应该使用下面的命令:

Alias /statistics/ /usr/local/statistics/

对外面的用户来说,这可能是完全透明的。如果你使用 Alias,那么最好不要在文档根目录内的某个位置使用别名。而且,下面的请求:

http://myhost.com/statistics/graph.gif

将被解释成对文件/urs/local/statistics/graph.gif 的请求。

ScriptAlias 和 Alias 一样,但它默认地把指定的子目录中的所有内容都当作 CGI 脚本。这听起来有些奇怪,但早期建立 Web 网点的模型将所有的 CGI 功能单独放在一个目录中,并且按如下方式通过 Web 服务器来引用:

http://myhost.com/cgi-bin/script

如果在 srm.conf 文件中有:

ScriptAlias /cgi-bin/ /usr/local/etc/httpd/cgi-bin/

那么上面的 URL 指向/usr/local/etc/httpd/cgi-bin/script 中的那个脚本。在后面一、两页中你将看到,有更好的方法可用于把文件指定为将被执行的 CGI 脚本。

Redirect 就是完成这种工作的,把请求重定向到另一个资源上。那个资源可能在同一台机器上或在 Net 的其他某个地方。另外,匹配将是从头开始的子串匹配。例如,如果你做了:

Redirect /newyork http://myhost.com/maps/states/newyork

那么对 http://myhost.com/newyork/index.html 的请求将被重定向到:

http://myhost.com/maps/states/newyork/index.html

当然,Redirect 的第二个参数可以是其他网点的 URL。只要你确信你知道你正在做什么就行。

警示：

小心意外地建立了循环。例如：

Redirect /newyork http://myhost.com/newyork/newyork

可能在服务器上产生特别有害的效果。

33.1.4 激活 CGI 脚本的更好方法

前面我们提到过，有比使用 ScriptAlias 来激活 CGI 脚本的更好方法。你可以使用 AddType 命令，并像下面这样创建定制的 MIME 类型，：

AddType application/x-httpd-cgi cgi

当服务器得到对 CGI 文件的请求时，服务器映射到这个 MIME 类型上，然后停下来说："我需要执行这个 CGI 文件而不是像对待普通文件那样只把它发送出去"。因此，你可以把 CGI 文件与 HTML、GIF 和你的所有其他文件放在同一个目录中。

33.1.5 目录索引

当 Apache 得到的 URL 是一个目录，而不是一个特殊文件时，例如：

http://myhost.com/statistics/

Apache 首先查找在 srm.conf 中用 DirectoryIndex 命令指定的文件。在默认配置中，这个文件是 Index.html。你可以设置要搜索的文件的清单，或者甚至设置对一个页面或 CGI 脚本的绝对路径：

DirectoryIndex index.cgi index.html /cgi-bin/go-away

上面的命令是说首先在这个目录中查找 index.cgi 文件。如果找不到这个文件，那么在这个目录中查找 index.html 文件。如果这两个文件都找不到，那么就把这个请求重定向到/cgi-bin/go-away 上。

如果 Apache 未能找到一个匹配，那么 Apache 将创建一个 HTML 清单，这个 HTML 清单列出了这个目录中的所有文件。

有许多定制目录索引功能的输出方法。首先，你需要问自己是否想在输出报告中看到图标和最后修改时间等内容。如果你确实想看到，那么你要打开：

FancyIndexing On

否则，你将只得到简单的可得到的文件的菜单，由于安全或性能方面的原因，你可能想要这个菜单。

如果你选择使用 FancyIndexing 选项，那么你必须询问你是否需要进一步定制它，如果要进一步定制它，怎样做呢？目录索引功能的默认设置已经十分详细了。

AddIcon、AddIconByEncoding 和 AddIconByType 命令定制选取文件旁的图标。AddIcon 使用如下格式在文件名级匹配图标：

AddIcon *inonfile filename* [*filename*] [*filename*]...

因此，下述命令：

AddIcon /icons/binary.gif .bin .exe

是说以 .bin 或 .exe 结尾的任何文件都应当与名为 binary.gif 的图标联系在一起。文件名还可以是通配符表达式、完整的文件名或甚至是两种"特殊"名字中的一种,这两种"特殊"名字是:表示目录的^^DIRECTORY^^和表示空白行的^^BLANKICON^^。因此,你可以使用与下面类似的命令行:

    AddIcon   /icons/dir.gif   ^^DIRECORY^^

    AddIcon   /icons/old.gif   * ~

最后,iconfile 可以是一个字符串,这个字符串包含图标文件名和放在 ALT 属性中的替换文本。因此,实际上使用的命令可能是:

    AddIcon（BIN, /icons/binary,gif）.bin .exe

    AddIcon（DIR, /icons/dir.gif）^^DIRECTORY^^

AddIconByType 命令是更灵活的、在实际中使用更多的命令。它不是把图标与文件名样式联系在一起,而是把图标与那些与这些文件相联系的 MIME 类型联系在一起。它的语法如下面所示:

    AddIconByType *iconfile mine-type* ［*mime-type*］...

mime-type 可以是与你分配给文件的 MIME 类型匹配的精确 MIME 类型或者可以是样式匹配。因此,你在默认配置文件中可看到如下配置项:

    AddIconByType（SND, /icons/sound2, gif）audio/ *

使用样式匹配比只使用文件名后缀匹配更有效。

AddIconByEncoding 主要用于把压缩文件和其他类型的文件区分开。只有在 srm.conf 文件中与 AddEncoding 命令一起使用时,这个命令才有意义。默认的 srm.conf 中有如下项:

AddEncoding x-gzip gz

AddEncoding x-compress Z

AddIconByEncoding（CMP, /icons/compressed, gif）x-compress x-gzip

AddIconByEncoding 选项恰当地设置压缩文件旁的图标。

当产生目录索引时,如果没有任何样式与一个给定的文件匹配,那么使用 DefaultIcon 命令来指定要使用的图标:

DefaultIcon /icons/unknown.gif

可以把文本添加到目录索引清单的顶部和底部。由于它把类似 UNIX 界面的目录索引能力转换成一种动态文档界面,所以这种能力是非常有用的。有两个命令能控制这种能力,它们是 HeaderName 和 ReadmeName,它们分别指定在这个清单的顶部和底部出现的内容的文件名。这些命令在默认的 srm.conf 文件中如下所示:

HeaderName HEADER

ReadmeName README

当建立目录索引时,Apache 将查找 HEADER.html。如果 Apache 找到它,那么它将把这个文件的内容送到这个目录索引的顶部。如果 Apache 没有找到这个文件,那么它将查找 HEADER。如果它找到 HEADER,那么它假设这个文件是纯文本的并且做一些诸如把 < 字符转换为 <字符序列,并再把它插入到目录索引的头部等事情。对 README 文件进行相同的处理过程,不同的是把结果文本放到被产生的目录索引的尾部。

在许多情况下,为了一致性或纯粹为了安全起见,你可能想让目录索引引擎忽略某些文件类型,如 emacs 备份文件或以 . 开头的文件(隐藏文件)。IndexIgnore 命令允许你指定在产生目录索引时要忽略的文件类型。默认设置是:

IndexIgnore ＊/.??＊＊~＊＃ ＊/HEADER＊＊/HEADME＊＊/RCS

这一行看上去像是密码,但它基本上是用空格分隔的样式列表。第一个样式匹配任何文件名以下圆点(.)开头的且字符数大于 3 的文件。这样,对上层目录(..)的链接可以仍然有效。第二个样式(＊~)和第三个样式(＊＃)通常用于匹配老的 emacs 备份文件。再接下来的样式是为了避免列出与用于 HeaderName 和 ReadmeName 的相同的文件。最后给出的样式是＊/RCS,这是因为许多网点使用 RCS。RCS 是用于修订版控制维护的软件包,它把其额外(相当敏感的)信息存储在 RCS 目录中。

最后介绍两个很有趣的、用于控制与目录索引有关的最后一组选项的命令。第一个命令是 AddDescription,其工作方式与 AddIcon 类似:

AddDescription *description filename*[*filename*]...

例如:

AddDescription"My cat" /private/cat.gif

与在其他地方一样,filename 实际上可以是一个样式,因此,你可以有:

AddDescription "An MPEG Movie Just For You! " ＊.mpg

最后介绍所有选项设置命令的祖师爷 – IndexOptions。这个命令的语法很简单:

IndexOptions option ［*option*］...

表 33.2 列出了这个命令的可用选项。

表 33.2 可用于 IndexOptions 的选项

选项	解释
FancyIndexing	这个选项和单独的 FancyIndexing 命令相同。(抱歉把大家弄糊涂了,但向后兼容性有时需要奇怪的事情!)
IconAreLinks	如果设置了这个选项,那么作为链接的图标就是可单击的,不论与这个图标相联系的项是何种资源。换言之,图标成了超链接的一部分
ScanHTMLTitles	当为 HTML 文件提供了一个清单时,服务器将打开这个 HTML 文件并分析它以获得这个 HTML 文档中的 < TITLE > 字段的值(如果这个字段存在的话)。这可能在服务器上带来非常沉重的负载,因为从 HTML 文件中提取标题需要很多次磁盘访问,并占用一定量的 CPU 时间。因此,不建议使用这个选项,除非你知道你有这个能力
SuppressDescription SupressLastModified SuppressSize	这些选项将禁止它们各自的字段(Description、LastModified 和 Size)。通常,这些是输出清单中的字段

默认时,这些 IndexOption 选项都是不打开的。这些选项不能合并,这就是说当你使用 access.conf 或 .htaccess 文件按目录设置这些选项时,为一个具体的目录设置这些选项要求重新设置整个选项清单。例如,设想在你的访问配置文件中有下述内容:

< Directory /pub/docs/ >

IndexOptions ScanHTMLTitles

```
        </Directory>
        <Directory /pub/docs/others/ >
    IndexOptions IconsAreLinks
        </Directory>
```

第二个目录(/pub/docs/others/)中或其下面的目录中做的目录清单将不会有 ScanHTMLTitles 设置。为什么? 你可以这样来理解,管理员必须能够在特定目录中禁用已经设置为全局的选项。这比把 NOT 逻辑符写入选项清单中要更简单些。

如果你在使用目录索引时遇到了问题,确保在访问配置文件中用于 Options 命令的设置允许在这个目录中进行目录索引。特别是,Options 命令必须包括 Indexing。更进一步,如果你正在使用 .htaccess 文件来设置诸如 AddDescription 或 AddIcon 这样的选项,那么 AllowOverride 命令必须在它的选项清单中包括 FileInfo。

33.1.6 用户目录

具有许多用户的网点有时更愿意允许其用户管理 Web 树中他们自己的部分,用户管理的部分在他们自己的目录中。为此,使用如下形式的 URL:

    http://myhost.com/~user/

其中,~user 实际上是用户起始目录中的一个目录的别名。Alias 命令与此不同,它只能把一个特殊的伪目录映射到一个实际的目录中。本例中,是要把~user 映射到/home/user/public_html 之类的文件上。因为"用户"的数量可以是很多的,所以在这里,某种宏是很有用的。这个宏是 UserDir 命令。

用 UserDir 命令指定用户起始目录中的一个子目录,在这个子目录中,他们可以放置被映射到~user URL 的内容。因此,换言之,默认的:

    UserDir public_html

将使对下述 URL 的请求:

    http://myhost.com/~dave/index.html

引起对下面的 UNIX 文件的查找:

    /home/dave/public_html/indes.html

假设/home/dave 是 Dave 的起始目录。

33.2 特殊模块

把 Apache 与竞争对手区分开来的大多数功能是作为 Apache API 的模块来实现的。这对于允许把功能从服务器的其他部分中分离开来以及对允许优化性能是极其有用的。下面几节将详细地介绍这个附加功能。

33.2.1 服务器端包含命令

最好把服务器端包含命令称为 HTML 的预处理语言。这个"处理过程"发生在服务器端。同样,你的网点的访问者不需要知道你使用了服务器端的包含命令,也就不需要特殊的客户软件。这些包含命令的格式看上去与下述行类似:

$<! -- \#directive\ attribute = "value" -- >$

有时,给定的"命令"可能同时有多个属性。这个新语法是想把这个功能隐藏在一个SGML注释中,这样,普通的HTML确认工具在不必学习新标记或任何事情的情况下就能工作。这个语法很重要;例如,没有最后的--,就会导致错误。

#include   # include命令可能是最常用的。你用它来把另一个文件插入到HTML文档中。# include允许的属性是 virtual 和 file。file 属性的功能是由 virtual 属性提供的功能的子集,它主要是为了向后兼容性才存在的,因此不建议使用它。

virtual 属性告诉服务器把这个属性的值当作对相对链接的请求,即,可以使用../来定位在这个目录上面的对象并且将应用其他的转换(如 Alias)。例如:

$<! -- \# include\ virtual = "quote. txt" -- >$

$<! -- \# include\ virtual = "toolbar/footer. html" -- >$

$<! -- \# include\ virtual = ". . /footer. html/" -- >$

 # exec   # exec 命令用于运行在服务器端的脚本并把它的输出插入到正在被处理的 SSI(服务器端的包含命令)文档中。有两种选择:通过使用 cgi 属性来执行一个 CGI 脚本,或者通过使用 cmd 属性来执行一个 shell 命令。例如:

$<! -- \# exec\ cgi = "counter. cgi" -- >$

接收这个 CGI 程序的输出并把这个输出插入到文档中。

注释:

这个 CGI 输出仍然必须包括"text/html"内容-类型(content-type)头部;否则,将出现一个错误。

同样

$<! -- \# exec\ cmd = "ls -1" -- >$

接收在这个文档的目录上调用 ls-1 命令的输出结果,并把输出结果插入到输出页中作为对 # exec 命令的替换。与 # include 命令的 file 属性一样,这种 # exec 命令主要是为了向后兼容,因为在不可信的环境中它是一个安全漏洞。

注释:

允许用户访问 CGI 功能确实有安全问题,对 # exec cmd 来说问题甚至更大,如:

cmd = "cat /etc/passwd"

如果网点管理员想让用户使用服务器端的包含命令但不允许使用 # exec 命令,那么管理员可以在访问配置文件中把 IncludesNOEXEC 设置为用于这个目录的一个选项。

 # echo   # echo 命令有一种属性——var,它的值是任何 CGI 环境变量和表 33.3 给出的其他变量。

表 33.3   var 属性的值

属性	定义
DATE _ GMT	以格林威治时间表示的当前日期

属性	定义
DATE_LOCAL	以本地时区表示的当前日期
DOCUMENT_NAME	SSI 文档的文件系统名,不包括它下面的目录
DOCUMENT_URI	URI 代表 Uniform Resource Identifier(统一资源标识符)。在统一资源定位符(URL)的格式 http://host/path/file 中,URI 是/path/file 部分
LAST-MODIFIED	SSI 文档被修改的日期

例如:

< ! -- # echo var = ″DATE_GMT ″ -- >

把与"Wednesday,05-Mar-97 10:44:54 GMT"类似的行插入到文档中。

 # fsize, # flastmod　# fsize 和 # flastmod 命令分别打印出对象的大小和最后的修改日期,它们是由列在 file 或 virtual 属性中的 URI 给定的任何对象,与在 # include 命令中一样。例如:

< ! --fzise file = ″idex.html″ -- >

返回在那个目录中的 index.html 文件的大小。

 # config　通过使用 # config 命令,你可以修改某些 SSI 命令的输出形式。sizefmt 属性用 bytes 或 abbrev 值来控制 # fsize 命令的输出形式。当给出 bytes 时,打印出准确的字节数,反之,当设置了 abbrev(默认)时,将给出的大小值是缩写形式的(用 k 表示千字节或用 M 表示兆字节)。例如,下述 SSI HTML 的代码片断:

< ! -- # config sizefmt = ″bytes″ -- >

The index.html file is < ! -- # fsize virtual = ′index.html″-- > bytes

返回"The index.html file is 4,522 bytes"。而,

< ! -- # config sizefmt = ″abbrev″ -- >

返回"The index.html file is 4K bytes"。

timefmt 命令控制在 DATE_LOCAL 中的日期的输出形式及用于 # echo 命令的 LAST_MODIFIED 值的输出形式。它使用和 strftime 调用一样的格式。(事实上,服务器确实调用 strftime,它是以指定长度的字符串来格式化时间的系统调用)。字符串格式由以%开头的变量组成。例如,%H 以 24 小时格式表示一天的小时值。要想得到如何构造 strftime 格式的日期字符串的指导,请参考 strftime 的联机帮助以得到变量列表。

下面是一个可能的例子:

< ! -- # config timefmt = ″%Y/%m/%d-%H:%M:%S″ -- >

对于 1997 年 1 月 2 日下午 12:30 来说,日期字符串的结果是:

1997/01/02-12:30:00

最后,# config 命令可以使用的最后的属性是 errmsg,它是在分析文档过程中遇到问题时打印出来的错误信息。例如,默认时是:

```
< ! -- # config errmsg = "An error occurred while processing this directive" -- >
```

33.2.2 内部图像映射能力

与 Apache 一起提供的默认图像映射模块允许你不使用或不需要任何 CGI 程序就能引用图像映射。(图像映射是带有已定义的可选取区域的图形图像)。这个功能被包含在 mcd_imap 模块中。首先,你还要把另一条 AddType 命令添加到你的 srm.conf 文件中:

AddType application/x-httpd-imap map

现在,任何以 .map 结尾的文件将被认为是图像映射文件。在重新启动服务器以使这个变化生效后,你可以直接引用 .map 文件。

例如,下面的文档(index.html)上有一幅图像映射,在这里,图像是 usa.jpg,映射文件是 usa-map.map。建立这个图像映射的 HTML 可能是:

< A HREF = "usa-map.map" >< IMG SRC = "usa.jpg" ISMAP ></A >

33.2.3 Cookies

HTTP 的 cookies 是在无状态协议中维护有状态的一种方法。这是什么意思呢? 在 HTTP 中,客户和服务器之间的会话通常要生成多个不同的 TCP 连接,因此,把需要状态的应用程序的多次访问联系在一起是很困难的。这种应用程序的一个例子是购物车应用程序。Cookies 是对这种问题的一种解决方法。正如 Netscape 在它的浏览器中实现的,及其后被许多厂商实现的那样,服务器可以给客户分配一个 cookies,cookies 指某种不透明的字符串,这种字符串的含义只对服务器本身是有意义的,然后,在后续请求中,客户可以把这个 cookies 返回服务器。

mod_cookies 模块根据访问者的主机名和一个随机号,能很好地处理为每一个访问者分配唯一的 cookies 的具体工作。在 CGI 环境中,可以从 HTTP_COOKIE 环境变量对 cookies 进行访问。由于同样的原因,所有 HTTP 头都可以被 CGI 应用程序访问。CGI 脚本可以在会话跟踪数据库中把它作为密钥,或者它可以被记录或连接起来以便估计访问一个网点的用户数,而不仅仅是命中值或唯一的域值。

所幸的是,这里没有配置问题。只需编译 mod_cookies。没有比这更容易的事了。

33.2.4 可配置的日志

对大多数人来说,默认的日志文件格式(也称为普通日志文件格式或 CLF)在用于对 Web 网点的效率进行仔细分析时,不能提供足够的信息。它提供原始的命中数、被访问的页面、主机访问、时间标签等基本数值,但是它不能捕获"查询的"URL、使用的浏览器和使用的 cookie。因此,有两种使你的日志文件获得更多数据的方法:通过使用与 NCSA 兼容的命令来记录不同浏览器的某些信息,或通过使用 Apache 自己的可配置的日志文件格式。

与 NCSA 兼容 为了与 NCSA 1.4 Web 服务器兼容,要添加两个模块。这些模块从 HTTP 请求流中记录 User-Agent 和 Referer 头部。

User-Agent 是大多数浏览器发送的头部,它标识浏览器在使用什么软件。这个头部的记录可以由 srm.conf 文件中或 virtual-host-specific 小节中的 AgentLog 命令来激活。这个命令带一个参数,这个参数记录 User-Agent 文件的文件名,例如:

AgentLog logs/agent_log

要使用 AgentLog 命令,需要确保 mod_log_agent 模块已经被编译并且已链接到服务器程序中。

类似地,Referer 头部也是由浏览器发送的,它指出连接的尾部。换句话说,当你在 URL 是 "A"的页面上,且在这个页面上有一个到 URL 为"B"的链接,而且你跟随这个链,那么对页面 "B"的请求包括 URL 为"A"的 Referer 头部。这对发现有哪些网点连接到你的网点上和它们占 了多大比例的通信量是非常有用的。

Referer 头部的记录是由 Referer 命令来激活的,Referer 命令指向记录查询者的文件:

RefererLog logs/referer_log

Referer 记录模块提供的另一个选项是 RefererIgnore,这个命令允许你忽略 Referer 头部。如 果你只对从其他网点到你的网点的连接感兴趣,那么 RefererIgnore 对从你自己的网点上清除查 询者是有用的。例如,如果你的网点是 www.myhost.com,那么你可能想使用下面的命令:

RefererIgnore www.myhost.com

记住:Referer 头部的记录需要在 mod_log_referer 中编译和链接。

完全可配置的记录　像许多 Apache 特性一样,前面提供的模块是为了向后兼容性。当 然,它们也有一些问题。因为它们不包含它们正在记录的请求的其他任何信息,所以要了解哪 个 Referer 字段与你网点上的哪个特定对象对应几乎是不可能的。理想情况下,与服务器交易 的所有信息都会被记录到一个文件中,扩展了普通日志文件格式或完全替换了它。这种功能 就是在 mod_log_config 模块中实现的。

mod_log_config 模块实现 LogFormat 命令,它把一个字符串作为参数,用以 % 开头的变量来 指示请求中的不同的数据块。表 33.4 列出了这些变量。

表 33.4　LogFormat 命令的变量

变量	定义
%h	远程主机
%l	通过 identd 的远程确认
%u	远程用户,由可能发生的任何用户确认来决定。如果用户不被确认 且请求的状态是 401(确认错误),那么这个字段可能是假的
%t	用于时间的普通日志文件格式
%r	请求的第一行
%s	状态。对内部重定向的请求而言,这是最初请求的状态;% > s 将给 出最近的状态
%b	传送的字节
%{Foobar}i	Foobar 的内容:从客户到服务器的请求中的头部行
%{Foobar}o	Foobar 的内容:服务器对客户的响应中的头部行

例如,如果你想在你的日志中只捕获远程主机名、请求的对象和时间标签,那么你可以使 用下面的命令:

LogFormat　"%h　\"%r"\"　%t"

它将记录与下面类似的内容:

host.outsider.com "GET /HTTP/1.0" [06/Mar/1996:10:15:17]

你可以使用引号

你确实必须把请求变量用引号括起来。可配置记录模块会自动地解释这些变量的值,而不是只读取这些变量的名字。用一个斜线加引号(\")来指示你想要一个实际的引号字符而不是这个字符串的结尾。例如,如果你想把 User-Agent 字符串添加到记录中,那么你的日志格式将变成:

LogFormat "%h \"%r\" %t \" %{User-Agent}i \""

因为通常 User-Agent 字段中都有空格,所以应该用引号把它括起来。假设你想捕捉 Referer 字段:

LogFormat "%h \"%r\" %t %{Referer}i"

你不需要这个转义引号,因为 Referer 头部(如 URL)中没有空格。但是,如果你正在建立一个关系重大的应用程序,那么你可能还要用引号把它括起来,因为 Referer 头部是由客户提供的,因此对它的格式没有保证。

默认的日志文件格式是普通日志文件格式(CLF),它被表达为:

LogFormat "%h %l %u %t \"%r\" %s %b"

事实上,CLF 的大多数已有的日志文件分析工具将忽略添加在结尾的附加字段。要捕获最重要的附加信息并且仍能被这些工具所分析,那么,你要使用下面的格式:

LogFormat "%h %l %u %t \"%r\" %s %b "%{Referer}i \"%{User-Agent}i \""

提示:

如果你要对被记录的内容进行更多的控制,那么你可以使用可配置记录模块以实现对变量的简单条件测试。用这种方法,你可以把它配置成只有当特殊的状态代码被返回(或没有被返回)时才记录变量。捕获状态代码的格式是在%和这个变量的字母之间插入这些代码的以逗号分隔的列表:

%404,403{Referer}i

这个例子是说只有当由服务器返回的状态是 404 Not Found 或 403 Access Denied 时,才记录 Referer 头部。其他时候只记录一个"-"。如果你只关心用 Referer 来找到这样一些老的链接,这些链接指向那些不再使用了的资源,那么只有 403 或 404 错误记录是有用的。

对 Referer 状态代码的反义是在状态代码列表的开始处放一个!。例如:

%!401u

将记录任何用户确认交易中的用户,除非这个确认失败。在这种情况下,你可能根本就不想看到假用户名。

记住:与许多功能一样,记录功能可以针对虚拟主机来配置。因此,如果你想使对同一个服务器上的所有不同虚拟主机的记录放到同一个记录中的话,那么你要在 < VirtualHost > 部分为 hosta 写下面的命令:

LogFormat "hosta...."

在 < VirtualHost > 部分为 hostb 写下面的命令:

LogFormat "hostb...."

在后面"虚拟主机"一节中将更详细地介绍虚拟主机。

注释:

为了"针对虚拟主机"来配置记录,你必须在 mod_log_config 中进行编译。你还必须确保默认的记录模块(mod-log_common)没有编译进去。否则,服务器将会混乱。

33.2.5 内容协商

内容协商是一种机制,通过这种机制,Web 客户可以向服务器表达它知道如何表达何种类型的数据,根据这些信息,服务器可以为客户提供被请求的资源的"最佳"版本。内容协商可以发生在许多不同的特性上——数据的内容类型(也称作媒体类型)、数据采用的人类语言(如英语或法语)、文档的字符集和它的编码。

内容类型协商 如果你想在你的页面上使用内联 JPEG 图像,但又不想不管那些其浏览器不能处理内联 JPEG 图像的用户,那么你还可以为这种图像制做一个 GIF 版本。虽然 GIF 文件可能较大或只有 8 位,但这仍然比给浏览器提供一些它不能处理的东西、使链接中断要好。因此,浏览器要与服务器协商服务器发送给客户的数据格式。

对内容协商的规范从一开始就是 HTTP 的一部分。遗憾的是,它不像人们期望的那么可靠。例如,目前实现插入件(plug-ins)的浏览器不能在连接头部中表达它们的插入件是用于哪些媒体类型的。因此,内容协商目前还不能用于决定是向某人发送一个 ShockWave 文件还是向他发送一个对等的 Java 文件。现在,使用内容协商唯一安全的地方是在一个页面上区分内联的 JPEG 和 GIF 图像。目前使用的许多浏览器都实现了足以具有这种功能的内容协商。

Apache1.0 中的 mod_negotiation.c 文件实现了 HTTP/1.0 IETF 草案的一个较老的版本中的内容协商规范,这个草案中的内容协商还未达到 RFC 状态。因为这个规范不完善,所以内容协商被删除了。在 HTTP/1.1 中,内容协商正在进行重大改进。然而,这并不是说现在它不能安全地用于对内联图像的选择。

要激活内容协商,你必须在服务器中包含 mod_negotiation.c 模块。实际上有两种方法来配置内容协商:

□ 使用类型映射文件来描述带特定首选值和内容特征的可协商资源的所有变体

□ 设置一个称为 MultiViews 的 Options 值

因为你关注的是实用,所以你只需学习 MultiViews 功能。如果你对类型映射功能感兴趣,那么 Apache Web 网点上有介绍它的文档。

在你的 access.conf 文件中,找到这样一个选项设置行,其中的选项使网点上你需要的部分能使用内容协商。(你还可以为整个网点设置内容协商)。如果在那一行上没有 Multiviews,那么必须设置它。具有讽刺意味的是,ALL 值不包括 MultiViews。这只是为了向后兼容性。因此,你需要与下面类似的行:

Options Indexs Includes MultiViews

或

Options All MultiViews

当 MultiViews 参数被改变时,你必须重新启动你的服务器以实现这个新配置。

当 MultiViews 打开时,你能做如下事情:把一个 JPEG 图像放在一个目录中(如/path/)并把它命名为 image.jpg。现在,制作一个对等的 GIF 格式图像并把它放在与 image.jpg 同一个/path/目录中。这两个对象的 URL 分别是:

http://host/path/image.jpg

和

http://host/path/imgae.gif

现在,如果你让你的 Web 浏览器去获取:

http://host/path/image

那么服务器将进到/path/目录,看到这两个图像文件,然后根据客户声明可以支持的图像格式来决定选择哪个图像格式。当客户说它可以接受 JPEG 或对等的 GIF 图像时,服务器将选择较小的那个图像版本,把它送给这个客户。通常,JPEG 图像比 GIF 图像要小得多。

因此,如果你制作的 HTML 与下面的内容相似:

< HTML >< HEAD >

< TITLE >Welcome to the Gizmo Home Page! < /TITLE >

< /HEAD >< BODY >

< IMG SRC = "/header" ALT = "GIZMO Logo" >

Wecome to Gizmo!

< IMG SRC = "/products" ALT = "Products" >

< IMG SRC = "/services" ALT = "Services >

那么,你可以对头部、产品和服务使用不同的 GIF 和 JPEG 文件。客户将(大部分情况下)得到它们声明的它们可以支持的图像。

注释:

如果你有一个名为 image 的文件和一个名为 image.gif 的文件,那么当有对 image 的请求时,将送出名为 image 的文件。同样,一个指定要 imgae.gif 的请求将不会返回 image.jpg,即使客户知道如何处理 JPEG 图像。

人类语言协商　如果 MultiViews 是有效的,那么你还可以通过资源所使用的语言(如法语、英语和日语等)来区分它们。做法是:在文件后缀名空间中添加更多的项,这些项对应服务器要使用的语言,然后给它们一种顺序(这种顺序能打破同等状态)。具体来说,在 srm.conf 文件中增加两个新命令——AddLanguage 和 LanguagePriority。格式如下:

　　AddLanguage en .en
　　AddLanguage it .it
　　AddLanguage fr .fr
　　AddLanguage jp .jp
　　LanguagePriority en fr jp it

假设你想协商在文件 index.html 中使用的语言,其中你可以使用英语、法语、意大利语和日语。你要分别建立 index.html.en、index.html.fr、index.html.it 和 index.html.jp,然后用 index.html 来引用这个文档。当有多语言客户连接时,它应该在一个请求头部(即 Accept-Language)中指出它喜欢使用哪种语言,对此浏览器是使用标准的两个字母表示法来表达的。服务器看到客户能接受什么,并把"最好的一种版本"发送给这个浏览器。LanguagePriority 是决定谁是最好的版本的组织。如果对客户而言,英语是不能接受的,那么就试试法语;否则,试试日语;否则,试试意大利语。LanguagePriority 还声明在请求中无 Accept-Language 头部时应该提供哪种语言。

因为语言映射后缀和内容类型后缀共享同一个名字空间,所以你可以把它们混起来使用。index.html.fr 和 index.fr.html 是一样。只要确信你用正确的协商资源来引用它。

33.2.6 As-Is 文件

经常,你想在你的文档中使用一些头部(如 Expires:),但不想使相应的文档页成为一个 CGI 脚本。最容易的方法是把 httpd/send-as-is MIME 类型添加到 srm.conf 文件中。

AddType httpd/send-as-is asis

这是说,任何以 .asis 结尾的文件可以包括它自己的 MIME 头部。但是,它必须在内容的实体之前包括两个回车符。实际上,它会包括两个回车/换行组合,但是 Apache 会忽略它们并为你插入换行符。因此,如果你想要发送一个带有一个特殊定制的 MIME 类型的文档,这种类型是你不想向服务器注册的,那么你可以发送:

Content-type: text/foobar
This is text in a very special "foobar" MIME Type.

我遇到过的此类最有意义的应用是:作为一种十分有效率的机制来实现没有 CGI 脚本的服务器—推动(内联图形动画)对象。通常需要 CGI 脚本来建立一个服务器—推动(server-push)的原因是内容类型常常包括多部分分隔符(因为一个服务器—推动通常是一个 MIME 多部分消息)。在下面的例子中,xxxxxxxx 指示多部分消息的各部分之间的边界:

Content-type: multipart/x-mixed-replace; boundary = xxxxxxxx

--xxxxxxxx
Content-type: image/gif

....(GIF data)....
--xxxxxxxx

Content-type: image/gif

....(GIF data)....
--xxxxxxxx
....

可以在 AddType 命令中使用 .asis 参数把数据流制作成简单的文件,使用这种方法可以不使用 CGI 脚本,你也会节约许多开销。你失去的大概只是进行计时推动的能力。对许多人而言,减慢 Internet 连接是需要重视的问题。

如果你使 MultiViews 有效,那么你可以把 .asis 添加到文件名的结尾,所有你的连接都不需要重新命名。例如,foobar.html 可以很容易地变成 foobar.html.asis,而且你仍可以把它称作 foobar.html。

"asis"的最后一个吸引人的应用是不需要访问服务器的配置文件就能够进行 HTTP 的重定向。例如,下面的 .asis 文件将把人们重定向到另一个地方:

Status 302 moved
Location: http://some.other.place.com/path/
Content-type: text/html

```
< HTML >
< HEAD >< TITLE > We've Moved! < /TITLE > < /HEAD >
< BODY >
< H1 > We used to be here，but now We're
< A HREF ="http://some.other.place.com/path/" > over there.< /A >
< /H1 >
< /BODY >< /HTML >
```
这里的 HTML 内容只是为那些不了解 302 响应的客户而写的。

33.3 高级功能

你可能想在你的服务器上实施更多的控制或以非常特殊的方法来定制操作环境。你可以配置 Apache 服务器来支持高级功能，如访问控制和用户确认。

33.3.1 基于主机的访问控制

根据客户机的主机名、域或 IP 地址，你可以控制对服务器甚至对它的子目录的访问。通过使用 allow 和 deny 命令来实现这个功能，allow 和 deny 可以与 order 一起使用。allow 和 deny 可以控制多个主机：

deny from badguys.com otherbadguys.com

通常，你想做下面两件事中的一件事：你想拒绝除某些机器以外的所有机器对你的服务器的访问，或者你想把访问权授予给除某些主机外的所有机器。拒绝除某些机器以外的所有机器的访问的处理方法如下：

order deny,allow

allow from mydomain.com

deny from all

这个命令是说，"只把访问权授予给 mydomain.com 域中的主机"。这个域可以包括 host1.my domain.com、ppp.mydomain.com 和 the-boss.mydomain.com。

当决定是否授权访问时，上面的命令告诉服务器在 allow 条件之前评估 deny 条件。同理，前面介绍的"只排除一些网点"的情况可用如下方法处理：

order allow,deny

allow from all

deny from badyuys.com

order 是必须的，因为服务器需要知道首先要使用的规则是什么。order 的默认值是 deny 和 al-low。

在 order 的第三个参数 mutual-failure 中，条件必须把 allow 和 deny 规则传递给后继者。换言之，它必须出现在 allow 列表中，并且它肯定不出现在 deny 列表中。例如：

order mutual-failure

allow from mydomain.com

deny from the-boss.mydomain.com

在这个例子中,阻止 the-boss.mydomain.com 访问这个资源,但是在 mydomain.com 中的其他所有机器都能够访问这个资源。

警示：

用主机名来保护资源是危险的。一位有决心的用户可以控制对他的 IP 地址的逆向 DNS 映射从而骗过他想要骗过的主机名,这是相当容易的。因此,强烈建议你使用 IP 地址来保护任何敏感的事情。同样,你可以只列出域名代表在该域中的任何机器。你还可以给出部分的 IP 值：

allow from 204.62.129

表明只允许其 IP 地址值与 240.62.129 匹配的主机可以使用,这些主机如 204.62.129.1 或 204.62.129.130。

典型地,这些命令通常用在 access.conf 配置文件中的 < Limit > 容器内,或在 < Directory > 容器内。下面的例子是大多数保护的好模板；除了 204.62.129 IP 空间内的主机外,它不让任何主机访问/www/htdocs/private 目录：

< Directory /www/htdocs/private >

options Indudes

AllowOverride None

< Limit GET POST >

order allow,deny

deny from all

allow from 204.62.129

< /Limit >

< /Directory >

33.3.2　用户认证

当你把资源放在用户认证(user authentication)下面时,你通过要求名字和口令来限制对这个资源的访问。这个名字和口令被保存在服务器的数据库中。这个数据库可采取多种形式；已经有访问如下数据库的 Apache 模块：普通文件数据库、数据库管理(DBM)文件数据库、mSQL数据库(一个自由软件数据库)、Oracle 和 Sybase 数据库等等。本章只介绍普通文件数据库和DBM 格式数据库。

首先介绍一些基本的配置命令。AuthName 命令为口令保护的页面设置认证"区域"。区域是在提示要求认证时呈现给客户的内容,如"Please enter your name and password for the realm(请为这个领域输入你的名字和口令)"。

AuthType 命令为这个领域设置认证类型。在 HTTP1.0 中,只有一个认证类型,即 Basic(基本类型)。HTTP/1.1 有数种,如 MD5。

AuthUserFile 命令指定一个含有名字和口令列表的文件,每行一对。通过简单的 UNIXcrype()例程来加密这些口令。例如：

joe:D.W2yvlfjaJoo

mark:21slfoUYGKsIe

AuthGroupFile 命令指定一个包含用户组清单和这些组的成员的清单的文件,组成员之间用空格分隔。例如：

managers：joe mark

production：mark shelley paul

最后,require 命令指定需要满足什么条件才能被授权访问。它可以只列出可能连接的指定用户、指定可能连接的用户的一个组或多个组的清单,或指出数据库中的任何有效用户都被自动地授权访问。例如:

require user mark paul

(Only mark and paul may access.)

require group managers

(Only people in group managers may access.)

require valid-user

(Anyone in the AuthUserFile database may access.)

配置文件以下面的方式结束:

< Directory /www/htdocs/protected/ >

AuthName Protected

AuthType basic

AuthUserFile /usr/local/etc/httpd/conf/users

< Limit GET POST >

require valid-user

</Limit >

</Directory >

如果你想对一个特殊组保护一个目录,那么配置文件看上去像下面这样:

< Directory /www/htdocs/protected/ >

AuthName Protected

AuthType basic

AuthUserFile /usr/local/etc/httpd/conf/users

AuthGroupFile /usr/local/etc/httpd/conf/group

< Limit GET POST >

require group managers

</Limit >

</Directory >

33.3.3 数据库管理文件认证

你还可以配置 Apache 以使用 DBM 文件来更快地查找口令和组成员。要使用 DBM 文件,你必须编译 mod_auth_dbm 模块,并把它包含在服务器中。

DBM 文件是 UNIX 文件类型,它们实现快速的散列列表(hash)的查找,使它们成为处理大的用户/口令数据库的理想工具。普通文件系统需要对每个访问分析口令文件直到找到一个匹配为止,在返回一个"不能找到这个用户"的错误之前,可能要遍历整个文件。在另一方面,散列表立即知道"关键字"在数据库中是否存在,以及它的值是什么。

有些系统使用 ndbm 库;有些系统使用 berkeley(伯克利)db 库。然而,通过 Apache 的接口是完全相同的。

要使数据库使用 DBM 文件而不是普通文件,使用不同的命令 AuthDBMUserFile 来代替 AuthUserFile。同样,对于组文件,使用 AuthDBMGroupFile 来代替 AuthGroupFile。

33.3.4 虚拟主机

Apache 实现了处理虚拟主机的非常简明的方法。虚拟主机是一种在一台机器上提供多个主机服务的机制。由于 HTTP 中的限制,目前提供的多个主机服务是通过对一台机器分配多个 IP 地址值来实现的,然后把 Apache 绑定到不同的 IP 地址上。例如,一台 UNIX 机器可能有如下指向它的地址:204.122.123.1、204.122.133.2 和 204.122.133.3,同时把 www.host1.com 绑定到第一个地址上;把 www.host2.com 绑定到第二个地址上;把 www.host3.com 绑定到第三个地址上。

提示:

Apache1.2(通过 HTTP1.1 协议规范)还支持基于无 IP 的虚拟主机。用这种新特性,你不再需要为每台虚拟主机提供 IP 地址。

通过在 httpd.conf 中使用容器来配置虚拟主机。它们看上去与下面类似:

< VirtualHost www.host1.com >

DocumentRoot /www/htdocs/host1/

TransferLog logs/access.host1

ErrorLog logs/error.host1

< /VirtualHost >

在 VirtualHost 标记中的属性是主机名,服务器查找它以得到一个 IP 地址。

注释:

如果 www.host1.com 会返回多个 IP 地址,或者 Web 服务器在把主机名解析为 IP 地址时有问题的话,则你可能要使用 IP 地址来代替它。

任何放置在 VirtualHost 容器中的命令只属于对那个主机名的请求。DocumentRoot 指向一个目录,这个目录可能包含专用于 www.host1.com 的内容。

每个虚拟主机都可以有它自己的访问记录、它自己的错误记录、它自己的其他记录的派生物、它自己的 Redirect 和 Alias 命令、它自己的 ServerName 和 ServerAdmin 命令等等。事实上,在命令的核心集中只有如下命令是虚拟主机服务器不能支持的:

ServerType	MaxRequestsPerChild
UserId	BindAddress
GroupId	Pidfile
StartServers	TypeConfig
MaxSpareServers	ServerRoot
MinSpareServers	

如果你计划运行有大量虚拟主机的 Apache,那么你必须仔细查看对进程数的限制。例如,某些 UNIX 平台允许各进程只能同时打开 64 个文件描述符。因为一个 Apache 子进程将对每

个虚拟主机每个日志文件消耗一个文件描述符,所以 32 个虚拟主机(每个都有它自己的传输和错误记录)将很快地就会超过那个进程限制值。你将注意到,如果错误记录开始报告"unable to fork()"这样的错误,或你的访问记录根本就写不进去,你就遇到了这类问题。Apache 确实试图调用 setrlimit()(试图限制进程数的系统函数调用)来处理这个问题,但是系统有时会阻止它,使得这个系统调用不成功。

33.3.5 定制错误信息

Apache 能在出现错误时给出定制响应。这是用 ErrorDocument 命令来控制的。其语法是:

ErrorDocument *HTTP_response_code action*

其中 HTTP_response_code 是触发 action 的事件。action 可以是:

- □ 一个本地的 URI,服务器被内部重定向到这个 URI。
- □ 一个外部的 URL,客户被重定向到这个 URL。
- □ 一个以"字符开始的文本字符串,其中%s 变量含有任何额外的附加信息(如果有的话)。

例如:

ErrorDocument 500 "Ack! We have a problem here:%s.

ErrorDocument 500 /errors/500.cgi

ErrorDocument 500 http://backup.myhost.com/

ErrorDocument 401 /subscribe.html

ErrorDocument 404 /debug/record-broden-links.cgi

两个额外的 CGI 变量被传递给任何重定向的资源:REDIRECT_URL 包含所请求的初始 URL,REDIRECT_STATUS 给出引起重定向的初始状态。这将帮助这个脚本,如果这个脚本的工作是试图推断出是什么引起了错误响应的话。

33.3.6 各种各样的 httpd.conf 设置

一些附加的配置选项不适合在其他地方介绍,因为它们的功能有些独特或不同。这些选项包括 BindAddress、FidFile 和 Timeout。

BindAddress 在启动时,Apache 绑定到这一端口上,这个端口被指定为把这台机器可使用的所有 IP 地址都与它绑定。BindAddress 命令可用于只指定要绑定的特定的 IP 地址。通过使用这个特定的地址,你可以运行 Apache 的多个拷贝,每个拷贝提供不同的虚拟主机,而不是有一个处理所有虚拟主机的守护进程。你可能要运行两个具有不同系统用户 ID 的 Web 服务器,对于安全和访问控制,这是很有用的。

假设你有三个 IP 地址:1.1.1.1、1.1.1.2 和 1.1.1.3,其中 1.1.1.1 是这台机器的主地址。你想运行三个 Web 服务器,但想让其中之一以与其他两个不同的用户 ID 来运行。你可能有两个配置文件集;第一个配置文件可能有下面的内容:

User Web3

BindAddress 1.1.1.3

ServerName www.company3.com

DocumentRoot /www/company3/

另一个配置文件可能有如下的内容：

        User Web1
        ServerName www.company1.com
        documentroot /www/company1/
        < VirtualHost 1.1.1.2 >
        ServerName www.cimpany2.com
        documentbtRoot /www/company2/
        < /VirtualHost >

如果你启动第一个配置文件,那么它将只绑定到 IP 地址 1.1.1.3。由于第二个配置文件没有 BindAddress 命令,它将绑定到具有所有 IP 地址的端口上。因此,你想用第一个配置文件集启动一个服务器,然后用第二个配置文件集启动这个服务器的另一个拷贝。实质上,这两个服务器将在同一台机器上运行。

PidFile PidFile 是含有 Apache 进程 ID 的文件所在的位置。这个文件对自动关闭或重新启动 Web 服务器是很有用的。默认时,这个参数是 logs/Attpd.pid。例如,通过下面的命令,你可以关闭服务器:

cat /usr/local/etc/httpd/logs/httpd.pid ¦ xargs kill -15

你可能想把这个文件从记录(logs)目录删掉,把它放入/var 目录中,但这是不必要的。

Timeout Timeout 命令指定这样一个时间量,它是服务器在发送下一个分组之前及在认为连接"丢失了"之前要等待的时间量。例如,1200(缺省值)是指服务器在发送一个分组后,如果没有回应返回的话,那么在它认为这次连接已断开之前,它将等待 20 分钟。繁忙的服务器可能要缩短这个时间值,这是以减少对低带宽顾客的服务为代价的。

33.4 从这里开始

在下面各章中,你可以学到更多的有关运行 Apache Web 服务器的知识:

☐ 第三十二章"开始使用 Apache",介绍安装和配置 Apache Web 服务器的基本知识。

☐ 第三十四章"管理 Internet Web 服务器",向你介绍如何使你的服务器功能强、有效率、自动化和安全。

第三十四章　管理 Internet Web 服务器

本章内容
☐ 服务器子进程控制

　　介绍如何使 Apache 有效地管理子进程
☐ 提高效率

　　本章介绍配置 Apache 的技巧，以便 Apache 的运行效率更高。
☐ 日志文件的轮换（rotation）

　　学习如何配置你的系统以便为长期的记录轮换日志文件。
☐ 安全问题

　　你将了解 Apache 安全方面的知识，包括如何限制对特定目录的访问和控制 CGI 脚本。

　　Apache Web 服务器最大的优点之一是：它是高度可调的。差不多带给服务器的任何种额外负载的每一特性都是一个选项。这意味着，如果需要的话，你可以为了速度而牺牲特性。即 Apache 是为速度和效率而设计的。即使使用了所有的 Apache 的特性，你也可能在耗尽结构优良的 Linux/Pentium 机器的资源之前，耗尽整个 T1 带宽。

　　Apache 还被设计成使网点管理员能够在安全和功能之间作出权衡。对拥有许多内部用户的某些网点而言（如 Internet 服务提供商），对何种功能能够用于何处具有控制权是很重要的。同时，一个 Web 设计专业服务商店可能想要有完全的灵活性，即使这意味着一个有错误的通用网关接口（Common Gateway Interface，CGI）脚本可能暴露安全漏洞或造成损坏。事实上，总的来说许多人感到 CGI 具有很大的安全风险，但我将对此谈点看法。

34.1　控制服务器子进程

　　如在第三十二章"开始使用 Apache"中所介绍的，Apache 使用一群同时运行和回答请求的半持续的守护程序（有时称作子进程）。虽然这群子进程的数量是变化的，但是对它能达到多少数量和它以多快或多慢的速度成长有限制。这是关键的；较老的服务器在每个请求到来时执行 fork( )系统调用。其主要的性能问题之一是没有办法来控制同时运行的守护程序的数量，因此，当机器的主内存用完了并开始使用交换内存时，这个机器将变得不稳定。这被俗称为"daemon-spamming"。

参见 32.4"启动 Apache"。

　　其他服务器软件让你指定固定的进程数，当一个新请求来到时，如果所有子进程都在忙，就用"为每个请求 fork（分叉）"来对付。这还不是最好的模型，因为不仅许多人把进程数设置得太高（当只需要 5 个进程时，却有 30 个子进程在运行，这会阻碍性能的发挥），而且这种模式还取销了对 daemon-spamming 的防范。

因此，Apache 模型用一定数量的持续进程来启动，并确保你总是保留某一数目（实际上，是在最小值和最大值之间的一个范围）的"空闲"进程，以处理并发请求的起伏。如果你必须启动更多的进程以维护最小量的"空闲"进程，这没有问题。如果你发现你自己有比"空闲"进程数的最大值还要多的空闲服务器，那么超量的空闲服务器可以被撤消。有一个最大的进程数，超过这个数就不再启动进程，以保护机器免于 daemon-spamming。

防止太多的程序纠缠在一起或拖垮服务器的算法是使用下面的配置命令来实现的：

StartServers	10
MinSpareServers	5
MaxSpareServers	10
MaxClients	150

这些数是默认值。这就是说，当 Apache 启动时，10 个子进程（StartServers）被自动地启动，不管启动时的请求负载。如果所有 10 个子进程都在使用，那么产生更多的进程，直到所有的请求都能及时回答。这要求最少五个（MinSpareServers）但不多于 10 个（MaxSpareServers）的空闲服务器来处理高峰时的请求（即突然来了一群请求，它们之间相差不到半秒）。有时，这些高峰的请求是由一些浏览器引起的。这些浏览器在一个页面内为每个内联图像打开了单独的 TCP 连接以试图改进用户的感受，这经常以损害服务器和网络性能为代价。

通常，同时运行的子进程可以达到一个稳定值。但如果请求正在涌入的话（例如，你在网点上安装了 Pamela Anderson Fan Club 页面），你可能达到 MaxClients 限制值。此时，请求将进入你的内核的"监听"队列中排队，等待得到服务。如果仍然有许多请求涌入，那么你的访问者将最终看到"connections refused（连接被拒绝）"的消息。然而，这还是比不限制同时运行的进程数为好，因为那样的话，服务器就会放任地启动子进程并开始 daemon-spamming，结果是没有人能得到这个服务器的服务。

建议你不要调整 MaxClients，因为对大多数系统而言，150 是一个好的数值。然而，你可能希望看到在一台带有 1G RAM 的多处理器 Sun Netra ｊ 2/1200 上能够处理多少个请求。在这种情况下，把 MaxClients 设置得大一些是有意义的。与此相反，你可能正在具有有限内存或 CPU 资源的机器上运行 Web 服务器，并且你可能想确保 Apache 不消耗所有的资源，能为到达你的网点的所有请求提供服务。此时，把 MaxClients 设置得小一些更有意义。

34.2 使用 Scoreboard 文件

因为在上节描述的多进程模式在父进程和子进程之间需要某种形式的通信，所以选择了这种跨平台的通信方法。这是一个记分板（scoreboard）文件，其中每个子进程在这个文件中有一块它有权写入的空间。父进程 httpd 程序监视这个文件来获得状态报告，并对是否启动更多的子进程或撤消空闲进程作出决定。

开始，这个文件放在/tmp 目录中。然而，Linux 设置程序有规律地清理/tmp 目录（这使得 Apache 服务器失去了控制），由于这个问题，记分板文件后来被移到/var/log 目录中。你能够用 ScoreBoardFile 命令来指定存放记分板文件的位置。

在 Apache 发行版本中的 support/子目录中，有一个称作 httpd_monitor 的程序。它可以用记分板文件来运行，从而了解所有子进程的状态以及它们是否刚启动、是否在活动、是否在休眠和是否已经结束。它可以使你很好了解对 MaxSpareServers 和 MinSpareServers 的设置是否是合适。可以把它当作与系统命令 iostat 非常接近的对等命令。

34.3 提高服务器软件的效率

你可用许多方法通过标准设置来提高性能,包括用更巧妙的方法来配置你的资源、为得到更好的性能关闭某些特性、甚至在操作系统和硬件级采取某些措施。所有这些因素都使一个高性能 Web 服务器不同于普通 Web 服务器。

大多数非硬件的改进分成三类:降低 CPU 的负载、减少对磁盘的 I/O 数量和降低对内存的需要。

34.3.1 使用服务器端的包含命令

服务器端的包含命令(SSI)是预处理 HTML 语句,它们会导致磁盘访问负载的增加和 CPU 负载的增加。CPU 方面的代价源于:必须分析 HTML 文件来查找包含命令;分析文件比读文件并把它分块发送给套接字的强度更大。

磁盘访问的代价源于:为提供一个页面访问,必须进行两次、三次、四次或更多的独立磁盘访问,以便把一个页面组合起来。例如,一个典型的 SSI 文档可能需要把头部和尾部组合到内存中以提供服务。为把这个页面组合起来需要三次磁盘访问,而不是一次。如果内联的 HTML 文件很大,那么差别不很大。因为 HTML 文件通常都较小,所以磁盘访问的代价相对而言就很大。还可能包含 CGI 脚本使问题复杂化了;如果你有一个包含了两个 CGI 脚本的 SSI 页面,那么你的开销至少要比你在开始位置有一个描述整个页面的 CGI 脚本要多两倍。

34.3.2 使用 .htaccess 文件

Apache 使用称作 .htaccess 的特殊文件来控制对目录的访问。为 .htaccess 文件而搜索目录是相当困难的。因为 .htaccess 文件分层地工作,当有对 /path/path2/dir1/dir2/foo 的请求时,Apache 将在每个子目录中搜索 .htaccess 文件。在 /path/path2/dir1/dir2/foo 的例子中,至少有五个子目录——这是明显的磁盘访问负担,如果可能的话,最好避免它。

为了解决太多磁盘访问的问题,你应该把通过 .htaccess 文件控制的任何内容放到 access.conf 配置文件中,或者放到 srm.conf 文件中。如果你不得不在子目录中搜索 .htaccess 文件,应该把搜索范围收缩到特定的子目录中。通过使用 AllowOverride 让服务器只在那个子目录中搜索 .htaccess 文件是可能的。

假设你的文档根目录是在 /www/htdocs/ 中,并且你想关闭对所有 .htaccess 文件的搜索,除那些在 /www/htdocs/dir1/dir2 目录中的和其下的目录中的 .htaccess 文件之外。你要把与下面类似的内容放到你的 access.conf 配置文件中:

〈Directory/www/htdocs〉
Options All
AllowOverride None
〈/Directory〉
〈Directory/www/htdocs/dir1/dir2〉
Options All

AllowOverride All

〈/Directory〉

按上面的顺序列出目录是很重要的,这样,第二个〈Directory〉就不会优先于第一个。

34.3.3 为服务器推动动画使用 .asis 文件

.asis 文件的特色是使它们的 HTTP 头部直接嵌入到文件本身。它们是用于某些类型的文件(如服务器 – 推动动画)的一种有用的优化措施。服务器 – 推动动画需要有设置它们自己的头部的能力,并且通常是由 CGI 脚本把它们向外提供服务的。通常的服务器 – 推动 CGI 脚本在动态组合图像方面有额外的开销,但利用 .asis 文件,整个数据流能被链接到一个文件中,减少了 I/O 访问和内存以及 CPU 的开销。

参见 33.2.6"As-Is 文件"。

通过使用 .asis 参数你唯一失去的东西是做定时推动(timed push)的能力,在定时推动中,帧之间有一段时间间隔,就像调用 sleep()一样(sleep()是系统调用,程序调用它时将在给定的秒数内暂停)。但由于服务器 – 推动也受带宽限制,因此很多人认为定时推动的能力是一种可疑的特性。

34.4 自动轮换日志文件

当然,网点管理员的一个目标应该是自动轮换访问和错误记录。即使一个轻负载的服务器每天也将产生数兆字节的记录活动。若不加以处理,你的磁盘空间会很快耗尽。

日志文件轮换的最基本要素是使 Web 服务器在不停止对外面用户提供服务的情况下,停止向旧的日志文件中写内容并开始向另一个日志文件写内容。完成日志文件轮换的最直接的方法是稍微改变日志文件的名字并向父进程发送一个 SIGHUP 信号。"稍微"的意思是在同一硬盘、同一分区上重新命名它为 access_log.0 或某个相似的名字。为什么?每个子进程都有一个打开日志文件的文件描述符。当你重新命名这个文件时,这个文件描述符仍指向这个日志文件直到这个子进程收到来自父进程的 SIGHUP 的一个"回音"。当子进程得到这个 SIGHUP 回音时,它就关闭这个文件描述符,获得一个新的文件描述符并且产生了一个新的 access_log。这很可能是保证在轮换记录时不会丢失通信报告的唯一的方法。

下面是完成日志文件轮换的脚本的例子:

```
#!/bin/sh
logdir = "/usr/local/etc/httpd/logs"          # name of the log directory
acclog = "access_log"                          # name of the access log
errlog = "error_log"                           # name of the error log
pidfile = "$logdir/httpd.pid"                  # file that stores the parent's
                                               # process ID
mv  $logdir/$acclog  $logdir/$acclog.0
 w  $logdir/$errlog  $logdir/$errlog.0
```

kill -HUP ′cat ＄ pidfile′

这个轮换日志文件脚本必须由启动 HTTP 守护程序的同一用户（例如，"root"）来运行。你可能想编写另外的脚本以把这些 .0 文件放到某种档案中；我爱用的一种方法是把年和月用作子目录，如把 1997 年 1 月 1 日的日志文件放到某个具有很多空间的目录中的一个名为 1997/01/01 的文件中。这样，通过移动一个目录，就可以容易地把这些日志文件归档到其他某个地方（如 DAT 磁带、CD-ROM，或者甚至删除它）。

34.5　了解安全问题

作为一个 Web 网点的管理员，你的服务器的安全问题无疑是你最关心的问题之一。运行 Web 服务器本来就是对安全的冒险。运行 Web 网点就是把你的机器完全插入到一个网络中。但是，可以做很多工作以使你的 Web 服务器更安全，避免外部力量（有人试图侵入你的网点）和内部力量（你自己的 Web 网点用户错误地或自愿地打开了漏洞）造成的不安全因素。

34.5.1　CGI 问题

要保护你的网点不受外部威胁，你要关心的最主要的因素是 CGI 脚本。大多数 CGI 脚本是基于 shell 的，使用 Perl 或 C shell 解释程序而不是编译程序。因此，许多攻击的发生是利用了这些 shell 的一些"特性"。本节不想太详细地介绍如何使 CGI 脚本本身是安全的。但是，作为一名管理员，你应该知道一些重要的事情。

CGI 脚本用服务器子进程的用户 ID 运行。在默认情况下，这个用户 ID 是"nobody"。为了充分地保护你自己，你可能要把"nobody"用户当作你的网点上不受信任的用户，确保这个用户对你想要保持私有的文件没有读权限，并且对任何敏感的地方没有写权限。某些 CGI 脚本（例如，允许用户对你的 Web 网点记录评论的顾客簿（guestbook）应用程序）将要求对某些文件的写访问。因此，如果你想使用这类应用程序，那么最好指定这样一个目录，CGI 脚本可以向这个目录写入，就不用担心一个恶意的或误写的 CGI 脚本覆盖它不应覆盖的数据。

而且，通过使用 ScriptAlias 命令，网点管理员可以把 CGI 的使用限制到特定的目录中。另外，如果你把 .cgi 作为 CGI 脚本的文件扩展名，那么你可以在 access.conf 中使用 Option ExecCGI 命令以便进一步控制 CGI 文件的使用。

作为用 ExecCGI 控制访问的例子，如果你想允许在除"user"子目录外的网点（其文档根目录为 /home/htdocs）上的任何地方都可以使用 CGI（之所以不让"user"子目录使用 CGI，是因为你不信任你的用户使用 CGI 脚本），那么你的 access.conf 看上去应该像清单 34.1 那样。

清单 34.1　显示目录配置信息的 access.conf 文件样例

```
< Directory/home/htdocs/ >
Options Indexes FollowSymLinks Includes Multiviews ExecCGI
AllowOverride None
< /Directory >
< Directory /home/htdocs/users/ >
Options Indexes SymLinksIfOwnerMatch IncludesNOEXEC Multiviews
AllowOverride None
< /Directory >
```

因为 ExecCGI 不出现在第二个目录的 Options 列表中,所以没有人能在这个目录中使用 CGI 脚本。

遗憾的是,实际上没有介于允许 CGI 脚本和不允许 CGI 脚本的中间地带。现在,大多数用于 CGI 程序的语言都没有内置安全概念,因此,"不要碰这个硬盘"或"不要以 e-mail 方式把/etc/passwd 文件发送给外面的用户"这样的应用原则需要被这样来处理,就像你确实有需要对它们进行同样的限制的 Linux 用户。当 Sun 公司的 Java 语言在服务器端得到更多的使用,或者当人们较少使用低级的解释语言而较多的使用高级编程工具时,也许这种情况会发生改变。

34.5.2　服务器端的包含命令

正如你从清单 34.1 所看到的,在服务器的信任部分和不信任部分之间有另一种变化:Options 的 Includes 参数被改为 IncludesNOEXEC。IncludesNOEXEC 允许不信任用户使用服务器端的包含命令但不允许它们使用 CGI 脚本的 # include 或运行 # exec 命令。# exec 命令在不信任环境中特别容易出现问题,因为它基本上为用户提供了 HTML 作者的 shell 级的访问。

34.5.3　符号链接

在不信任环境中,UNIX 符号链接(它使跨文件系统的链接有效)也是 Web 网点管理员要关心的一个问题。有恶意的用户可以非常容易地从他们有写权限的目录对一个对象或资源(甚至文档根目录以外的对象或资源)建立符号链接,他们仅需要对此有读权限。例如,一个用户可能建立一个到/etc/passwd 文件的链接,然后把这个链接发布到 Web 上,这把你的网点暴露给了潜在的破坏企图,特别当你的操作系统没有使用隐蔽口令时。

注释:

在最近涉及 Alta Vista 搜索引擎的事件中,对口令文件常用的单词(bin、root、ftp 等等)的搜索找到了对实际口令文件的引用,这些文件被有意或无意地公开化了。这些口令文件中的一些带有加密口令,在大多数工作站上用几个小时的 CPU 时间就足于破译这些口令。

为保护符号链接的安全性不被破坏,网点管理员有两个选择:通过使用 SymLinkIfOwner-Match 只允许这样一些符号链接,即如果这个链接的所有者和链接到的资源的所有者相同;或通过不指定 FollowSymLinks 或 SymLinkIfOwnerMatch 来不允许所有的符号链接。

还要注意到,在清单 34.1 中的两个 < Directory > 段都包括了 AllowOverride None。不允许符号链接是最保守的设置;如果你想通过使用.htaccess 文件使某些事情在这些目录中是可调整的,那么你可以用 AllowOverride 命令来指定它们。但是,使用 None 是最安全的策略。

34.5.4　公共可写空间

对 Web 服务器的最后的安全威胁是允许通过 HTTP 提供公共可写空间。例如,许多网点允许通过 Web 直接访问它们的 "incoming" FTP 目录。如果某人想在那里放置一个恶意的的 CGI 脚本或放置一个调用 # exec 来做某些破坏的服务器端包含文件,这肯定是一个安全漏洞。如果你决定你需要冒提供公共可写空间的风险,那么你可采取一些措施来保护你自己:

☐ 对 Options 命令,你应该设置的最保守的设置是:

Options Indexes

你可以使用 None,但 Indexes 确实不会带来任何附加的安全问题,只要你不担心其他人能够下载已提交的任何东西。由于美国政府关于"下流"资料的新近立法,你可能也不想冒这种风险。

☐ 确保你设置了 AllowOverride None,这样人们就不能把一个 .htaccess 文件上载到你的目录中并修改你的所有设置和安全策略。

☐ 确保你正在使用的 FTP 守护程序不允许设置执行位。通过阻止设置执行位,你就防止执行上载的 CGI 脚本。如果你正在用 XBitHack 来激活你的服务器端的包含命令,那么你还可以防止运行这些包含命令。这主要是对清单 34.1 中 Options 设置的一个备份,它能保护你免遭这些威胁。

如果你拥有这样一些 CGI 脚本,它们产生它们自己的、独特的、可编址的 HTML 或 CGI 文件,那么这些准则也适用。例如,如果 guestbook.cgi 程序不断地把提交的个人信息添加到一个 guestbook.html 文件中,那么所有这些准则都适用;这个 HTML 文件的内容一定是不安全的。如果这个 CGI 脚本对正在写入的内容进行复查并删掉"危险"的代码(如服务器端的包含命令),那么这个可能的安全漏洞就能够被堵住。

34.6 从这里开始

在下面这章中,你可以了解到有关设置、配置和运行 Apache Web 服务器的更详细内容:

☐ 第三十二章"开始使用 Apache"提供对 Apache Web 服务器的一个介绍。

附　　录

附录 A 信息来源

由于 Linux 操作系统是基于 UNIX 系统的,因此几乎所有有关 UNIX 的书都提供有关 Linux 的信息,然而最好的信息来源还是 Linux 社区本身,它可以提供从 Linux 的更新版本到十分活跃的 Usenet 新闻组的所有信息。Linux 还通过 Linux 文档计划(LDP)提供联机文档,Linux 文档计划正在为 Linux 编写一套完整的手册。这个计划的最新版本可以通过 Internet 获得。整个计划是由 Matt Welsh 率领的,且该计划所提供的大多数信息放在你的本地驱动器的/usr/doc/fag 目录中。

下面的清单提供 Internet FTP 网点、杂志和新闻组,通过它们,你可以收集更多有关 Linux 的信息。

A1 Usenet 新闻组

如果你可以访问 Usenet 新闻组,那么你就可以分享下列新闻组提供的各种有关 Linux 的信息。只有 comp.os.linux.announce 和 comp.os.linux.answers 两个新闻组是有限制的。

参见 30.5"Usenet 文化"。

注释:
因为已产生了更多的专用新闻组,所以原来与 Linux 有关的新闻组 comp.os.linux 已不存在了。

☐ comp.os.linux.announce 这个有限制的新闻组被用于发布重要的通知,如错误修正。
☐ comp.os.linux.answers 这个有限制的新闻组为你的任何有关 Linux 的问题(尤其是与设置 Linux 有关的问题)提供解答。在向这个新闻组发送问题前,请先阅读适当的 Linux 文档和 FAQ。
☐ comp.os.linux.development.system 这个新闻组供全球开发 Linux 系统的程序设计员使用。
☐ comp.os.linux.development.apps 这个新闻组供全球开发 Linux 应用程序的程序设计员使用。
☐ comp.os.linux.hardware 这个新闻组为硬件兼容性问题提供解答。
☐ comp.os.linux.setup 这个新闻组为 Linux 的设置和安装提供帮助。
☐ comp.os.linux.advocacy 这个新闻组提供了这样一个媒介,人们通过它来讨论为什么 Linux 是最优秀的操作系统。
☐ comp.os.linux.networking 这个新闻组对用 Linux 进行联网方面的问题提供解答。
☐ comp.os.linux.x 这个新闻组对在 Linux 下安装和运行 X 方面的问题提供解答。
☐ comp.os.linux.m68k 这个新闻组的目的是促进把 Linux 移植到摩托罗拉 680x0 结构上的开发工作及提高人们在这方面的兴趣。

comp.os.linux.misc 新闻组对不适于放在其他新闻组中的任何 Linux 话题起到总接收站的作用。另外,还有 170 多个其他的 Usenet 新闻组也包含单词 Linux。下面列出了一些较常见的 Linux 新闻组。去摸索吧!

alt.linux.sux	dc.org.linux-users
alt.os.linux	de.comp.os.linux.hardware
alt.uu.comp.os.linux.questions	de.comp.os.linux.misc

alt.os.linux.slackware

aus.computers.linux

de.alt.sources.linux.patches

uk.comp.os.linux

fj.os.linux

fr.comp.os.linux

han.sys.linux

linux.apps.bbsdev

linux.apps.linux-bbs

linux.apps.seyon

linux.apps.seyon.development

linux.apps.flexfax

linux.debian

linux.debian.announce

linux.debian.user

linux.dev.gcc

linux.dev.680xO

linux.dev.admin

linux.dev.apps

linux.dev.bbs

linux.dev.c-programming

linux.dev.config

linux.dev.debian

linux.dev.doc

liuux.dev.fido

linux.dev.fsf

linux.dev.fsstnd

linux.dev.ftp

linux.dev.hams

linux.dev.ibcs2

linux.dev.interviews

linux.dev.japanese

linux.dev.laptop

linux.dev.linuxbsd

linux.dev.linuxnews

linux.dev.linuxss

linux.dev.localbus

linux.local.silicon-valley

linux.motif.clone

linux.new-tty

linux.news.groups

linux.ports.alpha

de.comp.os.linux.networking

de.comp.os.linux.x

linux.dev.lugnuts

linux.dev.mca

linux.dev.mgr

linux.dev.msdos

linux.dev.net

linux.dev.new-lists

linux.dev.newbie

linux.dev.normal

linux.dev.nys

linux.dev.oasg

linux.dev.oi

linux.dev.pkg

linux.dev.ppp

linux.dev.qag

linux.dev.scsi

linux.dev.serial

linux.dev.seyon

linux.dev.sound

linux.dev.standards

linux.dev.svgalib

linux.dev.tape

linux.dev.term

linux.dev.uucp

linux.dev.wabi

linux.dev.word

linux.dev.kernel

linux.dev.x11

linux.fido.ifmail

linux.free-widgets.
announce

linux.free-widgets.bugs

linux.free-widgets.
development

linux.local.chicago

linux.local.nova-scotia

linux.samba

linux.samba.announce

linux.sdk

linux.wine.users

linux.test

A2 联机文档

Matt Welsh 率领一群 Linux 的热衷者正在系统地编写一套完整的 Linux 手册,这些手册可在 Internet 上获得。联机文档的最新版本可在 sunsite.unc.edu 的/pub/Linux/docs 目录中找到。你还可以在你的 Linux 的/docs 目录中找到这个文档的较早版本。可获得的文档包括如下部分:

- "Linux 安装与起步",Matt Welsh 著。
- "Linux 系统管理员指南",Lars Wirzenius 著。
- "Linux 网络管理员指南",Olaf Kirch 著。
- "Linux 内核黑客指南",Michael K. Johnson 著。
- "Linux 常见问题(FAQ)清单",由 Ian Jackson 维护;它由各种各样有关 Linux 主题的问题和解答组成。
- "Linux META-FAQ",由 Michael K. Johnson 维护。
- "Linux INFO-SHEET",由 Michael K. Johnson 维护。
- "Linux 软件地图",由 Aaron Schab 维护,提供通过 FTP 获得的每个 Linux 软件包的有关信息。

Linux HOWTO

Linux HOWTO 索引为所有可获得的 HOWTO 文档提供一个索引。这些 HOWTO 文档对它们的主题提供了详细的解释。其中包括的主题有:

- Linux 安装 HOWTO
- Linux 硬件 HOWTO 和 Linux 打印 HOWTO

参见附录 B"Linux HOWTO 索引"以得到 Linux HOWTO 和 mini HOWTO 网点地址的完整清单。这些文件放在你的本地驱动器上的/usr/doc/fag/howto 目录中。大多数文件用 gzip 存档以节省磁盘空间。要阅读这些或其他的压缩文件,请使用 zless 命令。

许多有关 Linux 主题和 GNU 程序的 FAQ 和 Linux 一起发行,并可以在/usr/info 目录中找到。

联机帮助

通过 man 命令,Linux 操作系统本身提供大量的联机帮助。为访问联机帮助,请输入 man命令,后跟你想要获得信息的主题。

参见 5.3.1"用 man 获得命令的帮助"。

A3 杂志

《Linux 杂志》是目前唯一定期的、明确地为 Linux 服务的杂志。你可以从下面的地址获得有关该杂志的更多信息:

Linux Journal
P.O. Box 85867
Seattle, WA 98145
(206)527-3385

http://www.ssc.com/lj/

A4 Linux FTP 网点

Linux 是 Internet 的产物,因此,Internet 就自然地成了你能够找到有关 Linux 的最多、最新信息的地方。表 A.1 列出了维护 Linux 档案文件的 FTP 网点。主要的档案文件网点的名字是 sunsite.unc.edu,它位于 North Carolina-Chapel Hill 大学。

表 A.1 具有 Linux 档案文件的 FTP 网点

网点名	目录
tsx-11.mit.edu	/pub/linux
sunsite.unc.edu	/pub/Linux
nic.funet.fi	/pub/Linux
ftp.mcc.ac.uk	/pub/linux
ftp.dfv.rwth-aachen.de	/pub/linux
ftp.informatik.rwih-aachen.de	/pub/Linux
ftp.ibp.fr	/pub/linux
kirk.bond.edu.an	/pub/OS/Linux
ftp.uu.net	/systems/unix/linux
wuarchive.wustl.edu	/systems/linux
ftp.win.tue.nl	/pub/linux
ftp.stack.nl	/pub/linux
ftp.ibr.cs.tu-bs.de	/pub/os/linux
ftp.denet.dk	/pub/OS/linux

参见 27.2"使用 ftp 进行远程文件传输"。

A5 Linux Web 网点

因为 Linux 是 Internet 的一个产物,所以你不仅能找到与 Linux 有关的 FTP 网点,而且还可以找到与 Linux 有关的 Web 网点。事实上,Linux 是 Web 上十分流行的主题。表 A.2 中的 URL 是访问 Web 上的主要的 Linux 信息网点。

表 A.2 主要的 Linux Web 网点

URL	描述
http://sunsite.unc.edu/mdw	Linux 信息网点;Linux 文档计划的主要网点
http://www.Linux.org.uk	Linux 的欧洲用户的 Web 网点
http://www.li.org	国际 Linux Web 网点
http://www.linux.org	Linux 组织的 Web 网点

URL	描述
http：//www．sunsite．unc．edu/linux-source	Linux 源代码导航器,它允许你以超文本方式浏览 Linux 源代码
http：//www．yahoo．com/computers＿and＿Internet/operating＿systems/Unix/Linux	Yahoo！网点指向许多流行网点

A6　与 InfoMagic 联系

　　InfoMagic 生产了本书随带的 CD-ROM 光盘,并且该公司也支持这一产品。如果你的光盘损坏了,请与 Que 出版社联系,地址是 http：//www．quecorp．com。如果你已充分使用了上述资源,请与 InfoMagic 的支持部门联系,地址是 support@infomagic．com。

A7　对 Linux 的开发者

　　看来,你认为 Linux 迟早要成为最伟大的事物,而且你想帮助开发 Linux 的未来版本。对了,你是幸运的。Internet 上的一组活动的邮递清单是致力于探讨 Linux 开发的各种主题和问题的。这是多通道的邮递清单,这意味着不同主题的信息会被发送给不同组的人们。你必须订阅你感兴趣的每个通道。如果你想参加一个 Linux 开发项目,那么你可以向

　　majordomo@vger．rutgers．edu

发送电子邮件来得到更多的信息;在电子邮件中,使用 lists 来得到上述网点所拥有的清单。在你的电子邮件中增加 help 行以得到标准的 Majordomo 帮助文件,其中含有对订阅或退订的指导。

附录 B Linux HOWTO 索引

Greg Hankins 著,电子邮件地址是:gregh@sunsite.unc.edu
版本 2.10.7,1996 年 11 月 13 日。

本文档包括 Linux HOWTO 和 mini HOWTO 的索引,还包括 HOWTO 计划的其他信息。

B1 什么是 Linux HOWTO

　　Linux HOWTO 是详细描述配置或使用 Linux 的某个方面的文档。例如,安装 HOWTO 给出了安装 Linux 的指导;邮件 HOWTO 描述了如何在 Linux 下建立和配置邮件。其他 HOWTO 的例子还有 NET2 HOWTO 和打印 HOWTO。

　　HOWTO 是综合性的文档——很像 FAQ(常见问题)文档,但通常不以问题与解答的形式出现。但是,许多 HOWTO 在其末尾含有 FAQ 部分。可得到数种格式的 HOWTO:纯文本、PostScript、DVI 和 HTML。

　　除 HOWTO 外,还有许多 mini HOWTO。mini HOWTO 是短小、特殊的 HOWTO,如 Color-ls mini HOWTO。只能得到纯文本格式的 mini HOWTO。

B2 从哪里获得 Linux HOWTO

　　可通过下述匿名 FTP 从以下网点获取 HOWTO 文档:

☐ ftp://sunsite.unc.edu/pub/Linux/docs/HOWTO

☐ ftp://tsx-11.mit.edu/pub/linux/docs/HOWTO

　　还可以从许多镜像网点获取 HOWTO:

< ftp://sunsite.unc.edu/pub/Linux/MIRRORS.html >

　　你还可以在 WWW 上浏览 HTML 格式的 HOWTO 文档:

< http://sunsite.unc.edu/LDP/HOWTO/ >

　　许多镜像网点,如 < http://sunsite.unc.edu/LDP/hmirrors.html > 还有镜像 HOWTO WWW 文件。sunsite.unc.edu 被大量使用,因此如果可能的话请使用镜像网点。

　　HOWTO 还按月发送到如下 Usenet 新闻组中:

comp.os.linux.answers

HOWTO 的译文

　　HOWTO 文档的法文译本可以在:

ftp://ftp.ibp.fr/pub/Linux/french/docs/HOWTO

上找到。

　　在下列地址可以找到日文译本的 HOWTO 文件:

☐ http://jf.gee.kyoto-u.ac.jp/JF/index.html(英文)

☐ http://jf.gee.kyoto-u.ac.jP/JF/JF.html(日文)

☐ ftp://ftp.kuis.kyoto-u.ac.jp/Linux/JF/

☐ ftp://wcarchive.cdrom.com/pub/Linux/jf/

在下述地址可获得意大利文译本的 HOWTO

☐ ftp://ftp.unjpd.if/pub/Linux/plufo/docs/HOWTO:

☐ http://www.psico.unip.if/ildp/docs/HOWTO/INDEX.html

西班牙文译本的 HOWTO 可在下列地址处获得:

☐ http://lml.ls.upm.es/~jjamor/

☐ ftp://luna.gui.uva.es/pub/docs-esp/

☐ ftp://volean.us.es

德文译本的 HOWTO 可在 http://www.tu-harburh.de/~semb2204/dlhp/处获得。

如果你还知道其他译文的 HOWTO,请通知我,我将把它们添加到这份清单中。

B3 HOWTO 索引

目前可以获得下列 Linux HOWTO:(JE HOWTO 只有纯文本格式的。因为它还没有转换成 SGML 源格式)。

☐ 《Linux AX25 HOWTO》由 Terry Dawson 编写,地址是: < terry@perf.no.itg.telecom.com.au >。如何进行 Linux 的 AX25 联网配置。1996 年 6 月 14 日更新。

☐ 《Linus 访问 HOWTO》由 Michael De la Rue 编写,地址是: < access-howto@ed.ac.ub >。如何在 Linux 中使用适配技术。1996 年 8 月 1 日更新。

☐ 《Linux 引导提示 HOWTO》由 Paul Gortmaker 编写,地址是: < Paul.Gortmaker@anu.edu.au >。引导时的参数列表和引导软件概述。1996 年 7 月 1 日更新。

☐ 《Linux 引导盘 HOWTO》由 Graham Chapman 编写,地址是: < grahamc@zeta.org.au >。如何为 Linux 建立引导/根维护磁盘。1996 年 8 月 18 日更新。

☐ 《Linux 总线鼠标 HOWTO》由 Mile Battersby 编写,地址是: < mib@deakin.edu.au >。与 Linux 兼容的总线鼠标的有关信息。1994 年 8 月 2 日更新。

☐ 《Linux CDROM HOWTO》由 Jeff Tranter 编写,地址是: < tranter@software.mitel.com >。与 Linux 的 CD-ROM 驱动器兼容性有关的信息。1996 年 9 月 8 日更新。

☐ 《Linux 的商品化 HOWTO》由 Martin Michlmayr 编写,地址是: < tbm@sypher.com >。Linux 的商品化软件产品清单。1996 年 11 月 9 日更新。

☐ 《Linux 咨询者 HOWTO》由 Martin Michlmayr 编写,地址是: < thm@sypher.com >。Linux 咨询者清单。1996 年 11 月 9 日更新。

☐ 《Linux Cyrillic(西里尔文)HOWTO》由 Alexander L. Belikoff 编写,地址是: < abel@wisdom.weizmann.ac.il >。如何配置使用西里尔文字符集的 Linux。1995 年 9 月 17 日更新。

☐ 《Linux DNS HOWTO》由 Nicolai Langfeldt 编写,地址是: < janl@math.uio.no >。如何设置 DNS。1996 年 6 月 30 日更新。

☐ 《Linux DOSEMU HOWTO》由 Mike Deisher 编写,地址是: < deisher@dspsun.eas.asu.edu >。关于 Linux MSDOS 仿真程序(DOSEMU)的 HOWTO。1995 年 8 月 11 日更新。

☐ 《Linux 丹麦文 HOWTO》由 Thomas Petersen 编写,地址是: < petersen@postl.tele.dk >。如何配置使用丹麦文字符集的 Linux。1996 年 6 月 2 日更新。

☐ 《Linux 发行版本 HOWTO》由 Eric S. Raymond 编写,地址是: < esr@snark.thyrsus.com >。Linux 发行版

本的清单。1996 年 11 月 10 日更新。

☐ 《Linux ELF HOWTO》由 Daniel Barlow 编写,地址是:< daniel.barlow@linux.org >。如何安装和移入
ELF 二进制文件格式。1996 年 7 月 14 日更新。

☐ 《Linux Emacspeak HOWTO》由 Jim Van Zandt 编写,地址是:< jrv@vanzandt.mv.com >。如何在 Linux 中
使用"emacspeak"。1996 年 8 月 16 日更新。

☐ 《Linux 以太网 HOWTO》由 Paul Gortmaker 编写,地址是:< Paul.Gortmaker@anu.edu.au >。Linux 的以
太网硬件兼容性的有关信息。1996 年 10 月 4 日更新。

☐ 《Linux 芬兰文 HOWTO》由 Pekka Taipale 编写,地址是:< pjt@iki.fi >。如何配置使用芬兰文字符集的
Linux。1996 年 2 月 14 日更新。

☐ 《Linux 防火墙 HOWTO》由 Mark Grennan 编写,地址是:< markg@netplus.net >。如何用 Linux 建立防
火墙。1996 年 11 月 8 日更新。

☐ 《Linux Ftape HOWTO》由 Kevin Johnson 编写,地址是:< kjj@primenet.com >。有关与 Linux 兼容的 ftape
驱动器的信息。1996 年 9 月 20 日为 ftape-2.08 更新。

☐ 《Linux GCC HOWTO》由 Daniel Barlow 编写,地址是:< daniel.barlow@linux.org >。如何设置 GNU C 编
译器和开发库。1996 年 2 月 28 日更新。

☐ 《Linux 德文 HOWTO》由 Winfried Trumper 编写,地址是:< winni@xpilot.org >。在 Linux 中使用德文特
殊特性的有关信息。1996 年 1 月 20 日更新。

☐ 《Linux HAM HOWTO》由 Terry Dawson 编写,地址是:< terry@perf.no.itg.telecom.com.au >。如何为
Linux 配置业余无线电爱好者软件。1996 年 10 月 10 日更新。

☐ 《Linux HOWTO 索引》由 Greg Hankins 编写,地址是:< gregh@sunsite.unc.edu >。Linux 的 HOWTO 文
档的索引。1996 年 11 月 13 日更新。

☐ 《Linux 硬件兼容性 HOWTO》由 Tawei Wan 编写,地址是:< frac@pobox.com >。已知的能与 Linux 一
起使用的硬件的清单。1995 年 11 月 14 日更新。

☐ 《Linux 希伯来文 HOWTO》由 Yair G. Rajwan 编写,地址是:< yair@hobbes.jct.ac.il >。如何配置使用
希伯来文字符集的 Linux。1995 年 9 月 12 日更新。

☐ 《Linux INFO-SHEET》由 Michael K Johnson 编写,地址是:< johnsonm@redhat.com >。对 Linux 操作系统
的一般介绍。1996 年 10 月 31 日更新。

☐ 《Linux IPX HOWTO》由 Terry Dawson 编写,地址是:< terry@perf.no.itg.telecom.com.au >。如何安装
和配置 IPX 网络。1996 年 10 月 10 日更新。

☐ 《Linux ISP Hookup HOWTO》由 Egil Kvaleberg 编写,地址是:< egilk@sn.no >。对挂接到一个 ISP 上的
基本介绍。1996 年 3 月 9 日更新。

☐ 《Linux 安装 HOWTO》由 Eric S. Raymond 编写,地址是:< esr@snark.thyrsus.com >。如何获得和安
装 Linux。1996 年 11 月 10 日更新。

☐ 《Linux 意大利文 HOWTO》由 Marco "Gaio" Gaiarin 编写,地址是:< gaio@dei.unipd.it >。如何配置使
用意大利文字符集的 Linux。1996 年 8 月 2 日更新 0.6 贝它版。

☐ 《Linux JE HOWTO》由 Hiroo Yamagata 编写,地址是:< hiyori13@interramp.com >。有关 Linux 的日本
语扩展集 JE 的信息。

☐ 《Linux Java HOWTO》由 Eric S. Raymond 编写,地址是:< esr@snark.thyrsus.com >。如何开始使用 Ja-
va 和 HotJava。

☐ 《Linux 内核 HOWTO》由 Brian Ward 编写,地址是:< ward@blah.tu-graz.ac.at >。升级和编译 Linux
内核。1996 年 8 月 1 日更新。

☐ 《Linux 键盘 HOWTO》由 Andries Brouwer 编写,地址是:< aeb@cwi.nl >。有关 Linux 键盘、控制台和非
ASCII 字符的信息。1995 年 11 月 8 日更新。

☐ 《Linux META-FAQ》由 Michael K Johnson 编写,地址是:< johnsonm@redhat.com >。一个 Linux 信息来

源清单。1996 年 7 月 16 日更新。

□《Linux MGR HOWTO》由 Vincent Broman 编写,地址是:< broman@nosc.mil >。有关 Linux 的 MGR 图形界面的信息。1996 年 5 月 30 日更新。

□《Linux 电子邮件 HOWTO》由 Vince Skahan 编写,地址是:< vince@halcyon.com >。有关基于 Linux 的邮件服务器和客户的信息。1995 年 11 月 29 日更新。

□《Linux 模块 HOWTO》由 Lauri Tischler 编写,地址是:< ltischler@efore.fi >。如何装载模块和参数清单。1996 年 10 月 20 日更新。

□《Linux NET-2 HOWTO》由 Terry Dawson 编写,地址是:< terry@perf.no.itg.telecom.com.au >。在 Linux 下配置 TCP/IP、SLIP、PLIP 和 PPP 的 HOWTO。1996 年 1 月 16 日更新。

□《Linux NIS HOWTO》由 Erwin Embsen 编写,地址是:< erwin@nioz.nl >。有关在 Linux 系统上使用 NIS/YP 的信息。1995 年 1 月 24 日更新。

□《Linux 新闻 HOWTO》由 Vince Skahan 编写,地址是:< vince@halcyon.com >。有关 Linux 的 USENET 新闻服务器和客户软件的信息。1995 年 11 月 29 日更新。

□《Linux PCI HOWTO》由 Michael Will 编写,地址是:< Michael.Will@student.uni-tuebingen.de >。有关 PCI 体系结构与 Linux 的兼容性的信息。1995 年 7 月更新。

□《Linux PCMCIA HOWTO》由 Dave Hinds 编写,地址是:< dhinds@allegro.stanford.edu >。如何安装和使用 PCMCIA 卡服务。1996 年 9 月 29 日更新。

□《Linux PPP HOWTO》由 Robert Hart 编写,地址是:< iweft@ipax.com.au >。有关在 Linux 中使用 PPP 网络的信息。1996 年 8 月 25 日更新。

□《Linux 波兰文 HOWTO》由 Sergiusz Pawlowicz 编写,地址是:< ser@arch.pwr.wroc.pl >。有关在 Linux 中使用波兰文特殊特性的信息。1996 年 6 月 24 日更新。

□《Linux 葡萄牙文 HOWTO》由 Joao Carlos Rodrigues Pereira 编写,地址是:< jcrp@caravela.di.fc.ul.pt >。如何配置使用葡萄牙文字符集的 Linux。1995 年 9 月 14 日更新。

□《Linux 打印 HOWTO》由 Grant Taylor 编写,地址是:< gtaylor + pht@picante.com >。有关 Linux 的打印软件的 HOWTO。1996 年 9 月 10 日更新。

□《Linux 打印用法 HOWTO》由 Mark Komarinski 编写,地址是:< markk@auratek.com >。如何针对各种文件类型和选项使用打印系统。1996 年 9 月 10 日更新。

□《Linux SCSI HOWTO》由 Drew Eckhardt 编写,地址是:< drew@PoohSticks.ORG >。有关与 Linux 兼容的 SCSI 驱动器的信息。1996 年 8 月 30 日更新。

□《Linux SCSI 编程 HOWTO》由 Heiko Eissfeldt 编写,地址是:< heiko@colossus.escape.de >。有关对通用 Linux SCSI 接口编程的信息。1996 年 5 月 7 日更新。

□《Linux SMB HOWTO》由 David Wood 编写,地址是:< dwood@plugged.net.au >。如何在 Linux 中使用会话消息块(SMB)协议。1996 年 8 月 10 日更新。

□《Linux 串行 HOWTO》由 Greg Hankins 编写,地址是:< greg.hankins@cc.gatech.edu >。有关使用串行设备和通信软件的信息。1995 年 8 月 9 日更新。

□《Linux 隐蔽口令 HOWTO》由 Michael H. Jackson 编写,地址是:< mhjack@tscnet.com >。如何获得、安装和配置隐蔽口令。1996 年 4 月 3 日更新。

□《Linux 斯洛文尼亚文 HOWTO》由 Primoz Peterlin 编写,地址是:< primoz.peterlin@biofiz.mf.uni-lj.si >。有关使用具有斯洛文尼亚文特殊特性的 Linux 的信息。1996 年 10 月 30 日更新。

□《Linux 声音 HOWTO》由 Jeff Tranter 编写,地址是:< Jeff_Tranter@Mitel.COM >。Linux 操作系统的声音硬件和软件。1996 年 9 月 8 日更新。

□《Linux 声音播放 HOWTO》由 Yoo C. Chung 编写,地址是:< wacko@powerl.snu.ac.kr >。如何在 Linux 下播放各种格式的声音。1996 年 11 月 12 日更新。

□《Linux 西班牙文 HOWTO》由 Gonzalo Garcia Agullo 编写,地址是:< Gonzalo.Garcia_agullo@jrc.es >。

有关使用具有西班牙文特殊特性的 Linux 的信息。1996 年 8 月 20 日更新。

□《Linux Term HOWTO》由 Patrick Reijnen 编写,地址是：< patrickr@bart.nl >。在 Linux 系统上使用 "Term"通信软件包的 HOWTO。1995 年 7 月 15 日更新。

□《Linux 提示 HOWTO》由 Paul Anderson 编写,地址是：< paul@geekyl.ebtech.net. >。关于 Linux 的各种各样的提示和技巧。1996 年 10 月 12 日更新。

□《Linux UMSDOS HOWTO》由 Jacques Gelinas 编写,地址是：< jacques@solucorp.qc.ca >。如何安装和使用 UMSDOS 文件系统。1995 年 11 月 13 日更新。

□《Linux UPS HOWTO》由 Harvey J. Stein 编写,地址是：< hjstein@math.huji.ac.il >。有关与 Linux 一起使用 UPS 电源的信息。1995 年 4 月 16 日更新。

□《Linux UUCP HOWTO》由 Vince Skahan 编写,地址是：< vince@halcyon.com >。有关 Linux 的 UUCP 软件的信息。1995 年 11 月 29 日更新。

□《Linux WWW HOWTO》由 Peter Dreuw 编写,地址是：< pdreuw@wing.gun.de >。如何设置 WWW 客户和服务器。1996 年 10 月 6 日更新。

□《Linux XFree86 HOWTO》由 Eric S. Raymond 编写,地址是：< esr@snark.thyrsus.com >。如何获得、安装和配置 XFree86 3.2 (X11R6)。1996 年 11 月 10 日更新。

B4 mini-HOWTO 索引

可得到如下的 mini-HOWTO(都是纯文本的)文档：

□《Linux 三按钮鼠标 mini-HOWTO》由 Geoff Short 编写,地址是：< geoff@kipper.york.ac.uk >。如何配置你的鼠标以便能使用三个按钮。1996 年 10 月 25 日更新。

□《Linux ADSM 备份 mini-HOWTO》由 Thomas Koenig 编写,地址是：< Thomas.Koenig@ciw.unikarlsruhe.de >。如何安装和使用 ADSM 备份程序。1996 年 1 月 3 日更新。

□《Linux AI-Alife mini-HOWTO》由 John A Eikenberry 编写,地址是：< jae@ai.uga.edu >。有关 Linux 的 AI 软件的信息。1996 年 11 月 13 日更新。

□《Linux 汇编 mini-HOWTO》由 Francois-Rene Rideau 编写,地址是：< rideau@ens.fr >。如何用 x86 汇编语言编程。1996 年 6 月 15 日更新。

□《用 MSDOS 进行 Linux 备份的 mini-HOWTO》由 Christopher Neufeld 编写,地址是：< neufeld@physics.u-toronto.ca >。如何用 MSDOS 备份 Linux 系统。1996 年 2 月 6 日更新。

□《Linux Boca mini-HOWTO》由 David H Dennis 编写,地址是：< david@amazing.cinenet.net >。如何安装一个 Boca 16 端口的串行卡(Boca 2016)。1995 年 2 月 16 日更新。

□《Linux BogoMips mini-HOWTO》由 Wim C.A van Dorst 编写,地址是：< baron@clifton.hobby.nl >。有关 BogoMips 的信息。1996 年 11 月 7 日更新。

□《Linux 网桥 mini-HOWTO》由 Chris Cole 编写,地址是：< chris@polymer.uakron.edu >。如何设置以太网网桥。1996 年 8 月 23 日更新。

□《Linux CD 刻录机 mini-HOWTO》由 Winfried Trumper 编写,地址是：< winni@xpilot.org >。如何写 CD。1996 年 11 月 8 日更新。

□《Linux 的彩色 ls mini-HOWTO》由 Thorbjoern Ravn Andersen 编写,地址是：< ravn@dit.ou.dk >。如何设置 ls 的颜色。1996 年 4 月 27 日更新。

□《Linux 控制台 mini-HOWTO》由 R. Mark Salathiel 编写,地址是：< RSalathi@nyx.cs.du.edu >。如何设置多个虚拟控制台。1994 年 12 月 25 日更新。

□《Linux 多控制台 mini-HOWTO》由 Winfried Trumper 编写,地址是：< winni@xpilot.org >。如何设置多个虚拟控制台。1996 年 9 月 17 日更新。

☐ 《Linux DOS2Linux mini-HOWTO》由 Guido Gonzato 编写,地址是: < Guido@ibogfs.cineca.it > 。开始使用 Linux 的简短指南。1996 年 4 月 26 日更新。

☐ 《Linux Diald mini-HOWTO》由 Harish pillay 编写,地址是: < h.pillay@ieee.org > 。如何使用 diald 来拨号连接一个 ISP。1996 年 6 月 3 日更新。

☐ 《Linux Dip + SLiRP + CSLIP mini-HOWTO》由 Zenon Fortuna 编写,地址是: < zenon@netcom.com > 。如何一起使用 Dip + SLiRP + CSLIP。1995 年 10 月 15 日更新。

☐ 《无盘 Linux mini-HOWTO》由 Robert Nemkin 编写,地址是: < buci@math.klte.hu > 。如何设置无盘的 Linux 机器。1996 年 5 月 31 日更新。

☐ 《Linux 动态 IP Hacks mini-HOWTO》由 Michael Driscoll 编写,地址是: < fenris@lightspeed.net > 。使用动态 IP 地址的提示和技巧。1996 年 10 月 26 日更新。

☐ 《Linux GUI 开发 mini-HOWTO》由 Philip Markwalder 编写,地址是: < pgmarkwa@stud.ee.ethz.ch > 。与 GUI 开发软件和书籍有关的信息。1995 年 6 月 6 日更新。

☐ 《Linux 图形工具 mini-HOWTO》由 Michael J. Hammel 编写,地址是: < mjhammel@csn.net > 。介绍 Linux 上可使用的图形工具。1996 年 5 月 15 日更新。

☐ 《Linux Gravis-UltraSound mini-HOWTO》由 J-F Mammet 编写,地址是: < mammet@diva.univ-mlv.fr > 。如何安装 Gravis UltraSound 即插即用卡。1996 年 3 月 27 日更新。

☐ 《Linux HTML 确认 mini-HOWTO》由 Keith M. Corbett 编写,地址是: < kmc@specialform.com > 。如何用 nsgmls 来确认 HTML 2.0 文档。1995 年 10 月 29 日更新。

☐ 《Linux HTTP + Netware mini-HOWTO》由 Pramod Karnad 编写,地址是: < karnadp@mozart.inet.co.th > 。如何在 NetWare 局域网上设置 Linux HTTP 服务器。1996 年 3 月 14 日更新。

☐ 《Linux IO 端口编程 mini-HOWTO》由 Riku SaiMionen 编写,地址是: < rjs@spider.compart.fi > 。如何在 C 程序中使用 I/O 端口。1996 年 8 月 26 日更新。

☐ 《Linux IP 别名 mini-HOWTO》由 Harish Pillay 编写,地址是: < h.pillay@ieee.org > 。如何使用 IP 别名。1996 年 11 月 12 日更新。

☐ 《Linux IP 掩码 mini-HOWTO》由 Ambrose An 编写,地址是: < achau@wwonline.com > 。如何使用 IP 掩码。1996 年 8 月 17 日更新。

☐ 《Linux Java Workshop mini-HOWTO》由 Mike Gaertner 编写,地址是: < mg@genyosha.inchemnitz.de > 。如何在 Linux 中使用 Java Workshop for Solaris/Intel(JWS)。1996 年 9 月 8 日更新。

☐ 《Linux Jaz 驱动器 mini-HOWTO》由 Bob Willmot 编写,地址是: < bwillmot@cnct.com > 。如何在 Linux 中使用 Iomega Jaz 驱动器。1996 年 8 月 5 日更新。

☐ 《Linux keneld mini-HOWTO》由 Henrik Storner 编写,地址是: < storner@osiris.ping.dk > 。如何使用 "keneld"(动态模块装载)。1996 年 6 月 3 日更新。

☐ 《Linus 键设置 mini-HOWTO》由 Stephen bee 编写,地址是: < sl14@cornell.edu > 。如何设置光标控制键。1995 年 9 月 16 日更新。

☐ 《Linux 键击 mini-HOWTO》由 Zenon Fortuna 编写,地址是: < zenon@netcom.com > 。如何为键分配特定操作。1995 年 4 月 4 日更新。

☐ 《Linux LBX mini-HOWTO》由 Paul D. Smith 编写,地址是: < psmith@BayNetworks.com > 。如何使用低带宽的 X (LBX)。1995 年 10 月 23 日更新。

☐ 《Linux LF1000 mini-HOWTO》由 Skip Rye 编写,地址是: < root@brspc_0064.msd.ray.cotn > 。如何使用松下 LF1000 光盘驱动器。1995 年 3 月 29 日更新。

☐ 《Linux LILO mini-HOWTO》由 Cameron Spitzer 编写,地址是: < cls@truffula.sj.ca.us > 。一些典型的 LILO 安装实例。1995 年 6 月 4 日更新。

☐ 《Linux Linux + DOS + Win95 mini-HOWTO》由 Alan L Wendt 编写,地址是: < alan@ez0.ezlink.com > 。如何一起使用 Linux、DOS 和 Windows 95。1996 年 9 月 10 日更新。

☐ 《Linux Linux + OS2 + DOS mini-HOWTO》由 Haniish Moffatt 编写,地址是:< moffatt@yallara.cs.rmit.edu.au >。如何一起使用 Linux、OS/2 和 DOS。1996 年 5 月 20 日更新。

☐ 《Linux Linux + DOS + Win95 + OS2 mini-HOWTO》由 Mile Harlan 编写,地址是:< r3mdh@dax.cc.uakron.edu >。如何一起使用 Linux、DOS、OS/2 和 Windows 95。1996 年 3 月 6 日更新。

☐ 《Linux Linux + Win95 mini-HOWTO》由 Jonathan Katz 编写,地址是:< jkatz@in.net >。如何一起使用 Linux 和 Windows 95。1996 年 6 月 25 日更新。

☐ 《Linux Linux + WinNT mini-HOWTO》由 Bill Wohler 编写,地址是:< wohler@ulurn.worldtalk.com >。如何一起使用 Linux 和 Windows NT。1996 年 8 月 27 日更新。

☐ 《Linux 大磁盘 mini-HOWTO》由 Andries Brouwer 编写,地址是:< aeb@cwi.nl >。如何使用大于 1024 柱面的磁盘。1996 年 7 月 26 日更新。

☐ 《Linux locales mini-HOWTO》由 Peeter Joot 编写,地址是:< joot@ecf.toronto.edu >。如何配置 Linux 以便能使用地点(locale)。1996 年 6 月 6 日更新。

☐ 《Linux MIDI + SB mini-HOWTO》由 Hideki Saito 编写,地址是:< hideki@eskimo.com >。如何使用与 Sound Blaster 连接的 MIDI 键盘。1996 年 10 月 13 日更新。

☐ 《Linux 邮件队列 mini-HOWTO》由 Leif Erlingsson 编写,地址是:< leif.Erlingsson@mailbox.swipnet.se >。如何排队远程邮件和发送本地邮件。1995 年 9 月 19 日更新。

☐ 《Linux Mail2News mini-HOWTO》由 Robert Hart 编写,地址是:< iweft@ipax.com.au >。如何设置邮件到新闻组的网关。1996 年 11 月 4 日更新。

☐ 《Linux 联机帮助 mini-HOWTO》由 Jens Schweikhardt 编写,地址是:< schweikh@noc.dfn.de >。如何编写联机帮助。1996 年 4 月更新。

☐ 《Linux 模式行 mini-HOWTO》由 Rick Niles 编写,地址是:< niles@axp745.gsfc.nasa.gov >。如何使用"模式行(modeline)"。1995 年 2 月 11 日更新。

☐ 《Linux 多磁盘布局 mini-HOWTO》由 Gjoen Stein 编写,地址是:< gjoen@nyx.net >。如何对多磁盘上的分区进行布局。1996 年 8 月 6 日更新。

☐ 《Linux 多以太网 mini-HOWTO》由 Don Becker 编写,地址是:< becker@cesdis.gsfc.nasa.gov >。如何使用多个以太网卡。1995 年 8 月 5 日更新。

☐ 《Linux NFS-Root mini-HOWTO》由 Andreas Kostyrka 编写,地址是:< andreas@medman.ag.or.at >。如何设置无盘 Linux 机器。1996 年 3 月 14 日更新。

☐ 《Linux Netscape + Proxy mini-HOWTO》由 Sarma Seetamraju 编写,地址是:< sarma@usa.net >。如何为 Netscape 建立代理服务器。1996 年 10 月更新。

☐ 《Linux 联机支持 mini-HOWTO》由 lilo 编写,地址是:< TaRDiS@mail.utexas.edu >。有关 Linux Internet 协作支持(Internet Support Cooperative)的信息。1996 年 5 月 7 日更新。

☐ 《Linux PLIP mini-HOWTO》由 Andrea Controzzi 编写,地址是:< controzz@cli.di.unipi.it >。如何设置 PLIP (并行线路接口协议)。1996 年 8 月 22 日更新。

☐ 《Linux 在 ISDN 上的 PPP mini-HOWTO》由 R.Marc Phillips 编写,地址是:< rmarc@netcom.com >。如何设置 ISDN 上的 MLPPP。1996 年 4 月 13 日更新。

☐ 《Linux 进程帐单的 mini-HOWTO》由 Albert M.C. Tam 编写,地址是:< bertie@scn.org >。如何设置进程帐单。1996 年 7 月 29 日更新。

☐ 《Linux 代理 ARP mini-HOWTO》由 AI longyear 编写,地址是:< longyear@netcom.com >。使用代理 ARP 的小论文。1994 年 12 月 5 日更新。

☐ 《Linux 寻呼机 mini-HOWTO》由 Chris Snell 编写,地址是:< chris@unm.dorm..net >。如何建立包括文字和数字的呼叫网关。1996 年 9 月 25 日更新。

☐ 《Linux 分区 mini-HOWTO》由 Kristian Koehntopp 编写,地址是:< kris@schulung.netuse.de >。如何选择磁盘分区。1996 年 9 月 10 日更新。

□《Linux Print2Win mini-HOWTO》由 Hansh Pillay 编写,地址是:< h.pillay@ieee.org >。如何使用 SANBA 使打印信息输出到 Windows 中。1996 年 6 月 3 日更新。

□《Linux 限额 mini-HOWTO》由 Albert M.C. Tam 编写,地址是:< bertie@scn.org >。如何设置磁盘限额。1996 年 7 月 27 日更新。

□《Linux 文献清单》由 James H. Haynes 编写,地址是:< haynes@cats.ucsc.edu >。各种有趣的、与 Linux 主题有关的书籍。1996 年 2 月 24 日更新。

□《Linux 远程引导 mini-HOWTO》由 Marc Vuilleumier 编写,地址是:< mvuilleu@cui.unige.ch >。如何设置基于服务器的引导选择程序。1996 年 8 月更新。

□《Linux SLIP + proxyARP mini-HOWTO》由 Dave Kennedy 编写,地址是:< davek@melitia.com >。使用 SLIP 和代理 ARP 把局域网连接到 Net 上。1994 年 2 月 4 日更新。

□《Linux Sendmail + UUCP mini-HOWTO》由 Jamal Hadi Salim 编写,地址是:< jamal@glcom.com >。如何一起使用 sendmail 和 UUCP。1996 年 10 月 25 日更新。

□《Linux 交换空间 mini-HOWTO》由 H. Peter Anvin 编写,地址是:< hpa@yggdrasil.com >。如何在 Linux 和 Windows 之间共享交换空间。1995 年 6 月 19 日更新。

□《Linux TIA mini-HOWTO》由 Irish 编写,地址是:< irish@eskimo.com >。如何在 Linux 中使用"TIA"。1995 年 12 月 16 日更新。

□《Linux Term 防火墙 mini-HOWTO》由 Barak Pearlmutter 编写,地址是:< barak.pearlmutter@alumni.cs.cmu.edu >。如何在防火墙上使用"Term"。1996 年 5 月 22 日更新。

□《Linux 小新闻 mini-HOWTO》由 Kent Lewis 编写,地址是:< kent@fiona.umsmed.edu >。如何使用"INN"来建立小新闻库。1996 年 5 月 22 日更新。

□《Linux 令牌环网 mini-HOWTO》由 Mike Eckhoff 编写,地址是:< meckhoff@zaphod.wayne.esul.k12.ne.us >。如何使用令牌环网网卡。1996 年 7 月更新。

□《Linux Upgrade mini-HOWTO》由 Greg Louis 编写,地址是:< glouis@dynamicro.on.ca >。如何升级你的 Linux 发行版本。1996 年 6 月 6 日更新。

□《Linux 虚拟 Web mini-HOWTO》由 Dan Pancamo 编写,地址是:< pancamo@infocom.net >。如何设置虚拟的 WWW 网点。1995 年 11 月 24 日更新。

□《Linux 虚拟 wu-ftpd mini-HOWTO》由 Winfried Trumper 编写,地址是:< winni@xpilot.org >。如何在虚拟域中设置 wu-ftpd。1996 年 10 月 22 日更新。

□《Linux 可视铃 mini-HOWTO》由 Alessandro Rubini 编写,地址是:< rubini@ipvvis.unipv.it >。如何禁用可听铃和启用可视铃 。1996 年 8 月更新。

□《Linux Win95 + Win + Linux mini-HOWTO》由 Robert Goodwin 编写,地址是:< Robert.Goodwin@mcc.ac.uk >。如何使 Windows 95、Windows3.x 和 Linux 一起工作。1996 年 8 月 4 日更新。

□《Linux WordPerfect mini-HOWTO》由 Wade Hampton 编写,地址是:< tasi029@tmn.com >。如何为 Linux 设置 SCO WordPerfect。1995 年 3 月 17 日更新。

□《Linux X 大光标 mini-HOWTO》由 Joerg Schneider 编写,地址是:< schneid@ira.uka.de >。如何在 X Windows 中使用放大了的光标。1996 年 9 月 12 日更新。

□《Linux X 笔记本电脑 mini-HOWTO》由 Darin Ernst 编写,地址是:< darin@castle.net >。如何在具有 WD90C24 视频芯片的笔记本电脑上设置 X。1995 年 8 月 10 日更新。

□《Linux XFree86-XInside mini-HOWTO》由 Marco Melgazzi 编写,地址是:< s64912@athena.polito.it >。如何把 XFree86 转换为内置的模式行。1996 年 7 月更新。

□《Linux xterm 标题 mini-HOWTO》由 Winfried Trumper 编写,地址是:< winni@xpilot.org >。如何把字符串放在 X 终端的标题条上。1996 年 10 月 22 日更新。

□《Linux Xterminal mini-HOWTO》由 Scot W Stevenson 编写,地址是:< scot@catzen.gun.de >。如何把 X 终端连接到 Linux 机器上。1995 年 7 月更新。

□ 《Linux ZIP 驱动器 mini-HOWTO》由 Grant Guenther 编写,地址是:< grant@torque.net >。如何在 Linux 中使用一个 Iomega 的 ZIP 驱动器。1996 年 4 月 15 日更新。

B5 编写与提交 HOWTO

如果你对编写 HOWTO 或 mini-HOWTO 感兴趣,请首先通过 gregh@sunsite.unc.edu 与我联系。

以下是编写 HOWTO 或 mini-HOWTO 时应遵循的一些准则:

□ 尽量使用有意义的结构或组织,并书写清楚。记住,许多阅读 HOWTO 文件的人的第一语言并不是英语。

□ 如果你正在编写 HOWTO,那么你必须使用 Linuxdoc-SGML 软件包(这个软件包可从 sunsite.unc.edu:/pub/Linux/utils/text/获得)来格式化这个 HOWTO。这个软件包是 Matt Welsh 专门为 HOWTO 设计的,它允许我们从单个源文档产生 LaTeX (为 DVI 和 PostScript)、纯文本和 HTML。它还使所有的 HOWTO 文档有一个统一的外观。

□ 如果你正在编写 mini-HOWTO,那么你可以使用你喜欢的任何形式去编写。mini-HOWTO 就是简短的、自由形式的、关于非常专门的主题的 HOWTO 文档。总体说来,这些文档的编写或维护都很快,因此不必麻烦使用 Linuxdoc-SGML 软件包。但这并不意味着 mini-HOWTO 就不重要! 只发行纯文本版的 mini-HOWTO。

□ 确保所有的信息都是正确的。对此无论如何强调都不为过。不肯定时,可以推测,但要说明你仅仅是推测。

□ 确信你涵盖了可使用软件的最新版本。另外,一定要对从何处(FTP 网点名字、完整的路径名)可以下载软件提供完整的指导,及提供了该软件的当前版本号和发行日期。

□ 如果合适的话,在文档的结尾包括一个 FAQ 部分。许多 HOWTO 文档需要一个 FAQ 或通用问题小节来介绍正文部分未能包含的信息。

□ 用其他的 HOWTO 作模板。HOWTO 的 SGML 源代码可以在 Linux 的 FTP 网点获得。

□ 一定要把你的名字、e-mail 地址、日期和版本号放在文档的开始处附近。如果你愿意的话,你还可以包括一个 WWW 地址和一个普通邮件地址。

□ 最后,准备接受对你所编写的文档的提问和评价。世界各地每天有数百次对 HOWTO 集的访问!。

当你编写完 HOWTO 之后,请用电子邮件把它发给我。如果你使用 Linuxdoc-SGML,则只要把 SGML 源代码发给我。这些文档的格式化将由我来负责。我还负责将这些 HOWTO 存档于 sunsite.unc.edu 中并负责将它们发送到各个新闻组。

当你提交一个 HOWTO 时,通知我是很重要的,因为我维护这些档案,并必须记录正在编写什么 HOWTO 和谁正在做这个工作。

此后,你所需要做的事就是在合适的时候把对它的定期更新发送给我。

B6 版权

除非另有声明,否则 Linux HOWTO 文档的版权归其作者所有。Linux 的 HOWTO 文档可以被全部地或部分地、以任何实际的或电子的媒体进行复制和发行,只要在所有的拷贝上都带有这一版权声明。商业性的再发行是允许的并受到鼓励的;但是,作者希望得到任何此类发行的通知。

所有译文、派生作品或包含有任何 Linux HOWTO 文档的组合作品都必须遵守这个版权声·

明。这就是说,你不能对 HOWTO 文档的派生作品的发行添加附加的限制。在某些条件下,对这些原则也允许有例外;请按下面的地址与 Linux HOWTO 的协调人联系。

简言之,我们希望通过尽可能多的渠道来促进 Linux 信息的传播。然而,我们确实希望保留 HOWTO 文档的版权。如果任何人计划再发行 HOWTO,我们希望他们能够通知我们。

如果你有什么问题,请与 Linux HOWTO 的协调人 Greg Hankins 联系,其 e-mail 地址是:gregh@sunsite.unc.edu。

附录 C Linux 硬件兼容性 HOWTO

这是自 1997 年 1 月所能得到的最新的 HOWTO。尽管有点过时,但那些有关支持或不支持 Linux 的信息都是有价值的。所列出的硬件的大多数在增强或升级以后仍支持目前版本的 Linux。你可以在你的本地驱动器的/usr/doc/HOWTO 或 usr/doc/HOWTO/mini 目录中的找到本文档中提到的所有的 HOWTO 文档。

使用下面的命令来阅读具有.gz 扩展名的 HOWTO 文件:

zcat *filename* ¦ more

C1 介绍

1995 年 11 月 14 日,FRiC,< frac@ pobox . com > v6969。

这个文档列出了 Linux 所支持的大部分硬件,并帮助你找到任何必需的驱动程序。

欢迎使用 Linux 硬件兼容性 HOWTO。这个文档列出了 Linux 所支持的大多数的硬件;用户在向 USENET 公布问题前须先阅读这个文档。

标题为"其他"的段落列出了带有 α 或 β 驱动程序的硬件,这些驱动程序的可用性是不同的;或列出了在标准内核中未包含的驱动程序。另外请注意,有些驱动程序只存在于 α 版内核中,因此如果你看到列出的某些支持的驱动程序在你的 Linux 内核版本中却没有时,你应该升级你的内核版本。

这个文档的最新版本可以在 Net 上保存 Linux HOWTO 的网点上找到。(见本书附录 B 的 HOWTO 网点清单)。

如果你知道其他的、没有在清单中列出的 Linux 兼容的硬件,请通知我(请发 e-mail 或在 Internet Relay Chat(IRC)中与我联系)。谢谢!

标准 Linux 文档计划(LDP)已申请了版权。如果你在商品化的发行版本中使用了这个或任何其他的 Linux HOWTO 文档,请赠给作者一份你的产品的拷贝。

C2 系统体系结构

该文档只涉及 Intel 平台的 Linux ;对于其他平台,请查看下面的网点:

平台	网点
Linux/ARM	http://whirligig. ecs. soton. ac. uk/˜ rmk92/armlinux. html
Linux/68k	http://www-users. informatik. rwth-aachen. de/˜ hn/ linux68k. html
Linux/MIPS	http://www. waldorf-gmbh. de/linux-mips-faq. html
Linux/PowerPC	http://liber. stanford. edu/linuxppc/
Linux/8086	http://www. linux. org. uk/linux8086. html
Linux/Alpha	http://www. azstarnet. com/˜ axplinux/
Linux for Acorn	http://www. ph. kcl. ac. uk/˜ amb/linux. html
MacLinux	http://www. ibg. uu. se/maclinux/

C3 计算机/主板/BIOS

支持所有下列总线：工业标准结构（ISA）、VESA 局部总线（VIB），扩展 ISA（ELSA）和外围设备组件互连（PCI）总线。

在标准内核中不支持 PS/2 和微通道（MCA）总线，可以得到 PS/2 MCA 内核的 α 测试版，但不推荐初学者或在严肃的场合使用。

特定的系统：

☐ Compaq Deskpro XL – http://www-c724.uibk.ac.at/XL/
☐ IBM PS/2 MCA systems – ftp://invaders.dcrl.nd.edu/pud/misc/

C4 笔记本电脑

有些笔记本电脑带有独特的视频适配器或电源管理，它们通常不能使用 Linux 下的电源管理特性。

参见 Linux 笔记本在 http://www.cs.utexas.edu/users/kharker/linux-laptop/ 上的主页。

控制器	网点
APM	ftp://tsx-11.mit.edu/pub/linux/packages/laptops/apm/
PCMCIA	ftp://cb-iris.stanford.edu/pud/pcmcia/
无闪烁光标	ftp://sunsite.unc.edu/pub/Linux/kernel/
	patches/console/noblink-1.5.tar.gz
节能	ftp://sunsite.unc.edu/pub/Linux/
（WD7600 芯片组）	system/Misc/low-level/pwrm-1.0.tar.Z
其他通用信息	ftp://tsx-11.mit.edu/pub/Linux/packages/laptops/

特定的笔记本

笔记本的制造厂商和型号	网点
Compag Contura Aero	http://domen.uninett.no/~hta/linux/aero-faq.html
IBM Thinkpad	http://peipa.essex.ac.uk/tp-linux/tp-linux.html
NEC Versa M and P	http://www.santafe.edu:80/~nelson/versa-linux/
Tadpole Pl000	http://peipa.essex.ac.uk/tadpole-linux/tadpole-linux.html

PCMCIA

参见 http://hyper.stanford.edu/~dhinds/pcmcia/。

PCMCIA 驱动程序目前支持所有常见 PCMCIA 控制器，包括 Databook TCIC/2、Intel i82365SL、Cirrus PD67xx 和 Vadem VG-468 芯片组。不支持某些现代（Hyundai）笔记本中使用的

摩托罗拉(Motorola)6AHC05GA 控制器。参见本附录尾的被支持的 PCMCIA 卡的清单。

C5 CPU/FPU

基本上说,386 或 386 以上的处理器(如 Intel/AMD/Cyrix386sx/DX/SL/DXL/ SLC、486X/DX/SL/SX21DX/DX4、Pentium)都可以工作。如果你没有数学协处理器的话,Linux 具有内置的 FPU 仿真程序。

在内核 1.3.31 或更新的版本中包括实验性的、对 SMP(多个 CPU)的支持。查看 Linux/SMP 计划的页面以了解详细情况或更新情况。

控制器	网点
LINUX/SMP 计划	http://www.linux.org.uk/SMP/title.html

在某些特殊情况下,极少数早期的 AMD 486X 可能会死机。不过现在的所有芯片都能很好地工作,并且换掉老的 CPU 也应当不成问题。

ULSI Mach*Co 系列在 FSAVE 和 FRSTOR 指令中有错误,它会在所有保护模式操作系统中引起问题。一些较老的 IIT 和 Cyrix 芯片或许也有这个问题。

在非常老的内核(1.1.x)中存在 UMC U5S 芯片的 TLB 刷新问题。

处理器	网点
在 Cyrix 处理器上	ftp://sunsite.unc.edu/pub/Linux/
启用高速缓存	Kernel/patches/CxPatch030.tar.z
Cyrix 软件高速缓存控制	ftp://sunsite.unc.edu/pub/Linux/
	Kernel/patches/linux.cxpatch

C6 视频卡

在文本模式中 Linux 支持所有的视频卡。下面没有列出的 VGA 卡可能仍然只支持单色 VGA 和/或标准 VGA 驱动程序。

如果你要买一块便宜的视频卡来运行 X,请记住加速卡(如 ATI Mach、ET4000/W32p 和 S3)要比不加速的或部分加速的卡(例如 Cirrus 和 WD)要快得多。带 2MB DRAM 的 S3 Trio64 卡大约售价为 160 美元,而带 2MB DRAM 的 S3 868 卡的售价大约为 200 美元。

"32 bpp"实际上是 24 位颜色用 32 位来表示。这并不意味着这些卡有 32 位颜色;它仍是 24 位颜色(16 777 216 种颜色)。XFree86 不支持 24 位压缩象素模式,因此在其他操作系统上可以实现 24 位颜色模式的视频卡在使用 XFree86 的 X 上可能不能实现 24 位颜色模式。这些卡包括 Mach32、Cirrus 542x、S3 801/805/868/968、ET4000 和其他一些卡。

Diamond 视频卡

目前的 XFree86 版本支持大多数目前可得到的 Diamond 卡。XFree86 可能不正式支持早期的 Diamond 卡,但有办法可以使它们工作。目前,Diamond 卡积极支持 XFree86。下面的表中列出了受支持的卡:

视频卡	网点
Diamond 卡对 Xfree86 的支持	http://www.diamondmm.com/linux.html
Diamond FAQ(对较老的卡)	ftp://sunsite.unc.edu/pub/Linux/X11/Diamond.FAQ

Diamond 不满意的用户页面　　http://gladstone.uoregon.edu/
　　　　　　　　　　　　　　~trenton/diamond/（对较老的卡）

SVGALIB（控制台的图形适配器）

- [ ] VGA
- [ ] EGA
- [ ] ARK logic ARK1000PV/2000PV
- [ ] ATI VGA Wonder
- [ ] ATI Mach32
- [ ] Cirrus 542x，543x
- [ ] OAK OTI-037/67/77/87
- [ ] S3（有限制的支持）
- [ ] Trident TVGA8900/9000
- [ ] Tseng ET73000/ET4000/W32

XFree86 3.1.2,加速的

- [ ] ATI Mach8
- [ ] ATI Mach32（16 bpp--不支持所有的 Mach32 卡）
- [ ] ATI Mach64（16/32 bpp）
- [ ] Cirrus logic 5420、542x/5430（16 bpp）、5434（16/32 bpp）、62x5
- [ ] IBM 8514/A
- [ ] IBM XGA、XGA-II
- [ ] IITAGX-010/014/015/016
- [ ] Oak OTI-087
- [ ] S3 911、924、801、805、928、864、964、Trio32、Trio64、868、968
- [ ] 参见这个 HOWTO 的附录 A 以获得受支持的 S3 卡的清单
- [ ] Tseng ET4000/W32/W32i/W32p
- [ ] Weitek P9000（16/32 bpp）
- [ ] Diamond Viper VLB/PCI
- [ ] Orchid P9000
- [ ] Western Digital WD90C31/33

XFree86 3. 1. 1，不加速的

- [ ] ARK logic ARK1000PV/VL、ARK2000PV
- [ ] ATI VGA Wonder 系列
- [ ] Avance logic Al2101/2228/2301/2302/2308/2401
- [ ] Chips & Technologies 65520/65530/65540/65545
- [ ] Cirrus logic 6420/6440
- [ ] Compaq AVGA
- [ ] Genoa GVGA
- [ ] MCGA（320 × 200）
- [ ] MX MX68000/MX68010
- [ ] NCR 77C22、77C22E、77C22E +

- ☐ Oak OTI-067、OTI-077
- ☐ RealTek RTG3106
- ☐ Trident TVGA8800、TVGA8900、TVGA9xxx（不支持 TGUI 芯片组）
- ☐ Tseng ET3000、ET4000AX
- ☐ VGA（标准 VGA，4 位，慢）
- ☐ Video 7/Headland Technologies HT216-32
- ☐ Western Digital/Paradise PVGA1、WD90C00/10/11/24/30/31/33

单色显示卡

- ☐ Hercules 单色
- ☐ Hyundai HGC-1280
- ☐ Sigma LaserView PLUS
- ☐ VGA 单色

其他

- ☐ EGA（ancient，from c. 1992）– ftp://ftp.funet.fi/pub/OS/Linux/BETA/Xega/
- ☐ ET4000/W32 和 ICS5341 GenDAC – ftp://sunsite.unc.edu/pub/ Linux/X11/X-servers/
- ☐ Trident TGUI9440 – ftp://sunsite.unc.edu/pub/Linux/X11/X-servers/

正在进行的工作

- ☐ Compaq QVision
- ☐ Number Nine Imagine 128

我不知道何时将完成对这些卡的支持，所以请不要问我。如果你现在就想支持这些卡，那么使用 Accelerated-X。

C7　商品化的 X 服务器

商品化的 X 服务器支持 XFree86 所不支持的卡，并且可能使那些被 XFree86 支持的卡的性能更好。总体说来，它比 XFree86 支持的卡要多，因此此处仅列出 XFree86 不支持的卡。直接与销售商联系或者查找商品化的 HOWTO 以获得更多的信息。商品化的 HOWTO 的网点列在附录 B"Linux HOWTO 索引"中。

Accelerated-X 1.2

- ☐ Chips &Technologies 82C45x、82C48x、F655xx
- ☐ Compaq QVision 2000
- ☐ Matrox MGA-I、MGA-II
- ☐ Number Nine I-128
- ☐ Weitek P9100

售价 199 美元，X Inside 公司——info@xinside.com

Accelerated-X 对大多数卡支持 16- bpp 和 32-bpp 模式，还对具有 24 位压缩象素模式的卡支持 24 位压缩象素模式，这些卡包括 ATI Mach32、Mach64（1280 × 1024 @ 24bpp）、ET4000/W32p、S3-866/868/986 和更多的卡。Accelerated-X 还支持其他的输入硬件，如图形板和触摸屏。

Accelerated-X 还支持 XVideo(Xv)扩展(在 Matrox Comet、Marvel-II 和 SPEA ShowTime Plus 上)、PEX 和 XIE。

Metro-X2.3.2

售价 199 美元,Metro Link – sales@ metrolink.com。Mero-X 支持的卡比 XFree 多,但比 Accelerated-X 少;然 而,因为我不可能阅读他们送给我的 PostScript 文件,所以我没有更多的信息。用户可直接给他们发信以获得 更多的信息。

注释:

Red Hat Linux 的商品化发行版本包括 Metro-Link 的 Metro-X 服务器的单用户许可证。本书随带的 Red Hat Linux 发行版本不包括这个产品。

C8 控制器(硬盘驱动器)

Linux 可使用标准 IDE、MFM 和 RLL 控制器。当你正在使用 MFM/RLL 控制器时,在格式化 磁盘时使用 ext2fs 和坏块检查选项是很重要的。

支持增强 IDE (EIDE)接口,可最多带两个 IDE 接口和四个硬盘驱动器和/或 CD-ROM 驱动 器。Linux 将检测这些 EIDE 接口:

- ☐ CMD-640
- ☐ DTC 2278D
- ☐ FGI/Holtek HT-6560B
- ☐ RZ1000
- ☐ Triton(82371FB)IDE(带总线控制器 DMA)

还支持仿真 ST-506(MFM/RLL/IDE)接口的 ESDI 控制器。坏块检查注释也应用于这些控 制器。还支持 Generic 8 位 XT 控制器。

控制器(SCSI)

仔细挑选 SCSI 控制器是重要的。许多廉价的 ISA SCSI 控制器是为 CD-ROM 设计的,而不 是为硬盘驱动器设计的。这些低端 SCSI 控制器不如 IDE 好。参见 SCSI HOWTO,并在购买 SC-SI 卡之前查看其性能指标。

参见/usr/doc/HOWTO/SCSI-HOWTO.gz

支持

- ☐ AMI Fast Disk VLB/EISA (与 BusLogic 兼容)
- ☐ Adaptec AVA-1505/1515 (ISA) (与 Adaptec 152x 兼容)
- ☐ Adaptec AHA1510/152x (ISA) (AIC-6260/6360)
- ☐ Adantec AHA-154x (ISA) (所有型号)
- ☐ Adaptec AHA-174x (EISA) (增强模式)
- ☐ Adaptec AHA-274x (EISA)/284x(VLB) (AIC-7770)
- ☐ Adaptec AHA-2940/3940 (PCI) (AIC-7870) (自 1.3.6)

- ☐ Always IN2000
- ☐ BusLogic（ISA/EISA/VLB/PCI）（所有型号）
- ☐ DPT PM2001、PM2012A（EATA-PIO）
- ☐ DPT Smartcache（EATA-DMA）（ISA/EISA/PCI）（所有型号）
- ☐ DTC 329x（EISA）（与 Adaptec 154x 兼容）
- ☐ Future Domain TMC-16x0，TMC-3260（PCI）
- ☐ Future Domain TMC-8xx、TMC-950
- ☐ Media Vision Pro Audio Spectrum 16 SCSI（ISA）
- ☐ NCR 5380 普通卡
- ☐ NCR 53c400（Trantor T130B）（使用普通 NCR 5380 SCSI 支持）
- ☐ NCR 53c406a（Acculogic ISApport / Media Vision Premium 3D SCSI）
- ☐ NCR 53c7x0、53c8x0（PCI）
- ☐ Qlogic/Control Concepts SCSI/IDE（FAS408）（ISA/VLB/PCMCIA）不能与 PCI（不同的芯片组）一起工作。PCMCIA 卡必须引导 DOS 来初始化卡。
- ☐ Seagate ST-01/ST-02（ISA）
- ☐ SoundBlaster 16 SCSI-2（与 Adaptec 152x 兼容）（ISA）
- ☐ Trantor T128/T128F/T228（ISA）
- ☐ UltraStor 14F（ISA）、24F（EISA）、34F（VLB）
- ☐ Western Digital WD7000 SCSI

其他

处理器	网点
AMD AM53C974、AM79C974（PCI）（Compaq，Zeos 板上 SCSI）	ftp://sunsite.unc.edu/pub/Linux/kernel/patches/scsi/AM53C974-0.3.tgz
Adaptec ACB-40xx SCSI-MFM/	ftp://sunsite.unc.edu/pub/Linux/kernel/patches/scsi/RLL bridgeboardadaptec-40XX.tar.gz
Adaptec AHA2940（PCI）（AIC-7870）	ftp://remus.nrl.navy.mil/pub/Linux/
Adaptec APA-1460 SlimSCSI	ftp://cb-iris.stanford.edu/pub/pcmcia/（PCMCIA）
Acculogic ISApport/MV Premium 3D SCSI（NCR 53c406a）	ftp://sunsite.unc.edu/pub/Linux/kernel/patches/scsi/ncr53c406-0.10.pateh.gz
Always AL-500	ftp://sunsite.unc.edu/pub/Linux/kernel/patches/scsi/al500_0.1.tar.gz

Iomega PC2/2B	ftp://sunsite.unc.edu/pub/Linux/ kernel/patches/scsi/iomega_pc2- 1.1.x.tar.gz
New Media Bus Toaster PCMCIA	ftp://lamont.ldeo.columbia.edu/pub/ linux/bus_toaster-1.5.tgz
Ricoh GSI-8	ftp://tsx-11.mit.edu/pub/linux/ ALPHA/scsi/gsi8.tar.gz
Trantor T130B （NCR 53c400）	ftp://sunsite.unc.edu/pub/Linux/ kernel/patches/scsi/53c400.tar.gz

不支持

☐ 并口 SCSI 适配器

☐ 非 Adaptec 兼容的 DTC 板(327X、328X)

C9 控制器(I/O)

任何标准串口/并口/游戏杆/IDE 组合卡。Linux 支持 8250、16450、16550 和 16550A UART。可以使用支持非标准 IRQ（IRQ > 9)的卡。

参见马丁·米歇尔著的《松下半导体应用注释 AN-493》。5.0 部分详细描述了 NS16550 和 NS16550A 两者间的差别。简言之，NS16550 在 FIFO 线路中有错误，而 NS16550A(及其以后的)芯片可以克服这些错误。然而，只在很早以前松下生产过极少量的 NS16550，所以这类问题应当是罕见的。

在现在的板子中的许多"16550"部件是由许多厂家生产的兼容部件，这些部件可能未用松下的"A"后缀。另外，有些多端口板使用 16552、15664 或其他的多端口或多功能芯片，这些芯片来自松下或其他的供货商(通常以密集的封装焊接在板子上，而不是 40 针的 DIP)。不要担心这一点，除非你遇见了非常老的松下 40 针 DIP NS16550(无"A")芯片松了或在一块老的板子上，在这两种情况下，把它看作是 16450(无 FIFO)而不是 16550A。——Zhahai Stewart，地址是 zstewart@hisys.com

支持非智能控制器(多端口)

☐ AST FourPort and clones

☐ Accent Async-4

☐ Arnet Multiport-8 (8 端口)

☐ Bell Technologies HUB6

☐ Boca BB-1004、1008 (4、8 端口)——无 DTR、DSR 和 CD

☐ Boca BB-2016 (16 端口)

☐ Boca IO/AT66 (6 端口)

☐ Boca IO 2 × 4 (4S/2P) – 支持调制解调器，但使用 5 个 IRQ

☐ Computone ValuePort (4、6、8 端口) (与 AST FourPort 兼容)

□ DigiBoard PC/X（4、8、16 端口）

□ Comtrol Hostess 550（4、8 端口）

□ SIIG I/O Expander 4S（4 端口、使用 4 个 IRQ）

□ PC-COMM 4-port

□ STB 4-COM

□ Twincom ACI/550

□ Usenet Serial Board II

非智能卡通常分为两种类型：一种使用标准串行端口地址并使用 4 个 IRQ，另一种是 AST FourPort 兼容的并使用一个可选择的地址块和单个 IRQ。（用 set serial 来设置地址和 IRQ）。如果你得到其中的某一种卡，一定要查看它符合哪种标准，价格不是指标。

支持智能型控制器（多端口）

□ Cyclades Cyclom-8Y/16Y（8、16 端口）（ISA/PCI）

□ Stallion EasyIO（ISA）/ EasyConnection 8/32（ISA/MCA）

□ Stallion EasyConnection 8/64 / ONboard（ISA/EISA/MCA）/ Brumby / Stallion（ISA）

其他

控制器	网点
Comtrol Rocketport （8/16/32 端口）	ftp：//tsx-11.mit.edu/pub/linux/ packages/comtrol/
DigiBoard COM/Xi- Contact Simon Park	si@wimpol.demon.co.uk（电子邮件地址）
DigiBoard PC/Xe （ISA）and PC/Xi （EISA）	ftp：//ftp.digibd.com/drivers/linux/
Hayes ESP8	与 Dennis Boylan（地址是 dennis@lan.com）联系
Moxa C218（8 端口） / C320(8/16/24/可扩展)	＜ ftp：//ftp.moxa.com.tw/drivers/ c-218-320/32 linux/ ＞
Specialix SIO/XIO （模块化的,4 到 32 端口）	ftp：//sunsite.unc.edu/pub/Linux/ kernel/patches/serial/sidrvo_5.taz
Stallion Technologies EasyIO/	ftp：//sunsite.unc.edu/pub/Linux/ kernel/patches/EasyConnection 8/ 32serial/stallion-0.1.9.tar.gz

C10 网络适配器

以太网适配器在性能上变化很大,总的说来,设计越新,适配器的性能就越好。有些非常老的卡(如 3C501)仍然有用,因为花 5 美元就可以在旧货堆中买一堆。小心兼容产品——并不是所有的兼容产品都是好的,而且在 Linux 下,坏的兼容产品常常引起奇怪的锁定现象。各种卡的详细介绍请参阅以太网 HOWTO。(参见附录 B"Linux HOWTO 索引"以找到以太网 HOWTO 的网点地址)

支持的以太网卡

- [ ] 3Com 3C501——尽量避开它
- [ ] 3Com 3C503、3C505、3C507、3C509/3C509B (ISA)/3C579 (EISA)
- [ ] AMD LANCE (79C960)/PCnet-ISA/PCI (AT1500、HP J2405A、NE1500/NE2100)
- [ ] AT&T GIS WaveLAN
- [ ] Allied Telesis AT1700
- [ ] Ansel Communications AC3200 EISA
- [ ] Apricot Xen-II
- [ ] Cabletron E21xx
- [ ] DEC DE425 (EISA)/DE434/DE435(PCI)
- [ ] DEC DEPCA 和 EtherWORKS
- [ ] HP PCLAN (27245 和 27xxx 系列)
- [ ] HP PCLAN PLUS (27247B 和 27252A)
- [ ] HP 10/100VG PCLAN (ISA/EISA/PCI)
- [ ] Intel EtherExpress
- [ ] Intel EtherExpress Pro
- [ ] NE2000/NE1000 (小心兼容产品)
- [ ] New Media Ethernet
- [ ] Racal-Interlan NI5210 (i82586 以太网芯片)
- [ ] Racal-Interlan NI6510 (am7990 lance 芯片)。不能使用多于 16MB 的 RAM。
- [ ] PureData PDUC8028、PDI8023
- [ ] SEEQ 8005
- [ ] SMC Ultra
- [ ] Schneider & Koch G16
- [ ] Western Digital WD80x3
- [ ] Zenith Z-Note/IBM ThinkPad 300 内置适配器

袖珍和手提适配器

- [ ] AT-Lan-Tec/RealTek 并口适配器
- [ ] D-Link DE600/DE620 并口适配器

无插槽

- [ ] SLIP/CSLIP/PPP (串行端口)
- [ ] EQL (串行 IP 负载平衡)
- [ ] PLIP(并行端口) – 使用 LapLink 或双向电缆

ARCnet

- [ ] 支持所有的 ARCnet 卡

令牌环网

☐ IBM Tropic 芯片组卡

Amateur Radio（AX.25）

☐ Ottawa PI/PI2
☐ 最普通的基于 8530 的 HDLC 板

其他

适配器	网点
以太网 3Com	http://cesdis.gsfc.nasa.gov/pub/
Vortex Ethercards （3C590、3C595 （100 mbps））（PCI）	linux/drivers/vortex.html
DEC 21040/21140 "Tulip"/SMC PCI Etherpower 10/100	http://cesdis.gsfc.nasa.gov/linux/ drivers/tulip.html

ISDN

在 http://www.ix.de/ix/linux/Linux-isdn.html 上查看 Linux ISDN WWW 页面。

ISDN 卡	网点
3Com Sonix Arpeggio	ftp://sunsite.unc.edu/pub/Linux/ kernel/patches/network/sonix.tgz
Combinet EVERYWARE 1000 ISDN	ftp://sunite.unc.edu/pub/Linux/ patehes/network/combinet1000isdn-1.02.tar.gz
Diehl SCOM 卡	ftp://sunsite.unc.edu/pub/Linux kernel/patches/network/isdndrv-0.1.1.tar.gz
ICN ISDN 卡	ftp://ftp.franken.de/pub/isdn4linux/
Teles ISDN 卡	ftp://ftp.franken.de/pub/isdn4linux/

仿真标准调制解调器或通用以太网适配器的 ISDN 卡不需要任何特殊的驱动程序。

PCMCIA 卡

参见这个 HOWTO 末尾处的附录 B 以获得完整的清单。

ATM

有效的网络 ENI155P-MF 155 mbps ATM 适配器 – http://lrcwww.epfl.ch/linux-atm/

帧中继器

Sangoma S502 56K 帧中继器卡 – ftp：//ftp.sovereign.org/pub/wan/fr/

负载平衡

□ eql（负载平衡驱动程序）– ftp://sunsite.unc.edu/pub/Linux/system/Network/
serial/eql-1.2.tar.gz

不支持

不支持 Xircom 适配器（PCMCIA 和并行端口）

C11 支持的声卡

□ 6850 UART MIDI

□ Adlib（OPL2）

□ Audio Excell DSP16

□ ATI Stereo F/X（与 Sound Blaster 兼容）

□ Aztech Sound Galaxy NX Pro

□ Crystal CS4232（PnP）based cards

□ ECHO-PSS（Orchid SW32、Cardinal DSP16 等等）

□ Ensoniq SoundScape（引导 DOS 对卡进行初始化）

□ Gravis Ultrasound

□ Gravis Ultrasound 16 位采样子板

□ Gravis Ultrasound MAX

□ Logitech SoundMan Games（支持 SBPro、44kHz 立体声）

□ Logitech SoundMan Wave（SBPro/MPU-401）（OPL4）

□ Logitech SoundMan 16（与 PAS-16 兼容）

□ Microsoft Sound System（AD1848）

□ MPU-401 MIDI

□ MediaTrix AndioTriX Pro

□ Media Vision Premium 3D（Jazz16）（与 SBPro 兼容）

□ Media Vision Pro Sonic 16（Jazz）

□ Media Vision Pro Audio Spectrum 16

□ OAK OTI-601D 卡（莫扎特）

□ OPTi 82C928/82C929 cards（MAD16/MAD16 Pro）

□ SoundBlaster

□ SoundBlaster pro

□ SoundBlaster 16 系列

□ Sound Galaxy NX Pro

□ Turtle Beach Wavefront cards（Maui、Tropez）

□ WaveBlaster（和其他 SB16 子板）

其他

卡	网点
MPU-401 MIDI (智能模式)	ftp：//sunsite.unc.edu/pub/Linux/ kernel/sound/mpu401.0.11a.tar.gz
PC speaker/Parallel port DAC	ftp：//ftp.informatik.hu-berlin.de/ pub/os/linux/hu-sound/
Turtle Beach MultiSound/Tahiti/ Monterey	ftp：//ftp.cs.colorado.edu/users/ mccreary/archive/tbeach/multisound/

不支持

不支持 SoundBlaster 16 系列和 AWE32 上的 ASP 芯片。不支持 AWE32 卡上的 Emu MIDI 合成器。如果你赠给 Nathan Laredo(laredo@gnu.ai.mit.edu)一块卡的话,他愿意为 AWE32 编写驱动程序。他还愿意为几乎任何硬件编写驱动程序,如果你把你的硬件样品免费送给他的话。

带有 DSP4.11 的 SoundBlaster 16 卡有一个硬件错误,这个硬件错误会产生 hung/stuck 音符。当 Wave Blaster 子板或 MIDI 设备被连接到 MIDI 端口时就会发生这个问题。还不知道如何修改这个错误。

C12 硬盘驱动器

如果控制器被支持(根据 SCSI HOWTO),那么所有的硬盘驱动器就应该工作。所有具有 256,512 或 1024 字节块容量的直接访问 SCSI 设备都应该工作。其他块容量的直接访问 SCSI 设备将不能工作(但通常可以通过使用 MODE SELECT SCSI 命令来修改块和/或扇区的容量来对其进行修复)。

大的 IDE (EIDE) 驱动器能很好地支持新内核。由于 PC BIOS 的限制,引导分区必须放在第一个 1024 柱面中。

有些 Conner CFP1060S 驱动器在与 Linux 或 ext2fs 一起使用时可能会有问题。特征是在 e2fsck 期间有索引节点错误并损坏文件系统。Conner 发布了修复这个问题的方法。请与 Conner 联系,地址是 1-800-4CONNER(美国)或 +44-1294-315333(欧洲)。(1996 年 2 月 Conner 和 Seagate Technologies 合并)。当你打电话时,先将微代码版本准备好(在驱动器标号,9WA1.6x 上找到)。

某些 Micropolis 驱动器和 Adaptec 卡和 Buslogic 卡一起使用会有问题;如果你怀疑这些问题,请与制造商联系以升级硬件。

□ 多设备驱动程序(RAID-0) – ftp://sweet-smoke.ufr-info-p7.ibp.fr/public/Linux

C13 支持的磁带驱动器

□ SCSI 磁带驱动器 (根据 SCSI HOWTO)。还支持这样一些驱动器,它们使用较驱动程序缓冲区长度(在发行版本中设置为 32KB)要小的固定长度和变化长度的块。事实上支持所有的驱动器。(如果你知道任何不兼容的驱动器,请发电子邮件)。

- [ ] QIC-02
- [ ] QIC-117、QIC-40/80 驱动器(Ftape) – ftp://sunsite.unc.edu/pub/Linux/kernel/tapes。大多数使用软盘控制器的磁带驱动器都应该工作。查看 Ftape HOWTO 以了解详情。还支持各种专用 QIC-80 控制器(如 Colorado FC-10 和 Iomega 磁带控制器 II)。

参见/usr/doc/HOWTO/Ftape-HOWTO.gz

不支持

- [ ] Emerald 和 Tecmar QIC-02 磁带控制器卡。Chris Ulrich (insom@math.ucr.edu)
- [ ] 连接到并口上的驱动器(例如,Colorado Trakker)
- [ ] 某些高速磁带控制器(例如,Colorado TC-15/FC-20)
- [ ] Irwin AX250L/Accutrak 250 (不是 QIC-80)
- [ ] IBM Internal Tape Backup Unit (不是 QIC-80)
- [ ] COREtape Light

C14 支持的 CD-ROM 驱动器

- [ ] SCSI CD-ROM 驱动器(根据 CD-ROM HOWTO)。任何带有 512 或 2048 字节块的 SCSI CD-ROM 都能在 Linux 下使用;这包括市场上的绝大多数 CD-ROM 驱动器。
- [ ] EIDE (ATAPI) CD-ROM 驱动器
- [ ] Aztech CDA268、Orchid CDS-3110、Okano/Wearnes CDD-110
- [ ] Goldstar R420
- [ ] LMS Philips CM 206
- [ ] Matsushita/Panasonic、Creative labs、Longshine、Kotobuki (SBPCD)
- [ ] Mitsumi
- [ ] Optics Storage Dolphin 8000AT
- [ ] Sanyo H94A
- [ ] Sonv CDU31A/CDU33A
- [ ] Sony CDU-535/CDU-531
- [ ] Teac CD-55A SuperQuad

其他

CD-ROM 驱动器	网点
GoldStar R420	ftp://ftp.gwdg.de/pub/linux/cdrom/ drivers/goldstar/
LMS/Philips CM 205/225/202	ftp://sunsite.unc.edu/pub/Linux/ kernel/patches/cdrom/lmscd0.3d.tar.gz
LMS Philips CM 206	ftp://sunsite.unc.edu/pub/Linux/ kernel/patches/cdrom/cm206.

	0.22b.tar.gz
Mitsumi（交替驱动器）	ftp://ftp.gwdg.de/pub/linux/cdrom/ drivers/mitsumi/
Mitsumi（组件）	ftp://ftp.gwdg.de/pub/linux/cdrom/ drivers/mitsumi-1.2.x/
NEC CDR-35D（老的）	ftp://sunsite.unc.edu/pub/Linux/ kernel/patches/cdrom/linux- neccdr35d.patch
Sony SCSI multisession CDXA	ftp://tsx-11.mit.edu/pub/linux/ patches/sony-multi-0.00.tar.gz
Teac CD-55A SuperQuad	ftp://ftp.gwdg.de/pub/linux/cdrom/ develop/teac/

注释：

支持 PhotoCD(XA)。

对读取数据来说，所有的 CD-ROM 驱动器的工作都应该是类似的。在音频 CD 播放方面存在各种兼容性问题（尤其对某些 NEC 驱动器）。某些 α 驱动程序至今仍不支持音频。

早期的（单速的）NEC CD-ROM 驱动器和当今的 SCSI 控制器一起使用可能会有些麻烦。

C15 可移动的驱动器

如果控制器被支持的话，那么这些 SCSI 驱动器都应该工作（包括光驱、WORM、CD-ROM、Floptical 和其他的驱动器）。Iomega 的 Bernoulli 和 Zip 驱动器能很好地工作，SyQuest 驱动器也是这样。

Linux 支持 512 和 1024 字节/扇面的磁盘。在某些内核上，带 MS-DOS 文件系统的 1024 字节/扇区的磁盘有一个问题（在 1.1.75 版本中更正了）。

□ 并行端口 Zip 驱动器 - ftp://gear.torque.net/pub/

可移动驱动器工作原理与软盘类似：只需对这些磁盘做 fdisk/mkfs 并安装这些磁盘。如果你的驱动器支持驱动器锁定，那么 Linux 就提供驱动器锁定。如果磁盘是 MS-DOS 格式的，那么也可以使用 mtools。

CD-ROM 驱动器需要特殊的软件来工作。参阅 CD-R mini-HOWTO

参见/usr/doc/HOWTO/mini/CD-WRiter

C16 鼠标

□ Microsoft 串行鼠标

- ☐ Mouse Systems 串行鼠标
- ☐ Logitech Mouseman 串行鼠标
- ☐ Logitech 串行鼠标
- ☐ ATI XL Inport 总线鼠标
- ☐ C&T 82C710（Quickport）（Toshiba、TI Travelmate）
- ☐ Microsoft 总线鼠标
- ☐ Logitech 总线鼠标
- ☐ PS/2（辅助设备）鼠标

其他

鼠标	网点
Sejin J-mouse	ftp://sunsite.unc.edu/pub/Linux/kernel/patches/ console/jmouse.1.1.70-jmouse.tar.gz
多鼠标——把多个鼠标设备当作为单个鼠标使用	ftp://sunsite.unc.edu/pub/Linux/system/ Misc/multimouse-1.0.tgz

注释：

Alps Glidepoint 之类的触摸板设备也能工作，只要它们与另一个鼠标协议兼容。

较新的 Logitech 鼠标（除 Mouseman 以外）均使用微软协议，并且三个按钮均可工作。尽管微软的鼠标只有两个按钮，但其协议允许三个按钮。在 ATI Graphics Ultra 和 Ultra Pro 上的鼠标端口使用 Logitech 总线鼠标协议。（详情请参见 Busmouse HOWTO）

参见/usr/doc/HOWTO/Busmouse-HOWTO.gz

C17 调制解调器

全部内置的调制解调器或外置调制解调器都连接到串行端口上。少数调制解调器在运行时下载控制程序的 DOS 软件。通常可通过在 DOS 下装载该程序并进行热启动来使用这些调制解调器。最好避免使用这种调制解调器，因为将来你不能在非 PC 硬件上使用它们。PCMICA 调制解调器应当与 PCMICA 驱动器一起工作。传真/调制解调器需要适当的传真软件来运行。

- ☐ Digicom Connection 96+/14.4+：DSP 代码下载程序 – ftp://sunsite.unc.edu/ pub/Linux/system/Serial/ smdl-linux.1.02.tar.gz
- ☐ ZyXEL U-1496 系列：ZyXEL1.4、调制解调器/传真/话音控制程序 – ftp://sunsite.unc.edu/pub/Linux/ system/Serial/ZyXEL-1.4.tar.gz

C18 打印机和绘图仪

任何与并行或串行端口相连的打印机或绘图仪都应该工作。

- ☐ HP Laserjet 4 系列：free-lj4，打印模式控制程序：——ftp://sunsite.unc.edu/pub/Linux/system/ Printing/free-lj4-1.1p1.tar.gz

□ BiTronics 并行端口接口——ftp://sunsite.unc.edu/pub/Linux/kernel/misc/bt-ALPHA-0.0.1.tar.gz

C19　Ghostscript

许多 Linux 程序输出 PostScript 文件。通过使用 Ghostscript 可以使非 PostScript 打印机仿真 PostScript Level 2。

□ Ghostscript – ftp://ftp.cs.wisc.edu/pub/ghost/aladdin/

Ghostscript 支持的打印机

□ Apple lmagewriter
□ C Itoh M8510
□ Canon BubbleJet BJ10e，BJ200
□ Canon LBP-8II，LIPS III
□ DEC LA50/70/75/75plus
□ DEC LN03，LJ250
□ Epson 9 针 、24 针、LQ 系列、Stylus、AP3250
□ HP2563B
□ HP DesignJet 650C
□ HP DeskJet/Plus/500
□ HP DeskJet 500C/520C/550C/1200C color
□ HP LaserJet/Plus/II/III/4
□ HP PaintJet/XL/XL300 color
□ IBM Jetprinter color
□ IBM Proprinter
□ Imagen ImPress
□ Mitsubishi CP50 color
□ NEC P6/P6 + /P60
□ Okidata MicroLine 182
□ Ricoh 4081
□ SPARCprinter
□ StarJet 48 喷墨打印机
□ Tektronix 4693d color 2/4/8-bit
□ Tektronix 4695/4696 喷墨绘图仪
□ Xerox XES 打印机（2700、3700、4045 等等）

其他：
□ Canon BJC600 和 Epson ESC/P 彩色打印机 – ftp://petole.imag.fr/pub/ postscript/

C20　扫描仪

扫描仪	网点
A4 Tech AC 4096	ftp://ftp.informatik.hu-berlin..de/pub/ local/linux/ac4096.tgz

Fujitsu SCSI-2 扫描仪 （与 Dr.G.W Wettstein 联系）	greg%wind.UUCP@plains.nodak.edu
Genius GS-B105G	ftp://tsx-11.mit.edu/pub/linux/ALPHA/ scanner/gs105-0.0.1.tar.gz
Genius GeniScan GS4500	ftp://tsx-11.mit.edu/pub/linux/ALPHA/ scanner/handheld scannergs4500-1.3.tar.gz
HP ScanJet、ScanJet Plus	ftp://ftp.ctrl-c.liu.se/unix/linux/wingel/
HP ScanJet II 系列 SCSI	ftp://sunsite.unc.edu/pub/Linux/apps/ graphics/scanners/hpscanpbm-0.3a.tar.gz
Logitech Scanman 32/256	ftp://tsx-11.mit.edu/pub/linux/ALPHA/ scanner/logiscan-0.0.2.tar.gz
Mustek M105,具有 GI1904 接口的手持扫描仪	ftp://tsx-11.mit.edu/pub/linux/ALPHA/ scanner/scan-driver-0.1.8.tar.gz
UMAX SCSI 扫描仪 （与 Craig Johnston 联系）	mkshenk@u.washington.edu

C21　其他硬件

□ VESA 节能协议（DPMS）显示器
Linux 内核包括对节能的支持。只需用 setterm 来允许这种支持。

游戏杆

□ 游戏杆驱动程序——ftp://sunsite.unc.edu/pub/Linux/Kernel/patches/console/joystic-0.7.2.tgz
□ 游戏杆驱动程序(模块) - ftp://sunsite.unc.edu/pub/Linux/kernel/patches/console/ joyfixed.tgz

视频捕获板

视频板	网点
FAST Screen Machine II	ftp://sunsite.unc.edu/pub/Linux/apps/ video/ScreenMachineII_1.1.tgz
ProMovie Studio	ftp://sunsite.unc.edu/pub/Linux/apps/ video/PMS-grabber.tgz
VideoBlaster, Rombo Media Pro +	ftp://sunsite.unc.edu/pub/Linux/apps/ video/vid_src.gz

| WinVision video 捕获卡 | ftp://sunsite.unc.edu/pub/Linux/apps/video/fgrabber-1.0.tgz |
| VT1500 TV | ftp://sunsite.unc.edu/pub/Linux/apps/video/vt1500-1.0.5.tgz |

不间断电源(UPS)

☐ APC SmartUPS——ftp://sunsite.unc.edu /pub/Linux/system/UPS/apcd-0.1.tar.gz

☐ 带 RS-232 监控端口的 UPS(unipower package)——ftp://sunsite.unc.edu/pub/Linux/ system/UPS/u-nipower-1.0.0.tgz

☐ 支持各种其他的 UPS——阅读 UPS HOWTO(参见附录 B"LINUX HOWTO 索引"以获得 UPS HOWTO 网点地址)

C22 数据采集

Linux Lab Project 网点为与数据采集有关的硬件收集驱动程序;他们还维护一些与这一主题有关的邮递清单。我没有数据采集的经验,所以详情请参阅这个网点。

☐ Linux Lab Project——ftp://koala.chemie.fu-berlin.de/pub/linux/LINUX-LAB/

☐ CED 1401

☐ DBCC CAMAC

☐ IEEE-488 (GPIB, HPIB)板

☐ Keithley DAS-1200

☐ National instruments AT-MIO-16F / lab-PC +

☐ Analog Devices RTI-800/815 ADC/DAC 板——与 Paul Gortmaker 联系(地址是 gpg109@anu.edu.au)

C23 杂项

设备	网点
HP IEEE-488 (HP-IB)接口	ftp://beaver.chemie.fu-berlin.de/pub/linux/IEEE488/
Maralu chip-card reader/writer	ftp://ftp.thp.uni-koeln.de/pub/linux/chip/
Mattel Powerglove	ftp://sunsite.unc.edu/pub/Linux/apps/linux-powerglove.tgz
Reveal FM Radio 卡	ftp://magoo.uwsuper.edu/pub/fm-radio/
Videotext 卡	ftp://sunsite.unc.edu/pub/Linux/apps/video/videoteXt-0.4.tar.gz

C24　有关的信息来源

信息	网点
Cameron Spitzer 的硬件 FAQ 档案文件	ftp://rahul.net/pub/cameron/PC-info/
计算机硬件和软件 销售商的电话号码	http://mtmisl.mis.semi.harris.com/ comp_ph1.html
计算机销售商指南	http://www.ronin.com/SBA/
系统优化信息	http://www.dfw.net/~sdw/

C25　致谢

　　感谢其他 HOWTO 的所有作者和贡献者,因为此处的许多内容都来自于他们的工作。感谢这个清单的原作者 Zane Healy 和 Ed Carp。感谢其他送来最新资料和反馈信息的人们。特别致谢 Eric Boerner 和 lilo(是人名而不是程序)所做的明智的审查。还要感谢 Dan Quinlan 对原 SGML 所做的修改。

C26　附录 A: XFree86 3.1.2 支持的 S3 卡

- [ ] CHIPSET RAMDACCLOCKCHIP BPP CARD
- [ ] 801/805 AT&T 20C49016Actix GE 32
- [ ] Orchid Fahrenheit 1280 +
- [ ] 801/805 AT&T 20C490 ICD2061A 16STB PowerGraph X.24
- [ ] 805 S3 GENDAC16Miro 10SD VLB/PCI SPEA Mirage VLB
- [ ] 805 SS2410ICD2061A 8 Diamond Stealth 24 VLB
- [ ] 928 AT&T 20C49016Actix Ultra
- [ ] 928 Sierra SC15025ICD2061A 32ELSA Winner 1000 ISA/VLB/EISA
- [ ] 928 Bt485 ICD2061A 32STB Pegasus VL
- [ ] 928 Bt485 SC1141216SPEA Mercury VLB
- [ ] 928 Bt485 ICD2061A 32 #9 GXE level 10/11/12
- [ ] 928 Ti3020ICD2061A 32 #9 GXE level 14/16
- [ ] 864 AT&T 20C498 ICS249432Miro 20SD（BIOS 1.x）
- [ ] 864 AT&T 20C498/ICD2061A/32ELSA Winner 1000 PRO VLB/PCI
- [ ] STG1700 ICS9161MIRO 20SD（BIOS 2.x）
- [ ] 864 STG1700 ICD2061A 32Actix GE 64 VLB
- [ ] 864 AT&T 20C498/ICS259516SPEA Mirage P64 DRAM（BIOS 3.x）
- [ ] AT&T21C498
- [ ] 864 S3 86C716 SDAC 32ELSA Winner 1000 PRO Miro 20SD（BIOS 3.x）SPEA Mirage P64 DRAM（BIOS 4.x）
- [ ] Diamond Stealth 64 DRAM

- [ ] 864 ICS5342 ICS534232Diamond Stealth 64 DRAM（某些）
- [ ] 864 AT&T 20C490 ICD2061A 32 # 9 GXE64
- [ ] 864 AT&T 20C498-13 ICD2061A 32 # 9 GXE64 PCI
- [ ] 964 AT&T 20C505 ICD2061A 32Miro Crystal 20SV PCI
- [ ] 964 Bt485 ICD2061A 32Diamond Stealth 64
- [ ] 964 Bt9485ICS9161A 32SPEA Mercury 64
- [ ] 964 Ti3020ICD2061A 8 ELSA Winner 2000 PRO PCI
- [ ] 964 Ti3025Ti3025 32 # 9 GXE64 Pro VLB/PCI Miro Crystal 40SV
- [ ] 764（Trio64）32SPEA Mirage P64（BIOS 5.x）
- [ ] Diamond Stealth 64 DRAM # 9 GXE64 Trio64 STB PowerGraph 64

C27　附录 B:支持的 PCMCIA 卡

这些卡被 David Hinds 的 PCMCIA 软件包所支持,并且这个清单也是从他的网页上获得的。

以太网卡

- [ ] 3Com 3c589、3c589
- [ ] Accton EN2212
- [ ] EtherCardCNet CN30BC
- [ ] EthernetD-Link DE-650EFA
- [ ] InfoExpress SPT
- [ ] EFA 205 10baseTEP-210
- [ ] Ethernet Farallon
- [ ] EtherwaveGVC NIC-2000P
- [ ] Ethernet ComboHYPERTEC
- [ ] HyperEnetIBM CreditCard
- [ ] Ethernet AdapterIC-Card
- [ ] EthernetKatron PE-520
- [ ] EthernetKingston KNE-PCM/MLANEED
- [ ] EthernetLinksys
- [ ] EtherCardMaxtech PCN2000
- [ ] EthernetNetwork General "Sniffer"
- [ ] New Media
- [ ] EthernetNovell/National NE4100
- [ ] InfoMoverProteon
- [ ] EthernetPreMax PE-200
- [ ] EthernetRPTI EP400
- [ ] EthernetSocket Communications Socket EA LAN AdapterThomas-Conrad
- [ ] EthernetVolktek Ethernet

调制解调器卡

所有的调制解调器卡都应该工作。

内存卡

☐ New Media SRAMEpson 2MB SRAMIntel Series2 和 Series2 + Flash

SCSI 适配器

☐ Qlogic FastSCSI PCMCIANew Media Bus Toaster SCSIAdaptec APA-1460 SlimSCSI

不支持

☐ Xircom 以太网和以太网/调制解调器卡

☐ Canon/Compaq PCMCIA 软盘驱动器

附录 D　GNU 通用公共许可证

GNU 究竟是什么？许多人认为 GNU 软件是公共领域的软件,也有一些人认为 GNU 软件是共享软件。这些都不对。总的来说,GNU 软件是受版权保护的软件,并且软件的作者准许在一定条件下发布它们。这些条件包括提供源代码,并且该软件的任何部分都不得置于限制进一步发布该软件的版权保护下——即,如果你不让他人自由获得你的源代码,那么你就不得在你的程序内使用受 GNU 许可证版权保护的源代码。

尽管 GNU 版权明确规定你必须让他人可以获得你的源代码,但这并不意味着你必须免费提供你的程序;你可以为你的程序收取一定的费用,但是这笔费用必须同时包括你的部分的源代码和 GNU 部分的源代码。你不能既为程序的可执行部分收取费用,又为源代码收取费用——这笔费用包括两方面的费用。因此你不能为你认为是你自己的源代码的部分而索取额外的费用。这就是许多软件经营者在其程序内使用 GNU 软件的主要障碍——他们不想让他们的竞争对手得到他们的源代码。

但是 GNU 概念具有更深的含义,也许能解释这一概念的最佳人选应当是 GNU 软件宗旨的创始人 Richard Stallman。Stallman 是自由软件基金会(FSF)的倡议者和创始人。他深信所有的软件都应该是自由使用的,所有的计算机系统对所有的计算机用户都应该是开放的。实际上像 Linux 和 emacs 这样的可自由获得的程序恰恰符合了他的宗旨。任何人都可以使用这些程序。还鼓励用户对这些程序进行修改,并与他人共享这些修改。

注释:

作为对 copyright(版权)一词的嘲弄,GNU 许可证有时被称作 GNU copyleft。GNU 也是对 GNU's Not UNIX (GNU 不是 UNIX)的戏称。

这一切与 Linux 有什么关系呢？Linux 的很多部分是在 GNU 的通用公共许可证的保护下发布的。因此,Linux 既不是公共领域的软件,也不是共享软件。Linus Torvalds 和其他一些作者在 GPL(General Public License,通用公共许可证)条款下保留对他们的作品的版权。本附录的其他部分是自由软件基金会发行的 GPL。

在 WEB 上

自由软件基金会的 Web 网点是:http://www.fsf.org。

D1　GNU 通用公共许可证

1991 年 6 月 ,第二版

版权所有(C)1989,1991 Free Software Foundation,Inc。675 Mass Ave,Cambridge,MA 02139,USA

允许每一个人原封不动地复制和分发本许可证文档的完整副本,但不允许对它进行任何修改。

D2 序言

大多数软件许可证的目的是剥夺你的共享和修改软件的自由。相反,GNU 通用公共许可证则旨在保证你的共享和修改自由软件的自由——保证自由软件对所有用户是自由的。通用公共许可证(GPL)适用于大多数自由软件基金会的软件,以及由使用这些软件而承担义务的作者所开发的软件。(自由软件基金会的其他一些软件受 GNU 库通用许可证的保护)。你也可以将它用到你的程序中。

当我们谈到自由软件(free software)时,我们指的是自由而不是价格。我们的 GNU 通用公共许可证的目的是保证你有发布自由软件的自由(如果你愿意,你可以对此项服务收取一定的费用);保证你能收到源程序或者在你需要时能得到它;保证你能修改软件或将它的一部分用于新的自由软件;而且还保证你知道你能做这些事情。

为了保护你的权利,我们需要作出规定:禁止任何人不承认你的权利,或者要求你放弃这些权利。如果你修改了自由软件或者发布了软件的副本,这些规定就转化为你的责任。

例如,如果你发布这样一个程序的副本,不管是收费的还是免费的,你必须将你具有的一切权利给予你的接受者,你必须保证他们能收到或能够得到源程序。并且将这些条款给他们看,使他们知道他们有这样的权利。

我们采取两项措施来保护你的权利,(1)给软件以版权保护;(2)给你提供许可证。它给你复制,发布和修改这些软件的法律许可。

另外,为了保护每个作者和我们自己,我们需要清楚地让每个人明白,自由软件不承担担保(no warranty)。如果由于其他某个人修改了软件,并继续加以传播,我们需要它的接受者明白:他们所得到的并不是原来的自由软件。由其他人引入的任何问题,不应损害原作者的声誉。

最后,任何自由软件经常受到软件专利的威胁。我们希望避免这样一种风险:自由软件的再发布者以个人名义获得专利许可证,从而将软件变为私有。为防止这一点,我们必须明确:任何专利必须以允许每个人自由使用为前提,否则就不准许有专利。

下面是有关复制、发布和修改自由软件的确切条款和条件。

D3 GNU 通用公共许可证关于复制、发布和修改的条款和条件

0. 此许可证适用于任何包含版权所有者声明的程序和其他作品,版权所有者在声明中明确说明程序和作品可以在 GPL 条款的约束下发布。下面提到的"程序"指的是任何这样的程序或作品,"基于程序的作品"指的是程序或者任何受版权法约束的衍生作品。衍生作品即包含程序或程序的一部分的作品,包含形式可以是原封不动的,或经过修改的和/或翻译成其他语言的。(在下文中,翻译包含在没有附加限制的"修改"的条款中。)每个许可证接受人(licensee)用你来称呼。

许可证条款不适用于复制、发布和修改以外的活动,这些活动超出了这些条款的范围。运行程序的活动不受条款的限制。仅当程序的输出构成基于程序作品的内容时,这一条款才适

用(如果只运行程序就无关)。是否普遍适用取决于程序具体用来做什么。

1.只要你在每一副本上明显和恰当地表达版权声明和不承担保证的声明,保持此许可证的声明和没有保证的声明完整无损,并和程序一起给每个其他的程序接受者一份本许可证的副本,你就可以用任何媒体复制和发布你收到的原始的程序的源代码。

你可以为转让副本的实际行动收取一定费用。你也有权选择提供保证以换取一定的费用。

2.你可以修改程序的一个或几个副本或程序的任何部分,以此形成基于程序的作品。只要你同时满足下面的所有条件,你就可以按前面第一款的要求复制和发布这一经过修改的程序或作品。

1)你必须在修改的文件中附有明确的说明:你修改了这一文件及具体的修改日期。

2)你必须使你发布或出版的作品(它包含程序的全部或一部分,或包含由程序的全部或部分衍生的作品)允许第三方作为整体按许可证条款免费使用。

3)如果修改的程序在运行时以交互方式读取命令,你必须使它在开始进入常规的交互使用方式时打印或显示声明:包括适当的版权声明和没有保证的声明(或者你提供保证的声明);用户可以按此许可证条款重新发布程序的说明;并告诉用户如何看到这一许可证的副本。(例外的情况:如果原始程序以交互方式工作,它并不打印这样的声明,你的基于程序的作品也就不用打印声明)。

这些要求适用于修改了的作品的整体。如果能够确定作品的一部分并非程序的衍生产品,可以合理地认为这部分是独立的,是不同的作品。当你将它作为独立作品发布时,它不受此许可证和它的条款的约束。但是当你将这部分作为基于程序的作品的一部分发布时,作为整体它将受到许可证条款约束。准予其他许可证持有人的使用范围扩大到整个产品,也就是每个部分,不管它是谁写的。

因此,本条款的意图不在于要求或争夺对全部由你写成的作品的权利;而是履行权利来控制基于程序的集体作品或衍生作品的发布。

此外,仅将另一个不是基于程序的作品与程序(或与基于程序的作品)一起放在存储体或发布媒体的同一卷上,并不导致将那个作品置于此许可证的约束范围之内。

3.你可以以目标码或可执行形式复制或发布程序(或符合第 2 款的基于程序的作品),只要你遵守前面的第 1、2 款,并同时满足下列 3 条中的 1 条。

1)在通常用作软件交换的媒体上,随带其相应的、机器可读的、完整的源码。这些源码的发布应符合上面第 1、2 款的要求。或者

2)在通常用作软件交换的媒体上,随带一份为第三方提供相应的机器可读的源码的书面报价。其有效期不少于 3 年,费用不超过实际完成源程序发布的实际成本。源码的发布应符合上面的第 1、2 款的要求。或者

3)随带你收到的发布源码的报价信息。(这一条款只适用于非商业性发布,而且你只收到程序的目标码或可执行代码和按 2)款要求提供的报价)。

作品的源码指的是对作品进行修改最优先择取的形式。对可执行的作品来说,完整的源码包括:所有模块的所有源程序,加上有关的接口的定义文件,加上控制可执行作品的安装和编译的脚本。作为特殊例外,发布的源码不必包含任何常规发布的供可执行代码在上面运行的操作系统的主要组成部分(如编译程序、内核等),除非这些组成部分和可执行作品结合在一起。

如果采用提供访问指定地点进行复制的方式来发布可执行码或目标码,那么,提供对同一地点的访问来复制源码可以算作源码的发布,即使第三方不必与目标码一起复制源码。

4.除非你明确按许可证提出的要求去做,否则你不能复制、修改、转发许可证和发布程序。任何试图用其他方式复制、修改、转发许可证和发布程序是无效的。而且将自动结束许可证赋予你的权利。然而,对那些从你那里按许可证条款得到副本和权利的人们,只要他们继续全面履行条款,许可证赋予他们的权利仍然有效。

5.你还没有在本许可证上签字,因而你没有必要一定接受它。然而,没有任何其他东西赋予你修改和发布程序及其衍生作品的权利。如果你不接受本许可证,这些行为是法律禁止的。因此,如果你修改或发布程序(或任何基于程序的作品),你就表明你接受这一许可证以及它的所有有关复制、发布和修改程序或基于程序的作品的条款和条件。

6.每当你重新发布程序(或任何基于程序的作品)时,接受者自动从原始许可证颁发者那里接到受这些条款和条件支配的复制、发布或修改程序的许可证。你不可以对接受者履行这里赋予他们的权利强加其他限制。你也没有强求第三方履行许可证条款的义务。

7.如果作为法院的判决或专利的侵权争议或任何其他原因(不限于专利问题)的结果,对你强加了一些与本许可证的条件有冲突的条件,它们也不能开脱本许可证条款对你的约束。如果你不能同时满足本许可证规定的义务和其他相关的义务,那么你可以根本不发布程序。例如,如果某一专利许可证不允许所有那些直接或间接从你那里接受副本的人们在不付专利费的情况下重新发布程序,唯一能同时满足两方面要求的办法是停止发布程序。

如果本条款的任何部分在特定的环境下无效或无法实施,就使用条款的其余部分。并将条款作为整体用于其他环境。

本条款的目的不在于引诱你侵犯专利或其他财产权的要求,或争论这种要求的有效性。本条款的主要目的在于保护自由软件发布系统的完整性。它是通过通用公共许可证的应用来实现的。许多人坚持应用这一系统,已经为通过这一系统发布大量自由软件作出慷慨的供献。作者/捐献者有权决定他/她是否通过任何其它系统发布软件。许可证持有人不能强制这种选择。

本节的目的在于明确说明许可证其余部分可能产生的结果。

8.如果由于专利或者由于有版权的接口问题使程序在某些国家的发布和使用受到限制,将此程序置于许可证约束下的原始版权拥有者可以增加限制发布地区的条款,将这些国家明确排除在外。并在这些国家以外的地区发布程序。在这种情况下,许可证包含的限制条款和许可证正文一样有效。

9.自由软件基金会可能随时发布通用公共许可证的修改版或新版。新版和当前的版本在原则上保持一致,但在提到新问题时或有关事项时,在细节上可能出现差别。

每一版本都有不同的版本号。如果程序指定适用于它的许可证版本号以及“任何更新的版本”,你有权选择遵循指定的版本或自由软件基金会以后出版的新版本;如果程序未指定许可证版本,你可选择自由软件基金会已经出版的任何版本。

10.如果你愿意将程序的一部分结合到其他自由程序中,而它们的发布条件不同,写信给作者,要求准予使用。如果是自由软件基金会加以版权保护的软件,写信给自由软件基金会,我们有时会作为例外的情况处理。我们的决定受两个主要目标的指导,这两个主要目标是:我们的自由软件的衍生作品继续保持自由状态;以及从整体上促进软件的共享和重复利用。

没有保证

11. 由于程序准予免费使用,在适用法准许的范围内,对程序没有保证。除非另有书面说明,版权所有者和/或其他提供程序的人们"一样"不提供任何类型的保证,不论是明确的,还是隐含的,包括但不限于隐含的适销和适合特定用途的保证。全部的风险,如程序的质量和性能问题都由你来承担。如果程序出现缺陷,你承担所有必要的服务、修复和改正的费用。

12. 除非受适用法的要求或以书面形式达成协议,在任何情况下,任何版权所有者或任何按许可证条款修改和发布程序的人们都不对你的损失负有责任。包括由于使用或不能使用程序引起的任何一般的、特殊的、偶然发生的或重大的损失(包括但不限于数据的损失,或者数据变得不精确,或者你或第三方的持续的损失,或者程序不能与其他程序协调运行等),即使就这种损失的可能性咨询过版权所有者和其他人也不例外。

条款和条件结束

D4 如何将这些条款用于你的新程序

如果你开发了新程序,而且你需要它得到公众最大限度的利用。要做到这一点的最好办法是将它变为自由软件。使得每个人都能在遵守条款的基础上对它进行修改和重新发布。

为了做到这一点,给程序附上下列版权说明。最安全的方式是将它放在每个源程序的开头,以便最有效地传递专有权保证信息。每个文件至少应有"版权所有"行以及指出版权说明放在何处。

<用一行空间给出程序的名称和它用来做什么的简单说明>

版权所有(c) l9XX <作者姓名>

这一程序是自由软件,你可以遵照自由软件基金会发布的 GNU 通用公共许可证条款来修改和重新发布这一程序,你既可参照该许可证的第二版,也可参照(根据你的选择)任何更新的版本进行。

发布这一程序的目的是希望它有用,但没有任何保证,甚至没有**适销**或**适合特定目的**的隐含的保证。更详细的情况请参阅 GNU 通用公共许可证。

你应该已经与程序一起收到一份 GNU 通用公共许可证的副本,如果还没有,写信给:

The Free Software Foundation, Inc., 675 Mass Ave, Cambridge, MA02139, USA

还应加上如何用电子邮件和书面邮件与你联系的信息。

如果程序以交互方式进行工作,当它开始进入交互方式工作时,使它输出类似下面的简短声明:

Gnomovision 第 69 版, 版权所有 (C) l9XX　作者姓名

Gnomovision 绝对没有保证。要知道详细情况,请输入 show w。

这是自由软件,欢迎你遵守一定的条件重新发布它,要知道详细情况,

请输入'show c'。

假设的命令'show w'和'show c'应显示通用公共许可证的相应条款。当然,你使用的命令名称可以不同于'show w'和'show c'。根据你的程序的具体情况,也可以用菜单或鼠标选项来显示这些条款。

如果需要,你应该取得你的雇主(如果你是程序员)或你的学校签署放弃程序版权的声明。下面是一个例子,你应该改变相应的名称:

　　Yoyodyne 公司在此放弃 James Harker 所写的 Gnomovision 程序的全部版权利益。

　　<Ty Coon 的签名>,1989.4.1

　　Ty Coon 副总裁

　　这一许可证不允许你将程序并入专用程序。如果你的程序是一个子程序库,你可以认为用库的方式和专用应用程序连接更有用。如果这是你想做的事,使用 GNU 库通用公共许可证代替本许可证。